Profitez dès maintenant des solutions numériques d'apprentissage incluses dans le livre en activant vos accès à l'**Édition en ligne** (Pearson eText). Pour vous inscrire, vous n'avez besoin que d'une adresse courriel valide ainsi que du code d'accès imprimé sous le collant au bas de la page.

NOTE À L'ENSEIGNANT : Du matériel complémentaire à l'usage exclusif de l'enseignant est offert sur adoption de l'ouvrage. Certaines conditions s'appliquent. **Demandez votre code d'accès à information@erpi.com**

CODES D'ACCÈS DE L'ÉTUDIANT

ÉDITION EN LIGNE

❶ Rendez-vous à l'adresse de connexion de l'Édition en ligne :
http://enligne.erpi.com/hill/solutions

❷ Cliquez sur « S'inscrire » et suivez les instructions à l'écran.

❸ Vous pouvez retourner en tout temps à l'adresse de connexion pour consulter l'Édition en ligne.

COMPAGNON web

❶ Rendez-vous à l'adresse de connexion du Compagnon web :
http://cw.erpi.com/hill.cw

❷ Cliquez sur « S'inscrire » et suivez les instructions à l'écran.

❸ Vous pouvez retourner en tout temps à l'adresse de connexion pour consulter le Compagnon web.

Afin d'éviter une désactivation de votre code d'accès causée par une inscription incomplète ou erronée, consultez la capsule vidéo d'information « Première connexion » sur le site **http://assistance.pearsonerpi.com**

Code d'accès étudiant
ÉDITION EN LIGNE ▶

Code d'accès étudiant
COMPAGNON WEB ▶

CHISST-RANEE   OT-PIPES

cw20752

Nom d'usager

AVERTISSEMENT : Ce livre NE PEUT ÊTRE RETOURNÉ si la case ci-dessus est découverte.

Besoin d'aide ? : http://assistance.pearsonerpi.com

Les accès sont valides pendant 12 MOIS à compter de la date de votre inscription.

UN LIVRE *branché* SUR VOTRE RÉUSSITE !

Ce manuel est conçu dans le but de vous offrir une expérience d'apprentissage interactive et personnalisée. En profitant pleinement de ses possibilités pédagogiques, vous optimiserez votre temps d'étude et améliorerez vos résultats.

ÉDITION EN LIGNE

VOTRE MANUEL NUMÉRIQUE

Consultez le manuel dans sa version intégrale depuis n'importe quel accès internet

Aucun téléchargement n'est nécessaire. Vous n'avez qu'à entrer votre code d'accès personnel et le tour est joué !

Personnalisez et enrichissez votre manuel

Ajoutez des pages à vos favoris, surlignez du texte et insérez des annotations directement sur l'**Édition en ligne** de votre manuel.

Recherchez des notions efficacement

Le moteur de recherche intégré à l'**Édition en ligne** vous permet de trouver un mot (une notion, par exemple) dans l'ensemble du manuel.

Accédez à du matériel pédagogique complémentaire

L'**Édition en ligne** est une version augmentée du manuel ; vous y trouverez des clips, qui présentent des solutions commentées sous forme de courtes capsules vidéo pour des problèmes qui soulèvent des difficultés particulières.

COMPAGNON web MD

POUR APPROFONDIR ET TESTER VOS CONNAISSANCES.

Votre Compagnon web vous offre un tout nouvel outil : les clips, qui présentent des solutions commentées sous forme de courtes capsules vidéo pour des problèmes qui soulèvent des difficultés particulières.

ERPi

W20463 (A20463)

Les éléments

Nom	Symbole	Numéro atomique	Masse atomique	Nom	Symbole	Numéro atomique	Masse atomique
Actinium	Ac	89	227,028	Meitnerium	Mt	109	(266)
Aluminum	Al	13	26,9815	Mendélévium	Md	101	(258)
Américium	Am	95	(243)	Mercure	Hg	80	200,59
Antimoine	Sb	51	121,76	Molybdène	Mo	42	95,94
Argent	Ag	47	107,868	Néodyme	Nd	60	144,24
Argon	Ar	18	39,948	Néon	Ne	10	20,1797
Arsenic	As	33	74,9216	Neptunium	Np	93	237,048
Astate	At	85	(210)	Nickel	Ni	28	58,693
Azote	N	7	14,0067	Niobium	Nb	41	92,9064
Barium	Ba	56	137,327	Nobélium	No	102	(259)
Berkélium	Bk	97	(247)	Or	Au	79	196,967
Béryllium	Be	4	9,01218	Osmium	Os	76	190,23
Bismuth	Bi	83	208,980	Oxygène	O	8	15,9994
Bohrium	Bh	107	(262)	Palladium	Pd	46	106,42
Bore	B	5	10,811	Phosphore	P	15	30,9738
Brome	Br	35	79,904	Platine	Pt	78	195,08
Cadmium	Cd	48	112,411	Plomb	Pb	82	207,2
Calcium	Ca	20	40,078	Plutonium	Pu	94	(244)
Californium	Cf	98	(251)	Polonium	Po	84	(209)
Carbone	C	6	12,011	Potassium	K	19	39,0983
Cérium	Ce	58	140,115	Praséodyme	Pr	59	140,908
Césium	Cs	55	132,905	Prométhéum	Pm	61	(145)
Chlore	Cl	17	35,4527	Protactinium	Pa	91	231,036
Chrome	Cr	24	51,9961	Radium	Ra	88	226,025
Cobalt	Co	27	58,9332	Radon	Rn	86	(222)
Cuivre	Cu	29	63,546	Rhénium	Re	75	186,207
Curium	Cm	96	(247)	Rhodium	Rh	45	102,906
Dubnium	Db	105	(262)	Rubidium	Rb	37	85,4678
Dysprosium	Dy	66	162,50	Ruthénium	Ru	44	101,07
Einsteinium	Es	99	(252)	Rutherfordium	Rf	104	(261)
Erbium	Er	68	167,26	Samarium	Sm	62	150,36
Étain	Sn	50	118,710	Scandium	Sc	21	44,9559
Europium	Eu	63	151,965	Seaborgium	Sg	106	(263)
Fer	Fe	26	55,847	Sélénium	Se	34	78,96
Fermium	Fm	100	(257)	Silicium	Si	14	28,0855
Fluor	F	9	18,9984	Sodium	Na	11	22,9898
Francium	Fr	87	(223)	Soufre	S	16	32,066
Gadolinium	Gd	64	157,25	Strontium	Sr	38	87,62
Gallium	Ga	31	69,723	Tantale	Ta	73	180,948
Germanium	Ge	32	72,61	Technétium	Tc	43	(98)
Hafnium	Hf	72	178,49	Tellure	Te	52	127,60
Hassium	Hs	108	(265)	Terbium	Tb	65	158,925
Hélium	He	2	4,00260	Thallium	Tl	81	204,383
Holmium	Ho	67	164,930	Thorium	Th	90	232,038
Hydrogène	H	1	1,00794	Thulium	Tm	69	168,934
Indium	In	49	114,818	Titane	Ti	22	47,88
Iode	I	53	126,904	Tungstène	W	74	183,84
Iridium	Ir	77	192,22	Uranium	U	92	238,029
Krypton	Kr	36	83,80	Vanadium	V	23	50,9415
Lanthanum	La	57	138,906	Xénon	Xe	54	131,29
Lawrencium	Lr	103	(260)	Ytterbium	Yb	70	173,04
Lithium	Li	3	6,941	Yttrium	Y	39	88,9059
Lutécium	Lu	71	174,967	Zinc	Zn	30	65,39
Magnésium	Mg	12	24,3050	Zirconium	Zr	40	91,224
Manganèse	Mn	25	54,9381				

CHIMIE
DES SOLUTIONS
2e ÉDITION

CHIMIE
DES SOLUTIONS
2e ÉDITION

John W. Hill
Ralph H. Petrucci
Terry W. McCreary
Scott S. Perry
RÉAL CANTIN

ERPI
ÉDITIONS DU RENOUVEAU PÉDAGOGIQUE INC.

5757, RUE CYPIHOT, SAINT-LAURENT (QUÉBEC) H4S 1R3
TÉLÉPHONE: 514 334-2690
erpidlm@erpi.com

TÉLÉCOPIEUR: 514 334-4720
www.erpi.com

DÉVELOPPEMENT DE PRODUITS
SYLVAIN GIROUX

SUPERVISION ÉDITORIALE
JACQUELINE LEROUX

TRADUCTION
PIERRETTE MAYER

RÉVISION LINGUISTIQUE
MICHEL BOYER

CORRECTION D'ÉPREUVES
CAROLE LAPERRIÈRE

DIRECTION ARTISTIQUE
HÉLÈNE COUSINEAU

COORDINATION DE LA PRODUCTION
MURIEL NORMAND

CONCEPTION GRAPHIQUE ET COUVERTURE
MARTIN TREMBLAY

ILLUSTRATIONS
VOIR PAGE 495

ÉDITION ÉLECTRONIQUE
INTERSCRIPT

Dans cet ouvrage, le générique masculin est utilisé sans aucune discrimination et uniquement pour alléger le texte.

Cet ouvrage est une version française de la quatrième édition de *General Chemistry* de John W. Hill, Ralph H. Petrucci, Terry W. McCreary et Scott S. Perry, publiée et vendue à travers le monde avec l'autorisation de Pearson Education, Inc.

Dépôt légal :
Bibliothèque et Archives nationales du Québec, 2008
Bibliothèque nationale et Archives Canada, 2008
Imprimé au Canada

ISBN 978-2-7613-2433-5

67890   SO   15 14 13 12
20463 ABCD   SM9

C'est dans le but d'encore mieux répondre aux attentes des professeurs et des étudiants et d'atteindre au plus près les objectifs de la formation collégiale que nous avons réalisé cette deuxième édition de **Chimie des solutions**. Les nombreuses qualités pédagogiques qui ont fait la marque de l'édition précédente et qui permettent à l'étudiant consciencieux de comprendre les principes de la chimie ainsi que leurs diverses applications dans la vie de tous les jours ont été maintenues, voire renforcées.

La structure

L'ouvrage est dorénavant constitué de neuf chapitres. Les huit premiers portent sur les principes de la chimie des solutions, illustrés par des applications toujours aussi significatives et des exemples concrets tirés de la chimie descriptive. Les auteurs abordent la chimie des solutions de façon systématique, particulièrement en mettant l'accent sur les liens entre les propriétés des substances et les principes étudiés antérieurement. Le chapitre 4 — Les acides, les bases et l'équilibre acidobasique — et le chapitre 5 — D'autres équilibres en solutions aqueuses : les sels peu solubles et les ions complexes —, par exemple, appliquent les notions d'équilibre présentées au chapitre 3.

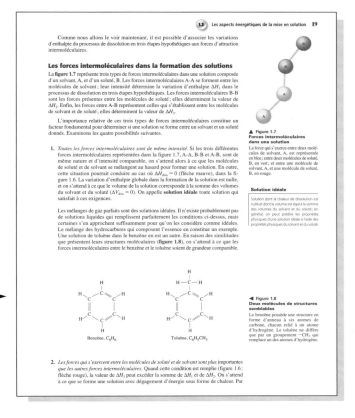

Le neuvième et dernier chapitre — La chimie de l'environnement — permet d'appliquer nombre de notions vues dans le manuel à l'étude de l'hydrosphère, des poisons, des substances cancérogènes et anticancérogènes ainsi que des matières dangereuses, des thèmes au cœur de l'actualité environnementale. Le chapitre est en outre annoté et comprend des renvois à l'ouvrage *Biologie*, de Campbell et Reece, et à la série *Physique*, de Benson. Ces références constituent des points de départ possibles pour l'étudiant qui veut réaliser un projet dans le cadre d'une activité d'intégration. Soulignons ici que notre manuel *Chimie générale*, des mêmes auteurs, se termine également par un chapitre sur la chimie de l'environnement, dans lequel on traite de l'atmosphère.

L'intégration de la chimie organique et de la biochimie

Toujours dans l'esprit de favoriser l'intégration, les auteurs ont cherché à offrir un manuel qui, tout en constituant une base pour la chimie générale, incorpore les domaines les plus importants de cette matière. Il y est ainsi question à de nombreuses reprises des principes physiques, des composés inorganiques et des techniques d'analyse.

Par ailleurs, comme on ne peut nier l'importance des composés organiques dans la vie quotidienne, qu'il s'agisse des matériaux synthétiques ou des médicaments, le manuel aborde dès le chapitre 1 des notions simples de chimie organique puis présente des applications qui décrivent les propriétés physiques de substances, leur polarité et leur solubilité en milieu aqueux, la chimie des acides et des bases, ainsi que les réactions d'oxydoréduction. Les auteurs proposent ainsi un ensemble de notions fondamentales utiles aux étudiants qui ne poursuivront pas l'étude de la chimie organique, tout en offrant des préalables à ceux qui choisiront cette matière.

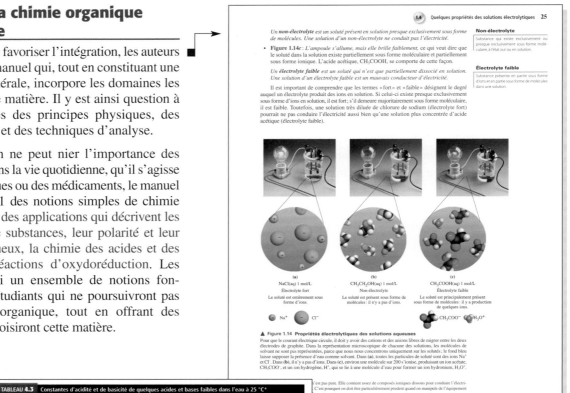

Un **non-électrolyte** est un soluté présent en solution presque exclusivement sous forme de molécules. Une solution d'un non-électrolyte ne conduit pas l'électricité.

- **Figure 1.14c** : *L'ampoule s'allume, mais elle brille faiblement*, ce qui veut dire que le soluté dans la solution existe partiellement sous forme moléculaire et partiellement sous forme ionique. L'acide acétique, CH_3COOH, se comporte de cette façon.

Un **électrolyte faible** est un soluté qui n'est que partiellement dissocié en solution. Une solution d'un électrolyte faible est un mauvais conducteur d'électricité.

Il est important de comprendre que les termes « fort » et « faible » désignent le degré auquel un électrolyte produit des ions en solution. Si celui-ci existe presque exclusivement sous forme d'ions en solution, il est fort ; s'il demeure majoritairement sous forme moléculaire, il est faible. Toutefois, une solution très diluée de chlorure de sodium (électrolyte fort) pourrait ne pas conduire l'électricité aussi bien qu'une solution plus concentrée d'acide acétique (électrolyte faible).

Non-électrolyte
Substance qui existe exclusivement ou presque exclusivement sous forme moléculaire, à l'état pur ou en solution.

Électrolyte faible
Substance présente en partie sous forme d'ions et en partie sous forme de molécules dans une solution.

(a)
$NaCl(aq)$ 1 mol/L
Électrolyte fort
Le soluté est entièrement sous forme d'ions.

(b)
$CH_3CH_2OH(aq)$ 1 mol/L
Non-électrolyte
Le soluté est présent sous forme de molécules : il n'y a pas d'ions.

(c)
$CH_3COOH(aq)$ 1 mol/L
Électrolyte faible
Le soluté est principalement présent sous forme de molécules : il y a production de quelques ions.

Na^+ Cl^- CH_3COO^- H_3O^+

▲ Figure 1.14 **Propriétés électrolytiques des solutions aqueuses**
Pour que le courant électrique circule, il doit y avoir des cations et des anions libres de migrer entre les deux électrodes de graphite. Dans la représentation microscopique de chacune des solutions, les molécules de solvant ne sont pas représentées, parce que nous nous concentrons uniquement sur les solutés ; le fond bleu laisse supposer la présence d'eau comme solvant. Dans (a), toutes les particules de soluté sont des ions Na^+ et Cl^-. Dans (b), il n'y a pas d'ions. Dans (c), environ une molécule sur 200 s'ionise, produisant un ion acétate, CH_3COO^-, et un ion hydrogène, H^+, qui se lie à une molécule d'eau pour former un ion hydronium, H_3O^+.

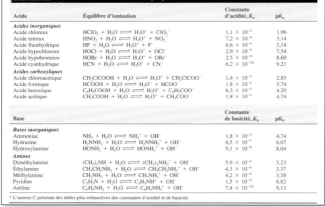

TABLEAU 4.3	Constantes d'acidité et de basicité de quelques acides et bases faibles dans l'eau à 25 °C*		
Acide	**Équilibre d'ionisation**	**Constante d'acidité, K_a**	**pK_a**
Acides inorganiques			
Acide chloreux	$HClO_2 + H_2O \rightleftharpoons H_3O^+ + ClO_2^-$	$1,1 \times 10^{-2}$	1,96
Acide nitreux	$HNO_2 + H_2O \rightleftharpoons H_3O^+ + NO_2^-$	$7,2 \times 10^{-4}$	3,14
Acide fluorhydrique	$HF + H_2O \rightleftharpoons H_3O^+ + F^-$	$6,6 \times 10^{-4}$	3,18
Acide hypochloreux	$HOCl + H_2O \rightleftharpoons H_3O^+ + OCl^-$	$2,9 \times 10^{-8}$	7,54
Acide hypobromeux	$HOBr + H_2O \rightleftharpoons H_3O^+ + OBr^-$	$2,5 \times 10^{-9}$	8,60
Acide cyanhydrique	$HCN + H_2O \rightleftharpoons H_3O^+ + CN^-$	$6,2 \times 10^{-10}$	9,21
Acides carboxyliques			
Acide chloroacétique	$CH_2ClCOOH + H_2O \rightleftharpoons H_3O^+ + CH_2ClCOO^-$	$1,4 \times 10^{-3}$	2,85
Acide formique	$HCOOH + H_2O \rightleftharpoons H_3O^+ + HCOO^-$	$1,8 \times 10^{-4}$	3,74
Acide benzoïque	$C_6H_5COOH + H_2O \rightleftharpoons H_3O^+ + C_6H_5COO^-$	$6,3 \times 10^{-5}$	4,20
Acide acétique	$CH_3COOH + H_2O \rightleftharpoons H_3O^+ + CH_3COO^-$	$1,8 \times 10^{-5}$	4,74
Base		**Constante de basicité, K_b**	**pK_b**
Bases inorganiques			
Ammoniac	$NH_3 + H_2O \rightleftharpoons NH_4^+ + OH^-$	$1,8 \times 10^{-5}$	4,74
Hydrazine	$H_2NNH_2 + H_2O \rightleftharpoons H_2NNH_3^+ + OH^-$	$8,5 \times 10^{-7}$	6,07
Hydroxylamine	$HONH_2 + H_2O \rightleftharpoons HONH_3^+ + OH^-$	$9,1 \times 10^{-9}$	8,04
Amines			
Diméthylamine	$(CH_3)_2NH + H_2O \rightleftharpoons (CH_3)_2NH_2^+ + OH^-$	$5,9 \times 10^{-4}$	3,23
Éthylamine	$CH_3CH_2NH_2 + H_2O \rightleftharpoons CH_3CH_2NH_3^+ + OH^-$	$4,3 \times 10^{-4}$	3,37
Méthylamine	$CH_3NH_2 + H_2O \rightleftharpoons CH_3NH_3^+ + OH^-$	$4,2 \times 10^{-4}$	3,38
Pyridine	$C_5H_5N + H_2O \rightleftharpoons C_5H_5NH^+ + OH^-$	$1,5 \times 10^{-9}$	8,82
Aniline	$C_6H_5NH_2 + H_2O \rightleftharpoons C_6H_5NH_3^+ + OH^-$	$7,4 \times 10^{-10}$	9,13

* L'annexe C présente des tables plus exhaustives des constantes d'acidité et de basicité.

n'est pas pure. Elle contient assez de composés ioniques dissous pour conduire l'électri-
. C'est pourquoi on doit être particulièrement prudent quand on manipule de l'équipement
eau.

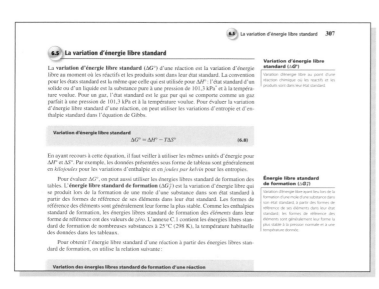

6.5 La variation d'énergie libre standard

La **variation d'énergie libre standard** ($\Delta G°$) d'une réaction est la variation d'énergie libre au moment où les réactifs et les produits sont dans leur état standard. La convention pour les états standard est la même que celle qui est utilisée pour $\Delta H°$: l'état standard d'un solide ou d'un liquide est la substance pure à une pression de 101,3 kPa et à la température voulue. Pour un gaz, l'état standard est le gaz pur qui se comporte comme un gaz parfait à une pression de 101,3 kPa et à la température voulue. Pour évaluer la variation d'énergie libre standard d'une réaction, on peut utiliser les variations d'entropie et d'enthalpie standard dans l'équation de Gibbs.

Variation d'énergie libre standard
$$\Delta G° = \Delta H° - T\Delta S° \tag{6.8}$$

Variation d'énergie libre standard ($\Delta G°$)
Variation d'énergie libre au moment d'une réaction chimique où les réactifs et les produits sont dans leur état standard.

En ayant recours à cette équation, il faut veiller à utiliser les mêmes unités d'énergie pour $\Delta H°$ et $\Delta S°$. Par exemple, les données présentées sous forme de tableau sont généralement en *kilojoules* pour les variations d'enthalpie et en *joules par kelvin* pour les entropies.

Pour évaluer $\Delta G°$, on peut aussi utiliser les énergies libres standard de formation des tables. L'**énergie libre standard de formation** ($\Delta G_f°$) est la variation d'énergie libre qui se produit lors de la formation d'une mole d'une substance dans son état standard à partir des formes de référence de ses éléments dans leur état standard. Les formes de référence des éléments sont généralement leur forme la plus stable. Comme les enthalpies standard de formation, les énergies libres standard de formation des *éléments* dans leur forme de référence ont des valeurs de *zéro*. L'annexe C.1 contient les énergies libres standard de formation de nombreuses substances à 25 °C (298 K), la température habituelle des données dans les tableaux.

Pour obtenir l'énergie libre standard d'une réaction à partir des énergies libres standard de formation, on utilise la relation suivante :

Énergie libre standard de formation ($\Delta G_f°$)
Variation d'énergie libre ayant lieu lors de la formation d'une mole d'une substance dans son état standard, à partir des formes de référence de ses éléments dans leur état standard ; les formes de référence des éléments sont généralement leur forme la plus stable à la pression normale et à une température donnée.

Variation des énergies libres standard de formation d'une réaction

La clarté de la mise en page

Le nouveau format du manuel et sa présentation claire en font un ouvrage essentiel pour l'étude de la chimie. Les mots clés relatifs à la discipline sont définis dans la marge, ce qui facilite un repérage rapide et renforce l'apprentissage. De plus, les équations les plus importantes sont numérotées et mises en évidence.

La résolution de problèmes

Afin de favoriser l'acquisition d'habiletés en résolution de problèmes, les auteurs ont subdivisé la majorité des exemples en quatre parties : l'énoncé du problème, la stratégie utilisée pour le résoudre, la solution et enfin l'évaluation, une étape importante du processus qui permet de vérifier si le résultat obtenu est juste et conforme à ce qu'on recherchait.

La plupart des exemples sont suivis de deux exercices. L'exercice A donne aux étudiants la possibilité d'appliquer la méthode décrite dans l'exemple à un problème similaire, tandis que l'exercice B s'en éloigne un peu pour permettre la révision des notions apprises antérieurement ou la préparation à l'étude des éléments à venir.

En plus des exemples classiques où des calculs sont requis, on trouve de nombreux exemples conceptuels et des exemples de calculs approximatifs. Ces deux types d'exemples — qui ne sont proposés dans aucun autre ouvrage de chimie — amènent l'étudiant à vérifier sa compréhension des principes fondamentaux et à prendre l'habitude de se questionner sur la vraisemblance de sa réponse avant de vérifier si elle est juste. ■

EXEMPLE 2.9

Proposez une valeur de k à 375 K pour la décomposition du pentoxyde de diazote, illustrée à la figure 2.15, sachant que $k = 2,5 \times 10^{-3}$ s^{-1} à 332 K.

➔ Stratégie

Remarquons d'abord qu'il est impossible de répondre à cette question simplement en relevant une valeur de ln k sur la droite du graphique de la figure 2.15. Le point qui correspond à 375 K ($1/T = 2,67 \times 10^{-3}$ K^{-1}) se situe loin à l'extérieur de l'échelle. Il faut plutôt utiliser l'équation d'Arrhenius.

$$\ln \frac{k_2}{k_1} = \frac{E_a}{R}\left[\frac{1}{T_1} - \frac{1}{T_2}\right]$$

Que l'on indique la constante de vitesse inconnue par k_1 ou k_2 a peu d'importance mais, d'habitude, on utilise le chiffre 1 pour les conditions initiales et le chiffre 2 pour les conditions finales ou inconnues. Nous ferons la même chose ici, c'est-à-dire que nous associerons k_2 à la constante de vitesse inconnue.

➔ Solution

Nous avons besoin des données suivantes :

$k_2 = ?$ $T_2 = 375$ K $E_a = 1,0 \times 10^5$ J·mol^{-1} (de la figure 2.15)
$k_1 = 2,5 \times 10^{-3}$ s^{-1} $T_1 = 332$ K $R = 8,3145$ J·mol^{-1}·K^{-1}

$$\ln \frac{k_2}{k_1} = \frac{1,0 \times 10^5 \text{ J·mol}^{-1}}{8,3145 \text{ J·mol}^{-1}\cdot\text{K}^{-1}}\left[\frac{1}{332 \text{ K}} - \frac{1}{375 \text{ K}}\right]$$

$$= 1,2 \times 10^4 \text{ K} \times (0,003\ 01 - 0,002\ 67) \text{ K}^{-1} = 4,1$$

$$\frac{k_2}{k_1} = e^{4,1} = 60$$

$$k_2 = 60 \times k_1 = 60 \times 2,5 \times 10^{-3} \text{ s}^{-1} = 1,5 \times 10^{-1} \text{ s}^{-1}$$

➔ Évaluation

Nous nous attendons à ce que la constante de vitesse augmente avec la température, ce que confirment les résultats : 0,15 s^{-1} à 375 K contre 2,5 × 10^{-3} s^{-1} à 332 K. Nous constatons même que la température influe fortement sur la vitesse de réaction. Une augmentation de 59 °C à 102 °C a pour effet de rendre la réaction 60 fois plus rapide. Selon une règle empirique, aux environs de la température de la pièce, la vitesse d'une réaction double pour chaque augmentation de 10 °C.

Notons aussi que le résultat est le même si nous choisissons k_1 pour inconnue au lieu de k_2 : ln k_2/k_1 devient alors –4,1 ; $k_2/k_1 = 0,017$; $k_1 = k_2/0,017 = 2,5 \times 10^{-3}$ s$^{-1}/0,017 = 0,15$ s^{-1}.

EXERCICE 2.9 A

Utilisez les données de l'exemple 2.9 pour déterminer la température à laquelle la constante de vitesse k sera égale à $1,0 \times 10^{-5}$ s^{-1} au cours de la décomposition du pentoxyde de diazote.

EXEMPLE 1.17   Un exemple conceptuel

La **figure 1.24** représente deux solutions aqueuses de différentes concentrations en soluté volatil placées dans la même enceinte. Après un certain temps, le niveau de la solution s'est é dans le contenant A et a baissé dans le contenant B. Expliquez pourquoi et comment cel produit.

➔ Analyse et conclusion

Le transfert de l'eau d'un contenant à l'autre ne peut se faire que par l'intermédiaire de la pl vapeur. Il doit y avoir une évaporation nette du contenant B et une condensation nette dan contenant A. Pour cela, il faut que la pression de vapeur de l'eau au-dessus de la solution B plus grande que celle qui est au-dessus de la solution A. Selon la loi de Raoult, la pression vapeur de l'eau au-dessus des deux solutions est donnée par l'expression suivante.

$$P_{\text{H}_2\text{O}} = \chi_{\text{H}_2\text{O}} \cdot P^{\circ}_{\text{H}_2\text{O}}$$

Par conséquent, la fraction molaire de l'eau est plus grande dans la solution du contenant B dans celle du contenant A. La solution dans B est plus diluée. L'eau passe, sous forme de vap de la solution la plus diluée vers la solution la plus concentrée.

La nature des solutés non volatils dans les solutions A et B importe peu ; les soluté pourraient même avoir des solutés *différents*. Tant que les solutions sont diluées et qu'elles le même solvant (eau), la diminution de la pression de vapeur ne dépend que de la *concentra* du soluté non volatil et non d'autres caractéristiques associées aux molécules de ce dernier diminution de la pression de vapeur est un excellent exemple d'une propriété colligative.

EXEMPLE 2.6   Un exemple de calcul approximatif

Quelle valeur parmi les suivantes semble une approximation valable du temps nécessaire pour que 90 % d'un échantillon de N_2O_5 soit décomposé à 67 °C : (a) 200 s, (b) 300 s, (c) 400 s ou (d) 500 s ?

➔ Analyse et conclusion

Nous pourrions évidemment utiliser l'expression, ln $P_t/P_0 = -kt$, et substituer 0,10 au rapport P_t/P_0. (Quand 90 % du réactif est consommé, il n'en reste que 10 %). Cependant, nous pouvons faire un calcul approximatif acceptable en utilisant le concept de demi-vie. La fraction restante de N_2O_5 est 0,10. La fraction qui reste après *une* demi-vie est 0,50 ; après *deux* demi-vies, 0,25 ; après *trois*, 0,125 ; et après *quatre*, 0,0625. Le temps (t) cherché se situe entre *trois* et *quatre* demi-vies. Si nous utilisons une demi-vie d'environ 120 s, valeur obtenue dans l'exemple 2.5, la réponse devrait être la suivante.

$$3 \times 120 \text{ s} < t < 4 \times 120 \text{ s}$$

$$360 \text{ s} < t < 480 \text{ s}$$

Parmi les valeurs proposées, seule (c) est possible : 400 s.

EXERCICE 2.6 A

Sans effectuer de calculs détaillés ni d'extrapolation à partir du graphique, évaluez $P_{\text{N}_2\text{O}_5}$ *à 370 s sur le graphique de la figure 2.6.*

EXERCICE 2.6 B

La décomposition du peroxyde de di-*tert*-butyle en acétone et en éthane est une réaction d'ordre un.

$$C_8H_{18}O_2(g) \longrightarrow 2 \text{ CH}_3\text{COCH}_3(g) + \text{CH}_3\text{CH}_3(g)$$

EXEMPLE SYNTHÈSE

On chauffe un mélange de solides contenant 1,00 g de chlorure d'ammonium et 2,00 g d'hydroxyde de baryum pour en expulser l'ammoniac. Le $NH_3(g)$ libéré est alors dissous dans 0,500 L d'eau contenant 225 ppm de Ca^{2+} sous forme de chlorure de calcium. Quel précipité se formera dans l'eau ?

➔ Stratégie

Le précipité, s'il y en a un, sera $Ca(OH)_2(s)$. Les ions Ca^{2+} sont présents dans l'eau, et, après la dissolution du $NH_3(g)$ libéré, les groupements OH^- sont produits par ionisation de la base faible $NH_3(aq)$:

$$NH_3(aq) + H_2O(l) \rightleftharpoons NH_4^+(aq) + OH^-(aq) \quad K_b = 1,8 \times 10^{-5} \quad \text{(a)}$$

Si un précipité se forme, le produit ionique final dans l'eau, $Q = [Ca^{2+}][OH^-]$, doit être supérieur au K_{ps} de $Ca(OH)_2$.

$$Ca(OH)_2(s) \rightleftharpoons Ca^{2+}(aq) + 2 \text{ OH}^-(aq) \quad K_{ps} = 5,5 \times 10^{-6} \quad \text{(b)}$$

Pour déterminer la quantité de $NH_3(g)$ libéré, nous devons tenir compte, dans notre calcul, du réactif limitant dans l'équation suivante :

$$2 \text{ NH}_4\text{Cl}(s) + \text{Ba(OH)}_2 \rightleftharpoons \text{BaCl}_2(s) + 2 \text{ H}_2\text{O}(l) + 2 \text{ NH}_3(g) \quad \text{(c)}$$

Les dernières étapes du calcul permettront d'obtenir la [OH$^-$] à partir de l'équation *a*, de convertir les ppm de Ca^{2+} en [Ca^{2+}], et de comparer les valeurs de Q et K_{ps} pour l'équation *b*.

➔ Solution

Pour déterminer la quantité de $NH_3(g)$ disponible, nous utilisons deux calculs stœchiométriques basés sur la réaction *c*.

À la fin de chaque chapitre, un exemple synthèse combine diverses notions apprises antérieurement. Cette activité est un autre moyen pédagogique mis de l'avant pour favoriser l'intégration des connaissances et des habiletés.

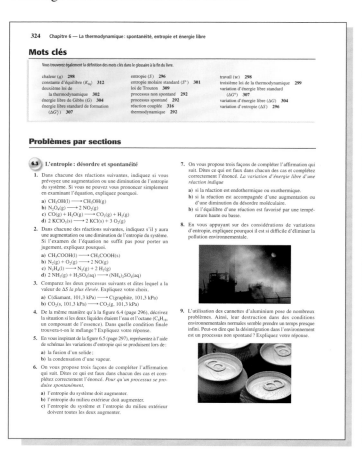

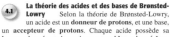

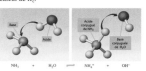

Le résumé en fin de chapitre

■ Plus synthétique et plus visuel dans cette deuxième édition, le résumé reprend, section par section, les notions clés abordées en y associant des illustrations. Les équations importantes y sont aussi rappelées.

La qualité des problèmes

Chacun des problèmes proposés dans l'édition précédente a fait l'objet d'une révision, et les modifications, ajouts et retraits effectués permettent d'offrir une banque de questions plus diversifiée et plus riche sur les notions qui posent le plus de difficultés aux étudiants. À la suite de cette série de problèmes divisés par sections, on trouve un ensemble de problèmes complémentaires, constitués de problèmes défis — mais réalisables — et de problèmes synthèses, qui ne renvoient à aucune section précise du chapitre. Cette partie est idéale pour se préparer à un examen. Les réponses à tous les exercices et à tous les problèmes de l'ouvrage sont données à la fin du manuel.

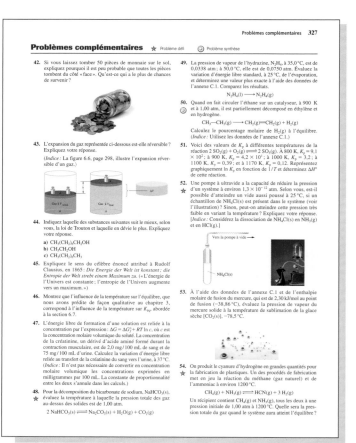

Compagnon Web

Le Compagnon Web de l'ouvrage (www.erpi.com/hill.cw) favorise la réussite des étudiants grâce à un tout nouvel outil : les clips ▶. Près de 100 problèmes soulevant des difficultés particulières y sont résolus sous forme de courtes capsules vidéo, où on entend un enseignant expliquer la démarche qu'il applique.

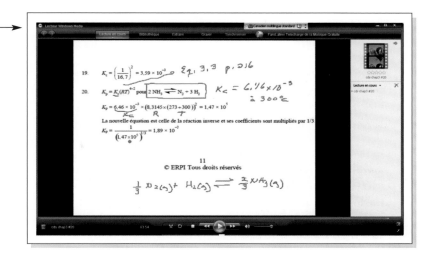

Remerciements

L'adaptateur et l'éditeur tiennent à remercier Jean-Marie Gagnon, pour son travail minutieux sur le solutionnaire et les réponses à la fin du manuel, ainsi que les nombreux enseignants dont les suggestions ont permis d'orienter l'adaptation de l'ouvrage. Ils sont en outre reconnaissants aux enseignants qui ont relu et commenté le manuscrit, soit :

Sofian Bechaouch, Collège de Bois-de-Boulogne

Nicolas Boisvert, Cégep de Saint-Hyacinthe

Josée Debigaré, Cégep de Lévis-Lauzon

Louise Goulet, Collège de Bois-de-Boulogne

Christian Héon, professeur de physique, Cégep de Victoriaville

Rémy Larouche, Cégep de Jonquière

Nathalie Lavoie, Cégep de Chicoutimi

Carl Ouellet, Collège Édouard-Montpetit

Christine Paquette, Cégep de Saint-Laurent

Chantale Paradis, Cégep de Lévis-Lauzon

Marie-Ève Perron, Collège de Valleyfield

Guy Roberge, professeur de biologie, Cégep de Lévis-Lauzon

Sandrine Rossi, Cégep régional de Lanaudière à L'Assomption

Chantal Secours, Collège Montmorency

Christian Tessier, Collège de Bois-de-Boulogne

Maritza Volel, Collège Gérald-Godin

Table des matières

Chapitre 4 Les acides, les bases et l'équilibre acidobasique

Chapitre 5 D'autres équilibres en solutions aqueuses : les sels peu solubles et les ions complexes

Chapitre 6 La thermodynamique : spontanéité, entropie et énergie libre

CHIMIE
DES SOLUTIONS
2e ÉDITION

Les **propriétés physiques** des **solutions**

Comme de nombreux liquides naturels, l'eau de mer n'est pas une substance pure, mais une solution. Beaucoup de gens savent que c'est la dissolution des ions sodium et des ions chlore qui confère à l'eau de mer son goût salé. Toutefois, l'eau de mer contient beaucoup d'autres solutés moins connus, des substances moléculaires, ioniques, solides, liquides et gazeuses, qui contribuent elles aussi à lui donner ses caractéristiques. Les propriétés physiques des solutions, que nous allons étudier dans le présent chapitre, sont en grande partie responsables du maintien des processus vitaux dans les systèmes naturels.

Une part importante de la matière appartient à la catégorie des mélanges homogènes, plus communément appelés *solutions*. Dans le présent chapitre, nous étudierons quelques propriétés *physiques* des solutions et les phénomènes qui leur sont liés. Considérons le liquide de refroidissement d'un moteur d'automobile. L'eau pure suffirait pour refroidir le moteur, mais on préfère habituellement utiliser une solution d'éthylèneglycol ($HOCH_2CH_2OH$) dans l'eau, car cette solution possède à la fois une *température d'ébullition* plus élevée et une *température de congélation* plus faible que celles de l'eau. Elle est moins susceptible que l'eau de s'évaporer dans un moteur chaud ou de geler à basse température ; elle joue à la fois le rôle de liquide de refroidissement et d'antigel.

Examinons le pétrole, une solution constituée de centaines de composés, dont de nombreux hydrocarbures. Pour produire de l'essence à partir du pétrole, on utilise la distillation fractionnée afin de séparer les hydrocarbures les uns des autres, mettant ainsi à profit leurs différentes températures d'ébullition. Ce processus est relié aux *pressions de vapeur* des composants de la solution. Pensons aussi aux professionnels de la santé, pour qui la connaissance des propriétés physiques des solutions est essentielle. En effet, ils ont à injecter des solutions aqueuses par voie intraveineuse pour rétablir l'équilibre hydrique de l'organisme et garder les concentrations des électrolytes constantes. Ils ne peuvent pas utiliser d'eau pure dans ce but, car celle-ci serait immédiatement engloutie par les cellules, ce qui les ferait gonfler et finalement éclater. Il leur faut plutôt administrer des solutions aqueuses dont l'une des propriétés, la *pression osmotique*, doit être évaluée correctement.

La température d'ébullition, la température de congélation, la pression de vapeur et la pression osmotique sont des propriétés physiques des solutions qui sont interdépendantes. Nous allons les explorer dans ce chapitre. Nous allons également étudier quelques questions fondamentales au sujet de la formation des solutions : par exemple la façon dont un solvant parvient à dissoudre un soluté.

L'étude des solutions vous permettra, entre autres, de répondre aux questions suivantes :

- Selon la législation québécoise, les trihalométhanes, contaminants dont fait partie le chloroforme ($CHCl_3$), ne doivent pas dépasser 350 ppb dans l'eau potable. Que signifie ppb ?

- Comment peut-on expliquer que les plus importants lieux de pêche en haute mer sont situés dans les régions froides du monde ?

- Pourquoi est-il plus efficace, par temps très froid, d'utiliser le chlorure de calcium plutôt que le chlorure de sodium pour faire fondre la glace qui recouvre les rues et les trottoirs ?

1.1   Quelques types de solutions

Solvant

Composante d'une solution dans laquelle le ou les solutés sont dissous et dont la quantité est généralement supérieure à celle du soluté ou des solutés.

Soluté

Composante d'une solution dissoute dans le solvant, dont la quantité est généralement inférieure à celle du solvant.

Cette souris survit en respirant une solution de perfluorodécaline ($C_{10}F_{18}$) saturée en $O_2(g)$ (une solution d'un gaz dans un liquide). Cette solution et d'autres semblables sont très utilisées au Japon comme substitut temporaire du sang au cours des chirurgies. Aux États-Unis, de telles solutions servent à traiter les enfants prématurés dont les poumons ne sont pas complètement formés.

On attribue généralement le terme **solvant** au composant de la solution présent en plus grande quantité et qui détermine dans quelle phase celle-ci se trouve. L'autre composant — *ou* les autres composants — est le **soluté**. Dans une solution de saccharose (sucre de canne) dissous dans l'eau, le saccharose solide est le soluté, et l'eau liquide, le solvant. Cela est vrai, peu importe que la quantité de saccharose soit petite (solution diluée) ou grande (solution concentrée). Dans l'eau gazéifiée, le CO_2 gazeux est le soluté et, encore là, l'eau joue le rôle de solvant. Toutefois, les solutions ne se limitent en aucune façon à l'état liquide. Tous les mélanges gazeux, par exemple, sont des solutions, et même quelques mélanges de solides en sont aussi. Le **tableau 1.1** donne quelques exemples de solutions et distingue les solutés et les solvants.

TABLEAU **1.1**	Quelques exemples de solutions		
Soluté	**Solvant**	**Solution**	**Exemples [soluté(s) avant le solvant]**
Gaz	Gaz	Gaz	Air (O_2, Ar, CO_2... dans N_2) Gaz naturel (C_2H_6, C_3H_8... dans CH_4)
Gaz	Liquide	Liquide	Boisson gazeuse (soda) (CO_2 dans H_2O) Substitut du sang (O_2 dans la perfluorodécaline)
Liquide	Liquide	Liquide	Vodka (CH_3CH_2OH dans H_2O) Vinaigre (CH_3COOH dans H_2O)
Solide	Liquide	Liquide	Solution saline (NaCl dans H_2O) Carburant de course (naphtalène dans l'essence)
Gaz	Solide	Solide	Hydrogène (H_2) dans du palladium (Pd)
Solide	Solide	Solide	Or 14 carats (Ag dans Au) Laiton (Zn dans Cu)

1.2   La concentration d'une solution

Pour étudier les propriétés physiques des solutions, il nous faudra utiliser plusieurs unités de concentration. Dans la section suivante, nous présentons ces unités et les formules qui leur sont associées.

La concentration molaire volumique

Concentration molaire volumique (*c*)

Dans le cas d'une solution, quotient de la quantité de soluté (en moles) par le volume de solution (en litres).

Nous avons donné la définition de la **concentration molaire volumique*** dans la section 3.11 de *Chimie générale*. Nous en reprendrons dans la présente section les principaux éléments et nous ajouterons la notion de dilution applicable à toutes les unités de concentrations.

La concentration molaire volumique d'une solution est le rapport entre la quantité de soluté en moles et le volume de solution en litres.

> **Concentration molaire volumique**
> $$c = \frac{\text{quantité de soluté (mol)}}{\text{volume de solution (L)}}$$
> **(1.1)**

Les chimistes préfèrent généralement exprimer la concentration de cette façon et cela, pour deux raisons :

---

*   La concentration molaire volumique est aussi appelée *molarité*, une concentration molaire volumique de 1 mol/L correspondant à 1 molaire (1 M). Toutefois, dans ce manuel, nous n'utiliserons que le terme *concentration molaire volumique* et l'unité *mol/L*.

- Les proportions des substances qui participent à une réaction chimique correspondent à un *rapport molaire* facilement calculable.

- Il est plus facile de mesurer le volume d'une solution que sa masse.

Quoi qu'il en soit, il faut bien noter que la concentration molaire volumique correspond au nombre de moles de soluté par litre de *solution,* et non par litre de solvant. Ainsi, pour préparer une solution de permanganate de potassium ($KMnO_4$), dont la concentration molaire volumique est de 0,010 00 mol/L, on met 1,580 g de $KMnO_4$, ce qui correspond à 0,010 00 mol, dans une fiole d'une capacité de 1,000 L partiellement remplie d'eau. Lorsque le solide est entièrement dissous, on ajoute la quantité d'eau nécessaire pour que le volume de la solution soit de 1,000 L (**figure 1.1**). Il existe des fioles de différentes jauges ; on les utilise avec des quantités proportionnelles de soluté, pour la préparation des solutions.

(a)

(b)

(c)

◀ Figure 1.1
Préparation d'une solution de $KMnO_4$ ayant une concentration molaire volumique de 0,010 00 mol/L

La première étape, non illustrée, consiste à mettre la balance à zéro, après y avoir placé seulement la feuille de papier pour la tarer. **(a)** La masse de l'échantillon de $KMnO_4$ est de 1,580 g (ou 0,010 00 mol). **(b)** On dissout le $KMnO_4$ dans l'eau contenue dans la fiole jaugée de 1,000 L. On ajoute de l'eau dans la fiole **(c)** et on agite le mélange pour le rendre homogène. Finalement, on ajoute goutte à goutte une petite quantité d'eau dans la fiole de manière que le niveau de la solution atteigne la ligne de jauge.

EXEMPLE **1.1**

Quelle est la concentration molaire volumique de NaOH si on dissout 8,00 g d'hydroxyde de sodium dans une quantité d'eau appropriée pour obtenir 5,00 L de solution ?

➔ Stratégie

On obtient la concentration molaire volumique en divisant le nombre de moles de soluté par le volume de la solution en litres. Nous connaissons le volume de la solution (5,00 L). Il nous suffit de convertir la masse du soluté en moles et de diviser le nombre de moles de soluté par 5,00 L de solution.

➔ Solution

Nous écrivons d'abord les opérations qui permettent de convertir en moles la masse en grammes de NaOH.

$$8,00 \; \text{g de NaOH} \times \frac{1 \; \text{mol de NaOH}}{39,997 \; \text{g de NaOH}}$$

Sans effectuer les calculs, nous utilisons cette expression comme numérateur dans l'équation de la concentration, le dénominateur étant le volume de la solution, soit 5,00 L.

$$\text{concentration} = \frac{8,00 \; \text{g de NaOH} \times \dfrac{1 \; \text{mol de NaOH}}{39,997 \; \text{g de NaOH}}}{5,00 \; \text{L de solution}} = 0,0400 \; \text{mol/L}$$

La concentration molaire volumique de NaOH est donc de 0,0400 mol/L.

EXERCICE 1.1 A

Calculez la concentration molaire volumique des solutions aqueuses suivantes : **a)** 2,50 mol de H_2SO_4 dans 5,00 L de solution ; **b)** 0,200 mol de C_2H_5OH dans 35,0 mL de solution ; **c)** 44,35 g de KOH dans 125,0 mL de solution.

EXERCICE 1.1 B

Calculez la concentration molaire volumique des solutions aqueuses suivantes : **a)** 2,46 g de $H_2C_2O_4$ dans 750,0 mL de solution ; **b)** 22,00 mL de triéthylèneglycol, $(CH_2OCH_2CH_2OH)_2$ ($\rho = 1,127$ g/mL), dans 2,125 L de solution ; **c)** 15,0 mL d'isopropylamine, $CH_3CH(NH_2)CH_3$ ($\rho = 0,694$ g/mL), dans 225 mL de solution.

EXEMPLE 1.2

Nous voulons préparer une solution de $KHCO_3$ ayant une concentration molaire volumique de 0,334 mol/L. **a)** Combien de moles de $KHCO_3$ faut-il pour préparer 0,500 L de la solution ? **b)** Combien de litres de solution pouvons-nous préparer avec 334 g de $KHCO_3$?

➔ Solution

a) Il faut convertir des litres de solution en moles de $KHCO_3$. Nous pouvons effectuer le calcul en une seule étape avec, pour facteur de conversion (en rouge), la concentration de la solution.

$$? \text{ mol de } KHCO_3 = 0,500 \text{ L de solution} \times \frac{0,334 \text{ mol de } KHCO_3}{1 \text{ L de solution}}$$

$$= 0,167 \text{ mol de } KHCO_3$$

b) Dans ce calcul, le premier facteur de conversion est l'inverse de la masse molaire de $KHCO_3$. Il permet de convertir en moles les grammes de $KHCO_3$. Le deuxième facteur est l'inverse de la concentration (en bleu), qui permet de convertir les moles en litres. En un mot, il faut effectuer la série de conversions suivante :

$$\text{grammes de } KHCO_3 \longrightarrow \text{moles de } KHCO_3 \longrightarrow \text{litres de solution}$$

Le calcul est donné ci-dessous :

$$? \text{ L de solution} = 334 \text{ g de } KHCO_3 \times \frac{1 \text{ mol de } KHCO_3}{100,1 \text{ g de } KHCO_3} \times \frac{1 \text{ L de solution}}{0,334 \text{ mol de } KHCO_3}$$

$$= 9,99 \text{ L de solution}$$

EXERCICE 1.2 A

Calculez le nombre de grammes de permanganate de potassium ($KMnO_4$) requis pour préparer les solutions suivantes : **a)** 2,00 L d'une solution dont la concentration molaire volumique est de 3,00 mol/L ; **b)** 5,00 L d'une solution dont la concentration molaire volumique est de 0,100 mol/L ; **c)** 40,0 mL d'une solution dont la concentration molaire volumique est de 2,50 mol/L.

EXERCICE 1.2 B

Quelle quantité de butanol, $CH_3CH_2CH_2CH_2OH$ ($\rho = 0,810$ g/mL), faut-il, en millilitres, pour préparer 750 mL d'une solution dont la concentration molaire volumique de butanol est de 0,225 mol/L ?

La dilution d'une solution

L'entrepôt d'un laboratoire de chimie contient généralement des solutions concentrées, dont un bon nombre sont offertes dans le commerce. Si on a besoin d'une solution de concentration plus faible, on la prépare en ajoutant du solvant à la solution concentrée : cette opération est appelée **dilution**. La **figure 1.2** illustre l'un des principes fondamentaux de la dilution.

> *L'addition de solvant à une solution ne modifie pas la quantité de soluté, mais elle change la concentration de la solution.*

On représente respectivement par c_{conc} et c_{dil} les concentrations d'une solution concentrée et d'une solution diluée, et par V_{conc} et V_{dil} les volumes de ces solutions. Puisque le produit de la concentration (en moles par litre) et du volume (en litres) d'une solution est égal au nombre de moles de soluté que contient la solution, et que *la quantité de soluté ne change pas si on dilue une solution,* on peut poser la simple équation suivante :

$$c_{conc} \times V_{conc} = \text{nombre de moles de soluté} = c_{dil} \times V_{dil}$$

$$\text{d'où,} \quad c_{conc} \times V_{conc} = c_{dil} \times V_{dil}$$

Dilution

Processus consistant à ajouter à une solution une quantité appropriée de solvant de manière à obtenir une solution de concentration plus faible.

◀ **Figure 1.2**
Dilution d'une solution

Si on ajoute du solvant à une solution concentrée (à gauche), le nombre de molécules de soluté par unité de volume de solution diminue (à droite). Il faut donc un plus grand volume de solution diluée que de solution concentrée pour obtenir un nombre donné de molécules de soluté.

EXEMPLE **1.3**

Combien de millilitres d'une solution de $CuSO_4$ à 2,00 mol/L faut-il pour préparer 0,250 L d'une solution de $CuSO_4$ à 0,400 mol/L ?

➜ Stratégie

Dans cet exemple, nous examinons deux méthodes pour calculer la dilution. La première est fondée sur le principe fondamental de la dilution, et la seconde consiste à résoudre l'équation de la dilution. Nous obtenons évidemment le même résultat dans les deux cas.

➜ Solution

Application du principe fondamental de la dilution

Il est essentiel de se rappeler que tout le soluté contenu dans le volume recherché de la solution concentrée se retrouvera dans la solution de $CuSO_4$, dont le volume est de 0,250 L et la concentration molaire volumique, de 0,400 mol/L. Calculons d'abord cette quantité de soluté.

$$? \text{ mol de } CuSO_4 = 0{,}250 \text{ L} \times \frac{0{,}400 \text{ mol de } CuSO_4}{1 \text{ L}} = 0{,}100 \text{ mol de } CuSO_4$$

Il s'agit maintenant de répondre à la question: «Quel volume de la solution de $CuSO_4$ à 2,00 mol/L contient 0,100 mol de $CuSO_4$?» Répondre à cette question, c'est précisément répondre à la question de départ.

$$? \text{ mL de } CuSO_4 = 0,100 \text{ mol de } CuSO_4 \times \frac{1 \text{ L}}{2,00 \text{ mol de } CuSO_4} \times \frac{1000 \text{ mL}}{1 \text{ L}}$$

$$= 50,0 \text{ mL}$$

Évidemment, nous aurions pu effectuer toutes les opérations en une seule étape, comme suit.

$$? \text{ mL de } CuSO_4 = 0,250 \text{ L} \times \frac{0,400 \text{ mol de } CuSO_4}{1 \text{ L}} \times \frac{1 \text{ L}}{2,00 \text{ mol de } CuSO_4}$$

$$\times \frac{1000 \text{ mL}}{1 \text{ L}} = 50,0 \text{ mL}$$

Application de l'équation de la dilution
Déterminons d'abord les facteurs qui interviennent dans l'équation.

$$c_{CuSO_4 \text{ conc}} = 2,00 \text{ mol/L} \qquad c_{CuSO_4 \text{ dil}} = 0,400 \text{ mol/L}$$
$$V_{\text{conc}} = ? \qquad\qquad V_{\text{dil}} = 0,250 \text{ L}$$

Remplaçons, dans l'équation, ces facteurs par leurs valeurs respectives.

$$c_{CuSO_4 \text{ conc}} \times V_{\text{conc}} = c_{CuSO_4 \text{ dil}} \times V_{\text{dil}}$$
$$2,00 \text{ mol/L} \times V_{\text{conc}} = 0,400 \text{ mol/L} \times 0,250 \text{ L}$$

$$V_{\text{conc}} = \frac{0,400 \text{ mol/L}}{2,00 \text{ mol/L}} \times 0,250 \text{ L} = 0,0500 \text{ L}$$

$$V_{\text{conc}} = 0,0500 \text{ L} \times \frac{1000 \text{ mL}}{1 \text{ L}} = 50,0 \text{ mL}$$

➜ Évaluation

Pour préparer la solution diluée, nous prenons 50,0 mL de la solution de $CuSO_4$ à 2,00 mol/L, puis nous ajoutons la quantité d'eau requise pour obtenir 0,250 L de solution, comme l'illustre la **figure 1.3**.

EXERCICE 1.3 A

Combien de millilitres d'une solution de NaOH à 10,15 mol/L faut-il pour préparer 15,0 L d'une solution de NaOH à 0,315 mol/L?

EXERCICE 1.3 B

Combien de millilitres d'une solution de CH_3OH à 5,15 mol/L faut-il pour préparer 375 mL d'une solution contenant 7,50 mg de méthanol par millilitre?

▶ **Figure 1.3**
Dilution d'une solution de sulfate de cuivre(II): illustration de l'exemple 1.3

(a) On prélève, à l'aide d'une pipette, 50,0 mL de la solution de $CuSO_4$ à 2,00 mol/L, ce qui revient à prendre 0,100 mol de $CuSO_4$. (b) On transfère les 50,0 mL de la solution de $CuSO_4$ à 2,00 mol/L dans une fiole volumétrique d'une capacité de 250,0 mL, puis on ajoute de l'eau dans la fiole et on agite vigoureusement le mélange. (c) Enfin, on ajoute de l'eau goutte à goutte jusqu'à ce que le niveau du liquide atteigne la ligne de jauge.

(a)

(b)

(c)

Les pourcentages massique, volumique et masse/volume

Dans de nombreuses applications, on peut simplement exprimer la concentration d'une solution en pourcentage. Si on a alors besoin d'une quantité précise de soluté, il suffit de mesurer une masse ou un volume de solution. L'acide sulfurique utilisé dans les batteries d'accumulateurs, par exemple, est distribué sous forme de solution à 35,7 % de H_2SO_4, *en masse*. Dans 100,0 g de cette solution, on compte 35,7 g de H_2SO_4 comme soluté et 64,3 g de H_2O comme solvant. Si on veut une quantité de solution qui contient 100,0 g de H_2SO_4, il suffit de peser 280 g d'acide d'accumulateurs.

$$\text{Masse} = 100,0 \ \cancel{\text{g } H_2SO_4} \times \frac{100,0 \ \text{g d'acide d'accumulateurs}}{35,7 \ \cancel{\text{g } H_2SO_4}} = \frac{280 \ \text{g d'acide}}{\text{d'accumulateurs}}$$

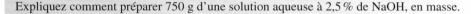

EXEMPLE **1.4**

Expliquez comment préparer 750 g d'une solution aqueuse à 2,5 % de NaOH, en masse.

➜ Stratégie

Le but consiste à calculer combien il faut de grammes de NaOH comme soluté et de H_2O comme solvant pour préparer 750 g de solution. Il est plus facile de déterminer d'abord la masse de NaOH, car nous pouvons utiliser la composition de la solution en pourcentage comme facteur de conversion de la masse de solution à la masse de soluté.

➜ Solution

$$? \ \text{g NaOH} = 750 \ \cancel{\text{g de solution}} \times \frac{2,5 \ \text{g NaOH}}{100 \ \cancel{\text{g de solution}}} = 19 \ \text{g NaOH}$$

Puisque la somme des masses de soluté et de solvant doit être de 750 g, nous pouvons trouver la masse de l'eau par soustraction.

$$? \ \text{g } H_2O = 750 \ \text{g de solution} - 19 \ \text{g NaOH} = 731 \ \text{g } H_2O$$

Pour préparer la solution de 750 g, nous pesons 19 g de NaOH, qu'il faut dissoudre dans 731 g de H_2O.

EXERCICE 1.4 A

Le glucose est un sucre qu'on trouve en abondance dans la nature, par exemple dans les raisins mûrs. Quel est le pourcentage massique d'une solution qui a été obtenue par la dissolution de 163 g de glucose dans 755 g d'eau ? Avez-vous besoin de connaître la formule du glucose ? Expliquez votre réponse.

EXERCICE 1.4 B

Le saccharose est communément appelé *sucre de table*. Quel pourcentage en masse de saccharose obtient-on dans une solution si on mélange 225 g d'une solution aqueuse à 6,25 % en masse de saccharose avec 135 g d'une solution aqueuse à 8,20 % en masse de saccharose ?

On exprime souvent la concentration d'une solution en *pourcentage volumique* puisqu'il est très facile de mesurer des volumes de liquides si le soluté et le solvant sont tous les deux dans cet état. Par exemple, on utilise habituellement la notation éthanol USP[*] pour désigner l'éthanol, CH_3CH_2OH, qui sert aux soins médicaux ; il s'agit d'une solution à 95 % en volume de CH_3CH_2OH. Autrement dit, 100 mL de cette solution aqueuse contient 95 mL de $CH_3CH_2OH(l)$.

Dans un alcootest, le taux d'alcool dans le sang est exprimé en pourcentage volumique. Un résultat de 0,08 % en volume signifie 0,08 mL de CH_3CH_2OH par 100 mL de sang et est considéré comme une preuve d'ivresse au Canada et dans de nombreux États américains. L'alcootest, illustré sur la photo, permet de mesurer l'éthanol dans l'air expiré. La réaction complexe met en jeu la réduction de $K_2Cr_2O_7$ jaune orangé en composés de chrome (III) bleu-vert. Les lectures sur l'ivressomètre sont étalonnées par rapport à des taux réels d'alcool dans le sang.

---

[*] USP est l'abréviation de *United States Pharmacopoeia* (pharmacopée des États-Unis), qui est la publication officielle des normes pour les produits pharmaceutiques.

EXEMPLE 1.5

L'éthanol USP est une solution aqueuse contenant 95,0 % en volume d'éthanol. À 20 °C, l'éthanol pur a une masse volumique de 0,789 g/mL, et l'éthanol USP, de 0,813 g/mL. Quel est le pourcentage massique d'éthanol dans l'éthanol USP ?

➔ Stratégie

Puisque *pourcentage en volume* signifie « nombre de parties, en volume, pour cent parties », il est commode d'utiliser 100,0 mL comme échantillon d'éthanol USP dans les calculs. Nous pouvons obtenir la masse de 100,0 mL de solution en utilisant sa masse volumique pour convertir les millilitres en grammes.

Puis, il faut déterminer la masse d'éthanol dans le volume de 100,0 mL d'éthanol USP. Nous utilisons la composition en pourcentage volumique pour trouver le nombre de millilitres d'éthanol *pur,* puis nous nous servons de la masse volumique de l'éthanol.

Enfin, pour exprimer la composition en pourcentage de la façon habituelle, nous établissons le rapport entre la masse d'éthanol et celle de la solution, et nous multiplions par 100 %.

➔ Solution

$$\text{Masse de solution} = 100,0 \text{ mL} \times \frac{0,813 \text{ g}}{1 \text{ mL}} = 81,3 \text{ g}$$

$$? \text{ g d'éthanol} = 100,0 \text{ mL de solution} \times \frac{95,0 \text{ mL d'éthanol}}{100,0 \text{ mL de solution}} \times \frac{0,789 \text{ g d'éthanol}}{1 \text{ mL d'éthanol}}$$

$$= 75,0 \text{ g d'éthanol}$$

$$\text{Pourcentage massique d'éthanol} = \frac{75,0 \text{ g d'éthanol}}{81,3 \text{ g de solution}} \times 100 \% = 92,2 \%$$

➔ Évaluation

Puisque l'éthanol possède une masse volumique plus petite que celle de l'eau, nous nous attendons à ce que son pourcentage massique soit plus petit que son pourcentage en volume. En effet, nous obtenons 92,2 % en masse en comparaison de 95 % en volume.

EXERCICE 1.5 A

En supposant que les volumes sont additifs, déterminez le pourcentage volumique de toluène, $C_6H_5CH_3$, dans une solution obtenue en mélangeant 40,0 mL de toluène avec 75,0 mL de benzène, C_6H_6.

EXERCICE 1.5 B

À 20 °C, la masse volumique du benzène est de 0,879 g/mL et celle du toluène est de 0,866 g/mL. Pour la solution décrite à l'exercice 1.5A, quel est **a)** le pourcentage massique du toluène et **b)** sa masse volumique ?

Il existe une autre unité de concentration très utilisée en médecine : c'est le pourcentage en masse/volume. Par exemple, une solution de chlorure de sodium utilisée dans les injections intraveineuses a une composition de 0,92 % (masse/volume) de NaCl ; autrement dit, elle contient 0,92 g de NaCl par 100 mL de solution. Un volume de 100 mL est également un dixième de litre, ou un décilitre. Si on exprime la masse du soluté en milligrammes, on a alors une unité de concentration en masse/volume donnée en milligrammes par décilitre (mg/dL). Une cholestérolémie de 187, par exemple, signifie 187 mg de cholestérol par décilitre de sang.

Parties par million, parties par milliard et parties par billion

Dans le cas de solutions très diluées, on exprime souvent les concentrations en **parties par million (ppm)**, **parties par milliard (ppb,** *billion* en anglais) ou même en **parties par billion (ppt,** *trillion* en anglais). Ainsi, dans l'eau potable fluorée, la concentration en ions fluorure est d'environ 1 ppm. Les trihalométhanes (THM), contaminants dont fait partie le chloroforme ($CHCl_3$), ne doivent pas dépasser 350 ppb dans l'eau potable, selon la législation québécoise.

Pour avoir une idée de l'ordre de grandeur de ces unités, il suffit de considérer qu'une personne dans la ville de Montréal (sans l'agglomération) représente approximativement 1 ppm, et une personne en Chine, environ 1 ppb. La **figure 1.4** illustre bien l'extrême dilution dont il est question ici.

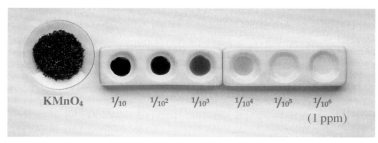

▲ Figure 1.4 **Représentation d'une partie par million**
Le solide de couleur foncée est du permanganate de potassium ($KMnO_4$). Dans la première solution, un échantillon de $KMnO_4$ est dissous dans 9 fois sa masse d'eau pour donner une concentration de 1 partie par 10, en masse. La deuxième solution est une dilution d'un facteur 10 de la première solution ; elle contient 1 partie de soluté par 100. La troisième solution a 1 partie par 1000, et ainsi de suite. On ne perçoit plus la couleur de la solution quand la concentration est réduite à 1 partie par 1 000 000 (1 ppm).

Pour les solutions liquides, les parties par million, les parties par milliard et les parties par billion sont généralement établies en fonction de la masse. Ainsi, 1 ppm de soluté dans une solution correspond à 1 g de soluté par 1×10^6 g de solution. Dans le cas des solutions gazeuses telles que l'air, les parties par million, les parties par milliard et les parties par billion sont généralement établies en fonction du nombre de molécules ou du volume. Ainsi, 1 ppm d'une substance donnée dans l'air signifie 1 molécule de la substance par 1×10^6 molécules constituantes de l'air (principalement N_2 et O_2), ou 1 L de cette substance par 1×10^6 L d'air. Quand on applique les parties par million, les parties par milliard et les parties par billion aux solutions aqueuses diluées, on peut, en supposant qu'un kilogramme d'eau corresponde à un litre d'eau, utiliser les relations suivantes.

$$1 \text{ ppm} = 1 \text{ mg/L} \qquad 1 \text{ ppb} = 1 \text{ μg/L} \qquad 1 \text{ ppt} = 1 \text{ ng/L}$$

EXEMPLE **1.6**

La province de Québec a établi le taux maximal de nitrates admis dans l'eau potable à 45 mg de NO_3^-/L. Exprimez ce taux en parties par million (ppm).

➜ Stratégie

L'expression ppm désigne un rapport dans lequel l'unité utilisée, la *partie*, est la même au numérateur et au dénominateur. De plus, le dénominateur a une valeur constante, soit 1 000 000 de parties. L'énoncé du problème nous donne une quantité qui, elle aussi, est exprimée sous forme de rapport : 45 mg de NO_3^- par litre. Notre tâche consiste donc à convertir les unités de ce rapport pour obtenir la même unité au numérateur et au dénominateur, puis à calculer la valeur du numérateur pour 1 000 000 d'unités du dénominateur.

Parties par million (ppm)

Unité de mesure de concentration des solutions très diluées qui exprime le nombre de parties de soluté dans un million de parties de solution ; le nombre de parties est généralement déterminé en fonction de la masse pour les liquides, et en fonction du nombre de molécules ou du volume pour les gaz.

Parties par milliard (ppb)

Unité de mesure de concentration des solutions très diluées qui exprime le nombre de parties de soluté dans un milliard de parties de solution ; le nombre de parties est généralement déterminé en fonction de la masse pour les liquides, et en fonction du nombre de molécules ou du volume pour les gaz.

Parties par billion (ppt)

Unité de mesure de concentration des solutions très diluées qui exprime le nombre de parties de soluté dans un billion de parties de solution ; le nombre de parties est généralement déterminé en fonction de la masse pour les liquides, et en fonction du nombre de molécules ou du volume pour les gaz.

✦ Solution

La masse volumique de l'eau, même si celle-ci contient des traces de substances dissoutes, est essentiellement de 1,00 g/mL. La masse des substances dissoutes étant négligeable, un litre d'eau aura une masse de 1000 g. Nous pouvons donc exprimer le taux de nitrates admis sous la forme d'un rapport de masses.

$$\frac{45 \text{ mg de NO}_3^-}{1000 \text{ g d'eau}}$$

Pour convertir ce taux de nitrates en parties par million, il faut un numérateur et un dénominateur exprimés dans les mêmes unités. Utilisons les milligrammes. Le dénominateur devient alors un million de milligrammes. Le numérateur représente donc les parties par million de NO$_3^-$.

$$\frac{45 \text{ mg de NO}_3^-}{1000 \text{ g d'eau}} \times \frac{1 \text{ g d'eau}}{1000 \text{ mg d'eau}} = \frac{45 \text{ mg de NO}_3^-}{1\,000\,000 \text{ mg d'eau}} = 45 \text{ ppm de NO}_3^-$$

EXERCICE 1.6 A

Quelle est la concentration **a)** en parties par milliard et **b)** en parties par billion correspondant au taux maximum admis dans l'eau potable de 7 µg/L de chlordane, un pesticide ?

EXERCICE 1.6 B

Quelle est la concentration de Na$^+$, en parties par million par masse, dans une solution aqueuse de NaCl 0,003 04 mol/L ?

La molalité

La **figure 1.5** (page suivante) illustre une observation : la *concentration molaire volumique* d'une solution varie en fonction de la température. Puisque le volume de la solution augmente lorsque sa température passe de 20 °C à 25 °C, la concentration molaire volumique de la solution *diminue*. Si on a besoin d'une unité de concentration qui soit *indépendante* de la température, elle doit être établie en fonction de la masse seulement et non du volume. Le pourcentage massique possède cette caractéristique ; à l'inverse, le pourcentage volumique et le pourcentage en masse/volume ne répondent pas à cette exigence. La molalité est une autre unité indépendante de la température. La **molalité** (*m*) d'une solution est le nombre de moles de soluté par *kilogramme de solvant* (et non de solution).

Molalité (*m*)

Nombre de moles de soluté par kilogramme de solvant (et non de solution).

Molalité

$$m = \frac{\text{quantité de soluté (mol)}}{\text{masse de solvant (kg)}}$$

(1.2)

Par exemple, une solution de 0,2 mol d'éthanol dans 500 g d'eau a une molalité de 0,4 mol/kg d'éthanol.

$$\frac{0,2 \text{ mol d'éthanol}}{0,500 \text{ kg d'eau}} = 0,4 \text{ mol/kg d'éthanol}$$

Fixer des normes environnementales

Généralement, nos sens ne nous permettent pas de détecter des substances dans des concentrations de l'ordre des parties par milliard ou des parties par billion (voir de nouveau la figure 1.4). Nous pouvons toutefois percevoir quelques substances par leur odeur. Par exemple, le sulfure d'hydrogène (H_2S) dans l'air est toxique à des concentrations de 10 ppm environ, mais on peut le repérer par sa mauvaise odeur à des niveaux beaucoup plus faibles. La plupart des substances toxiques ne sont cependant détectées que par des instruments d'analyse sophistiqués. Grâce aux progrès de la technologie, notre capacité à déceler des quantités infimes de substances s'accroît. Cette augmentation de la sensibilité des techniques d'analyse soulève d'importantes questions pour lesquelles il n'y a pas de réponses bien déterminées. Que penser, par exemple, d'une substance décelée pour la première fois parce que les instruments actuels sont capables de détecter des parties par milliard ou même des parties par billion ? Devrait-on la considérer comme un nouveau contaminant pour l'environnement ? Ou bien, devrait-on supposer que cette substance a toujours été présente, mais à des niveaux auparavant indécelables ? Quelle est la relation entre le niveau auquel une substance peut être détectée et le niveau auquel elle est toxique pour les humains ou l'environnement ?

▶ **Figure 1.5**
Effet de la température sur la concentration molaire volumique

(a) Une solution de HCl de 0,1000 mol/L préparée à 20,0 °C.
(b) Lorsqu'elle est réchauffée à 25 °C, la solution se dilate. Puisque, à cette température, la même quantité de soluté est présente dans un volume de solution plus grand qu'à 20 °C, la concentration molaire volumique est légèrement *inférieure* à 0,1000 mol/L de HCl.

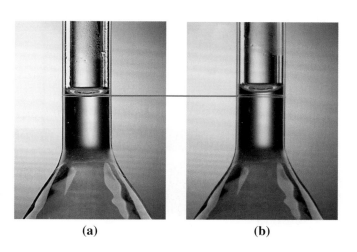

(a)　　　　　　**(b)**

EXEMPLE **1.7**

Quelle est la molalité d'une solution obtenue par la dissolution de 5,05 g de naphtalène $C_{10}H_8(s)$ dans 75,0 mL de benzène, C_6H_6 ($\rho = 0,879$ g/mL) ?

➜ Stratégie

Molalité signifie *moles de soluté/kilogramme de solvant*. Il faut donc convertir 5,05 g de $C_{10}H_8$ en moles de $C_{10}H_8$ et 75,0 mL de C_6H_6 en kilogrammes de C_6H_6. Effectuons d'abord ces deux conversions, puis faisons le rapport approprié entre le soluté et le solvant.

→ Solution

$$? \text{ mol de } C_{10}H_8 = 5{,}05 \text{ g de } C_{10}H_8 \times \frac{1 \text{ mol de } C_{10}H_8}{128{,}2 \text{ g de } C_{10}H_8} = 0{,}0394 \text{ mol de } C_{10}H_8$$

$$? \text{ kg de } C_6H_6 = 75{,}0 \text{ mL de } C_6H_6 \times \frac{0{,}879 \text{ g de } C_6H_6}{1 \text{ mL de } C_6H_6} \times \frac{1 \text{ kg de } C_6H_6}{1000 \text{ g de } C_6H_6}$$

$$= 0{,}0659 \text{ kg de } C_6H_6$$

La molalité de la solution est

$$\frac{0{,}0394 \text{ mol de } C_{10}H_8}{0{,}0659 \text{ kg de } C_6H_6} = 0{,}598 \text{ mol/kg de } C_{10}H_8$$

EXERCICE 1.7 A

Quelle est la molalité d'une solution obtenue par la dissolution de 225 mg de glucose ($C_6H_{12}O_6$) dans 5,00 mL d'éthanol ($\rho = 0{,}789$ g/mL) ?

EXERCICE 1.7 B

Quelle est la molalité d'une solution obtenue par la dissolution de 25,0 mL de toluène ($C_6H_5CH_3$), dont la masse volumique est 0,866 g/mL, dans 75,0 mL de benzène (C_6H_6), dont la masse volumique est 0,879 g/mL ?

EXEMPLE 1.8

Combien de grammes d'acide benzoïque, C_6H_5COOH, doit-on dissoudre dans 50,0 mL de benzène, C_6H_6 ($\rho = 0{,}879$ g/mL), pour préparer une solution de C_6H_5COOH 0,150 mol/kg ?

→ Solution

Utilisons ici la molalité comme facteur de conversion pour passer de la masse de solvant (en kilogrammes) au nombre de moles de soluté. Comme le montre le schéma de solution suivant, il faut d'abord effectuer deux conversions pour obtenir la quantité de solvant en kilogrammes. Puis nous appliquons la molalité comme facteur central (en rouge). Enfin, nous convertissons les moles en grammes de soluté.

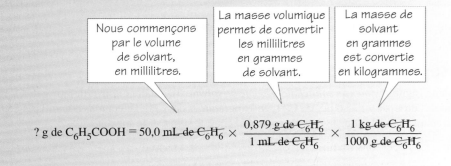

Nous commençons par le volume de solvant, en millilitres.

La masse volumique permet de convertir les millilitres en grammes de solvant.

La masse de solvant en grammes est convertie en kilogrammes.

$$? \text{ g de } C_6H_5COOH = 50{,}0 \text{ mL de } C_6H_6 \times \frac{0{,}879 \text{ g de } C_6H_6}{1 \text{ mL de } C_6H_6} \times \frac{1 \text{ kg de } C_6H_6}{1000 \text{ g de } C_6H_6}$$

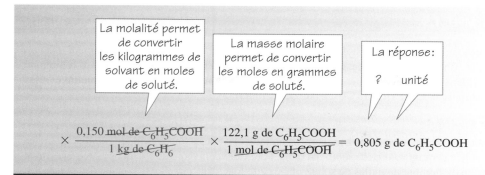

$$\times \frac{0{,}150 \ \text{mol de C}_6\text{H}_5\text{COOH}}{1 \ \text{kg de C}_6\text{H}_6} \times \frac{122{,}1 \ \text{g de C}_6\text{H}_5\text{COOH}}{1 \ \text{mol de C}_6\text{H}_5\text{COOH}} = 0{,}805 \ \text{g de C}_6\text{H}_5\text{COOH}$$

EXERCICE 1.8 A

Combien de millilitres d'éthanol (CH_3CH_2OH, $\rho = 0{,}789$ g/mL) doit-on mélanger avec 125 mL de benzène (C_6H_6, $\rho = 0{,}879$ g/mL) pour préparer une solution de CH_3CH_2OH 0,0652 mol/kg ?

EXERCICE 1.8 B

Combien de millilitres d'eau ($\rho = 0{,}998$ g/mL) sont nécessaires pour dissoudre 25,0 g d'urée et produire ainsi une solution d'urée, $CO(NH_2)_2$, 1,65 mol/kg ?

La fraction molaire et le pourcentage molaire

Un peu plus loin dans ce chapitre, nous traiterons de la pression de vapeur, une propriété des solutions qui exige l'expression des concentrations en fractions molaires. Comme pour les mélanges de gaz, la **fraction molaire** (X_i) du composant i d'une solution est le rapport entre le nombre de moles du composant i et la somme des moles présentes dans la solution.

Fraction molaire (X_i)

Mesure de la concentration d'un composant i dans une solution, qui indique la fraction des moles du composant dans cette solution.

Fraction molaire
$$X_i = \frac{\text{quantité du composant } i \ (\text{mol})}{\text{quantité totale des composants de la solution (mol)}} = \frac{n_i}{n_{\text{total}}} \qquad (1.3)$$

Remarquez que la fraction molaire n'a pas d'unité ; comme toutes les fractions, c'est une grandeur sans dimension. Remarquez également que la somme des fractions molaires de tous les composants d'une solution est égale à 1.

Somme des fractions molaires
$$X_i + X_j + X_k + \ldots = 1 \qquad (1.4)$$

Pourcentage molaire

Mesure de la concentration d'un composant dans une solution, qui indique le pourcentage des moles de ce composant dans la solution ; cette mesure est égale à la fraction molaire multipliée par 100 %.

Le **pourcentage molaire** d'un composant d'une solution est sa fraction molaire multipliée par 100 %. Ainsi, en mélangeant 4,0 moles de méthanol, CH_3OH, et 6,0 moles d'éthanol, CH_3CH_2OH, on obtient une solution aux fractions molaires suivantes :

$$X_{CH_3OH} = \frac{4{,}0 \ \text{mol}}{(4{,}0 + 6{,}0 \ \text{mol})} = 0{,}40 \quad \text{et} \quad X_{CH_3CH_2OH} = \frac{6{,}0 \ \text{mol}}{(4{,}0 + 6{,}0 \ \text{mol})} = 0{,}60$$

Les pourcentages molaires correspondants sont 40 % de CH_3OH et 60 % de CH_3CH_2OH.

Dans les calculs reliés aux propriétés des solutions, que nous verrons plus loin dans le chapitre, nous devrons manipuler correctement les unités pour exprimer les concentrations des solutions. Il nous faudra peut-être effectuer certains calculs préliminaires, tels que convertir une unité de concentration en une autre. L'exemple 1.9 illustre quelques conversions typiques.

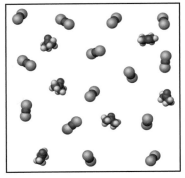

$\chi_{C_3H_6O} = 0,3$

$\chi_{CS_2} = 0,7$

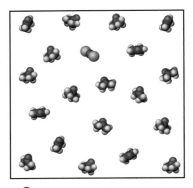

$\chi_{C_3H_6O} = 0,95$

$\chi_{CS_2} = 0,05$

La fraction molaire représente la proportion de moles ou de molécules d'une substance dans un mélange ou une solution.

EXEMPLE **1.9**

Une solution aqueuse d'éthylèneglycol, utilisée comme liquide de refroidissement dans un moteur d'auto, est composée de 40,0 % en masse de $HOCH_2CH_2OH$ et a une masse volumique de 1,05 g/mL. Quelles sont : **a**) la concentration molaire volumique, **b**) la molalité et **c**) la fraction molaire de $HOCH_2CH_2OH$ de cette solution ?

➔ Stratégie

Pour trouver la concentration molaire volumique (*a*), nous avons besoin du nombre de moles de soluté dans un *volume* de solution connu. Pour trouver la molalité (*b*), nous avons également besoin du nombre de moles de soluté mais, cette fois, dans une *masse* connue de solvant. Et, pour trouver les fractions molaires (*c*), nous avons besoin du nombre de moles du soluté et du solvant. Quand il n'y a pas de quantité particulière de solution à prendre en considération, nous choisissons habituellement 1,00 L ou 1,00 kg afin de simplifier les calculs. Pour ce problème, prenons 1,00 L. Il faut des facteurs de conversion exprimés en fonction de la masse volumique, de la composition en pourcentage massique et des masses molaires.

➔ Solution

a) Il faut déterminer la masse de 1,00 L de solution, la masse de $HOCH_2CH_2OH$ dans ce 1,00 L, puis le nombre de moles de $HOCH_2CH_2OH$.

Nous obtenons la masse de la solution en multipliant simplement le volume de la solution en millilitres par la masse volumique.

$$? \text{ g de solution} = 1,00 \text{ L} \times \frac{1000 \text{ mL}}{1 \text{ L}} \times \frac{1,05 \text{ g}}{1 \text{ mL}} = 1050 \text{ g}$$

Pour convertir la masse de la solution en masse de $HOCH_2CH_2OH$, nous pouvons utiliser le pourcentage massique. Puis, nous faisons appel à la masse molaire de $HOCH_2CH_2OH$ pour convertir les grammes de $HOCH_2CH_2OH$ en moles.

$$? \text{ g de } HOCH_2CH_2OH = 1050 \text{ g de solution} \times \frac{40,0 \text{ g de } HOCH_2CH_2OH}{100 \text{ g de solution}}$$

$$= 420 \text{ g de } HOCH_2CH_2OH$$

$$? \text{ mol de } HOCH_2CH_2OH = 420 \text{ g de } HOCH_2CH_2OH \times \frac{1 \text{ mol de } HOCH_2CH_2OH}{62,07 \text{ g de } HOCH_2CH_2OH}$$

$$= 6,77 \text{ mol de } HOCH_2CH_2OH$$

Enfin, nous calculons la concentration molaire volumique de la solution en nous basant sur le choix de volume de 1,00 L.

$$\frac{6,77 \text{ mol de } HOCH_2CH_2OH}{1 \text{ L}} = 6,77 \text{ mol/L de } HOCH_2CH_2OH$$

b) Dans la partie *a*, nous avons trouvé le nombre de moles de $HOCH_2CH_2OH$ dans 1,00 L de solution (6,77 mol) ainsi que la masse de la solution (1050 g) et du soluté (420 g). Nous obtenons la masse de l'eau, le solvant, en calculant la différence entre la masse de la solution et celle du soluté. Exprimée en kilogrammes, la masse de l'eau est

$$? \text{ kg de } H_2O = (1050 - 420) \text{ g de } H_2O \times \frac{1 \text{ kg de } H_2O}{1000 \text{ g de } H_2O} = 0,630 \text{ kg de } H_2O$$

Nous pouvons maintenant exprimer la molalité en moles de $HOCH_2CH_2OH$ par kilogramme de H_2O.

$$\frac{6,77 \text{ mol de } HOCH_2CH_2OH}{0,630 \text{ kg}} = 10,7 \text{ mol/kg de } HOCH_2CH_2OH$$

c) Pour obtenir les fractions molaires des composants de la solution, il faut le nombre de moles de chacun. Nous avons trouvé le nombre de moles de $HOCH_2CH_2OH$ (6,77 mol) dans la partie *a*, et nous pouvons obtenir le nombre de moles d'eau dans les 630 g de H_2O calculés dans la partie *b*.

$$? \text{ mol de H}_2\text{O} = 630 \; \cancel{\text{g de H}_2\text{O}} \times \frac{1 \text{ mol de H}_2\text{O}}{18,02 \; \cancel{\text{g de H}_2\text{O}}} = 35,0 \text{ mol de H}_2\text{O}$$

Appliquons maintenant la définition de la fraction molaire.

$$\chi_{\text{HOCH}_2\text{CH}_2\text{OH}} = \frac{6,77 \text{ mol de HOCH}_2\text{CH}_2\text{OH}}{6,77 \text{ mol de HOCH}_2\text{CH}_2\text{OH} \; + \; 35,0 \text{ mol de H}_2\text{O}} = 0,162$$

EXERCICE 1.9 A

Calculez **a**) la molalité de CH_3OH dans une solution à 7,50 % en masse de CH_3OH dans CH_3CH_2OH et **b**) le pourcentage molaire d'urée, $CO(NH_2)_2$, dans une solution aqueuse de $CO(NH_2)_2$ 1,05 mol/kg.

EXERCICE 1.9 B

Une solution de 2,90 mol/kg de méthanol (CH_3OH) dans l'eau a une masse volumique de 0,984 g/mL. Calculez : **a**) le pourcentage massique, **b**) la concentration molaire volumique et **c**) le pourcentage molaire de méthanol de cette solution.

EXEMPLE 1.10 Un exemple de calcul approximatif

Sans faire de calculs détaillés, déterminez laquelle des solutions aqueuses suivantes a la fraction molaire de CH_3OH la plus élevée : **a**) CH_3OH 1,0 mol/kg ; **b**) 10,0 % en masse de CH_3OH ; **c**) $\chi_{CH_3OH} = 0,10$.

→ Analyse et conclusion

La fraction molaire de la solution *c* est donnée : 0,10. Le rapport entre les moles de CH_3OH et les moles de H_2O dans la solution *c* est de 1/9. Évaluons les rapports correspondants pour les autres solutions et comparons-les à 1/9. Il faudra utiliser les masses molaires de H_2O et de CH_3OH, mais elles peuvent n'être qu'approximatives : 18 g de H_2O/mol et 32 g de CH_3OH/mol.

a) La solution contient 1,0 mol de CH_3OH par *kilogramme* de H_2O. Un kilogramme d'eau correspond à 1000 g d'eau, et 1000 g de H_2O équivalent à environ 50 mol de H_2O (1000 g/18 g/mol). Le rapport mol CH_3OH/mol H_2O est à peu près de 1/50.

b) La solution contient 10,0 g de CH_3OH dans 90,0 g de H_2O. Les 90,0 g de H_2O correspondent presque exactement à 5,0 mol de H_2O, et les 10,0 g de CH_3OH à 10/32, soit environ 0,3 mol de CH_3OH. Le rapport mol CH_3OH/mol H_2O dans la solution *b* est à peu près de 0,3/5,0. En multipliant les deux facteurs de ce rapport par 3, nous obtenons 0,9/15 que nous pouvons arrondir à 1/15. Ainsi, il y a environ 1 mol de CH_3OH pour 15 mol de H_2O.

c) La solution a le rapport le plus élevé (1/9) entre les moles de CH_3OH et celles de H_2O, donc la plus grande fraction molaire de CH_3OH.

EXERCICE 1.10 A

Sans faire de calculs détaillés, déterminez laquelle des solutions aqueuses suivantes a le plus grand pourcentage en moles de CH_3CH_2OH : **a**) CH_3CH_2OH 0,50 mol/L ($\rho = 0,994$ g/mL) ; **b**) 5,0 % en masse de CH_3CH_2OH ; **c**) CH_3CH_2OH 0,50 mol/kg ; **d**) 5,0 % en volume de CH_3CH_2OH ($\rho = 0,991$ g/mL). (La masse volumique de CH_3CH_2OH liquide pur est de 0,789 g/mL.)

EXERCICE 1.10 B

Sans faire de calculs détaillés, déterminez laquelle des solutions aqueuses suivantes a la plus grande concentration en Na^+, exprimée en parties par million en masse : **a**) 0,010 *m* de NaCl(aq) ; **b**) 0,0010 mol/L de Na_2SO_4 ; **c**) 1,0 % de $NaNO_3$ en masse ; **d**) une solution aqueuse de Na^+ et de Cl^- dont la fraction molaire de chacun de ces ions est égale à 0,010.

1.3 Les aspects énergétiques de la mise en solution

Pourquoi certaines substances se dissolvent-elles dans un solvant donné, alors que d'autres ne le font pas ? Par exemple, pourquoi l'éthanol est-il soluble dans l'eau, alors que l'éthane, CH_3CH_3, un composant du gaz naturel, ne l'est pas ? Pourquoi le carbonate de sodium, Na_2CO_3, mais pas le carbonate de magnésium, $MgCO_3$, l'est-il ? Pourquoi la graisse se dissout-elle dans le kérosène, mais pas dans l'eau ? Pour répondre à ce genre de questions, considérons deux facteurs importants dans la formation des solutions : la chaleur de dissolution et les forces intermoléculaires dans les mélanges.

La chaleur de dissolution

L'enthalpie exprime une variation d'énergie associée à une réaction chimique ou à un changement d'état.

On peut arriver à comprendre le processus de dissolution en imaginant qu'il se produit en trois étapes *hypothétiques* : (1) Les molécules du solvant se séparent pour laisser de l'espace aux molécules de soluté. Cette étape exige un travail pour vaincre les forces intermoléculaires d'attraction, et l'enthalpie du solvant augmente : $\Delta H_1 > 0$. (2) Les molécules de soluté s'éloignent les unes des autres pour se trouver à des distances correspondant à celles observées dans la solution. Encore là, cette étape exige un travail pour vaincre les forces intermoléculaires d'attraction dans le soluté : $\Delta H_2 > 0$. (3) Les molécules séparées de soluté et de solvant se distribuent au hasard dans l'ensemble de la solution. On s'attend à ce que ce processus libère de l'énergie, ΔH_3, puisque s'établissent maintenant des forces d'attraction entre les molécules du soluté et celles du solvant. Ces étapes et le bilan sont résumés de la façon suivante.

(1) Solvant pur → molécules de solvant séparées	ΔH_1
(2) Soluté pur → molécules de soluté séparées	ΔH_2
(3) Molécules de solvant et de soluté séparées → solution	ΔH_3

Bilan : solvant pur + soluté pur → solution $\Delta H_{diss} = \Delta H_1 + \Delta H_2 + \Delta H_3$, où ΔH_{diss} correspond à la chaleur de dissolution associée à la formation de la solution.

La formation d'une solution est soit un processus endothermique ($\Delta H_{diss} > 0$), soit un processus exothermique ($\Delta H_{diss} < 0$). Cela dépend des valeurs relatives des variations d'enthalpie dans les trois étapes hypothétiques. La **figure 1.6** présente un diagramme d'énergie généralisé pour un processus de mise en solution endothermique, un processus de mise en solution exothermique et le cas particulier dans lequel $\Delta H_{diss} = 0$.

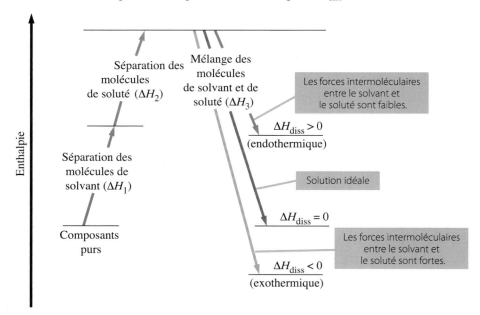

▶ **Figure 1.6**
Représentation de la chaleur de dissolution au moyen d'un diagramme d'énergie

Comme nous allons le voir maintenant, il est possible d'associer les variations d'enthalpie du processus de dissolution en trois étapes hypothétiques aux forces d'attraction intermoléculaires.

Les forces intermoléculaires dans la formation des solutions

La **figure 1.7** représente trois types de forces intermoléculaires dans une solution composée d'un solvant, A, et d'un soluté, B. Les forces intermoléculaires A-A se forment entre les molécules de solvant ; leur intensité détermine la variation d'enthalpie ΔH_1 dans le processus de dissolution en trois étapes hypothétiques. Les forces intermoléculaires B-B sont les forces présentes entre les molécules de soluté ; elles déterminent la valeur de ΔH_2. Enfin, les forces entre A-B représentent celles qui s'établissent entre les molécules de solvant et de soluté ; elles déterminent la valeur de ΔH_3.

L'importance relative de ces trois types de forces intermoléculaires constitue un facteur fondamental pour déterminer si une solution se forme entre un solvant et un soluté donnés. Examinons les quatre possibilités suivantes.

1. *Toutes les forces intermoléculaires sont de même intensité.* Si les trois différentes forces intermoléculaires représentées dans la figure 1.7, A-A, B-B et A-B, sont de même nature et d'intensité comparable, on s'attend alors à ce que les molécules de soluté et de solvant se mélangent au hasard pour former une solution. En outre, cette situation pourrait conduire au cas où $\Delta H_{\text{diss}} = 0$ (flèche mauve), dans la figure 1.6. La variation d'enthalpie globale dans la formation de la solution est nulle, et on s'attend à ce que le volume de la solution corresponde à la somme des volumes du solvant et du soluté ($\Delta V_{\text{diss}} = 0$). On appelle **solution idéale** toute solution qui satisfait à ces exigences.

Les mélanges de gaz parfaits sont des solutions idéales. Il n'existe probablement pas de solutions liquides qui remplissent parfaitement les conditions ci-dessus, mais certaines s'en approchent suffisamment pour qu'on les considère comme idéales. Le mélange des hydrocarbures qui composent l'essence en constitue un exemple. Une solution de toluène dans le benzène en est un autre. En raison des similitudes que présentent leurs structures moléculaires (**figure 1.8**), on s'attend à ce que les forces intermoléculaires entre le benzène et le toluène soient de grandeur comparable.

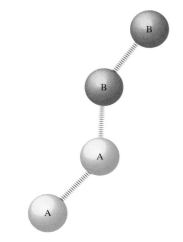

▲ **Figure 1.7**
Forces intermoléculaires dans une solution

La force qui s'exerce entre deux molécules de solvant, A, est représentée en bleu ; entre deux molécules de soluté, B, en vert ; et entre une molécule de solvant, A, et une molécule de soluté, B, en rouge.

Solution idéale

Solution dont la chaleur de dissolution est nulle et dont le volume est égal à la somme des volumes du solvant et du soluté ; en général, on peut prédire les propriétés physiques d'une solution idéale à l'aide des propriétés physiques du solvant et du soluté.

Benzène, C_6H_6

Toluène, $C_6H_5CH_3$

◄ **Figure 1.8**
Deux molécules de structures semblables

Le benzène possède une structure en forme d'anneau à six atomes de carbone, chacun relié à un atome d'hydrogène. Le toluène ne diffère que par un groupement —CH_3 qui remplace un des atomes d'hydrogène.

2. *Les forces qui s'exercent entre les molécules de soluté et de solvant sont plus importantes que les autres forces intermoléculaires.* Quand cette condition est remplie (figure 1.6 ; flèche rouge), la valeur de ΔH_3 peut excéder la somme de ΔH_1 et de ΔH_2. On s'attend à ce que se forme une solution avec dégagement d'énergie sous forme de chaleur. Par

exemple, lorsqu'on dissout de l'éthanol dans l'eau, on constate que $\Delta H_3 > \Delta H_1 + \Delta H_2$ et que la formation de la solution est exothermique. En outre, comme le montre la **figure 1.9**, dans les solutions d'éthanol et d'eau, le volume de la solution est *inférieur* à la somme des volumes de l'éthanol et de l'eau. On s'attend à ce que des solutions de ce type soient *non idéales*, parce que $\Delta H_{diss} < 0$ et $\Delta V_{diss} < 0$.

100 mL

▶ **Figure 1.9**
**Une solution non idéale :
l'éthanol et l'eau**
Des fioles jaugées de 50,0 mL sont remplies jusqu'au trait de jauge avec de l'éthanol et de l'eau. Une fois les deux liquides mélangés, le volume total est inférieur à la valeur attendue de 100,0 mL ; il n'est que de 95 mL environ.

3. *Les forces qui s'exercent entre les molécules de soluté et de solvant sont plus* faibles *que les autres forces intermoléculaires*. Ce cas est illustré à la figure 1.6, où la valeur de ΔH_3 est inférieure à la somme de ΔH_1 et de ΔH_2 (flèche bleue). Une solution se forme, mais elle n'est pas idéale ; $\Delta H_{diss} > 0$, et le processus de dissolution est endothermique.

Comment un processus endothermique peut-il permettre la formation d'une solution, puisque celle-ci est dans un état d'énergie (enthalpie) plus élevé que les composants isolés ? On pourrait soupçonner l'existence d'un autre facteur, et on aurait raison : au niveau moléculaire, les systèmes tendent naturellement vers des états de désordre croissant. On peut mesurer cette tendance au moyen de la variation d'une propriété thermodynamique appelée *entropie*. Nous aborderons l'entropie au chapitre 6, et nous y décrirons également le rôle des *variations d'entropie* dans la formation des solutions.

4. *Les forces qui s'exercent entre les molécules de soluté et de solvant sont* beaucoup plus faibles *que les autres forces intermoléculaires*. Dans ce cas, la grandeur de ΔH_3 dans la figure 1.6 peut être tellement plus petite que la somme de ΔH_1 et de ΔH_2 que l'état d'énergie de la solution est trop élevé pour être atteint. Le soluté ne se dissout pas dans le solvant ; les deux substances constituent des phases séparées dans un mélange *hétérogène*. Par exemple, l'essence ne se mélange pas à l'eau : les forces dominantes qui s'exercent entre les molécules d'hydrocarbures non polaires de l'essence sont des forces de dispersion. Dans le cas des molécules d'eau, ce sont plutôt des liaisons hydrogène. Il ne se forme donc pas de liaisons hydrogène entre les molécules d'eau et d'hydrocarbures, et l'essence et l'eau ne peuvent pas former une solution.

Cette nappe d'hydrocarbures, résultat du déversement de pétrole par l'*Exxon Valdez* en Alaska en 1989, nous rappelle que les huiles hydrocarbonées et l'eau ne se mélangent pas.

Deux règles empiriques simples nous aident à résumer trois de ces quatre possibilités. La règle selon laquelle *des substances semblables se dissolvent mutuellement* fonctionne bien pour les deux premiers cas, c'est-à-dire (1) des mélanges dans lesquels toutes les forces intermoléculaires sont comparables et (2) des mélanges dans lesquels les forces entre les molécules de soluté et de solvant sont *plus importantes* que les autres forces intermoléculaires. Le vieux dicton « *l'huile et l'eau ne se mélangent pas* » est une autre façon d'énoncer la possibilité (4) : les substances dont les molécules sont de structures différentes, comme l'essence et l'eau, ont tendance à ne pas se dissoudre l'une dans l'autre. Aucune règle empirique ne nous aide pour le cas (3), où les forces entre les molécules de soluté et de solvant sont *plus faibles* que les autres forces intermoléculaires. Comme nous l'avons signalé, le facteur déterminant dans ce cas est la tendance vers l'augmentation de désordre.

Les solutions aqueuses de composés ioniques

Examinons maintenant la dissolution de composés ioniques dans l'eau. Les attractions ioniques retiennent ensemble les ions dans un solide ionique. Les forces qui causent la dissolution des solides sont les forces *ion-dipôle,* c'est-à-dire les attractions qui s'exercent entre les ions (cations ou anions) et les dipôles des molécules d'eau. Tel que le représente la **figure 1.10**, les molécules d'eau polaires attirent les ions, les arrachent au réseau cristallin et les entraînent en solution aqueuse. Dans la solution, les forces ion-dipôle désagrègent le système cristallin d'un composé ionique soluble et diminuent la tendance des ions à retourner à l'état cristallin. Tous les ions en solution aqueuse sont associés à un certain nombre de molécules d'eau ; ils sont *hydratés.*

Le degré de dissolution d'un solide ionique dans l'eau est déterminé en grande partie par la compétition entre les attractions ioniques qui maintiennent les ions ensemble dans un cristal et les attractions ion-dipôle qui les entraînent en solution. Si les attractions ion-dipôle prévalent, le solide est soluble dans l'eau. C'est ce qui se produit dans le cas des composés des métaux du groupe IA et des composés d'ammonium. Par contre, si les attractions ioniques l'emportent, comme pour de nombreux carbonates, hydroxydes et sulfures, le solide est insoluble.

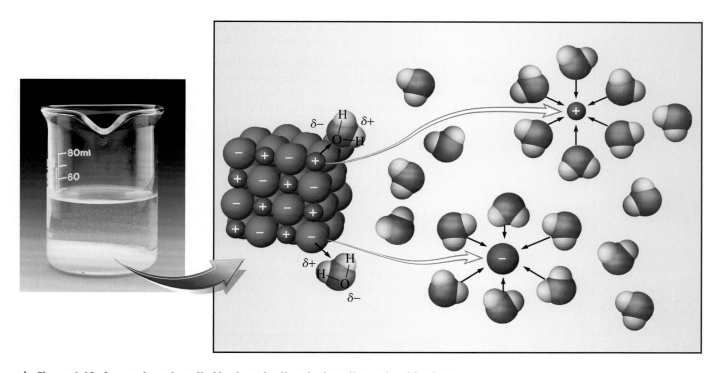

▲ Figure 1.10 **Attractions ion-dipôle dans la dissolution d'un cristal ionique**
L'attraction qui existe entre les molécules d'eau polaires et les ions permet d'arracher ces derniers du réseau cristallin et de les entraîner en solution aqueuse. Les attractions ion-dipôle existent également dans la solution, ce qui diminue la tendance des ions à reformer le cristal. La combinaison d'un ion en solution avec les molécules d'eau polaires qui l'entourent et l'attirent est appelée *ion hydraté.*

Il est parfois difficile de prédire la solubilité dans l'eau d'un composé. Par exemple, on s'attendrait à trouver des attractions ioniques fortes entre les ions Al^{3+} et SO_4^{2-}, dont les charges sont élevées, ce qui devrait entraîner une solubilité limitée en milieu aqueux. Pourtant, $Al_2(SO_4)_3$ est très soluble dans l'eau. Les attractions ion-dipôle sont particulièrement fortes dans la solution, probablement parce que les centres chargés négativement de l'eau polaire peuvent s'approcher des petits ions Al^{3+} fortement chargés. En général, cependant, on peut très facilement prédire les solubilités des composés ioniques en faisant appel à quelques règles de solubilité que l'on abordera plus en détail au chapitre 5. Soulignons simplement ici que la solubilité élevée de $Al_2(SO_4)_3$ dans l'eau est conforme aux observations selon lesquelles la plupart des sulfates sont solubles en milieu aqueux.

EXEMPLE 1.11

Pour chacune des paires suivantes, dites lesquelles sont susceptibles de former une solution ou un mélange hétérogène :

a) méthanol, CH_3OH, et eau, HOH

b) pentane, $CH_3(CH_2)_3CH_3$, et octane, $CH_3(CH_2)_6CH_3$

c) chlorure de sodium, NaCl, et tétrachlorure de carbone, CCl_4

d) décan-1-ol, $CH_3(CH_2)_8CH_2OH$, et eau, HOH

✦ Solution

a) Le groupement OH constitue la caractéristique structurale la plus importante des molécules en présence ici. Ce groupement est lié à un atome H dans l'eau et à un groupement CH_3 dans le méthanol. Les molécules ont en commun la liaison hydrogène, qui est la principale force intermoléculaire dans ces liquides aussi bien quand ils sont purs que lorsqu'on les mélange. On s'attend à ce que le méthanol et l'eau forment une solution.

b) Les hydrocarbures, pentane et octane, sont pratiquement semblables ; ils ne diffèrent que par trois groupements CH_2. Les forces intermoléculaires sont toutes des forces de dispersion et elles sont de grandeur semblable. On s'attend à ce que le pentane et l'octane forment une solution (des substances semblables se dissolvent mutuellement).

c) Le chlorure de sodium et le tétrachlorure de carbone sont deux chlorures, mais la similitude s'arrête là. NaCl est un composé ionique, alors que CCl_4 est un composé moléculaire. De plus, le CCl_4 tétraédrique est *non polaire,* de sorte qu'aucune attraction ion-dipôle n'existe pour séparer les ions dans NaCl(s). Il n'y a pas de dissolution et on s'attend à ce que le mélange soit *hétérogène.*

d) Ce cas peut paraître semblable à celui qui est décrit en *a* — une chaîne hydrocarbonée substituée à un atome H dans HOH —, mais ici la chaîne hydrocarbonée contient 10 atomes de carbone. Cette longue chaîne est la principale caractéristique structurale du décan-1-ol, et les forces de dispersion constituent ses interactions moléculaires dominantes. On s'attend à ce que le mélange de décan-1-ol et d'eau soit hétérogène (il n'y a pratiquement aucune dissolution). C'est le cas de « l'huile et de l'eau, qui ne se mélangent pas », le décan-1-ol jouant ici le rôle de « l'huile ».

EXERCICE 1.11 A

Dans quel solvant doit-on s'attendre à ce que le nitrobenzène, $C_6H_5NO_2$, soit le plus soluble : l'eau (H_2O) ou le benzène (C_6H_6) ? Expliquez votre réponse.

EXERCICE 1.11 B

La **figure 1.11** présente les formules chimiques de quatre substances. Classez-les par ordre de solubilité croissante dans l'eau.

$$CH_3-\overset{\overset{\textstyle O}{\textstyle \|}}{C}-OH \qquad\qquad CH_3-CH_2-CH_2-CH_2-CH_2-CH_2-OH$$

        (a) acide acétique   **(b)** hexan-1-ol

$$CH_3-CH_2-CH_2-CH_2-CH_2-CH_3$$

(c) hexane

$$CH_3-CH_2-CH_2-\overset{\displaystyle O}{\overset{\displaystyle \|}{C}}-OH$$

d) acide butanoïque

▲ **Figure 1.11**

RÉSOLUTION DE PROBLÈMES
Les alcools deviennent de moins en moins solubles dans l'eau à mesure que le nombre d'atomes de carbone augmente. Cette règle est observée dans le cas d'alcools contenant au moins trois carbones.

1.4 Quelques propriétés des solutions électrolytiques

En raison de sa grande efficacité comme solvant de nombreuses substances ioniques et moléculaires, l'eau a été qualifiée de solvant « universel ». L'apparence d'une solution ne nous laisse pas voir ce qui est présent au niveau microscopique, c'est-à-dire que l'on ne peut pas savoir si les particules de soluté sont des ions ou des molécules, ou un mélange des deux. Néanmoins, quelques-unes des premières découvertes sur la nature microscopique des solutions aqueuses ont eu lieu grâce à des observations macroscopiques sur la capacité des solutions à conduire l'électricité. Pour en comprendre les raisons, examinons d'abord quelques-unes des découvertes les plus importantes sur l'électricité.

L'électricité statique, comme celle qui est produite lorsqu'on passe un peigne dans les cheveux, est connue depuis les temps anciens. Vers la fin du XVIIIe siècle, on a découvert qu'il y a deux types de charges électriques (positive et négative). On comprenait bien à cette époque les interactions entre des objets chargés positivement et négativement (**figure 1.12**).

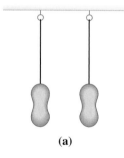
(a)

(b)

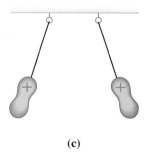
(c)

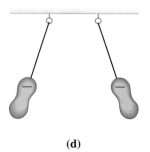
(d)

▲ **Figure 1.12 Forces électrostatiques**
Les objets représentés sont des boules de polystyrène en forme d'écales d'arachides, utilisées dans les emballages : **(a)** les boules ne portent aucune charge, et aucune force électrostatique ne s'exerce sur elles ; **(b)** les boules portent des charges opposées et s'attirent : l'une a une charge positive, l'autre, une charge négative. Dans les cas **(c)** et **(d)**, les boules portent des charges identiques et se repoussent.

Au début du XIXe siècle, on a découvert l'électricité, l'énergie que nous connaissons bien, celle qui circule dans les fils métalliques (le courant électrique). Nous savons aujourd'hui qu'un courant électrique est une *circulation de particules chargées*. Dans les métaux solides et liquides, les particules qui circulent sont des *électrons*. On dit que les métaux *conduisent* l'électricité ou qu'ils sont de bons conducteurs électriques. Les électrons peuvent être mis en mouvement de diverses façons, notamment par une génératrice dans une centrale électrique ou par une réaction chimique dans une pile électrique.

Les composés ioniques fondus (liquides) et les solutions aqueuses de composés ioniques sont également de bons conducteurs d'électricité mais, dans ces cas, les particules chargées qui circulent sont des *ions*. Michael Faraday (1791-1867) a réalisé la majeure partie des premiers travaux sur la conduction de l'électricité en solution, qui est le thème de cette section. Faraday a inventé les termes suivants, que les chimistes utilisent toujours.

- Les **électrodes** sont des conducteurs d'électricité (fils ou plaques de métal) partiellement immergés dans une solution et rattachés à une source d'électricité. L'**anode** est l'électrode reliée au pôle *positif* de la source d'électricité et la **cathode** est l'électrode reliée au pôle *négatif*.

- Un *ion* transporte une charge électrique à travers une solution. (Le terme « ion » tire son origine du verbe grec *ienai*, « aller ».) Les *anions,* étant des ions chargés négativement (–), sont attirés vers l'anode (+) ; les *cations,* portant une charge positive (+), sont attirés vers la cathode (–).

La **figure 1.13** indique comment l'électricité circule dans une solution. La source externe d'électricité force les électrons à passer, dans les fils, de l'anode (+) à la cathode (–). Puis, les ions se trouvant dans la solution migrent vers les électrodes. De cette façon, ils transportent l'électricité au sein de la solution et complètent le circuit électrique.

La théorie d'Arrhenius

Faraday n'a pas cherché à savoir comment les ions nécessaires à la conduction de l'électricité sont formés dans une solution. D'autres scientifiques pensaient, à cette époque, que les molécules de soluté se brisaient, ou se dissociaient, en cations et en anions, seulement quand un courant électrique circulait dans la solution.

En 1884, dans sa thèse de doctorat, Svante Arrhenius a émis l'hypothèse que certaines substances, comme NaCl et HCl, se dissocient en cations et en anions *quand elles se dissolvent dans l'eau.* L'électricité ne produit pas d'ions dans une solution aqueuse ; ce sont plutôt les ions existant déjà dans la solution qui permettent à l'électricité de circuler. On utilise le terme *électrolyte* pour décrire un soluté qui produit suffisamment d'ions pour rendre une solution conductrice d'électricité. Les idées d'Arrhenius sont connues aujourd'hui sous le nom de *théorie de la dissociation électrolytique*.

La **figure 1.14** (page suivante) illustre comment on démontre les capacités relatives des solutions à conduire un courant électrique. On place deux électrodes de graphite (la substance dont est formée la mine des crayons) dans la solution que l'on veut étudier et on les relie par des fils à une source de courant électrique. On place également une ampoule dans le circuit. Les électrons peuvent passer librement dans les fils et l'ampoule, mais ils ne peuvent pas traverser la solution. Afin de compléter le circuit électrique et d'allumer l'ampoule, les ions doivent être présents en nombre suffisant pour transporter les charges électriques dans la solution. Supposons que les solutions dans les béchers sont toutes de 1 mol/L. Peu importe le soluté, nous observerons toujours l'une des trois possibilités suivantes.

- **Figure 1.14***a* : *L'ampoule brille fortement,* ce qui indique la présence d'un grand nombre d'ions dans la solution. Dans NaCl(aq), tout comme dans NaCl(s), il n'y a pas de molécules de NaCl mais seulement des ions Na^+ et Cl^- séparés. Le NaCl est donc un électrolyte fort.

  Un électrolyte fort est un soluté présent en solution presque exclusivement sous forme d'ions. Une solution d'un électrolyte fort est un bon conducteur d'électricité.

  Le chlorure d'hydrogène est aussi un électrolyte fort en solution aqueuse. En revanche, à l'état pur, HCl est une substance moléculaire. Il forme des ions (H^+ et Cl^-) seulement quand il est dissous dans l'eau.

- **Figure 1.14***b* : *L'ampoule ne s'allume pas,* ce qui signifie qu'il n'y a pratiquement pas d'ions dans la solution ; du moins, pas assez pour transporter une quantité importante de charges à travers la solution. C'est ce que nous observons avec de l'eau pure entre les électrodes[*] ou avec une solution aqueuse d'une substance moléculaire qui ne s'ionise pas, comme l'éthanol, CH_3CH_2OH.

Électrode

Lame de métal ou tige de carbone plongée dans une solution ou un électrolyte à l'état liquide, qui assure le transport de charges électriques vers le liquide ou à l'extérieur de celui-ci.

Anode

Électrode positive d'une cellule électrolytique.

Cathode

Électrode négative d'une cellule électrolytique.

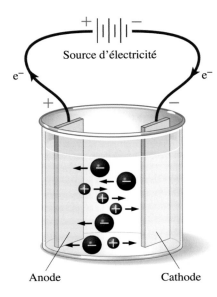

Source d'électricité

Anode   Cathode

▲ **Figure 1.13**
Conduction de l'électricité au sein d'une solution

La source d'électricité dirige les électrons à travers les fils, de l'anode à la cathode. Les cations ⊕ sont attirés vers la cathode (–), et les anions ●, vers l'anode (+). Cette migration d'ions donne lieu à un courant électrique dans la solution.

Électrolyte fort

Substance présente exclusivement ou presque exclusivement sous forme d'ions dans une solution.

*Un **non-électrolyte** est un soluté présent en solution presque exclusivement sous forme de molécules. Une solution d'un non-électrolyte ne conduit pas l'électricité.*

- **Figure 1.14c** : *L'ampoule s'allume, mais elle brille faiblement,* ce qui veut dire que le soluté dans la solution existe partiellement sous forme moléculaire et partiellement sous forme ionique. L'acide acétique, CH_3COOH, se comporte de cette façon.

*Un **électrolyte faible** est un soluté qui n'est que partiellement dissocié en solution. Une solution d'un électrolyte faible est un mauvais conducteur d'électricité.*

Il est important de comprendre que les termes « fort » et « faible » désignent le degré auquel un électrolyte produit des ions en solution. Si celui-ci existe presque exclusivement sous forme d'ions en solution, il est fort ; s'il demeure majoritairement sous forme moléculaire, il est faible. Toutefois, une solution très diluée de chlorure de sodium (électrolyte fort) pourrait ne pas conduire l'électricité aussi bien qu'une solution plus concentrée d'acide acétique (électrolyte faible).

Non-électrolyte

Substance qui existe exclusivement ou presque exclusivement sous forme moléculaire, à l'état pur ou en solution.

Électrolyte faible

Substance présente en partie sous forme d'ions et en partie sous forme de molécules dans une solution.

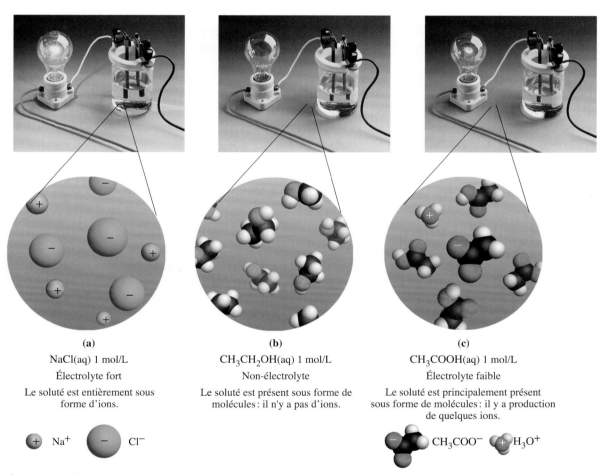

(a)
$NaCl(aq)$ 1 mol/L
Électrolyte fort
Le soluté est entièrement sous forme d'ions.

(b)
$CH_3CH_2OH(aq)$ 1 mol/L
Non-électrolyte
Le soluté est présent sous forme de molécules : il n'y a pas d'ions.

(c)
$CH_3COOH(aq)$ 1 mol/L
Électrolyte faible
Le soluté est principalement présent sous forme de molécules : il y a production de quelques ions.

Na^+ Cl^-

CH_3COO^- H_3O^+

▲ **Figure 1.14 Propriétés électrolytiques des solutions aqueuses**
Pour que le courant électrique circule, il doit y avoir des cations et des anions libres de migrer entre les deux électrodes de graphite. Dans la représentation microscopique de chacune des solutions, les molécules de solvant ne sont pas représentées, parce que nous nous concentrons uniquement sur les solutés ; le fond bleu laisse supposer la présence d'eau comme solvant. Dans **(a)**, toutes les particules de soluté sont des ions Na^+ et Cl^-. Dans **(b)**, il n'y a pas d'ions. Dans **(c)**, environ une molécule sur 200 s'ionise, produisant un ion acétate, CH_3COO^-, et un ion hydrogène, H^+, qui se lie à une molécule d'eau pour former un ion hydronium, H_3O^+.

---

* L'eau du robinet ordinaire n'est pas pure. Elle contient assez de composés ioniques dissous pour conduire l'électricité jusqu'à un certain point. C'est pourquoi on doit être particulièrement prudent quand on manipule de l'équipement électrique près d'un plan d'eau.

Nous pouvons utiliser les généralisations suivantes pour classer les substances solubles dans l'eau selon leurs propriétés électrolytiques.

- À quelques exceptions près, les composés ioniques sont des électrolytes forts.
- Quelques composés moléculaires (surtout des acides comme HCl) sont des *électrolytes forts.*
- La plupart des composés moléculaires sont soit des *non-électrolytes,* soit des *électrolytes faibles* ; par exemple, les acides carboxyliques (contenant le groupement $-COOH$) et les amines (contenant le groupement $-NH_2$) sont des *électrolytes faibles.*
- La majorité des autres composés organiques sont moléculaires et *non électrolytiques,* tels le saccharose et l'éthanol.

On peut utiliser ces généralisations pour choisir la meilleure façon de représenter un soluté dans une solution aqueuse. Puisqu'un soluté qui est un *non-électrolyte* n'existe que sous forme moléculaire, on utilise sa formule moléculaire. Par exemple, on représente une solution aqueuse d'éthanol par $CH_3CH_2OH(aq)$.

Quand on dissout un cristal d'un composé ionique soluble dans l'eau (un *électrolyte fort*), les cations et les anions se dissocient et apparaissent en solution comme des particules de soluté indépendantes. On peut représenter la dissociation de NaCl par

$$NaCl(s) \xrightarrow{H_2O} Na^+(aq) + Cl^-(aq)$$

On place la formule H_2O au-dessus de la flèche pour indiquer que la dissociation se produit quand le NaCl(s) se dissout dans l'eau, mais H_2O n'est pas un réactif au sens habituel du terme. Dans de nombreux cas, on peut simplement représenter les solutions aqueuses de composés ioniques par la formule du soluté non ionisé. Par exemple, on représente une solution aqueuse de chlorure de sodium par NaCl(aq). Dans d'autres situations, cependant, la forme ionique $Na^+(aq) + Cl^-(aq)$ fournit une meilleure représentation de la réalité, comme nous allons le voir dans la section suivante.

Le calcul des concentrations ioniques en solution

On sait que, pour préparer $Na_2SO_4(aq)$ 0,010 mol/L, il faut dissoudre 0,010 mol de Na_2SO_4 par litre de solution. On sait également que Na_2SO_4 est un composé ionique et un électrolyte fort. Les particules en solution dans $Na_2SO_4(aq)$ 0,010 mol/L sont les ions Na^+ et SO_4^{2-}, et les concentrations de ces ions déterminent certaines propriétés de la solution, notamment son point de congélation. Nous allons établir un lien entre les propriétés physiques des solutions et leurs concentrations (sections 1.7 à 1.9). Pour ce faire, il faut savoir calculer les concentrations des ions.

On utilise les crochets [ ] pour représenter les concentrations molaires volumiques (*c*) des ions ou des molécules en solution. Puisque la dissociation de Na_2SO_4 produit deux ions Na^+ et un ion SO_4^{2-} par entité formulaire, dans Na_2SO_4 0,010 mol/L, on trouve $(2 \times 0,010)$ mol de Na^+ et 0,010 mol de SO_4^{2-} par litre de solution. Autrement dit, $[Na^+] = 0,020$ mol/L et $[SO_4^{2-}] = 0,010$ mol/L. Remarquez qu'il n'y a qu'une seule concentration pour un ion donné dans une solution, même s'il provient de deux ou de plusieurs sources. On applique ce principe dans les calculs de l'exemple 1.12.

EXEMPLE **1.12**

Calculez la concentration molaire volumique de chacun des types d'ions présents dans une solution aqueuse qui contient à la fois Na_2SO_4 0,003 84 mol/L et $Al_2(SO_4)_3$ 0,002 02 mol/L.

→ Stratégie

Il faut d'abord écrire les équations de dissociation pour connaître la nature et la provenance des ions en solution. Ensuite, il faut calculer la concentration molaire volumique pour chaque ion présent après avoir regroupé tous les ions de même nature provenant de sources différentes.

➡ Solution

Avec l'expérience, vous pourrez sans nul doute établir une relation entre les concentrations des ions et celles des solutés qui les produisent, sans écrire d'équations. Pour le présent exemple, toutefois, commençons par donner les équations qui représentent les dissociations.

$$\text{Na}_2\text{SO}_4(s) \xrightarrow{\text{H}_2\text{O}} 2\,\text{Na}^+(aq) + \text{SO}_4^{2-}(aq)$$
$$\text{Sel} \qquad\qquad \text{Cation} \qquad \text{Anion}$$

$$\text{Al}_2(\text{SO}_4)_3(s) \xrightarrow{\text{H}_2\text{O}} 2\,\text{Al}^{3+}(aq) + 3\,\text{SO}_4^{2-}(aq)$$
$$\text{Sel} \qquad\qquad \text{Cation} \qquad \text{Anion}$$

Nous devons donc calculer les concentrations molaires volumiques pour trois types d'ions : Na^+, Al^{3+} et SO_4^{2-}. Les équations de dissociation constituent une base pour concevoir des facteurs de conversion appropriés. Utilisons les facteurs de conversion illustrés en rouge pour établir les concentrations molaires volumiques des ions.

Ions provenant de Na₂SO₄(s) :

$$[\text{Na}^+] = \frac{0{,}003\,84 \text{ mol de Na}_2\text{SO}_4}{1\text{ L}} \times \frac{2\text{ mol de Na}^+}{1\text{ mol de Na}_2\text{SO}_4} = \frac{0{,}007\,68 \text{ mol de Na}^+}{1\text{ L}}$$

$$= 0{,}007\,68 \text{ mol/L}$$

$$[\text{SO}_4^{2-}] = \frac{0{,}003\,84 \text{ mol de Na}_2\text{SO}_4}{1\text{ L}} \times \frac{1\text{ mol de SO}_4^{2-}}{1\text{ mol de Na}_2\text{SO}_4} = \frac{0{,}003\,84 \text{ mol de SO}_4^{2-}}{1\text{ L}}$$

$$= 0{,}003\,84 \text{ mol/L}$$

Ions provenant de Al₂(SO₄)₃(s) :

$$[\text{Al}^{3+}] = \frac{0{,}002\,02 \text{ mol de Al}_2(\text{SO}_4)_3}{1\text{ L}} \times \frac{2\text{ mol de Al}^{3+}}{1\text{ mol de Al}_2(\text{SO}_4)_3} = \frac{0{,}004\,04 \text{ mol de Al}^{3+}}{1\text{ L}}$$

$$= 0{,}004\,04 \text{ mol/L}$$

$$[\text{SO}_4^{2-}] = \frac{0{,}002\,02 \text{ mol de Al}_2(\text{SO}_4)_3}{1\text{ L}} \times \frac{3\text{ mol de SO}_4^{2-}}{1\text{ mol de Al}_2(\text{SO}_4)_3} = \frac{0{,}006\,06 \text{ mol de SO}_4^{2-}}{1\text{ L}}$$

$$= 0{,}006\,06 \text{ mol/L}$$

Les ions SO_4^{2-} provenant de $\text{Al}_2(\text{SO}_4)_3$ sont identiques à ceux fournis par Na_2SO_4. Pour obtenir la concentration totale des ions sulfate, nous additionnons les concentrations de toutes les sources de ces ions. Les cations Na^+ et Al^{3+} n'ont chacun qu'une seule source.

$$[\text{Na}^+] = 0{,}007\,68 \text{ mol/L}$$
$$[\text{Al}^{3+}] = 0{,}004\,04 \text{ mol/L}$$
$$[\text{SO}_4^{2-}] = 0{,}003\,84 \text{ mol/L} + 0{,}006\,06 \text{ mol/L} = 0{,}009\,90 \text{ mol/L}$$

EXERCICE 1.12 A

L'eau de mer se compose essentiellement de NaCl 0,438 mol/L et de MgCl_2 0,0512 mol/L, ainsi que de plusieurs autres solutés moins importants. Quelles sont les valeurs de $[\text{Na}^+]$, de $[\text{Mg}^{2+}]$ et de $[\text{Cl}^-]$ dans l'eau de mer ?

EXERCICE 1.12 B

Chaque année, la réhydratation par voie orale (administration d'une solution d'électrolytes) sauve la vie de millions d'enfants dans le monde chez qui la diarrhée a provoqué une déshydratation. La solution réhydratante contient 3,5 g de chlorure de sodium, 1,5 g de chlorure de potassium, 2,9 g de citrate de sodium ($\text{Na}_3\text{C}_6\text{H}_5\text{O}_7$) et 20,0 g de glucose

($C_6H_{12}O_6$) par litre. Calculez la concentration molaire volumique de chacune des substances présentes dans la solution.

(*Indice :* Le citrate de sodium est un électrolyte fort et le glucose est un non-électrolyte.)

1.5 L'équilibre des solutions

Certaines substances peuvent se dissoudre l'une dans l'autre sans limites. On dit que les liquides qui se mélangent en toutes proportions sont *miscibles*. Par exemple, on peut préparer une solution d'éthanol et d'eau dont le pourcentage massique d'éthanol varie de 0 % à près de 100 %. L'éthanol et l'eau sont complètement miscibles. Il y a toutefois des limites à la solubilité de la plupart des substances. Ces limites varient selon la nature du soluté et du solvant, et selon la température.

Que se passe-t-il quand on place 40 g de NaCl dans 100 g d'eau à 20 °C ? Au départ, beaucoup d'ions Na^+ et Cl^- sont arrachés à la surface des cristaux grâce aux attractions ion-dipôle, et ils vagabondent au sein de la solution ; une partie du NaCl se *dissout*. Au cours de leurs déplacements, certains ions passent près d'une surface cristalline vers laquelle des ions de charge opposée les attirent ; une partie du NaCl *recristallise*. À mesure que de plus en plus de NaCl se dissout, le nombre d'ions libres en solution qui retournent sous forme de cristaux augmente. Finalement (quand 36 g de NaCl se sont dissous), le nombre d'ions qui reviennent à l'état cristallin est égal au nombre d'ions qui quittent le cristal pour la solution. À ce moment-là, la vitesse de cristallisation est égale à la vitesse de dissolution, et il s'établit une condition d'*équilibre dynamique*. La quantité nette de NaCl en solution demeure la même, en dépit du fait qu'il y ait beaucoup d'activité, car les ions vont et viennent à la surface des cristaux. La quantité nette de NaCl non dissous demeure également constante (dans cet exemple, il s'agit de 4 g), même si certains cristaux peuvent changer de taille et de forme. Quelques petits cristaux peuvent disparaître, alors que d'autres deviennent plus gros. La **figure 1.15** illustre ce processus.

(a)   **(b)**   **(c)**   **(d)**

▲ Figure 1.15 **Formation d'une solution saturée**
(a) Un soluté solide est ajouté à une quantité déterminée d'eau. **(b)** Après quelques minutes, la solution devient colorée à cause de la dissolution du soluté, et il reste moins de soluté non dissous que dans *a*. **(c)** Quelque temps après, la solution prend une couleur plus foncée, et la quantité de soluté non dissous est inférieure à celle de *b*. On dit de la solution *b* qu'elle est insaturée. **(d)** Encore plus tard, la couleur de la solution et la quantité de soluté non dissous semblent identiques à celles de *c*. Un équilibre dynamique a été atteint dans *c* et persiste dans *d* ; dans les deux cas, la solution est saturée.

Solution saturée

Solution dans laquelle il existe un équilibre dynamique entre le soluté non dissous et la solution : celle-ci contient la quantité maximale de soluté qu'on peut dissoudre dans une quantité donnée du solvant, à une température donnée.

Solubilité

Propriété d'un soluté et d'un solvant donnés qui indique la concentration du soluté dans une solution saturée.

Une fois que l'équilibre dynamique entre le soluté non dissous et la solution est atteint, cette dernière devient **saturée**. La concentration de la solution saturée représente la **solubilité** du soluté. La solubilité de NaCl dans l'eau à 20 °C est de 36 g de NaCl/ 100 g de H_2O. Par contre, une solution contenant moins de soluté et qui peut être maintenue en équilibre est **insaturée**. À 20 °C, une solution de 24 g de NaCl/100 g de H₂O est insaturée, tout comme celle qui ne contient que 32 g de NaCl/100 g de H₂O.

Les termes *saturé* et *insaturé* n'ont aucun rapport avec le fait qu'une solution est diluée ou concentrée. Par exemple, une solution aqueuse saturée de Ca(OH)₂ à 20 °C est de 0,023 mol/L : c'est une solution très diluée. Par contre, à 20 °C, une solution de 10 mol/L de NaOH, bien qu'elle soit très concentrée, est toujours insaturée.

Solution insaturée

Solution contenant une concentration de soluté inférieure à la solubilité de celui-ci.

L'influence de la température sur la solubilité

La solubilité varie avec la température, de sorte que, en indiquant une donnée de solubilité, nous devons préciser la température. Nous pouvons toutefois utiliser la généralisation suivante au sujet des solubilités des composés ioniques dans l'eau :

> *Environ 95 % des composés ioniques possèdent des solubilités dans l'eau qui augmentent de façon marquée avec la température. La solubilité de la plupart des autres composés varie peu avec la température. La solubilité d'un très petit nombre (par exemple certains sulfates) diminue même.*

Un graphique de la solubilité en fonction de la température est appelé une **courbe de solubilité**. La **figure 1.16** montre les courbes de solubilité de plusieurs composés ioniques dans l'eau ; l'unité utilisée est celle que l'on trouve dans la plupart des ouvrages de référence : grammes de soluté/100 grammes d'eau.

Courbe de solubilité

Graphique de la solubilité d'un soluté en fonction de la température.

Si on refroidit une solution saturée de nitrate de plomb Pb(NO₃)₂(aq) en présence d'un excès de Pb(NO₃)₂(s), une partie du soluté cristallisera jusqu'à ce qu'un nouvel équilibre s'établisse à une température plus basse. Par exemple, en vous reportant à la figure 1.16, considérez une solution saturée de nitrate de plomb à 90 °C. La solution contient 122 g de Pb(NO₃)₂ dans 100 g d'eau. Si on la refroidit à 20 °C, la solution ne peut contenir que 54 g de Pb(NO₃)₂ par 100 g d'eau. Les 68 g en excès se séparent de la solution en formant des cristaux.

Quand le nitrate de potassium, KNO₃(s), est cristallisé à partir d'une solution aqueuse de KNO₃ contenant du sulfate de cuivre, CuSO₄, comme impureté, CuSO₄ (bleu) reste en solution.

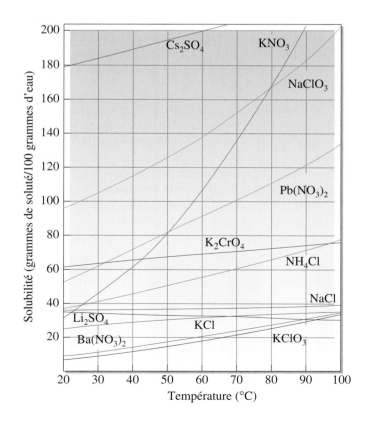

◄ Figure 1.16
Courbes de solubilité dans l'eau de plusieurs sels

Quelques solutions sursaturées en cuisine

Les solutions sursaturées ne sont pas que des curiosités de laboratoire ; on en trouve dans la nature. Dans le miel, par exemple, le principal soluté est un sucre, le glucose, et le solvant est l'eau. Si on le laisse reposer, le glucose finit par cristalliser. On dit, de façon peu scientifique, que le miel « s'est changé en sucre ». Les solutions de saccharose (sucre de table) sursaturées sont tout à fait communes en cuisine. Les gelées en sont un exemple. Le saccharose d'une gelée qu'on a laissée reposer longtemps cristallise souvent.

Certains vins ont une concentration élevée en hydrogénotartrate de potassium, $KHC_4H_4O_6$ (aussi appelé *tartrate acide de potassium*). Lorsqu'elle est refroidie, la solution peut devenir sursaturée. Après un certain temps, des cristaux peuvent se former et se déposer si le vin est placé au réfrigérateur. Les établissements vinicoles modernes ont résolu ce problème (et rendent le vin moins acide) grâce à un procédé appelé *stabilisation à basse température*. Le vin est refroidi aux environs de 0 °C, une température inférieure à celle d'un réfrigérateur normal. De minuscules cristaux de $KC_4H_5O_6$ sont ajoutés au vin sursaturé. Après un certain temps, la cristallisation est complète, et les cristaux en excès sont filtrés. À une certaine époque, la vinification constituait la principale source de tartrate de potassium, la crème de tartre utilisée en boulangerie.

Imaginez un goûter sans cette solution sursaturée qu'on appelle gelée !

Considérons maintenant ce qui se passerait si on commençait à refroidir une solution saturée de nitrate de plomb en l'absence de soluté en excès. Le nitrate de plomb cristalliserait-il ? Il le devrait. Remarquez que, dans ce cas, il n'y a pas d'équilibre dynamique, parce qu'il n'y a pas de cristaux pour capter les ions libres en solution. Si on arrive à refroidir la solution sans que survienne la cristallisation, elle contiendra plus de soluté qu'elle n'en contiendrait à l'équilibre. La solution sera **sursaturée**. Les solutions sursaturées sont instables, et l'addition d'un cristal de soluté amorcera la cristallisation soudaine de tout l'excès de soluté (**figure 1.17**).

On peut utiliser la cristallisation pour purifier une substance qui contient des impuretés. La méthode consiste à dissoudre la substance dans une quantité minimale de solvant chaud, de façon que le soluté d'intérêt (la substance à purifier) se trouve sous forme concentrée. On refroidit alors la solution jusqu'à ce qu'elle atteigne une température à laquelle la solubilité du soluté est beaucoup plus faible que dans le solvant chaud. Le soluté en excès se sépare de la solution et cristallise, mais les impuretés, présentes en quantités beaucoup plus faibles, restent en solution. Les cristaux sont filtrés et lavés avec de petites quantités de solvant froid pour enlever toute trace de solution.

Solution sursaturée

Solution instable contenant une plus grande concentration de soluté que celle exprimée par la solubilité de ce soluté dans le solvant.

▶ **Figure 1.17**
Amorçage de la cristallisation d'une solution sursaturée
Un tout petit cristal est ajouté à une solution sursaturée d'acétate de sodium (gauche). La cristallisation commence (centre) et se poursuit jusqu'à ce que tout le soluté en excès se soit séparé de la solution en cristallisant (droite).

1.6 La solubilité des gaz

Les solutions de gaz dans des liquides, surtout dans l'eau, sont très courantes. Examinons le cas familier des boissons gazeuses : ce sont toutes des solutions de $CO_2(g)$ dans de l'eau, habituellement additionnées de parfums et d'édulcorants. Parmi les autres exemples de telles solutions, il y a le sang, qui contient $O_2(g)$ et $CO_2(g)$ dissous ; le formol, une solution aqueuse de formaldéhyde gazeux (HCHO), qui est utilisé comme agent de conservation en biologie ; et divers nettoyants ménagers qui sont des solutions aqueuses de $NH_3(g)$. De plus, toutes les eaux naturelles contiennent $O_2(g)$ et $N_2(g)$ dissous, et des traces d'autres gaz.

Comme pour les autres solutés, la solubilité des gaz dépend de la température, mais aussi, et de façon encore plus marquée, de la pression.

L'influence de la température

Il est difficile de formuler une généralisation satisfaisante à propos de l'influence de la température sur la solubilité des gaz dans les liquides. La plupart des gaz deviennent *moins* solubles dans l'eau à mesure que la température augmente. Toutefois, la situation est souvent inversée quand il s'agit de gaz dans des solvants organiques. Leur solubilité tend alors à augmenter avec la température.

La **figure 1.18** illustre, sous forme graphique, la solubilité de l'air dans l'eau à une pression atmosphérique normale et à différentes températures. L'azote et l'oxygène représentent ensemble environ 99 % de l'air. Remarquez que la courbe de solubilité de l'air (noire) est essentiellement la somme des courbes de N_2 (rouge) et de O_2 (bleue) dans l'air.

La solubilité de l'air dans l'eau, même si elle est limitée, est essentielle à la vie aquatique. Les poissons dépendent de l'air dissous pour leurs besoins en $O_2(g)$. Puisque la solubilité diminue avec la température, il s'ensuit que de nombreux poissons (par exemple la truite) ne peuvent pas survivre en eau chaude, l'oxygène y étant raréfié. À 30 °C, la quantité de $O_2(g)$ dissous dans l'eau diminue de moitié par rapport à 0 °C. C'est pourquoi les plus importants lieux de pêche en haute mer sont situés dans les régions *froides* du monde, comme la mer de Béring, au large des côtes de l'Alaska, et les Grands Bancs de Terre-Neuve.

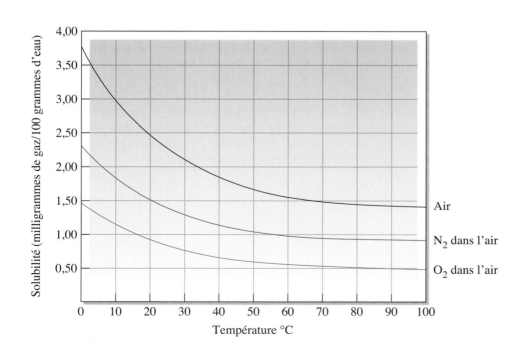

◀ Figure 1.18
Solubilité de l'air dans l'eau en fonction de la température à une pression de 101,3 kPa

L'influence de la pression

L'influence de la pression sur la solubilité d'un gaz a été énoncée par William Henry en 1803, et on l'appelle la **loi de Henry**. Selon cette loi, à température constante, la solubilité (S) d'un gaz, exprimée ici en milligrammes de gaz par gramme d'eau, est directement proportionnelle à la pression du gaz (P_{gaz}) en équilibre avec la solution. Ainsi, doubler la pression d'un gaz double sa solubilité ; une augmentation d'un facteur 10 accroît la solubilité d'un facteur 10, et ainsi de suite. Cette relation s'exprime au moyen de l'équation de la droite suivante, de pente k :

À température constante, la solubilité d'un gaz, en équilibre avec la solution, est directement proportionnelle à la pression du gaz.

Loi de Henry	$S = k\, P_{gaz}$	**(1.5)**

La valeur de k, exprimée en milligrammes de gaz par gramme d'eau par kilopascal, dépend uniquement de la nature du gaz et du solvant à température constante.

L'observation de la **figure 1.19** permet de comprendre la loi de Henry : pour se dissoudre dans un liquide, les molécules d'un gaz doivent d'abord entrer en collision avec la surface du liquide. Si la pression d'un gaz en contact avec une solution augmente, le nombre de molécules par unité de volume dans le gaz augmente, ce qui entraîne une fréquence plus élevée de collisions avec la surface du liquide. Plus les molécules de gaz qui se dissolvent sont nombreuses, plus la concentration en solution s'accroît. Cependant, le nombre de molécules qui retournent à l'état gazeux en s'échappant de cette solution plus concentrée augmente également. Dans ce nouvel équilibre dynamique, à cette pression plus élevée du gaz, la concentration des molécules, tant dans la phase gazeuse que dans la solution, est plus grande que dans la solution initiale (à basse pression). La solubilité augmente donc avec la pression du gaz. Toutefois, dans le cas d'un *soluté gazeux qui réagit avec le solvant*, comme le font HCl(g) et NH$_3$(g), la situation est plus compliquée, et la loi de Henry pourrait ne pas décrire fidèlement la solubilité du gaz.

Dans la **figure 1.20**, page suivante, les droites représentent la solubilité dans l'eau de différents gaz en fonction de leur pression. Ce sont des données tirées de ce graphique que nous utilisons dans l'application de la loi de Henry dans l'exemple 1.13.

▲ **Figure 1.19**
Influence de la pression sur la solubilité des gaz
À mesure que le gaz est comprimé dans un volume plus petit, le nombre de molécules par unité de volume s'accroît, ce qui entraîne également une augmentation du nombre de molécules dissoutes et, conséquemment, une augmentation de la concentration de la solution.

Selon la loi de Dalton, la pression totale exercée par un mélange de gaz correspond à la somme des pressions partielles exercées par chacun des gaz. On peut donc connaître la pression partielle de chacun de ces gaz si on connaît sa fraction molaire et la pression totale du mélange. On utilise alors l'équation $P_1 = X_1 \times P_{totale}$.

EXEMPLE **1.13**

On agite un échantillon de 225 g d'eau pure avec de l'air sous une pression de 96,2 kPa à 20 °C. Combien de milligrammes de Ar(g) seront présents dans l'eau une fois atteint l'équilibre de solubilité ? Utilisez les données de la figure 1.20 et tenez compte du fait que la fraction molaire de Ar dans l'air est de 0,009 34.

➜ Stratégie

Choisissons une approche qui permettra d'utiliser l'équation de la loi de Henry, $S = k\, P_{gaz}$. Pour cela, nous avons besoin des valeurs de P_{gaz} et de k. Nous pouvons obtenir P_{gaz} en utilisant la relation $P_1 = X_1\, P_{1\,totale}$; nous trouvons k à partir des données de la figure 1.20.

➜ Solution

Détermination de P_{gaz}
La fraction molaire et la pression partielle de l'argon sont reliées par l'expression suivante pour les mélanges de gaz :

$$\chi_{Ar} = \frac{P_{Ar}}{P_{totale}} = \frac{P_{Ar}}{P_{air}} = \frac{P_{Ar}}{96,2\ \text{kPa}} = 0,009\,34$$

$$P_{Ar} = 0,899\ \text{kPa}$$

Détermination de k

Pour trouver la valeur de *k*, nous choisissons, sur la courbe de solubilité de l'argon dans la figure 1.20, un point pour lequel nous pouvons lire les données pertinentes avec une certaine précision. Prenons le point indiqué par la flèche : $P_{Ar} = 1000$ kPa et $S = 60$ mg de Ar/100 g d'eau. Nous pouvons réarranger l'équation de la loi de Henry et y substituer ces données.

$$k = \frac{S}{P_{gaz}} = \frac{S}{P_{Ar}} = \frac{60 \text{ mg de Ar/100 g d'eau}}{1000 \text{ kPa}} = \frac{6,0 \times 10^{-4} \text{ mg de Ar}}{\text{g d'eau} \times \text{kPa}}$$

Détermination de la solubilité de l'argon à 0,899 kPa

Connaissant les valeurs de *k* et de P_{Ar}, nous pouvons résoudre l'équation pour trouver la solubilité, *S*.

$$S = k\, P_{Ar} = \frac{6,0 \times 10^{-4} \text{ mg de Ar}}{\text{g d'eau} \times \text{kPa}} \times 0,899 \text{ kPa} = \frac{5,4 \times 10^{-4} \text{ mg de Ar}}{\text{g d'eau}}$$

Détermination de la masse d'argon dans 225 g d'eau

La solubilité, *S*, ainsi obtenue est calculée pour un gramme d'eau. Il suffit donc de multiplier *S* par la masse d'eau, 225 g.

$$\text{Masse de Ar} = 225 \text{ g d'eau} \times \frac{5,4 \times 10^{-4} \text{ mg de Ar}}{\text{g d'eau}} = 0,12 \text{ mg de Ar}$$

EXERCICE 1.13 A

La solubilité du CO_2(g) à 25 °C et à 101,3 kPa est de 149 mg/100 g. À ces mêmes conditions, quand l'air est en équilibre avec l'eau, quelle quantité de CO_2 est dissoute, en milligrammes par 100 g d'eau ? L'air contient 0,036 % en moles de CO_2(g).

EXERCICE 1.13 B

Combien de milligrammes d'un mélange contenant un nombre égal de moles de CH_4 et de N_2 à une pression totale de 1000 kPa peuvent se dissoudre dans 1,00 L d'eau à 20 °C ?

Une pression modérée de CO_2(g) au-dessus du liquide dans une bouteille de boisson gazeuse (droite) permet de conserver une quantité importante de gaz en solution dans l'eau. Quand la bouteille est décapsulée (gauche), cette pression est libérée, et le CO_2(g) dissous s'échappe, provoquant le pétillement bien connu.

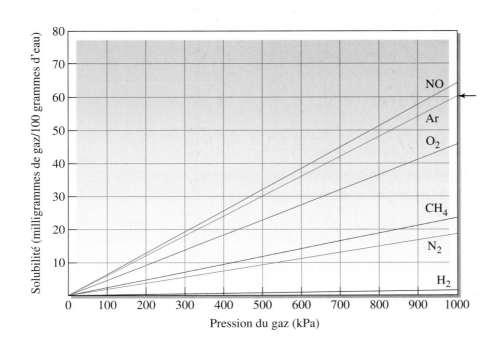

◀ **Figure 1.20**
Influence de la pression des gaz sur leur solubilité dans l'eau à 20 °C

La solubilité des gaz est ici exprimée en milligrammes de gaz par 100 grammes d'eau. Dans l'exemple 1.13, nous faisons référence à la petite flèche à droite du graphique.

La plongée sous-marine : des applications de la loi de Henry

Les plongeurs qui s'aventurent à une grande profondeur dans la mer doivent apporter avec eux leur réserve d'air. Ils respirent normalement environ 800 L d'air par heure. Afin d'avoir une réserve d'air suffisante pour environ une heure d'exploration sous l'eau, ils doivent transporter de l'air comprimé dans un volume beaucoup plus petit. En outre, les poumons ont besoin d'air sous haute pression pour demeurer dilatés aux pressions élevées qui existent dans les profondeurs. Comme le prédit la loi de Henry, l'air comprimé est beaucoup plus soluble dans le sang et les autres liquides organiques que l'air à pression normale. Un des gaz dissous, l'azote, peut causer deux sortes de problèmes : la narcose à l'azote et le mal de décompression.

Les plongeurs qui respirent de l'air à des profondeurs d'au moins 30 m subissent la *narcose à l'azote*. Normalement, l'azote que l'on respire dans l'air n'a aucun effet physiologique mais, aux pressions élevées de ces profondeurs, il agit comme un narcotique. Il en résulte souvent des sensations agréables semblables à celles que provoquent les narcotiques, telle la morphine, d'où l'autre appellation, « ivresse des profondeurs ». La narcose à l'azote altère le jugement et cause souvent de graves accidents de plongée. Les plongeurs peuvent réduire les risques en utilisant un mélange d'hélium et d'oxygène à la place de l'air comprimé. L'hélium étant beaucoup moins soluble que l'azote, son absorption par le sang sera très limitée, et il ne présentera donc pas d'effet narcotique. Un excès d'oxygène ne pose pas de problème, car il est absorbé par le métabolisme.

Un plongeur qui remonte trop rapidement à la surface peut éprouver le mal de décompression, un trouble douloureux et dangereux, connu aussi sous le nom de « mal des caissons ».

Le *mal de décompression,* aussi appelé « mal des caissons », causé par la présence de bulles d'azote gazeux dans le sang et les tissus, survient quand une personne est exposée à une diminution de la pression environnante. De minuscules bulles gênent le débit sanguin dans les capillaires, entraînant des douleurs dans les articulations et les muscles, ce qui pousse souvent la victime à se recroqueviller. Les plongeurs doivent veiller à remonter à la surface lentement ou passer une période assez longue dans un caisson de décompression, où la pression est réduite progressivement. S'ils ne le font pas, l'excès de $N_2(g)$ s'échappera rapidement de la solution sanguine pour former des bulles qui peuvent bloquer le débit sanguin dans les capillaires. Les plongeurs peuvent perdre connaissance ou souffrir de surdité, de paralysie, ou même mourir. Les travailleurs dans les mines ou les tunnels profonds, où de l'air comprimé sert à empêcher les infiltrations d'eau, connaissent des problèmes semblables, tout comme les passagers d'un avion volant à haute altitude, quand survient une diminution de pression soudaine.

Si le retour à une pression normale est suffisamment lent, les gaz en excès s'échappent du sang progressivement. L'excès de O_2 est absorbé par le métabolisme et l'excès de N_2 est éliminé par les poumons, qui l'expirent au cours de la respiration normale. Pour chaque augmentation de 100 kPa au-dessus de la pression normale, il faut environ 20 minutes de décompression lente.

Les propriétés colligatives

Propriété colligative

Propriété physique d'une solution qui dépend de la concentration du soluté, et non de sa nature ; par exemple, abaissement de la pression de vapeur ou du point de congélation, ou élévation du point d'ébullition ou de la pression osmotique.

Dans les quatre prochaines sections, nous traiterons des **propriétés colligatives**, ces propriétés physiques des solutions qui dépendent du *nombre* de particules de soluté et *non* de la nature du soluté. Par exemple, le saccharose, $C_{12}H_{22}O_{11}$, 0,10 mol/kg, et l'urée, $CO(NH_2)_2$, 0,10 mol/kg, ont en solution aqueuse le même nombre de molécules (0,10 mol) dans la même masse de solvant (1,00 kg de H_2O). Les molécules de soluté sont très différentes du point de vue de la composition et de la structure, mais les solutions possèdent les mêmes propriétés colligatives, comme l'abaissement du point de congélation et l'élévation du point d'ébullition. Sauf exception, les solutés et les solvants que nous décrivons dans les sections 1.7, 1.8 et 1.9 existent sous forme moléculaire. Autrement dit, ce sont des solutions *non électrolytiques*. Dans la section 1.10, nous traiterons plus particulièrement des solutions dont les solutés sont des électrolytes.

1.7 La pression de vapeur des solutions

En 1887, F. M. Raoult a présenté les résultats de ses études sur la pression de vapeur des solutions. Il avait trouvé que la présence d'un soluté diminue la pression de vapeur du solvant dans une solution. Commençons par un énoncé moderne de la **loi de Raoult**.

La pression de vapeur d'un solvant au-dessus d'une solution (P_{solv}) est le produit de la pression de vapeur du solvant pur ($P°_{solv}$) par la fraction molaire du solvant dans la solution (χ_{solv}) :

Loi de Raoult	$$P_{solv} = \chi_{solv} \cdot P°_{solv}$$	**(1.6)**

Remarquez que cette expression est conforme aux observations de Raoult sur la diminution de la pression de vapeur. La présence d'un soluté dans un solvant signifie que χ_{solv} est inférieure à un et, conséquemment, que P_{solv} est inférieure à $P°_{solv}$. Le soluté a donc diminué la pression de vapeur du solvant (**figure 1.21**). La loi de Raoult ne s'applique qu'aux solutions *idéales,* mais elle fonctionne souvent bien dans le cas de solutions non idéales suffisamment *diluées*. Une solution dont $\chi_{solv} > 0,97$, par exemple, pourrait remplir ces conditions. Bien qu'on puisse donner différentes explications de la loi de Raoult à partir des structures moléculaires, nous en présenterons une plus satisfaisante relative à la thermodynamique au chapitre 6.

Loi de Raoult

La pression de vapeur au-dessus d'une solution est égale au produit de la pression de vapeur du solvant pur et de la fraction molaire du solvant dans la solution; autrement dit, l'ajout d'un soluté diminue la pression de vapeur du solvant.

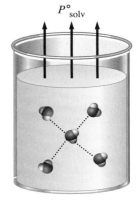

$P°_{solv}$

(a) Eau pure

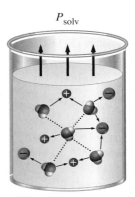

P_{solv}

(b) Solution aqueuse

▲ **Figure 1.21
Influence d'un soluté sur la pression de vapeur d'un solvant (exemple d'un soluté ionique dissous dans l'eau)**

(a) Dans le cas du solvant pur, il n'existe entre les molécules d'eau que des liaisons hydrogène (pointillés) retenant en partie ces molécules à l'état liquide. Toutefois, certaines molécules d'eau possèdent suffisamment d'énergie pour passer à l'état gazeux et créer ainsi une pression de vapeur au-dessus du liquide ($P°_{solv}$). **(b)** Lorsqu'un composé est dissous dans un solvant, il se forme des forces d'attraction entre le soluté et le solvant (flèches), ce qui permet la formation de la solution (voir aussi la figure 1.10). Ces forces d'attraction s'ajoutent aux liaisons hydrogène déjà présentes pour retenir encore plus fortement le solvant en phase liquide et diminuer ainsi la pression de vapeur de ce dernier au-dessus de la solution.

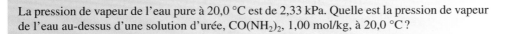

EXEMPLE **1.14**

La pression de vapeur de l'eau pure à 20,0 °C est de 2,33 kPa. Quelle est la pression de vapeur de l'eau au-dessus d'une solution d'urée, $CO(NH_2)_2$, 1,00 mol/kg, à 20,0 °C ?

➜ Stratégie

Nous avons un des termes de la loi de Raoult, $P°_{solv} = 2,33$ kPa. L'autre terme qu'il nous faut est $\chi_{solv} = \chi_{H_2O}$. Pour obtenir χ_{H_2O}, il faut connaître le nombre de moles d'eau et d'urée dans une solution de $CO(NH_2)_2$ 1,00 mol/kg.

➜ Solution

Les quantités de soluté et de solvant dans cette solution sont les suivantes.

$$1,00 \text{ mol de } CO(NH_2)_2 \quad \text{et} \quad 1 \text{ kg de } H_2O = 1000 \text{ g de } H_2O$$

Nous pouvons convertir la masse d'eau en nombre de moles de la façon habituelle.

$$? \text{ mol de } H_2O = 1000 \text{ g de } H_2O \times \frac{1 \text{ mol de } H_2O}{18,02 \text{ g de } H_2O} = 55,56 \text{ mol de } H_2O$$

Nous pouvons ensuite déterminer la fraction molaire de l'eau.

$$\chi_{H_2O} = \frac{55,56 \text{ mol de } H_2O}{1,00 \text{ mol de } CO(NH_2)_2 + 55,56 \text{ mol de } H_2O} = 0,9823$$

▲ **Figure 1.22**
Solution contenant un soluté volatil

Une solution contenant un soluté volatil produira une vapeur constituée du solvant et du soluté. La composition de la vapeur dépendra de la volatilité des composantes de la solution. Par exemple, le soluté (en jaune) étant plus volatil que le solvant (l'eau), la vapeur au-dessus de la solution sera plus riche en soluté (50 % des molécules ou 3 sur 6 dans ce cas-ci) que la solution (33 % des molécules ou 5 sur 15).

Finalement, nous utilisons la loi de Raoult pour calculer la pression de vapeur de l'eau au-dessus de la solution.

$$P_{H_2O} = \chi_{H_2O} \times P°_{H_2O} = 0,9823 \times 2,33 \text{ kPa} = 2,29 \text{ kPa}$$

➜ Évaluation

Notre résultat est plausible, car la pression de vapeur est moindre que celle de l'eau pure, ce qui est en accord avec les propriétés d'une solution constituée d'un soluté non volatil dans un solvant volatil.

EXERCICE 1.14 A

La pression de vapeur du benzène, C_6H_6, à 25 °C, est de 12,7 kPa. Quelle est la pression de vapeur du benzène au-dessus d'une solution contenant 245 g de C_6H_6 dans laquelle on a dissous 5,05 g d'acide benzoïque, C_6H_5COOH ?

EXERCICE 1.14 B

La masse volumique du toluène ($C_6H_5CH_3$) à 25,0 °C est de 0,862 g/mL et sa pression de vapeur à 25,0 °C est de 3,792 kPa. À 25,0 °C, la pression de vapeur du toluène au-dessus d'une solution de naphtalène ($C_{10}H_8$) dans 500,0 mL de toluène est de 3,722 kPa. Combien de grammes de naphtalène sont présents dans la solution ?

Si une solution contient également des solutés volatils, la loi de Raoult ne se limite pas seulement au solvant (**figure 1.22**). On peut écrire une expression de la loi de Raoult pour tout composant volatil d'une solution, que ce soit un solvant ou un soluté, pourvu que la solution soit quasi idéale. Le mélange de benzène et de toluène dans les exemples 1.15 et 1.16 est une solution essentiellement idéale dans laquelle les deux composants sont volatils. Dans l'exemple 1.15, nous calculons la pression de vapeur des deux composants de la solution et, dans l'exemple 1.16, nous calculons la composition de la vapeur en équilibre avec la solution.

EXEMPLE 1.15

Les pressions de vapeur du benzène pur (C_6H_6) et du toluène pur (C_7H_8), à 25 °C, sont de 12,7 kPa et de 3,79 kPa, respectivement. On prépare une solution qui possède des fractions molaires égales de C_6H_6 et de C_7H_8. Déterminez les pressions de vapeur de C_6H_6 et de C_7H_8, et la pression de vapeur totale au-dessus de la solution. Considérez cette solution comme idéale.

➜ Stratégie

Il faut appliquer la loi de Raoult à deux reprises, une fois pour le benzène et une fois pour le toluène. Nous connaissons les pressions de vapeur des liquides purs et nous savons également que leurs fractions molaires en solution sont égales.

➜ Solution

Puisque $\chi_{C_6H_6} = \chi_{C_7H_8}$ et que $\chi_{C_6H_6} + \chi_{C_7H_8} = 1$, il s'ensuit que $\chi_{C_6H_6} = \chi_{C_7H_8} = 0,500$. Nous pouvons maintenant appliquer la loi de Raoult.

$$P_{benzène} = \chi_{benzène} \times P°_{benzène} = 0,500 \times 12,7 \text{ kPa} = 6,35 \text{ kPa}$$
$$P_{toluène} = \chi_{toluène} \times P°_{toluène} = 0,500 \times 3,79 \text{ kPa} = 1,90 \text{ kPa}$$
$$P_{totale} = P_{benzène} + P_{toluène} = 6,35 \text{ kPa} + 1,90 \text{ kPa} = 8,25 \text{ kPa}$$

➤ Évaluation

Pour une évaluation grossière de notre réponse, rappelons que la pression totale au-dessus de la solution idéale doit se situer entre la pression de vapeur du liquide le moins volatil (toluène) et celle du liquide le plus volatil (benzène) :

$$3,79 \text{ kPa} < P_{\text{totale}} < 12,7 \text{ kPa}.$$

EXERCICE 1.15 A

Quelles sont les pressions partielles du benzène et du toluène, et la pression totale, à 25 °C, au-dessus d'une solution contenant des *masses égales* des deux composants ?

EXERCICE 1.15 B

La vapeur au-dessus d'une solution de benzène et de toluène à 25,0 °C est constituée de fractions molaires égales en benzène et en toluène. Quelle est la fraction molaire du liquide qui est en équilibre avec cette vapeur ?

(*Indice :* Essayez une solution algébrique tout simplement.)

RÉSOLUTION DE PROBLÈMES
Vous pouvez travailler avec n'importe quelle masse des composants.

EXEMPLE **1.16**

Quelle est la composition, exprimée en fraction molaire, de la vapeur en équilibre avec la solution de benzène et de toluène de l'exemple 1.15 ?

➤ Stratégie

La vapeur est un mélange de benzène et de toluène gazeux. Nous pouvons utiliser l'expression de base suivante qui décrit un mélange de gaz.

➤ Solution

$$\chi_i = \frac{n_i}{n_{\text{total}}} = \frac{P_i}{P_{\text{totale}}}$$

Nous obtenons les pressions partielles des deux gaz (P_i) et la pression totale (P_{totale}) directement de l'exemple 1.15.

$$\chi_{\text{benzène vapeur}} = \frac{6,35 \text{ kPa}}{8,25 \text{ kPa}} = 0,770$$

$$\chi_{\text{toluène vapeur}} = \frac{1,90 \text{ kPa}}{8,25 \text{ kPa}} = 0,230$$

➤ Évaluation

Remarquez que, comme prévu, $\chi_{\text{benzène}} + \chi_{\text{toluène}} = 0,770 + 0,230 = 1,000$.

EXERCICE 1.16 A

Au-dessus de laquelle des solutions suivantes la vapeur a-t-elle une plus grande fraction molaire de benzène, à 25 °C : une solution ayant des masses égales de benzène et de toluène ou une solution ayant un nombre égal de moles de benzène et de toluène ?

(*Indice :* Vous avez besoin des informations des exemples 1.15 et 1.16, mais vous n'avez pas à effectuer de calculs détaillés.)

EXERCICE 1.16 B

Supposons que l'on condense le mélange gazeux de l'exemple 1.16. À 25,0 °C, quelles seront les pressions de vapeur du benzène et du toluène au-dessus du liquide obtenu ?

Considérez les observations suivantes : le benzène pur, C_6H_6, a une pression de vapeur (12,7 kPa, à 25 °C) plus élevée que le toluène pur, C_7H_8 (3,79 kPa, à 25 °C). Dans les solutions de benzène et de toluène, le benzène est donc le composant le plus volatil. Dans l'exemple 1.15, nous avons examiné le cas d'une solution de benzène et de toluène dont $X_{C_6H_6} = 0,500$. Dans l'exemple 1.16, nous avons trouvé que, pour la vapeur en équilibre avec la solution, $X_{C_6H_6} = 0,770$. De ces observations découle une idée importante au sujet de l'équilibre liquide-vapeur dans une solution de deux composants volatils.

Quand la vapeur d'une solution idéale de deux composants volatils est en équilibre avec le liquide, la fraction molaire du composant le plus volatil est plus élevée dans la vapeur que dans la phase liquide.

Si on condense la vapeur de fraction molaire $X_{C_6H_6} = 0,770$ et qu'on laisse reposer le liquide obtenu, la nouvelle vapeur qui se forme sur celui-ci se trouve enrichie en benzène. En effet, celui-ci a maintenant une pression de vapeur de $0,770 \times 12,7$ kPa $= 9,78$ kPa, alors que le toluène a une pression de $0,230 \times 3,79$ kPa $= 0,872$ kPa. La fraction molaire de benzène dans la vapeur devient donc 9,78 kPa $/(9,78 + 0,872)$ kPa $= 0,918$. Si on répète ce processus de condensation et d'évaporation un grand nombre de fois, on peut obtenir du benzène pur dans la vapeur. En pratique, plutôt que d'effectuer une série d'évaporations et de condensations à température constante (ici, 25 °C), on utilise une pression constante (pression atmosphérique) et on fait bouillir la solution de benzène et de toluène dans un montage comme celui qui apparaît dans la **figure 1.23**. Selon cette méthode, appelée **distillation fractionnée**, le benzène pur est condensé dans la vapeur au sommet de la colonne, et le toluène pur, moins volatil, est retenu sous forme liquide dans le ballon chauffé, au bas de la colonne.

Distillation fractionnée

Méthode de séparation des composants volatils d'une solution ayant des pressions de vapeur et des points d'ébullition distincts, qui repose sur un grand nombre d'opérations d'évaporation et de condensation effectuées de façon continue dans une colonne de fractionnement.

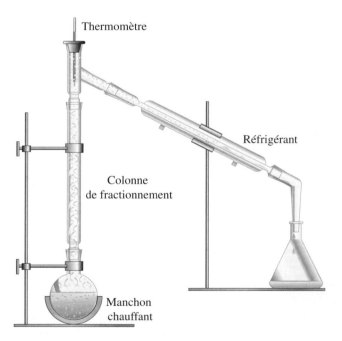

Thermomètre

Réfrigérant

Colonne de fractionnement

Manchon chauffant

▲ **Figure 1.23 Distillation fractionnée**
La colonne verticale est remplie d'un matériau inerte, comme des billes de verre. Quand la solution est portée à ébullition, la vapeur s'élève dans la colonne et se condense sur les billes plus froides. Lorsqu'une plus grande quantité de vapeur chaude s'élève, les billes se réchauffent et le liquide condensé s'évapore de nouveau. Cette vapeur se condense alors plus haut dans la colonne. Le processus se répète ainsi de nombreuses fois. Au fur et à mesure qu'elle se rapproche du sommet de la colonne, la vapeur contient une quantité de plus en plus grande du composant le plus volatil, c'est-à-dire celui qui a le point d'ébullition le plus bas. Si la colonne est assez haute, la substance pure au point d'ébullition le plus bas atteindra le sommet de la colonne et entrera dans le réfrigérant refroidi à l'eau, où elle sera condensée et recueillie dans un récipient.

EXEMPLE 1.17 Un exemple conceptuel

La **figure 1.24** représente deux solutions aqueuses de différentes concentrations en soluté non volatil placées dans la même enceinte. Après un certain temps, le niveau de la solution s'est élevé dans le contenant A et a baissé dans le contenant B. Expliquez pourquoi et comment cela se produit.

➜ Analyse et conclusion

Le transfert de l'eau d'un contenant à l'autre ne peut se faire que par l'intermédiaire de la phase vapeur. Il doit y avoir une évaporation nette du contenant B et une condensation nette dans le contenant A. Pour cela, il faut que la pression de vapeur de l'eau au-dessus de la solution B soit plus grande que celle qui est au-dessus de la solution A. Selon la loi de Raoult, la pression de vapeur de l'eau au-dessus des deux solutions est donnée par l'expression suivante.

$$P_{H_2O} = \chi_{H_2O} \cdot P_{H_2O}^{\circ}$$

Par conséquent, la fraction molaire de l'eau est plus grande dans la solution du contenant B que dans celle du contenant A. La solution dans B est plus diluée. L'eau passe, sous forme de vapeur, de la solution la plus diluée vers la solution la plus concentrée.

La nature des solutés non volatils dans les solutions A et B importe peu ; les solutions pourraient même avoir des solutés *différents*. Tant que les solutions sont diluées et qu'elles ont le même solvant (eau), la diminution de la pression de vapeur ne dépend que de la *concentration* du soluté non volatil et non d'autres caractéristiques associées aux molécules de ce dernier. La diminution de la pression de vapeur est un excellent exemple d'une propriété colligative.

EXERCICE 1.17 A

Le processus décrit dans la figure 1.24 se poursuivra-t-il jusqu'à ce que la solution du contenant B s'évapore complètement ? Expliquez votre réponse.

EXERCICE 1.17 B

Si le contenant A de la figure 1.24 contient de l'eau pure et le contenant B un autre liquide quelconque, observera-t-on après un certain temps le même changement que celui qui s'opère ici ? Expliquez votre réponse.

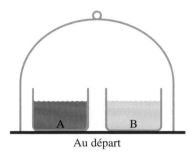
Au départ

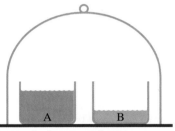
Après un certain temps

▲ **Figure 1.24**
Un phénomène lié aux pressions de vapeur des solutions

1.8 L'abaissement du point de congélation et l'élévation du point d'ébullition

Dans cette section, nous portons notre attention sur les solutions composées d'un solvant volatil et d'un soluté qui est (a) *non volatil,* (b) *non électrolytique* et (c) *soluble* dans le solvant liquide mais pas dans le solvant solide. Dans les solutions qui possèdent ces caractéristiques, la pression de vapeur de la solution est tout simplement celle du solvant et, peu importe la température, cette pression de vapeur est *inférieure* à celle du solvant pur. La **figure 1.25** illustre cette assertion en superposant le diagramme de phases partiel de la solution (en rouge) à celui du solvant pur (en bleu).

Examinons la figure 1.25. La ligne pointillée à $P = 101,3$ kPa rencontre la courbe de fusion (rouge) de la solution à une température *inférieure* (pc) à celle (bleue) du solvant pur (pc_0). La présence du soluté *abaisse* le point de congélation d'une valeur ΔT_{cong}. La ligne pointillée à $P = 101,3$ kPa rencontre la courbe de pression de vapeur (rouge) de la solution à une température *supérieure* (pé) à celle (bleue) du solvant pur ($pé_0$). La présence d'un soluté *élève* le point d'ébullition de la valeur $\Delta T_{éb}$ (**figure 1.26**).

▶ **Figure 1.25**
Abaissement de la pression de vapeur par un soluté non volatil

Dans une solution, la pression de vapeur du solvant est abaissée et la courbe de fusion est déplacée vers des températures inférieures (courbes en rouge). Par conséquent, le point de congélation du solvant est abaissé d'une valeur ΔT_{cong}, et le point d'ébullition est élevé de $\Delta T_{éb}$. Puisqu'on suppose que le soluté est insoluble dans le solvant solide, la courbe de sublimation de ce solvant n'est pas modifiée par la présence d'un soluté dans la solution liquide. (Les axes ne sont pas à l'échelle.)

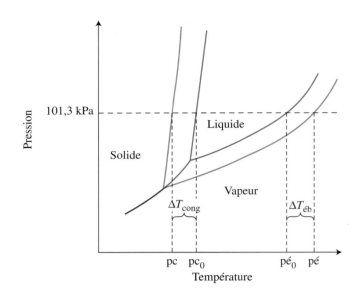

▶ **Figure 1.26**
Influence d'un soluté sur les points d'ébullition et de fusion d'un solvant

(a) L'eau, sous une pression atmosphérique normale, est liquide sur un intervalle de 100 °C ; elle gèle à 0 °C et bout à 100 °C. **(b)** Si on y dissout, par exemple, un soluté ionique, les forces d'attraction qui existent dans la solution entre le soluté et l'eau (flèches) permettent de garder cette dernière à l'état liquide sur un plus grand intervalle, puisque ces forces s'ajoutent aux liaisons hydrogène déjà présentes dans l'eau (pointillés). L'ensemble de ces attractions limite le mouvement des molécules d'eau vers les états gazeux et solide. En conséquence, les points d'ébullition et de congélation deviennent respectivement supérieur et inférieur à leurs valeurs habituelles sous une pression atmosphérique normale. Ces observations s'appliquent tout autant à un soluté non ionique.

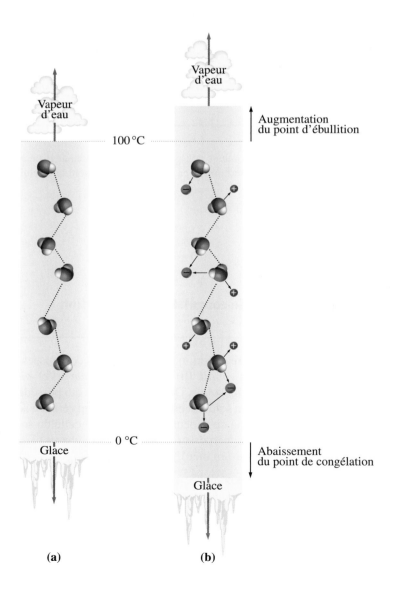

L'importance de la diminution de la pression de vapeur dépend de la *fraction molaire* du soluté présent dans la solution. C'est la même relation pour l'abaissement du point de congélation et l'élévation du point d'ébullition. De plus, dans des solutions *diluées,* la molalité du soluté est proportionnelle à sa fraction molaire ; on peut donc écrire

$$\Delta T_{cong} = T_{cong}(\text{solution}) - T_{cong}(\text{solvant}) = -K_{cong} \times m \qquad \textbf{(1.7)}$$

$$\Delta T_{éb} = T_{éb}(\text{solution}) - T_{éb}(\text{solvant}) = K_{éb} \times m \qquad \textbf{(1.8)}$$

Dans ces équations, ΔT_{cong} et $\Delta T_{éb}$ représentent respectivement *l'abaissement du point de congélation* et *l'élévation du point d'ébullition*, et m, la molalité du soluté. K_{cong} et $K_{éb}$ sont des constantes de proportionnalité. Les constantes K_{cong} et $K_{éb}$ représentent l'abaissement du point de congélation et l'élévation du point d'ébullition quand la solution contient une mole de soluté par kilogramme de solvant (par exemple, $\Delta T_{éb} = K_{éb} \times m = K_{éb} \times 1 = K_{éb}$). Pour cette raison, K_{cong} est souvent appelé constante molale d'abaissement du point de congélation, ou constante cryoscopique molale, et $K_{éb}$ est appelé constante molale d'élévation du point d'ébullition, ou constante ébullioscopique molale (**tableau 1.2**). Remarquez que l'équation de l'abaissement du point de congélation a un signe négatif, parce que ΔT_{cong} implique une diminution de la température.

RÉSOLUTION DE PROBLÈMES
Dans les solutions aqueuses diluées, la concentration molaire volumique et la molalité sont pratiquement identiques, car un litre de solution correspond approximativement à un litre d'eau, qui correspond approximativement à un kilogramme d'eau. Ces deux unités de concentration sont proportionnelles à la fraction molaire du soluté.

TABLEAU **1.2**	Constante ébullioscopique molale ($K_{éb}$) et constante cryoscopique molale (K_{cong}) de différents solvants			
	Point de congélation		Point d'ébullition	
Solvant	normal (°C)	K_{cong} (°C · kg/mol)	normal (°C)	$K_{éb}$ (°C · kg/mol)
Acide acétique	16,63	3,90	117,90	3,07
Benzène	5,53	5,12	80,10	2,53
Cyclohexane	6,55	20,0	80,74	2,79
Nitrobenzène	5,8	8,1	210,8	5,24
Eau	0,00	1,86	100,00	0,512

Dans les solutions que nous décrivons, seul le solvant congèle, et seul ce dernier s'échappe sous forme de vapeur au cours de l'ébullition ; le soluté reste en solution. Il en résulte que sa concentration augmente lorsque la congélation ou l'ébullition ont lieu. Le point de congélation s'abaisse donc davantage, et le point d'ébullition s'élève encore plus. Les points de congélation et d'ébullition des solutions *ne* sont donc *pas* des constantes, comme ils le sont dans le cas des liquides purs. Quand on parle de point de congélation d'une solution, il s'agit de la température à laquelle la première parcelle de solide se forme dans la solution. Quand on parle du point d'ébullition, il s'agit de la température à laquelle l'ébullition commence.

EXEMPLE 1.18

Quel est le point de congélation d'une solution aqueuse de saccharose qui contient 25,0 g de $C_{12}H_{22}O_{11}$ dans 100,0 g de H_2O ?

➜ Stratégie

Le point de congélation de la solution est celui de l'eau pure (0,00 °C) duquel nous devons soustraire la valeur de l'abaissement du point de congélation (ΔT_{cong}). Nous calculons ΔT_{cong} à partir de l'équation 1.7. Comme la valeur de K_{cong} pour l'eau est donnée dans le tableau 1.2, le principal problème consiste à déterminer la molalité de la solution. Nous pouvons procéder comme dans l'exemple 1.7.

➜ Solution

Déterminons d'abord le nombre de moles de saccharose dans 25,0 g.

$$? \text{ mol de } C_{12}H_{22}O_{11} = 25,0 \text{ g de } C_{12}H_{22}O_{11} \times \frac{1 \text{ mol de } C_{12}H_{22}O_{11}}{342,3 \text{ g de } C_{12}H_{22}O_{11}}$$

$$= 0,0730 \text{ mol de } C_{12}H_{22}O_{11}$$

La quantité de H_2O est 100,0 g = 0,100 kg. La molalité du saccharose est donc

$$? \text{ mol/kg} = \frac{0,0730 \text{ mol de } C_{12}H_{22}O_{11}}{0,1000 \text{ kg de } H_2O} = 0,730 \text{ mol/kg}$$

Nous pouvons utiliser cette molalité pour déterminer l'abaissement du point de congélation, ΔT_{cong}.

$$\Delta T_{cong} = -K_{cong} \times m = -1,86\,°C \cdot \text{kg/mol} \times 0,730 \text{ mol/kg} = -1,36\,°C$$

Pour obtenir le point de congélation de la solution, additionnons l'abaissement du point de congélation, ΔT_{cong}, et le point de congélation du solvant pur, pc_0.

$$pc_0 + \Delta T_{cong} = 0,00\,°C - 1,36\,°C = -1,36\,°C$$

➜ Évaluation

Puisque la valeur de K_{cong} est l'abaissement du point de congélation pour une solution de 1 m et que la concentration de la solution de saccharose est inférieure à 1 m, nous nous attendons à ce que le point de congélation se situe entre 0 °C et −1,86 °C. La réponse obtenue se trouve bien dans cet intervalle.

(*Indice :* Utilisez les données du tableau 1.2.)

EXERCICE 1.18 A

Quel est le point de congélation d'une solution qui contient 10,0 g de naphtalène, $C_{10}H_8(s)$, dissous dans 50,0 g de benzène, $C_6H_6(l)$?
(*Indice :* Utilisez les données du tableau 1.2.)

EXERCICE 1.18 B

Quelle masse de saccharose, $C_{12}H_{22}O_{11}$, doit-on ajouter à 75,0 g de H_2O pour porter le point d'ébullition à 100,35 °C ?

(*Indice :* Quelle doit être la molalité de la solution ? Quelle masse de saccharose est nécessaire pour préparer une solution ayant cette molalité ? Utilisez les données du tableau 1.2.)

EXEMPLE 1.19

Le sorbitol est une substance sucrée que l'on trouve dans les fruits et les baies, et qui est parfois utilisée comme substitut du sucre. Une solution aqueuse contenant 1,00 g de sorbitol dans 100,0 g d'eau a un point de congélation de −0,102 °C. **a)** Quelle est la masse molaire du sorbitol ? **b)** L'analyse élémentaire indique que le sorbitol contient 39,56 % de C, 7,75 % de H et 52,70 % de O, en masse. Quelle est la formule moléculaire du sorbitol ?

➜ Stratégie

a) Nous pouvons utiliser l'équation de l'abaissement du point de congélation pour déterminer la molalité de la solution de sorbitol. Une fois trouvée la molalité, nous calculerons le nombre de moles de sorbitol. Et, à partir du nombre de moles de sorbitol et de sa masse (1,00 g), nous obtiendrons la masse molaire.

b) Pour déterminer la formule moléculaire, nous supposons que nous avons un échantillon d'une mole de sorbitol (182 g), et nous utilisons les données de pourcentage en masse pour déterminer la masse de chaque élément dans l'échantillon.

→ Solution

a) L'abaissement du point de congélation est la différence entre le point de congélation de la solution et celui du solvant pur.

$$\Delta T_{cong} = -0,102\ °C - 0,000\ °C = -0,102\ °C$$

Nous pouvons obtenir la molalité de la solution à partir de l'équation $\Delta T_{cong} = -K_{cong} \times m$, c'est-à-dire

$$\text{Molalité} = \frac{\Delta T_{cong}}{-K_{cong}} = \frac{-0,102\ °C}{-1,86\ °C \cdot kg/mol} = 0,0548\ mol/kg$$

Nous utilisons alors la molalité pour déterminer le nombre de moles de sorbitol dans la solution.

$$?\ \text{mol de sorbitol} = 0,1000\ \text{kg de } H_2O \times \frac{0,0548\ \text{mol de sorbitol}}{\text{kg de } H_2O}$$

$$= 0,005\ 48\ \text{mol de sorbitol}$$

Pour calculer la masse molaire, il suffit de faire le rapport entre le nombre de grammes et le nombre de moles dans le même échantillon.

$$\text{Masse molaire} = \frac{1,00\ \text{g de sorbitol}}{0,005\ 48\ \text{mol de sorbitol}} = 182\ g/mol\ \text{de sorbitol}$$

b) Convertissons les pourcentages en moles et utilisons ces quantités comme indices dans une formule moléculaire.

$$?\ \text{mol de C} = 182\ \text{g de sorbitol} \times \frac{39,56\ \text{g de C}}{100\ \text{g de sorbitol}} \times \frac{1\ \text{mol de C}}{12,01\ \text{g de C}} = 5,99\ \text{mol de C}$$

$$?\ \text{mol de H} = 182\ \text{g de sorbitol} \times \frac{7,75\ \text{g de H}}{100\ \text{g de sorbitol}} \times \frac{1\ \text{mol de H}}{1,008\ \text{g de H}} = 14,0\ \text{mol de H}$$

$$?\ \text{mol de O} = 182\ \text{g de sorbitol} \times \frac{52,70\ \text{g de O}}{100\ \text{g de sorbitol}} \times \frac{1\ \text{mol de O}}{16,00\ \text{g de O}} = 5,99\ \text{mol de O}$$

La formule moléculaire du sorbitol est $C_6H_{14}O_6$.

EXERCICE 1.19 A

Un échantillon d'une substance inconnue pesant 1,065 g est dissous dans 30,00 g de benzène ; le point de congélation de la solution est de 4,25 °C. On trouve que le composé contient 50,69 % de C, 4,23 % de H et 45,08 % de O, en masse. Utilisez ces données et celles du tableau 1.2 pour déterminer la formule moléculaire de la substance.

EXERCICE 1.19 B

Un solide blanc cristallin est un mélange de glucose ($C_6H_{12}O_6$) et de saccharose ($C_{12}H_{22}O_{11}$). Si on dissout 10,00 g de ce solide dans 100,0 g d'eau, peut-on obtenir une solution avec un point de congélation de −1,25 °C ? Expliquez votre réponse.

Les alcools dont les molécules comportent plusieurs groupements hydroxyles (OH), comme l'éthylèneglycol (HOCH₂CH₂OH), servent de façon courante au dégivrage des avions.

L'abaissement du point de congélation et l'élévation du point d'ébullition ont des applications pratiques. Les deux phénomènes sont liés, par exemple, à l'action des antigels, comme l'éthylèneglycol ($HOCH_2CH_2OH$), qu'on emploie dans les circuits de refroidissement des automobiles. Si l'eau seule était utilisée comme liquide de refroidissement, elle pourrait parvenir au point d'ébullition quand le moteur est sollicité par temps chaud et elle pourrait geler lors des grands froids d'hiver. L'addition d'un antigel élève le point d'ébullition du liquide de refroidissement et abaisse également son point de congélation. Grâce aux bonnes proportions d'éthylèneglycol et d'eau, il est possible de protéger un circuit de refroidissement jusqu'à des températures pouvant atteindre $-48\ °C$ et d'empêcher l'ébullition jusqu'à des températures d'environ 113 °C.

Les producteurs d'agrumes sont tout à fait conscients du rôle que joue l'abaissement du point de congélation dans la protection de leur récolte par temps froid. Si la température chute d'un degré ou deux sous le point de congélation de l'eau pendant quelques heures seulement, les agrumes sont bien protégés contre le gel. En effet, les solutés dans le jus, essentiellement des sucres, portent le point de congélation des fruits à des températures inférieures à 0 °C. De plus, les producteurs savent que les citrons sont plus exposés au gel que les oranges, parce que le jus de citron est moins concentré en solutés que le jus d'orange.

L'épandage de sels, tels NaCl et $CaCl_2$, sur la chaussée et les trottoirs fait fondre la glace. Elle fond tant que la température extérieure se maintient au-dessus du point de congélation du mélange de sel et d'eau. Au-dessous de cette température, il y a formation de glace. Le chlorure de sodium peut faire fondre la glace jusqu'à une température de $-21\ °C$, tandis que le chlorure de calcium est efficace jusqu'à $-55\ °C$. Nous verrons bientôt pourquoi le $CaCl_2$ permet mieux que le NaCl de faire baisser le point de congélation (section 1.10).

1.9 La pression osmotique

L'expérience quotidienne nous montre que l'on peut séparer la mouture du café infusé en passant le mélange à travers un papier filtre. Le papier est *perméable* à l'eau et aux autres solvants, mais il est *imperméable* au marc de café insoluble. Toutefois, le papier filtre ne sépare pas la caféine du café infusé. Le papier est perméable tant à l'eau — le solvant — qu'à la caféine — le soluté. Existerait-il des matériaux qui soient *semi-perméables*, c'est-à-dire qui laisseraient passer les molécules de solvant mais pas celles des solutés ? Oui, il en existe.

Membrane semi-perméable

Mince feuille ou pellicule qui permet le passage des molécules de solvant d'une solution, mais retient les molécules de soluté.

Les **membranes semi-perméables** sont généralement de minces feuilles ou pellicules faites d'un matériau comportant un réseau microscopique de trous ou pores à travers lesquels les petites molécules de solvant peuvent passer, mais pas les plus grosses molécules de soluté. Ces membranes sont composées soit de matériaux naturels, d'origine animale ou végétale, comme la vessie du porc ou le parchemin, soit de matériaux synthétiques comme le cellophane. Dans notre organisme, les membranes cellulaires, la muqueuse du tube digestif et les parois des vaisseaux sanguins sont toutes semi-perméables.

La **figure 1.27** (page suivante) illustre un phénomène observé pour la première fois en 1748 et appelé *osmose*. Le bout évasé d'un tube semblable à un entonnoir est recouvert d'une membrane semi-perméable. On introduit une solution aqueuse dans le tube, que l'on place dans un bécher d'eau pure. Après un certain temps, on s'aperçoit que le liquide dans le tube s'est élevé au-dessus du niveau de l'eau dans le bécher. La figure 1.27 aide également à comprendre le phénomène au niveau moléculaire. Les trous de la membrane semi-perméable permettent le passage des molécules plus petites de solvant, mais pas celles plus grosses de soluté. Cependant, puisque la concentration des molécules H_2O est plus grande dans l'eau pure que dans la solution aqueuse, on observe un transfert net de

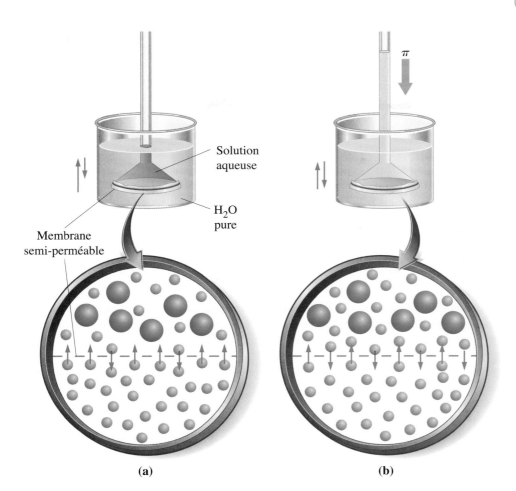

Solution
aqueuse

H₂O
pure

Membrane
semi-perméable

(a)   **(b)**

◀ **Figure 1.27**
**Osmose et pression
osmotique**

(a) Une solution aqueuse (verte) est séparée de l'eau pure par une membrane perméable aux molécules H_2O, mais non aux particules de soluté. **(b)** Un transfert net d'eau à travers une membrane semi-perméable dilue quelque peu la solution verte et fait monter le niveau du liquide dans le tube. La colonne de liquide exerce alors une pression vers le bas (une pression *hydrostatique*) qui favorise le passage des molécules d'eau à travers la membrane vers le bécher. Quand le transfert de H_2O à travers la membrane est égal dans les deux sens, il n'y a plus de changements, et on appelle *pression osmotique*, π, la pression hydrostatique à ce moment.

molécules qui cause l'élévation du niveau de la solution dans le tube. Cela s'explique par le fait que *les attractions soluté-solvant retiennent les molécules d'eau* et ralentissent leur passage de la solution vers le solvant pur, ce qui n'est pas le cas du côté de ce dernier.

L'**osmose** est le transfert net des molécules d'un solvant pur à travers une membrane semi-perméable vers une solution. Elle pourrait faire monter à une hauteur de 150 m une colonne d'une solution de saccharose de 20 % en masse. L'osmose peut également se produire entre deux solutions. Le transfert net des molécules de solvant s'effectue de la solution la plus diluée vers la solution la plus concentrée. La force motrice derrière l'osmose est la tendance des molécules de solvant à homogénéiser leurs concentrations lorsque deux solutions sont en contact. La concentration de molécules de solvant est plus grande dans une solution diluée que dans une solution concentrée.

On peut réduire le transfert net des molécules de solvant à travers une membrane vers une solution en augmentant le transfert de molécules de solvant qui sortent de la solution. Pour ce faire, il suffit d'exercer une pression sur la solution. Si cette pression est suffisante, il n'y a pas de transfert net de solvant à travers la membrane semi-perméable. On appelle **pression osmotique** (π) de la solution la pression nécessaire pour faire cesser l'osmose. Pour une solution aqueuse de 20 % de saccharose, la pression osmotique est d'environ 1520 kPa.

Pour comprendre que la pression osmotique fait partie des propriétés colligatives, il faut considérer qu'un soluté réduit la fraction molaire du solvant dans la solution. Plus la fraction molaire du solvant est faible, plus le transfert net de molécules de solvant vers la solution sera important et plus la pression osmotique de la solution sera grande. La nature du soluté est sans importance.

Osmose

Transfert net de molécules d'un solvant à travers une membrane semi-perméable, soit d'un solvant pur vers une solution, soit d'une solution d'une concentration donnée vers une solution plus concentrée.

Pression osmotique (π)

Pression qu'on doit appliquer sur une solution pour mettre fin à l'osmose.

L'expression suivante, qui permet très bien de calculer les pressions osmotiques de solutions diluées de non-électrolytes, offre une ressemblance frappante avec l'équation des gaz parfaits :

Pression osmotique	$\pi = \dfrac{n}{V} RT$	**(1.9)**

Dans cette équation, π est la pression osmotique en kilopascals ; n, le nombre de moles de soluté dans la solution de volume V en litres ; R, la constante des gaz en $kPa \cdot L \cdot K^{-1} \cdot mol^{-1}$, et T, la température en kelvins. Puisque le rapport du nombre de moles de soluté et du volume de la solution est la *concentration molaire volumique* (c), on peut écrire

$$\pi = cRT \qquad \text{(1.10)}$$

Comme le laisse entrevoir cette équation, on peut utiliser des mesures de pression osmotique pour déterminer les masses molaires de substances. Cependant, dans le cas de la plupart des solutions, les pressions osmotiques sont si élevées qu'elles sont difficiles à mesurer. En revanche, la pression osmotique des solutions de *macromolécules* (polymères) est assez faible et facilement mesurable. La pression osmotique et l'abaissement du point de congélation sont deux phénomènes complémentaires permettant de déterminer les masses molaires. Généralement, dans les cas où les mesures de pression osmotique fonctionnent bien, l'abaissement du point de congélation ne permet pas une évaluation précise de la masse molaire, et vice versa, comme l'illustre l'exemple 1.20.

Le sang du crabe contient de l'hémocyanine, une protéine qui joue un rôle dans la respiration.

EXEMPLE **1.20**

On prépare une solution aqueuse en dissolvant 1,50 g d'hémocyanine, une protéine obtenue des crabes, dans 0,250 L d'eau. La solution a une pression osmotique de 0,346 kPa à 277 K. **a)** Quelle est la masse molaire de l'hémocyanine ? **b)** Quel est le point de congélation de la solution ?

➜ Stratégie

a) Nous pouvons trouver la concentration molaire volumique à l'aide de l'équation 1.10. À partir de cette concentration et du volume de la solution, nous pouvons déterminer le nombre de moles d'hémocyanine. La masse molaire est obtenue à l'aide de la masse et du nombre de moles.

b) Nous pouvons supposer que la concentration molaire volumique et la molalité de cette solution diluée sont égales et utiliser l'équation 1.7 pour calculer l'abaissement du point de congélation.

➜ Solution

a) Nous obtenons la concentration molaire volumique de la solution en réarrangeant l'équation de la pression osmotique, $\pi = cRT$, sous la forme $c = \pi/RT$.

$$c = 0,346 \text{ kPa}/(8,31 \text{ kPa} \cdot \text{L/mol} \cdot \text{K} \times 277 \text{ K}) = 1,50 \times 10^{-4} \text{ mol/L}$$

À partir de la concentration molaire volumique et du volume de la solution, nous pouvons déterminer le nombre de moles d'hémocyanine.

$$? \text{ mol d'hémocyanine} = 0{,}250 \text{ L} \times \frac{1{,}50 \times 10^{-4} \text{ mol d'hémocyanine}}{\text{L}}$$

$$= 3{,}75 \times 10^{-5} \text{ mol d'hémocyanine}$$

Et à partir du nombre de moles et de la masse (1,50 g) d'hémocyanine, nous pouvons calculer sa masse molaire.

$$\text{Masse molaire de l'hémocyanine} = \frac{1{,}50 \text{ g}}{3{,}75 \times 10^{-5} \text{ mol}} = 4{,}00 \times 10^{4} \text{ g/mol}$$

b) Comme la solution est très diluée, la concentration molaire volumique et la molalité ont la même valeur numérique.

$$\Delta T_{\text{cong}} = -K_{\text{cong}} \times m = -1{,}86 \text{ °C} \cdot \text{kg/mol} \times 1{,}50 \times 10^{-4} \text{ mol/kg} = -2{,}79 \times 10^{-4} \text{ °C}$$

$$T_{\text{cong}} = -0{,}000\,279 \text{ °C, puisque } T_{\text{cong}} \text{ de l'eau} = 0 \text{ °C}$$

➔ Évaluation

D'après les calculs, le point de congélation de la solution serait de $-0{,}000\,279$ °C. Cette température est très difficile à mesurer avec précision et exactitude. L'abaissement du point de congélation ne constitue donc pas une bonne méthode pour déterminer des masses molaires élevées.

EXERCICE 1.20 A

On prépare une solution aqueuse en dissolvant 1,08 g d'albumine sérique humaine, une protéine obtenue du plasma sanguin, dans 50,0 mL d'eau. La solution a une pression osmotique de 0,780 kPa à 298 K. Quelle est la masse molaire de l'albumine?

EXERCICE 1.20 B

Quelle est la pression osmotique, exprimée en millimètres d'eau (mm H_2O), d'une solution contenant 125 µg de vitamine B_{12} ($C_{63}H_{88}CoN_{14}O_{14}P$) dans 2,50 mL de H_2O, à 25 °C?

RÉSOLUTION DE PROBLÈMES
Les pressions osmotiques faibles sont souvent mesurées et exprimées en millimètres d'eau (mm H_2O). Utilisez ici les masses volumiques de l'eau ($\rho_{H_2O} = 1{,}00$ g/mL) et du mercure ($\rho_{Hg} = 13{,}6$ g/mL). Dans ce cas, la constante R a une valeur de 62,36 mm Hg · L/mol · K.

Applications pratiques de l'osmose

Les exemples de phénomènes d'osmose abondent dans tous les organismes vivants : les cellules ressemblent à des sacs semi-perméables remplis de solutions d'ions, et de molécules petites et grosses. Si nous plaçons des globules rouges dans l'eau pure, il y a un transfert net d'eau vers les cellules qui provoque leur éclatement. Par contre, si les cellules baignent dans une solution à 0,92 % (masse/volume) de NaCl, il n'en résulte aucun transfert net d'eau à travers les membranes cellulaires, et les cellules sont stables. Les fluides intracellulaires ont la même pression osmotique que la solution de chlorure de sodium. Une solution dont la pression osmotique est la même que celle des liquides organiques est une **solution isotonique**. Si la concentration de NaCl dans une solution saline excède 0,92 %, il y a un transfert net d'eau vers l'*extérieur* des cellules, ce qui provoque leur rétrécissement. La solution saline est alors une **solution hypertonique** ; elle a une pression osmotique supérieure à celle des globules rouges. Si la concentration de NaCl dans la solution entourant les cellules est inférieure à 0,92 %, l'eau pénètre *dans* les cellules et les fait éclater. On appelle cette solution saline une **solution hypotonique** ; elle a une pression osmotique inférieure à celle des globules rouges. C'est le cas de l'eau pure.

Une application moderne de l'osmose, appelée **osmose inverse**, consiste à inverser le transfert net normal de molécules d'eau à travers une membrane semi-perméable. Lorsqu'on applique sur une solution une pression *supérieure* à la pression osmotique,

Solution isotonique

Solution dont la pression osmotique est égale à celle des liquides organiques (le sang, les larmes, etc.).

Solution hypertonique

Solution dont la pression osmotique est supérieure à celle des liquides organiques (le sang, les larmes, etc.).

Solution hypotonique

Solution dont la pression osmotique est inférieure à celle des liquides organiques (le sang, les larmes, etc.).

Osmose inverse

Transfert net à travers une membrane semi-perméable d'un solvant, dans le sens opposé à celui du transfert lors de l'osmose, qui résulte de l'application à la solution d'une pression supérieure à la pression osmotique.

Quelques applications médicales de l'osmose

On appelle *plasmolyse* l'éclatement d'une cellule dans une solution *hypotonique*. Si la cellule est un globule rouge, on utilise le terme plus spécifique d'*hémolyse*. Une solution *hypertonique* amène une cellule à se contracter et à devenir *crénelée*, ce qui peut entraîner sa mort.

Il est important d'utiliser un liquide isotonique pour remplacer des liquides organiques ou apporter de la nourriture par voie intraveineuse. Sinon, il en résulte une hémolyse ou la formation de crénelures, et le patient court de graves dangers. Une solution à 0,92 % de NaCl (masse/volume), appelée sérum physiologique, est isotonique avec le liquide intracellulaire des globules rouges. Les médecins et les techniciens médicaux utilisent une solution de glucose (aussi appelé dextrose) dans l'eau à 5,5 % (masse/volume) qui est également isotonique. La solution de NaCl à 0,92 % est environ égale à 0,16 mol/L, tandis que celle de glucose à 5,5 % se situe autour de 0,31 mol/L. (À la section 1.10, nous verrons pourquoi ces deux solutions ont des concentrations molaires volumiques différentes.)

La solution de glucose à 5,5 % présente toutefois des limites. Un patient ne peut recevoir qu'environ 3 L d'eau par jour. Si on utilise cette solution comme sérum physiologique, 3 L fourniront à peine 160 g de glucose. Le glucose produit environ 2690 kJ/jour, une quantité d'énergie malheureusement inadéquate. Même un patient au repos a besoin d'à peu près 5880 kJ/jour. Les besoins d'une personne qui souffre de graves brûlures peuvent s'élever à près de 42 000 kJ/jour. Grâce à des solutions soigneusement préparées contenant, outre le glucose, des éléments nutritifs vitaux, on peut porter l'alimentation d'un patient à environ 5000 kJ/jour, mais c'est encore loin de combler les besoins de nombreuses personnes gravement malades.

Une possibilité consiste à utiliser des solutions environ six fois plus concentrées que les solutions isotoniques. Toutefois, plutôt que de les administrer par voie intraveineuse dans un bras ou une jambe, on les perfuse, au moyen d'un tube, directement dans la veine cave supérieure, un gros vaisseau qui draine le sang vers le cœur. L'important volume de sang qui s'écoule par cette veine dilue rapidement la solution à des niveaux qui ne causent aucun dommage au sang. Grâce à cette technique, des patients ont pu recevoir 21 000 kJ/jour et ont même pris du poids.

Globules rouges dans une solution hypertonique visualisées par microscopie électronique.

l'eau se déplace depuis la solution vers l'eau pure. On peut de cette façon extraire de l'eau pure à partir d'eau saumâtre, d'eau de mer ou d'eau usée industrielle. Pour que l'osmose inverse soit possible, il faut des membranes qui peuvent supporter des pressions élevées. L'utilisation de l'osmose inverse est très répandue sur les bateaux en mer et dans les régions arides du Moyen-Orient.

1.10 Les solutions d'électrolytes

Dans notre introduction sur les propriétés colligatives (voir la page 34), nous avons précisé que notre propos porterait essentiellement sur les solutions de non-électrolytes. Qu'en est-il des solutions d'électrolytes ? Possèdent-elles des propriétés colligatives ? Nous l'avons déjà laissé supposer dans les figures 1.21 et 1.26, et en signalant les propriétés osmotiques des solutions salines isotoniques ou l'utilisation de NaCl et de $CaCl_2$ pour déglacer les routes. La principale différence dans le traitement des solutions d'électrolytes réside dans la façon d'évaluer les concentrations de solutés.

Les particules de soluté des solutions de non-électrolytes sont sous forme de *molécules*. En ce qui concerne les solutions d'électrolytes forts, ce sont des *ions* qui forment les particules de soluté. Et les particules qui composent les solutions d'électrolytes faibles sont *à la fois des molécules et des ions*. Quand on utilise la formule d'un soluté pour établir la concentration molaire volumique (c) ou la molalité (m) d'une solution, on ne tient aucun compte de ces différences. Pour évaluer les propriétés colligatives, il faut cependant calculer les concentrations en fonction du nombre réel de particules en solution (ions ou molécules). Par exemple, $NaCl$(aq) 0,010 mol/L est une solution d'électrolyte fort, $[Na^+] = 0,010$ mol/L, $[Cl^-] = 0,010$ mol/L, et la concentration totale d'électrolytes est de 0,020 mol/L. Dans une solution de CH_3COOH 0,010 mol/L, un électrolyte faible, la majeure partie des molécules de CH_3COOH demeure intacte, mais une petite fraction s'ionise pour former H^+ et CH_3COO^-. La concentration totale des particules est légèrement supérieure à 0,010 mol/L, mais inférieure à 0,020 mol/L.

On peut modifier les équations des propriétés colligatives pour tenir compte de la présence possible d'ions dans la solution grâce à un facteur appelé **coefficient de van't Hoff** (*i*). Les équations modifiées deviennent

> Abaissement du point de congélation : $\Delta T_{cong} = -i\, K_{cong}\, m$ **(1.11)**
>
> Élévation du point d'ébullition : $\Delta T_{\acute{e}b} = i\, K_{\acute{e}b}\, m$ **(1.12)**
>
> Pression osmotique : $\pi = i\, c\, RT$ **(1.13)**

Dans le cas des solutions de non-électrolytes, $i = 1$. Cela signifie que la concentration molaire volumique ou la molalité calculée à partir de la formule du soluté est la concentration réelle de particules. Dans le cas d'une solution de $NaCl$, un électrolyte fort, on devrait s'attendre à ce que $i = 2$; il y a *deux* moles d'ions pour chaque mole de soluté. Dans le cas de Na_2SO_4 et de $CaCl_2$, on s'attend à ce que $i = 3$. Dans le cas d'une solution d'un électrolyte faible, i est quelque peu supérieur à 1, mais inférieur à 2, parce qu'un électrolyte faible ne s'ionise que partiellement. Le degré d'ionisation d'un électrolyte faible dépend de la concentration de la solution, ce qui signifie que i dépend aussi de la concentration. Par exemple, $i \approx 1,04$ pour CH_3COOH 0,010 mol/L, c'est-à-dire qu'environ 4 % des molécules s'ionisent. Dans une solution de CH_3COOH 0,10 mol/L, $i \approx 1,01$.

La valeur de i établie pour les électrolytes forts dépend également de la concentration ; i sera un nombre entier (c'est-à-dire 2, 3, ...) seulement si la solution est très diluée ; sinon, il sera fractionnaire. Les valeurs de i établies pour différentes solutions de $NaCl$(aq) sont : 1,0 mol/kg, $i = 1,81$; 0,10 mol/kg, $i = 1,87$; 0,010 mol/kg, $i = 1,94$; et 0,0010 mol/kg, $i = 1,97$. Dans les solutions concentrées d'électrolytes forts, les forces d'attraction entre les cations et les anions peuvent provoquer leur association en *paires d'ions,* les électrolytes se comportant alors comme si le soluté n'était pas complètement dissocié. Dans ce manuel, nous supposons que les solutions sont suffisamment diluées pour que les électrolytes soient complètement dissociés en ions.

Jacobus Henricus van't Hoff (1852-1911) a été le premier lauréat du prix Nobel de chimie, en 1901, pour ses travaux sur les propriétés physiques des solutions. Il est toutefois également connu pour avoir proposé (simultanément avec le chimiste français Joseph Le Bel) les géométries tétraédriques des composés du carbone (par exemple CH_4). Van't Hoff avait alors 22 ans.

Coefficient de van't Hoff (*i*)

Facteur de correction intégré à une équation relative à une propriété colligative, qui permet d'appliquer cette équation aux solutions d'un électrolyte fort ou faible, c'est-à-dire de tenir compte de la présence potentielle d'ions dans une solution.

EXEMPLE 1.21 ▸ **Un exemple conceptuel**

Sans faire de calculs détaillés, classez les solutions suivantes par ordre *décroissant* de pression osmotique : **a)** $C_{12}H_{22}O_{11}$(aq) 0,01 mol/L, à 25 °C ; **b)** $C_6H_{12}O_6$(aq) 0,01 mol/L, à 37 °C ; **c)** KNO_3(aq) 0,01 mol/kg, à 25 °C ; **d)** une solution contenant 1,00 g de polystyrène (masse molaire $3,5 \times 10^5$ g/mol) dans 100 mL de benzène, à 25 °C.

➜ Analyse et conclusion

Commençons par écrire l'équation la plus générale de la pression osmotique d'une solution, $\pi = i\, c\, RT$, puis appliquons-la à chacune des solutions.

a) Soit π_a la pression osmotique de $C_{12}H_{22}O_{11}$(aq) 0,01 mol/L, une solution d'un non-électrolyte ($i = 1$). Nous comparerons les autres pressions osmotiques à π_a.

b) $C_6H_{12}O_6$ 0,010 mol/L est aussi une solution de non-électrolyte ($i = 1$). Il y a autant de particules par unité de volume que dans *a*. Cependant, puisque la température est légèrement supérieure, la pression osmotique de cette solution devrait être légèrement supérieure à celle de *a*, d'un facteur 310/298 :

$$\pi_b > \pi_a$$

c) La solution de KNO_3 est de 0,01 mol/kg plutôt que de 0,01 mol/L. Cependant, *dans les solutions diluées, et seulement dans ce cas*, la molalité et la concentration molaire volumique sont essentiellement égales, parce que $\rho \approx 1{,}0$ g/mL. Dans ce cas-ci, nous avons une solution d'un électrolyte pour laquelle $i \approx 2$. La pression osmotique est environ le double de celle de la solution *a* et presque le double de celle de la solution *b*.

$$\pi_c > \pi_b > \pi_a$$

d) Chacune des trois autres solutions contient au moins 0,001 mol de particules de soluté dans un échantillon de 100 mL. La *masse* de 0,001 mol de polystyrène est 0,001 mol $\times$ 3,5 $\times 10^5$ g/mol = 350 g, mais la masse de polystyrène dans la solution donnée est seulement de 1,00 g. La dilution de la solution excède donc de beaucoup 0,01 mol/L. La pression osmotique de la solution *d* est de loin la plus faible ; celle de la solution *c*, la plus élevée.

$$\pi_c > \pi_b > \pi_a > \pi_d$$

EXERCICE 1.21 A

Laquelle des solutions aqueuses suivantes a le point de congélation le plus *bas* et laquelle a le plus *haut* : $C_6H_{12}O_6$(aq) 0,010 mol/kg ; HCl(aq) 0,0080 mol/L ; $MgCl_2$(aq) 0,0050 mol/kg ; $Al_2(SO_4)_3$(aq) 0,0030 mol/L ?

EXERCICE 1.21 B

Le chlorure d'hydrogène est soluble à la fois dans l'eau et dans le benzène. L'abaissement du point de congélation de HCl(aq) 0,01 mol/kg est d'environ 0,04 °C, et celui de HCl 0,01 mol/kg dans le benzène est d'environ 0,05 °C. Doit-on s'attendre à de tels résultats dans le cas de ces deux solutions ? Expliquez votre réponse.

Les mélanges : solutions, colloïdes et suspensions

Une fois qu'un soluté et un solvant sont bien mélangés, les atomes, ions ou molécules de soluté demeurent dispersés au hasard dans le solvant ; le *soluté ne se dépose pas*. Le mélange est *homogène* : c'est une *solution*. Si on essaie de dissoudre du sable (silice, SiO_2) dans l'eau, on ne pourra que créer, dans le solvant, une dispersion des particules de sable, ce qu'on appelle une *suspension*. Les grains de sable se déposent rapidement au fond du contenant. Le mélange de sable et d'eau est *hétérogène*. Existe-t-il des mélanges qui se situent entre la solution vraie et la suspension ? Il y a bien de tels mélanges, et on les appelle des *colloïdes*.

1.11 Les colloïdes

Ce n'est pas la nature de la matière présente qui influe sur la formation d'un colloïde, mais plutôt la *taille* des particules dispersées. Les vraies solutions se composent de particules de soluté et de solvant mesurant moins de 1 nm de diamètre environ. Les suspensions ordinaires contiennent des particules dont la dimension est d'au moins 1000 nm. Ces particules sont généralement visibles à l'œil nu ou à l'aide d'un microscope ordinaire. On définit un **colloïde** comme une dispersion, dans un milieu approprié, de particules dont la taille peut prendre des dimensions de l'ordre de 1 nm à 1000 nm. On ne peut généralement pas voir les particules colloïdales au moyen d'un microscope ordinaire.

La forme des particules dans un colloïde peut varier grandement mais, dans chaque cas, au moins une des dimensions (longueur, largeur, épaisseur) se situe dans l'intervalle de 1 à 1000 nm. Les particules dans un colloïde aqueux de silice (SiO_2) sont sphériques. Certaines particules colloïdales ont la forme de bâtonnets, notamment certains virus. D'autres encore prennent la forme de disques, telle la gammaglobuline, une protéine du plasma sanguin. Certains polymères naturels et synthétiques sont constitués de longs filaments qui forment des spirales irrégulières.

On peut classer les colloïdes selon l'état de la matière dans lequel se trouvent les particules (la phase dispersée) et le milieu dans lequel elles sont dispersées. Le **tableau 1.3** résume les huit possibilités, chaque cas portant un nom différent. Par exemple, un *sol* est une dispersion de particules solides dans un milieu liquide ; une *émulsion* est une dispersion de particules liquides (gouttelettes microscopiques) dans un milieu liquide ; et un *aérosol* est une dispersion de particules solides ou liquides dans un gaz (habituellement l'air).

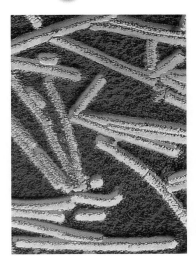

Ces virus de la mosaïque du tabac, en forme de bâtonnets, sont des particules de la taille de colloïdes.

Colloïde

Dispersion, dans un milieu approprié, de particules dont au moins l'une des dimensions (longueur, largeur ou épaisseur) est de l'ordre de 1 nm à 1000 nm.

TABLEAU **1.3**	Quelques types courants de colloïdes		
Phase dispersée	**Milieu de dispersion**	**Type**	**Exemples**
Solide	Liquide	Sol	Solution d'amidon, argile, gelées
Liquide	Liquide	Émulsion	Lait, mayonnaise
Gaz	Liquide	Mousse	Crème fouettée, meringues
Solide	Gaz	Aérosol	Poussière fine ou suie dans l'air
Liquide	Gaz	Aérosol	Brume, laque pour cheveux
Solide	Solide	Sol solide	Verre, rubis, diamant noir
Liquide	Solide	Émulsion solide	Perle, opale, beurre
Gaz	Solide	Mousse solide	Savon qui flotte, pierre ponce, lave

Une bonne partie de la matière vivante existe sous la forme de sols et d'émulsions. Les substances de masse moléculaire élevée, comme les amidons et les protéines, forment généralement des mélanges colloïdaux avec l'eau plutôt que des solutions vraies. Le smog est en partie un aérosol, et ses particules en suspension sont solides (fumée) et liquides (brume) : en anglais, *smoke* + *fog* = smog. Cependant, d'autres constituants du smog sont de la taille de molécules, par exemple SO_2, CO, NO et O_3.

Comme on peut s'y attendre, les propriétés des dispersions colloïdales sont différentes de celles des solutions vraies et des suspensions. Les colloïdes ont souvent une apparence laiteuse ou trouble, et même ceux qui semblent transparents révèlent leur nature colloïdale en dispersant un rayon de lumière qui les traverse. Ce phénomène, étudié la première fois par John Tyndall en 1869, est appelé l'**effet Tyndall** (**figure 1.28**). Les couchers de soleil spectaculaires souvent observés dans les régions désertiques sont causés, du moins en partie, par la dispersion préférentielle de la lumière bleue quand la lumière du soleil traverse l'air chargé de poussières (un aérosol). La lumière transmise, déficiente en bleu, présente ainsi une couleur rougeâtre.

Effet Tyndall

Dispersion de la lumière par les particules d'un colloïde ; ce phénomène permet de distinguer un colloïde d'une vraie solution.

▶ **Figure 1.28**
L'effet Tyndall

Le rayon de lumière n'est pas visible quand il traverse une solution vraie (gauche), mais il est facilement visible quand il traverse de l'oxyde de fer(III) colloïdal dans l'eau.

Une des propriétés spéciales des surfaces est la capacité d'*adsorber,* ou de retenir, les ions d'une solution. Cette capacité a des conséquences importantes pour les colloïdes. Les particules dans un colloïde adsorbent généralement certains cations ou anions plutôt que d'autres. Par exemple, les particules de SiO_2 dans la silice colloïdale adsorbent les OH^- (**figure 1.29**). Il en résulte que les particules portent une charge nette *négative,* même si le mélange dans son ensemble est électriquement neutre. Puisqu'elles sont toutes chargées négativement, les particules de silice se repoussent. Ces répulsions sont suffisamment fortes pour vaincre la force de gravité, et les particules ne se déposent pas. Toutefois, une concentration élevée d'un électrolyte peut entraîner la *floculation* ou la *précipitation* d'un colloïde (**figure 1.30**, page suivante) en neutralisant les charges des particules colloïdales.

Éliminer les ions en excès peut empêcher la floculation et stabiliser le colloïde. On peut effectuer cette opération par *dialyse,* un processus semblable à l'osmose. Dans la dialyse, les ions passent de la dispersion colloïdale à un réservoir d'eau pure en traversant une membrane semi-perméable. Les particules colloïdales beaucoup plus grosses ne franchissent pas la membrane. Dans l'*électrodialyse,* le processus est facilité par une électrode qui attire les ions de charge opposée. Le rein joue le rôle de dialyseur dans la mesure où il enlève les électrolytes en excès dans le sang, qui est un colloïde. Certaines maladies font que le rein perd sa capacité de dialyser, mais cette fonction peut heureusement être remplie jusqu'à un certain point par un appareil à dialyse.

▶ **Figure 1.29**
La silice, dans un mélange hétérogène et dans un colloïde

(À gauche) Lorsqu'on verse du sable fin (silice) dans l'eau, il se forme au départ une suspension, mais les particules se déposent rapidement, produisant un mélange hétérogène avec l'eau sur le dessus et la silice au fond. (À droite) Une suspension colloïdale préparée à l'aide d'une solution de silicate de sodium, Na_2SiO_3(aq), a les mêmes proportions que la silice et l'eau à gauche. Les particules dispersées de silicate hydraté, $SiO_2 \cdot xH_2O$, sont beaucoup plus grosses que les atomes ou les molécules ordinaires. Lors de leur formation, elles acquièrent une charge négative par l'adsorption d'ions OH^-. Ces particules, avec leurs charges du même signe, se repoussent mutuellement et peuvent ainsi demeurer en suspension indéfiniment.

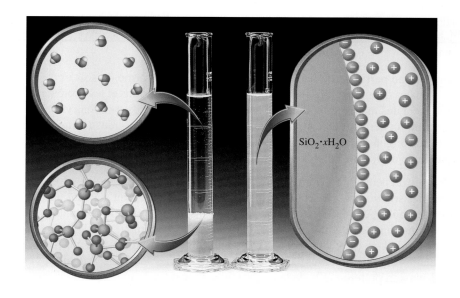

$SiO_2 \cdot xH_2O$

Al₂(SO₄)₃

◄ **Figure 1.30**
Formation et floculation d'un colloïde

On obtient le colloïde rouge d'oxyde de fer(III), $Fe_2O_3 \cdot xH_2O$ (à gauche), en additionnant $FeCl_3(aq)$ concentré à de l'eau bouillante. Quand quelques gouttes de $Al_2(SO_4)_3(aq)$ sont ajoutées, les particules en suspension floculent rapidement sous la forme d'un précipité de $Fe_2O_3 \cdot xH_2O$ (à droite). Cela s'explique par le fait que les ions $Al^{3+}(aq)$ et SO_4^{2-} neutralisent les charges autour du colloïde, ce qui diminue leur répulsion.

EXEMPLE SYNTHÈSE

Un échantillon de 375,0 mL de vapeur d'hexane en équilibre avec de l'hexane liquide, C_6H_{14} ($\rho = 0,6548$ g/mL ; pression de vapeur = 20,13 kPa), à 25,0 °C est dissous dans 50,00 mL de cyclohexane liquide ($\rho = 0,7739$ g/mL ; pression de vapeur = 13,01 kPa), à 25 °C. Calculez la pression totale de vapeur au-dessus de la solution à 25,0 °C et vérifiez la validité de ce calcul.

➔ Stratégie

Nous devons faire la somme des pressions partielles des deux composants afin d'obtenir la pression de vapeur totale de la solution. Si nous supposons qu'il s'agit d'une solution idéale, nous pouvons calculer les pressions partielles à l'aide de la loi de Raoult (équation 1.6). Dans cette équation, les concentrations doivent être exprimées en fractions molaires, ce qui implique que nous déterminions d'abord le nombre de moles des composants de la solution et ensuite que nous utilisions l'équation 1.3. Nous pouvons faire appel à la loi des gaz parfaits pour connaître le nombre de moles de vapeur d'hexane qui ont été dissoutes dans la solution hexane-cyclohexane. Nous pouvons ensuite trouver le nombre de moles de cyclohexane à l'aide du volume, de la masse volumique et de la masse molaire.

➔ Solution

D'abord, nous utilisons l'équation des gaz parfaits pour trouver le nombre de moles d'hexane.

$$n = \frac{PV}{RT} = \frac{20{,}13 \text{ kPa} \times 0{,}3750 \text{ L d'hexane}}{8{,}3145 \text{ kPa} \cdot \text{L} \cdot \text{mol}^{-1} \cdot \text{K}^{-1} \times (273{,}2 + 25{,}0) \text{ K}} = 0{,}003\,045 \text{ mol d'hexane}$$

Ensuite, nous calculons le nombre de moles de cyclohexane dans la solution à partir des données sur le volume et la masse volumique.

$$? \text{ mol de } C_6H_{12} = 50{,}00 \text{ mL de } C_6H_{12} \times \frac{0{,}7739 \text{ g}}{1 \text{ mL}} \times \frac{1 \text{ mol de } C_6H_{12}}{84{,}16 \text{ g}}$$

$$= 0{,}4598 \text{ mol de } C_6H_{12}$$

Nous pouvons calculer la fraction molaire de l'hexane et du cyclohexane à partir du nombre de moles de chacun de ces composants.

$$\chi_{C_6H_{14}} = \frac{0{,}003\ 045\ \text{mol de } C_6H_{14}}{0{,}003\ 045\ \text{mol de } C_6H_{14} + 0{,}4598\ \text{mol de } C_6H_{12}} = 0{,}006\ 580$$

$$\chi_{C_6H_{12}} = \frac{0{,}4598\ \text{mol de } C_6H_{12}}{0{,}003\ 045\ \text{mol de } C_6H_{14} + 0{,}4598\ \text{mol de } C_6H_{1/2}} = 0{,}9935$$

Nous utilisons l'équation 1.6 pour déterminer la pression partielle de l'hexane et du cyclohexane.

$$P_{C_6H_{14}} = 0{,}006\ 580 \times 20{,}13\ \text{kPa} = 0{,}1325\ \text{kPa}$$

$$P_{C_6H_{12}} = 0{,}9935 \times 13{,}01\ \text{kPa} = 12{,}93\ \text{kPa}$$

Enfin, nous additionnons les pressions partielles pour obtenir la pression totale.

$$P_{\text{totale}} = P_{C_6H_{14}} + P_{C_6H_{12}} = 0{,}1325\ \text{kPa} + 12{,}93\ \text{kPa} = 13{,}06\ \text{kPa}$$

➜ Évaluation

Il est permis de considérer la vapeur d'hexane comme un gaz parfait puisque la pression du gaz, à environ 0,20 kPa, est relativement basse. On peut aussi présumer que la solution d'hexane et de cyclohexane est une solution idéale. En effet, ces hydrocarbures sont des substances non polaires qui possèdent des compositions et des masses molaires à peu près semblables, laissant supposer que les forces intermoléculaires (forces de dispersion) sont également similaires. Ces raisons contribuent à valider l'utilisation de la loi de Raoult.

La pression totale de la solution, 13,06 kPa, est presque égale à la pression de vapeur du cyclohexane pur (13,01 kPa), ce qui n'est pas étonnant pour une solution très diluée. Cependant, la pression de vapeur de la solution est légèrement plus élevée que celle du cyclohexane pur et ceci est compatible avec le fait que l'hexane, le soluté (pression de vapeur de 20,13 kPa), est sensiblement plus volatil que le cyclohexane, le solvant (pression de vapeur de 13,01 kPa).

Résumé

1.1 **Quelques types de solutions** Plusieurs types de solutions peuvent être formés par la dissolution d'une substance, le **soluté**, dans une autre substance, le **solvant**. Les solutions peuvent exister dans les trois états de la matière (solide, liquide et gaz) et dans des proportions variées.

1.2 **La concentration d'une solution** Pour décrire les solutions, on utilise plusieurs unités de concentration. La **concentration molaire volumique** (c) s'exprime en moles de soluté par litre de solution :

$$\text{concentration molaire volumique } (c) = \frac{\text{quantité de soluté (mol)}}{\text{volume de solution (L)}} \quad (1.1)$$

La concentration peut aussi être exprimée en **pourcentage massique** (nombre de grammes de solution par 100 g de solvant), en **pourcentage volumique** ou en **pourcentage masse/volume**. Dans les solutions très diluées, on utilise des termes comme **parties par million (ppm)**, **parties par milliard (ppb)** et **parties par billion (ppt)**.

La **molalité** (m) est le nombre de moles de soluté par kilogramme de solvant :

$$\text{molalité } (m) = \frac{\text{quantité de soluté (mol)}}{\text{masse de solvant (kg)}} \quad (1.2)$$

On peut aussi donner la concentration d'un composant en précisant quelle fraction ce constituant représente par rapport au nombre total de moles dans la solution. On appelle cette concentration la **fraction molaire** (χ_i) :

$$\text{fraction molaire } (\chi_i) = \frac{\text{quantité du composant } i \text{ (mol)}}{\text{quantité totale des composants de la solution (mol)}} \quad (1.3)$$

1.3 **Les aspects énergétiques de la mise en solution** Dans une **solution idéale**, les molécules sont soumises à des forces intermoléculaires de même nature et essentiellement de même grandeur. Quand la nature et la grandeur des forces intermoléculaires soluté-solvant diffèrent sensiblement des interactions soluté-soluté et solvant-solvant, la solution est non idéale, ou bien les composants demeurent séparés dans un mélange hétérogène.

1.4 **Quelques propriétés des solutions électrolytiques** Les composés ioniques solubles sont des **électrolytes forts**. Ils se dissocient complètement en ions dans une solution aqueuse. Quelques composés moléculaires solubles dans l'eau s'ionisent complètement et, de ce fait, sont aussi des électrolytes forts. Toutefois, la majorité des composés moléculaires n'existe en solution que sous forme de molécules (**non-électrolytes**) ou d'un mélange de molécules et d'ions (**électrolytes faibles**).

1.5 **L'équilibre des solutions** La **solubilité** d'un soluté est la concentration d'une **solution saturée** de ce soluté. 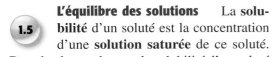 Dans la plupart des cas, la solubilité d'un soluté solide dans l'eau augmente avec la température, mais quelques solutés solides deviennent moins solubles à mesure que la température augmente. Les solutions contenant moins de soluté que la concentration à saturation sont dites **solutions insaturées**. Celles contenant plus de soluté (obtenues par refroidissement dans des conditions particulières) sont dites **solutions sursaturées**.

1.6 **La solubilité des gaz** La solubilité des gaz dans l'eau diminue généralement avec l'augmentation de la température et s'accroît avec l'augmentation de la pression du gaz au-dessus de la solution. Ces relations sont décrites par la **loi de Henry** :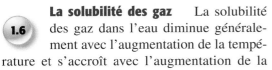

$$S = k\,P_{gaz} \qquad (1.5)$$

1.7 **La pression de vapeur des solutions** La diminution de la pression de vapeur, l'abaissement du point de congélation, l'élévation du point d'ébullition et la pression osmotique sont des **propriétés colligatives**. Elles dépendent de la nature du solvant et du nombre de particules de soluté présentes, mais pas de la nature du soluté.

La présence d'un soluté diminue la pression de vapeur du solvant dans une solution. Dans le cas de solutions idéales et de solutions non idéales diluées, la diminution de la pression de vapeur obéit à la **loi de Raoult** :

$$P_{solv} = \chi_{solv} \cdot P^{\circ}_{solv} \qquad (1.6)$$

Lorsqu'une vapeur est en équilibre avec une solution de deux composants volatils, la fraction molaire du plus volatil dans la phase vapeur est plus grande que dans la solution. Ce comportement est à la base de la méthode de séparation appelée **distillation fractionnée**.

1.8 **L'abaissement du point de congélation et l'élévation du point d'ébullition** En règle générale, l'ajout d'un soluté abaisse le point de congélation et augmente le point d'ébullition du solvant. L'importance de ces changements est fonction de la molalité du soluté et de la constante cryoscopique ou ébullioscopique du solvant :

$$\Delta T_{cong} = T_{cong}\,(\text{solution}) - T_{cong}\,(\text{solvant}) = -K_{cong} \times m \quad (1.7)$$

$$\Delta T_{éb} = T_{éb}\,(\text{solution}) - T_{éb}\,(\text{solvant}) = \mathrm{K}_{éb} \times m \qquad (1.8)$$

1.9 **La pression osmotique** L'osmose est le transfert net de molécules d'un solvant à travers une **membrane semi-perméable**, soit d'un solvant pur vers une solution, soit d'une solution d'une concentration donnée vers une solution plus concentrée. La **pression osmotique** (π) est la pression qu'il faut appliquer à une solution pour empêcher le déplacement de molécules de solvant à travers une membrane semi-perméable vers la solution.

$$\pi = \frac{n}{V}\,RT \qquad (1.9)$$

On peut utiliser les mesures de pression osmotique pour déterminer la masse molaire, notamment, dans le cas de substances macromoléculaires (polymères).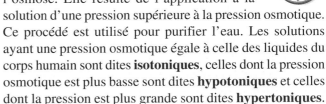

L'**osmose inverse** est le transfert net à travers une membrane semi-perméable d'un solvant, dans le sens opposé à celui observé lors de l'osmose. Elle résulte de l'application à la solution d'une pression supérieure à la pression osmotique. Ce procédé est utilisé pour purifier l'eau. Les solutions ayant une pression osmotique égale à celle des liquides du corps humain sont dites **isotoniques**, celles dont la pression osmotique est plus basse sont dites **hypotoniques** et celles dont la pression est plus grande sont dites **hypertoniques**.

1.10 **Les solutions d'électrolytes** Il faut modifier les équations concernant les propriétés colligatives dans le cas de solutés qui sont des électrolytes forts et des électrolytes faibles. Pour ce faire, on utilise le **coefficient de van't Hoff (i)**. La valeur de i est déterminée par le degré d'ionisation d'un soluté et par l'importance des interactions entre les ions en solution.

$$\Delta T_{cong} = -i K_{cong} \times m \qquad (1.11)$$

$$\Delta T_{éb} = i\,K_{éb} \times m \qquad (1.12)$$

$$\pi = i\,c\,RT \qquad (1.13)$$

1.11 **Les colloïdes** Dans les **colloïdes**, les particules de matière dispersées mesurent de 1 à 1000 nm environ. Bien que les dispersions colloïdales ressemblent souvent aux solutions dans leur apparence extérieure, elles s'en distinguent de façon importante. Par exemple, contrairement aux solutions vraies, les colloïdes dispersent la lumière, phénomène appelé **effet Tyndall**. Les colloïdes peuvent exister dans chacun des trois états de la matière, et de nombreux produits courants, qui vont des liquides organiques tels que le sang jusqu'aux produits alimentaires et au smog atmosphérique, sont colloïdaux.

Conseil : On n'apprend pas à jouer du piano en lisant des articles sur les habiletés des grands pianistes ni en assistant à des concerts ; de même, vous n'apprendrez pas à résoudre des problèmes en lisant des solutions ou en regardant votre enseignant en résoudre. La résolution de problèmes vous aidera à comprendre les concepts présentés dans le chapitre et vous fournira l'occasion de mettre en pratique votre habileté à faire des approximations et à synthétiser des idées. Plus vous ferez de problèmes, plus vous développerez l'habileté d'en résoudre.

Mots clés

Vous trouverez également la définition des mots clés dans le glossaire à la fin du livre.

anode **24**	fraction molaire (χ_i) **15**	pression osmotique (π) **45**
cathode **24**	loi de Henry **32**	propriété colligative **34**
coefficient de van't Hoff (i) **49**	loi de Raoult **35**	solubilité **28**
colloïde **51**	membrane semi-perméable **44**	soluté **4**
concentration molaire volumique (c) **4**	molalité (m) **12**	solution hypertonique **47**
courbe de solubilité **29**	non-électrolyte **25**	solution hypotonique **47**
dilution **7**	osmose **45**	solution idéale **19**
distillation fractionnée **38**	osmose inverse **47**	solution insaturée **29**
effet Tyndall **51**	parties par billion (ppt) **11**	solution isotonique **47**
électrode **24**	parties par milliard (ppb) **11**	solution saturée **28**
électrolyte faible **25**	parties par million (ppm) **11**	solution sursaturée **30**
électrolyte fort **24**	pourcentage molaire **15**	solvant **4**

Problèmes par sections

Les solutions présentées sous forme de clips sont indiquées par ▶

1.2 **La concentration d'une solution**

1. Quelle quantité de soluté faut-il pour préparer chacune des solutions suivantes ?

   a) 315 mL d'une solution dont la concentration molaire volumique est de 2,50 mol/L : en moles de $K_2Cr_2O_7$

   b) 20,0 mL d'une solution dont la concentration molaire volumique est de 0,0100 mol/L : en grammes de $KMnO_4$

   c) 175,0 mL d'une solution dont la concentration molaire volumique est de 1,305 mol/L : en millilitres de butane-1,4-diol, $HOCH_2(CH_2)_2CH_2OH$ ($\rho = 1,020$ g/mL)

   d) 315 mL d'une solution dont la concentration molaire volumique est de 0,0150 mol/L : en millilitres d'acétate d'éthyle, $CH_3COOCH_2CH_3$ ($\rho = 0,902$ g/mL)

2. L'étiquette d'une bouteille d'hydroxyde de potassium indique qu'il s'agit d'une solution ayant un pourcentage massique de 50,0 % en KOH et une masse volumique de 1,52 g/mL. Calculez la concentration molaire volumique de la solution.

3. Si on dilue 50,00 mL d'une solution, dont la concentration molaire volumique en NaOH est de 19,1 mol/L, de manière à obtenir 2,00 L de solution, quelle est la concentration de la solution diluée ?

4. Combien de millilitres d'une solution dont la concentration molaire volumique en KOH est de 3,124 mol/L faut-il pour préparer :

   a) 250,0 mL d'une solution dont la concentration $c = 1,200$ mol/L ?

   b) 15,0 L d'une solution contenant 0,245 g de KOH par litre ?

5. **a)** Expliquez comment préparer 5,00 kg d'une solution aqueuse de NaCl 10,0 % *en masse*.

   b) Expliquez comment préparer exactement 2,00 L d'une solution aqueuse d'acide acétique 2,00 % *en volume*.

6. Quel est le pourcentage massique de soluté dans chacune des solutions suivantes ?

   a) 4,12 g de NaOH dans 100,0 g d'eau

   b) 5,00 mL d'éthanol ($\rho = 0,789$ g/mL) dans 50,0 g d'eau

   c) 1,50 mL de glycérol ($\rho = 1,324$ g/mL) dans 22,25 mL de H_2O ($\rho = 0,998$ g/mL)

7. Quel est le pourcentage massique de soluté dans chacune des solutions suivantes ?

   a) 175 mg de NaCl/g de solution aqueuse

b) 0,275 L de méthanol ($\rho = 0,791$ g/mL) par kilogramme d'eau

c) 4,5 L d'éthylèneglycol ($\rho = 1,114$ g/mL) dans 6,5 L de propylèneglycol ($\rho = 1,036$ g/mL)

8. Quel est le pourcentage volumique du premier composé nommé dans chacune des solutions suivantes ?

a) 35,0 mL d'eau dans 725 mL d'une solution d'éthanol et d'eau

b) 10,00 g d'acétone ($\rho = 0,789$ g/mL) dans 1,55 L d'une solution d'acétone et d'eau

c) 1,05 % en masse de butan-1-ol ($\rho = 0,810$ g/mL) dans l'éthanol ($\rho = 0,789$ g/mL) [*Indice :* Supposez que les volumes s'additionnent.]

9. Quel est le pourcentage volumique du premier composé nommé dans chacune des solutions suivantes ?

a) 58,0 mL d'eau dans 625 mL d'une solution d'éthanol et d'eau

b) 10,00 g de méthanol ($\rho = 0,791$ g/mL) dans 75,00 g d'éthanol ($\rho = 0,789$ g/mL) [*Indice :* Supposez que les volumes s'additionnent.]

c) 24,0 % d'éthanol, en masse ($\rho = 0,789$ g/mL) dans une solution aqueuse de $\rho = 0,963$ g/mL

10. Un échantillon de vinaigre a une masse volumique de 1,01 g/mL et contient 5,88 % d'acide acétique, en masse. Quelle est la masse d'acide acétique contenue dans une bouteille de 0,500 L de vinaigre ?

11. *Sans faire de calculs détaillés,* classez les solutions *aqueuses* de concentrations suivantes par ordre croissant de pourcentage massique de soluté.

a) 1 % en masse   **d)** 1 ppm

b) 1 mg de soluté par décilitre de solution   **e)** 1 ppt

c) 1 ppb

12. Exprimez les concentrations des solutions aqueuses suivantes dans les unités indiquées.

a) 1 µg de benzène par litre d'eau, en parties par milliard (ppb) de benzène

b) NaCl 0,0035 % en masse, en parties par million (ppm) de NaCl

c) F^- à 2,4 ppm, en concentration molaire volumique d'ions fluorure, $[F^-]$

13. Exprimez les concentrations des solutions aqueuses suivantes dans les unités indiquées.

a) 5 µg de trichloroéthylène/L d'eau, en parties par milliard (ppb) de trichloroéthylène

b) KI 0,0025 g/L d'eau, en parties par million (ppm) de KI

c) SO_4^{2-} 37 ppm, en concentration molaire volumique d'ions sulfate, $[SO_4^{2-}]$

14. Calculez la *molalité* d'une solution constituée de 18,0 g de glucose, $C_6H_{12}O_6$, dissous dans 80,0 g d'eau.

15. Calculez la *molalité* d'une solution qui a été obtenue par la dissolution de 125 mL de méthanol pur, CH_3OH, ($\rho = 0,791$ g/mL) dans 275 g d'éthanol.

16. Une solution d'acide phosphorique de qualité commerciale contient 75 % en masse de H_3PO_4 et sa masse volumique est 1,57 g/mL. Quelles sont la concentration molaire volumique et la molalité de H_3PO_4 dans cette solution commerciale ?

17. On prépare une solution aqueuse en diluant 3,30 mL d'acétone, CH_3COCH_3, ($\rho = 0,789$ g/mL) avec de l'eau jusqu'à un volume final de 75,0 mL. La masse volumique de la solution est de 0,993 g/mL. Quelles sont la concentration molaire volumique et la molalité de l'acétone dans la solution ?

18. Une solution diluée d'acide sulfurique H_2SO_4 a une molalité de 3,39 mol/kg et une masse volumique de 1,18 g/mL. Combien de moles de H_2SO_4 y a-t-il dans 375 mL de cette solution ?

19. Combien y a-t-il de moles d'éthylèneglycol dans 2,30 L de $HOCH_2CH_2OH$ 6,27 mol/kg ($\rho = 1,035$ g/mL) ?

20. Transformez les concentrations molaires volumiques des solutions aqueuses suivantes en molalité.

a) HNO_3 7,91 mol/L ($\rho_{\text{solution}} = 1,246$ g/mL)

b) $MgCl_2$ 1,150 mol/L ($\rho_{\text{solution}} = 1,0890$ g/mL)

c) H_2SO_4 9,39 mol/L ($\rho_{\text{solution}} = 1,509$ g/mL)

21. Transformez les molalités des solutions aqueuses suivantes en concentration molaire volumique.

a) HCl 18,3 mol/kg ($\rho_{\text{solution}} = 1,198$ g/mL)

b) CH_3CH_2OH 0,931 mol/kg ($\rho_{\text{solution}} = 0,950$ g/mL)

c) $HOCH_2CH_2OH$ 7,59 mol/kg ($\rho_{\text{solution}} = 1,039$ g/mL)

22. Quelle est la fraction molaire du naphtalène, $C_{10}H_8$, dans une solution qui a été obtenue par la dissolution de 23,5 g de $C_{10}H_8(s)$ dans 315 g de $C_6H_6(l)$?

23. Quelle est la fraction molaire de l'urée, $CO(NH_2)_2$, dans une solution préparée en dissolvant 25,2 g de $CO(NH_2)_2$ dans 125 mL d'eau, à 20 °C ($\rho = 0,998$ g/mL) ?

24. Quelle est la fraction molaire du naphtalène, $C_{10}H_8$, dans une solution de 0,250 mol/kg de $C_{10}H_8$ dans le benzène, C_6H_6 ?

25. Quelle est la fraction molaire de l'éthanol dans une solution aqueuse contenant 22,4 % d'éthanol, en masse ?

26. *Sans faire de calculs détaillés,* déterminez laquelle des solutions *aqueuses* suivantes a le plus grand pourcentage massique d'urée, $CO(NH_2)_2$, et expliquez votre raisonnement.

a) 0,10 mol/kg d'urée

b) $\chi_{\text{urée}} = 0,010$

1.3 **Les aspects énergétiques de la mise en solution**

27. Prédisez laquelle des substances suivantes sera très soluble, légèrement soluble et insoluble dans l'eau.

a) Chloroforme, $CHCl_3$

b) Acide benzoïque, C_6H_5COOH

c) Propylèneglycol, $CH_3CHOHCH_2OH$

28. Une des substances suivantes est soluble *à la fois* dans l'eau et dans le benzène, C_6H_6. Laquelle ? Expliquez votre réponse.

a) Chlorobenzène, C_6H_5Cl

b) Éthylèneglycol, $HOCH_2CH_2OH$

c) Phénol, C_6H_5OH

1.4 Quelques propriétés des solutions électrolytiques

29. Déterminez la concentration molaire volumique de chacun des ions suivants.

    a) Li^+ dans $LiNO_3$ 0,0385 mol/L

    b) Cl^- dans $CaCl_2$ 0,035 mol/L

    c) Al^{3+} dans $Al_2(SO_4)_3$ 0,0112 mol/L

    d) Na^+ dans Na_2HPO_4 0,12 mol/L

30. Déterminez la concentration molaire volumique de chacun des ions suivants.

    a) I^- dans KI 0,0185 mol/L

    b) CH_3COO^- dans $Ca(CH_3COO)_2$ 1,04 mol/L

    c) Li^+ dans Li_2SO_4 0,053 mol/L

    d) NO_3^- dans $Al(NO_3)_3$ 0,0205 mol/L

31. Soit une solution contenant du NaCl 0,0554 mol/L et du Na_2SO_4 0,0145 mol/L. Quelles sont les valeurs de $[Na^+]$, $[Cl^-]$ et de $[SO_4^{2-}]$ dans cette solution ?

32. Une solution contient 0,015 mol/L de chacun des composés suivants : LiCl, MgI_2, Li_2SO_4 et $AlCl_3$. Quelle est la concentration molaire volumique de chaque ion dans cette solution ?

33. On prépare une solution aqueuse en dissolvant 0,112 g de $Mg(NO_3)_2 \cdot 6\ H_2O$ dans 125 mL de solution. Quelle est la valeur de $[NO_3^-]$ dans cette solution ?

34. Une solution contient 25,0 mg de K_2SO_4/mL de solution. Quelle est la valeur de $[K^+]$ dans cette solution ?

35. Les parties par million (ppm) sont des unités souvent utilisées pour exprimer des concentrations très faibles d'un soluté. Si, dans l'eau potable d'une ville, des ions chlorure, Cl^-, ont une concentration de 30,6 ppm, quelle est leur concentration molaire volumique dans l'eau ? (Supposez que la masse volumique de l'eau est de 1,00 g/mL.)

36. Quel volume de $MgCl_2$ 0,0250 mol/L doit-on utiliser pour obtenir une solution de 250,0 mL dont $[Cl^-] = 0,0135$ mol/L ?

37. On prépare une solution en mélangeant 100,0 mL de NaCl 0,438 mol/L, 100,0 mL de $MgCl_2$ 0,0512 mol/L et 250,0 mL d'eau. Quelles sont les valeurs de $[Na^+]$, $[Mg^{2+}]$ et $[Cl^-]$ dans la solution résultante ?

38. *Sans faire de calculs détaillés,* déterminez laquelle des solutions suivantes contient la masse la plus élevée d'azote élémentaire (N).

    a) 1,00 L de nitrate d'aluminium $Al(NO_3)_3$ 0,0020 mol/L

    b) 500 mL d'une solution de nitrate d'ammonium NH_4NO_3 contenant 80 mg de N/L

    c) 100 mL d'une solution de nitrate de magnésium $Mg(NO_3)_2$ à 0,10 % en masse ($\rho = 1,00$ g/mL)

1.5 L'équilibre des solutions

39. En vous reportant à la figure 1.16 (page 29), déterminez si un mélange de 25 g de NH_4Cl et de 55 g de H_2O, à 60 °C, est saturé, insaturé ou sursaturé. Expliquez votre raisonnement.

40. Utilisez les données de la figure 1.16 (page 29) pour déterminer :

    a) la masse additionnelle d'eau qu'il faut ajouter à un mélange de 35 g de K_2CrO_4 et de 35 g de H_2O pour dissoudre tout le soluté à 25 °C ;

    b) la température approximative à laquelle on doit chauffer un mélange de 50,0 g de KNO_3 et de 75,0 g d'eau pour dissoudre complètement le KNO_3.

41. Utilisez les données de la figure 1.16 (page 29) pour déterminer :

    a) la molalité de Li_2SO_4(aq) saturé, à 50 °C ;

    b) la masse additionnelle de $Pb(NO_3)_2$ que l'on peut dissoudre dans une solution aqueuse contenant 325 mg de $Pb(NO_3)_2$ par gramme de solution, à 30 °C.

42. Pouvez-vous imaginer une façon de faire cristalliser un soluté d'une solution insaturée sans changer sa température ? Expliquez votre réponse.

1.6 La solubilité des gaz

43. La solubilité de O_2(g) dans l'eau est de 4,43 mg O_2/100 g H_2O, à 20 °C quand la pression du gaz est maintenue à 101,3 kPa.

    a) Quelle est la concentration molaire volumique de la solution saturée ?

    b) Quelle est la pression de O_2(g) nécessaire pour produire une solution saturée de 0,010 mol/L de O_2 ?

44. Supposons que la température de 250 g d'eau saturée d'air passe de 20 °C à 80 °C. Évaluez la quantité d'air libéré :

    a) en masse (mg) ;

    b) en volume (mL) (à TPN).

Utilisez les données de la figure 1.18 (page 31) et supposez que la masse molaire de l'air est de 28,96 g/mol.

1.7 La pression de vapeur des solutions

45. Une solution contient du pentane et de l'hexane dans le rapport de 1 : 4 en *moles*. Les pressions de vapeur des hydrocarbures purs à 20 °C sont de 58,8 kPa pour le pentane et de 16,1 kPa pour l'hexane.

    a) Quelles sont les pressions partielles des deux hydrocarbures au-dessus de la solution ?

    b) Quelle est la composition de la vapeur, en fraction molaire ?

46. Une solution contient du toluène (C_7H_8) et du benzène (C_6H_6) dans le rapport de 2 : 3 en *masse*. Les pressions de vapeur du toluène et du benzène, à 25 °C, sont de 3,79 kPa et de 12,7 kPa, respectivement.

    a) Quelles sont les pressions partielles des deux hydrocarbures au-dessus de la solution ?

    b) Quelle est la composition de la vapeur en fraction molaire ?

47. Quelle est la pression de vapeur de l'eau au-dessus d'une solution de glucose ($C_6H_{12}O_6$) 0,20 mol/kg, à 20 °C ? La pression de vapeur de l'eau à 20 °C est de 2,33 kPa.

48. Quelle est la pression de vapeur de l'eau au-dessus d'une solution de glycérol ($C_3H_8O_3$) 3,49 mol/L ($\rho = 1,073$ g/mL), à 20 °C ? Utilisez la pression de vapeur de l'eau donnée au problème précédent.

 1.8 **L'abaissement du point de congélation et l'élévation du point d'ébullition**

(Utilisez les données du tableau 1.2, page 41, si nécessaire.)

49. Déterminez les points de congélation des solutions suivantes.

   a) Urée à 0,25 mol/kg d'eau
   b) *Para*-dichlorobenzène, $C_6H_4Cl_2$, à 5,0 % en masse dans le benzène

50. Déterminez les points d'ébullition des solutions suivantes.

 a) Naphtalène à 0,44 mol/kg de benzène
   b) Saccharose ($C_{12}H_{22}O_{11}$) à 1,80 mol/L de solution ($\rho = 1,23$ g/mL)

51. Quelle est la molalité d'une solution de naphtalène dans le benzène qui a le même point de congélation que du saccharose à 0,55 mol/kg d'eau ?

52. Combien de grammes de naphtalène, $C_{10}H_8$, doit-on ajouter à 50,0 g de benzène, $C_6H_6(l)$, pour préparer une solution qui a le même point de congélation que l'eau pure ?

53. Un échantillon de 2,11 g de naphtalène ($C_{10}H_8$) dissous dans 35,00 g de *para*-xylène a un point de congélation de 11,25 °C. Le solvant pur a un point de congélation de 13,26 °C. Quelle est la K_{cong} du *para*-xylène ?

54. Un échantillon de 1,45 g d'un composé inconnu est dissous dans 25,00 mL de benzène ($\rho = 0,879$ g/mL). La solution gèle à 4,25 °C. Quelle est la masse molaire de l'inconnu ?

1.9 **La pression osmotique**

55. On prépare les cornichons en faisant mariner des concombres dans une solution saline. Laquelle des solutions a la pression osmotique la plus élevée : la solution saline ou le liquide dans le concombre ? Expliquez votre réponse.

56. Quelle est la pression osmotique, à 37 °C, d'une solution aqueuse de CH_3CH_2OH à 1,80 % (masse/volume) ? Cette solution est-elle isotonique, hypotonique ou hypertonique ? [*Indice :* Comparez la pression osmotique à celle d'une solution de glucose, $C_6H_{12}O_6$, à 5,5 % (masse/volume).]

57. Dans la figure ci-contre, si la solution aqueuse A contient 0,15 mol/L de saccharose ($C_{12}H_{22}O_{11}$) et la solution B 5,15 g d'urée [$CO(NH_2)_2$] dans 75,0 mL de H_2O, dans quelle direction y aura-t-il un transfert net d'eau à travers la membrane semi-perméable (vers la gauche ou vers la droite) ? Expliquez votre réponse.

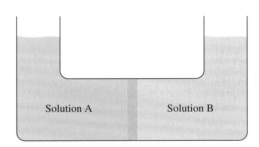

Solution A   Solution B

58. Dans la figure ci-dessus, si la solution A est de 0,18 mol/L de saccharose ($C_{12}H_{22}O_{11}$) et la solution B est de 0,22 mol/L de glucose ($C_6H_{12}O_6$), quelle pression doit-on appliquer et dans quelle branche de l'appareil (gauche ou droite) pour qu'il n'y ait aucun transfert net à travers la membrane semi-perméable ?

1.10 **Les solutions d'électrolytes**

59. Prédisez les points de congélation approximatifs des solutions aqueuses suivantes.

   a) Glucose ($C_6H_{12}O_6$) 0,10 mol/kg
   b) $CaCl_2$ 0,10 mol/kg
   c) CH_3COOH 0,10 mol/kg
   d) KI 0,10 mol/kg

   Laquelle de ces prédictions est probablement la plus exacte ? Expliquez votre réponse.

60. Dans ce chapitre, nous mentionnons qu'une solution isotonique de NaCl est d'environ 0,16 mol/L, alors qu'une solution isotonique de glucose est d'environ 0,31 mol/L. Expliquez pourquoi les concentrations de ces solutions isotoniques ne sont pas les mêmes.

61. Quel serait l'effet sur des globules rouges si on les plaçait dans :

   a) du NaCl(aq) à 5,5 % (masse/volume) ?
   b) du glucose(aq) à 0,92 % (masse/volume) ?

   Expliquez vos réponses.

62. Placez les cinq solutions suivantes par ordre *croissant* d'élévation du point d'ébullition, $\Delta T_{éb}$, et justifiez votre choix. (Dans les cas où on ne le spécifie pas, le solvant est l'eau.)

   a) Saccharose(aq) 0,25 mol/kg
   b) KNO_3(aq) 0,15 mol/kg
   c) $C_{10}H_8$ (naphtalène) 0,048 mol/kg de benzène
   d) CH_3COOH(aq) 0,15 mol/kg
   e) H_2SO_4(aq) 0,15 mol/kg

63. Le point d'ébullition de l'eau sous une pression de 99,2 kPa est de 99,4 °C. Quelle masse approximative de NaCl faut-il ajouter à 3,50 kg d'eau bouillante pour amener le point d'ébullition à 100,0 °C ?

64. Dans ce manuel, nous indiquons que −21 °C est la température la plus faible à laquelle le NaCl peut faire fondre la glace. Quel est le pourcentage massique approximatif de NaCl en solution aqueuse ayant ce point de congélation ? Pourquoi ce calcul est-il approximatif ?

 1.11 **Les colloïdes**

65. Laquelle des solutions à 0,005 mol/L serait la plus efficace pour floculer la silice colloïdale représentée à la figure 1.29 (page 52 : KCl(aq), $MgCl_2$(aq) ou $AlCl_3$(aq) ? Expliquez votre réponse.

66. Le sulfate d'aluminium, $Al_2(SO_4)_3$, est couramment utilisé pour floculer ou précipiter les suspensions colloïdales de particules d'argile dans les stations de traitement d'eau municipales. Pourquoi le sulfate d'aluminium est-il plus efficace que le chlorure de sodium, NaCl, pour cette opération ?

Problèmes complémentaires

 Les solutions présentées sous forme de clips sont indiquées par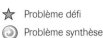

☆ Problème défi

⟳ Problème synthèse

67. Combien de millilitres d'une solution de HCl ayant une concentration molaire volumique $c_{HCl} = 6,052$ mol/L faut-il pour préparer :

a) 2,000 L d'une solution dont la concentration molaire volumique $c_{HCl} = 0,5000$ mol/L ?

b) 500,0 mL d'une solution contenant 7,150 mg de HCl par millilitre ?

68. *Sans faire de calculs détaillés*, déterminez laquelle des valeurs suivantes est vraisemblablement la concentration molaire volumique d'une solution aqueuse obtenue en mélangeant 0,100 L d'une autre solution, dont la concentration en NH_3 est de 0,100 mol/L, et 0,200 L d'une solution, dont la concentration molaire volumique en NH_3 est de 0,200 mol/L. Décrivez le raisonnement que vous avez appliqué.

a) $c_{NH_3} = 0,13$ mol/L   **c)** $c_{NH_3} = 0,17$ mol/L

b) $c_{NH_3} = 0,15$ mol/L   **d)** $c_{NH_3} = 0,30$ mol/L

69. Si on dilue avec de l'eau la solution « Acculute » représentée sur la photo, de manière à obtenir 1,000 L de liquide, la concentration molaire volumique en HCl de la solution diluée est de 0,1000 mol/L. *Sans faire de calculs détaillés,* indiquez laquelle des valeurs suivantes représente à peu près la concentration de la solution dans la bouteille. Décrivez le raisonnement que vous avez appliqué.

a) $c_{HCl} = 0,5$ mol/L   **c)** $c_{HCl} = 10,0$ mol/L

b) $c_{HCl} = 2,0$ mol/L   **d)** $c_{HCl} = 12,0$ mol/L

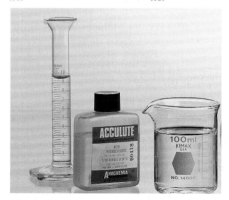

Comparaison de différents volumes par rapport à une bouteille d'« Acculute »

70. Combien de grammes d'aluminium faut-il ajouter à 0,400 L d'une solution, dont la concentration molaire volumique en HCl est de 2,75 mol/L, pour réduire la concentration en HCl à 2,50 mol/L au moyen de la réaction suivante ?

$$2\,Al(s) + 6\,HCl(aq) \longrightarrow 2\,AlCl_3(aq) + 3\,H_2(g)$$

71. On prépare une solution aqueuse ayant une masse volumique de 0,980 g/mL, à 20 °C, en dissolvant 11,3 mL de CH_3OH ($\rho = 0,793$ g/mL) dans suffisamment d'eau pour produire 75,0 mL de solution. Pour CH_3OH, donnez :

a) le pourcentage volumique ;

b) le pourcentage massique ;

c) le pourcentage masse/volume ;

d) le pourcentage molaire.

72. L'eau et la triéthylamine, $(CH_3CH_2)_3N$, sont deux liquides partiellement miscibles à 20 °C. En d'autres termes, la triéthylamine se dissout dans l'eau jusqu'à un certain point seulement et la même chose pour l'eau dans la triéthylamine. Dans un mélange de 50,0 g d'eau et de 50,0 g de triéthylamine, on obtient 40,0 g d'une phase constituée de 84,5 % d'eau et de 15,5 % de triéthylamine, une solution saturée de triéthylamine dans l'eau. Quel est le pourcentage massique d'eau dans la seconde phase, une solution saturée d'eau dans la triéthylamine ?

73. On prépare une solution en mélangeant 25,00 mL de méthanol, CH_3OH ($\rho = 0,791$ g/mL), et 25,00 mL d'eau ($\rho = 0,998$ g/mL). On peut décrire la solution comme étant

a) du méthanol, le soluté, en solution dans l'eau ;

b) de l'eau, le soluté, en solution dans le méthanol.

Expliquez pourquoi la molalité est différente selon que l'une ou l'autre des descriptions est utilisée. Dans quel cas, *a* ou *b*, la molalité est-elle la plus grande ? (*Indice :* Il n'est pas nécessaire de calculer les molalités.)

74. Quelle masse de saccharose, $C_{12}H_{22}O_{11}$, doit-on dissoudre par litre d'eau ($\rho = 0,998$ g/mL) pour obtenir une solution à 2,50 % en moles de $C_{12}H_{22}O_{11}$? (*Indice :* Posez comme inconnu, *x,* le nombre requis de moles de saccharose.)

75. L'exemple 1.5 (page 10) montre que le pourcentage massique d'éthanol dans une solution d'éthanol et d'eau est inférieur au pourcentage volumique. Doit-on s'attendre à ce que ce soit le cas pour toutes les solutions d'éthanol et d'eau ? pour tous les solutés en solution aqueuse ? Expliquez vos réponses.

76. Utilisez les données de la figure 1.18 (page 31) pour établir la solubilité de l'air dans l'eau, à 20 °C, en millilitres d'air (à TPN)/100 g d'eau. C'est l'unité que l'on trouve habituellement dans les tables de solubilité des gaz dans les manuels de référence. (*Indice :* Utilisez 28,96 g/mol comme masse molaire apparente de l'air.)

77. On veut comparer trois solutions : NaCl(aq) saturée en contact avec NaCl(s) ; NaCl(aq) 0,10 mol/kg ; et $(CH_3)_2CO$(aq) 0,20 mol/kg. $(CH_3)_2CO$ est la formule moléculaire de l'acétone, un liquide dont le point d'ébullition est de 56,5 °C.

   a) Quelle solution, selon vous, aurait la pression de vapeur totale la plus élevée ? Expliquez votre réponse.

   b) Quelle solution aurait, selon vous, le point de congélation le plus bas ? Expliquez votre réponse.

   c) Quand des solutions sont placées dans un contenant ouvert, laquelle(lesquelles) a(ont) une pression de vapeur totale qui varie en fonction du temps, et laquelle (lesquelles) a(ont) une pression de vapeur constante ? Expliquez vos réponses.

78. Les instructions sur un contenant de Prestone (éthylèneglycol, p. cong. −13,5 °C) mentionnent qu'il faut utiliser les volumes suivants pour protéger un circuit de refroidissement de 11,4 L contre le gel, aux températures suivantes (le reste du liquide est de l'eau) : −12 °C, 2,8 L ; −18 °C, 3,8 L ; −26 °C, 4,7 L ; −37 °C, 5,7 L. Pourquoi, selon vous, les instructions n'incluent-elles pas l'ajout d'une plus grande quantité de Prestone pour atteindre une protection supérieure contre le gel ?

79. ▶ Étant donné que les pressions de vapeur du benzène et du toluène à 100,0 °C sont respectivement de 180,1 kPa et de 74,15 kPa, calculez la composition d'une solution de benzène et de toluène dont le point d'ébullition est de 100,0 °C, à la pression atmosphérique normale.

80. ★ La photo ci-dessous indique que, lorsqu'il est transféré d'une bouteille fermée à un verre de montre et qu'il est exposé à l'air, le $CaCl_2 \cdot 6H_2O$(s), un hydrate, vient à baigner dans un liquide. Expliquez ce qui se produit. Croyez-vous que tous les solides se comportent de cette façon ? (*Indice :* D'après vous, de quel liquide s'agit-il ?)

81. On peut décrire une solution aqueuse isotonique en fonction aussi bien de l'abaissement du point de congélation que de la pression osmotique. Ainsi, une telle solution a un point de congélation de −0,52 °C. Montrez que cette définition décrit suffisamment bien du NaCl(aq) isotonique, c'est-à-dire à 0,92 % de NaCl (masse/volume).

82. La pression osmotique exercée par un échantillon de 0,325 g d'un polymère, le polystyrène, dans 50,00 mL de benzène, à 25 °C est suffisante pour supporter une colonne de la solution ($\rho = 0,88$ g/mL) d'une hauteur de 5,3 mm. Quelle est la masse molaire du polystyrène ? (*Indice :* Quelle hauteur de mercure ($\rho = 13,6$ g/mL) est équivalente à celle à de la solution du polymère ?)

83. Un composé inconnu contient 33,81 % de C, 1,42 % de H, 45,05 % de O et 19,72 % de N, en masse. Quand on dissout un échantillon de 1,505 g du composé dans 50,00 mL de benzène ($\rho = 0,879$ g/mL), le point de congélation du benzène tombe à 4,70 °C. Quelle est la formule moléculaire du composé ?

84. La coniférine, un dérivé d'un sucre que l'on trouve dans les conifères comme le sapin, contient 56,12 % de C, 6,48 % de H et 37,39 % de O, en masse. On dissout un échantillon de 2,216 g dans 48,68 g de H_2O, et on trouve que la solution a un point d'ébullition de 100,068 °C. Quelle est la formule moléculaire de la coniférine ?

85. À l'exercice 1.12B (page 27), nous avons décrit une solution utilisée pour la réhydratation par voie orale. Montrez que cette solution est essentiellement isotonique. Utilisez la définition de la solution isotonique donnée au problème 81.

86. La solubilité de CO_2(g) est de 149 mg CO_2/100 g H_2O, à 20 °C, quand la pression de CO_2(g) est maintenue à 101,3 kPa. Quelle est la concentration de CO_2 dans l'eau saturée d'air, à 20 °C ? Exprimez cette concentration en millilitres de CO_2 (à TPN)/100 g d'eau. Tenez compte du fait que le pourcentage molaire moyen de CO_2 dans l'air est de 0,036 %.

87. ↻ La combustion complète d'un échantillon de 1,684 g d'un composé formé d'hydrogène, d'oxygène et de carbone donne 3,364 g de CO_2 et 1,377 g de H_2O. Un échantillon de 0,605 g du même composé dissous dans 34,89 g d'eau fait tomber le point de congélation de l'eau à −0,244 °C. Quelle est la formule moléculaire du composé ?

88. ★ Supposez que, au départ, la solution A dans la figure 1.24 (page 39) est constituée de 200,0 g d'une solution aqueuse dont la fraction molaire d'urée, $CO(NH_2)_2$, est de 0,100 et la solution B est constituée de 100,0 g d'une solution aqueuse dont la fraction molaire d'urée est de 0,0500. Quelles seront la masse et la fraction molaire de chacune des solutions quand l'équilibre sera atteint, c'est-à-dire quand il n'y aura plus de transfert net d'eau entre les deux solutions ?

89. La figure ci-contre montre la subdivision successive d'un cube ayant 1,0 cm de côté. Autrement dit, le cube est d'abord coupé en deux ; puis, chacune des deux sections est coupée en deux ; et les quatre sections sont de nouveau coupées en deux. Dans cette première série de subdivisions, il y a huit cubes, chacun ayant 0,50 cm de côté. Puis la subdivision en cubes est répétée de nombreuses fois, comme le laisse voir la série de flèches dans la rangée du bas.

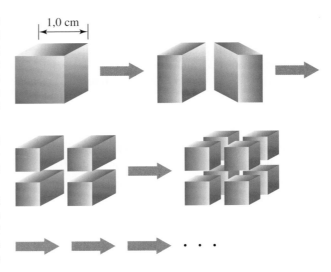

a) Combien de subdivisions successives sont nécessaires avant que le solide vienne à faire partie du domaine des colloïdes, c'est-à-dire pour que la dimension des particules soit inférieure à 1000 nm ?

b) Au point décrit dans la partie *a*, quels sont le volume et l'aire totaux des particules du solide, et comment se comparent-ils au volume et à l'aire du solide de départ ? Expliquez l'idée selon laquelle les particules colloïdales ont un rapport de l'aire au volume beaucoup plus grand que la matière non divisée.

90. Remplissez le tableau ci-dessous. Considérez que la masse volumique de l'eau est de 1,000 g/mL et que l'ajout du soluté ne fait pas varier le volume total de la solution.

Soluté	Concentration molaire volumique (mol/L)	Molalité (mol/kg)	Pourcentage massique (%)	Fraction molaire de soluté	Masse volumique de la solution (g/mL)
HCl			37,21		1,190
H_2SO_4		7,691			1,329
$C_{12}H_{22}O_{11}$		4,03	58,0		
K_2CrO_4	0,872				1,129
NaOH			10,00		1,109

La **cinétique chimique** : **vitesses** et **mécanismes** des **réactions chimiques**

La luciférine (en médaillon) est une molécule complexe qui fait briller la luciole la nuit. Elle est produite naturellement par l'insecte au terme d'une série de réactions chimiques. La température influe sur la fréquence des clignotements de la luciole et sur celle des grésillements de l'œcanthe thermomètre (voir le problème 73, page 114). Elle influe aussi sur la vitesse des réactions chimiques. Il ne s'agit pas là d'une simple coïncidence, mais d'une illustration de la nature chimique des processus physiologiques en cause.

C omme nous l'avons vu précédemment dans le cadre du cours de chimie générale, nous pouvons écrire des équations chimiques et les utiliser pour établir des relations entre les quantités de réactifs et de produits dans une réaction.

Il nous reste toutefois à répondre à un certain nombre de questions importantes, notamment sur les conditions qui régissent la cinétique des réactions. Dans ce chapitre, nous allons traiter de quelques-unes d'entre elles :

- À quelle vitesse se déroule une réaction, c'est-à-dire quelle quantité de réactif est consommée ou quelle quantité de produit est formée dans un laps de temps donné ?

- Existe-t-il des moyens d'accélérer ou de ralentir une réaction chimique ?

- Comment les réactions se déroulent-elles au niveau moléculaire, c'est-à-dire quelles sont les étapes de la transformation des réactifs en produits ?

2.1 Un aperçu de la cinétique chimique

Cinétique chimique

Étude des vitesses de réaction, des facteurs influant sur celles-ci et de la séquence des événements moléculaires selon laquelle les réactions se produisent (mécanisme réactionnel).

▲ **Figure 2.1**
Réaction de l'hydrogène et de l'oxygène pour former de l'eau
Les bulles de savon remplies d'hydrogène explosent au contact de l'oxygène de l'air quand on approche une flamme.

Catalyseur

Substance qui augmente la vitesse d'une réaction sans subir de modification, et qui transforme le mécanisme réactionnel en un mécanisme dont l'énergie d'activation est moindre.

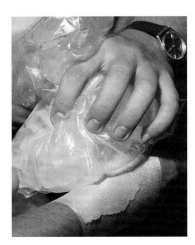

Les athlètes traitent souvent leurs blessures en appliquant une compresse froide le plus rapidement possible. Les réactions biochimiques à l'origine de l'inflammation sont plus lentes à basse température, et les dommages aux tissus sont probablement diminués d'autant. Après un ou deux jours, on applique parfois des compresses chaudes sur la blessure. La température élevée accélère, semble-t-il, les réactions du processus de guérison.

Répondre aux questions que nous avons posées dans l'introduction, c'est décrire l'essentiel de la **cinétique chimique** : l'étude des vitesses de réactions, des facteurs qui influent sur ces vitesses et des mécanismes réactionnels, lesquels donnent le déroulement des réactions au niveau moléculaire avec ses étapes intermédiaires.

Les réactions s'effectuent à des vitesses diverses. Certaines prennent un temps très long pour consommer les réactifs ; elles sont extrêmement lentes. La décomposition d'une canette d'aluminium par l'oxydation de l'air ou d'une bouteille de plastique par l'action du soleil peut s'étaler sur des années, des décennies, voire des siècles. D'autres réactions se produisent si rapidement que, en comparaison, un clin d'œil semble très lent. Une réaction de neutralisation, par exemple, a lieu instantanément, à la vitesse du mélange de l'acide et de la base. De plus, certaines réactions se produisent à des vitesses qui varient selon les conditions. Le fer rouille plutôt rapidement dans un environnement humide mais, dans une région désertique, il se corrode si lentement que des objets abandonnés il y a un demi-siècle sont à peine tachés de rouille. L'hydrogène et le fluor forment, à la température ambiante, du fluorure d'hydrogène selon une réaction hautement exothermique et extrêmement rapide. La réaction de l'hydrogène et de l'oxygène pour former de l'eau est également très exothermique, mais elle est infiniment lente à la température ambiante. Pourtant, lorsqu'on augmente subitement la température du mélange d'hydrogène et d'oxygène à l'aide d'une flamme, la réaction se produit à une vitesse fulgurante (**figure 2.1**). Les vitesses de réaction augmentent souvent de façon spectaculaire avec la température.

Les moteurs d'automobiles produisent en grandes quantités du monoxyde de carbone et du monoxyde d'azote, deux polluants atmosphériques importants. Ce qui est intéressant, c'est que ces gaz peuvent réagir pour former du dioxyde de carbone et de l'azote, qui sont normalement des produits moins dommageables.

$$2\,CO(g) + 2\,NO(g) \longrightarrow 2\,CO_2(g) + N_2(g)$$

Malheureusement, cette réaction est extrêmement lente, même à une température élevée. On peut toutefois l'accélérer à l'aide d'un catalyseur, et c'est le rôle que joue le convertisseur catalytique dans une automobile. Un **catalyseur** est une substance qui augmente la vitesse d'une réaction sans être elle-même consommée. Manifestement, un catalyseur n'est pas un simple « spectateur » (comme les ions spectateurs dans une réaction ionique). Plus loin dans ce chapitre, nous traiterons du fonctionnement des catalyseurs, notamment de l'action des enzymes, qui sont probablement les catalyseurs les plus importants de tous.

Dans les toutes premières sections de ce chapitre, nous allons étudier deux objectifs de la cinétique chimique : *mesurer* et *prédire* les vitesses des réactions chimiques. Par exemple, grâce à des expériences réalisées en laboratoire, les spécialistes de l'atmosphère rassemblent suffisamment de données pour prédire les niveaux de pollution pendant les épisodes de smog. Ils se servent également des vitesses de réaction pour établir par quels mécanismes certains processus chimiques se mettent en branle. C'est ainsi qu'ils ont utilisé des données sur la vitesse de diverses réactions atmosphériques pour concevoir un mécanisme expliquant l'appauvrissement de la couche d'ozone dans la stratosphère des régions polaires. Le mécanisme proposé indique que des atomes de chlore provenant des chlorofluorocarbones (CFC) jouent le rôle de catalyseurs dans la destruction de l'ozone. L'acceptation générale de ce mécanisme a poussé les nations à prendre des mesures pour réduire les CFC, voire un jour les éliminer.

On peut prédire les vitesses de réaction, et conséquemment les contrôler, dans bien des cas. En manipulant certaines variables, comme celles qui suivent, on peut accélérer ou ralentir les réactions.

- La *concentration des réactifs*. Les vitesses de réaction augmentent généralement en fonction de la concentration des réactifs.

- La *température*. Les vitesses de réaction augmentent généralement en même temps que la température.

- La *surface de contact*. Pour les réactions qui ont lieu sur une surface plutôt qu'en solution, la vitesse augmente avec l'étendue de la surface de contact (**figure 2.2**).

- La *catalyse*. La catalyse est l'utilisation de catalyseurs pour accélérer les réactions.

▲ Figure 2.2
Influence de la surface de contact sur la vitesse d'une réaction
La farine dispersée en poussière fine brûle rapidement parce que la réaction de combustion peut se produire sur une grande surface. L'embrasement rapide de la farine a souvent été la cause d'explosions dans les minoteries.

Rappel : 1 mol·L^{-1} = 1 mol/L.

2.2 La signification de la vitesse de réaction

Le mot *vitesse* désigne une variation par unité de temps. Prenons l'exemple d'un coureur qui se déplace à une vitesse de 16 km/h. Sa position change de 16 km en une heure. Dans une réaction chimique, c'est la concentration du réactif ou du produit qui connaît une variation, et celle-ci est exprimée en moles par litre (mol·L^{-1}). La vitesse de réaction est donc exprimée en *moles par litre par (unité de) temps*. Si on choisit 1 s comme unité de temps, la vitesse de réaction sera donnée en *moles par litre par seconde* (mol·L^{-1}·s^{-1}).

Examinons la réaction dans laquelle le saccharose (sucre de canne) est décomposé en sucres simples, le glucose et le fructose[*]. La réaction a lieu en solution aqueuse avec H^+ comme catalyseur.

$$C_{12}H_{22}O_{11} \ + \ H_2O \ \xrightarrow{\ H^+\ } \ C_6H_{12}O_6 \ + \ C_6H_{12}O_6$$
$$\text{Saccharose} \qquad\qquad\qquad \text{Glucose} \qquad \text{Fructose}$$

Nous pouvons alors exprimer la vitesse de réaction comme la variation de la concentration du *réactif*, saccharose, par unité de temps, ou nous pouvons utiliser la variation de concentration de l'un des *produits*, glucose ou fructose. Les abeilles domestiques utilisent cette réaction pour produire du miel, un mélange de saccharose, de glucose et de fructose : elles se servent de l'invertase, une enzyme, comme catalyseur.

Dans l'expression qui suit, [saccharose]$_1$ représente la concentration molaire volumique du saccharose au temps initial, t_1, et [saccharose]$_2$ est sa concentration molaire volumique *après* un temps t_2. À l'aide du symbole delta (Δ), on représente la variation de concentration par Δ[saccharose] = [saccharose]$_2$ − [saccharose]$_1$. La variation de temps est donnée par $\Delta t = t_2 - t_1$. L'équation suivante montre la vitesse à laquelle le saccharose est consommé, c'est-à-dire sa vitesse de disparition.

$$\text{Vitesse de disparition du saccharose} = \frac{\text{variation de la concentration du saccharose}}{\text{variation de temps}}$$

$$= \frac{[\text{saccharose}]_2 - [\text{saccharose}]_1}{t_2 - t_1} = \frac{\Delta[\text{saccharose}]}{\Delta t}$$

Puisque le saccharose est *consommé* dans la réaction, [saccharose]$_2$ est *inférieure* à [saccharose]$_1$. Par conséquent, Δ[saccharose] est *négative*. Toutefois, par convention, on exprime les vitesses de réaction par des valeurs *positives*, de sorte que la vitesse de réaction est la vitesse de disparition du saccharose affectée d'un signe *négatif*.

$$\text{Vitesse} = -\text{ vitesse de disparition du saccharose} = -\frac{\Delta[\text{saccharose}]}{\Delta t}$$

---

[*] Le glucose et le fructose ont des formules moléculaires identiques. Ils ne diffèrent que par une disposition distincte dans l'espace des atomes qui les constituent. On dit qu'ils sont des isomères l'un de l'autre.

Considérons maintenant le glucose, un produit de la réaction. La concentration du glucose *augmente* avec le temps, et $[glucose]_2$ est supérieure à $[glucose]_1$. La vitesse de formation du glucose est une valeur positive.

$$\text{Vitesse} = \text{vitesse de formation du glucose} = \frac{\Delta[glucose]}{\Delta t}$$

En résumé, la **vitesse d'une réaction** est la variation de la concentration d'un produit par unité de temps (vitesse de formation du produit) ou la variation *négative* de la concentration d'un réactif par unité de temps ($-$ vitesse de disparition du réactif).

La vitesse générale d'une réaction

Considérons maintenant la vitesse de la réaction à laquelle se décompose le peroxyde d'hydrogène, $H_2O_2(aq)$, un antiseptique d'usage domestique.

$$2\,H_2O_2(aq) \longrightarrow 2\,H_2O(l) + O_2(g)$$

On peut exprimer la vitesse en fonction de la disparition de H_2O_2 ou de la formation de O_2.

$$\text{Vitesse} = - \text{ vitesse de disparition de } H_2O_2 = -\frac{\Delta[H_2O_2]}{\Delta t}$$

$$\text{Vitesse} = \text{vitesse de formation de } O_2 = \frac{\Delta[O_2]}{\Delta t}$$

Cependant, ces deux vitesses ne sont pas identiques. En examinant l'équation équilibrée, on remarque que *deux* moles de H_2O_2 sont consommées pour produire *une* mole de O_2 ; H_2O_2 disparaît deux fois plus vite que O_2 ne se forme. Donc, la vitesse de réaction exprimée en fonction de la disparition de H_2O_2 est le *double* de la vitesse exprimée en fonction de la formation de O_2. Pour décrire la vitesse d'une réaction, il faut donc préciser si on désigne la vitesse par rapport au réactif ou au produit.

On peut aussi définir une **vitesse générale de réaction**, laquelle a la même valeur peu importe qu'on étudie le réactif ou le produit. Dans la décomposition du peroxyde d'hydrogène, dire que H_2O_2 disparaît deux fois plus vite que ne se forme O_2 revient à dire que O_2 ne se forme qu'à la moitié de la vitesse de disparition de H_2O_2.

$$\text{Vitesse} = -\frac{1}{2}\frac{\Delta[H_2O_2]}{\Delta t} = \frac{\Delta[O_2]}{\Delta t}$$

Cette expression s'appelle la vitesse générale de réaction pour

$$2\,H_2O_2(aq) \longrightarrow 2\,H_2O(l) + O_2(g)$$

On obtient une vitesse générale de réaction en *divisant* la vitesse de disparition d'un réactif ou la vitesse de formation d'un produit par le coefficient stœchiométrique de ce réactif ou produit dans l'équation chimique équilibrée.

Appliquée à la réaction générale suivante

$$a\,A + b\,B \longrightarrow c\,C + d\,D$$

la vitesse générale de réaction devient

Vitesse générale de réaction

$$\text{Vitesse} \;=\; -\frac{1}{a}\frac{\Delta[A]}{\Delta t} = -\frac{1}{b}\frac{\Delta[B]}{\Delta t} = \frac{1}{c}\frac{\Delta[C]}{\Delta t} = \frac{1}{d}\frac{\Delta[D]}{\Delta t} \qquad \textbf{(2.1)}$$

Afin d'éviter toute confusion, nous écrirons les équations dans ce chapitre de manière que la vitesse générale de réaction soit la même que celle exprimée par rapport au réactif

---

Vitesse d'une réaction

Variation de la concentration d'un produit par unité de temps (vitesse de formation du produit) ou variation négative de la concentration d'un réactif par unité de temps (vitesse de disparition du réactif).

Vitesse générale de réaction

Vitesse de disparition d'un réactif ou vitesse de formation d'un produit divisée par le coefficient stœchiométrique de ce réactif ou produit dans l'équation chimique équilibrée.

ou au produit dont nous suivons la variation de concentration. Par exemple, dans la décomposition du peroxyde d'hydrogène, nous suivons la concentration de ce composé en fonction du temps, et nous écrirons donc l'équation chimique pour 1 mol de H_2O_2.

$$H_2O_2(aq) \longrightarrow H_2O(l) + \tfrac{1}{2} O_2(g)$$

Nous exprimons alors la vitesse de réaction sous la forme suivante.

$$\text{Vitesse} = -\frac{\Delta[H_2O_2]}{\Delta t} \qquad \textbf{(2.2)}$$

La vitesse moyenne de réaction

La décomposition de $H_2O_2(aq)$ est rapide au début, mais la vitesse diminue à mesure que le réactif se décompose. Donc, l'expression $-\Delta[H_2O_2]/\Delta t$ sert à calculer une vitesse moyenne de réaction dans un laps de temps Δt. Au départ, la vitesse est plus grande que cette moyenne et, vers la fin de la réaction, elle est plus faible. La situation est semblable à celle d'un automobiliste qui roule à 80 km/h et qui lève le pied de l'accélérateur pour s'arrêter à un feu de circulation. Sa vitesse moyenne pourrait être de 40 km/h, mais la vitesse réelle tout au long de cet intervalle passe de 80 km/h à 0 km/h.

Dans l'exemple 2.1, nous calculons une vitesse moyenne de réaction tandis que, dans les exercices 2.1A et 2.1B, nous illustrons différentes façons d'exprimer la vitesse de réaction. Dans la section suivante, nous déterminerons plus précisément les vitesses de réaction.

EXEMPLE 2.1

Soit la réaction générale suivante : $A + 2B \longrightarrow 3C + 2D$. Supposons que, à un moment donné au cours de cette réaction, $[A] = 0{,}4658$ mol/L et que, au bout de 125 s, $[A] = 0{,}4282$ mol/L. **a)** Quelle est la vitesse moyenne de réaction durant ce laps de temps, exprimée en fonction du réactif A en moles par litre par seconde ($\text{mol·L}^{-1}\text{·s}^{-1}$) ? **b)** Quelle est la vitesse de formation de C, exprimée en moles par litre par minute ($\text{mol·L}^{-1} \cdot \text{min}^{-1}$) ?

➤ Stratégie

a) Les données fournies sont $t_1 = 0$ s, $[A]_1 = 0{,}4658$ mol·L^{-1} et $t_2 = 125$ s, $[A]_2 = 0{,}4282$ mol·L^{-1}. Nous pouvons utiliser ces données pour déterminer la vitesse de disparition de A, laquelle est aussi, dans ce cas-ci, la vitesse générale de la réaction.

b) Ici, nous devons utiliser les coefficients stœchiométriques de l'équation chimique pour calculer la vitesse de formation de C à partir de la vitesse de disparition de A obtenue dans la partie *a*.

➤ Solution

a) Exprimons la vitesse de réaction en fonction de la vitesse de disparition de A. Remplaçons, dans l'expression de cette dernière, la variation de la concentration et l'intervalle de temps par leurs valeurs respectives.

$$\text{Vitesse} = -\text{ vitesse de disparition de A} = -\frac{[A]_2 - [A]_1}{\Delta t}$$

$$= -\frac{0{,}4282 \text{ mol·L}^{-1} - 0{,}4658 \text{ mol·L}^{-1}}{125 \text{ s}} = -\frac{(-0{,}0376 \text{ mol·L}^{-1})}{125 \text{ s}}$$

$$= 3{,}01 \times 10^{-4} \text{ mol·L}^{-1}\text{·s}^{-1}$$

b) Les coefficients stœchiométriques dans l'équation chimique indiquent que trois moles de C sont produites pour chaque mole de A consommée. Par conséquent, C se forme trois fois plus rapidement que ne disparaît A. Dans la partie *a*, nous avions exprimé la vitesse de réaction par rapport à la disparition de A, de sorte que la vitesse de formation de C est simplement trois fois la vitesse de réaction.

$$\text{Vitesse de formation de C} = 3{,}01 \times 10^{-4} \ \frac{\text{mol A}}{\text{L·s}} \times \frac{3 \ \text{mol C}}{1 \ \text{mol A}} = 9{,}03 \times 10^{-4} \ \text{mol·L}^{-1}\text{·s}^{-1}$$

Cependant, pour exprimer la vitesse de formation de C en moles par litre par minute, nous devons multiplier ce résultat par le facteur de conversion 60 s/1 min.

$$\begin{aligned}\text{Vitesse de formation de C} &= 9{,}03 \times 10^{-4} \ \text{mol·L}^{-1}\text{·s}^{-1} \times 60 \ \text{s/1 min} \\ &= 5{,}42 \times 10^{-2} \ \text{mol·L}^{-1}\text{·min}^{-1}\end{aligned}$$

➡ Évaluation

Nous aurions pu utiliser d'emblée l'équation 2.1 pour obtenir la vitesse de formation de C dans la partie *b*. Puisque la vitesse de la réaction = 1/3 (vitesse de formation de C), alors la vitesse de formation de C = 3 × (vitesse de la réaction). D'où, $3 \times 3{,}01 \times 10^{-4}$ mol·L^{-1}·s^{-1} = $9{,}03 \times 10^{-4}$ mol·L^{-1}·s^{-1}.

EXERCICE 2.1 A

Soit la réaction générale : $2 \ A + B \longrightarrow 2 \ C + D$. Supposons que, à un moment donné au cours de la réaction, [D] = 0,2885 mol·L^{-1} et que, au bout de 2,55 min (correspondant à 2 min 33 s), [D] = 0,3546 mol·L^{-1}. **a)** Quelle est la vitesse moyenne de la réaction durant ce laps de temps, exprimée en fonction du réactif D en moles par litre par minute ? **b)** Quelle est la vitesse de formation de C, exprimée en moles par litre par seconde ?

EXERCICE 2.1 B

Dans la réaction $2 \ A + B \longrightarrow 3 \ C + D$, on trouve que $-\Delta[\text{A}]/\Delta t$ est égale à $2{,}10 \times 10^{-5}$ mol·L^{-1}·s^{-1}. En utilisant le concept de vitesse générale de réaction, déterminez : **a)** la vitesse de la réaction et **b)** la vitesse de formation de C.

2.3 La mesure des vitesses de réaction

La plupart d'entre nous conservons dans l'armoire à médicaments une solution aqueuse de peroxyde d'hydrogène à 3 %. Il nous arrive d'observer, après un certain temps, que la solution perd de son efficacité, parce que H$_2$O$_2$ se décompose en oxygène gazeux et en eau.

$$\text{H}_2\text{O}_2(\text{aq}) \longrightarrow \text{H}_2\text{O}(\text{l}) + \tfrac{1}{2} \ \text{O}_2(\text{g})$$

La **figure 2.3** présente une méthode simple pour déterminer la vitesse à laquelle H$_2$O$_2$(aq) se décompose : il suffit de laisser O$_2$(g) s'échapper et de peser le mélange réactionnel à différents moments. Ainsi, la différence de masse mesurée dans un intervalle de 60 s correspond à la masse d'oxygène produit, à savoir, dans ce cas-ci, 2,960 g. Le **tableau 2.1** présente quelques données caractéristiques. La note *b*, au bas du tableau, résume les calculs pour obtenir la concentration molaire volumique de H$_2$O$_2$ qui reste dans la solution à partir de la masse de O$_2$(g) dégagé. La courbe noire de la **figure 2.4** (page 72) représente les concentrations molaires volumiques de H$_2$O$_2$ du tableau 2.1 en fonction des temps correspondants. Les lignes rouge, bleue et pointillée nous donnent des informations sur la vitesse de décomposition de H$_2$O$_2$ que nous étudierons par la suite.

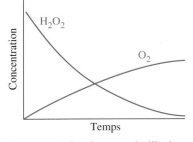

La concentration du peroxyde d'hydrogène diminue au fur et à mesure qu'il se décompose, ce qui entraîne une réduction de sa vitesse de disparition. Par ailleurs, la concentration de l'oxygène gazeux augmente au fur et à mesure que celle du peroxyde d'hydrogène diminue.

TABLEAU 2.1	Décomposition de $H_2O_2{}^a$ selon la réaction $H_2O_2 \longrightarrow H_2O + \frac{1}{2}O_2$	
Temps (s)	Masse de O_2 accumulée (g)	$[H_2O_2]$ (mol/L^b)
0	0	0,882
60	2,960	0,697
120	5,056	0,566
180	6,784	0,458
240	8,160	0,372
300	9,344	0,298
360	10,336	0,236
420	11,104	0,188
480	11,680	0,152
540	12,192	0,120
600	12,608	0,094

^{a} La décomposition de 1,0 L de H_2O_2 à 0,882 mol/L, avec I^- comme catalyseur.
^{b} Les valeurs de $[H_2O_2]$ sont calculées selon la méthode résumée ci-dessous pour $t = 60$ s.

Nombre de moles de O_2 produites :

$$2,960 \ \text{g de } O_2 \times \frac{1 \text{ mol de } O_2}{32,00 \text{ g de } O_2} = 0,092\ 50 \text{ mol de } O_2$$

Nombre de moles de H_2O_2 consommées :

$$0,092\ 50 \ \text{mol de } O_2 \times \frac{1 \text{ mol de } H_2O_2}{\frac{1}{2} \text{ mol de } O_2} = 0,1850 \text{ mol de } H_2O_2$$

Nombre de moles de H_2O_2 présentes à $t = 0$:

$$1,00 \ \text{L} \times \frac{0,882 \text{ mol de } H_2O_2}{1 \text{ L}} = 0,882 \text{ mol de } H_2O_2$$

Nombre de moles de H_2O_2 restantes à $t = 60$ s :

$$0,882 \text{ mol de } H_2O_2 \text{ initiales } - 0,1850 \text{ mol de } H_2O_2 \text{ consommées } = 0,697 \text{ mol de } H_2O_2$$

$[H_2O_2]$ à $t = 60$ s :

$$[H_2O_2] = \frac{0,697 \text{ mol de } H_2O_2}{1,00 \text{ L}} = 0,697 \text{ mol/L}$$

(a) $t_0 = 0$

Bulles de $O_2(g)$

(b) $t_1 = 60$ s

▲ Figure 2.3
Montage expérimental servant à déterminer la vitesse de décomposition de H_2O_2

La différence entre **(a)** la masse initiale et **(b)** la masse après un temps, t_1, correspond à la masse de $O_2(g)$ produit dans cet intervalle de temps. Comme la réaction se produirait trop lentement sans catalyseur, on a ajouté I^-(aq). Le mécanisme selon lequel I^- catalyse la réaction est étudié à la page 96.

- *En général, plus la concentration d'un réactif est élevée, plus la réaction se déroule rapidement.* Nous pouvons vérifier cette affirmation en comparant les données du tableau 2.1 et en examinant la courbe noire de la figure 2.4. Au cours des 60 premières secondes, $[H_2O_2]$ diminue de 0,185 mol·L^{-1} (elle passe de 0,882 mol·L^{-1} à 0,697 mol·L^{-1}). En comparaison, pendant l'intervalle de 60 s qui va de 540 s à 600 s, $[H_2O_2]$ ne diminue que de 0,026 mol·L^{-1} (elle passe de 0,120 mol·L^{-1} à 0,094 mol·L^{-1}).

- La vitesse *moyenne* de réaction durant l'expérience (de $t = 0$ à $t = 600$ s) est la pente *négative* de la ligne pointillée, c'est-à-dire que la pente de la droite est la vitesse moyenne de disparition de H_2O_2, dont il suffit de changer le signe pour obtenir une vitesse de réaction positive.

$$\text{Vitesse moyenne} = - \text{vitesse moyenne de disparition de } H_2O_2$$

$$= - \frac{(0,094 - 0,882) \text{ mol·L}^{-1}}{(600 - 0) \text{ s}}$$

$$= 1,31 \times 10^{-3} \text{ mol·L}^{-1}\cdot\text{s}^{-1}$$

- Puisque la vitesse diminue constamment durant la réaction, il faut utiliser un intervalle de temps très court dans le calcul de la vitesse pour obtenir une valeur précise à un moment particulier. On appelle **vitesse de réaction instantanée** la vitesse de réaction à un moment donné.

$$\text{Vitesse instantanée} = - \text{vitesse instantanée de disparition de } H_2O_2 = - \frac{\Delta [H_2O_2]}{\Delta t}$$

(où Δt est très court, c'est-à-dire $\Delta t \longrightarrow 0$).

Vitesse de réaction instantanée

Vitesse d'une réaction à un instant donné, déterminée à l'aide de la tangente à une courbe de la concentration en fonction du temps, au point correspondant à cet instant.

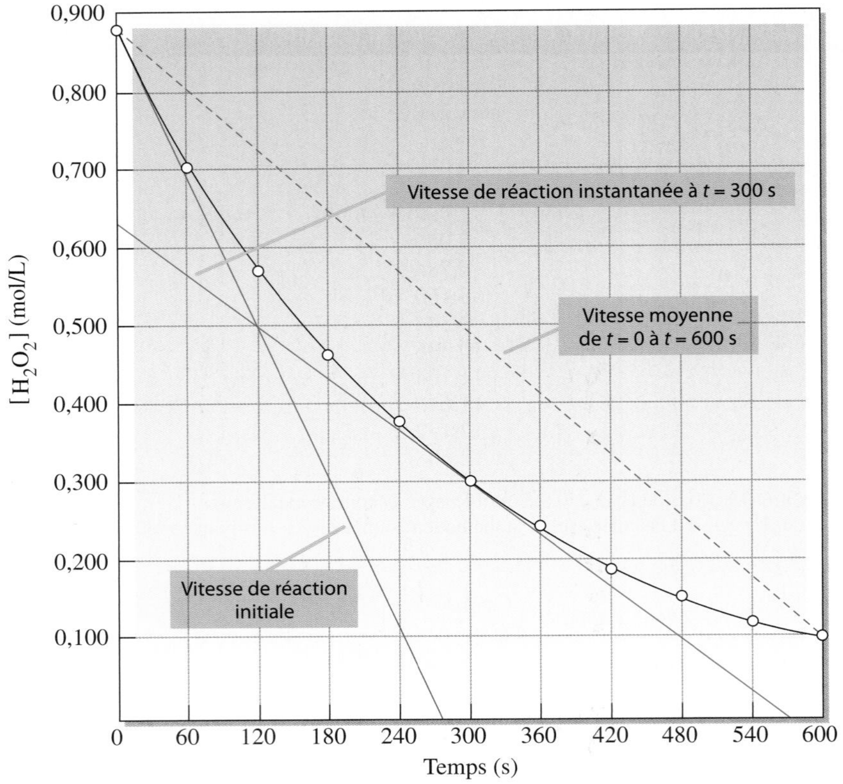

▶ Figure 2.4
**Données cinétiques
de la réaction :**
$H_2O_2(aq) \longrightarrow H_2O(l) + \frac{1}{2} O_2(g)$
On obtient les vitesses de réaction à partir des pentes des droites : la pente de la ligne pointillée donne la vitesse moyenne pour les 600 premières secondes de la réaction ; celle de la ligne rouge, la vitesse instantanée à $t = 300$ s, et celle de la ligne bleue, la vitesse initiale.

Vitesse de réaction initiale

Vitesse instantanée d'une réaction immédiatement après que les réactifs ont été mis en présence l'un de l'autre ; cette vitesse initiale s'exprime généralement à l'aide du taux de variation, en fonction du temps, de la concentration de l'un des réactifs ou de l'un des produits.

Ou bien, nous pouvons utiliser la ligne rouge, une tangente à la courbe (noire) de la concentration en fonction du temps. La *pente* de la tangente est la vitesse instantanée de disparition de H_2O_2 à $t = 300$ s, et la vitesse de réaction instantanée est *l'opposé de la pente de cette tangente.*

- Au début d'une réaction, la vitesse instantanée est appelée **vitesse de réaction initiale**. La vitesse initiale est la pente négative de la tangente bleue dans la figure 2.4. Remarquez que la ligne bleue et la courbe noire coïncident parfaitement dans les premiers stades de la réaction. Au début, les vitesses moyenne et instantanée sont à peu près les mêmes (si nous ne considérons que les 30 premières secondes).

- Quand il s'agit d'interpréter un graphique de la concentration d'un *produit* en fonction du temps, tous les points précédents s'appliquent, avec une seule exception importante. Les vitesses moyenne, instantanée et initiale sont *égales* aux pentes des tangentes. Il n'y a aucun changement de signe, parce que ces pentes sont *positives*.

EXEMPLE 2.2

Utilisez les données du tableau 2.1 ou de la figure 2.4 pour : **a)** déterminer la vitesse initiale de réaction et **b)** calculer $[H_2O_2]$ à $t = 30$ s.

➡ Stratégie

a) Puisque la tangente et la courbe de la concentration en fonction du temps coïncident au début de la réaction, nous pouvons déterminer la vitesse initiale de deux façons : 1) en remplaçant les données de la concentration et du temps $t = 0$ s et $t = 60$ s dans l'équation 2.2, ou 2) en obtenant la vitesse à partir de la pente de la tangente bleue de la figure 2.4.

b) Nous pouvons utiliser l'équation 2.2 pour déterminer la vitesse initiale mais, dans ce cas, $\Delta[H_2O_2]$ est l'inconnue. C'est la différence entre $[H_2O_2]$ à $t = 30$ s et $[H_2O_2]$ à $t = 0$ s.

➔ Solution

a) *Première méthode.* Utilisons les données pour les deux premiers points dans le tableau 2.1.

$$\text{Vitesse initiale } = -\frac{\Delta[H_2O_2]}{\Delta t} = -\frac{(0{,}697 \text{ mol·L}^{-1} - 0{,}882 \text{ mol·L}^{-1})}{(60 - 0) \text{ s}}$$

$$= 3{,}08 \times 10^{-3} \text{ mol·L}^{-1}\text{·s}^{-1}$$

Deuxième méthode. Pour obtenir la vitesse initiale à partir de la tangente bleue dans la figure 2.4, nous avons besoin de la pente de la droite. Nous calculons alors la pente avec les points de la droite situés sur les deux axes. L'intersection avec l'axe des y est 0,882 mol·L^{-1} à 0 s. L'intersection avec l'axe des x est 0 mol·L^{-1} au temps évalué de 275 s.

$$\text{Pente de la tangente} = \frac{y_2 - y_1}{x_2 - x_1} = \frac{(0 - 0{,}882) \text{ mol·L}^{-1}}{(275 - 0) \text{ s}} = -3{,}21 \times 10^{-3} \text{ mol·L}^{-1}\text{·s}^{-1}$$

$$\text{Vitesse initiale } = -\text{pente de la tangente} = -(-3{,}21 \times 10^{-3} \text{ mol·L}^{-1}\text{·s}^{-1})$$

$$= 3{,}21 \times 10^{-3} \text{ mol·L}^{-1}\text{·s}^{-1}$$

b) Nous pouvons utiliser la même équation pour la vitesse initiale que dans la partie *a* mais, dans ce cas, $\Delta[H_2O_2]$ est l'inconnue. Calculons d'abord $\Delta[H_2O_2]$.

$$\text{Vitesse initiale } = -\frac{\Delta[H_2O_2]}{\Delta t}$$

$$3{,}21 \times 10^{-3} \text{ mol·L}^{-1}\text{·s}^{-1} = -\frac{\Delta[H_2O_2]}{30 \text{ s}}$$

$$\Delta[H_2O_2] = -3{,}21 \times 10^{-3} \text{ mol·L}^{-1}\text{·s}^{-1} \times 30 \text{ s}$$

$$= -0{,}096 \text{ mol·L}^{-1}$$

Nous pouvons trouver la valeur de $[H_2O_2]_{(0\,s)}$ dans le tableau 2.1, soit 0,882 mol·L^{-1}, et résoudre l'équation pour obtenir $[H_2O_2]_{(30\,s)}$; puis nous substituons les deux autres quantités.

$$\Delta[H_2O_2] = [H_2O_2]_{(30\,s)} - [H_2O_2]_{(0\,s)}$$

$$[H_2O_2]_{(30\,s)} = \Delta[H_2O_2] + [H_2O_2]_{(0\,s)}$$

$$= -0{,}096 \text{ mol·L}^{-1} + 0{,}882 \text{ mol·L}^{-1} = 0{,}786 \text{ mol·L}^{-1}$$

➔ Évaluation

a) Les résultats se ressemblent, mais la vitesse initiale obtenue avec la pente de la tangente est probablement la plus exacte des deux. Remarquez, à la figure 2.4, que les courbes bleue et noire commencent à diverger avant $t = 60$ s.

b) En général, un calcul du genre $\Delta[H_2O_2]/\Delta t$ est fiable seulement si un petit pourcentage de la quantité initiale de réactif a été consommé (à peine quelques pour cent). Ici, la concentration de H_2O_2 passe de 0,882 mol·L^{-1} à 0,786 mol·L^{-1}, une diminution d'environ 11 %, soit un peu au-delà du pourcentage maximum acceptable.

EXERCICE 2.2 A

À partir de la figure 2.4, **a)** déterminez la vitesse instantanée de la réaction à $t = 300$ s; **b)** utilisez les résultats obtenus en *a* pour calculer la valeur de $[H_2O_2]$ à $t = 310$ s.

EXERCICE 2.2 B

Évaluez le temps pour lequel la vitesse instantanée de la réaction est la même que la vitesse moyenne donnée par la droite en pointillé de la figure 2.4.

(*Indice :* Tracez une tangente de même pente que la droite en pointillé. Est-il possible de tracer plus d'une tangente ?)

RÉSOLUTION DE PROBLÈMES
En général, on peut utiliser un calcul du genre $\Delta[H_2O_2]/\Delta t$ si le laps de temps (Δt) représente un faible pourcentage du temps de réaction total. Ici, il est de 10 % (60 s par rapport à 600 s).

2.4 La loi de vitesse d'une réaction chimique

À la section 2.3, nous avons utilisé des données expérimentales pour obtenir les vitesses de réaction de la décomposition de H_2O_2. Nous avons utilisé une méthode graphique (c'est-à-dire que nous sommes partis de la pente de la tangente) et un calcul, mais il existe une limite importante : les résultats ne s'appliquent que pour une solution dont la concentration initiale de H_2O_2 est de 0,882 mol·L^{-1}. Qu'arrive-t-il si nous voulons connaître la vitesse initiale de la décomposition de H_2O_2 0,225 mol·L^{-1} ou de H_2O_2 0,500 mol·L^{-1}, ou celle de n'importe quelle concentration de H_2O_2 ? Faut-il, dans chaque cas, effectuer une expérience pour recueillir les données nécessaires ?

À la page 67, nous avons indiqué que, généralement, plus les concentrations des réactifs sont élevées, plus la réaction est rapide. Cette remarque laisse entrevoir que les vitesses initiales pour les solutions aqueuses de H_2O_2 0,225 mol·L^{-1} et de H_2O_2 0,500 mol·L^{-1} sont vraisemblablement inférieures à celle de l'exemple 2.2, parce que ces solutions sont moins concentrées. Nous pouvons aborder ce problème plus formellement en utilisant la *loi de vitesse* de la décomposition de H_2O_2.

La loi de vitesse et sa signification

La **loi de vitesse** (ou **équation de vitesse**) d'une réaction chimique exprime la vitesse de réaction en fonction des concentrations des réactifs. Considérons encore une fois une réaction générale comme celle qui est présentée à la page 68.

$$a\,A + b\,B + \ldots \longrightarrow c\,C + d\,D + \ldots$$

Les points de suspension indiquent qu'il peut y avoir d'autres réactifs et d'autres produits non indiqués. Nous pouvons exprimer la vitesse de réaction générale en fonction de la vitesse de disparition des réactifs.

$$\text{Vitesse} = -\frac{1}{a}\frac{\Delta[A]}{t} = -\frac{1}{b}\frac{\Delta[B]}{t} = \cdots \tag{2.3}$$

La loi de vitesse de cette réaction est

> **Loi de vitesse**
> $$\text{Vitesse} = k[A]^m[B]^n \ldots \tag{2.4}$$

Dans la loi de vitesse, [A], [B], ... sont les concentrations molaires volumiques des réactifs à un moment donné. Les exposants m, n, ... sont généralement de petits nombres entiers positifs (0, 1, 2), mais ils peuvent aussi prendre des valeurs négatives et, quelquefois, fractionnaires.

> *Dans la loi de vitesse, on doit déterminer expérimentalement la valeur des exposants. On ne peut pas les déduire à partir des coefficients stœchiométriques d'une équation chimique globale mais, dans quelques cas, comme certaines réactions simples à une étape (voir la section 2.9), ils peuvent être les mêmes.*

Les valeurs des exposants dans la loi de vitesse déterminent l'**ordre de la réaction**. Si $m = 1$, la réaction est d'*ordre un* par rapport à A. Si $n = 2$, la réaction est d'*ordre deux* par rapport à B, et ainsi de suite. On obtient l'*ordre global* de la réaction en faisant la somme des exposants dans la loi de vitesse : $m + n + \ldots$

La constante de proportionnalité, k, est appelée **constante de vitesse**. La valeur numérique de k dépend (1) de la réaction considérée, (2) de la température et (3) de la

---

Loi de vitesse

Équation exprimant la vitesse d'une réaction chimique en fonction des concentrations des réactifs.

Ordre d'une réaction

Grandeur déterminée à l'aide des exposants des concentrations dans la loi de vitesse. Si la vitesse d'une réaction = $k[A]^m[B]^n\ldots$, alors l'ordre de la réaction par rapport à A est m ; l'ordre de la réaction par rapport à B est n ; etc. L'ordre global de la réaction est égal à $m + n + \ldots$

Constante de vitesse (k)

Constante de proportionnalité (de la loi de vitesse), dépendant de la température, qui relie la vitesse d'une réaction chimique aux concentrations des réactifs.

présence ou non d'un catalyseur. Comme nous le verrons bientôt, les unités de k dépendent des valeurs de m, n, ...

Considérons encore une fois la décomposition de H_2O_2. La loi de vitesse est simple : il s'agit d'une réaction d'ordre un.

$$\text{Vitesse} = k[H_2O_2]^1 = k[H_2O_2]$$

Nous verrons plus loin qu'il est possible d'évaluer cet ordre expérimentalement d'après une méthode illustrée à la section 2.5. Remarquez que l'exposant $m = 1$ est égal au coefficient dans l'équation chimique quand elle est écrite sous la forme

$$H_2O_2(aq) \longrightarrow H_2O(l) + \tfrac{1}{2}O_2(g)$$

mais pas quand elle est écrite sous la forme

$$2\,H_2O_2(aq) \longrightarrow 2\,H_2O(l) + O_2(g)$$

La réaction est d'ordre un, peu importe la forme choisie pour écrire l'équation chimique.

On écrit habituellement la loi de vitesse sous une forme qui permet de calculer une vitesse, mais on peut également la résoudre pour trouver une autre quantité. Par exemple, quand une vitesse a été déterminée expérimentalement, on peut utiliser la vitesse mesurée et la ou les concentrations correspondantes pour calculer la constante de vitesse k. Dans l'exemple 2.2, nous avons trouvé que la vitesse initiale est de $3,21 \times 10^{-3}$ mol·L^{-1}·s^{-1} quand $[H_2O_2]$ $= 0,882$ mol·L^{-1} : nous pouvons donc calculer la constante de vitesse à partir de ces valeurs.

$$k = \frac{\text{vitesse}}{[H_2O_2]} = \frac{3,21 \times 10^{-3}\ \cancel{\text{mol·L}^{-1}} \cdot s^{-1}}{0,882\ \cancel{\text{mol·L}^{-1}}} = 3,64 \times 10^{-3}\ s^{-1}$$

Dans une réaction d'ordre un, 1/seconde (s^{-1}) est l'unité prévue pour k. Le produit de 1/seconde et des moles par litre (mol·L^{-1}) donne des moles par litre par seconde (mol·L^{-1}·s^{-1}) : ce sont les unités de la vitesse de réaction.

Avec la loi de vitesse et la valeur de k, nous pouvons calculer les vitesses initiales pour toute concentration initiale de H_2O_2, ce que nous cherchions à obtenir au départ. Ainsi, pour une concentration initiale $[H_2O_2] = 0,225$ mol·L^{-1}, la relation qui suit est valable.

$$\text{Vitesse} = k[H_2O_2] = 3,64 \times 10^{-3}\ s^{-1} \times 0,225\ \text{mol·L}^{-1} = 8,19 \times 10^{-4}\ \text{mol·L}^{-1}\cdot s^{-1}$$

Quelques précisions sur la constante de vitesse

Nous venons de confirmer que 1/seconde (s^{-1}) constitue une unité appropriée pour la constante de vitesse d'une réaction d'ordre un. Quelles sont les unités adéquates pour les réactions des autres ordres ? En ce qui concerne une réaction générale d'ordre zéro, A $\longrightarrow$ B, la loi de vitesse est la suivante.

Loi de vitesse

$$\text{Vitesse} = k[A]^0 = k \qquad\qquad (2.5)$$

Puisque toute quantité élevée à la puissance 0 est égale à un, la vitesse est égale à la constante de vitesse k. Dans le cas des réactions d'ordre zéro, la constante de vitesse a les mêmes unités que la vitesse de réaction : elle est exprimée en moles par litre par seconde (mol·L^{-1}·s^{-1}).

La réaction de l'hydrogène et du monochlorure d'iode pour donner de l'iode et du chlorure d'hydrogène est d'ordre un par rapport à H_2, d'ordre un par rapport à ICl, donc d'ordre global deux.

$$H_2(g) + 2\,ICl(g) \longrightarrow I_2(g) + 2\,HCl(g)$$

$$\text{Vitesse} = k[H_2][ICl]$$

Remarquez que les unités de k dans une réaction d'ordre deux doivent être en litres par mole par seconde ($L \cdot mol^{-1} \cdot s^{-1}$). Le produit des unités, conformément à la loi de vitesse, est exprimé en moles par litre par seconde ($mol \cdot L^{-1} \cdot s^{-1}$).

$$\text{Vitesse} = \underbrace{k}_{L \cdot mol^{-1} \cdot s^{-1}} \times \underbrace{[H_2]}_{mol \cdot L^{-1}} \times \underbrace{[ICl]}_{mol \cdot L^{-1}} = mol \cdot L^{-1} \cdot s^{-1}$$

À partir de ces exemples et du bref résumé dans la marge, on constate que, dans une réaction d'un ordre *quelconque, k* est exprimée à l'aide du symbole suivant : $(mol \cdot L^{-1})^{(1 - \text{ordre global})} \cdot s^{-1}$.

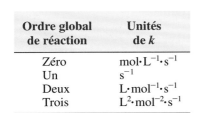

Ordre global de réaction	Unités de k
Zéro	$mol \cdot L^{-1} \cdot s^{-1}$
Un	s^{-1}
Deux	$L \cdot mol^{-1} \cdot s^{-1}$
Trois	$L^2 \cdot mol^{-2} \cdot s^{-1}$

Parfois, la distinction entre la *vitesse* de réaction et la *constante de vitesse* peut prêter à confusion. Il peut alors être utile de se rappeler les points suivants.

- Les deux termes ont des sens très différents. La *vitesse d'une réaction* est la variation de la concentration avec le temps, alors que la *constante de vitesse* est la constante de proportionnalité qui établit un rapport entre la vitesse de réaction et les concentrations des réactifs.

- La constante de vitesse demeure la même pendant toute la durée de la réaction, indépendamment des concentrations initiales des réactifs. Sauf dans quelques cas, la vitesse de réaction *varie* en fonction des concentrations.

- La vitesse et la constante de vitesse ont les mêmes valeurs numériques *et* les mêmes unités seulement dans les réactions d'ordre zéro.

- Dans le cas des ordres de réaction autres que zéro, la vitesse et la constante de vitesse sont numériquement égales *seulement* quand les concentrations de tous les réactifs sont de 1 $mol \cdot L^{-1}$. Toutefois, les unités sont différentes.

La méthode des vitesses initiales

Afin de déterminer la loi de vitesse d'une réaction, il est essentiel d'effectuer des expériences pour trouver les *exposants* (*m, n, ...*). Un des moyens d'y arriver consiste à déterminer la vitesse initiale concernant différentes concentrations initiales des réactifs, une procédure appelée **méthode des vitesses initiales**. Dans cette méthode, on élabore une série d'expériences dans lesquelles on garde constantes les concentrations initiales de quelques réactifs et on fait varier les autres à l'aide d'un multiple. On suppose que la vitesse initiale est égale à la vitesse moyenne au début de la réaction. De plus, on connaît les concentrations exactes des réactifs au début de la réaction. Si une réaction inverse a tendance à se produire, c'est-à-dire si des produits réagissent et reforment les réactifs, cette tendance sera minime au tout début de la réaction. Illustrons cette méthode à l'aide de l'équation suivante.

$$2\,NO(g) + Cl_2(g) \longrightarrow 2\,NOCl(g)$$

Le **tableau 2.2** présente la liste des données de trois expériences. Les expériences diffèrent deux à deux par la concentration initiale d'un des réactifs. Par exemple, $[Cl_2]$ initiale est la même dans les expériences 1 et 3, mais $[NO]$ initiale de l'expérience 3 est le *double* de celle de l'expérience 1. Par contre, la vitesse initiale de l'expérience 3 est *quatre* fois celle de l'expérience 1. Exprimons ces faits sous une forme mathématique en écrivant la loi de vitesse pour ces deux expériences et en obtenant un rapport entre leurs vitesses initiales. Dans l'expression ci-dessous, les indices 1 et 3 se rapportent aux expériences 1 et 3 respectivement. Les quantités qui sont les mêmes dans chaque expérience s'annulent.

$$\frac{(\text{Vitesse initiale})_3}{(\text{Vitesse initiale})_1} = \frac{k\,[NO]_3^m\,[Cl_2]_3^n}{k\,[NO]_1^m\,[Cl_2]_1^n} = \frac{(2 \times 0{,}0125)^m}{(0{,}0125)^m} = \frac{2^m \times (0{,}0125)^m}{(0{,}0125)^m} = 2^m$$

Méthode des vitesses initiales

Méthode expérimentale de détermination de la vitesse d'une réaction : on calcule l'ordre de la réaction relativement à l'un des réactifs en comparant les vitesses initiales pour deux concentrations différentes de ce réactif, les concentrations de tous les autres réactifs étant maintenues constantes.

TABLEAU **2.2**	Vitesses initiales de la réaction : $2\,NO(g) + Cl_2(g) \longrightarrow 2\,NOCl(g)$		
Expérience	[NO] initiale (mol·L^{-1})	[Cl$_2$] initiale (mol·L^{-1})	Vitesse initiale (mol·L^{-1}·s^{-1})
1	0,0125	0,0255	$2{,}27 \times 10^{-5}$
2	0,0125	0,0510	$4{,}55 \times 10^{-5}$
3	0,0250	0,0255	$9{,}08 \times 10^{-5}$

Alors, le rapport entre les vitesses initiales est

$$\frac{(\text{Vitesse initiale})_3}{(\text{Vitesse initiale})_1} = 2^m$$

On peut toutefois calculer la vraie valeur de ce rapport.

$$\frac{(\text{Vitesse initiale})_3}{(\text{Vitesse initiale})_1} = \frac{9{,}08 \times 10^{-5}\ \cancel{\text{mol·L}^{-1}\text{·s}^{-1}}}{2{,}27 \times 10^{-5}\ \cancel{\text{mol·L}^{-1}\text{·s}^{-1}}} = 4$$

Dans les deux expressions, les membres de gauche sont les mêmes et, par conséquent, $2^m = 4$. La valeur de m est égale à 2, c'est-à-dire $2^2 = 4$, et la réaction est donc d'ordre *deux* par rapport à NO.

On peut déterminer l'exposant n en comparant les expériences 1 et 2.

$$\frac{(\text{Vitesse initiale})_2}{(\text{Vitesse initiale})_1} = \frac{\cancel{k}\,\cancel{[NO]_2^m}\,[Cl_2]_2^n}{\cancel{k}\,\cancel{[NO]_1^m}\,[Cl_2]_1^n} = \frac{(2 \times 0{,}0255)^n}{(0{,}0255)^n}$$

$$= \frac{2^n \times \cancel{(0{,}0255)^n}}{\cancel{(0{,}0255)^n}} = 2^n = \frac{4{,}55 \times 10^{-5}\ \text{mol·L}^{-1}\text{·s}^{-1}}{2{,}27 \times 10^{-5}\ \text{mol·L}^{-1}\text{·s}^{-1}} = 2$$

La valeur de n est égale à 1, c'est-à-dire $2^1 = 2$, et la réaction est d'ordre un par rapport à Cl$_2$.

Alors, la loi de vitesse de la réaction est d'ordre global trois.

$$\text{Vitesse} = k[NO]^2[Cl_2]$$

Il s'agit d'un exemple de réaction où, par coïncidence, les ordres réactionnels sont les mêmes que les coefficients stœchiométriques.

Nous calculerons la valeur de k dans l'exemple 2.3.

Voici un résumé des effets produits sur la vitesse initiale lorsqu'on double la concentration d'un des réactifs sans modifier celle des autres. Si la réaction est d'ordre

- *zéro* par rapport au réactif, il n'y a *aucun effet* sur la vitesse ;
- *un* par rapport au réactif, la vitesse *double* ;
- *deux* par rapport au réactif, la vitesse *quadruple* ;
- *trois* par rapport au réactif, la vitesse est multipliée par *huit*.

EXEMPLE **2.3**

Reportez-vous à la réaction qui est décrite à la page 76 et dans le tableau 2.2. **a)** Quelle serait la vitesse initiale dans l'expérience 4, où [NO] = 0,0500 mol·L^{-1} et [Cl$_2$] = 0,0255 mol·L^{-1} ? **b)** Quelle est la valeur de k dans la réaction ?

➔ Stratégie

Pour répondre aux deux questions, nous devons appliquer la loi de vitesse de la réaction établie plus haut : vitesse = $k[NO]^2[Cl_2]$. Nous pouvons répondre très facilement à la partie *a* en comparant les vitesses initiales des expériences 3 et 4. Concernant la partie *b,* nous pouvons utiliser la vitesse initiale et les concentrations initiales de l'une ou l'autre des quatre expériences pour résoudre l'équation de vitesse afin d'obtenir *k*. Puisque *k* est une constante de vitesse, nous nous attendons à ce qu'elle prenne la même valeur dans chaque cas.

➜ Solution

a) La valeur de $[Cl_2]$ est la même dans les expériences 3 et 4, et la valeur de $[NO]$ dans l'expérience 4 ($0,0500$ mol·L^{-1}) est le double de celle de l'expérience 3 ($0,0250$ mol·L^{-1}). Puisque la réaction est d'ordre deux par rapport à NO, doubler sa concentration initiale a pour effet de quadrupler sa vitesse initiale.

$$(\text{Vitesse initiale})_4 = 4 \times (\text{vitesse initiale})_3 = 4 \times 9,08 \times 10^{-5} \text{ mol·L}^{-1}\text{·s}^{-1}$$
$$= 3,63 \times 10^{-4} \text{ mol·L}^{-1}\text{·s}^{-1}$$

b) Nous pouvons réarranger l'équation de vitesse pour isoler *k*. Puis, à partir du tableau 2.2, nous pouvons substituer les données appropriées, par exemple celles relatives à l'expérience 1.

$$k = \frac{\text{Vitesse initiale}}{[NO]^2[Cl_2]} = \frac{2,27 \times 10^{-5} \text{ mol·L}^{-1}\text{·s}^{-1}}{(0,0125 \text{ mol·L}^{-1})^2(0,0255 \text{ mol·L}^{-1})} = 5,70 \text{ L}^2\text{· mol}^{-2}\text{·s}^{-1}$$

➜ Évaluation

a) Comparons les autres données du tableau 2.2 aux données de l'expérience 4 pour vérifier si nous obtenons la même valeur de *k*. Par exemple, l'expérience 4 par rapport à l'expérience 2 montre une augmentation de 4 fois la concentration de NO et une diminution de moitié de la concentration de Cl_2. L'augmentation de $[NO]$ devrait produire une augmentation de 16 fois (4^2) de la vitesse de la réaction, et la réduction de $[Cl_2]$ devrait produire une diminution d'un facteur $\frac{1}{2}$. Ainsi, la vitesse devrait augmenter de 8 fois ($16 \times \frac{1}{2}$), soit $8 \times 4,55 \times 10^{-5}$ mol·L^{-1}·s$^{-1} = 3,64 \times 10^{-4}$ mol·L^{-1}·s^{-1}, en accord avec la réponse obtenue.

b) Nous pouvons utiliser d'autres données du tableau 2.2, par exemple celles de l'expérience 2, pour laquelle nous trouvons que $k = 4,55 \times 10^{-5}$ mol·L^{-1}·s^{-1} / $(0,0125$ mol·$L^{-1})^2 \times (0,0510$ mol·$L^{-1}) = 5,71$ L^2·mol^{-2}·s^{-1}, de nouveau en accord avec la réponse obtenue.

EXERCICE 2.3 A

Reportez-vous à l'exemple 2.3 et calculez la vitesse initiale si les concentrations initiales sont $[NO] = 0,200$ mol·L^{-1} et $[Cl_2] = 0,400$ mol·L^{-1}.

(*Indice :* Rappelez-vous que nous connaissons maintenant la valeur de *k*.)

EXERCICE 2.3 B

Dans la décomposition thermique de l'acétaldéhyde,

$$CH_3CHO(g) \longrightarrow CH_4(g) + CO(g)$$

on trouve que la vitesse de réaction est multipliée par approximativement 2,8 quand on double la concentration initiale de l'acétaldéhyde. Quel est l'ordre de la réaction ?

(*Indice :* L'ordre peut-il être, dans ce cas-ci, un nombre entier ?)

RÉSOLUTION DE PROBLÈMES
On peut déterminer la valeur de l'exposant *a* dans l'équation $y = x^a$ à partir de l'égalité logarithmique $\log y = a \log x$.

2.5 Les réactions d'ordre un

Réaction d'ordre un

Réaction dont la somme des exposants dans la loi de vitesse est égale à 1, c'est-à-dire que $m + n + \ldots = 1$.

Dans cette section, nous étudierons surtout les **réactions d'ordre un** qui mettent en jeu un seul réactif pour former des produits. Ces réactions sont du type :

$$A \longrightarrow \text{produits}$$

La loi de vitesse pour une telle réaction s'écrit de la façon suivante.

Loi de vitesse

$$\text{Vitesse} = k[A]^1 = k[A] \qquad\qquad \textbf{(2.6)}$$

La concentration en fonction du temps : la loi de vitesse intégrée

Dans la section précédente, nous avons indiqué que la décomposition de $H_2O_2(aq)$, un antiseptique topique, est une réaction d'ordre un et que sa loi de vitesse est : vitesse $= k[H_2O_2]$; nous avons utilisé cette équation pour évaluer k et pour calculer la vitesse de décomposition à différentes concentrations. Cependant, ces calculs ne nous permettent pas de répondre à une question plutôt fondamentale : pendant combien de temps peut-on garder $H_2O_2(aq)$ à 3 % avant que sa décomposition ne progresse au point où la solution perd ses qualités antiseptiques ? Dans cette application pratique comme dans beaucoup d'autres, nous voulons répondre à la question suivante :

Quelle sera la concentration d'un réactif après un certain temps si on connaît sa concentration initiale ?

Nous pouvons répondre à cette question en utilisant une équation qui découle de la loi de vitesse. La **loi de vitesse intégrée** est une équation qui exprime la concentration d'un réactif en fonction du temps. La forme de l'équation dépend de l'ordre global de la réaction. Dans le cas d'une réaction d'ordre un, la loi de vitesse intégrée prend la forme suivante.

Loi de vitesse intégrée

Équation dérivée de la loi de vitesse d'une réaction exprimant la concentration d'un réactif en fonction du temps.

Loi de vitesse intégrée

$$\ln \frac{[A]_t}{[A]_0} = -kt \qquad\qquad \textbf{(2.7)}$$

Dans cette équation, k a la même signification que dans la loi de vitesse : c'est la constante de vitesse. La durée de la réaction est représentée par t. Les concentrations de A sont $[A]_t$ au temps t et $[A]_0$ au temps $t = 0$ (concentration initiale). On exprime les termes des concentrations sous la forme d'un rapport, et on utilise le logarithme naturel du rapport, dénoté par le symbole $\ln$[*].

Dans le cas d'une réaction d'ordre un, la loi de vitesse intégrée est l'équation d'une *droite*. On peut écrire cette équation sous sa forme plus familière en remplaçant $\ln ([A]_t/[A]_0)$ par le terme équivalent $\ln [A]_t - \ln [A]_0$, et en isolant $\ln [A]_t$.

$$\ln [A]_t = -kt + \ln [A]_0 \qquad\qquad \textbf{(2.8)}$$

Équation de vitesse intégrée d'une réaction d'ordre un :

$$\underbrace{\ln [A]_t}_{y} = \underbrace{(-k)t}_{m \ x} + \underbrace{\ln [A]_0}_{b}$$

Équation d'une droite : $\qquad\qquad y \quad = \quad m\,x \quad + \quad b$

Si la représentation graphique de $\ln [A]_t$ en fonction du temps, t, donne une droite, la réaction est d'ordre un et la pente de la droite est $-k$. Si le graphique ne donne pas une droite, la réaction n'est pas d'ordre un.

---

[*] Les unités de la concentration molaire volumique s'annulent dans le numérateur et le dénominateur du rapport $[A]_t/[A]_0$ pour donner un nombre pur. On peut calculer les logarithmes des nombres purs seulement.

TABLEAU 2.3
Décomposition de H_2O_2 : données requises pour vérifier si une réaction est d'ordre un

Temps (s)	$[H_2O_2]$ (mol·L^{-1})	ln $[H_2O_2]$
0	0,882	−0,126
60	0,697	−0,361
120	0,566	−0,569
180	0,458	−0,781
240	0,372	−0,989
300	0,298	−1,21
360	0,236	−1,44
420	0,188	−1,67
480	0,152	−1,88
540	0,120	−2,12
600	0,094	−2,36

Le **tableau 2.3** reprend les données du tableau 2.1 pour la décomposition d'ordre un de H_2O_2, mais accompagnées cette fois de ln $[H_2O_2]$. La droite du graphique de ln $[H_2O_2]$ en fonction du temps à la **figure 2.5** indique que la réaction est d'ordre un. On peut calculer la valeur de la constante de vitesse, k, à partir de la pente (m) de la droite :

$$m = (y_2 - y_1)/(x_2 - x_1) = -1,50/410 \text{ s} = -3,66 \times 10^{-3} \text{ s}^{-1}$$
$$k = -(\text{pente}) = -(-3,66 \times 10^{-3} \text{ s}^{-1}) = 3,66 \times 10^{-3} \text{ s}^{-1}$$

En langage mathématique, la loi de vitesse est appelée *équation différentielle*. On résout l'équation au moyen d'une technique appelée *intégration,* qu'on applique à une équation de vitesse d'ordre un (voir l'annexe A.5). Reportez-vous à l'annexe A.2 pour revoir les propriétés des logarithmes.

L'exemple 2.4 et l'exercice 2.4A illustrent deux types de calculs possibles avec la loi de vitesse intégrée pour une réaction d'ordre un. L'exercice 2.4B est une application de la loi de vitesse intégrée dans un contexte plus large.

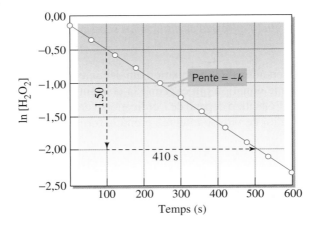

◀ Figure 2.5
Confirmation de l'ordre un de la décomposition de H_2O_2

Les données du graphique proviennent du tableau 2.3. La droite obtenue pour ln $[H_2O_2]$ en fonction du temps prouve que la réaction est bien d'ordre un.

EXEMPLE 2.4

Soit une valeur de $k = 3,66 \times 10^{-3}$ s^{-1} et de $[H_2O_2]$ initiale de 0,882 mol·L^{-1}. Déterminez les valeurs suivantes relatives à la décomposition d'ordre un de H_2O_2(aq) : **a)** le temps qu'il faut pour que $[H_2O_2] = 0,600$ mol·L^{-1} ; **b)** $[H_2O_2]$ après 225 s.

➔ Stratégie

Dans les deux parties de la question, nous devons utiliser la loi de vitesse intégrée pour cette réaction d'ordre un : ln $[H_2O_2]_t/[H_2O_2]_0 = -kt$. Dans chacune des parties, nous connaissons trois des quatre variables de l'équation et nous pouvons résoudre celle-ci pour trouver la quatrième.

➔ Solution

a) Comme nous connaissons $[H_2O_2]_t$ et $[H_2O_2]_0$, nous pouvons évaluer le membre de gauche dans l'équation et trouver t dans le membre de droite.

$$\ln \frac{0,600 \text{ mol·L}^{-1}}{0,882 \text{ mol·L}^{-1}} = -3,66 \times 10^{-3} \text{ s}^{-1} \times t$$

$$\ln 0,680 = -0,385 = -3,66 \times 10^{-3} \text{ s}^{-1} \times t$$

$$t = \frac{-0,385}{-3,66 \times 10^{-3} \text{ s}^{-1}} = 105 \text{ s}$$

b) Connaissant k et t, nous pouvons calculer le membre de gauche de la loi de vitesse intégrée.

$$\ln \frac{[H_2O_2]_t}{[H_2O_2]_0} = -kt = -3,66 \times 10^{-3}\ s^{-1} \times 225\ s = -0,824$$

Le rapport des concentrations est égal au nombre dont le logarithme naturel est –0,824.

$$\frac{[H_2O_2]_t}{[H_2O_2]_0} = e^{-0,824} = 0,439$$

Finalement, à l'aide de la valeur connue de $[H_2O_2]_0$, nous pouvons calculer $[H_2O_2]_t$.

$$[H_2O_2]_t = 0,439 \times [H_2O_2]_0 = 0,439 \times 0,882\ mol \cdot L^{-1} = 0,387\ mol \cdot L^{-1}$$

→ Évaluation

Voici une façon de vérifier la réponse de la partie b. Dans la partie a, nous avons trouvé qu'il faut 105 s pour que la concentration passe de 0,885 mol·L⁻¹ à 0,600 mol·L⁻¹. Supposons maintenant que la réaction se poursuit pendant encore 120 s à partir de ce point (ce qui donne 105 s + 120 s = 225 s). Lorsque nous refaisons les calculs dans la partie b pour déterminer la concentration de H_2O_2 avec $[H_2O_2]_0 = 0,600\ mol \cdot L^{-1}$, nous obtenons la même réponse, soit 0,387 mol·L⁻¹.

$$\ln \frac{[H_2O_2]_t}{0,600\ mol \cdot L^{-1}} = -3,66 \times 10^{-3}\ s^{-1} \times 120\ s = -0,439$$

$$e^{-0,439} = 0,645\ et\ [H_2O_2]_t = 0,645 \times 0,660\ mol \cdot L^{-1} = 0,387\ mol \cdot L^{-1}$$

EXERCICE 2.4 A

La décomposition du nitramide, NH_2NO_2, est une réaction d'ordre un.

$$NH_2NO_2(aq) \longrightarrow H_2O(l) + N_2O(g)$$

La loi de vitesse est : vitesse $= k[NH_2NO_2]$, où $k = 5,62 \times 10^{-3}\ min^{-1}$, à 15 °C. Au début de la réaction, la concentration de NH_2NO_2 est de 0,105 mol·L⁻¹. **a)** Après combien de temps $[NH_2NO_2]$ sera-t-elle égale à 0,0250 mol·L⁻¹ ? **b)** Quelle sera la valeur de $[NH_2NO_2]$ après 6,00 h ?

EXERCICE 2.4 B

Reportez-vous à la réaction de l'exercice 2.4A. Si, au départ, la concentration de NH_2NO_2 est 0,0750 mol·L⁻¹, quelle est la vitesse de la réaction après 35,0 min ?

(*Indice* : Il faut utiliser la loi de vitesse et la loi de vitesse intégrée.)

RÉSOLUTION DE PROBLÈMES
Pour obtenir ln 0,680 à l'aide d'une calculatrice scientifique, entrez « 0,680 », puis appuyez sur la touche « ln ». Pour trouver le nombre dont le logarithme est $-0,824$, il faut effectuer le calcul $e^{-0,824}$. La relation entre un nombre, N et $\ln N$ est donnée par : $N = e^{\ln N}$. Entrez le nombre « $-0,824$ », puis appuyez sur la touche « e^x » (ou sur la touche « INV », puis sur la touche « ln »). Si vous utilisez une calculatrice graphique, il faut procéder un peu différemment.

Quelques variantes de la loi de vitesse intégrée

Il est parfois utile de remplacer les concentrations molaires volumiques dans la loi de vitesse intégrée par des quantités qui sont *proportionnelles à la concentration*. Par exemple, si on multiplie la concentration molaire volumique (mol·L⁻¹) par le volume du mélange réactionnel (V), on obtient le nombre de moles (n) de réactifs. Si on multiplie ensuite ce nombre de moles par la masse molaire, on obtient la masse de réactifs. Par conséquent, la masse est proportionnelle à la concentration molaire volumique.

Dans les réactions en phase gazeuse, il est facile de mesurer des pressions. Dans un mélange à température et à volume constants, la pression partielle d'un gaz est proportionnelle à sa concentration molaire volumique. On peut vérifier cette affirmation en réarrangeant l'équation des gaz parfaits, c'est-à-dire en modifiant $PV = nRT$ pour obtenir $P = (n/V) \times RT$. Si on remplace n/V par la concentration molaire volumique, c, alors, $P = $ constante $\times c$, puisque R et T sont des constantes.

Dans la section qui suit, nous utiliserons ces petites variantes pour effectuer des substitutions dans la loi de vitesse intégrée.

La demi-vie d'une réaction

Souvent, on exprime une réaction d'ordre un de façon à obtenir le temps requis pour réduire la concentration d'un réactif (ou sa masse, ou sa pression partielle) à une *fraction* de sa valeur initiale. La demie ($\frac{1}{2}$) est une fraction pratique, car elle permet de définir une *demi-vie*. La **demi-vie** ($t_{1/2}$) d'une réaction est le temps nécessaire pour que la moitié du réactif présent au début de la réaction soit consommée. À ce moment, dans la réaction d'ordre un, A $\longrightarrow$ produits, on dit que $[A]_t = \frac{1}{2}[A]_0$, ou que $(P_A)_t = \frac{1}{2}(P_A)_0$, ou encore que $(m_A)_t = \frac{1}{2}(m_A)_0$, selon qu'on mesure la concentration molaire volumique, la pression partielle ou simplement la masse du réactif.

Pour montrer la relation entre la demi-vie et la constante de vitesse dans le cas d'une réaction d'ordre un, prenons la loi de vitesse intégrée et substituons les valeurs de $[A]_t$ et t à la demi-vie.

$$\ln \frac{[A]_t}{[A]_0} = \ln \frac{\frac{1}{2}\cancel{[A]_0}}{\cancel{[A]_0}} = -kt_{1/2}$$

$[A]_0$ s'annule au numérateur et au dénominateur, ce qui donne cette équation simple

$$\ln\left(\tfrac{1}{2}\right) = -kt_{1/2}$$

Ensuite, on isole $t_{1/2}$ et on cherche $\ln\left(\frac{1}{2}\right)$ (c'est-à-dire $\ln 0{,}500$)

$$t_{1/2} = -\frac{\ln\left(\frac{1}{2}\right)}{k} = -\frac{\ln 2}{k} = \frac{0{,}693}{k} \qquad \textbf{(2.9)}$$

On peut résumer la relation de la façon suivante :

Pour une réaction d'ordre un, la demi-vie, $t_{1/2}$, est une constante ; elle dépend seulement de la constante de vitesse, k, et est indépendante de la concentration du réactif. Connaissant k, on peut calculer $t_{1/2}$, et connaissant $t_{1/2}$, on peut calculer k.

Cette généralisation ne vaut que pour une réaction d'ordre un ; pour les autres ordres de réaction, $t_{1/2}$ dépend de la concentration.

On peut appliquer le concept de demi-vie à la réaction complète, c'est-à-dire que, si la concentration du réactif est réduite à $(\frac{1}{2})$ de sa valeur initiale en $t_{1/2}$, elle est réduite à $(\frac{1}{2}) \times (\frac{1}{2}) = (\frac{1}{4})$ en $2 \times t_{1/2}$, et à $(\frac{1}{2}) \times (\frac{1}{2}) \times (\frac{1}{2}) = (\frac{1}{8})$ en $3 \times t_{1/2}$, et ainsi de suite. Après n demi-vies, il reste $(\frac{1}{2})^n$ de la concentration initiale.

La **figure 2.6** et l'exemple 2.5 illustrent le concept de demi-vie dans le cas d'une réaction d'ordre un.

EXEMPLE 2.5   Un exemple conceptuel

Utilisez les données de la figure 2.6 pour évaluer : **a)** la demi-vie et **b)** la constante de vitesse pour la décomposition d'ordre un de N_2O_5 à 67 °C.

$$N_2O_5(g) \longrightarrow 2\,NO_2(g) + \tfrac{1}{2}\,O_2(g)$$

→ Analyse et conclusion

a) Quand la concentration molaire volumique de N_2O_5 atteint la moitié de sa valeur initiale, $P_{N_2O_5}$ diminue aussi pour atteindre la moitié de sa valeur initiale, parce que la pression partielle et

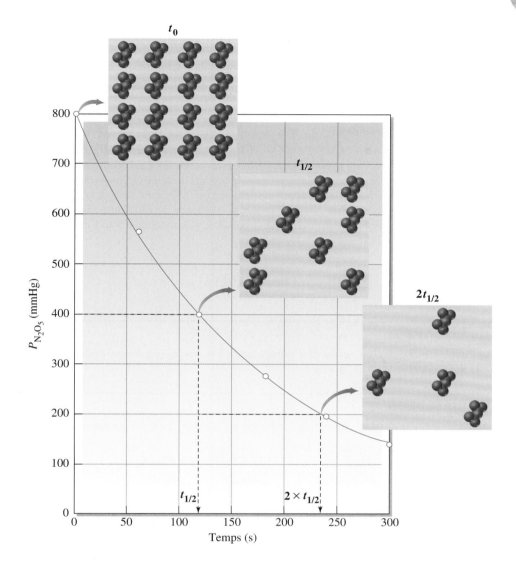

▶ Figure 2.6
**Décomposition de N₂O₅
à 67 °C**

La signification des périodes $t_{1/2}$ et $2 \times t_{1/2}$ est abordée à la page 82, et l'exemple 2.5 en donne une illustration.

la concentration molaire volumique sont proportionnelles. La moitié de N_2O_5 présent au départ est consommée quand la pression passe de 800 mm Hg à 400 mm Hg. Cette réaction se produit en 120 s, donc $t_{1/2} \approx$ 120 s. La pression tombe à 200 mm Hg en 240 s : $2 \times t_{1/2} \approx$ 240 s. Encore une fois, $t_{1/2} \approx$ 120 s, ce qui confirme que la décomposition de N_2O_5 est d'ordre un.

b) Calculons la constante de vitesse k en utilisant $t =$ 120 s dans l'équation suivante.

$$k = \frac{\ln 2}{t_{1/2}} = \frac{0,693}{120 \text{ s}} = 5,78 \times 10^{-3} \text{ s}^{-1}$$

EXERCICE 2.5 A

À l'aide du résultat de l'exemple 2.5, déterminez : **a)** le temps nécessaire pour ramener la quantité de N_2O_5 à $\frac{1}{16}$ de sa valeur initiale et **b)** la masse de N_2O_5 restante après la décomposition d'un échantillon de 4,80 g de N_2O_5 pendant 10,0 min.

EXERCICE 2.5 B

Estimez la pression totale des gaz après 6,00 min dans la décomposition de N_2O_5(g) illustrée dans l'exemple 2.5.

RÉSOLUTION DE PROBLÈMES
Il n'est pas nécessaire de commencer à $t = 0$ dans un graphique comme celui de la figure 2.6 pour appliquer le concept de demi-vie. La différence de temps entre deux points quelconques pour lesquels la concentration molaire volumique ou la pression diminue de moitié constitue une demi-vie, $t_{1/2}$. Par exemple, entre $P =$ 600 mm Hg à environ 50 s et $P \approx$ 300 mm Hg à environ 170 s, il s'est écoulé autour de 120 s, le temps d'une demi-vie.

EXEMPLE **2.6** — Un exemple de calcul approximatif

Quelle valeur parmi les suivantes semble une approximation valable du temps nécessaire pour que 90 % d'un échantillon de N_2O_5 soit décomposé à 67 °C : (a) 200 s, (b) 300 s, (c) 400 s ou (d) 500 s ?

➡ Analyse et conclusion

Nous pourrions évidemment utiliser l'expression, $\ln P_t/P_0 = -kt$, et substituer 0,10 au rapport P_t/P_0. (Quand 90 % du réactif est consommé, il n'en reste que 10 %). Cependant, nous pouvons faire un calcul approximatif acceptable en utilisant le concept de demi-vie. La fraction restante de N_2O_5 est 0,10. La fraction qui reste après *une* demi-vie est 0,50 ; après *deux* demi-vies, 0,25 ; après *trois*, 0,125 ; et après *quatre*, 0,0625. Le temps (t) cherché se situe entre *trois* et *quatre* demi-vies. Si nous utilisons une demi-vie d'environ 120 s, valeur obtenue dans l'exemple 2.5, la réponse devrait être la suivante.

$$3 \times 120\ s < t < 4 \times 120\ s$$

$$360\ s < t < 480\ s$$

Parmi les valeurs proposées, seule (c) est possible : 400 s.

EXERCICE 2.6 A

Sans effectuer de calculs détaillés ni d'extrapolation à partir du graphique, évaluez $P_{N_2O_5}$ à 370 s sur le graphique de la figure 2.6.

EXERCICE 2.6 B

La décomposition du peroxyde de di-*tert*-butyle en acétone et en éthane est une réaction d'ordre un.

$$C_8H_{18}O_2(g) \longrightarrow 2\ CH_3COCH_3(g) + CH_3CH_3(g)$$

Peroxyde de   acétone   éthane
di-*tert*-butyle

Lors d'une réaction effectuée à 147 °C, la pression partielle du peroxyde de di-*tert*-butyle a été mesurée à 320 mm Hg après 80,0 min et à 80 mm Hg après 240 min. *Sans effectuer de calculs détaillés,* déterminez la pression partielle initiale du peroxyde de di-*tert*-butyle.

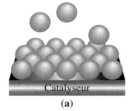

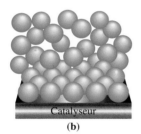

▲ **Figure 2.7**
Catalyse de surface
Dans le cas d'une réaction catalysée à la surface d'un composé, seule la surface disponible influe sur la vitesse de réaction. Même si la concentration du réactif diffère en *a* et en *b,* la vitesse de réaction est la même, parce que la surface du catalyseur est saturée.

Réaction d'ordre zéro

Réaction dont la vitesse est indépendante des concentrations des réactifs ; la somme des exposants de la loi de vitesse d'une réaction d'ordre zéro est nulle.

2.6 Les réactions d'ordre zéro et d'ordre deux

Dans cette section, nous étudierons deux autres types de réactions : les réactions d'ordre zéro et les réactions d'ordre deux.

Les réactions d'ordre zéro

Que les vitesses de certaines réactions soient indépendantes des concentrations des réactifs peut sembler étrange de prime abord. Cependant, des facteurs autres que les concentrations de réactifs agissent parfois sur la vitesse à laquelle ces derniers entrent en réaction. Par exemple, dans une réaction qui nécessite l'absorption de lumière, l'intensité de cette dernière détermine la vitesse de la réaction. Dans une réaction à catalyse de surface (**figure 2.7**), la surface disponible détermine la vitesse. Dans la loi de vitesse pour une **réaction d'ordre zéro**, la somme des exposants est 0 : $m + n + ... = 0$.

La réaction par laquelle l'ammoniac, $NH_3(g)$, se décompose sur une surface de tungstène (W) est d'ordre zéro.

$$NH_3(g) \xrightarrow{W} \tfrac{1}{2} N_2(g) + \tfrac{3}{2} H_2(g)$$

$$\text{Vitesse} = k[NH_3]^0 = k$$

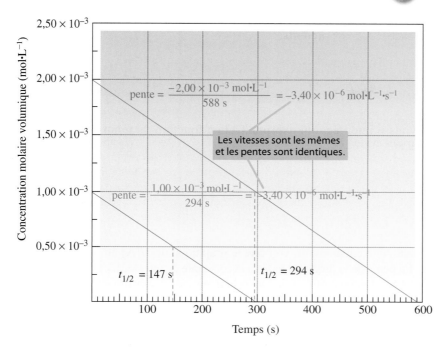

◀ **Figure 2.8**
Décomposition de l'ammoniac sur une surface de tungstène à 1100 °C: une réaction d'ordre zéro

La concentration de $NH_3(g)$ est représentée graphiquement en fonction du temps pour deux concentrations initiales différentes. Les droites parallèles montrent bien qu'il s'agit d'une réaction d'ordre zéro. Les pentes des droites ainsi que les demi-vies des deux expériences sont indiquées.

Dans le cas d'une réaction d'ordre zéro, la loi de vitesse intégrée devient

$$[A]_t = -kt + [A]_0$$

En remplaçant $[A]_t$ par $\frac{1}{2}[A]_0$ dans cette équation, on obtient la formule qui permet de déterminer la demi-vie d'une réaction d'ordre zéro:

$$t_{1/2} = [A]_0/2k$$

Dans la **figure 2.8**, la concentration de $NH_3(g)$ est représentée en fonction du temps pour deux concentrations initiales différentes: $2,00 \times 10^{-3}$ mol·L^{-1} (droite bleue) et $1,00 \times 10^{-3}$ mol·L^{-1} (droite rouge). Les deux expériences ont été réalisées à 1100 °C. On peut observer que:

- le graphique de la concentration en fonction du temps pour chaque expérience est une *droite* de pente *négative*. Les droites bleue et rouge sont *parallèles*. Elles ont la même pente: $-3,40 \times 10^{-6}$ mol·L^{-1}·s^{-1}.

- la vitesse qui demeure *constante* pendant toute la durée de la réaction est égale à la constante de vitesse k et à l'*opposé* de la pente.

$$\text{Vitesse} = k = -(-3,40 \times 10^{-6} \text{ mol·}L^{-1}\text{·}s^{-1}) = 3,40 \times 10^{-6} \text{ mol·}L^{-1}\text{·}s^{-1}$$

- Puisque, dans une réaction d'*ordre zéro,* la vitesse a la même valeur en tous points, elle est également indépendante de la concentration initiale du réactif.

- La demi-vie est *différente* dans les deux expériences; elle est directement proportionnelle à la concentration initiale. Dans la figure 2.8, on remarque que la demi-vie, qui est de 147 s quand $[NH_3]_0 = 1,00 \times 10^{-3}$ mol·L^{-1}, double (elle atteint en effet 294 s) quand $[NH_3]_0$ est multiplié par deux et passe à $2,00 \times 10^{-3}$ mol·L^{-1}.

Les réactions d'ordre deux

Une **réaction d'ordre deux** a une loi de vitesse dans laquelle la somme des exposants est égale à 2: $m + n + ... = 2$. La réaction du monoxyde d'azote, NO(g), avec l'ozone, $O_3(g)$, en est un exemple.

$$NO(g) + O_3(g) \longrightarrow NO_2(g) + O_2(g)$$

$$\text{Vitesse} = k[NO][O_3]$$

Réaction d'ordre deux

Réaction dont la somme des exposants dans la loi de vitesse est égale à 2, c'est-à-dire que $m + n + ... = 2$.

Il existe un type plus simple de réaction d'ordre deux qui dépend de la concentration d'un seul réactif : A $\longrightarrow$ produits.

$$\text{Vitesse} = k[A]^2 \qquad\qquad \textbf{(2.10)}$$

La loi de vitesse intégrée, qui exprime [A] en fonction du temps, se présente sous la forme suivante.

L'annexe A.5 présente une démonstration de l'intégration de cette loi de vitesse.

$$\frac{1}{[A]_t} = kt + \frac{1}{[A]_0} \qquad\qquad \textbf{(2.11)}$$

En examinant cette équation, on voit que le graphique de 1/[A] en fonction du temps est une droite. La pente de la droite est égale à la constante de vitesse, k, et l'ordonnée à l'origine ($t = 0$) est $1/[A]_0$. On peut obtenir ici aussi la *demi-vie* en substituant $[A]_t = \frac{1}{2}[A]_0$ dans la loi de vitesse intégrée et en simplifiant.

$$t_{1/2} = \frac{1}{k[A]_0} \qquad\qquad \textbf{(2.12)}$$

Comme dans le cas d'une réaction d'ordre zéro, *la demi-vie d'une réaction d'ordre deux dépend de la concentration initiale et de la constante de vitesse k.*

EXEMPLE **2.7**

La **figure 2.9** représente la décomposition d'ordre deux de l'iodure d'hydrogène HI(g), à 700 K.

$$HI(g) \longrightarrow \tfrac{1}{2}H_2(g) + \tfrac{1}{2}I_2(g) \quad \text{Vitesse} = k[HI]^2$$

Déterminez : **a)** la constante de vitesse et **b)** la demi-vie de la décomposition de HI(g) 1,00 mol·L^{-1} à 700 K.

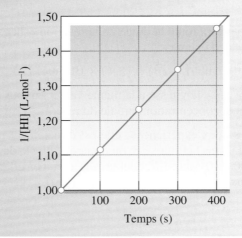

◄ Figure 2.9
Décomposition de l'iodure d'hydrogène à 700 K : une réaction d'ordre deux

L'inverse de la concentration de HI(g), 1/[HI], est représenté en fonction du temps. La constante de vitesse de cette réaction d'ordre deux est égale à la pente de la droite :

$$k = 1,2 \times 10^{-3} \text{ L·mol}^{-1}\text{·s}^{-1}$$

➔ Stratégie

Dans ce problème, $[HI]_0 = 1,00$ mol·L^{-1}, ce qui donne $1/[HI]_0 = 1,00$ L·mol^{-1} à $t = 0$ s. Dans le cas d'une réaction d'ordre deux, on peut obtenir k à partir de la pente de la droite de $1/[A]_t$ en fonction de t, et $t_{1/2}$ à partir de l'équation $t_{1/2} = 1/k[A]_0$.

→ **Solution**

a) Calculons la pente de la droite de la figure 2.9 à l'aide des points (1,46 L·mol^{-1}, 400 s) et (1,00 L·mol^{-1}, 0 s). Dans l'équation de la pente, Δy est la longueur du trait en pointillé : 1,46 (L·mol^{-1}) – 1,00 (L·mol^{-1}) = 0,46 (L·mol^{-1}) ; Δx est la différence, 400 s – 0 s = 400 s. La constante de vitesse, k, est égale à la pente.

$$k = \text{pente} = \frac{\Delta y}{\Delta x} = \frac{0,46 \text{ L·mol}^{-1}}{400 \text{ s}} = 1,2 \times 10^{-3} \text{ L·mol}^{-1}\text{·s}^{-1}$$

b) Nous pouvons maintenant substituer les valeurs de $[HI]_0$ et de k dans l'équation de la demi-vie.

$$t_{1/2} = \frac{1}{k[A]_0} = \frac{1}{1,2 \times 10^{-3} \text{ L·mol}^{-1}\text{·s}^{-1} \times 1,00 \text{ mol·L}^{-1}} = 8,3 \times 10^2 \text{ s}$$

RÉSOLUTION DE PROBLÈMES
L'équation de la demi-vie doit être d'une forme telle qu'elle donne une unité de temps, indépendamment de l'ordre de la réaction.

→ **Évaluation**

Nous pouvons vérifier la validité des réponses en examinant les unités. Dans la partie *a*, nous avons obtenu les mêmes unités de k que celles établies pour une réaction d'ordre deux. Dans la partie *b*, l'équation de la demi-vie donne une unité de temps (s), ce qui doit toujours être le cas, peu importe l'ordre de la réaction.

EXERCICE 2.7 A

S'il faut 55 s pour que $[A]$ atteigne une valeur de 0,40 mol/L à partir d'une valeur initiale de $[A] = 0,80$ mol/L et ce, dans une réaction pour laquelle la vitesse = $k[A]^2$, quelle est la constante de vitesse k de la réaction ?

EXERCICE 2.7 B

Dans la réaction décrite à l'exercice 2.7A, combien de temps faudra-t-il pour que $[A]$ atteigne 0,20 mol/L ? 0,10 mol/L ? Décrivez comment la demi-vie varie lorsqu'elle passe d'une période de demi-vie à la suivante dans la réaction.

EXEMPLE 2.8   Un exemple conceptuel

Soit le graphique de la concentration $[A]$ en fonction du temps pour deux expériences différentes mettant en jeu la réaction A $\longrightarrow$ produits. Quel est l'ordre de réaction ?

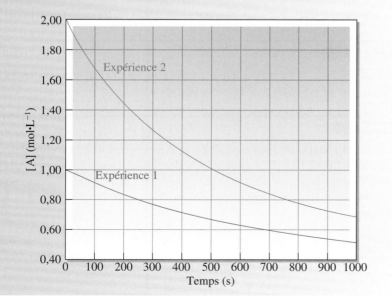

➜ Analyse et conclusion

Le but consiste à trouver la valeur de l'exposant m dans la loi de vitesse

$$\text{Vitesse} = k[\text{A}]^m$$

Pour plus de facilité, il faut consulter le **tableau 2.4**, qui présente un résumé de données concernant les réactions d'ordre zéro, d'ordre un et d'ordre deux du type A ⟶ produits.

Comment savoir s'il s'agit d'une réaction d'ordre zéro : Si la réaction est d'ordre zéro, la vitesse est constante (vitesse $= k$), et le graphique donne des droites. La présente réaction n'est pas d'ordre zéro.

Comment savoir s'il s'agit d'une réaction d'ordre un : Si la réaction est d'ordre un, la demi-vie est constante. Dans l'expérience 1, [A] passe de $1{,}00 \text{ mol·L}^{-1}$ à la moitié de sa valeur, $0{,}50 \text{ mol·L}^{-1}$, en 1000 s. Dans l'expérience 2, [A] passe de $2{,}00 \text{ mol·L}^{-1}$ à $1{,}00 \text{ mol·L}^{-1}$ en 500 s. La demi-vie n'est *pas* constante ; la réaction n'est donc pas d'ordre un.

Comment savoir s'il s'agit d'une réaction d'ordre deux : Il y a *trois* méthodes : (1) On peut obtenir les vitesses *initiales* de réaction soit à partir des pentes des tangentes, soit en évaluant $-(\Delta[\text{A}]/\Delta t)$; puis on peut appliquer la méthode des vitesses initiales. (2) On peut voir si le graphique de $1/[\text{A}]$ en fonction du temps donne une droite. (3) On peut obtenir la valeur de k à partir de la demi-vie, dans chacune des deux expériences, en utilisant l'équation : $t_{1/2} = 1/k[\text{A}]_0$. Si la valeur de k est la même dans les deux expériences, la réaction est d'ordre deux.

À titre d'exemple, utilisons la troisième méthode et commençons par exprimer k en fonction de $t_{1/2}$, puis résolvons l'équation à l'aide des demi-vies que nous avons trouvées en nous demandant si la réaction était d'ordre un.

$$k = \frac{1}{t_{1/2}[\text{A}]_0}$$

Expérience 1

Quand $[\text{A}]_0 = 1{,}00 \text{ mol·L}^{-1}$, $t_{1/2} = 1000$ s, $k = \dfrac{1}{1000 \text{ s} \times 1{,}00 \text{ mol·L}^{-1}}$

$$= 1{,}00 \times 10^{-3} \text{ L·mol}^{-1}\text{·s}^{-1}$$

Expérience 2

Quand $[\text{A}]_0 = 2{,}00 \text{ mol·L}^{-1}$, $t_{1/2} = 500$ s, $k = \dfrac{1}{500 \text{ s} \times 2{,}00 \text{ mol·L}^{-1}}$

$$= 1{,}00 \times 10^{-3} \text{ L·mol}^{-1}\text{·s}^{-1}$$

Les deux valeurs de k sont identiques, ce qui indique que la réaction est d'ordre deux.

EXERCICE 2.8 A

Avec les données des courbes de l'exemple 2.8, montrez que la réaction est d'ordre deux en utilisant les deux premières des trois méthodes présentées.

EXERCICE 2.8 B

Considérons deux réactions hypothétiques du type A ⟶ produits. L'une est d'ordre un avec une valeur de $k = 1{,}00 \times 10^{-3} \text{ s}^{-1}$ et une concentration initiale $[\text{A}]_0 = 2{,}00 \text{ mol·L}^{-1}$. L'autre est une réaction d'ordre deux avec $k = 1{,}00 \times 10^{-3} \text{ L·mol}^{-1}\text{·s}^{-1}$ et avec une concentration initiale $[\text{A}]_0 = 1{,}00 \text{ mol·L}^{-1}$. Dans le graphique de [A] en fonction du temps, y aura-t-il des points communs pour ces deux réactions ? Si oui, à quel(s) temps approximativement ces points communs se situeront-ils ?

TABLEAU 2.4	Résumé de données cinétiques pour les réactions du type A $\longrightarrow$ produits					
Ordre	Loi de vitesse	Loi de vitesse intégrée	Graphique d'une droite	k	Unités de k	Demi-vie
Zéro	Vitesse $= k$	$[A]_t = -kt + [A]_0$	$[A]$ fonction de t	$-$pente	$mol \cdot L^{-1} \cdot s^{-1}$	$\dfrac{[A]_0}{2k}$
Un	Vitesse $= k[A]$	$\ln \dfrac{[A]_t}{[A]_0} = -kt$	$\ln [A]$ fonction de t	$-$pente	s^{-1}	$\dfrac{\ln 2}{k}$
Deux	Vitesse $= k[A]^2$	$\dfrac{1}{[A]_t} = kt + \dfrac{1}{[A]_0}$	$1/[A]$ fonction de t	pente	$L \cdot mol^{-1} \cdot s^{-1}$	$\dfrac{1}{k[A]_0}$

2.7 Les théories de la cinétique chimique

Nous avons exploré jusqu'à présent de nombreux sujets pratiques concernant les vitesses des réactions chimiques sans qu'il ait été nécessaire d'examiner le rôle des molécules dans ces phénomènes. Cependant, nous pouvons toujours nous demander pourquoi certaines réactions sont d'ordre un, d'autres, d'ordre deux, et ainsi de suite. Pourquoi certaines réactions se déroulent-elles rapidement alors que d'autres sont lentes ? Comment fonctionnent les catalyseurs ? Pour répondre à ces questions, nous devons étudier ce qui se passe au niveau moléculaire.

Les théories des collisions

Pour réagir, les atomes, les molécules et les ions doivent d'abord se rencontrer ; ils doivent entrer en *collision*. En fait, si toutes les collisions intermoléculaires aboutissaient à une réaction chimique, leurs vitesses seraient beaucoup plus grandes que celles qui sont généralement observées. Un certain nombre de collisions sont donc inefficaces. La vitesse de réaction est proportionnelle au produit de la fréquence des collisions moléculaires *et* de la fraction des collisions qui sont efficaces.

Une collision intermoléculaire efficace transfère à certaines liaisons importantes suffisamment d'énergie pour les rompre. Une telle collision peut se produire quand deux molécules se déplacent rapidement ou quand une molécule particulièrement rapide en heurte une plus lente. Une collision entre deux molécules lentes ne réussira probablement pas à rompre leurs liaisons. L'**énergie d'activation (E_a)** est l'énergie minimale que doivent fournir les collisions pour qu'une réaction ait lieu.

Grâce à la théorie cinétique des gaz, il est possible de calculer quelle fraction des molécules d'un ensemble possède une certaine énergie cinétique. La **figure 2.10** (page suivante) représente cette situation pour deux températures. Comme le montre le graphique, l'énergie cinétique moyenne à T_1, la température la plus faible, est inférieure à l'énergie cinétique moyenne à T_2. On peut dire également qu'une *importante* fraction des molécules possèdent à T_1 des énergies cinétiques *faibles* comparativement aux mêmes molécules à T_2. Si on suppose que, pour réagir, les molécules doivent posséder des énergies cinétiques supérieures à la valeur indiquée par la flèche rouge, deux conclusions s'imposent :

- Seule une faible fraction des molécules, à T_1 et à T_2, est suffisamment énergétique pour réagir.
- La fraction possédant une énergie élevée augmente en même temps que la température, car l'énergie cinétique moyenne des molécules augmente avec la température. La fréquence des collisions entre les molécules est ainsi plus grande.

Énergie d'activation (E_a)

Énergie cinétique totale minimale que doivent fournir les collisions intermoléculaires pour qu'une réaction chimique ait lieu.

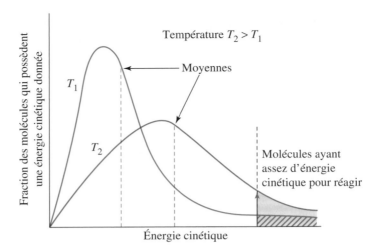

▶ **Figure 2.10**
Distribution des énergies cinétiques des molécules

L'ensemble des molécules est représenté par l'aire sous chacune des courbes. Les lignes pointillées en bleu et en rouge représentent les énergies cinétiques moyennes des molécules à deux températures. La fraction des molécules possédant des énergies supérieures à la valeur indiquée par la flèche rouge est faible comparée au nombre total de molécules. Cependant, cette fraction augmente rapidement avec la température.

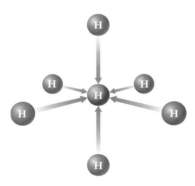

▲ **Figure 2.11**
Réaction dans laquelle l'orientation des molécules qui entrent en collision est sans importance

Pour un atome d'hydrogène (bleu) qui s'apprête à entrer en collision avec un autre atome d'hydrogène (rouge), la « cible » présente le même aspect peu importe de quelle direction provient l'atome qui approche. Dans la réaction qui aboutit à la formation d'une molécule d'hydrogène, il n'y a pas de direction qui soit plus favorable qu'une autre pour assurer la liaison entre deux atomes.

État de transition

Configuration que prennent les atomes se situant entre les réactifs et les produits au cours d'une réaction chimique ; cet état résulte des collisions qui se produisent entre les molécules les plus énergétiques.

Complexe activé

Agrégat transitoire d'atomes, associé à une réaction, résultant d'une collision favorable.

Dans de nombreux cas, il ne suffit pas de tenir compte de la fréquence des collisions et de la fraction des espèces activées pour expliquer une vitesse de réaction. L'*orientation* des espèces qui s'entrechoquent influe également sur celle-ci. La **figure 2.11** illustre bien ce phénomène ; toutes les approches d'un atome d'hydrogène vers un autre sont identiques (de front, par l'arrière, par-dessus, par-dessous, et ainsi de suite), en raison de la distribution symétrique du nuage électronique de l'atome d'hydrogène. Dans la réaction suivante, l'orientation des atomes qui entrent en collision ne constitue pas un facteur qui agit sur sa vitesse :

$$H\cdot \; + \; \cdot H \longrightarrow H_2$$

Dans la plupart des cas, cependant, l'orientation des espèces qui entrent en collision constitue un facteur dont il faut tenir compte. Considérons la réaction de l'ion iodure, I^-, avec le bromométhane, CH_3Br, qui produit l'iodométhane, CH_3I, et l'ion bromure, Br^-.

$$I^- \; + \; CH_3Br \longrightarrow CH_3I \; + \; Br^-$$

La **figure 2.12** illustre bien qu'une collision entre un ion iodure et l'atome C de CH_3Br peut parfaitement mener à une réaction, tandis que la collision d'un ion iodure avec l'atome Br dans CH_3Br ne le peut pas.

La théorie de l'état de transition

Une réaction chimique est plus que le résultat des collisions entre les molécules. On peut imaginer, au ralenti, la rupture progressive des liaisons dans les réactifs et la formation des liaisons dans les produits durant une collision. Cependant, au moment de la collision, il y a, pour ainsi dire, un point de non-retour. Avant d'atteindre ce point, les espèces qui s'entrechoquent rebondissent, laissant les réactifs intacts. Passé ce point, les espèces qui entrent en collision se transforment en produits. À ce point crucial, la configuration que prennent les atomes des espèces qui entrent en collision est appelée **état de transition**, et l'espèce transitoire qui a cette configuration est appelée **complexe activé.**

Voilà comment on peut représenter la progression de la réaction dans laquelle l'ion iodure déplace l'ion bromure du bromométhane :

$$I^- + CH_3\!-\!Br \longrightarrow \overset{\delta^-}{I}\cdots CH_3\cdots \overset{\delta^-}{Br} \longrightarrow I\!-\!CH_3 + Br^-$$

Réactifs $\qquad\qquad$ Complexe activé $\qquad\qquad$ Produits

Dans les réactifs, il n'y a aucune liaison entre l'ion I^- et l'atome C, mais une liaison complète existe entre les atomes C et Br. Dans le complexe activé, une liaison partielle (·····) se forme entre les atomes I et C, tandis que la liaison entre les atomes C et Br est partiellement rompue (·····), et une charge formelle négative est divisée en charges partielles (δ^-) sur les atomes I et Br. Quand le complexe activé se décompose, il y a formation d'une liaison complète entre les atomes I et C, et la liaison entre l'atome C et l'ion Br⁻ est définitivement rompue.

La **figure 2.13** illustre une autre façon de concevoir la réaction. Cette représentation, appelée **profil réactionnel**, montre l'énergie potentielle en fonction d'un paramètre appelé *progression de la réaction*. Il faut voir la progression d'une réaction comme représentant son degré d'avancement. En d'autres termes, la réaction commence à gauche avec les réactifs, passe par un état de transition et se termine à droite avec des produits.

La figure représente un profil réactionnel à des températures supérieures à 600 K, de la réaction suivante.

$$CO(g) + NO_2(g) \longrightarrow CO_2(g) + NO(g) \qquad \Delta H = -226 \text{ kJ}$$

La différence d'énergie potentielle entre les produits et les réactifs est ΔH pour cette réaction exothermique. Une barrière d'énergie sépare les produits des réactifs, et les molécules de réactifs doivent être pourvues d'une énergie suffisante pour surmonter cette barrière et donner naissance à une réaction. Dans la théorie de l'état de transition, l'énergie d'activation (E_a) est la différence entre l'énergie potentielle au sommet de la barrière (à l'état de transition) et l'énergie potentielle des réactifs. La valeur de E_a signifie que les collisions de 1 mol de molécules CO et de 1 mol de molécules NO_2 doivent posséder une énergie de 134 kJ pour former 1 mol du complexe activé. Le complexe activé se dissocie alors en molécules de produits.

La figure décrit également la réaction inverse, dans laquelle CO_2 et NO réagissent pour former CO et NO_2. L'énergie d'activation de la réaction inverse, $E_a(\text{inverse}) = 360 \text{ kJ}$, est plus grande que celle de la réaction directe.

Profil réactionnel

Représentation schématique de l'énergie potentielle en fonction de la progression d'une réaction : réactifs, énergie d'activation, état de transition et produits.

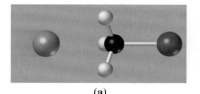

(a)

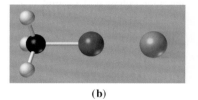

(b)

▲ **Figure 2.12**
Importance de l'orientation des molécules qui entrent en collision

(a) L'ion I⁻ (violet) entre en collision avec l'atome C (noir) de CH_3Br, une collision favorable à une réaction. **(b)** L'ion I⁻ entre en collision avec l'atome Br (rouge) de CH_3Br, une collision qui ne produit pas de réaction.

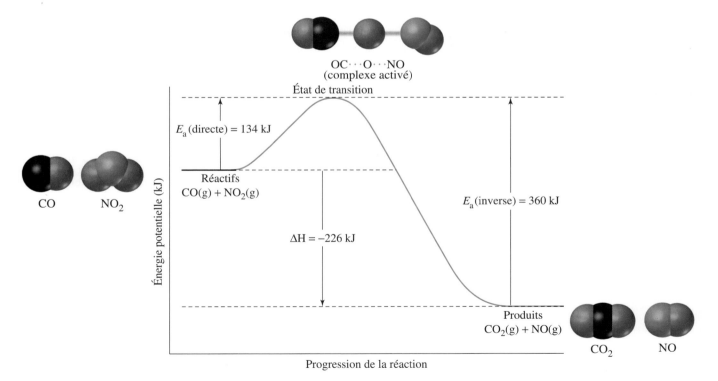

▲ **Figure 2.13**
Profil réactionnel de la réaction $CO(g) + NO_2(g) \rightarrow CO_2(g) + NO(g)$
Ce profil réactionnel montre les variations d'énergie au cours de la réaction. De la gauche vers la droite, il illustre la transformation des réactifs en produits en passant par l'état de transition. Les valeurs des énergies potentielles indiquées concernent une réaction avec 1 mol de chacun des réactifs.

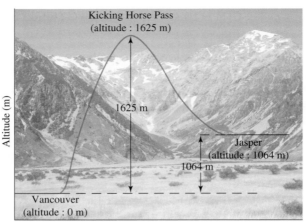

► **Figure 2.14**
Analogie relative au profil réactionnel et à l'énergie d'activation

Si on se trouve à Vancouver (les réactifs) et qu'on souhaite se rendre à Jasper (les produits), on peut choisir d'emprunter la route transcanadienne (le profil réactionnel), qui passe par Kicking Horse Pass (l'état de transition). On devra d'abord grimper 1625 m (l'énergie d'activation), mais on bénéficiera ensuite d'une descente pour le reste de la route. (L'axe de l'altitude n'est pas à l'échelle.)

La figure 2.13 illustre ainsi deux idées importantes. (1) L'enthalpie d'une réaction, ΔH, est égale à la différence entre l'énergie d'activation de la réaction directe et l'énergie d'activation de la réaction inverse. (2) Dans une réaction *endothermique*, l'énergie d'activation [E_a(inverse) dans la figure 2.13] doit toujours être égale ou supérieure à l'enthalpie de réaction, ΔH. La **figure 2.14** présente une analogie relative au profil réactionnel et à l'énergie d'activation.

$$\Delta H = E_a(\text{directe}) - E_a(\text{inverse}) \qquad \textbf{(2.13)}$$

2.8 L'influence de la température sur les vitesses de réaction

Le charbon de bois (carbone) réagit si lentement avec l'oxygène à la température ambiante qu'on ne voit aucun changement. Quand on élève sa température en l'enflammant à l'aide d'un allume-feu, il se met à brûler plus rapidement. À mesure qu'il se consume, la chaleur de combustion fait augmenter davantage la température, et le charbon brûle encore plus vite. Pour ralentir les réactions, on abaisse généralement la température. C'est pourquoi on arrive à éteindre un incendie en l'arrosant avec de l'eau, celle-ci absorbant une partie importante de la chaleur nécessaire pour maintenir la combustion. On réfrigère également le beurre pour ralentir les réactions qui produisent le rancissement. Au laboratoire, on range habituellement le H_2O_2(aq) dans un réfrigérateur pour ralentir sa décomposition.

D'un point de vue théorique, il semble logique que l'élévation de la température accélère une réaction. Les énergies cinétiques moyennes des molécules augmentent, ce qui crée des collisions plus fréquentes. L'augmentation de la fréquence des collisions n'est cependant pas le facteur le plus important. Comme nous l'avons vu à la figure 2.10, plus les températures sont élevées, plus il y a de molécules qui possèdent l'énergie nécessaire pour donner naissance à une réaction. Donc, non seulement les collisions sont plus nombreuses, mais le pourcentage de celles qui sont *efficaces* est également plus élevé, et la vitesse de la réaction croît. Une augmentation de la température dans le cas de réactions exothermiques et endothermiques se traduit par une augmentation de leur vitesse. La vitesse de réaction est régie par la hauteur de la barrière d'énergie potentielle (E_a) et non par la différence d'énergie potentielle entre les réactifs et les produits (ΔH).

En 1889, Svante Arrhenius a proposé l'équation mathématique suivante pour expliquer l'influence de la température sur la constante de vitesse, k.

Équation d'Arrhenius

$$k = Ae^{-E_a/RT} \qquad \textbf{(2.14)}$$

Dans l'*équation d'Arrhenius*, le terme e est la base des logarithmes naturels, E_a, l'énergie d'activation, et $e^{-E_a/RT}$, la fraction des collisions moléculaires qui produit une réaction. (R est la constante des gaz parfaits, 8,3145 J·mol^{-1}·K^{-1}, et T, la température en kelvins.) La constante A, appelée *facteur de fréquence*, est le produit de la fréquence des collisions et d'un facteur de probabilité qui tient compte des orientations requises pour que les collisions soient efficaces. En prenant les logarithmes des deux membres, on peut représenter ainsi l'équation d'Arrhenius.

Rappel : 1 J = 1 kPa·L

$$\ln k = \ln A + \ln e^{-E_a/RT}$$

$$\ln k = \ln A - \frac{E_a}{RT}$$

$$\ln k = -\frac{E_a}{RT} + \ln A \qquad \text{(2.15)}$$

L'équation 2.15 représente une droite de la forme $y = mx + b$, où $y = \ln k$ et $x = 1/T$. La pente de la droite, m, est égale à $-E_a/R$, et l'ordonnée à l'origine, b, est égale à $\ln A$. La **figure 2.15** montre un exemple caractéristique du graphique d'une droite de $\ln k$ en fonction de $1/T$, et l'énergie d'activation, E_a, est obtenue à partir de la pente.

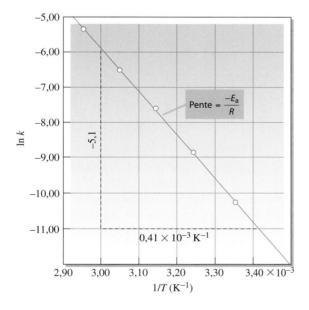

◀ Figure 2.15
Graphique de ln k en fonction de 1/T montrant la décomposition du pentoxyde de diazote, N$_2$O$_5$(g) :

$$N_2O_5(g) \longrightarrow 2\,NO_2(g) + \tfrac{1}{2}\,O_2(g)$$

Évaluation de E_a :

pente $= -5,1/0,41 \times 10^{-3}$ K^{-1}
  $= -1,2 \times 10^4$ K

$E_a = -(\text{pente}) \times R$
  $= 1,2 \times 10^4$ K $\times$ 8,3145 J·mol^{-1}·K^{-1}
  $= 1,0 \times 10^5$ J·mol^{-1}

Pour déterminer E_a sans avoir recours à un graphique, on peut aussi mesurer la constante de vitesse à deux températures différentes et appliquer comme suit l'équation d'Arrhenius :

$$\ln \frac{k_2}{k_1} = \frac{E_a}{R}\left[\frac{1}{T_1} - \frac{1}{T_2}\right] \qquad \text{(2.16)}$$

L'annexe A.5 présente la démonstration mathématique qui permet d'obtenir cette forme de l'équation d'Arrhenius. Certains préfèrent recourir à la forme suivante pour résoudre des problèmes :

$$\ln \frac{k_2}{k_1} = \frac{E_a}{R}\left[\frac{T_2 - T_1}{T_1 \cdot T_2}\right]$$

Dans cette équation, k_1 et k_2 sont des constantes de vitesse aux températures T_1 et T_2 exprimées en kelvins, et E_a est l'énergie d'activation en joules par mole. On peut se servir de l'équation pour calculer non seulement E_a, mais aussi n'importe laquelle des cinq quantités à partir des valeurs connues des quatre autres. La constante R doit être de 8,3145 J·mol^{-1}·K^{-1}.

EXEMPLE 2.9

Proposez une valeur de k à 375 K pour la décomposition du pentoxyde de diazote, illustrée à la figure 2.15, sachant que $k = 2,5 \times 10^{-3}\,\text{s}^{-1}$ à 332 K.

➔ Stratégie

Remarquons d'abord qu'il est impossible de répondre à cette question simplement en relevant une valeur de $\ln k$ sur la droite du graphique de la figure 2.15. Le point qui correspond à 375 K ($1/T = 2,67 \times 10^{-3}\,\text{K}^{-1}$) se situe loin à l'extérieur de l'échelle. Il faut plutôt utiliser l'équation d'Arrhenius.

$$\ln \frac{k_2}{k_1} = \frac{E_a}{R}\left[\frac{1}{T_1} - \frac{1}{T_2}\right]$$

Que l'on indique la constante de vitesse inconnue par k_1 ou k_2 a peu d'importance mais, d'habitude, on utilise le chiffre 1 pour les conditions initiales et le chiffre 2 pour les conditions finales ou inconnues. Nous ferons la même chose ici, c'est-à-dire que nous associerons k_2 à la constante de vitesse inconnue.

➔ Solution

Nous avons besoin des données suivantes :

$k_2 = ?$ $T_2 = 375\,\text{K}$ $E_a = 1,0 \times 10^5\,\text{J·mol}^{-1}$ (de la figure 2.15)

$k_1 = 2,5 \times 10^{-3}\,\text{s}^{-1}$ $T_1 = 332\,\text{K}$ $R = 8,3145\,\text{J·mol}^{-1}\cdot\text{K}^{-1}$

$$\ln \frac{k_2}{k_1} = \frac{1,0 \times 10^5\,\text{J·mol}^{-1}}{8,3145\,\text{J·mol}^{-1}\cdot\text{K}^{-1}}\left[\frac{1}{332\,\text{K}} - \frac{1}{375\,\text{K}}\right]$$

$$= 1,2 \times 10^4\,\text{K} \times (0,003\,01 - 0,002\,67)\,\text{K}^{-1} = 4,1$$

$$\frac{k_2}{k_1} = e^{4,1} = 60$$

$$k_2 = 60 \times k_1 = 60 \times 2,5 \times 10^{-3}\,\text{s}^{-1} = 1,5 \times 10^{-1}\,\text{s}^{-1}$$

➔ Évaluation

Nous nous attendons à ce que la constante de vitesse augmente avec la température, ce que confirment les résultats : $0,15\,\text{s}^{-1}$ à 375 K contre $2,5 \times 10^{-3}\,\text{s}^{-1}$ à 332 K. Nous constatons même que la température influe fortement sur la vitesse de réaction. Une augmentation de 59 °C à 102 °C a pour effet de rendre la réaction 60 fois plus rapide. Selon une règle empirique, aux environs de la température de la pièce, la vitesse d'une réaction double pour chaque augmentation de 10 °C.

Notons aussi que le résultat est le même si nous choisissons k_1 pour inconnue au lieu de k_2 : $\ln k_2/k_1$ devient alors $-4,1$; $k_2/k_1 = 0,017$; $k_1 = k_2/0,017 = 2,5 \times 10^{-3}\,\text{s}^{-1}/0,017 = 0,15\,\text{s}^{-1}$.

EXERCICE 2.9 A

Utilisez les données de l'exemple 2.9 pour déterminer la température à laquelle la constante de vitesse k sera égale à $1,0 \times 10^{-5}\,\text{s}^{-1}$ au cours de la décomposition du pentoxyde de diazote.

EXERCICE 2.9 B

Le peroxyde de di-*tert*-butyle (DTBP) est utilisé comme catalyseur dans la fabrication des polymères. À l'état gazeux, le DTBP se décompose en acétone et en éthane selon une réaction d'ordre un.

$$C_8H_{18}O_2(g) \longrightarrow 2\,(CH_3)_2CO(g) + C_2H_6(g)$$

La demi-vie du DTBP est de 17,5 h à 125 °C et de 1,67 h à 145 °C. Quelle est l'énergie d'activation, E_a, de la réaction de décomposition ?

2.9 Les mécanismes réactionnels

Seules quelques réactions simples se déroulent en une seule étape, comme le laisse entrevoir leur équation équilibrée. La réaction du bromométhane et de l'ion iodure (voir la page 90) en est un exemple ; elle se produit à la suite de collisions efficaces entre I^- et CH_3Br.

$$I^- + CH_3Br \longrightarrow CH_3I + Br^-$$

Considérons maintenant la réaction entre le monoxyde d'azote et l'oxygène, une réaction qui contribue à la formation du smog.

$$2\,NO(g) + O_2(g) \longrightarrow 2\,NO_2(g)$$

Il est très improbable que deux molécules NO et une molécule O_2 entrent en collision *simultanément*, tout comme il y a très peu de chances que *trois* ballons de basket-ball se heurtent en plein vol pendant que les joueurs exécutent leur séance de réchauffement autour du panier. La réaction globale se déroule plutôt en étapes plus simples.

Un **mécanisme réactionnel** est une suite d'étapes simples au terme de laquelle les réactifs se transforment finalement en produits. Une **réaction élémentaire** représente, à l'échelle moléculaire, une étape dans l'évolution de la réaction globale. Au cours d'une étape élémentaire, l'énergie ou la géométrie des molécules de départ sont modifiées, ou de nouvelles molécules sont formées. Un mécanisme réactionnel plausible doit satisfaire à deux exigences.

- Le mécanisme doit correspondre à la loi de vitesse déterminée expérimentalement.
- Le mécanisme doit être conforme à la stœchiométrie de la réaction globale.

Le mécanisme réactionnel permet de décrire le comportement d'innombrables molécules afin d'expliquer la façon dont elles produisent les changements observables lors d'une réaction. On observe la voie qu'empruntent quelques molécules dans une suite de réactions élémentaires ; puis, on suppose que toutes les molécules des réactifs suivent, selon toute vraisemblance, le même chemin. À titre de comparaison, comme on ne peut pas prédire le comportement d'une population humaine entière en n'observant que quelques individus, on ne peut pas, à l'échelle moléculaire, établir un mécanisme réactionnel avec une certitude absolue. Tout ce qu'on peut déterminer, c'est la plausibilité d'un mécanisme réactionnel. Quelquefois, deux mécanismes, ou même plus, ont été proposés pour la même réaction.

Les réactions élémentaires

Avant de nous pencher sur des mécanismes réactionnels particuliers, examinons quelques idées concernant les réactions élémentaires qui forment les mécanismes réactionnels. La **molécularité** d'une réaction élémentaire correspond au nombre d'atomes libres, d'ions ou de molécules qui entrent en réaction. Une réaction élémentaire mettant en jeu une seule molécule qui se dissocie est une **réaction unimoléculaire** ; une réaction dans laquelle il y a collision efficace entre deux molécules est une **réaction bimoléculaire**. Une **réaction trimoléculaire**, impliquant la collision simultanée de trois molécules, est beaucoup plus rare que les réactions unimoléculaires ou bimoléculaires.

Dans une *réaction élémentaire*, les exposants de la loi de vitesse sont les *mêmes* que les coefficients stœchiométriques de l'équation de la réaction. (Rappelez-vous que ce *n*'est habituellement *pas* le cas en ce qui a trait à la loi de vitesse de la réaction *globale*.) Les réactions élémentaires sont réversibles, c'est-à-dire que les réactions directe et inverse ont lieu simultanément. Certaines atteignent un état d'équilibre dans lequel les vitesses des réactions directe et inverse sont égales. En outre, une réaction élémentaire particulière peut être beaucoup plus lente que toutes les autres. Dans de nombreux cas, il s'agit de

Mécanisme réactionnel

Représentation détaillée d'une réaction comportant une suite d'étapes simples au cours desquelles les réactifs se transforment en produits. Pour être plausible, un tel mécanisme doit être conforme à la stœchiométrie de la réaction globale et à la loi de vitesse.

Réaction élémentaire

À l'échelle moléculaire, étape unique du mécanisme réactionnel d'une réaction globale.

Voici des exemples de réactions élémentaires et des lois de vitesse qui leur correspondent :

	Vitesse
$A + B \longrightarrow C$	$k\,[A][B]$
$A + A \longrightarrow D$	$k\,[A]^2$
$2A + B \longrightarrow 2C$	$k\,[A]^2[B]$

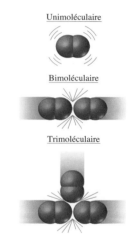

Unimoléculaire

Bimoléculaire

Trimoléculaire

Molécularité

Nombre d'atomes libres, d'ions ou de molécules participant à une réaction élémentaire.

Réaction unimoléculaire

Réaction élémentaire dans laquelle une seule molécule se dissocie.

Réaction bimoléculaire

Réaction élémentaire dans laquelle se produit une collision efficace entre deux molécules.

Réaction trimoléculaire

Réaction élémentaire dans laquelle se produit une collision simultanée entre trois molécules.

l'**étape déterminante de la vitesse de réaction**, celle qui permet d'établir la vitesse de la réaction globale.

Un mécanisme dans lequel une étape lente est suivie d'une étape rapide

Quand nous nous sommes penchés sur la décomposition du peroxyde d'hydrogène (voir la figure 2.3, page 71), nous avons indiqué que la réaction a habituellement lieu plus rapidement et à une vitesse plus facilement mesurable, si on utilise un catalyseur comme $I^-(aq)$.

$$2\,H_2O_2(aq) \xrightarrow{I^-} 2\,H_2O + O_2(g)$$

Un mécanisme réactionnel donne, à l'échelle moléculaire, une description conforme aux faits observés lors de l'étude de la vitesse de réaction. Dans la décomposition du peroxyde d'hydrogène, les faits sont les suivants : (1) la vitesse de décomposition de H_2O_2 est d'ordre un par rapport à H_2O_2 *et* par rapport à I^-, ou d'ordre global deux ; (2) le réactif I^- est intact après la réaction et, par conséquent, n'apparaît pas dans l'équation de la réaction globale. Le mécanisme suivant est un mécanisme réactionnel plausible conforme à ces faits.

Étape lente	$H_2O_2 + I^- \longrightarrow H_2O + OI^-$
Étape rapide	$H_2O_2 + OI^- \longrightarrow H_2O + O_2 + I^-$
Équation globale	$2\,H_2O_2 \longrightarrow 2\,H_2O + O_2$

L'ion OI^-, formé durant la première étape, est consommé dans la deuxième. Il en résulte qu'il n'apparaît pas dans l'équation de la réaction globale ; l'ion OI^- est un *intermédiaire*. Par contre, l'ion I^-, qui n'apparaît pas non plus dans la réaction globale, est consommé dans la première étape et produit dans la deuxième (il est recyclé dans le mécanisme) ; l'ion I^- est un *catalyseur*. La vitesse de la réaction est déterminée presque exclusivement par celle de la première étape, qui est l'*étape déterminante de la vitesse*. Dans la loi de vitesse ci-dessous, nous établissons que la vitesse de réaction est égale à celle de l'étape lente.

$$\text{Vitesse} = \text{vitesse de l'étape lente} = k[H_2O_2][I^-]$$

Précédemment dans ce chapitre, nous avons traité la décomposition catalysée de H_2O_2 comme une réaction d'ordre un. Cela a été possible parce que $[I^-]$ est constante pendant toute la réaction et que le produit $k \times [I^-]$ est lui-même une constante, désignée ci-dessous par k'.

$$\text{Vitesse} = k'[H_2O_2]$$

Puisque la valeur de k' dépend de $[I^-]$, plus la quantité de catalyseur est grande, plus la réaction est rapide.

Pour établir une analogie avec une première étape lente suivie d'une étape rapide, prenons l'exemple d'une personne qui va au supermarché, à 500 m de chez elle, en auto. Pour s'y rendre, elle doit franchir un pont en réparation, sur lequel la circulation est réduite à une seule voie et contrôlée par un employé de la voirie. L'attente dure en moyenne 15 minutes. Le déplacement prendra en moyenne à peine plus de 15 minutes. Le temps requis pour se rendre au supermarché est déterminé presque entièrement par la vitesse de l'étape lente : la traversée du pont.

Un mécanisme dans lequel une étape réversible rapide est suivie d'une étape lente

De nombreuses réactions se déroulent selon un mécanisme dont la première étape réversible est rapide et suivie d'une étape lente. La première étape du mécanisme est une réaction élémentaire au cours de laquelle les réactifs forment un intermédiaire (constante de vitesse k_1), qui se décompose aussitôt pour redonner les réactifs de départ par une réaction réversible (constante de vitesse k_{-1}). On suppose que les vitesses des réactions directe et inverse deviennent rapidement égales, dans une situation dite d'équilibre rapide. Cependant, une petite quantité de l'intermédiaire est retranchée par la réaction dans une seconde étape lente, l'étape déterminante de la vitesse, pour former les produits finaux (constante de vitesse k_2).

Considérons la réaction de NO(g) et de O_2(g) pour former NO_2(g), une réaction dans la formation du smog mentionnée précédemment.

$$2\,NO(g) + O_2(g) \longrightarrow 2\,NO_2(g)$$

On détermine expérimentalement la loi de vitesse de la réaction.

$$\text{Vitesse} = k[NO]^2[O_2]$$

Un mécanisme simple à une seule étape pourrait expliquer la loi de vitesse expérimentale, mais ce serait une réaction trimoléculaire très improbable. Nous présentons ci-dessous un mécanisme plus plausible.

Étape rapide $\qquad 2\,NO \underset{k_{-1}}{\overset{k_1}{\rightleftharpoons}} N_2O_2$

Étape lente $\qquad N_2O_2 + O_2 \xrightarrow{k_2} 2\,NO_2$

Équation globale $\quad 2\,NO + O_2 \longrightarrow 2\,NO_2$

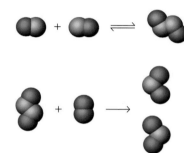

Représentation moléculaire du mécanisme réactionnel de :
$$2\,NO + O_2 \longrightarrow 2\,NO_2$$

Notez que, en annulant l'intermédiaire, N_2O_2, nous obtenons l'équation globale de la réaction.

Jusqu'ici, le mécanisme semble bon, mais que permet-il de déduire au sujet de la loi de vitesse ? Si nous exprimons la loi de vitesse conformément à l'étape déterminante, nous obtenons

$$\text{Vitesse} = k_2[N_2O_2][O_2]$$

Rappelez-vous, cependant, que nous ne pouvons énoncer la loi de vitesse déterminée expérimentalement que pour des substances qui apparaissent dans l'équation globale. Il faut éliminer $[N_2O_2]$. Pour ce faire, nous commençons par l'équation de la première réaction élémentaire. Puis nous supposons que l'équilibre est atteint rapidement, c'est-à-dire que les réactions directe et inverse ont lieu à la même vitesse. Ensuite, nous décrivons ces vitesses relativement à la formation et à la disparition de N_2O_2 et nous posons que les lois de vitesse sont égales. Enfin, nous résolvons l'équation pour trouver $[N_2O_2]$.

$$2\,NO \underset{k_{-1}}{\overset{k_1}{\rightleftharpoons}} N_2O_2$$

$$\text{Vitesse directe} = \text{Vitesse inverse}$$
$$\text{Vitesse de formation de } N_2O_2 = -(\text{Vitesse de disparition de } N_2O_2)$$
$$k_1[NO]^2 = k_{-1}[N_2O_2]$$
$$\frac{k_1[NO]^2}{k_{-1}} = [N_2O_2]$$

Nous pouvons utiliser cette expression de $[N_2O_2]$ dans la loi de vitesse de l'étape déterminante.

$$\text{Vitesse} = k_2[N_2O_2][O_2] \quad = k_2\frac{k_1[NO]^2}{k_{-1}}[O_2]$$

$$= \frac{k_2k_1}{k_{-1}}[NO]^2[O_2] = k[NO]^2[O_2]$$

Ainsi, le mécanisme proposé est conforme à la loi de vitesse expérimentale. La constante de vitesse expérimentale, k, est une combinaison des trois constantes de vitesse des étapes élémentaires, c'est-à-dire $k = k_1k_2/k_{-1}$.

EXEMPLE 2.10

On propose le mécanisme suivant pour la réaction : $H_2(g) + I_2(g) \longrightarrow 2\,HI(g)$

$$\textit{Étape rapide} \qquad I_2 \underset{k_{-1}}{\overset{k_1}{\rightleftharpoons}} 2\,I$$

$$\textit{Étape lente} \qquad 2\,I + H_2 \xrightarrow{k_2} 2\,HI$$

a) Quelle est l'équation globale correspondant à ce mécanisme ?

b) Quel est l'ordre de la réaction selon ce mécanisme ?

➜ Stratégie

a) Nous pouvons voir d'un coup d'œil que, si nous additionnons les deux étapes du mécanisme proposé, les termes « 2 I » s'annulent pour donner l'équation globale attendue :

$$H_2 + I_2 \longrightarrow 2\,HI$$

b) Pour établir l'ordre de réaction, il faut examiner la loi de vitesse de la réaction globale.

➜ Solution

Pour obtenir cette loi, nous commençons par celle de l'étape lente, qui est déterminante.

$$\text{Vitesse} = k_2[H_2][I]^2$$

Puis, nous éliminons la concentration de l'intermédiaire, [I], en supposant qu'un équilibre est atteint rapidement dans la première étape. Ainsi, dans la première réaction élémentaire, nous supposons que les vitesses des réactions directe et inverse sont égales.

$$k_1[I_2] = k_{-1}[I]^2$$

Et nous résolvons l'équation pour trouver le terme $[I]^2$.

$$[I]^2 = \frac{k_1}{k_{-1}}[I_2]$$

La loi de vitesse de l'équation globale est

$$\text{Vitesse} = k_2[H_2][I]^2 = k_2\frac{k_1}{k_{-1}}[H_2][I_2]$$
$$= k[H_2][I_2]$$

La réaction est d'ordre un par rapport à H_2 et à I_2, et elle est d'ordre global deux.

➜ Évaluation

Si nous faisions une étude cinétique, nous trouverions que la réaction est en effet d'ordre un par rapport à H_2 ainsi que par rapport à I_2, et que son ordre global est deux, comme nous l'avons montré dans l'exemple. Nous pouvons alors conclure que le mécanisme réactionnel proposé est plausible. Notez, cependant, qu'avant que ce mécanisme soit présenté en 1967, on donnait de cette réaction une interprétation tout aussi plausible : soit, un mécanisme en une étape basé sur la réaction bimoléculaire entre H_2 et I_2.

EXERCICE 2.10 A

La décomposition du chlorure de nitrosyle, $NOCl(g)$, est une réaction d'ordre un, et la loi de vitesse est donnée.

$$2\,NOCl(g) \longrightarrow 2\,NO(g) + Cl_2(g)$$

$$\text{Vitesse} = k[NOCl]$$

Évaluez si le mécanisme proposé pour cette réaction, qui consiste en une étape lente suivie d'une étape rapide réversible, est plausible.

$$\textit{Étape lente} \qquad NOCl(g) \longrightarrow NO(g) + Cl(g)$$

$$\textit{Étape rapide} \qquad NOCl(g) + Cl(g) \rightleftharpoons NO(g) + Cl_2(g)$$

EXERCICE 2.10 B

En ce qui a trait à la réaction

$$2 \, NO(g) + O_2(g) \longrightarrow 2 \, NO_2(g)$$

il existe un autre mécanisme que celui décrit jusqu'ici. Il fait intervenir NO_3 comme intermédiaire à la place de N_2O_2. **a)** Écrivez les étapes de cet autre mécanisme, et **b)** montrez qu'il est également conforme à la loi de vitesse expérimentale.

2.10 La catalyse

Nous avons vu qu'une élévation de température accélère généralement une réaction, parfois de façon spectaculaire. Chez les êtres vivants, élever la température de l'organisme peut s'avérer désastreux, voire causer la mort. C'est pourquoi les systèmes vivants s'en remettent généralement à la catalyse enzymatique, et non à l'élévation de la température, pour accélérer les réactions. Dans l'industrie et les laboratoires, de nombreux procédés doivent aussi être catalysés.

En laboratoire, on utilise quelquefois la décomposition du chlorate de potassium, $KClO_3$, pour produire de petites quantités d'oxygène.

$$2 \, KClO_3(s) \longrightarrow 2 \, KCl(s) + 3 \, O_2(g)$$

Sans catalyseur, le $KClO_3(s)$ doit être chauffé à plus de 400 °C pour produire $O_2(g)$ à une vitesse acceptable. Toutefois, si on ajoute une petite quantité de dioxyde de manganèse, $MnO_2(s)$, on peut obtenir de l'oxygène à la même vitesse en chauffant $KClO_3(s)$ à seulement 250 °C. De plus, après la réaction, on peut récupérer presque tout le dioxyde de manganèse intact. Comme nous l'avons indiqué, un *catalyseur* augmente la vitesse de réaction sans être lui-même transformé. En général, il fonctionne en modifiant le mécanisme de la réaction chimique, c'est-à-dire qu'il diminue l'énergie d'activation de celle-ci. Plus de molécules ont alors l'énergie suffisante pour que leurs collisions soient efficaces. La **figure 2.16** reprend l'analogie de la figure 2.14 (page 92) pour décrire la différence existant entre les profils réactionnels avec et sans catalyseur.

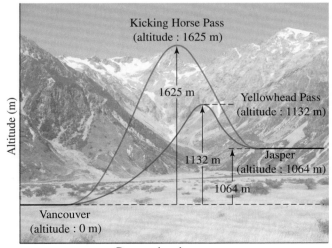

Progression du voyage

◀ Figure 2.16
Analogie relative au profil réactionnel et à l'énergie d'activation d'une réaction catalysée

Reprenons l'analogie du trajet de Vancouver à Jasper (voir la figure 2.14, page 92) et précisons qu'il est possible d'emprunter un autre chemin. En effet, une autre route passe par Yellowhead Pass (réaction catalysée). Elle nous amène à une altitude de 1132 m seulement (énergie d'activation plus faible) par rapport aux 1625 m que nous avons atteints en empruntant Kicking Horse Pass (réaction non catalysée). La route passant par Yellowhead Pass est analogue à la voie différente empruntée par une réaction chimique catalysée. (L'axe de l'altitude n'est pas à l'échelle.)

La catalyse homogène

Si elle se produit dans un mélange *homogène,* c'est-à-dire dans un mélange où tous les réactifs et les produits sont dans un même état, la réaction catalysée fait intervenir une catalyse *homogène.* Nous présentons ci-dessous le mécanisme simple d'une catalyse homogène dans le cas de deux réactifs, A et B, qui donnent deux produits, C et D.

Étape 1	A + ~~catalyseur~~ $\longrightarrow$ ~~intermédiaire~~ + C
Étape 2	B + ~~intermédiaire~~ $\longrightarrow$ D + ~~catalyseur~~
Équation globale	A + B $\longrightarrow$ C + D

Comme prévu, ni l'intermédiaire ni le catalyseur n'apparaissent dans l'équation globale.

Le cas qui suit constitue un exemple de ce mécanisme. Ici, O_3 et O tiennent lieu des réactifs A et B respectivement, et O_2 est le produit (à la fois C et D). Cl est le catalyseur, et ClO, un intermédiaire.

Étape 1	O_3 + ~~Cl~~ $\longrightarrow$ ~~ClO~~ + O_2	$E_a = 2{,}1$ kJ
Étape 2	~~ClO~~ + O $\longrightarrow$ ~~Cl~~ + O_2	$E_a = 0{,}4$ kJ
Équation globale	O_3 + O $\longrightarrow$ 2 O_2	

On soupçonne que l'amincissement saisonnier de la couche d'ozone, observé dans la stratosphère au-dessus des régions polaires, se produit selon ce mécanisme, qui fait intervenir des atomes de Cl comme catalyseurs.

La **figure 2.17** présente les profils réactionnels de la décomposition catalysée et non catalysée de l'ozone. Les deux énergies d'activation de la voie catalysée correspondent aux deux étapes du mécanisme, mais même la valeur la plus élevée des deux (2,1 kJ) est de beaucoup inférieure à celle de la réaction non catalysée (17,1 kJ). En conséquence, la constante de vitesse de la réaction catalysée est des milliers de fois plus grande que celle

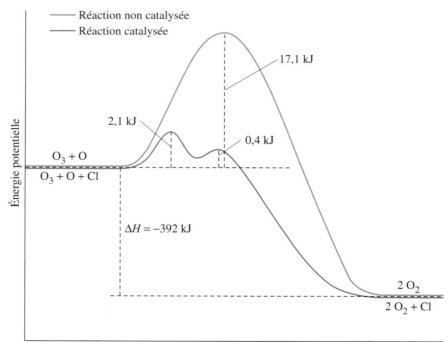

▶ Figure 2.17
Profil réactionnel de la décomposition non catalysée et catalysée de l'ozone

La réaction globale dans les deux cas est O_3 + O $\longrightarrow$ 2 O_2. Dans la réaction catalysée, Cl est le catalyseur.

de la réaction non catalysée. Notez sur cette figure que, mise à part la présence du catalyseur (Cl), les deux réactions ont le même état initial et aboutissent au même état final. Il en résulte que l'enthalpie de réaction, ΔH, est la même avec ou sans catalyseur.

La catalyse hétérogène

Souvent, les réactions peuvent être catalysées par la surface de solides appropriés. Un des aspects essentiels de l'activité catalytique est la capacité que possèdent les surfaces d'*adsorber* (fixer) des molécules de réactifs à l'état gazeux ou liquide. Comme une réaction catalysée par la surface d'un solide se produit dans un mélange *hétérogène* (tous les réactifs et produits ne sont pas dans un même état), l'action catalytique est appelée catalyse *hétérogène*. On distingue quatre étapes dans la catalyse hétérogène.

1. L'*adsorption* des molécules de réactifs ;

2. La *diffusion* des molécules de réactifs le long de la surface ;

3. La *réaction* des molécules de réactifs, qui forment les molécules de produits ;

4. La *désorption* des molécules de produits (elles sont libérées de la surface).

La **figure 2.18** montre le profil réactionnel hypothétique d'une réaction à catalyse de surface et la compare à une réaction non catalysée, en phase gazeuse homogène.

La décomposition d'ordre zéro de l'ammoniac sur le tungstène décrite à la page 84 est une réaction à catalyse de surface. L'hydrogénation des huiles comestibles pour produire des graisses solides ou semi-solides l'est aussi. Le but de ce type de réaction est d'ajouter une paire d'atomes d'hydrogène sur les liaisons doubles des constituants des huiles afin de les saturer partiellement ou totalement. On obtient ainsi des composés hydrogénés plus visqueux. La **figure 2.19** (page suivante) présente un mécanisme simplifié de la conversion par catalyse de surface de l'acide oléique en acide stéarique.

$$CH_3(CH_2)_7CH = CH(CH_2)_7COOH \ + \ H_2 \ \xrightarrow{\ Ni\ } \ CH_3(CH_2)_7CH_2\text{-}CH_2(CH_2)_7COOH$$

Acide oléique   Acide stéarique

La décomposition du peroxyde d'hydrogène, H_2O_2(aq), en H_2O(l) et O_2(g) est une réaction très exothermique catalysée par la surface de platine métallique d'une électrode en treillis. C'est une réaction similaire avec le cuivre qui a, semble-t-il, entraîné le naufrage du sous-marin russe *Koursk*.

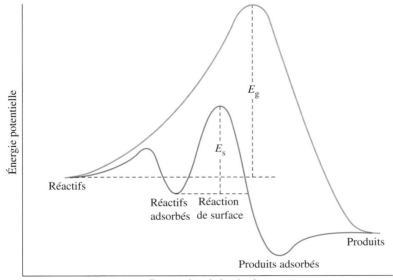

◀ Figure 2.18
Profil réactionnel d'une catalyse de surface

Dans le profil réactionnel (bleu) de la catalyse de surface, l'énergie d'activation de l'étape de réaction, E_s, est bien moindre que dans le profil énergétique (rouge) de la réaction en phase gazeuse non catalysée, E_g.

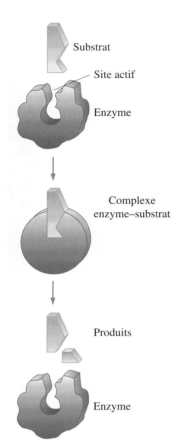

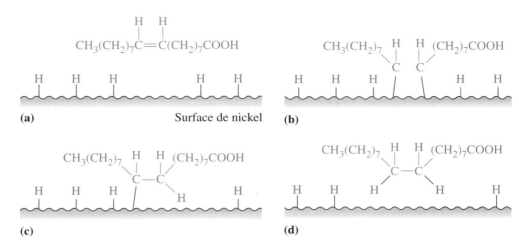

▲ **Figure 2.19**
Catalyse hétérogène sur une surface de nickel

(**a**) Une molécule d'acide oléique (bleue) s'approche de la surface de nickel sur laquelle des atomes H (rouges) ont été déposés par adsorption dissociative de molécules H_2. (**b**) L'acide oléique est adsorbée à la surface par les atomes C de la double liaison, qui se transforme du coup en liaison simple. Un premier atome H (**c**) puis un deuxième se lient aux atomes C adsorbés à la surface. (**d**) La molécule d'acide stéarique formée se détache de la surface et est ainsi libérée.

▲ **Figure 2.20**
Modèle de l'action enzymatique

Le modèle de l'ajustement induit stipule que les conformations du substrat et du site actif ne sont pas parfaitement complémentaires, mais que le site actif s'adapte au substrat, de la même façon qu'un gant prend la forme de la main qui s'y insère.

Enzyme

Protéine catalysant une réaction dans un organisme vivant.

Substrat

Réactif qui se lie à une molécule d'enzyme, au site actif, pour former un complexe qui se dissocie par la suite pour donner les produits, l'enzyme étant régénérée.

Site actif

Partie d'une molécule d'enzyme où se fixe un substrat pour former un complexe enzyme-substrat qui participe à la réaction chimique.

2.11 La catalyse enzymatique

Des substances comme le platine et le nickel peuvent catalyser une profusion de réactions mais, chez les organismes vivants, les catalyseurs sont habituellement très précis dans leur action. Presque tous sont des protéines de masse moléculaire élevée, appelées **enzymes**. Une enzyme ne catalyse habituellement qu'une réaction. Chez les organismes vivants, même une réaction simple, comme la transformation du dioxyde de carbone, $CO_2(g)$, en acide carbonique, $H_2CO_3(aq)$, est catalysée par une enzyme, dans ce cas-ci l'*anhydrase carbonique*. Chaque molécule d'enzyme peut transformer 100 000 molécules de CO_2 par seconde.

$$CO_2(g) \;+\; H_2O \xrightleftharpoons{\text{anhydrase carbonique}} H_2CO_3(aq)$$

Pour expliquer l'action enzymatique, les biochimistes utilisent souvent le modèle représenté à la **figure 2.20**, appelé modèle de l'*ajustement induit*. La substance réagissante, appelée **substrat** (S), se lie à un endroit de l'enzyme (E), appelé **site actif**, pour former un complexe enzyme-substrat (ES). Le complexe enzyme-substrat se décompose ensuite pour donner les produits (P), et l'enzyme est régénérée. À l'aide des symboles souvent utilisés par les biochimistes, on peut représenter le processus comme suit.

$$E + S \longrightarrow ES \longrightarrow E + P$$

Les facteurs qui influent sur l'activité enzymatique

Les vitesses des réactions catalysées par des enzymes dépendent de plusieurs facteurs, dont la concentration du substrat, [S], la concentration de l'enzyme, [E], l'acidité du milieu et la température.

La **figure 2.21** montre comment la vitesse de réaction varie en fonction de l'augmentation de la concentration du substrat, alors que celle de l'enzyme demeure constante. La vitesse de réaction augmente avec la concentration du substrat, mais jusqu'à un certain point. Le substrat finit par atteindre une concentration qui sature tous les sites actifs des molécules d'enzyme. La vitesse atteint un pallier, et une augmentation plus forte de la concentration du substrat ne la modifie pas.

À faible concentration, la réaction est d'ordre un par rapport au substrat, parce que la vitesse de formation du complexe enzyme-substrat est proportionnelle à [S].

Vitesse de formation de ES	$Vitesse = k[S]$	(2.17)

À une concentration élevée, l'addition de substrat ne peut pas accélérer la réaction. La vitesse de la réaction est indépendante de la concentration du substrat, et la réaction est d'ordre zéro.

$$Vitesse = k'[S]^0 = k'' \qquad (2.18)$$

Prenons l'exemple de 10 taxis (représentant les enzymes) attendant à une station pour transporter des gens (le substrat) en 10 minutes à une salle de concert. Un seul passager monte dans chaque véhicule (il y a un site actif par enzyme). Si seulement 5 personnes se présentent à la station, la vitesse à laquelle elles arriveront à la salle de concert sera de 5 personnes en 10 minutes. Si on porte à 10 le nombre de personnes qui se présentent à la station, la vitesse passera à 10 arrivées en 10 minutes. Si 20 personnes se rendent à la station de taxis, la vitesse sera toujours de 10 arrivées en 10 minutes. Les taxis seront « saturés ».

Si la concentration du substrat est maintenue constante et en *excès* (s'il y a toujours plus de personnes que de taxis), la vitesse de réaction sera proportionnelle à la concentration de l'enzyme. Plus il y a d'enzymes, plus la réaction est rapide (plus il y a de taxis, plus il y a de personnes transportées). La relation est valable pour une gamme étendue de concentrations de l'enzyme (**figure 2.22**).

Les enzymes sont des protéines portant des groupements acides ($-COOH$) et des groupements basiques ($-NH_2$). L'activité enzymatique dépend de la concentration des ions H^+ présents dans le milieu entourant l'enzyme. Chaque enzyme possède sa propre *acidité optimale*. Les enzymes de l'estomac sont le plus efficaces dans des milieux hautement acides, tandis que celles qui catalysent des réactions dans l'intestin grêle montrent une activité optimale dans des milieux légèrement basiques.

À titre d'exemple, considérons le *lysozyme,* une enzyme qui rompt certaines liaisons de molécules structurales complexes formant les parois cellulaires des bactéries. Le lysozyme n'est actif que lorsque deux conditions sont satisfaites simultanément.

1. L'acide aspartique, un des acides aminés qui forment le lysozyme, doit être ionisé, c'est-à-dire que le groupement libre $-COOH$ de l'acide aspartique doit être transformé en $-COO^-$.

2. L'acide glutamique, un autre acide aminé constituant du lysozyme, *ne* doit *pas* être ionisé, c'est-à-dire que le groupement $-COOH$ de l'acide glutamique doit demeurer intact.

Quand le milieu est légèrement acide, les deux conditions sont satisfaites, et le lysozyme est actif. Cependant, dans des solutions très acides ou très basiques, l'enzyme ne peut pas fonctionner. Dans le premier cas, les deux groupements acides sont présents sous la forme $-COOH$. Dans le deuxième cas, les deux groupements sont présents sous la forme $-COO^-$.

L'action enzymatique est sensible aux variations de température. En ce qui a trait aux cellules vivantes, l'étendue des températures optimales est plutôt étroite. Des températures plus élevées et plus basses peuvent rendre une enzyme inactive ou même tuer un organisme. Une variation de température modifie la conformation de la molécule de

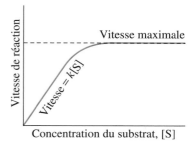

▲ **Figure 2.21 Influence de la concentration du substrat sur la vitesse de réaction quand la concentration de l'enzyme est maintenue constante**

Quand [S] est faible, la vitesse de réaction augmente en fonction de [S]. Aux valeurs élevées de [S], la vitesse de réaction est indépendante de [S], et on observe une vitesse maximale.

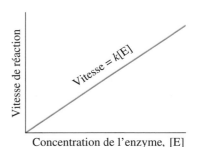

▲ **Figure 2.22 Influence de la concentration de l'enzyme sur la vitesse de réaction, la concentration du substrat étant maintenue constante et en excès**

protéine de sorte que le substrat ne s'ajuste plus au site actif. L'intervalle des températures à l'intérieur duquel les enzymes sont actives se situe généralement entre 10 °C et 50 °C. Cependant, certaines enzymes des bactéries *thermophiles* (qui résistent à la chaleur) fonctionnent bien autour de 100 °C. La *température optimale* de nombreuses enzymes de l'organisme humain est de 37 °C, la température normale du corps (**figure 2.23**).

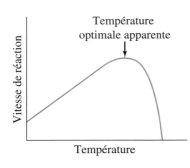

◀ **Figure 2.23**
Activité enzymatique en fonction de la température
Si la réaction hypothétique, dont la vitesse est représentée dans le graphique, avait lieu chez un humain, la température optimale serait, selon toute vraisemblance, de 37 °C, ce qui correspond à la température corporelle normale.

L'inhibition enzymatique

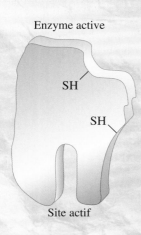

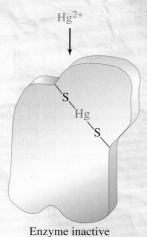

▲ **Figure 2.24**
Empoisonnement au mercure : un exemple d'inhibition enzymatique
Les ions de mercure(II) réagissent avec les groupements sulfhydryle pour modifier la conformation de l'enzyme et détruire le site actif.

Un *inhibiteur* est une substance qui réduit l'activité enzymatique ou qui la fait cesser complètement. Certains inhibiteurs se lient au site actif de l'enzyme et empêchent le substrat de se fixer. D'autres se lient ailleurs sur la molécule d'enzyme, mais modifient la conformation du site actif ou empêchent les molécules de substrat d'accéder au site. L'inhibition est un processus naturel important qui joue un rôle essentiel dans la croissance et le métabolisme ; toutefois, certaines substances ingérées agissent également comme inhibiteurs. Examinons certains inhibiteurs qui tuent (poisons) et d'autres qui maintiennent la vie (médicaments).

Les enzymes sont des protéines. De nombreuses protéines contiennent un acide aminé, la *cystéine,* qui porte un groupement sulfhydryle (−SH). Les ions de métaux lourds, comme Hg^{2+} et Pb^{2+}, peuvent désactiver ces enzymes en réagissant avec les groupements sulfhydryle pour former des sulfures. Cet empoisonnement peut avoir lieu dans un emplacement éloigné du site actif, le déformant ou le détruisant (**figure 2.24**).

Les enzymes jouent un rôle clé dans la chimie du système nerveux. Quand un signal électrique provenant du cerveau atteint l'extrémité d'une cellule nerveuse, des neurotransmetteurs sont libérés et transmettent le signal à une deuxième cellule nerveuse à travers un petit espace appelé *synapse.* Cette seconde cellule joue le rôle de récepteur du signal. Une fois que le neurotransmetteur a transmis le signal à la cellule voisine, une enzyme catalyse sa dégradation rapide. Dans le cas de l'acétylcholine, un neurotransmetteur particulièrement abondant, c'est l'enzyme cholinestérase qui la dégrade en acide acétique et en choline.

$$CH_3COOCH_2CH_2N^+(CH_3)_3 + H_2O \underset{\text{acétylase}}{\overset{\text{cholinestérase}}{\rightleftharpoons}} CH_3COOH + HOCH_2CH_2N^+(CH_3)_3$$

Acétylcholine   Acide acétique   Choline

En fait, la dégradation de l'acétylcholine ramène la cellule réceptrice à l'état de repos, ce qui la rend prête à recevoir le prochain influx. D'autres enzymes, comme l'acétylase, retransforment l'acide acétique et la choline en acétylcholine ; le cycle est ainsi accompli.

Les anticholinestérases bloquent l'action de la cholinestérase. Le *malathion* et le *parathion,* des insecticides, et le *tabun* et le *sarin,* des armes chimiques, sont des exemples bien connus de neurotoxines. La molécule de poison se lie fortement à la cholinestérase (**figure 2.25**) et empêche de ce fait l'enzyme de remplir sa fonction normale. Si la dégradation de l'acétylcholine est bloquée, la concentration de ce messager s'accroît. La cellule nerveuse réceptrice est ainsi continuellement stimulée et transmet alors l'influx à répétition. Il en résulte un effet excitateur pour les muscles, les glandes et les organes. Le cœur bat violemment et irrégulièrement. La victime entre en convulsions et meurt rapidement.

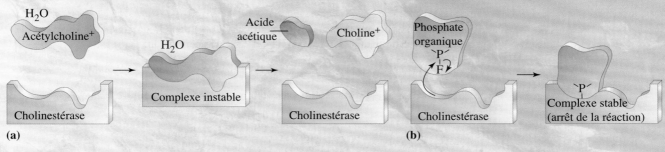

▲ **Figure 2.25**
Action de la cholinestérase et son inhibition
(a) La cholinestérase catalyse l'hydrolyse de l'acétylcholine en acide acétique et en choline. **(b)** Un phosphate organique (comme dans le sarin, un gaz neurotoxique) se lie à la cholinestérase, ce qui l'empêche de dégrader l'acétylcholine.

EXEMPLE **SYNTHÈSE**

En solution aqueuse acide, l'acide nitroacétique se décompose en nitrométhane et la réaction s'accompagne d'un dégagement de CO_2 gazeux.

$$CH_2(NO_2)COOH \longrightarrow CH_3NO_2 + CO_2(g)$$
$$\text{acide nitroacétique} \qquad \text{nitrométhane}$$

Lors d'une expérience, 0,1051 g d'acide nitroacétique a été soumis à la décomposition, et le CO_2 gazeux a été capté à 25,0 °C au-dessus d'une solution aqueuse de $CaCl_2$ saturée de CO_2 et possédant une pression de vapeur d'eau de 1,29 kPa. La pression barométrique était de 101,09 kPa. Utilisez les données suivantes du volume de gaz recueilli en fonction du temps pour calculer la demi-vie de cette réaction à 25,0 °C.

Temps (min) :	0	1,64	3,64	6,14	9,64	15,19
Volume (mL) :	0	3,96	7,93	11,92	15,93	19,93

➡ **Stratégie**

Le tableau des données du volume en fonction du temps rappelle le tableau 2.1. D'ailleurs, d'une façon semblable à ce qui est montré dans ce dernier, nous aurons besoin de relier le taux auquel le réactif (acide nitroacétique) disparaît au taux auquel un produit (dioxyde de carbone) apparaît. Nous pouvons facilement convertir la masse initiale du réactif en moles. Nous pouvons aussi, à l'aide de l'équation des gaz parfaits, trouver le nombre de moles du gaz recueilli, connaissant le volume et les données de pression et de température. À partir du nombre de moles de CO_2 produit à différents moments durant la réaction, nous pouvons calculer, pour chacun de ces moments, le nombre de moles d'acide nitroacétique qui n'a pas réagi. Ensuite, soit à l'aide d'un graphique des données cinétiques ou à l'aide de la *loi de vitesse intégrée appropriée*, nous pouvons déterminer la constante de vitesse et la demi-vie.

➔ Solution

D'abord, nous déterminons le nombre initial de moles à partir de la masse fournie de $CH_2(NO_2)COOH$ et à l'aide de la masse molaire (105,05 g/mol) comme facteur de conversion.

$$? \text{ mol} = 0,1051 \text{ g} \times \frac{1 \text{ mol}}{105,05 \text{ g}} = 1,000 \times 10^{-3} \text{ mol}$$

Ensuite, nous établissons la pression partielle du $CO_2(g)$ dans le gaz recueilli à partir de la pression barométrique et de la pression partielle de la vapeur d'eau.

$$P_{CO_2} = P_{bar} - P_{H_2O} \qquad \text{soit, } (101,09 - 1,29) \text{ kPa} = 99,80 \text{ kPa}$$

Nous pouvons aussi convertir en litres les volumes, v, de CO_2 recueillis.

$$v \text{ mL} \times \frac{1 \text{ L}}{1000 \text{ mL}} = \frac{v}{1000} \text{ L}$$

Par la suite, nous remplaçons la pression, le volume approprié et la température dans l'équation des gaz parfaits afin de calculer le nombre de moles.

$$n \text{ de } CO_2 = \frac{PV}{RT} = \frac{99,80 \text{ kPa} \times (v/1000) \text{ L}}{8,3145 \text{ kPa} \cdot \text{L} \cdot \text{mol}^{-1} \cdot \text{K}^{-1} \times (273,2 + 25,0) \text{ K}} = 4,025 \times 10^{-5} \times v \text{ mol}$$

À tout moment, le nombre de moles d'acide nitroacétique est égal à la différence entre la quantité initiale et la quantité consommée. Une mole d'acide nitroacétique est consommée pour chaque mole de CO_2 produite.

$$\text{mol de } CH_2(NO_2)COOH_{restant} = \text{mol } CH_2(NO_2)COOH_{initial} - \text{mol de } CO_2{}_{produit}$$

Pour faciliter le calcul, nous transformons la quantité initiale d'acide nitroacétique de $1,000 \times 10^{-3}$ mol en $10,00 \times 10^{-4}$ mol.

$$\text{mol de } CH_2(NO_2)COOH_{restant} = 10,00 \times 10^{-4} \text{ mol} - 4,025 \times 10^{-5} \times v \text{ mol}$$

Nous calculons le nombre de moles d'acide nitroacétique restant à $t = 1,64$ min en remplaçant v par la valeur de 3,96 mL.

$$\text{mol de } CH_2(NO_2)COOH_{restant} = 10,00 \times 10^{-4} \text{ mol} - (4,025 \times 10^{-5} \times 3,96) \text{ mol}$$
$$\text{mol de } CH_2(NO_2)COOH_{restant} = (10,00 \times 10^{-4} - 1,59 \times 10^{-4}) \text{ mol} = 8,41 \times 10^{-4} \text{ mol}$$

Des calculs semblables doivent être effectués pour toutes les autres données.

temps (min) :	0	1,64	3,64	6,14	9,64	15,19
volume (mL) :	0	3,96	7,93	11,92	15,93	19,93
mol de $CO_2 \times 10^{-4}$	0	1,59	3,19	4,80	6,41	8,02
mol d'acide $\times 10^{-4}$	10,00	8,41	6,81	5,20	3,59	1,98

Vérifions si les données sont conformes à l'équation de vitesse intégrée (2.7) pour une réaction d'ordre un. Nous utilisons $[A]_0 = 10,00 \times 10^{-4}$ mol. Dans le premier calcul, $[A]_t = 8,41 \times 10^{-4}$ mol ; dans le deuxième $[A]_t = 6,81 \times 10^{-4}$ mol, et ainsi de suite.

$$k = -\frac{1}{1,64 \text{ min}} \times \ln(8,41/10,00) = 0,106 \text{ min}^{-1}$$

$$k = -\frac{1}{3,64 \text{ min}} \times \ln(6,81/10,00) = 0,106 \text{ min}^{-1}$$

$$k = -\frac{1}{6,14 \text{ min}} \times \ln(5,20/10,00) = 0,107 \text{ min}^{-1}$$

$$k = -\frac{1}{9,64 \text{ min}} \times \ln(3,59/10,00) = 0,106 \text{ min}^{-1}$$

$$k = -\frac{1}{15,19 \text{ min}} \times \ln (1,98/10,00) = 0,107 \text{ min}^{-1}$$

La valeur de k est 0,106 min^{-1}, et la demi-vie est obtenue à l'aide de l'équation 2.9

$$t_{1/2} = \frac{0,693}{k} = \frac{0,693}{0,106 \text{ min}^{-1}} = 6,54 \text{ min}$$

➜ Évaluation

La valeur de la constante de vitesse, k, nous indique que la réaction est bien d'ordre un, ce qui nous autorise à calculer la demi-vie à l'aide de l'équation 2.9. Pour établir qu'une réaction est d'ordre un, il existe d'autres méthodes. On peut ainsi reporter les données sur un graphique comme dans la figure 2.6 et déduire k à partir de la pente de la droite. On peut également présumer que la réaction est d'ordre un en estimant $t_{1/2}$ à partir des valeurs calculées. Par exemple, dans la période de 6,14 min, la quantité d'acide nitroacétique est réduite de près de la moitié, soit de $10,00 \times 10^{-4}$ mol à $5,20 \times 10^{-4}$ mol, ce qui laisse croire que $t_{1/2}$ est légèrement plus longue que 6,14 min. Durant l'intervalle de 6,00 min entre 3,64 et 9,64 min, la quantité a également diminué de près de la moitié, laissant croire de nouveau à une demi-vie d'un peu plus de 6,00 min. Bien sûr, si ces méthodes ne permettent pas de confirmer que la réaction est d'ordre un, il faut avoir recours aux vérifications qui s'appliquent aux autres ordres de réaction et que nous avons décrites dans l'exemple 2.8.

Deux points méritent d'être notés. Si le $CO_2(g)$ était recueilli au-dessus de l'eau, plutôt que dans la solution aqueuse de $CaCl_2$ préalablement saturée de CO_2, quelques-unes des premières molécules produites se seraient dissoutes et n'apparaîtraient pas dans le gaz recueilli. Par ailleurs, il est acceptable d'utiliser les moles plutôt que les concentrations dans l'équation 2.7, car le paramètre volume qu'il faudrait ajouter pour convertir les moles en moles par litre s'annule au numérateur et au dénominateur du côté gauche de l'équation.

Résumé

2.1 **Un aperçu de la cinétique chimique** La **cinétique chimique** est l'étude des vitesses de réaction, des facteurs qui influent sur ces vitesses et des mécanismes réactionnels qui président au déroulement des réactions.

2.2 **La signification de la vitesse de réaction** La vitesse de réaction est basée sur la vitesse de disparition d'un réactif ou la vitesse de formation d'un produit; plus précisément, la **vitesse d'une réaction** est la variation de la concentration par unité de temps (mol · L^{-1} · s^{-1}). Pour la réaction $a\text{A} \longrightarrow c\text{C}$,

$$\text{Vitesse} = -\frac{1}{a}\frac{\Delta[\text{A}]}{\Delta t} = \frac{1}{c}\frac{\Delta[\text{C}]}{\Delta t} \qquad (2.1)$$

2.3 **La mesure des vitesses de réaction** À partir de résultats expérimentaux, on peut déterminer la vitesse moyenne de réaction, la **vitesse de réaction initiale** (vitesse à $t = 0$) et la **vitesse de réaction instantanée** (vitesse à un moment donné). En général, ces vitesses

diffèrent l'une de l'autre parce qu'elles dépendent de la concentration des réactifs, laquelle décroît avec le temps.

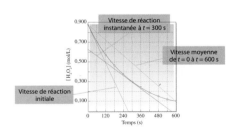

2.4 **La loi de vitesse d'une réaction chimique** La **loi de vitesse** d'une réaction est l'équation :

$$\text{Vitesse} = k\,[\text{A}]^m\,[\text{B}]^n\,... \qquad (2.4)$$

La constante k est la **constante de vitesse**, m est l'**ordre de la réaction** par rapport à A, n, l'ordre de réaction par rapport à B, et $m + n + ...$ est l'ordre global. On obtient les valeurs de m, n, ... expérimentalement. On peut utiliser la loi de vitesse pour calculer la valeur de k une fois connu l'ordre de la réaction.

L'ordre de la réaction et la constante de vitesse sont souvent déterminés par la **méthode des vitesses initiales**.

2.5 **Les réactions d'ordre un** Une loi de vitesse intégrée établit un rapport entre la concentration et le temps. La **loi de vitesse intégrée** pour une réaction d'**ordre un** est :

$$\ln ([A]_t / [A]_0) = -k\,t \qquad (2.7)$$

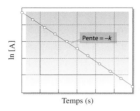

La constante de vitesse, k, est l'opposé de la pente de la droite : $\ln [A]_t$ en fonction de t. La **demi-vie ($t_{1/2}$)** d'une réaction est le temps qu'il faut pour que la moitié d'un réactif présent au départ soit consommée. La demi-vie d'une réaction d'ordre un est constante :

$$t_{1/2} = 0{,}693/k \qquad (2.9)$$

2.6 **Les réactions d'ordre zéro et d'ordre deux** Dans une **réaction d'ordre zéro**, la vitesse est indépendante de la concentration des réactifs, et le graphique de la concentration des réactifs en fonction du temps donne une droite.

Dans une **réaction d'ordre deux**, la somme des exposants dans la loi de vitesse est égale à deux. Dans la réaction d'ordre deux dont la loi de vitesse $= k\,[A]^2$ (2.10), la courbe de $1/[A]$ en fonction de t donne une droite.

Pour les réactions d'ordre zéro et d'ordre deux, la demi-vie dépend de la concentration initiale et de la constante de vitesse k. La loi de vitesse intégrée et la demi-vie pour une réaction d'ordre deux s'expriment comme suit :

$$\frac{1}{[A]_t} = kt + \frac{1}{[A]_0} \quad (2.11) \quad \text{et} \quad t_{1/2} = \frac{1}{k\,[A]_0} \quad (2.12)$$

2.7 **Les théories de la cinétique chimique** Les réactions chimiques ont lieu quand des molécules qui possèdent une énergie suffisante entrent en collision avec l'orientation appropriée. Le point, au cours de la collision, où les réactifs se transforment en produits est l'**état de transition**. L'espèce transitoire formée lors de cet

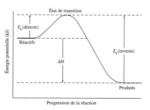

état de transition est appelée **complexe activé**. Un **profil réactionnel** donne la progression d'une réaction relativement aux variations de l'énergie potentielle du mélange

réactionnel. L'énergie potentielle s'élève du niveau des réactifs à celui de l'état de transition, puis redescend à l'énergie potentielle des produits. L'énergie en excès que possède l'état de transition par rapport à celle des réactifs est l'**énergie d'activation (E_a)** de la réaction. Le profil réactionnel montre également la différence d'énergie potentielle entre les réactifs et les produits, ou variation d'enthalpie (ΔH) de la réaction.

2.8 **L'influence de la température sur les vitesses de réaction** À une température élevée, les réactions se déroulent généralement plus rapidement en raison de l'importante augmentation de la proportion des collisions moléculaires efficaces qui donnent les produits. En général, on exprime l'influence de la température et de l'énergie d'activation sur la constante de vitesse au moyen de l'équation d'Arrhenius,

$$k = Ae^{-E_a/RT} \qquad (2.14)$$

La droite de $\ln k$ en fonction de $1/T$ a une pente de $-E_a/R$.

2.9 **Les mécanismes réactionnels** Un mécanisme **réactionnel** plausible, décrivant les étapes par lesquelles les réactifs sont transformés en produits, peut être déduit de la loi de vitesse déterminée expérimentalement et consiste généralement en une suite de **réactions élémentaires**. Ces réactions élémentaires représentent la **molécularité** d'une réaction : le nombre d'atomes libres, d'ions ou de molécules qui entrent en collision. La réaction élémentaire la plus lente est, dans de nombreux cas, l'**étape déterminante de la vitesse de réaction**. La somme des réactions élémentaires doit correspondre à l'équation globale observée, et la loi de vitesse obtenue à partir du mécanisme doit être la même que la loi trouvée expérimentalement.

2.10 **La catalyse** Un **catalyseur** accélère une réaction en changeant son mécanisme pour un autre dont l'énergie d'activation est plus faible ; le catalyseur est régénéré dans la réaction. Certains catalyseurs fonctionnent dans un mélange homogène (catalyse homogène) ; d'autres fournissent une surface sur laquelle la réaction a lieu (catalyse hétérogène).

2.11 **La catalyse enzymatique** Une **enzyme** est une molécule biologique, la plupart du temps une protéine de masse moléculaire élevée, qui agit comme catalyseur. Dans la catalyse enzymatique, les **substrats** (S), ou réactifs, se lient à un **site actif** sur l'enzyme (E) pour former un complexe (ES) qui se dissocie en molécules de produits (P).

$$\text{E} + \text{S} \longrightarrow \text{ES} \longrightarrow \text{E} + \text{P}$$

L'activité enzymatique dépend de la concentration du substrat, de l'acidité du milieu et de la température.

Mots clés

Vous trouverez également la définition des mots clés dans le glossaire à la fin du livre.

Problèmes par sections

 Les solutions présentées sous forme de clips sont indiquées par ▶

2.2 La mesure des vitesses de réaction

1. Expliquez pourquoi la vitesse de disparition de NO et la vitesse de formation de N_2 ne sont pas les mêmes dans la réaction suivante :

$$2\ CO(g) + 2\ NO(g) \longrightarrow 2\ CO_2(g) + N_2(g).$$

2. Expliquez pourquoi une vitesse *générale* de réaction demeure constante quel que soit le réactif ou le produit observé. Utilisez la réaction, $N_2(g) + 3\ H_2(g) \longrightarrow 2\ NH_3(g)$ pour illustrer votre explication.

2.3 La mesure des vitesses de réaction

3. Quelle est la différence entre la vitesse moyenne et la vitesse instantanée d'une réaction ? La vitesse moyenne peut-elle être la même que la vitesse instantanée ? Expliquez votre réponse.

4. Quelle est la différence entre la vitesse initiale et la vitesse instantanée d'une réaction ? Ces deux quantités peuvent-elles être les mêmes ? Expliquez votre réponse.

5. Dans la réaction $H_2O_2(aq) \longrightarrow H_2O(l) + \frac{1}{2}O_2(g)$, la concentration initiale de H_2O_2 est de 0,1108 mol/L et, après 12 s, la concentration est de 0,1060 mol/L. Quelle est la vitesse initiale de la réaction exprimée en :

a) moles par litre par seconde ($mol\cdot L^{-1}\cdot s^{-1}$) ?

b) moles par litre par minute ($mol\cdot L^{-1}\cdot min^{-1}$) ?

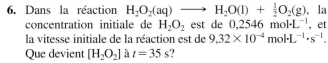

6. Dans la réaction $H_2O_2(aq) \longrightarrow H_2O(l) + \frac{1}{2}O_2(g)$, la concentration initiale de H_2O_2 est de 0,2546 $mol\cdot L^{-1}$, et la vitesse initiale de la réaction est de $9,32 \times 10^{-4}\ mol\cdot L^{-1}\cdot s^{-1}$. Que devient $[H_2O_2]$ à $t = 35\ s$?

7. Dans la réaction $2\ A + 2\ B \longrightarrow C + 2\ D$, la vitesse de disparition de A est de $-2,2 \times 10^{-4}\ mol\cdot L^{-1}\cdot s^{-1}$.

a) Quelle est la vitesse de disparition de B ?

b) Quelle est la vitesse de formation de C ?

c) Quelle est la vitesse générale de la réaction (page 68) ?

8. Dans la réaction $A + 2\ B \longrightarrow C + 3\ D$, la vitesse de disparition de B est de $-6,2 \times 10^{-4}\ mol\cdot L^{-1}\cdot s^{-1}$.

a) Quelle est la vitesse de disparition de A ?

b) Quelle est la vitesse de formation de D ?

c) Quelle est la vitesse générale de la réaction (page 68) ?

9. Pour la réaction $A \longrightarrow$ produits, le graphique de $[A]$ en fonction du temps donne une droite. Quel est l'ordre de cette réaction ?

10. ▶ La vitesse de réaction et la constante de vitesse, k, ont les mêmes unités seulement pour des réactions d'un ordre global particulier. Vérifiez cet énoncé et indiquez l'ordre de réaction.

11. Voici deux énoncés relatifs à la réaction $2\ A + B \longrightarrow 2\ C$, pour laquelle la loi de vitesse s'exprime comme suit : Vitesse $= k[A][B]$.

Déterminez quel énoncé est vrai et lequel est faux, et expliquez votre raisonnement.

a) La valeur de k est *indépendante* de la concentration initiale, $[A]_0$ et $[B]_0$.

b) L'unité de la constante de vitesse de cette réaction peut être exprimée par s^{-1} ou par min^{-1}.

12. Voici deux énoncés relatifs à la réaction $2\ A \longrightarrow B + C$. Un des deux est vrai et l'autre peut être faux. Distinguez les deux et expliquez votre raisonnement.

a) On peut déterminer la demi-vie de cette réaction au moyen de l'expression $t_{1/2} = 1/k[A]_0$, où k est la constante de vitesse et $[A]_0$ est la concentration initiale de A.

b) La vitesse de production de B n'est pas la même que la vitesse de consommation de A.

2.4 La loi de vitesse d'une réaction chimique

13. On suit la vitesse de la réaction suivante en solution aqueuse

$$2\,HgCl_2 + C_2O_4^{2-} \longrightarrow 2\,Cl^- + 2\,CO_2(g) + Hg_2Cl_2(s)$$

en mesurant le nombre de moles de Hg_2Cl_2 qui précipite par litre par minute. Le tableau ci-dessous présente les données obtenues.

a) Déterminez l'ordre de la réaction par rapport à $HgCl_2$ et à $C_2O_4^{2-}$, et l'ordre global.

b) Quelle est la valeur de la constante de vitesse, k ?

c) Quelle serait la vitesse initiale de réaction si $[HgCl_2] = 0,020$ mol·L^{-1} et $C_2O_4^{2-} = 0,22$ mol·L^{-1} ?

Expérience	[HgCl₂] (mol·L^{-1})	[C₂O₄²⁻] (mol·L^{-1})	Vitesse initiale (mol·L^{-1}·min^{-1})
1	0,105	0,15	$1,8 \times 10^{-5}$
2	0,105	0,30	$7,1 \times 10^{-5}$
3	0,052	0,30	$3,5 \times 10^{-5}$
4	0,052	0,15	$8,9 \times 10^{-6}$

14. On suit la vitesse de la réaction suivante en solution aqueuse

$$S_2O_8^{2-} + 3\,I^- \longrightarrow 2\,SO_4^{2-} + I_3^-$$

en mesurant la vitesse de formation de I_3^-. Le tableau en haut de la colonne de droite présente les données obtenues.

a) Déterminez l'ordre de réaction par rapport à $S_2O_8^{2-}$ et par rapport à I^-, et l'ordre global.

b) Quelle est la valeur de la constante de vitesse, k ?

c) Quelle serait la vitesse initiale de la réaction si $[S_2O_8^{2-}] = 0,025$ mol·L^{-1} et $[I^-] = 0,045$ mol·L^{-1} ?

Expérience	[S₂O₈²⁻] (mol·L^{-1})	[I⁻] (mol·L^{-1})	Vitesse initiale (mol·L^{-1}·s^{-1})
1	0,038	0,060	$1,4 \times 10^{-5}$
2	0,076	0,060	$2,8 \times 10^{-5}$
3	0,076	0,120	$5,6 \times 10^{-5}$

15. Dans la réaction A $\longrightarrow$ produits, on trouve que, lorsque [A] atteint la moitié de sa valeur initiale, la réaction ne s'effectue qu'à un quart de sa vitesse initiale. La réaction est-elle d'ordre zéro, un ou deux ? Expliquez votre réponse.

16. Dans la réaction A $\longrightarrow$ produits, pour laquelle la concentration initiale $[A]_0 = 1,512$ mol/L, on trouve que $[A] = 1,496$ mol/L à $t = 30$ s. Si la concentration initiale $[A]_0 = 2,584$ mol/L, on trouve que $[A] = 2,552$ mol/L à $t = 1$ min. Quel est l'ordre de cette réaction ?

17. Utilisez la valeur de $k = 3,66 \times 10^{-3}$ s^{-1} pour établir la vitesse instantanée de la décomposition d'ordre un de $H_2O_2(aq)$ 2,05 mol/L.

18. Quelle devrait être la vitesse instantanée de la décomposition d'ordre un de $H_2O_2(aq)$ à 3 %, en masse ? Considérez que la solution a une masse volumique de 1,00 g/mL et que $k = 3,66 \times 10^{-3}$ s^{-1}.

2.5 Les réactions d'ordre un

19. Quelles variables sont respectivement mises en relation à l'aide de la *loi de vitesse* d'une réaction et de la *loi de vitesse intégrée* ? Écrivez ces deux équations pour la réaction d'ordre un : $N_2O_5(g) \longrightarrow 2\,NO_2(g) + \frac{1}{2}O_2(g)$.

20. Une réaction d'ordre un, A $\longrightarrow$ produits, a une vitesse de 0,002 50 mol·L^{-1}·s^{-1} quand [A] = 0,484 mol·L^{-1}. Quelle est la constante de vitesse, k, de cette réaction ?

21. Une réaction d'ordre un, A $\longrightarrow$ produits, a une constante de vitesse, k, de 0,0462 min^{-1}. Quelle est la valeur de [A] quand la réaction se déroule à une vitesse de 0,0150 mol·L^{-1}·min^{-1} ?

22. Dans la réaction d'ordre un, A $\longrightarrow$ produits, est-ce que $t_{3/4}$ dépend de la concentration initiale ? Et $t_{4/5}$? Expliquez vos réponses.

23. Il faut 12 minutes pour que la réaction d'ordre un, A $\longrightarrow$ produits, soit accomplie à 12 % et 48 minutes pour qu'elle le soit à 56 %. *Sans effectuer de calculs détaillés*, déterminez en combien de temps la réaction serait accomplie à 78 %. (*Indice* : Quel est le pourcentage qui reste à chacun de ces temps ?)

24. Dans la décomposition d'ordre un du pentoxyde de diazote à 335 K,

$$N_2O_5(g) \longrightarrow 2\,NO_2 + \frac{1}{2}O_2$$

supposez qu'on commence la réaction avec un échantillon de 2,50 g de N_2O_5 à 335 K et qu'il reste 1,50 g après 109 s.

a) Quelle est la valeur de la constante de vitesse, k ?

b) Quelle est la demi-vie de la réaction ?

c) Quelle masse de N_2O_5 restera après 5,0 min ?

25. La demi-vie de la décomposition du chlorure de sulfuryle à 320 °C est de 8,75 h.

$$SO_2Cl_2(g) \longrightarrow SO_2(g) + Cl_2(g)$$

a) Quelle est la valeur de la constante de vitesse, k, en s^{-1} ?

b) Quelle est la pression du chlorure de sulfuryle 3,00 h après le début de la réaction si la pression initiale est de 96,2 kPa ?

c) Combien de temps, après le début de la réaction, la pression du chlorure de sulfuryle deviendra-t-elle de 16,7 kPa ?

26. Le nitrate de peroxyacétyle (PAN), un constituant du smog, se dissocie en radical peroxyacétyle et en $NO_2(g)$ selon une réaction d'ordre un dont la demi-vie est de 32 min.

$$\underset{\text{PAN}}{CH_3\overset{O}{\overset{\|}{C}}OONO_2} \longrightarrow \underset{\substack{\text{Radical} \\ \text{peroxyacétyle}}}{CH_3\overset{O}{\overset{\|}{C}}OO\cdot} + NO_2$$

Si la concentration initiale de PAN dans un échantillon d'air est de $5,0 \times 10^{14}$ molécules/L, que deviendra-t-elle après 1,50 h ?

27. La décomposition du méthoxyméthane à 504 °C est une réaction d'ordre un dont la demi-vie est de 27 min.

$$(CH_3)_2O(g) \longrightarrow CH_4(g) + H_2(g) + CO(g)$$

a) Quelle sera la pression partielle de $(CH_3)_2O(g)$ après 1,00 h si sa pression initiale était de 83,4 kPa ?

b) Quelle sera la pression totale des gaz après 1,00 h ? [*Indice :* $(CH_3)_2O$ et ses produits de décomposition sont les seuls gaz présents dans le réacteur.]

2.6 Les réactions d'ordre zéro et d'ordre deux

28. Reportez-vous à la figure 2.8 (page 85), qui décrit la décomposition de l'ammoniac sur une surface de tungstène à 1100 °C, et déterminez $[NH_3]$ à $t = 335$ s si initialement $[NH_3] = 0,0452$ mol/L.

29. Considérez le problème 28. Quelle est la demi-vie de la réaction dans laquelle $[NH_3] = 0,0452$ mol/L ?

30. La constante de vitesse de la décomposition d'ordre deux de l'iodure d'hydrogène à 700 K est $k = 1,2 \times 10^{-3}$ L·mol^{-1}·s^{-1}. Dans une réaction où $[HI]_0 = 0,56$ mol·L^{-1}, que deviendra $[HI]$ à $t = 2,00$ h ?

31. Considérez le problème 30. En combien de temps $[HI]$ sera-t-elle égale à 0,28 mol·L^{-1} pour la réaction décrite ?

32. Les données du tableau suivant ont été obtenues à la suite de deux expériences relativement à la réaction A $\longrightarrow$ produits. Déterminez la loi de vitesse de cette réaction, incluant la valeur de k.

Expérience 1		Expérience 2	
[A]	Temps	[A]	Temps
(mol·L^{-1})	(s)	(mol·L^{-1})	(s)
0,800	0	0,400	0
0,775	40	0,390	64
0,750	83	0,380	132
0,725	129	0,370	203
0,700	179	0,360	278

33. Les tableaux ci-dessous présentent les vitesses initiales, exprimées en termes de vitesse de diminution de la pression partielle d'un réactif dans la réaction indiquée, à 826 °C. Déterminez la loi de vitesse de cette réaction, incluant la valeur de k.

$$NO(g) + H_2(g) \longrightarrow \tfrac{1}{2}N_2(g) + H_2O(g)$$

Au départ : $P_{H_2} = 53,3$ kPa	
P_{NO} initiale (kPa)	Vitesse (kPa·s^{-1})
47,9	0,100
40,0	0,0686
20,3	0,0167

Au départ : $P_{NO} = 53,3$ kPa	
P_{H_2} initiale (kPa)	Vitesse (kPa·s^{-1})
38,5	0,107
27,3	0,0733
19,6	0,0526

2.7 Les théories de la cinétique chimique

34. Les réactions chimiques ont lieu à la suite de collisions moléculaires, et on peut calculer la fréquence de ces collisions grâce à la théorie cinétique des gaz. Toutefois, les calculs des vitesses de réaction ne sont généralement pas couronnés de succès. Expliquez pourquoi il en est ainsi.

35. Une augmentation de température de 10 °C entraîne un accroissement de la fréquence des collisions de moins de 10 %. Pourtant, cette augmentation peut faire doubler ou plus la vitesse d'une réaction. Comment expliquer cette apparente contradiction ?

36. Un mélange d'hydrogène et d'oxygène gazeux est indéfiniment stable à la température ambiante mais, sous l'effet d'une étincelle, le mélange explose immédiatement. Comment pouvez-vous expliquer cette observation ?

37. L'énergie d'activation d'une réaction endothermique n'est jamais inférieure à la variation d'enthalpie de la réaction. Peut-on faire la même affirmation au sujet des réactions exothermiques ? Expliquez votre réponse.

2.8   L'influence de la température sur les vitesses de réaction

38. Les constantes de vitesse de la décomposition d'ordre un de l'acide 3-oxopentanedioïque

$$CO(CH_2COOH)_2(aq) \longrightarrow (CH_3)_2CO(aq) + 2\ CO_2$$
Acide   Acétone
3-oxopentanedioïque

sont $k = 4{,}75 \times 10^{-4}\ s^{-1}$ à 293 K et $k = 1{,}63 \times 10^{-3}\ s^{-1}$ à 303 K. Quelle est l'énergie d'activation, E_a, de cette réaction ?

39. La décomposition du peroxyde de di-*tert*-butyle (DTBP)

$$C_8H_{18}O_2(g) \longrightarrow 2\ (CH_3)_2CO(g) + C_2H_6(g)$$
DTBP   Acétone   Éthane

est une réaction d'ordre un, dont la demi-vie est de 320 min à 135 °C et de 100 min à 145 °C. Calculez E_a de cette réaction.

40. La décomposition de l'oxyde d'éthylène à 652 K

$$(CH_2)_2O(g) \longrightarrow CH_4(g) + CO(g)$$

est une réaction d'ordre un dont $k = 0{,}0120\ min^{-1}$. L'énergie d'activation de la réaction est de 218 kJ/mol. Calculez la constante de vitesse de la réaction à 525 K.

2.9   Les mécanismes réactionnels

41. Quelles exigences un mécanisme réactionnel plausible doit-il principalement satisfaire ? Pourquoi dit-on mécanisme « plausible » plutôt que mécanisme « obligé » ?

42. Quelle est la différence entre un *complexe activé* et un *intermédiaire* dans un mécanisme réactionnel ?

43. Pour la réaction du problème 40, calculez la température à laquelle la constante de vitesse $k = 0{,}0100\ min^{-1}$.

44. Il est facile de comprendre comment, dans un mécanisme réactionnel, une réaction élémentaire bimoléculaire peut avoir lieu à la suite d'une collision entre deux molécules. Comment pensez-vous qu'un processus unimoléculaire puisse avoir lieu ?

45. Pourquoi ne doit-on pas nécessairement s'attendre à ce que la loi de vitesse d'une réaction globale soit la même que elle d'une des réactions élémentaires dans un mécanisme réactionnel plausible? Donnez *deux* situations, toutefois, où c'est peut-être le cas.

46. On propose le mécanisme plausible suivant :
$$A + B \longrightarrow I \qquad \text{(lente)}$$
$$I + B \longrightarrow C + D \qquad \text{(rapide)}$$

a) Quelle est la réaction globale décrite par ce mécanisme ?
b) Quelle serait une loi de vitesse plausible pour la réaction ?

47. On trouve que la réaction $A + 2\ B \longrightarrow C + 2\ D$ est d'ordre un par rapport à A et d'ordre un par rapport à B. Un mécanisme proposé pour cette réaction fait intervenir la première étape suivante :
$$A + B \longrightarrow I + D \qquad \text{(lente)}$$

a) Écrivez une deuxième étape plausible dans un mécanisme à deux étapes.
b) La deuxième étape est-elle lente ou rapide ? Expliquez votre réponse.

48. À des températures inférieures à 600 K, la réaction suivante présente la loi de vitesse : Vitesse = $k[NO_2]^2$.
$$NO_2(g) + CO(g) \longrightarrow NO(g) + CO_2(g)$$

Proposez un mécanisme en deux étapes qui fait intervenir une étape rapide et une étape lente, et qui est conforme à l'équation globale et à la loi de vitesse expérimentale.

49. Expliquez pourquoi le mécanisme suivant *n'est pas* plausible pour la réaction du problème 48.

Rapide	$2\ NO_2 \rightleftharpoons N_2O_4$
Lent	$N_2O_4 + 2\ CO \longrightarrow 2\ NO + 2\ CO_2$

50. La réaction suivante présente la loi de vitesse : Vitesse = $k[NO]^2[Cl_2]$.
$$2\ NO(g) + Cl_2(g) \longrightarrow 2\ NOCl(g)$$

Expliquez pourquoi le mécanisme suivant *n'est pas* plausible pour cette réaction.

Rapide	$NO + Cl_2 \rightleftharpoons NOCl + Cl$
Lent	$NO + Cl \longrightarrow NOCl$

51. Proposez un mécanisme en deux étapes qui fait intervenir une étape réversible rapide et une étape lente, et qui est conforme à l'équation globale et à la loi de vitesse expérimentale de la réaction du problème 50.

52. Montrez que le mécanisme proposé est conforme à la loi de vitesse de la réaction suivante en solution aqueuse,
$$Hg_2^{2+} + Tl^{3+} \longrightarrow 2\ Hg^{2+} + Tl^+$$

pour laquelle la loi de vitesse est

$$\text{Vitesse} = k \times \frac{[Hg_2^{2+}][Tl^{3+}]}{[Hg^{2+}]}$$

Mécanisme proposé

Rapide	$Hg_2^{2+} \rightleftharpoons Hg^{2+} + Hg$
Lent	$Hg + Tl^{3+} \longrightarrow Hg^{2+} + Tl^+$

53. Montrez que le mécanisme proposé est conforme à la loi de vitesse de la réaction suivante,
$$2\ H_2(g) + 2\ NO(g) \longrightarrow N_2(g) + 2\ H_2O(g)$$

pour laquelle la loi de vitesse est : Vitesse = $k[H_2][NO]^2$.

Mécanisme proposé

$$2\ NO \rightleftharpoons N_2O_2$$
$$N_2O_2 + H_2 \longrightarrow N_2O + H_2O$$
$$N_2O + H_2 \longrightarrow N_2 + H_2O$$

Quelle doit être l'étape déterminante de la vitesse de réaction dans ce mécanisme ? Expliquez votre réponse.

2.10 et **2.11** **La catalyse et la catalyse enzymatique**

54. Nommez *deux* exigences importantes qu'une substance doit satisfaire pour être considérée comme catalyseur d'une réaction chimique.

55. On étudie habituellement la décomposition de $H_2O_2(aq)$ en présence de $I^-(aq)$. La réaction est d'ordre un par rapport à H_2O_2 et à I^-. Pourquoi peut-on traiter la réaction comme si elle était d'ordre global un plutôt que d'ordre deux ?

56. Décrivez de façon générale comment le profil réactionnel de la réaction à catalyse de surface de SO_2 et O_2 pour former SO_3 diffère du profil en phase gazeuse homogène de la réaction non catalysée.

57. La température optimale d'une enzyme bactérienne est de 35 °C. L'enzyme sera-t-elle plus ou moins active à la température normale du corps humain ? Sera-t-elle plus ou moins active si la personne qu'elle infecte a une fièvre de 40 °C ?

58. Décrivez les modes de fonctionnement d'un inhibiteur enzymatique.

59. La cinétique de quelques réactions à catalyse de surface est semblable aux réactions catalysées par des enzymes. Expliquez ce lien.

60. Qu'arrive-t-il à la vitesse d'une réaction catalysée par une enzyme, si la concentration du substrat X est doublée, dans les cas suivants ?

a) La concentration de X est faible.
b) La concentration de X est très élevée.

Problèmes complémentaires ☆ Problème défi ◎ Problème synthèse

61. Les demi-vies des réactions d'ordre zéro et d'ordre deux dépendent toutes deux de la concentration initiale de même que de la constante de vitesse, *k*. Dans un cas, la demi-vie s'allonge à mesure que la concentration initiale augmente et, dans l'autre cas, elle diminue. Distinguez les deux, et dites pourquoi la situation n'est pas la même dans les deux cas.

62. Soit la réaction A $\longrightarrow$ produits, et trois réactions hypothétiques qui ont toutes une constante de vitesse, *k,* de même valeur numérique : la première, d'ordre zéro ; la deuxième, d'ordre un ; et la troisième, d'ordre deux. Quelle doit être la concentration initiale du réactif, $[A]_0$, pour que les réactions suivantes aient la même demi-vie ?

a) Réactions d'ordre zéro et d'ordre un
b) Réactions d'ordre zéro et d'ordre deux
c) Réactions d'ordre un et d'ordre deux

63. Dans la réaction d'ordre un, A $\longrightarrow$ produits, on a trouvé les concentrations suivantes aux temps indiqués : $t = 0$ s, $[A] = 0,88$ mol/L ; 25 s, 0,74 mol/L ; 50 s, 0,62 mol/L ; 75 s, 0,52 mol/L ; 100 s, 0,44 mol/L ; 125 s, 0,37 mol/L ; 150 s, 0,31 mol/L. Calculez la vitesse de réaction instantanée à $t = 125$ s.

64. On peut suivre la décomposition de $H_2O_2(aq)$ en retirant des échantillons du mélange réactionnel et en les titrant avec $MnO_4^-(aq)$.

$$2\,MnO_4^- + 5\,H_2O_2 + 6\,H^+ \longrightarrow 2\,Mn^{2+} + 8\,H_2O + 5\,O_2(g)$$

Supposons que, à chacun des temps présentés dans le tableau 2.1 (page 71), on prélève un échantillon de 5,00 mL du $H_2O_2(aq)$ restant et qu'on le titre avec $KMnO_4$ 0,0500 mol/L. Ajoutez une colonne au tableau pour inscrire le volume de $KMnO_4$ requis pour le titrage au début, à $t = 60$ s, à $t = 120$ s, et ainsi de suite.

65. Reportez-vous au problème 64. Puisque les volumes de $KMnO_4$ 0,0500 mol/L requis pour les titrages sont proportionnels au $[H_2O_2]$ restant, on peut représenter graphiquement ln (mL de $KMnO_4$) en fonction du temps et déterminer une valeur de *k* pour la décomposition de $H_2O_2(aq)$. Montrez qu'on obtient la même valeur qu'à la figure 2.5.

66. Le chlorure de benzènediazonium se décompose dans l'eau pour donner $N_2(g)$.

$$C_6H_5N_2Cl \xrightarrow{\hspace{1.5cm}} C_6H_5Cl + N_2(g)$$

On a obtenu les données présentées dans le tableau ci-dessous pour la décomposition d'une solution 0,071 mol/L à 50 °C ($t = \infty$ correspond à la réaction complète). Pour obtenir $[C_6H_5N_2Cl]$ en fonction du temps, remarquez que, durant les trois premières minutes, le volume de $N_2(g)$ produit était de 10,8 mL sur un total de 58,3 mL, ce qui correspond à une fraction de la réaction totale : 10,8 mL/58,3 mL = 0,185. Cette même fraction du $C_6H_5N_2Cl$ disponible a été consommée durant le même temps.

Temps (min)	Volume de $N_2(g)$ (mL)	Temps (min)	Volume de $N_2(g)$ (mL)
0	0	18	41,3
3	10,8	21	44,3
6	19,3	24	46,5
9	26,3	27	48,4
12	32,4	30	50,4
15	37,3	∞	58,3

a) Tracez un graphique illustrant la disparition de $C_6H_5N_2Cl$ et la formation de $N_2(g)$ en fonction du temps.
b) Quelle est la vitesse de formation initiale de $N_2(g)$?
c) Quelle est la vitesse de disparition de $C_6H_5N_2Cl$ à $t = 20$ min ?
d) Quelle est la demi-vie, $t_{1/2}$, de la réaction ?
e) Écrivez la loi de vitesse pour cette réaction, incluant la valeur de la constante de vitesse, *k*.

67. Reportez-vous au problème 39. À 147 °C, la décomposition du DTBP est une réaction d'ordre un dont la demi-vie est de 80,0 min. Supposez qu'on introduit un échantillon de 4,50 g de DTBP dans un ballon de 1,00 L à 147 °C.

a) Quelle est la pression initiale du gaz dans le ballon ?

b) Quelle est la pression *totale* des gaz dans le ballon après 80,0 min ?

c) Quelle est la pression *totale* des gaz après 125 min ?

68. Reportez-vous au problème 26. La demi-vie de la décomposition du PAN à 25 °C est de 32 min, et l'énergie d'activation de la réaction est de 113 kJ/mol.

a) Quelle est la demi-vie à 35 °C ?

b) Quelle est la vitesse initiale de décomposition du PAN si on en injecte $6,0 \times 10^{14}$ molécules dans un échantillon d'air à 35 °C ?

69. La constante de vitesse de la dissociation d'ordre un du cyclobutane en éthylène

$$cyclo\text{-}C_4H_8(g) \longrightarrow 2\ C_2H_4(g)$$

peut être représentée par $k = 4,0 \times 10^{16}\ s^{-1}\ (e^{-E_a/RT})$, où $E_a = 262$ kJ/mol. Déterminez à quelle température la demi-vie de la réaction sera de 1,00 min.

70. La conversion du bromure de *tert*-butyle en *tert*-butanol est réalisée selon la réaction d'ordre un

$$(CH_3)_3CBr + H_2O \longrightarrow (CH_3)_3COH + HBr$$

bromure
de *tert*-butyle   *tert*-butanol

La demi-vie de cette réaction est de 14,1 h à 25 °C et de 48,8 min à 50 °C. Combien de temps faut-il pour que cette réaction soit accomplie à 90 % à 65 °C ?

71. Une règle empirique en cinétique stipule que, pour beaucoup de réactions, une augmentation de 10 °C fait à peu près doubler la vitesse. Quelle doit être l'énergie d'activation d'une réaction si on trouve que sa vitesse double effectivement entre 25 °C et 35 °C ?

72. Dans quel type de réaction s'attend-on à ce que la vitesse augmente plus rapidement en fonction de la température : une réaction à énergie d'activation élevée ou une réaction à énergie d'activation faible ? Expliquez votre réponse.

73. Des expériences ont démontré qu'on peut décrire le chant de l'œcanthe thermomètre (un insecte de la famille du grillon) au moyen de l'équation de vitesse d'Arrhenius. Utilisez les mesures expérimentales de 179 grésillements/min à 25,0 °C et de 142 grésillements/min à 21,7 °C pour déterminer :

a) l'énergie d'activation du chant ;

b) le nombre de grésillements/min à 20,0 °C ;

c) jusqu'à quel point le résultat obtenu en *b* est conforme à la règle empirique affirmant que la température en degrés Fahrenheit est de « 40 plus le nombre de grésillements en 15 s ».

74. La loi de vitesse expérimentale pour la réaction $2\ O_3 \longrightarrow 3\ O_2$ est : Vitesse = $k[O_3]^2/[O_2]$. Proposez un mécanisme en deux étapes pour cette réaction.

75. L'ion hydroxyde participe au mécanisme, mais n'est pas consommé dans cette réaction en solution aqueuse.

$$OCl^- + I^- \xrightarrow{\ OH^-\ } OI^- + Cl^-$$

a) En vous servant des données du tableau, déterminez l'ordre de la réaction par rapport à OCl^-, à I^- et à OH^-, et l'ordre global.

[OCl⁻] (mol·L⁻¹)	[I⁻] (mol·L⁻¹)	[OH⁻] (mol·L⁻¹)	Vitesse de formation de OI⁻ (mol·L⁻¹·s⁻¹)
0,0040	0,0020	1,00	$4,8 \times 10^{-4}$
0,0020	0,0040	1,00	$5,0 \times 10^{-4}$
0,0020	0,0020	1,00	$2,4 \times 10^{-4}$
0,0020	0,0020	0,50	$4,6 \times 10^{-4}$
0,0020	0,0020	0,25	$9,4 \times 10^{-4}$

b) Écrivez la loi de vitesse et déterminez la valeur de la constante de vitesse, k.

c) Montrez que le mécanisme suivant est conforme à l'équation globale et à la loi de vitesse. Quelle est l'étape déterminante de la vitesse de réaction ?

$$OCl^- + H_2O \rightleftharpoons HOCl + OH^-$$

$$I^- + HOCl \longrightarrow HOI + Cl^-$$

$$HOI + OH^- \longrightarrow H_2O + OI^-$$

d) Est-il approprié de considérer OH^- comme catalyseur dans cette réaction ? Expliquez votre réponse.

76. Lorsqu'on le chauffe, l'acétaldéhyde CH_3CHO se décompose en méthane et en monoxyde de carbone selon l'équation

$$CH_3CHO(g) \longrightarrow CH_4(g) + CO(g)$$

À partir des données expérimentales contenues dans le tableau ci-dessous, déterminez graphiquement :

a) la vitesse initiale,

b) la vitesse moyenne entre 10 s et 50 s,

c) la vitesse instantanée à 30 s,

d) l'ordre de la réaction,

e) la constante de vitesse,

f) la loi de vitesse,

g) la demi-vie de la réaction.

Temps (s)	[CH₃CHO] (mol·L⁻¹)
0	1,000
10	0,877
20	0,781
30	0,699
40	0,637
50	0,588

77. L'acétylcholinestérase, une enzyme, porte des groupements $-COOH$, $-OH$ et $-NH_2$ sur les chaînes latérales des acides aminés, au site actif. L'enzyme est inactive en solution acide, mais son activité augmente à mesure que la solution devient plus basique. Pourquoi ?

78. Pour la réaction A $\longrightarrow$ 2 B + C, les données suivantes ont été obtenues pour [A] en fonction du temps : $t = 0$ min, [A] = 0,80 mol/L ; 8 min, [A] = 0,60 mol/L ; 24 min, [A] = 0,35 mol/L ; 40 min, [A] = 0,20 mol/L.

a) Déterminez l'ordre de la réaction.

b) Quelle est la valeur de la constante de vitesse k ?

c) Calculez la vitesse de formation du composé B à 22 min.

79. Dans un procédé de photodécomposition instantanée, un éclair de lumière intense décompose Cl_2 en atomes de Cl. Les atomes de Cl se recombinent selon une loi de vitesse d'ordre deux. La première demi-vie est de 12 ms. Combien de temps sera nécessaire pour que [Cl] diminue à un huitième de sa valeur initiale ?

80. Une réaction d'ordre deux met en jeu un réactif A qui a une concentration initiale $[A]_0 = 0,200$ mol/L. La demi-vie est de 45,6 s. Quelle sera la concentration de A après 3,00 min ?

81. Pour la réaction d'ordre un :

$$2\,N_2O_5 \longrightarrow 2\,N_2O_4 + O_2$$

l'énergie d'activation est de 106 kJ/mol. De combien la réaction sera-t-elle plus rapide à 100 °C plutôt qu'à 25 °C ?

82. Un étudiant a préparé un composé hydraté et l'a placé dans un dessicateur (contenant de déshydratation) avec du gel de silice pour le faire sécher à 22 °C. Le gel de silice absorbe l'eau à mesure que le composé s'assèche. Le composé est pesé régulièrement et les résultats sont inscrits dans le tableau qui suit. Déterminez l'ordre du procédé de séchage et trouvez sa constante de vitesse.

Temps (h)	Masse du composé (g)
0	21,70
3,58	21,14
7,67	20,86
24,33	20,45
44,58	20,27
∞	19,99

L'équilibre chimique

Le dioxyde d'azote, un gaz brun rougeâtre, et le tétroxyde de diazote existent à l'équilibre l'un en présence de l'autre. Lorsqu'on le refroidit, le NO_2 réagit pour former du N_2O_4, et le mélange gazeux apparaît presque incolore (à gauche). Lorsqu'on le chauffe, le NO_2 domine et le mélange prend la couleur caractéristique de ce dernier (à droite). Dans le présent chapitre, nous examinerons quelques-unes des nombreuses réactions chimiques où un état d'équilibre dynamique s'établit.

Jusqu'à présent, les calculs relatifs aux réactions chimiques ont porté sur les réactions pouvant être décrites uniquement par la stœchiométrie, c'est-à-dire sur les réactions qui sont complètes, ce qui n'est pas le cas de toutes les réactions. Les réactions réversibles atteignent *un état d'équilibre quand les réactions directe (transformation des réactifs en produits) et inverse (transformation des produits en réactifs) se déroulent à la même vitesse*. Pour calculer les quantités de réactifs et de produits nécessaires à l'atteinte de cet état d'équilibre, nous aurons recours à une nouvelle expression mathématique appelée «constante d'équilibre».

Dans notre étude de l'équilibre qui, dans une certaine mesure, se poursuivra dans les quatre prochains chapitres, nous aborderons un certain nombre de questions fondamentales:

- Comment déterminer expérimentalement les constantes d'équilibre?

- Comment les *calculer* à partir d'autres données?

- En quoi les variations de pression, de volume, de température et de quantités de réactifs ou de produits influent-elles sur l'état d'équilibre?

- Quelle influence un catalyseur exerce-t-il sur l'équilibre?

À mesure que vous progresserez dans ces chapitres, vous constaterez que les principes de l'équilibre chimique trouvent des applications en laboratoire, dans l'industrie chimique, chez les organismes vivants et dans bien d'autres phénomènes naturels.

3.1 Le caractère dynamique de l'équilibre

Comme nous l'avons déjà mentionné, un équilibre suppose que des processus opposés se produisent à des vitesses égales. Dans la pression de vapeur à l'équilibre, la vitesse d'évaporation du liquide est égale à celle de la condensation de sa vapeur. De même, dans les équilibres de solubilité, les vitesses de dissolution et de cristallisation du solide sont égales. Par ailleurs, les équilibres que nous étudions sont *dynamiques* et non *statiques*. On peut avoir recours à la radioactivité pour démontrer le caractère dynamique de l'équilibre, tel que l'illustre la **figure 3.1**. Si on ajoute une petite quantité de chlorure de sodium solide, NaCl(s), contenant des traces de sodium 24 radioactif à une solution aqueuse saturée de NaCl, on détecte aussitôt la radioactivité aussi bien dans la solution que dans le solide non dissous, ce qui indique qu'un peu de solide est passé en solution. Puisque la concentration d'une solution saturée demeure constante, on peut conclure que la vitesse de dissolution du solide est exactement égale à sa vitesse de cristallisation.

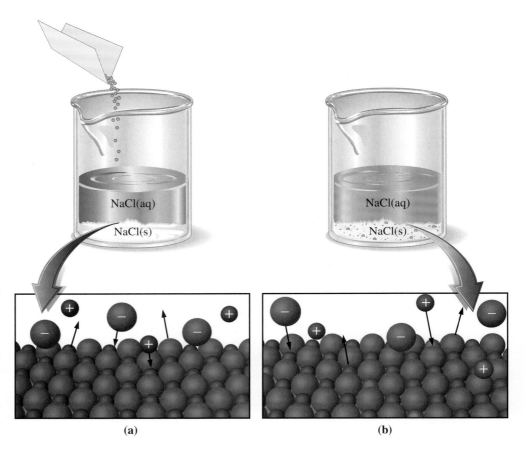

▶ **Figure 3.1**
Équilibre dynamique dans la formation d'une solution saturée

(a) Du NaCl solide radioactif (en rouge) est ajouté en traces à une solution aqueuse saturée de NaCl. **(b)** La radioactivité apparaît immédiatement dans la solution (représentée en rose). Une partie du chlorure de sodium radioactif se dissout et, en même temps, du chlorure de sodium radioactif et non radioactif cristallise. La dissolution et la cristallisation ne s'arrêtent pas, même si la solution aqueuse est saturée.

(a) (b)

La **figure 3.2** montre comment les concentrations varient en fonction du temps dans trois expériences portant sur une réaction qui fait intervenir l'acide iodhydrique gazeux, HI(g), l'hydrogène gazeux, H_2(g), et l'iode gazeux, I_2(g), à 698 K. Les courbes sont semblables à celles de certains graphiques du chapitre 2 présentant la concentration en fonction du temps. On remarque toutefois une différence importante: après le temps t_e à partir duquel l'équilibre est atteint, les courbes forment un palier. Si, dans une réaction, les réactifs et les produits atteignent des concentrations constantes et différentes de zéro, c'est que cette réaction est réversible et que la réaction directe n'est pas complète. Pour indiquer qu'elle est réversible, on utilise une flèche double entre les réactifs et les produits dans l'équation chimique.

$$2\ HI(g) \rightleftharpoons H_2(g) + I_2(g)$$

La cinétique chimique s'intéresse surtout à la portion *avant* t_e du graphique de la concentration en fonction du temps, alors que l'étude de l'équilibre chimique porte surtout sur ce qui se passe *après* t_e.

> À l'état d'**équilibre**, *les vitesses des réactions directe et inverse sont égales, et les concentrations des réactifs et des produits demeurent constantes.*

On pourrait démontrer que l'équilibre dans cette réaction est dynamique en introduisant un peu de $I_2(g)$ contenant de l'iode 131 radioactif en traces dans le mélange à l'équilibre. La radioactivité apparaîtrait rapidement dans $HI(g)$ de même que dans $I_2(g)$.

Prenons comme exemple d'équilibre dynamique vos efforts pour vider un canot qui prend l'eau. L'eau qui s'introduit dans le bateau est analogue à une réaction directe, et l'eau qui est rejetée par-dessus bord est analogue à la réaction inverse. Si vous rejetez l'eau aussi rapidement qu'elle s'introduit, le niveau de la flaque au fond du bateau demeurera constant, tout comme les concentrations des réactifs et des produits d'une réaction à l'équilibre.

Équilibre

État prévalant lorsque les vitesses des réactions directe et inverse sont égales, et que les concentrations (ou pressions partielles) des réactifs et des produits demeurent constantes.

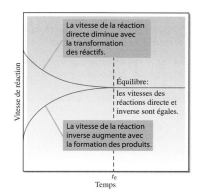

3.2 L'expression de la constante d'équilibre

Dans l'expérience 1 de la figure 3.2, on introduit $HI(g)$ dans un récipient et, au départ, seule la réaction directe a lieu, car il n'y a pas de H_2 ni de I_2. Cependant, aussitôt que se forme un peu de ces produits, la réaction inverse commence. Avec le temps, la réaction directe ralentit, parce que la concentration de $HI(g)$ diminue. À mesure que $H_2(g)$ et $I_2(g)$ s'accumulent, la réaction inverse s'accélère. Quand le temps t_e est atteint, les réactions directe et inverse se produisent à la même vitesse, et le mélange réactionnel est à l'équilibre.

Examinons maintenant les données de la quatrième colonne du **tableau 3.1** : les concentrations à l'équilibre de HI, de H_2 et de I_2. Nous remarquons qu'elles n'ont rien en commun dans les trois expériences. Utilisons une méthode par tâtonnement (appelée

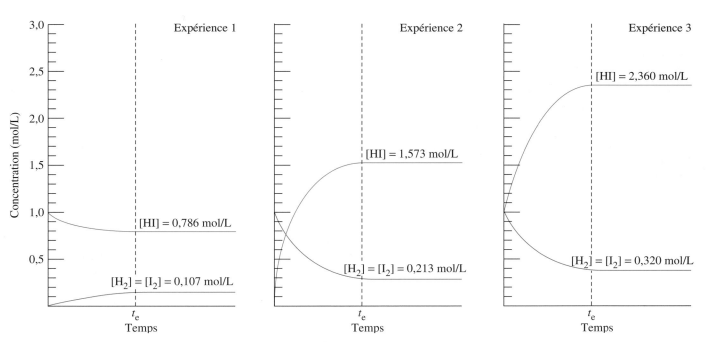

▲ Figure 3.2
Graphique de la concentration en fonction du temps pour la réaction réversible
2 HI(g) ⇌ H₂(g) + I₂(g) à 698 K
À partir du temps t_e, la réaction est à l'équilibre, si bien que les concentrations des réactifs et des produits ne varient plus. Le tableau 3.1 (à la page suivante) présente les données illustrées dans ces trois graphiques.

approche heuristique) pour essayer de trouver une caractéristique commune de l'état d'équilibre. Considérons, par exemple, les rapports des concentrations à l'équilibre présentés dans les cinquième et sixième colonnes du tableau 3.1.

$$\frac{[H_2][I_2]}{[HI]} \quad et \quad \frac{[H_2][I_2]}{2[HI]}$$

Ces rapports n'ont aucun point commun ; leurs valeurs sont différentes dans les trois expériences. Dans la septième colonne du tableau 3.1, chaque concentration est élevée à une puissance qui est donnée par le coefficient stœchiométrique correspondant de l'équation chimique équilibrée. En tenant compte des erreurs expérimentales, nous constatons que les rapports ont bien la même valeur dans les trois expériences. Le rapport ci-dessous entre les concentrations à l'*équilibre* est appelé **expression de la constante d'équilibre**. Sa valeur est constante quelles que soient les concentrations initiales des réactifs et des produits. On l'appelle **constante d'équilibre en fonction des concentrations** et on la désigne par le symbole K_c.

$$K_c = \frac{[H_2][I_2]}{[HI]^2} = 1,84 \times 10^{-2} \quad (\text{à } 698 \text{ K})$$

L'indice c, dans K_c, signifie que la constante est exprimée en concentrations (concentrations molaires volumiques). On indique la température parce que les constantes d'équilibre en dépendent. Ainsi, la valeur $K_c = 1,84 \times 10^{-2}$ (à 698 K) ne s'applique qu'à la réaction : $2 \, HI(g) \rightleftharpoons H_2(g) + I_2(g)$, et seulement à 698 K.

Il ne faut pas oublier qu'on peut atteindre l'équilibre à partir d'un état initial dans lequel seuls les réactifs sont présents (expérience 1 dans le tableau 3.1). On peut également l'atteindre à partir des produits (expérience 2). Ou encore, les réactifs et les produits peuvent tous être initialement présents (expérience 3). Dans chacun de ces cas, la valeur de K_c est la même.

L'oxydation du monoxyde d'azote, NO(g), en dioxyde d'azote, $NO_2(g)$, une réaction qui contribue à la formation du smog, constitue un autre exemple de réaction réversible.

$$2 \, NO(g) + O_2(g) \rightleftharpoons 2 \, NO_2(g)$$

Dans cette équation, le rapport suivant entre les concentrations à l'équilibre a une valeur constante :

$$K_c = \frac{[NO_2]^2}{[NO]^2[O_2]}$$

Expression de la constante d'équilibre

Rapport entre les concentrations (ou pressions partielles), élevées à une puissance donnée par le coefficient stœchiométrique, des produits et des réactifs à l'état d'équilibre d'une réaction, ce rapport étant égal à une constante indépendante des concentrations initiales et de la façon dont l'équilibre est atteint.

Constante d'équilibre en fonction des concentrations (K_c)

Valeur de l'expression de la constante d'équilibre lorsque les termes du rapport sont exprimés en concentrations molaires volumiques.

TABLEAU **3.1**	Trois expériences impliquant la réaction $2 \, HI(g) \rightleftharpoons H_2(g) + I_2(g)$ à 698 K					
Expériences		Concentrations initiales (mol/L)	Concentrations à l'équilibre (mol/L)	$\dfrac{[H_2][I_2]}{[HI]}$	$\dfrac{[H_2][I_2]}{2[HI]}$	$\dfrac{[H_2][I_2]}{[HI]^2}$
1	[HI] :	1,000	0,786	0,0146	0,007 28	0,0185
	[H$_2$] :	0,000	0,107			
	[I$_2$] :	0,000	0,107			
2	[HI] :	0,000	1,573	0,0288	0,0144	0,0183
	[H$_2$] :	1,000	0,213			
	[I$_2$] :	1,000	0,213			
3	[HI] :	1,000	2,360	0,0434	0,0217	0,0184
	[H$_2$] :	1,000	0,320			
	[I$_2$] :	1,000	0,320			

Ces deux exemples nous permettent de formuler les généralisations suivantes à propos de l'expression d'une constante d'équilibre :

- Les concentrations des produits apparaissent au numérateur, et celles des réactifs, au dénominateur. (On exprime les concentrations en concentrations molaires volumiques, mais on n'indique pas les *unités* dans l'expression de K_c.)

- Les exposants des concentrations sont identiques aux coefficients stœchiométriques de l'équation chimique équilibrée. Considérons la réaction hypothétique suivante et l'expression de la constante d'équilibre correspondante.

$$a\,A + b\,B + \cdots \rightleftharpoons g\,G + h\,H + \cdots$$

$$K_c = \frac{[G]^g[H]^h\cdots}{[A]^a[B]^b\cdots} \tag{3.1}$$

L'utilité de la constante d'équilibre est mise en évidence lorsqu'on examine, par exemple, une réaction au cours de laquelle la décomposition de HI(g) à 698 K produit des concentrations à l'équilibre de H_2 et de I_2 de 0,0250 mol/L. Pour trouver la concentration à l'équilibre de HI, il faut d'abord écrire l'expression de la constante d'équilibre, dans laquelle on substitue ces concentrations.

$$K_c = \frac{[H_2][I_2]}{[HI]^2} = \frac{(0,0250)(0,0250)}{[HI]^2} = 1,84 \times 10^{-2}$$

Pour déterminer [I_2] dans le mélange à l'équilibre, on peut prélever un échantillon du mélange et le titrer avec $Na_2S_2O_3(aq)$.

$$I_2(aq) + 2\,S_2O_3{}^{2-}(aq) \longrightarrow S_4O_6{}^{2-}(aq) + 2\,I^-(aq)$$

Puis on résout l'équation pour trouver [HI].

$$[HI]^2 = \frac{(0,0250)(0,0250)}{1,84 \times 10^{-2}}$$

$$[HI] = \sqrt{\frac{(0,0250)(0,0250)}{1,84 \times 10^{-2}}} = 0,184 \text{ mol/L}$$

Nous expliquerons d'autres exemples de calculs découlant des expressions des constantes d'équilibre plus loin dans ce chapitre.

EXEMPLE **3.1**

Si les concentrations de chlore, Cl_2, et de phosgène, $COCl_2$, à l'équilibre sont les mêmes à 395 °C, calculez la concentration à l'équilibre de CO dans la réaction suivante :

$$CO(g) + Cl_2(g) \rightleftharpoons COCl_2(g) \qquad K_c = 1,2 \times 10^3 \text{ à } 395 \text{ °C}$$

➔ Stratégie

Quand on veut déterminer la concentration à l'équilibre d'une substance qui participe à une réaction réversible, il faut utiliser l'expression de la constante d'équilibre, entrer les données et résoudre l'équation pour trouver la valeur inconnue.

➔ Solution

$$K_c = \frac{[COCl_2]}{[CO][Cl_2]} = 1,2 \times 10^3$$

Puisque, à l'équilibre, [Cl_2] est égale à [$COCl_2$] à 395 °C, nous constatons que les deux termes s'annulent.

$$\frac{\cancel{[COCl_2]}}{[CO]\cancel{[Cl_2]}} = \frac{1}{[CO]} = K_c = 1,2 \times 10^3$$

Nous pouvons alors résoudre l'équation pour trouver [CO].

$$[CO] = \frac{1}{K_c} = \frac{1}{1{,}2 \times 10^3} = 8.3 \times 10^{-4} \text{ mol/L}$$

➜ Évaluation

Nous constatons qu'il n'y a qu'*une* seule valeur possible de [CO] dans le cas où les concentrations de Cl_2 et de $COCl_2$ sont égales, quelles que soient ces concentrations.

EXERCICE 3.1 A

Si [CO] est égale à $[Cl_2]$ à l'équilibre dans la réaction de l'exemple 3.1, y a-t-il seulement une valeur possible de $[COCl_2]$? Expliquez votre réponse.

EXERCICE 3.1 B

Supposons que $[O_2]$ soit maintenue à une certaine valeur constante quand l'équilibre est atteint dans la réaction réversible suivante.

$$2\,SO_2(g) \;+\; O_2(g) \;\rightleftharpoons\; 2\,SO_3(g) \qquad K_c = 1{,}00 \times 10^2$$

Est-ce que $[SO_2]$ et $[SO_3]$ ont des valeurs uniques ? Est-ce que le rapport $[SO_2]/[SO_3]$ a une valeur unique ? Expliquez vos réponses. Décrivez l'état d'équilibre quand $[O_2] = 1{,}00$ mol/L.

L'état d'équilibre du point de vue de la cinétique

Soit la réaction suivante :

$$2\,HI(g) \;\rightleftharpoons\; H_2(g) \;+\; I_2(g)$$

À l'équilibre, la vitesse de la réaction directe égale celle de la réaction inverse. Par ailleurs, au chapitre 2 (exemple 2.7, page 86, et exemple 2.10, page 98), nous donnons les lois de vitesse de ces deux réactions.

$$\text{Vitesse de la réaction directe} = k_d[HI]^2$$

$$\text{Vitesse de la réaction inverse} = k_i\,[H_2]\,[I_2]$$

À l'équilibre, les vitesses sont les mêmes, de sorte que les membres de droite des deux équations sont égaux.

$$k_d\,[HI]^2 = k_i\,[H_2]\,[I_2]$$

En déplaçant les deux constantes de vitesse du même côté de l'équation

$$\frac{k_d}{k_i} = \frac{[H_2]\,[I_2]}{[HI]^2} = K_c$$

nous constatons que la constante d'équilibre, K_c, est égale au rapport des constantes de vitesse, k_d/k_i.

L'état d'équilibre du point de vue de la thermodynamique

Au chapitre 6, nous montrerons qu'il existe une relation entre la constante d'équilibre et d'autres propriétés thermodynamiques fondamentales. Nous définirons alors la *constante* d'équilibre thermodynamique, $K_{\text{éq}}$. De plus, nous apprendrons comment utiliser les tableaux de données thermodynamiques pour *prédire* les valeurs des constantes d'équilibre.

Afin d'être conformes à l'expression de la constante thermodynamique ($\ln K_{\text{éq}} = \Delta G°/RT$) que nous verrons au chapitre 6, nous avons considéré les constantes d'équilibre comme des nombres sans unités. Dans le présent chapitre, nous utiliserons les concentrations molaires volumiques et les pressions partielles (en kilopascals) dans les expressions des constantes d'équilibre. Dans les deux cas, nous omettrons les unités. Nous verrons au chapitre 6 pourquoi il est permis de le faire.

3.3 Les modifications des expressions des constantes d'équilibre

Il faut parfois modifier l'expression d'une constante d'équilibre pour la rendre applicable à une situation particulière. Dans cette section, nous traitons de quelques-unes de ces modifications importantes.

La modification de l'équation chimique

L'équation suivante est une façon de décrire la *formation* de $NO_2(g)$ à 298 K.

$$2\,NO(g) + O_2(g) \rightleftharpoons 2\,NO_2(g)$$

À l'aide de données expérimentales appropriées (concentrations des réactifs et des produits à l'équilibre), nous pourrions établir la valeur numérique suivante de K_c pour cette réaction.

$$K_c = \frac{[NO_2]^2}{[NO]^2[O_2]} = 4,67 \times 10^{13} \text{ (à 298 K)}$$

Si c'est la *décomposition* de $NO_2(g)$ à 298 K qui nous intéresse, nous pourrions écrire l'équation chimique *inverse* de sa formation.

$$2\,NO_2(g) \rightleftharpoons 2\,NO(g) + O_2(g) \qquad K'_c = ? \text{ (à 298 K)}$$

Toutefois, nous n'avons pas besoin d'effectuer une autre série d'expériences pour établir la valeur de la nouvelle constante d'équilibre, désignée par K'_c. La constante d'équilibre de la décomposition de $NO_2(g)$ est l'*inverse* de celle de sa formation.

$$K'_c = \frac{[NO]^2[O_2]}{[NO_2]^2} = \frac{1}{\dfrac{[NO_2]^2}{[NO]^2[O_2]}} = \frac{1}{K_c} = \frac{1}{4,67 \times 10^{13}} = 2,14 \times 10^{-14}$$

La modification qui précède illustre une règle générale.

*La constante d'équilibre de la réaction inverse est l'*inverse *de la constante d'équilibre de la réaction directe. Autrement dit, pour la réaction inverse, la constante d'équilibre est $1/K_c$.*

Supposons que nous décidions de décrire la décomposition de $NO_2(g)$ à partir de *une* mole de réactif au lieu de deux.

$$NO_2(g) \rightleftharpoons NO(g) + \tfrac{1}{2}O_2(g) \qquad K''_c = ? \text{ (à 298 K)}$$

Encore une fois, nous n'avons pas besoin d'autres données expérimentales puisque nous connaissons la relation suivante.

$$K_c'' = \frac{[NO][O_2]^{1/2}}{[NO_2]} = \left[\frac{[NO]^2[O_2]}{[NO_2]^2}\right]^{1/2} = \left(K_c'\right)^{1/2} = \left[\frac{1}{K_c}\right]^{1/2} = \sqrt{\frac{1}{4,67 \times 10^{13}}}$$

$$= 1,46 \times 10^{-7}$$

Cette relation illustre une autre règle générale.

> *Quand on multiplie les coefficients stœchiométriques d'une équation par un facteur commun,* n, *on élève la constante d'équilibre de l'équation originale à la puissance* n *pour obtenir la constante d'équilibre de la nouvelle équation.*

Dans l'exemple qui précède, n égale $\frac{1}{2}$. Si on double les coefficients dans une équation, le facteur n égale 2 ; et ainsi de suite.

En résumé, l'expression d'une constante d'équilibre et sa valeur numérique dépendent de la façon dont l'équation chimique est écrite. *Il est donc nécessaire d'écrire l'équation chimique équilibrée lorsqu'on mentionne une valeur pour sa constante d'équilibre, K_c.*

EXEMPLE **3.2**

La constante d'équilibre de la réaction

$$\tfrac{1}{2} H_2(g) + \tfrac{1}{2} I_2(g) \rightleftharpoons HI(g)$$

à 718 K vaut 7,07. **a)** Quelle est la valeur de K_c à cette température pour la réaction $HI(g) \rightleftharpoons \tfrac{1}{2} H_2(g) + \tfrac{1}{2} I_2(g)$? **b)** Toujours à cette température, quelle est la valeur de K_c pour la réaction $H_2(g) + I_2(g) \rightleftharpoons 2 HI(g)$?

➜ Solution

a) Puisque la réaction en question est l'inverse de celle pour laquelle la constante d'équilibre vaut 7,07, la constante d'équilibre que nous cherchons est l'*inverse* de 7,07.

$$K_c = \frac{1}{7,07} = 0,141$$

b) Dans cette équation chimique, les coefficients de l'équation originale ont été *doublés*. Donc, il faut élever la valeur de la constante d'équilibre initiale à la puissance deux, c'est-à-dire l'élever au *carré*.

$$K_c = (7,07)^2 = 50,0$$

EXERCICE 3.2 A

La constante d'équilibre de la réaction $SO_2(g) + \tfrac{1}{2} O_2(g) \rightleftharpoons SO_3(g)$ vaut 20,0 à 973 K. Calculez K_c à 973 K pour la réaction suivante :

$$2 SO_3(g) \rightleftharpoons 2 SO_2(g) + O_2(g)$$

EXERCICE 3.2 B

La constante d'équilibre de la réaction $N_2(g) + 3 H_2O(g) \rightleftharpoons 2 NH_3(g) + \tfrac{3}{2} O_2(g)$ à 900 K vaut $3,88 \times 10^{-40}$. Calculez K_c à 900 K pour la réaction suivante :

$$4 NH_3(g) + 3 O_2(g) \rightleftharpoons 2 N_2(g) + 6 H_2O(g)$$

La constante d'équilibre d'une réaction globale

Il arrive qu'on combine les équations de plusieurs réactions qui se succèdent afin d'obtenir une équation globale. On peut, dans ces cas-là, combiner les variations d'enthalpie des réactions individuelles afin d'obtenir la variation d'enthalpie de l'ensemble. Nous utilisons ici une approche semblable pour trouver la constante d'équilibre d'une réaction globale.

Supposons qu'on veuille connaître la constante d'équilibre à 298 K de la réaction suivante.

$$(1) \qquad N_2O(g) + \tfrac{3}{2} O_2(g) \rightleftharpoons 2 NO_2(g)$$

Si on connaît les valeurs à 298 K des réactions (2) et (3) ci-dessous, on peut additionner les équations de ces réactions afin d'obtenir l'équation de la réaction (1) sous forme d'équation globale.

$$(2) \qquad N_2O(g) + \tfrac{1}{2} O_2(g) \rightleftharpoons 2\,\cancel{NO(g)} \qquad K_c(2) = 1,7 \times 10^{-13}$$

$$(3) \qquad 2\,\cancel{NO(g)} + O_2(g) \rightleftharpoons 2 NO_2(g) \qquad K_c(3) = 4,67 \times 10^{13}$$

Équation globale $(1) \qquad N_2O(g) + \tfrac{3}{2} O_2(g) \rightleftharpoons 2 NO_2(g) \qquad K_c(1) = ?$

On peut alors trouver la relation entre $K_c(1)$ inconnue et $K_c(2)$ et $K_c(3)$ connues.

$$\frac{[\cancel{NO}]^2}{[N_2O][O_2]^{1/2}} \times \frac{[NO_2]^2}{[\cancel{NO}]^2[O_2]} = \frac{[NO_2]^2}{[N_2O][O_2]^{3/2}}$$

$$K_c(2) \times K_c(3) = K_c(1)$$

$$1,7 \times 10^{-13} \times 4,67 \times 10^{13} = 7,9$$

L'exemple qui précède illustre une autre règle générale.

Quand on additionne les équations des réactions individuelles afin d'obtenir une équation globale, on multiplie leurs constantes d'équilibre afin d'obtenir la constante d'équilibre de la réaction globale.

La constante d'équilibre dans le cas des gaz

Dans l'étude des réactions des gaz, il est souvent pratique de mesurer les pressions partielles plutôt que les concentrations molaires volumiques. Considérons la réaction générale suivante en phase gazeuse.

$$a\,A(g) + b\,B(g) + \cdots \rightleftharpoons g\,G(g) + h\,H(g) + \cdots$$

La **constante d'équilibre en fonction des pressions partielles (K_p)** peut être définie de la façon suivante.

$$K_p = \frac{(P_G)^g(P_H)^h \cdots}{(P_A)^a(P_B)^b \cdots} \qquad \text{où } P \text{ représente la pression partielle} \qquad \textbf{(3.2)}$$

Constante d'équilibre en fonction des pressions partielles (K_p)

Valeur de l'expression de la constante d'équilibre lorsque les termes du rapport sont exprimés à l'aide des pressions partielles des produits et des réactifs gazeux.

Il arrive parfois que nous ayons la valeur de K_c d'une réaction et que nous désirions connaître K_p, ou vice versa. Nous pouvons alors établir une relation entre K_c et K_p, comme nous le faisons dans la réaction suivante à 298 K.

$$2 NO(g) + O_2(g) \rightleftharpoons 2 NO_2(g) \qquad K_c = 4,67 \times 10^{13}$$

Appliquons la loi des gaz parfaits ($PV = nRT$) pour trouver la pression de NO_2 (P_{NO_2}). Remplaçons alors n_{NO_2}/V par son équivalent, la concentration molaire volumique de NO_2, soit $[NO_2]$.

$$P_{NO_2} = \frac{n_{NO_2}}{V} \times RT = [NO_2]RT$$

Faisons maintenant la même chose pour NO et O_2 et écrivons l'expression de K_p de la réaction.

$$K_p = \frac{(P_{NO_2})^2}{(P_{NO})^2(P_{O_2})} = \frac{([NO_2]RT)^2}{([NO]RT)^2[O_2]RT} = \frac{[NO_2]^2(RT)^2}{[NO]^2(RT)^2[O_2](RT)} = \frac{[NO_2]^2}{[NO]^2[O_2]} \times \frac{1}{RT}$$

L'expression ci-dessus indiquée en rouge est tout simplement K_c de la réaction et, par conséquent, la relation entre K_p et K_c est la suivante.

$$K_p = \frac{K_c}{RT} = K_c(RT)^{-1}$$

Considérons de nouveau une réaction générale.

$$a\,A(g) + b\,B(g) + \cdots \rightleftharpoons g\,G(g) + h\,H(g) + \cdots$$

De la même façon que nous l'avons fait pour la réaction $2\,NO(g) + O_2(g) \rightleftharpoons 2\,NO_2(g)$, nous pouvons établir une équation pour la réaction générale.

$$K_p = K_c(RT)^{\Delta n_{gaz}} \qquad \textbf{(3.3)}$$

L'exposant Δn_{gaz} représente la *variation du nombre de moles de gaz lorsque la réaction directe se produit*, c'est-à-dire $\Delta n_{gaz} = (g + h + \ldots) - (a + b + \ldots)$.

Si nous revenons à la réaction

$$2\,NO(g) + O_2(g) \rightleftharpoons 2\,NO_2(g)$$

nous voyons que $\Delta n_{gaz} = 2 - (2 + 1) = 2 - 3 = -1$, et que $K_p = K_c(RT)^{-1}$. Pour évaluer K_p à partir de la valeur connue de K_c ($4{,}67 \times 10^{13}$), nous utilisons $R = 8{,}3145$ et $T = 298$.

$$K_p = K_c(RT)^{-1} = 4{,}67 \times 10^{13} \times (8{,}3145 \times 298)^{-1} = 1{,}88 \times 10^{10}$$

Il est important de bien vérifier les unités dans ce type de calcul puisque le choix de celles-ci influe sur la valeur numérique de K_p. À moins d'indications contraires, les valeurs de K_p sont exprimées en fonction des pressions en kilopascals. À bien des égards, nous pouvons traiter les expressions de K_p comme celles de K_c, tel que l'illustre l'exemple 3.3.

N_2O_4

$\Updownarrow$

$2\,NO_2$ +

EXEMPLE **3.3**

Soit l'équilibre entre le tétroxyde de diazote, N_2O_4, et le dioxyde d'azote, NO_2.

$$N_2O_4(g) \rightleftharpoons 2\,NO_2(g) \qquad K_p = 66{,}9 \text{ à } 319 \text{ K}$$

a) Quelle est, pour cette réaction, la valeur de K_c à 319 K ? **b)** Quelle est la valeur de K_p pour la réaction $2\,NO_2(g) \rightleftharpoons N_2O_4(g)$? **c)** Si on trouve que la pression partielle à l'équilibre de $NO_2(g)$ est de 33,6 kPa, quelle est la pression partielle à l'équilibre de $N_2O_4(g)$?

➔ **Solution**

a) Pour trouver K_c, nous utilisons la relation

$$K_p = K_c(RT)^{\Delta n\,gaz}$$

$\Delta n_{gaz} = \Sigma$ coefficients stœchiométriques des produits $-\Sigma$ coefficients stœchiométriques des réactifs. Dans cet exemple, $\Delta n_{gaz} = 2 - 1 = 1$.

Nous pouvons alors résoudre l'équation pour obtenir K_c à l'aide des valeurs connues de K_p, T et R.

$$K_c = \frac{K_p}{(RT)^1} = \frac{66,9}{8,3145 \times 319} = 0,0252$$

b) Puisque la réaction $2\,NO_2(g) \rightleftharpoons N_2O_4(g)$, pour laquelle nous cherchons la valeur de K_p, est l'*inverse* de la réaction pour laquelle on nous donne une valeur de K_p, il faut inverser la valeur connue (66,9).

$$K_p = \frac{1}{66,9} = 0,0149$$

c) Pour trouver la pression partielle de $N_2O_4(g)$, nous pouvons employer soit l'expression initiale de K_p, soit celle trouvée dans la partie *b*. Utilisons la valeur initiale pour la réaction $N_2O_4(g) \rightleftharpoons 2\,NO_2(g)$.

$$K_p = \frac{\left(P_{NO_2}\right)^2}{\left(P_{N_2O_4}\right)} = 66,9$$

$$= \frac{(33,6)^2}{\left(P_{N_2O_4}\right)} = 66,9$$

$$P_{N_2O_4} = \frac{(33,6)^2}{66,9} = 16,9 \text{ kPa}$$

EXERCICE 3.3 A

Étant donné que $K_c = 1,8 \times 10^{-6}$ dans la réaction $2\,NO(g) + O_2(g) \rightleftharpoons 2\,NO_2(g)$ à 457 K, trouvez la valeur de K_p à 457 K dans la réaction $NO_2(g) \rightleftharpoons NO(g) + \frac{1}{2}O_2(g)$.

EXERCICE 3.3 B

Dans la réaction $2\,NO(g) + 3\,H_2O(g) \rightleftharpoons 2\,NH_3(g) + \frac{5}{2}O_2(g)$, $K_p = 2,6 \times 10^{-17}$ à 900 K. Quelle est la valeur de K_c à 900 K dans la réaction $4\,NH_3(g) + 5\,O_2(g) \rightleftharpoons 4\,NO(g) + 6\,H_2O(g)$?

La constante d'équilibre dans le cas des solides et des liquides purs (équilibre hétérogène)

Les réactions qui ne font intervenir que des réactifs et des produits gazeux, comme celles que nous avons traitées jusqu'à présent dans ce chapitre, sont des *réactions homogènes* : le milieu réactionnel n'est constitué que d'une seule phase gazeuse. Dans les réactions *hétérogènes,* les réactifs et les produits *ne* coexistent *pas* dans la même phase : il faut dès lors adapter dans ces réactions les expressions des constantes d'équilibre qui sont caractérisées par la règle suivante.

> *Les concentrations des solides et des liquides purs n'apparaissent pas dans l'expression de la constante d'équilibre d'une réaction hétérogène, parce qu'elles ne varient pas au cours de la réaction.*

Bien que les *quantités* de solides et de liquides purs varient durant une réaction, ces phases demeurent pures et leurs *concentrations* demeurent constantes.

Considérons la décomposition *réversible* du carbonate de calcium, $CaCO_3$, le principal constituant du calcaire.

$$CaCO_3(s) \rightleftharpoons CaO(s) + CO_2(g)$$

Si on chauffe du $CaCO_3(s)$ pur dans un contenant fermé, il se décompose en oxyde de calcium, $CaO(s)$, et en dioxyde de carbone, $CO_2(g)$. Le $CaO(s)$ et le $CO_2(g)$ se recombinent également pour former le $CaCO_3(s)$. Si on retire la moitié de la quantité de $CaCO_3$ en équilibre, on éliminera bien sûr la moitié du nombre de moles de $CaCO_3$ présentes, mais aussi la moitié du volume du $CaCO_3$. Lorsque la quantité et le volume diminuent simultanément, la concentration molaire volumique de $CaCO_3$ reste la même. Il en est de même pour le $CaO(s)$ formé, dont la concentration molaire volumique reste la même, car la quantité et le volume augmentent simultanément. $CaCO_3(s)$ et $CaO(s)$ sont deux solides; donc le volume occupé par ceux-ci dépend uniquement de la quantité de matière présente. Toutefois, à mesure que la quantité de $CO_2(g)$ augmente, la concentration et la pression de CO_2 augmentent aussi dans le contenant fermé, dont le volume est constant (rappelons que le volume d'un gaz dépend du récipient dans lequel il se trouve). En conséquence, le CO_2 apparaît dans l'expression de la constante d'équilibre, mais pas le $CaCO_3$ et le CaO.

$$K_c = [CO_2(g)] \quad \text{et} \quad K_p = P_{CO_2}$$

Si le composant ajouté ou éliminé est un solide ou un liquide pur dans un mélange *hétérogène* à l'équilibre, il *n'y a pas de modification* de l'état d'équilibre. Comme nous l'avons vu, les solides et les liquides n'apparaissent pas dans l'expression de la constante d'équilibre. Donc, la pression de $CO_2(g)$ en équilibre avec $CaO(s)$ et $CaCO_3(s)$ n'est pas modifiée par les quantités des deux solides présents (**figure 3.3**).

On peut écrire des expressions semblables relatives à l'équilibre entre l'eau liquide pure et sa vapeur.

$$H_2O(l) \rightleftharpoons H_2O(g)$$

$$K_c = [H_2O(g)] \quad \text{et} \quad K_p = P_{H_2O}$$

Dans ce cas, l'ajout ou le retrait d'eau liquide n'influe en rien sur la pression de vapeur de l'eau. De plus, on remarque que la valeur de K_p dans le cas d'un équilibre liquide-vapeur est donnée simplement par la *pression de vapeur* du liquide.

Toutefois, quand on ajoute une espèce réagissante à un mélange *homogène* à l'équilibre ou qu'on l'en élimine, on modifie la concentration du mélange en question, et ce, qu'il soit aqueux, gazeux, liquide ou solide. Si la concentration d'un réactif change, celle de tous les autres réactifs doit changer aussi pour rétablir la valeur constante de K_c. Nous aborderons une telle réaction à la section 3.4.

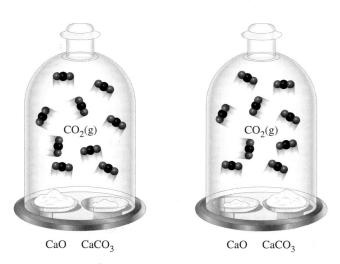

▲ **Figure 3.3 Équilibre hétérogène**
À la même température, la pression de $CO_2(g)$ en équilibre avec $CaO(s)$ et $CaCO_3(s)$ n'est pas modifiée par les quantités des deux solides présents.

EXEMPLE 3.4

La réaction de la vapeur d'eau et du coke (carbone) produit un mélange de monoxyde de carbone et d'hydrogène, appelé gaz à l'eau. Cette réaction est utilisée depuis longtemps pour fabriquer des gaz combustibles à partir du charbon.

$$C(s) + H_2O(g) \rightleftharpoons CO(g) + H_2(g)$$

Écrivez une expression de la constante d'équilibre, K_c, pour cette réaction.

➔ Solution

Les produits CO et H_2 et le réactif H_2O sont tous des gaz qui sont représentés dans l'expression de la constante d'équilibre, mais C(s), un solide, ne l'est pas.

$$K_c = \frac{[CO][H_2]}{[H_2O]}$$

EXERCICE 3.4 A

Écrivez une expression de la constante d'équilibre en fonction des pressions partielles pour la réaction de l'exemple 3.4.

EXERCICE 3.4 B

La réaction entre l'éthanol, CH_3CH_2OH, et l'acide butanoïque, $CH_3CH_2CH_2COOH$, en milieu acide (représenté par H^+ sur la double flèche) forme de l'eau et du butanoate d'éthyle, $CH_3CH_2CH_2COOCH_2CH_3$, responsable de l'arôme d'ananas.

$$CH_3CH_2OH(l) + CH_3CH_2CH_2COOH(l) \overset{H^+}{\rightleftharpoons} CH_3CH_2CH_2COOCH_2CH_3(l) + H_2O(l)$$

Écrivez l'expression de la constante d'équilibre, K_c, pour cette réaction.

RÉSOLUTION DE PROBLÈMES

On indique la présence d'un catalyseur dans une équation chimique en le plaçant sur la flèche qui sépare les réactifs et les produits. Ce catalyseur n'est toutefois pas considéré dans l'expression de la constante d'équilibre.

Quand les constantes d'équilibre sont-elles nécessaires ?

En principe, toute réaction est réversible, du moins jusqu'à un certain point, et on peut la décrire au moyen de l'expression de la constante d'équilibre. Dans de nombreux cas, cependant, il n'est pas nécessaire d'utiliser des constantes d'équilibre dans les calculs. Comment est-ce possible ? Nous répondons à cette question en examinant trois cas particuliers.

Soit la réaction de l'hydrogène et de l'oxygène gazeux à 298 K.

$$2\ H_2(g)\ +\ O_2(g) \rightleftharpoons 2\ H_2O(l)$$

$$K_p = \frac{1}{(P_{H_2})^2 (P_{O_2})} = 1{,}4 \times 10^{83}$$

Si les proportions molaires d'hydrogène et d'oxygène sont de 2 : 1 au départ, les pressions partielles à l'équilibre de $H_2(g)$ et de $O_2(g)$ doivent être très petites (tendre vers zéro) pour que la valeur de K_p soit si grande. De fait, l'hydrogène et l'oxygène sont totalement consommés dans la réaction. On dit qu'une réaction est *complète* si un ou plusieurs réactifs sont totalement consommés, et on peut effectuer les calculs tout simplement en ayant recours aux principes de la stœchiométrie.

Une valeur numérique très grande de K_c ou de K_p signifie que la réaction est complète, ou presque. (En fait, la réaction n'est pas considérée comme réversible.)

Il est difficile de préciser ce que veut dire « très grande », mais les valeurs de K supérieures à 1 × 10^{10} sont considérées comme telles.

Regardons maintenant une réaction qui aboutit à un résultat différent : la décomposition du calcaire à 298 K.

$$CaCO_3(s) \rightleftharpoons CaO(s) + CO_2(g) \qquad K_p = P_{CO_2} = 1,9 \times 10^{-21}$$

Intuitivement, nous savons que le calcaire, principalement composé de $CaCO_3(s)$, ne se décompose que dans une faible mesure à des températures normales. La valeur de K_p nous indique que la pression partielle de $CO_2(g)$ en équilibre avec $CaCO_3(s)$ et $CaO(s)$ est extrêmement petite : $P_{CO_2} = K_p = 1,9 \times 10^{-21}$ kPa.

Des valeurs de K_c ou de K_p inférieures à 1×10^{-10} sont généralement considérées comme « très petites ».

> *Une valeur numérique très petite de K_c ou de K_p signifie que la réaction directe, telle qu'elle est écrite, ne se produit que très faiblement.*

En fait, dans de nombreux cas semblables, on dit que la réaction directe ne se produit pas du tout. En conséquence, on décrit parfois une réaction dont la constante d'équilibre est petite de la façon suivante.

$$CaCO_3(s) \xrightarrow{\text{298 K}} \text{« aucune réaction »}$$

La situation est très différente lorsque l'on observe la décomposition du calcaire autour de 1300 K.

$$CaCO_3(s) \rightleftharpoons CaO(s) + CO_2(g) \qquad K_p \approx 1$$

Les réactions directe et inverse sont ici toutes deux importantes. Il est alors nécessaire d'utiliser les expressions de K_p dans les calculs.

Enfin, il faut se rappeler que l'expression d'une constante d'équilibre ne s'applique qu'à une réaction réversible *à l'équilibre*. Les vitesses de réaction déterminent le temps qu'il faut pour atteindre l'équilibre et, indirectement, le moment à partir duquel il est pertinent d'utiliser l'expression de la constante d'équilibre. Bien que la valeur de K_p de la réaction de $H_2(g)$ et $O_2(g)$ à 298 K soit très grande, ce qui semble indiquer que la réaction est complète, celle-ci se produit à une vitesse infiniment lente en raison de son énergie d'activation élevée. La réaction n'atteint jamais l'équilibre à 298 K. Elle n'a lieu que lorsque le mélange est enflammé par une étincelle, chauffé ou catalysé, et elle se produit alors à la vitesse de l'explosion. Les chimistes disent que la réaction de $H_2(g)$ et $O_2(g)$ à 298 K est *thermodynamiquement favorisée* (ce qui signifie que K_p est élevée), mais *cinétiquement contrôlée* (ce qui signifie que la vitesse excessivement lente empêche toute réaction notable d'avoir lieu).

Le caractère inaltérable du *David*, une sculpture que Michel-Ange a terminée en 1504, constitue un témoin de la décomposition très, très limitée de $CaCO_3(s)$ à 298 K. De nombreux types de marbre sont composés de $CaCO_3(s)$ presque pur.

EXEMPLE 3.5

La réaction $CaO(s) + CO_2(g) \rightleftharpoons CaCO_3(s)$ est-elle susceptible de se produire à un degré appréciable à 298 K ?

➔ Solution

Cette réaction est l'*inverse* de celle qui décrit la décomposition du calcaire. La valeur de sa K_p est donc l'*inverse* de celle de la décomposition du calcaire : $K_p = 1/(1,9 \times 10^{-21}) = 5,3 \times 10^{20}$. La valeur élevée de K_p porte à croire que la réaction directe se produira à un degré appréciable. En fait, après un certain temps, elle sera presque complète.

EXERCICE 3.5 A

Reportez-vous à l'exemple 3.1, et déterminez si vous pouvez supposer que la réaction $CO(g) + Cl_2(g) \rightleftharpoons COCl_2(g)$ sera presque complète à 395 °C. Expliquez votre raisonnement.

La réaction de formation du gaz à l'eau, $C(s) + H_2O(g) \rightleftharpoons CO(g) + H_2(g)$, se produit très difficilement dans un sens comme dans l'autre à la température de la pièce, mais à 1100 K, des quantités appréciables des réactifs et des produits sont présents à l'équilibre. Laquelle des valeurs suivantes de K_p semble la plus plausible à 1100 K : 1×10^{-31} ; 1×10^{-21} ; 10,0 ; 1×10^{15} ; 1×10^{35} ? Expliquez votre réponse.

Le quotient réactionnel, Q : prédiction du sens d'une transformation nette

Comme nous l'avons signalé, seules certaines concentrations ou pressions partielles de réactifs et de produits sont possibles à l'équilibre dans une réaction donnée, c'est-à-dire que les concentrations doivent correspondre à l'expression de la constante d'équilibre, K_c, et les pressions partielles doivent être conformes à K_p. Cependant, on peut au départ mettre en présence des réactifs ou des produits, ou les deux, à n'importe quelle concentration ou pression partielle. Dans le cas de ces états de *non-équilibre,* l'expression qui a la même forme que K_c ou K_p est appelée **quotient réactionnel** (Q_c ou Q_p). Bien qu'il ne soit *pas* constant dans une réaction, le quotient réactionnel est très utile, car il permet de prédire le sens dans lequel une réaction nette doit se produire pour atteindre l'équilibre. En guise d'illustration, examinons de nouveau la décomposition de HI(g) et les données, à 698 K, que présente le tableau 3.1 (page 120).

$$2\,HI(g) \rightleftharpoons H_2(g) + I_2(g)$$

La valeur de Q_c dans les conditions initiales de l'expérience 1 Au début de cette réaction, la seule espèce présente est le réactif. Puisqu'il n'y a pas de produits au départ, une réaction nette doit se produire dans le sens de la réaction *directe* (vers la droite). Quand on substitue les concentrations initiales [HI] = 1,000 mol/L et [H₂] = [I₂] = 0,000 mol/L dans l'expression du quotient réactionnel, on trouve que

$$Q_c = \frac{[H_2][I_2]}{[HI]^2} = \frac{(0) \times (0)}{(1{,}000)^2} = 0$$

La valeur initiale de Q_c est 0 mais, à mesure que se déroule la réaction directe, la valeur du numérateur de ce rapport ($[H_2][I_2]$) augmente, et le dénominateur ($[HI]^2$) diminue. Ces deux variations font augmenter la valeur de Q_c. *L'équilibre est atteint quand $Q_c = K_c$.* Cette analyse permet d'établir la règle suivante.

Si $Q_c < K_c$, la réaction nette se déplace vers la droite, c'est-à-dire qu'on observe la transformation des réactifs en produits. (La vitesse de la réaction directe est plus élevée que celle de la réaction inverse tant que l'équilibre n'est pas atteint.)

La valeur de Q_c dans les conditions initiales de l'expérience 2 Dans ce cas, il n'y a que des produits au départ, et on sait qu'une réaction nette doit avoir lieu dans le sens inverse (vers la gauche). On peut calculer la valeur de Q_c pour les concentrations [HI] = 0,000 mol/L et [H₂] = [I₂] = 1,000 mol/L.

$$Q_c = \frac{[H_2][I_2]}{[HI]^2} = \frac{(1{,}000) \times (1{,}000)}{(0{,}000)^2} \longrightarrow \infty$$

À mesure que la réaction évolue dans le sens inverse, le numérateur de ce rapport diminue et le dénominateur augmente ; ensemble, ces deux variations font diminuer la valeur de Q_c. Encore une fois, l'équilibre est atteint quand $Q_c = K_c$. Cette analyse permet d'établir une autre règle.

Quotient réactionnel (Q_c ou Q_p)

Expression ayant la même forme que la constante d'équilibre en fonction des concentrations ou des pressions partielles (K_c ou K_p), mais dans laquelle les termes des rapports sont exprimés en concentrations initiales et non en concentrations à l'état d'équilibre.

Si $Q_c > K_c$, la réaction nette se déplace vers la gauche, c'est-à-dire qu'on observe la transformation des produits en réactifs. (La vitesse de la réaction inverse est supérieure à celle de la réaction directe tant que l'équilibre n'est pas atteint.)

Dans les deux cas précédents, il est possible de prédire le sens d'une réaction nette sans avoir à évaluer Q_c, puisqu'on n'a initialement que des réactifs ou que des produits. Cependant, il est parfois nécessaire de comparer le quotient réactionnel et la constante d'équilibre pour prédire le sens d'une réaction nette. L'exemple 3.6 illustre cette situation à l'aide des données de l'expérience 3 du tableau 3.1.

La **figure 3.4** résume la relation entre les quotients réactionnels et les constantes d'équilibre.

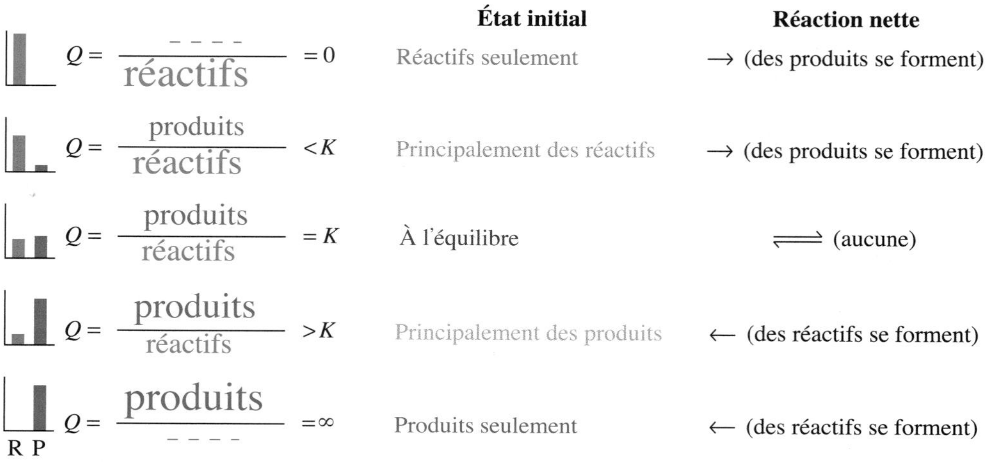

▶ **Figure 3.4**
Relation entre *Q* et *K* et prédiction du sens de la réaction

Lorsque les réactifs prédominent dans le mélange réactionnel (en haut), la valeur de Q est plus faible que celle de K et la réaction progresse dans le sens de la formation des produits. Lorsque les produits prédominent (en bas), la valeur de Q est plus grande que celle de K et la réaction progresse dans le sens de la formation des réactifs. À l'équilibre (au centre), la valeur de Q égale celle de K. Notez que les hauteurs des bandes dans les histogrammes à gauche illustrent seulement des tendances ; les hauteurs absolues sont déterminées par la valeur de K.

	État initial	Réaction nette
$Q = \dfrac{-\,-\,-}{\text{réactifs}} = 0$	Réactifs seulement	→ (des produits se forment)
$Q = \dfrac{\text{produits}}{\text{réactifs}} < K$	Principalement des réactifs	→ (des produits se forment)
$Q = \dfrac{\text{produits}}{\text{réactifs}} = K$	À l'équilibre	⇌ (aucune)
$Q = \dfrac{\text{produits}}{\text{réactifs}} > K$	Principalement des produits	← (des réactifs se forment)
$Q = \dfrac{\text{produits}}{-\,-\,-} = \infty$	Produits seulement	← (des réactifs se forment)

EXEMPLE **3.6**

Prédisez le sens de la réaction nette de l'expérience 3 du tableau 3.1 pour la réaction $2\,\text{HI(g)} \rightleftharpoons \text{H}_2\text{(g)} + \text{I}_2\text{(g)}$.

➜ Solution

Nous procédons de la même façon que pour les expériences 1 et 2, c'est-à-dire que nous substituons les concentrations initiales de l'expérience 3, [HI] = [H$_2$] = [I$_2$] = 1,000 mol/L, dans l'expression du quotient réactionnel, Q_c. Il est alors possible de comparer la valeur de Q_c avec celle de K_c, laquelle est donnée à la page 120 : $K_c = 1{,}84 \times 10^{-2}$.

$$Q_c = \frac{[\text{H}_2][\text{I}_2]}{[\text{HI}]^2} = \frac{(1{,}000) \times (1{,}000)}{(1{,}000)^2} = 1{,}000$$

Puisque $Q_c > K_c$ (1,000 > 1,84 × 10^{-2}), nous concluons qu'une réaction nette se produira dans le sens *inverse*, de la *droite vers la gauche*.

➜ Évaluation

Remarquez que les données à l'équilibre de l'expérience 3 du tableau 3.1, [HI] = 2,360 mol/L et [H$_2$] = [I$_2$] = 0,320 mol/L, viennent renforcer notre prédiction. La concentration de HI à l'équilibre est plus élevée que sa concentration initiale, alors que les concentrations à l'équilibre de H$_2$ et de I$_2$ sont inférieures à leurs concentrations initiales. Ces variations de concentrations correspondent à une réaction nette de la droite vers la gauche.

EXERCICE 3.6 A

Dans quel sens une réaction nette se produirait-elle si les conditions initiales de la réaction illustrée à l'exemple 3.6 étaient [HI] = 1,00 mol/L et $[H_2]$ = $[I_2]$ = 0,100 mol/L ?

EXERCICE 3.6 B

Soit la réaction $H_2S(g) + I_2(s) \rightleftharpoons 2\ HI(g) + S(s)$, $K_p = 1,35 \times 10^{-3}$ à 60 °C. Initialement, on met en contact les espèces suivantes : $H_2S(g)$, à une pression partielle de 1,0 kPa, HI(g) à 0,10 kPa, et les solides $I_2(s)$ et S(s) en quantités égales. Une fois l'équilibre établi, quel gaz aura une pression partielle supérieure à sa pression partielle initiale ? Quel gaz aura une pression partielle inférieure à sa pression partielle initiale ? Lequel des deux solides sera en quantité plus élevée ?

3.4 Le traitement qualitatif de l'équilibre : le principe de Le Chatelier

Lors de la résolution de problèmes d'équilibre, des réponses sans valeurs numériques ou de simples estimations approximatives sont parfois aussi satisfaisantes que des résultats numériques précis. Henry Le Chatelier a formulé, en 1888, une règle qualitative pratique, appelée **principe de Le Chatelier**. Il a énoncé son principe en utilisant une formulation plutôt longue que, pour nos besoins, nous pouvons exprimer de la façon suivante.

> *Quand on impose une modification à un système à l'équilibre (c'est-à-dire une modification de la concentration, de la température, de la pression ou du volume), le système réagit de manière à atteindre un nouvel état d'équilibre qui réduit au minimum la contrainte imposée par cette modification.*

L'application du principe de Le Chatelier à quelques situations particulières permet de mieux en comprendre la portée.

Principe de Le Chatelier

Règle qui permet d'effectuer des prédictions qualitatives et qui s'énonce comme suit : Si on apporte une modification (de la concentration, de la température, de la pression ou du volume) à un système à l'équilibre, celui-ci réagit de manière à atteindre un nouvel état d'équilibre qui réduit au minimum la contrainte imposée par la modification.

L'importance de l'équilibre chimique, selon Henry Le Chatelier

Henry Le Chatelier (1850-1936), chimiste français, fut l'un des premiers à apprécier l'importance de la thermodynamique dans la résolution de problèmes chimiques. Par exemple, il comprenait parfaitement la différence entre une réaction complète et une réaction qui ne peut qu'atteindre un état d'équilibre. Il énonça cette distinction assez justement dans un article paru en 1888, duquel nous avons tiré la citation qui suit. En lisant l'exposé de Le Chatelier, il faut considérer une *réaction limitée* comme une réaction réversible à l'équilibre.

« On sait que, dans les hauts fourneaux, a lieu la réduction de l'oxyde de fer par le monoxyde de carbone, selon la réaction $Fe_2O_3(s) + 3\ CO(g) \rightleftharpoons 2\ Fe(s) + 3\ CO_2(g)$, mais le gaz qui sort des cheminées contient une proportion considérable de monoxyde de carbone [...]. Comme on pensait que cette réaction incomplète était due à un contact insuffisamment prolongé entre le monoxyde de carbone et le minerai de fer, on augmenta les dimensions des fours. En Angleterre, on alla même jusqu'à en construire de plus de 30 mètres de haut. Mais la proportion de monoxyde de carbone qui s'échappait ne diminua pas, ce qui permit de démontrer, au moyen d'une expérience de plusieurs centaines de milliers de francs, que la réduction de l'oxyde de fer par le monoxyde de carbone est une réaction limitée. Une connaissance des lois de l'équilibre chimique aurait permis de tirer la même conclusion plus rapidement et beaucoup plus économiquement. »

C'est à un ester, l'acétate d'octyle, $CH_3(CH_2)_6CH_2OCOCH_3$, que l'on doit la saveur et l'arôme distinctifs des oranges amères. Il est facile de synthétiser ce composé pour produire des essences artificielles d'orange.

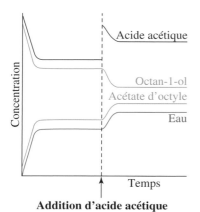

**Addition d'acide acétique
à un mélange à l'équilibre**

Un système à l'équilibre réagit à une augmentation de la concentration d'un composant en produisant de nouvelles concentrations à l'équilibre.

Les modifications de la quantité des espèces réagissantes

Examinons la réaction à la base de la formation de l'acétate d'octyle à partir de l'octan-1-ol et de l'acide acétique.

$$CH_3(CH_2)_6CH_2OH(l) + CH_3COOH(l) \xrightleftharpoons{H^+} CH_3(CH_2)_6CH_2OCOCH_3(l) + H_2O(l)$$

Octan-1-ol   Acide acétique   Acétate d'octyle

Le mélange à l'équilibre des quatre composants est homogène ; il n'existe que dans la phase liquide. Puisque les composants coexistent dans une phase homogène, on doit tous les considérer dans l'expression de la constante d'équilibre, et ce, même s'ils sont à l'état liquide.

Considérons la réaction lorsque le mélange est *à l'équilibre* ; à ce moment, le quotient réactionnel, Q_c, est égal à la constante d'équilibre, K_c.

$$Q_c = \frac{[\text{acétate d'octyle}][H_2O]}{[\text{octan-1-ol}][CH_3COOH]} = K_c$$

Modifions alors l'équilibre en ajoutant de l'acide acétique, CH_3COOH. Dans l'expression ci-dessous, nous indiquons en rouge l'augmentation de la concentration d'acide acétique

$$Q_c = \frac{[\text{acétate d'octyle}][H_2O]}{[\text{octan-1-ol}][CH_3COOH]} < K_c$$

Comme le dénominateur a augmenté, le rapport des concentrations, Q_c, est maintenant inférieur à K_c, mais cette condition n'existe que temporairement. Les concentrations doivent varier de telle sorte que Q_c soit de nouveau égal à K_c, puisque l'ajout ou le retrait de constituants ne modifie pas la valeur de la constante d'équilibre. Il faut donc que le numérateur augmente et, pour y arriver, une partie du CH_3COOH ajouté doit être consommée dans une réaction directe nette. Il y a production de plus d'acétate d'octyle et d'eau. En conséquence, de l'octan-1-ol est consommé. Une fois le nouvel équilibre établi, les concentrations d'acide acétique, d'acétate d'octyle et d'eau sont plus grandes que dans l'équilibre initial (en rouge), et celle d'octan-1-ol est plus petite (en bleu).

$$Q_c = \frac{[\text{acétate d'octyle}][H_2O]}{[\text{octan-1-ol}][CH_3COOH]} = K_c$$

Le principe de Le Chatelier nous conduit à la même conclusion, mais sans que nous ayons besoin d'utiliser le quotient réactionnel. Pour contrer l'effet de l'ajout d'un réactif, il faut favoriser la réaction qui peut en consommer une partie. Dans ce cas, la réaction *directe* consomme l'acide acétique. Dans le nouvel équilibre, la réaction s'est déplacée vers la droite. Le principe de Le Chatelier permet de prédire les résultats suivants pour chaque espèce.

- *L'acide acétique,* CH_3COOH. Une *partie* seulement de l'acide acétique ajouté est consommée dans la réaction directe. Il y a donc plus d'acide acétique dans le nouveau mélange réactionnel que dans l'état d'équilibre initial.

- *L'octan-1-ol.* Il y a moins d'octan-1-ol que dans l'état d'équilibre initial. Une partie de l'octan-1-ol présent dans l'équilibre initial réagit avec une partie de l'acide acétique ajouté.

- *L'acétate d'octyle et l'eau.* Il y a une augmentation de chacun de ces produits dans le nouvel état d'équilibre, parce que la réaction directe est favorisée.

Les chimistes organiciens utilisent souvent de l'acide acétique en excès, à raison de plus de 10 mol d'acide pour 1 mol d'octan-1-ol, qui est plus coûteux. L'équilibre est ainsi déplacé vers les produits, ce qui donne un bon rendement d'acétate d'octyle. Pour améliorer le rendement en acétate d'octyle, on peut aussi éliminer l'eau, tel que l'illustre l'exemple 3.7.

EXEMPLE 3.7

Décrivez l'influence que l'élimination de l'eau a sur l'équilibre d'un mélange d'octan-1-ol et d'acide acétique.

$$CH_3(CH_2)_6CH_2OH + CH_3COOH \xrightleftharpoons{H^+} CH_3(CH_2)_6CH_2OCOCH_3 + H_2O$$

Octan-1-ol   Acide acétique   Acétate d'octyle

➜ Solution

À mesure que l'eau est *éliminée,* la réaction inverse ralentit par rapport à la réaction directe, ce qui a tendance à former encore plus d'H_2O. Toute l'eau éliminée n'est cependant pas remplacée de sorte que, dans le nouvel équilibre, sa quantité est quelque peu *inférieure* à celle de l'équilibre initial. La quantité d'acétate d'octyle dans le nouvel équilibre est *plus grande* que dans l'équilibre initial, et les quantités d'octan-1-ol et d'acide acétique sont *plus faibles*.

EXERCICE 3.7 A

Quel serait l'effet de chacune des modifications suivantes sur un mélange à l'équilibre de N_2, de H_2 et de NH_3, le volume étant constant ?

$$N_2(g) + 3\,H_2(g) \rightleftharpoons 2\,NH_3(g)$$

a) Ajout de $H_2(g)$ **b)** Élimination de $N_2(g)$ **c)** Élimination de $NH_3(g)$

EXERCICE 3.7 B

Décrivez les changements qui pourraient se produire si une solution aqueuse d'acide acétique était ajoutée au mélange à l'équilibre de l'exemple 3.7.

Les modifications de la pression externe ou du volume dans les équilibres gazeux

Dans un mélange à l'équilibre ou à volume constant, il est possible soit d'*augmenter* la pression partielle d'un composant gazeux en *ajoutant* une certaine quantité de celui-ci, soit de *diminuer* la pression du composant gazeux en *éliminant* une partie de celui-ci. Une réaction nette a lieu vers la gauche ou vers la droite, comme nous l'avons vu précédemment (exercice 3.7A).

On peut *augmenter* les pressions partielles de *tous* les gaz du mélange à l'équilibre en *augmentant* la pression externe, ce qui a pour effet de *diminuer* le volume réactionnel. De même, on peut *réduire* les pressions partielles de tous les gaz en *réduisant* la pression externe, ce qui fait *augmenter* le volume réactionnel. On peut également réduire les pressions partielles en transférant le mélange réactionnel dans un récipient sous vide de plus grand volume.

Considérons la décomposition du tétroxyde de diazote, $N_2O_4(g)$, en dioxyde d'azote, $NO_2(g)$, à 298 K.

$$N_2O_4(g) \rightleftharpoons 2\,NO_2(g) \qquad K_p = 14,7$$

La **figure 3.5a** représente un mélange à l'équilibre sous une pression externe de 100 kPa. Les molécules illustrées (17 en tout) sont à peu près dans leurs proportions réelles : il y a 12 molécules N_2O_4 par rapport à 5 molécules NO_2. Supposons maintenant qu'on élève rapidement la pression externe à 200 kPa. On peut prédire ce qui arrivera en comparant Q_p et K_p.

Mélange initial à l'équilibre Si les pressions partielles sont $P_{N_2O_4}$ et P_{NO_2}, comme dans la figure 3.5*a*, alors l'équilibre initial est décrit par l'expression

$$Q_p = K_p = \frac{(P_{NO_2})^2}{P_{N_2O_4}}$$

Perturbation du mélange à l'équilibre Si les quantités de N_2O_4 et de NO_2 demeurent inchangées, comme dans la **figure 3.5*b***, chaque pression partielle double, parce que le volume a été comprimé à la moitié de sa valeur initiale, et on obtient

$$Q_p = \frac{2P_{NO_2} \times 2P_{NO_2}}{2P_{N_2O_4}} = 2 \times \frac{(P_{NO_2})^2}{P_{N_2O_4}} = 2 \times K_p > K_p$$

Nouveau mélange à l'équilibre Puisque Q_p est plus grand que K_p dans la figure 3.5*b*, il doit se produire une réaction nette vers la gauche. Le numérateur diminue et le dénominateur augmente, ce qui a pour effet de diminuer Q_p afin qu'il redevienne égal à K_p. Le nouveau mélange à l'équilibre comporte plus de N_2O_4 et moins de NO_2 qu'initialement. La **figure 3.5*c*** représente le nouvel équilibre, maintenant formé de 13 molécules N_2O_4 et de 3 molécules NO_2.

Appliquons maintenant le principe de Le Chatelier. Quand on diminue le volume d'un mélange à l'équilibre en augmentant la pression externe, on comprime les molécules dans un espace plus restreint. Cette perturbation favorise la réaction inverse, parce que celle-ci réduit la pression en diminuant le nombre total de molécules dans le mélange. En effet, *une* mole du réactif gazeux (N_2O_4) remplace *deux* moles du produit gazeux (NO_2). Dans la figure 3.5*c*, on voit que *deux* des molécules NO_2 des figures 3.5*a* et 3.5*b* ont été remplacées par *une* molécule N_2O_4. En conséquence, le nouvel équilibre comporte 16 molécules à la place des 17 présentes dans l'équilibre initial. Le plus petit nombre de molécules s'accommode mieux de l'encombrement causé par le volume réduit.

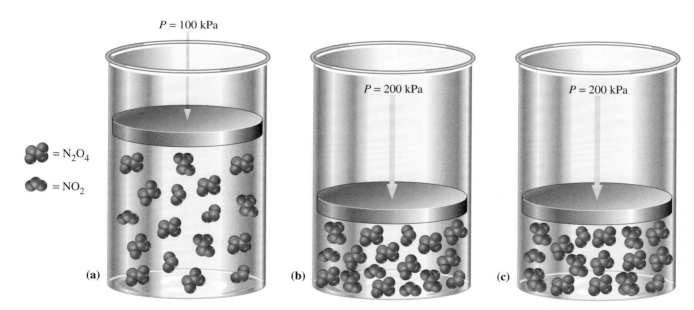

▲ Figure 3.5
Illustration du principe de Le Chatelier dans la réaction
$N_2O_4(g) \rightleftharpoons 2\ NO_2(g)$ à 298 K

(a) L'équilibre est atteint à une pression totale de 100 kPa. Sur 17 molécules au total, 5 sont du NO_2, et 12, du N_2O_4. **(b)** La pression totale est portée à 200 kPa. Pour un court instant, les mêmes 17 molécules sont présentes. **(c)** Le système s'ajuste au volume réduit. Deux molécules NO_2 se combinent pour former une molécule N_2O_4. Le nouvel équilibre comporte 16 molécules à la place des 17 initiales. De ces 16 molécules, 3 sont du NO_2, et 13, du N_2O_4. Remarquez que, dans chaque cas, il y a le même nombre total d'atomes : 29 atomes N et 58 atomes O.

Les énoncés suivants résument l'influence des variations de la pression externe (ou du volume du système) sur un équilibre mettant en jeu des gaz.

- Quand on *augmente la pression* externe (ou qu'on *diminue le volume* du système), l'équilibre se déplace dans le sens qui produit *le plus petit nombre de moles de gaz.*

- Quand on *diminue la pression* externe (ou qu'on *augmente le volume* du système), l'équilibre se déplace dans le sens qui produit *le plus grand nombre de moles de gaz.*

- S'il n'y a *pas de modification* du nombre de moles de gaz dans une réaction, les variations de pression externe (ou du volume du système) n'ont *aucune influence* sur l'équilibre.

Si on provoque des variations de pression ou de volume des gaz en ajoutant un gaz inerte au mélange à l'équilibre, les effets diffèrent quelque peu. Si le gaz inerte est ajouté à une *pression externe constante,* le volume augmente pour s'adapter au gaz ajouté. L'effet est le même que si on transférait le mélange dans un récipient de volume plus grand. Si le gaz inerte est ajouté à un mélange à un *volume constant,* les concentrations et les pressions partielles des réactifs et des produits ne changent pas, et le gaz inerte n'influe pas sur l'équilibre.

EXEMPLE **3.8**

On transfère un mélange à l'équilibre de $SO_2(g)$, de $O_2(g)$ et de $SO_3(g)$ d'un ballon de 1,00 L à un autre de 2,00 L. Dans quel sens y aura-t-il réaction nette pour rétablir l'équilibre ?

$$2\ SO_3(g) \rightleftharpoons 2\ SO_2(g) + O_2(g)$$

➜ Solution

Transférer le mélange dans un ballon plus grand augmente le volume occupé par les molécules et diminue la pression. On s'attend à ce que l'équilibre se déplace dans le sens qui fait augmenter le nombre de molécules de gaz : en l'occurence, dans celui de la réaction directe. Une partie du $SO_3(g)$ est transformée en $SO_2(g)$ et en $O_2(g)$, et l'équilibre se déplace vers la droite.

EXERCICE 3.8 A

Soit la réaction $H_2(g) + I_2(g) \rightleftharpoons 2\ HI(g)$. Quelle modification subit la quantité de $HI(g)$ à l'équilibre si on comprime le mélange à l'équilibre dans un plus petit volume ? Expliquez votre réponse.

EXERCICE 3.8 B

Soit la réaction $2\ NO(g) + O_2(g) \rightleftharpoons 2\ NO_2(g)$. Dans quel sens la réaction nette aura-t-elle lieu si on ajoute du $NO_2(g)$ à un mélange à l'équilibre en même temps qu'on transfère ce mélange d'un ballon de 1,00 L à un autre de 1,50 L ? Expliquez votre réponse.

Les modifications de la température d'équilibre

Les modifications que nous avons décrites jusqu'à présent n'influent pas sur la valeur de la constante d'équilibre ; par contre, *changer la température* d'un mélange à l'équilibre fait varier la valeur de K_p et de K_c. Si la constante d'équilibre augmente, la réaction directe est favorisée, et l'équilibre est déplacé vers la droite. Si la valeur diminue, la réaction inverse est favorisée, et l'équilibre est déplacé vers la gauche. Le principe de Le Chatelier peut servir à évaluer qualitativement l'influence de la température sur l'équilibre.

On peut déterminer la nouvelle valeur de la constante d'équilibre à la suite d'une variation de température en utilisant l'équation de van't Hoff. Cette équation sera abordée à la section 6.7 (page 317).

Pour élever la température d'un mélange réactionnel, on doit fournir de la chaleur ; pour l'abaisser, on doit en extraire. Chauffer un mélange à l'équilibre favorise la réaction qui peut en absorber une partie : il s'agit de la réaction endothermique. Extraire de la chaleur favorise la réaction exothermique. On résume ces influences de la façon suivante.

Élever la température d'un mélange à l'équilibre déplace l'équilibre dans le sens de la réaction endothermique ; abaisser la température déplace l'équilibre dans le sens de la réaction exothermique.

Dans l'exemple 3.9, nous montrerons que la chaleur peut également être considérée comme un « réactif » ou un « produit » d'une réaction. On peut donc faire le même raisonnement que si on modifiait la quantité d'une espèce réagissante.

À la section 1.5 (page 29), nous avons vu que la solubilité dans l'eau de la plupart des solides (au moins 95 %) *augmente* avec la température. Dans ces cas, la formation d'une solution est un processus *endothermique* qui est favorisé par une température *élevée*. Cela signifie qu'une plus grande quantité de soluté se dissout avant que la solution ne devienne saturée, c'est-à-dire avant que l'équilibre ne soit atteint.

EXEMPLE **3.9**

La quantité de NO(g) formée à partir de quantités données de $N_2(g)$ et de $O_2(g)$ est-elle plus grande à haute ou à basse température ?

$$N_2(g) + O_2(g) \rightleftharpoons 2\,NO(g) \qquad \Delta H° = +\,180,5\ kJ$$

➜ Solution

Telle qu'elle est écrite, la valeur donnée de $\Delta H°$ concerne la réaction directe. Comme $\Delta H°$ est positive, la réaction directe est endothermique. Donc, l'état d'équilibre se déplace vers la droite quand on augmente la température. La conversion de $N_2(g)$ et de $O_2(g)$ en NO(g) est favorisée à une température élevée.

Ou bien, nous pouvons réécrire l'équation de cette façon.

$$N_2(g) + O_2(g) + chaleur \rightleftharpoons 2\,NO(g)$$

Nous pouvons alors faire le raisonnement suivant : élever la température, c'est-à-dire fournir de la chaleur (un « réactif »), favorise la réaction directe. Donc, l'équilibre se déplace vers la droite.

Les émissions des moteurs d'automobiles (qui fonctionnent à haute température) contiennent du NO(g) parce que la conversion de $N_2(g)$ et de $O_2(g)$ en NO(g) est favorisée par des températures élevées.

EXERCICE 3.9 A

La conversion de $SO_2(g)$ en $SO_3(g)$ est-elle plus complète à haute ou à basse température ?

$$2\,SO_2(g) + O_2(g) \rightleftharpoons 2\,SO_3(g) \qquad \Delta H° = -198\ kJ$$

EXERCICE 3.9 B

Du monoxyde d'azote gazeux et du dioxyde d'azote gazeux réagissent pour former du trioxyde de diazote gazeux, qui a une enthalpie standard de formation à 298,15 K de 83,72 kJ/mol. L'enthalpie de formation du NO(g) est de +90,25 kJ/mol et celle du $NO_2(g)$ est de +33,18 kJ/mol. La pression partielle à l'équilibre du trioxyde de diazote sera-t-elle plus grande au point de congélation de l'eau ou au point d'ébullition de l'eau ? Expliquez votre réponse.

L'ajout d'un catalyseur

La réaction de $SO_2(g)$ avec $O_2(g)$ pour produire $SO_3(g)$ est grandement accélérée par un catalyseur (comme le platine métallique). Cependant, le catalyseur augmente également beaucoup la vitesse de la réaction inverse, la décomposition de $SO_3(g)$ en $SO_2(g)$ et en $O_2(g)$.

$$2\ SO_2(g)\ +\ O_2(g)\ \overset{Pt}{\rightleftharpoons}\ 2\ SO_3(g) \qquad K_c = 2,8 \times 10^2 \text{ à } 1000\text{ K}$$

Puisque les vitesses des réactions directe et inverse sont augmentées d'une valeur égale, la proportion de $SO_3(g)$ dans le mélange à l'équilibre est la même que s'il n'y avait pas de catalyseur.

> *Un catalyseur ne déplace l'équilibre ni vers la droite ni vers la gauche. Par conséquent, il n'influe pas sur la valeur de la constante d'équilibre.*

Le rôle du catalyseur consiste à remplacer le mécanisme de la réaction par un autre dont l'énergie d'activation est plus faible. Comme le catalyseur n'influe pas sur l'état d'équilibre, on peut conclure que cet état n'est fonction que des réactifs et des produits, et non de la voie réactionnelle. Nous étudierons ce sujet plus en profondeur au chapitre 6.

EXEMPLE 3.10 — Un exemple conceptuel

Le ballon A ci-dessous contient un mélange à l'équilibre représenté par l'équation suivante.

$$CO(g) + H_2O(g) \rightleftharpoons CO_2(g) + H_2(g) \qquad \Delta H = -41\text{ kJ} ; K_c = 9,03 \text{ à } 698\text{ K}$$

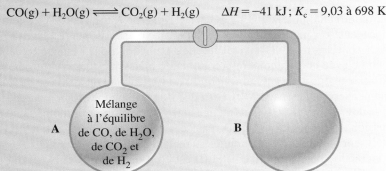

Mélange à l'équilibre de CO, de H₂O, de CO₂ et de H₂

A   B

Le ballon A est rattaché au ballon B, et un nouvel équilibre est établi quand le robinet entre les deux est ouvert. Décrivez qualitativement comment les quantités de CO, de H₂O, de CO₂ et de H₂ varient quand le nouvel équilibre est atteint. Comparez-les aux quantités à l'état d'équilibre initial, selon que : **a)** le ballon B contient Ar(g) sous une pression de 101,3 kPa ; **b)** le ballon B contient 1,0 mol de CO₂ ; **c)** le ballon B contient 1,0 mol de CO, et la température des ballons A et B est augmentée de 100 °C. S'il est difficile de faire une prédiction, expliquez pourquoi.

➔ Analyse et conclusion

a) Ar(g) est un gaz inerte qui n'a aucune influence sur la réaction. Puisque la réaction met en jeu le même nombre de molécules de réactifs et de produits, l'équilibre n'est pas modifié par une variation de volume. Les quantités de CO, de H₂O, de CO₂ et de H₂ sont toutes inchangées.

b) Comme dans la partie *a*, une augmentation du volume n'a aucun effet sur l'équilibre, mais la présence d'une quantité supplémentaire de CO₂(g) favorise la réaction *inverse*. Une partie du CO₂ additionnel est convertie en CO et en H₂. Dans le nouvel équilibre, les quantités de CO, de H₂O et de CO₂ sont toutes *plus grandes* qu'à l'équilibre initial dans le ballon A. Puisque H₂ est consommé dans la réaction inverse, sa quantité est *moindre* que dans l'état d'équilibre initial.

c) L'ajout d'une quantité supplémentaire de CO(g) favorise la réaction *directe,* mais une élévation de température favorise la réaction *inverse,* qui est endothermique. Puisque ces facteurs ont des effets opposés, il est impossible de faire une prédiction qualitative.

L'équilibre chimique et la synthèse de l'ammoniac

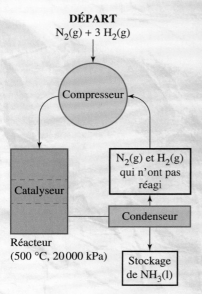

▲ Figure 3.6
Synthèse de l'ammoniac: le procédé Haber (de Fritz Haber, chimiste allemand du début du XXe siècle, prix Nobel de chimie en 1918)

On introduit le mélange de N_2 et de H_2 dans un réacteur à pression et à température élevées. Le mélange à l'équilibre est retiré du réacteur et refroidi dans un condenseur. L'ammoniac liquide est retiré, et le mélange résiduel de N_2 et de H_2, n'ayant pas réagi, est retourné au réacteur et mélangé avec des réactifs gazeux additionnels.

L'ammoniac est un des principaux produits chimiques industriels au Canada, qui en génère annuellement plus de 1,5 million de tonnes. On l'utilise directement comme engrais, ou pour fabriquer d'autres engrais azotés. Il entre également dans la composition des explosifs et des plastiques. Voici quelques conditions typiques de sa synthèse à partir de l'azote et de l'hydrogène gazeux.

$$N_2(g) + 3 H_2(g) \rightleftharpoons 2 NH_3(g) \qquad \Delta H° = -92,22 \text{ kJ}$$

- *Réactifs*: rapport molaire de H_2 par rapport à N_2 de 3:1
- *Température*: 400 à 600 °C
- *Pression*: 14 000 à 34 000 kPa
- *Catalyseur*: Fe_3O_4 avec de petites quantités de Al_2O_3, de MgO, de CaO et de K_2O. Le Fe_3O_4 est réduit en fer métallique avant son utilisation.

Selon l'équation chimique et le principe de Le Chatelier, on pourrait conclure que les rendements élevés en $NH_3(g)$ sont favorisés par les conditions suivantes:

1. *Des températures basses,* parce que la réaction directe est exothermique.
2. *Des pressions élevées,* parce que la réaction directe est accompagnée d'une diminution du nombre de moles de gaz.
3. *Une élimination continue de NH_3,* parce que l'élimination d'un produit favorise la réaction directe pour former plus de produit (**figure 3.6**).

En fait, on effectue la réaction de synthèse à une pression élevée. Les températures utilisées, cependant, sont modérément élevées plutôt que basses. Le pourcentage de rendement théorique de la conversion en NH_3 du mélange de 3 mol de H_2 pour 1 mol de N_2 dépasse 90 % à une pression élevée et à la température ambiante mais, dans ces conditions, il faudrait beaucoup trop de temps pour atteindre l'équilibre. La réaction de synthèse de l'ammoniac est cinétiquement contrôlée (page 130). Bien que l'on n'obtienne qu'un rendement de 20 % de conversion des réactifs en NH_3 dans un mélange à l'équilibre à une température de 500 °C et à une pression de 20 000 kPa, on peut, dans ces mêmes conditions, atteindre l'équilibre avec un catalyseur en moins d'une minute. Le mélange à l'équilibre des gaz est refroidi au point de liquéfaction de l'ammoniac. $NH_3(l)$ est éliminé, et $H_2(g)$ et $N_2(g)$ qui n'ont pas réagi, toujours dans un rapport molaire de 3 : 1, sont recyclés dans le processus.

EXERCICE 3.10 A

Répondez, comme dans l'exemple 3.10, en tenant compte des conditions suivantes.
a) Le ballon B contient 1,0 mol de $H_2(g)$ à une pression de 101,3 kPa.
b) Le ballon B contient 1,0 mol de $H_2(g)$ et 1,0 mol de $H_2O(g)$.
c) Le ballon B contient 1,0 mol de H_2O, et la température des ballons A et B est diminuée de 100 °C.

EXERCICE 3.10 B

La principale source d'hydrogène pour la synthèse de l'ammoniac est un procédé appelé «reformage du méthane», une réaction endothermique dans laquelle le méthane et l'eau, tous deux à l'état gazeux, réagissent pour produire du dioxyde de carbone et de l'hydrogène, tous deux également à l'état gazeux. La formation des produits sera-t-elle favorisée si l'équilibre de la réaction est établi **a)** à haute température; **b)** à basse température; **c)** à haute pression; **d)** à basse pression?

3.5 Quelques exemples de problèmes d'équilibre

Nous terminerons ce chapitre en apprenant comment utiliser les constantes d'équilibre pour résoudre des problèmes. Les connaissances suivantes s'avéreront très utiles pour résoudre de nombreuses questions semblables posées dans les deux prochains chapitres. Pour plus de commodité, nous séparerons les problèmes en deux types fondamentaux : ceux où on utilise des données expérimentales pour déterminer les constantes d'équilibre et ceux où on utilise les constantes pour calculer les concentrations et les pressions partielles à l'équilibre.

La détermination des valeurs des constantes d'équilibre à partir de données expérimentales

Dans l'exemple 3.11, nous cherchons une valeur de K_c. Comme l'indique la **figure 3.7**, les quantités *initiales* de réactifs et la quantité à l'*équilibre* du produit sont fournies. À partir de ces données, nous pouvons établir les quantités et les concentrations de *toutes* les espèces à l'équilibre et nous pouvons également calculer K_c en nous servant de ces concentrations.

La méthode de résolution habituelle consiste à faire sous l'équation chimique un tableau comportant : (a) les concentrations des substances présentes initialement ; (b) les modifications des concentrations qui surviennent pour que l'équilibre soit atteint ; (c) les concentrations à l'équilibre. L'étape clé est souvent l'étape (b), dans laquelle nous établissons les modifications qui ont lieu.

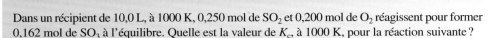

EXEMPLE 3.11

Dans un récipient de 10,0 L, à 1000 K, 0,250 mol de SO_2 et 0,200 mol de O_2 réagissent pour former 0,162 mol de SO_3 à l'équilibre. Quelle est la valeur de K_c, à 1000 K, pour la réaction suivante ?

$$2\,SO_2(g) + O_2(g) \rightleftharpoons 2\,SO_3(g)$$

➔ Stratégie

Pour appliquer la méthode présentée ci-dessus, nous devons calculer (a) les concentrations des substances présentes initialement ; (b) les modifications des concentrations qui surviennent pour que l'équilibre soit atteint ; (c) les concentrations à l'équilibre. Rappelons que l'étape clé est l'étape (b).

➔ Solution

Commençons par les concentrations initiales des trois gaz.

$$[SO_2] = \frac{0,250\ mol}{10,0\ L} = 0,0250\ mol/L \qquad [O_2] = \frac{0,200\ mol}{10,0\ L} = 0,0200\ mol/L \qquad [SO_3] = 0$$

À partir des renseignements fournis, nous pouvons calculer la concentration à l'*équilibre* de SO_3.

$$[SO_3] = \frac{0,162\ mol}{10,0\ L} = 0,0162\ mol/L$$

Puis, réorganisons ces quantités sous la forme suivante :

La réaction	2 SO$_2$(g)	+	O$_2$(g)	⇌	2 SO$_3$(g)
Concentrations initiales (mol/L)	0,0250		0,0200		0
Modifications (mol/L)	?		?		?
Concentrations à l'équilibre (mol/L)	?		?		0,0162

État initial

État d'équilibre

▲ **Figure 3.7**
Illustration de l'exemple 3.11

L'étape clé dans l'exemple 3.11 est la détermination des quantités de SO_2 et de O_2 *consommées* pour atteindre l'équilibre.

Complétons maintenant le tableau. Comme, au départ, il n'y a pas de SO_3 et que la concentration produite à l'équilibre est de 0,0162 mol/L, la *modification* pour [SO_3] doit être de + 0,0162 mol/L. Le signe *positif* signifie qu'il y a formation de quelque chose. À partir de l'équation chimique, nous constatons que le nombre de moles par litre de SO_2 consommées est le même que le nombre de moles de SO_3 produites. La *modification* de [SO_2] égale −0,0162 mol/L ; le signe *négatif* signifie qu'il y a consommation de quelque chose. Puisque seulement *une* mole par litre de O_2 est requise pour produire *deux* moles par litre de SO_3, la *modification* pour [O_2] est de $-\frac{1}{2} \times 0{,}0162$ mol/L, ce qui donne −0,0081 mol/L. Nous pouvons maintenant compléter le tableau en *ajoutant* ces modifications aux concentrations initiales pour obtenir les concentrations à l'équilibre.

La réaction	$2\,SO_2(g)$	+	$O_2(g)$	$\rightleftharpoons$	$2\,SO_3(g)$
Concentrations initiales (mol/L)	0,0250		0,0200		0
Modifications (mol/L)	− 0,0162		− 0,0081		+ 0,0162
Concentrations à l'équilibre (mol/L)	0,0088		0,0119		0,0162

Finalement, substituons les concentrations à l'équilibre dans l'expression de la constante d'équilibre.

$$K_c = \frac{[SO_3]^2}{[SO_2]^2[O_2]} = \frac{(0{,}0162)^2}{(0{,}0088)^2(0{,}0119)} = 2{,}8 \times 10^2$$

✦ Évaluation

Remarquez que les modifications des concentrations qui surviennent à l'équilibre sont régies par la stœchiométrie de la réaction (c'est-à-dire par les coefficients de l'équation équilibrée). Par ailleurs, bien que certaines modifications de concentration soient négatives et d'autres positives, les quantités à l'équilibre sont toujours positives.

EXERCICE 3.11 A

On retrouve initialement 1,00 mol de PCl_3 et 1,00 mol de Cl_2 dans un ballon de 1,00 L. Une fois l'équilibre atteint à 250 °C, la quantité de $PCl_5(g)$ présente est de 0,82 mol. Quelle est la valeur de K_c pour cette réaction ?

$$PCl_3(g) + Cl_2(g) \rightleftharpoons PCl_5(g)$$

EXERCICE 3.11 B

On laisse réagir un échantillon de 1,00 kg de $Sb_2S_3(s)$ avec 10,00 g de $H_2(g)$ dans un récipient de 25,00 L, à 713 K. À l'équilibre, 72,6 g de $H_2S(g)$ sont présents. Quelle est la valeur de K_p à 713 K pour la réaction suivante ?

$$Sb_2S_3(s) + 3\,H_2(g) \rightleftharpoons 2\,Sb(s) + 3\,H_2S(g)$$

RÉSOLUTION DE PROBLÈMES
On peut utiliser les pressions partielles dans le tableau qui présente les données sous l'équation chimique de la même façon qu'on a utilisé les concentrations dans l'exemple 3.11. On peut aussi calculer K_c et utiliser l'équation $K_p = K_c(RT)^{\Delta n_{gaz}}$ pour convertir K_c en K_p.

Le calcul des quantités à l'équilibre à partir des valeurs de K_c et de K_p

L'exemple 3.12 illustre un des types de problèmes d'équilibre les plus courants. Au départ, il n'y a que des réactifs. On connaît leurs quantités et la valeur de la constante d'équilibre. On utilise ces données pour calculer les quantités de substances présentes à l'équilibre. On emploie habituellement un symbole comme *x* pour désigner une des modifications de concentrations qui a lieu lorsque s'établit l'équilibre. Ensuite, on relie toutes les autres modifications de concentrations à *x*, on substitue les termes appropriés dans l'expression de la constante d'équilibre et on résout l'équation pour trouver *x*.

EXEMPLE 3.12

Soit la réaction suivante :

$$H_2(g) + I_2(g) \rightleftharpoons 2\,HI(g) \qquad K_c = 54,3 \text{ à } 698 \text{ K}$$

Si on ajoute 0,500 mol de H_2 et 0,500 mol de $I_2(g)$ dans un récipient de 5,25 L, à 698 K, combien de moles de chacun des gaz seront présentes à l'équilibre ?

➜ Stratégie

Comme nous l'avons indiqué plus haut, nous pouvons représenter par x une des modifications de concentration et relier les autres modifications à x. Appelons $-x$ les modifications de $[H_2]$ et $[I_2]$. Alors, selon la stœchiométrie de la réaction, la modification de $[HI^-]$ est de $+2x$. Utilisons ensuite la méthode décrite précédemment et résolvons afin de déterminer la valeur de x. Une fois la valeur de x déterminée, nous pouvons calculer les concentrations à l'équilibre et, à partir de celles-ci, les quantités réelles en moles à l'équilibre.

➜ Solution

D'abord, calculons les concentrations initiales dans le ballon de 5,25 L.

$$[H_2] = [I_2] = \frac{0,500 \text{ mol}}{5,25 \text{ L}} = 0,0952 \text{ mol/L} \qquad [HI] = 0$$

Si nous posons $-x$ pour représenter les modifications des concentrations de H_2 et de I_2, la variation de $[HI]$ sera de $+2x$, parce que deux moles de HI sont formées pour chaque mole de H_2 et de I_2 qui réagit. Joignons ces modifications aux concentrations initiales ainsi qu'aux concentrations à l'équilibre et inscrivons-les sous forme de tableau.

La réaction	$H_2(g)$	$+$	$I_2(g)$	$\rightleftharpoons$	$2\,HI(g)$
Concentrations initiales (mol/L)	0,0952		0,0952		0
Modifications (mol/L)	$-x$		$-x$		$+2x$
Concentrations à l'équilibre (mol/L)	$(0,0952 - x)$		$(0,0952 - x)$		$2x$

Introduisons ensuite les concentrations à l'*équilibre* dans l'expression de K_c.

$$K_c = \frac{[HI]^2}{[H_2][I_2]} = \frac{(2x)^2}{(0,0952 - x)(0,0952 - x)} = \frac{(2x)^2}{(0,0952 - x)^2} = 54,3$$

À cette étape, l'approche la plus directe consiste à trouver la racine carrée de chaque membre de l'équation et de la résoudre pour trouver x.

$$\sqrt{\left[\frac{(2x)^2}{(0,0952 - x)^2}\right]} = \sqrt{(54,3)}$$

$$\frac{2x}{(0,0952 - x)} = \sqrt{(54,3)}$$

$$2x = \sqrt{(54,3)} \times (0,0952 - x)$$

$$2x = 7,37 \times (0,0952 - x)$$

$$2x = 0,702 - 7,37x$$

$$9,37x = 0,702$$

$$x = 0,0749$$

Nous pouvons alors calculer les concentrations à l'équilibre.

$$[H_2] = [I_2] = 0,0952 - x = 0,0952 - 0,0749 = 0,0203 \text{ mol/L}$$

$$[HI] = 2x = 2 \times 0,0749 = 0,150 \text{ mol/L}$$

Pour déterminer les *quantités* à l'équilibre, nous multiplions les concentrations à l'équilibre par le volume.

$$\text{moles de } H_2 = \text{moles de } I_2 = 5,25 \, \cancel{L} \times 0,0203 \text{ mol/}\cancel{L} = 0,107 \text{ mol}$$

$$\text{moles de } HI = 5,25 \, \cancel{L} \times 0,150 \text{ mol/}\cancel{L} = 0,788 \text{ mol}$$

→ Évaluation

Pour vérifier ce résultat, il suffit de substituer dans l'expression de K_c les concentrations à l'équilibre que nous avons calculées, pour voir quelle valeur de K_c nous obtenons.

$$K_c = \frac{[HI]^2}{[H_2][I_2]} = \frac{(0,150)^2}{(0,0203)(0,0203)} = 54,6$$

La valeur ainsi obtenue est suffisamment proche de celle fournie pour K_c (54,3), ce qui confirme que nos calculs sont exacts.

EXERCICE 3.12 A

On laisse la réaction suivante atteindre l'équilibre à 600 K, à partir de 0,100 mol de CO et de 0,100 mol de H_2O, dans un ballon de 5,00 L.

$$CO(g) + H_2O(g) \rightleftharpoons CO_2(g) + H_2(g) \qquad K_c = 23,2 \text{ à } 600 \text{ K}$$

Donnez : **a)** le nombre de moles de $H_2(g)$ et **b)** la pression partielle de $H_2(g)$ une fois l'équilibre atteint.

EXERCICE 3.12 B

Montrez que, pour la réaction de l'exemple 3.12, $H_2(g) + I_2(g) \rightleftharpoons 2 HI(g)$, les quantités de réactifs et de produits à l'équilibre sont *indépendantes* du volume du récipient. Doit-on s'attendre à ce que ce soit le cas de toutes les réactions réversibles à l'équilibre ? Expliquez votre réponse.

EXEMPLE **3.13**

Supposons que, dans la réaction de l'exemple 3.12, les quantités initiales sont de 0,800 mol de H_2 et de 0,500 mol de I_2. Quelles seront les quantités de réactifs et de produits une fois l'équilibre atteint ?

→ Stratégie

Dans cet exemple, les quantités initiales de réactifs *ne* sont *pas égales*. La résolution du problème est semblable à celle de l'exemple 3.12, à la différence que la solution algébrique fait intervenir la formule quadratique, couramment utilisée dans les problèmes d'équilibre.

→ Solution

Comme dans l'exemple 3.12, nous déterminons d'abord les concentrations *initiales*.

$$[H_2] = \frac{0,800 \text{ mol}}{5,25 \text{ L}} = 0,152 \text{ mol/L} \qquad [I_2] = \frac{0,500 \text{ mol}}{5,25 \, L} = 0,0952 \text{ mol/L} \qquad [HI] = 0$$

Nous pouvons alors inscrire les données sous forme de tableau.

La réaction	$H_2(g)$	+	$I_2(g)$	$\rightleftharpoons$	$2\,HI(g)$
Concentrations initiales (mol/L)	0,152		0,0952		0
Modifications (mol/L)	$-x$		$-x$		$+2x$
Concentrations à l'équilibre (mol/L)	$(0,152 - x)$		$(0,0952 - x)$		$2x$

Puis, nous pouvons introduire les concentrations à l'équilibre dans l'expression de K_c.

$$K_c = \frac{[HI]^2}{[H_2][I_2]}$$

$$= \frac{(2x)^2}{(0,152 - x)(0,0952 - x)} = 54,3$$

Nous ne pouvons pas extraire la racine carrée de chaque membre de cette équation, car les deux termes du dénominateur à gauche ne sont pas identiques. Il faut plutôt multiplier les deux côtés de l'équation par le facteur $(0,152 - x)(0,0952 - x)$.

$$4x^2 = 54,3 \times (0,152 - x)(0,0952 - x)$$
$$4x^2 = 54,3 \times (0,0145 - 0,247x + x^2)$$
$$4x^2 = 54,3x^2 - 13,4x + 0,787$$

Nous pouvons ensuite regrouper les termes dans une équation de forme $ax^2 + bx + c = 0$, où $a = 50,3$, $b = -13,4$ et $c = 0,787$.

$$50,3x^2 - 13,4x + 0,787 = 0$$

Les solutions de cette équation sont données par la formule quadratique.

$$x = \frac{-b \pm \sqrt{b^2 - 4ac}}{2a}$$

Nous substituons alors les valeurs de a, b et c.

$$x = \frac{-(-13,4) \pm \sqrt{(-13,4)^2 - (4 \times 50,3 \times 0,787)}}{2 \times 50,3}$$

$$= \frac{13,4 \pm \sqrt{21,22}}{100,6} = \frac{13,4 \pm 4,61}{100,6}$$

Il faut à cette étape faire un choix, car la solution donne deux valeurs pour x.

$$x = \frac{13,4 + 4,61}{100,6} = 0,179$$

$$x = \frac{13,4 - 4,61}{100,6} = 0,0874$$

Nous voyons que la bonne réponse est $x = 0,0874$ et non 0,179, car la diminution de $[I_2]$ doit être *inférieure à* 0,0952 mol/L, la concentration initiale. Nous pouvons alors calculer les concentrations à l'équilibre.

$$[H_2] = 0,152 - x = 0,152 - 0,0874 = 0,065 \text{ mol/L}$$

$$[I_2] = 0,0952 - x = 0,0952 - 0,0874 = 0,0078 \text{ mol/L}$$

$$[HI] = 2x = 2 \times 0,0874 = 0,175 \text{ mol/L}$$

Ensuite, nous déterminons les *quantités* à l'équilibre en multipliant les concentrations à l'équilibre par le volume.

$$? \text{ mol de } H_2 = 5,25 \text{ L} \times 0,065 \text{ mol de } H_2/\text{L} = 0,34 \text{ mol de } H_2$$

$$? \text{ mol de } I_2 = 5,25 \text{ L} \times 0,0078 \text{ mol de } I_2/\text{L} = 0,041 \text{ mol de } I_2$$

$$? \text{ mol de HI} = 5,25 \text{ L} \times 0,175 \text{ mol de HI}/\text{L} = 0,919 \text{ mol de HI}$$

➜ Évaluation

Pour vérifier ce résultat, il suffit, comme dans l'exemple 3.12, de substituer les concentrations calculées à l'équilibre dans l'expression de K_c et de vérifier si la valeur que nous obtenons pour K_c est plausible. Dans cet exemple, la valeur calculée est 60 comparativement à la valeur donnée de 54,3, ce qui confirme l'exactitude des calculs.

EXERCICE 3.13 A

Si on introduit 0,100 mol de CO et 0,200 mol de Cl_2 dans un ballon de 25,0 L, combien de moles de $COCl_2$ seront présentes *à l'équilibre* selon la réaction suivante ?

$$CO(g) + Cl_2(g) \rightleftharpoons COCl_2(g) \qquad K_c = 1,2 \times 10^3 \text{ à 668 K}$$

EXERCICE 3.13 B

Si on introduit 0,78 mol de N_2 et 0,21 mol de O_2 (les mêmes proportions que dans une mole d'air), quelle sera la *fraction molaire* de NO(g) *à l'équilibre* selon la réaction suivante ?

$$N_2(g) + O_2(g) \rightleftharpoons 2 \, NO(g) \qquad K_c = 2,1 \times 10^{-3} \text{ à 2500 K}$$

(*Indice :* Avez-vous besoin de connaître le volume du mélange réactionnel ? Rappelez-vous l'exercice 3.12B.)

Si on amorce une réaction avec un mélange dans lequel un réactif ou un produit est absent, on sait qu'une réaction nette aura lieu dans le sens qui produira cette espèce. C'était le cas dans les exemples 3.12 et 3.13. Si le mélange initial contient tous les réactifs et les produits, comme dans l'exemple 3.14, on ne peut savoir d'emblée dans quel sens une réaction nette aura lieu, mais on peut le trouver assez facilement. On évalue le quotient réactionnel à l'aide des conditions initiales et on compare sa valeur à celle de la constante d'équilibre.

EXEMPLE 3.14

Le monoxyde de carbone et le chlore réagissent pour former le phosgène, $COCl_2$, qui est utilisé dans la fabrication de pesticides, d'herbicides et de plastiques.

$$CO(g) + Cl_2(g) \rightleftharpoons COCl_2(g) \qquad K_c = 1,2 \times 10^3 \text{ à 668 K}$$

Quelle sera la quantité de chaque substance, une fois l'équilibre établi, dans un mélange réactionnel qui contient initialement 0,0100 mol de CO, 0,0100 mol de Cl_2 et 0,100 mol de $COCl_2$, et qui est placé dans un ballon de 10,0 L ?

➔ Stratégie

Puisque tous les réactifs et les produits sont présents initialement, nous ne savons pas dans quel sens le changement net s'effectuera pour établir l'équilibre. Nous pouvons facilement le trouver en évaluant le quotient réactionnel Q_c pour les concentrations initiales et comparer sa valeur à K_c (voir la page 131). Sachant dans quel sens le changement net a lieu, nous pourrons choisir une quantité appropriée pour x. Par la suite, les calculs sont semblables à ceux effectués dans les exemples précédents.

➔ Solution

Déterminons d'abord les concentrations initiales et évaluons Q_c.

$$[CO]_{\text{initiale}} = [Cl_2]_{\text{initiale}} = \frac{0,0100 \text{ mol}}{10,0 \text{ L}} = 0,001\,00 \text{ mol/L}$$

$$[COCl_2]_{\text{initiale}} = \frac{0,100 \text{ mol}}{10,0 \text{ L}} = 0,0100 \text{ mol/L}$$

$$Q_c = \frac{[COCl_2]_{\text{initiale}}}{[CO]_{\text{initiale}}[Cl_2]_{\text{initiale}}} = \frac{0,0100}{(0,001\,00)(0,001\,00)} = 1,0 \times 10^4$$

Puisque $Q_c > K_c$ (c'est-à-dire $1,0 \times 10^4 > 1,2 \times 10^3$), une réaction nette doit avoir lieu dans le sens *inverse*. À l'équilibre, les concentrations de CO et de Cl_2 seront plus grandes qu'au départ, et la concentration de $COCl_2$ sera inférieure. Nous sommes alors prêts à calculer les concentrations à l'équilibre.

Sens de la modification nette ⟵

La réaction	CO(g)	+	Cl_2(g)	⇌	$COCl_2$(g)
Concentrations initiales (mol/L)	0,001 00		0,001 00		0,0100
Modifications (mol/L)	$+x$		$+x$		$-x$
Concentrations à l'équilibre (mol/L)	$(0,001\ 00 + x)$		$(0,001\ 00 + x)$		$(0,0100 - x)$

$$K_c = \frac{[COCl_2]}{[CO] \times [Cl_2]} = \frac{(0,0100 - x)}{(0,001\ 00 + x)(0,001\ 00 + x)} = 1,2 \times 10^3$$

$$0,0100 - x = 1,2 \times 10^3 \times (0,001\ 00 + x)(0,001\ 00 + x)$$
$$= 1,2 \times 10^3 \times (1,00 \times 10^{-6} + 0,002\ 00x + x^2)$$
$$= 1,2 \times 10^{-3} + 2,4x + (1,2 \times 10^3)x^2$$

Exprimons ensuite l'équation sous la forme $ax^2 + bx + c = 0$.

$$(1,2 \times 10^3)x^2 + 3,4x - 0,0088 = 0$$

Seule la solution suivante de cette équation quadratique est possible. En effet, selon l'autre solution, $x = -0,045$.

$$x = \frac{-3,4 \pm \sqrt{(3,4)^2 - [4 \times 1,2 \times 10^3 \times (-0,0088)]}}{2(1,2 \times 10^3)}$$

$$= \frac{-3,4 \pm \sqrt{53,8}}{2,4 \times 10^3} = \frac{-3,4 + 7,33}{2,4 \times 10^3} = 0,0016$$

Nous pouvons alors calculer les concentrations à l'équilibre.

$$[CO] = [Cl_2] = 0,001\ 00 + x = 0,001\ 00 + 0,0016 = 0,0026 \text{ mol/L}$$
$$[COCl_2] = 0,0100 - x = 0,0100 - 0,0016 = 0,0084 \text{ mol/L}$$

Pour déterminer les *quantités* à l'équilibre, multiplions la concentration à l'équilibre de chaque espèce par le volume du mélange à l'équilibre.

$$\text{moles de CO} = \text{moles de Cl}_2 = 10,0 \text{ L} \times 0,0026 \text{ mol/L} = 0,026 \text{ mol}$$

$$\text{moles de COCl}_2 = 10,0 \text{ L} \times 0,0084 \text{ mol/L} = 0,084 \text{ mol}$$

➤ Évaluation

Pour évaluer $\pm\sqrt{53,8}$, nous utilisons seulement la racine positive. Si nous utilisons la racine négative, nous obtenons une valeur négative de x et des concentrations *négatives* de CO et de Cl_2, une solution de toute évidence impossible. En vérifiant l'exactitude de la réponse, comme nous l'avons fait dans l'exemple 3.12, nous trouvons

$$K_c = [COCl_2]/[CO][Cl_2] = 0,0084/(0,0026)^2 = 1,2 \times 10^3$$

EXERCICE 3.14 A

Combien de moles de chacun des réactifs et des produits seront présentes, une fois l'équilibre atteint, dans un mélange gazeux qui contient initialement 0,0100 mol de H_2 et 0,100 mol de HI dans un volume de 5,25 L à 698 K ?

$$H_2(g) + I_2(g) \rightleftharpoons 2\ HI(g) \qquad K_c = 54,3 \text{ à } 698 \text{ K}$$

EXERCICE 3.14 B

Combien de moles de chacun des réactifs et des produits seront présentes, une fois l'équilibre atteint, dans la réaction de l'exercice 3.14A, si le mélange contient initialement 0,0100 mol de H_2, 0,0100 mol de I_2 et 0,100 mol de HI ?

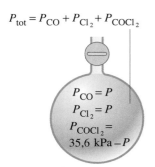

$$P_{tot} = P_{CO} + P_{Cl_2} + P_{COCl_2}$$

▲ **Figure 3.8**
Illustration de l'exemple 3.15
Parce que deux moles de produits gazeux sont formées pour chaque mole de réactif dans la réaction $COCl_2(g) \rightleftharpoons CO(g) + Cl_2(g)$, on s'attend à ce que la pression totale à l'équilibre soit plus élevée que la pression initiale. De plus, parce que $COCl_2$ doit être consommé pour produire CO et Cl_2, on s'attend à ce que P_{COCl_2} à l'équilibre soit plus basse que sa valeur initiale.

Comme le montrent la **figure 3.8** et l'exemple 3.15, dans un calcul fait à partir de K_p, ce sont les pressions partielles des différents gaz et la pression totale du gaz qui nous intéressent. La pression d'un gaz dans un mélange à température et à volume constants est proportionnelle à la concentration du gaz. Nous pouvons donc utiliser les modifications des pressions partielles (P dans l'exemple 3.15) à la place des modifications de concentrations, x, que nous avons utilisées dans les exemples précédents.

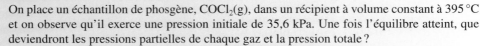

EXEMPLE 3.15

On place un échantillon de phosgène, $COCl_2(g)$, dans un récipient à volume constant à 395 °C et on observe qu'il exerce une pression initiale de 35,6 kPa. Une fois l'équilibre atteint, que deviendront les pressions partielles de chaque gaz et la pression totale ?

$$CO(g) + Cl_2(g) \rightleftharpoons COCl_2(g) \qquad K_p = 0,222$$

→ Stratégie

Lorsque nous travaillons avec K_p, nous utilisons les pressions partielles à la place des concentrations et nous basons l'expression de la constante d'équilibre sur la pression partielle P. Bien que nous puissions travailler avec l'équation donnée et décrire une réaction nette *vers la gauche,* nous envisageons la dissociation partielle de $COCl_2$ en une équation *inverse*. De cette façon, une réaction nette se déroule *vers la droite*. Évidemment, quand nous inversons l'équation, la valeur de K_p devient l'inverse de la valeur donnée, c'est-à-dire 1/0,222 ou 4,50.

→ Solution

La réaction	$COCl_2(g)$ $\rightleftharpoons$	$CO(g)$ +	$Cl_2(g)$	$K_p = 4,50$
Pressions initiales (kPa)	35,6	0	0	
Modifications (kPa)	$-P$	$+P$	$+P$	
Pressions à l'équilibre (kPa)	$(35,6 - P)$	P	P	

Nous procédons alors à des substitutions dans l'expression de K_p et nous résolvons l'équation pour trouver P.

$$K_p = \frac{(P_{CO})(P_{Cl_2})}{P_{COCl_2}} = \frac{P \times P}{35,6 - P} = 4,50$$

$$P^2 = 160 - 4,50P$$

$$P^2 + 4,50P - 160 = 0$$

$$P = \frac{-4,50 \pm \sqrt{(4,50)^2 - [4 \times 1 \times (-160)]}}{2}$$

$$= \frac{-4,50 \pm 25,7}{2} = -15,1 \text{ ou } 10,6$$

Nous pouvons calculer les pressions partielles à l'équilibre.

$$P_{CO} = P_{Cl_2} = 10,6 \text{ kPa et } P_{COCl_2} = 35,6 - 10,6 = 25,0 \text{ kPa}$$

Nous trouvons alors la pression totale.

$$P_{totale} = P_{CO} + P_{Cl_2} + P_{COCl_2} = (10,6 + 10,6 + 25,0) \text{ kPa} = 46,2 \text{ kPa}$$

➔ Évaluation

Nous rejetons la racine négative de l'équation quadratique parce que des pressions partielles *négatives* n'ont aucune signification physique. Puisque deux moles de produits gazeux sont produites pour chaque mole de réactif dans cette réaction, nous nous attendons à une pression totale plus haute qu'initialement, et nous trouvons exactement cela. Aussi, parce que $COCl_2$ doit être consommé pour produire CO et Cl_2, nous nous attendons à ce que P_{COCl_2} à l'équilibre soit moindre que P_{COCl_2} initiale, ce qui est bien le cas. Enfin, nous pouvons vérifier l'exactitude de ces pressions partielles de la façon habituelle.

$$K_p = (P_{CO})(P_{Cl_2})/P_{COCl_2} = (10{,}6)^2/25{,}0 = 4{,}49$$

EXERCICE 3.15 A

Quelles sont les pressions partielles à l'équilibre de chaque espèce et la pression totale dans la réaction de l'exemple 3.15 si, au départ, $P_{CO} = 101{,}3$ kPa et $P_{Cl_2} = 101{,}3$ kPa ?

EXERCICE 3.15 B

L'hydrogénosulfure d'ammonium se dissocie aisément, même à la température ambiante. Quelle est la pression totale des gaz en équilibre avec $NH_4HS(s)$ à 25 °C ?

$$NH_4HS(s) \rightleftharpoons NH_3(g) + H_2S(g) \qquad K_p = 10{,}9 \text{ à } 25\,°C$$

Nous avons pris soin de choisir des exemples et des exercices de façon à pouvoir les résoudre à l'aide de la formule quadratique, et il en sera ainsi dans les deux prochains chapitres. Cependant, certaines situations nécessitent la résolution d'équations plus complexes. Les scientifiques et les ingénieurs utilisent couramment des calculatrices graphiques et des ordinateurs pour résoudre ce genre d'équations, mais ils peuvent également le faire à l'aide d'une méthode d'approximation, qui est illustrée à l'annexe A.3. Même s'ils disposent d'ordinateurs, les scientifiques essaient toujours de faire des hypothèses valides pour simplifier les problèmes.

EXEMPLE SYNTHÈSE

Un mélange de $H_2S(g)$ et de $CH_4(g)$, dans un rapport molaire 2 : 1, a atteint l'équilibre à 700 °C et à une pression totale de 1,00 atm. Le mélange à l'équilibre a été analysé et on a trouvé qu'il contenait $9{,}54 \times 10^{-3}$ mol de H_2S. Le CS_2 présent à l'équilibre a été converti d'abord en H_2SO_4 et ensuite en $BaSO_4$, et on a obtenu $1{,}42 \times 10^{-3}$ mol de $BaSO_4$. Utilisez ces données et déterminez K_p à 700 °C pour la réaction :

$$2\,H_2S(g) + CH_4(g) \rightleftharpoons CS_2(g) + 4\,H_2(g)$$

➔ Stratégie

D'abord, nous devons déterminer l'expression de la constante d'équilibre en fonction des pressions partielles, K_p.

$$K_P = \frac{P_{CS_2}\,(P_{H_2})^4}{P_{CH_4}\,(P_{H_2S})^2}$$

Pour résoudre cette équation, nous devons déterminer les pressions partielles de tous les gaz à partir des données fournies. La quantité à l'équilibre de H_2S est un point de départ logique. La quantité de CS_2 à l'équilibre est aussi facilement obtenue à partir de la quantité de $BaSO_4$ résultant de la transformation du CS_2. Nous pouvons obtenir les quantités des autres gaz à l'équilibre à l'aide de simples rapports stœchiométriques. Nous pouvons convertir les quantités de ces quatre gaz, d'abord en moles et ensuite en pressions partielles. Il sera alors possible de calculer la valeur de K_p.

➔ Solution

La quantité de H_2S est donnée : $9,54 \times 10^{-3}$ mol de H_2S.

Ensuite, nous utilisons deux facteurs stœchiométriques simples pour trouver la quantité à l'équilibre de CS_2.

$$? \text{ mol de } CS_2 = 1,42 \times 10^{-3} \text{ mol de BaSO4}_4 \times \frac{1 \text{ mol de S}}{1 \text{ mol de BaSO}_4} \times \frac{1 \text{ mol de } CS_2}{2 \text{ mol de S}}$$

$$= 7,10 \times 10^{-4} \text{ mol de } CS_2$$

Puisque le H_2S et le CH_4 sont présents au départ dans un rapport molaire de 2 : 1 et qu'ils réagissent dans le même rapport, la quantité de CH_4 à l'équilibre est la moitié de celle de H_2S.

$$? \text{ mol de } CH_4 = 9,54 \times 10^{-3} \text{ mol de } H_2S \times \frac{1 \text{ mol de } CH_4}{2 \text{ mol de } H_2S} = 4,77 \times 10^{-3} \text{ mol de } CH_4$$

La quantité de H_2 à l'équilibre est quatre fois celle de CS_2.

$$? \text{ mol de } H_2 = 7,10 \times 10^{-4} \text{ mol de } CS_2 \times \frac{4 \text{ mol de } H_2}{2 \text{ mol de } CS_2} = 2,84 \times 10^{-3} \text{ mol de } H_2$$

Le nombre total de moles de gaz dans le mélange à l'équilibre est la somme des moles de H_2S, CS_2, CH_4 et H_2 :

$$9,54 \times 10^{-3} \text{ mol de } H_2S + 7,10 \times 10^{-4} \text{ mol de } CS_2 + 4,77 \times 10^{-3} \text{ mol de } CH_4 + 2,84 \times 10^{-3} \text{ mol de } H_2 = 1,786 \times 10^{-2} \text{ mol de gaz}$$

Nous pouvons déterminer la fraction molaire de chaque gaz à l'aide de l'équation $\chi_i = n_i/n_{total}$ et nous pouvons par la suite calculer la pression partielle de chaque gaz.

$$P_{H_2S} = \chi_{H_2S} P_{totale} = \frac{9,54 \times 10^{-3} \text{ mol } H_2S}{1,786 \times 10^{-2} \text{ mol au total}} \times 1,00 \text{ atm} = 0,534 \text{ atm}$$

$$P_{CH_4} = \chi_{CH_4} P_{totale} = \frac{4,77 \times 10^{-3} \text{ mol } CH_4}{1,786 \times 10^{-2} \text{ mol au total}} \times 1,00 \text{ atm} = 0,267 \text{ atm}$$

$$P_{CS_2} = \chi_{CS_2} P_{totale} = \frac{7,10 \times 10^{-4} \text{ mol } CS_2}{1,786 \times 10^{-2} \text{ mol au total}} \times 1,00 \text{ atm} = 0,0398 \text{ atm}$$

$$P_{H_2} = \chi_{H_2} P_{totale} = \frac{2,84 \times 10^{-3} \text{ mol } H_2}{1,786 \times 10^{-2} \text{ mol au total}} \times 1,00 \text{ atm} = 0,159 \text{ atm}$$

Nous obtenons la valeur de K_p en remplaçant ces pressions partielles dans l'expression de la constante d'équilibre.

$$K_p = \frac{P_{CS_2}(P_{H_2})^4}{P_{CH_4}(P_{H_2S})^2} = \frac{0,0398 \times (0,159)^4}{0,267 \times (0,534)^2} = 3,34 \times 10^{-4}$$

➔ Évaluation

Il y a plusieurs points à vérifier dans ce problème. Il faut s'assurer que (1) l'expression de la constante K_p traduit bien l'équation chimique équilibrée ; (2) le nombre de moles de chaque gaz et le nombre total de moles des gaz sont correctement déterminés, et (3) la somme des pressions partielles est égale à la pression totale du mélange (1,00 atm). Notez que la valeur de K_p est plutôt petite, ce qui est compatible avec le fait qu'il y a plus de réactifs (0,267 atm et 0,534 atm) que de produits (0,0398 atm et 0,159 atm).

Résumé

 3.1 **Le caractère dynamique de l'équilibre**
Dans une réaction réversible à l'**équilibre**, les concentrations de tous les réactifs et produits demeurent constantes en fonction du temps et les vitesses des réactions directe et inverse sont égales.

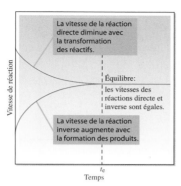

 3.2 **L'expression de la constante d'équilibre**   Pour la réaction générale représentée par l'équation

$$a \, A + b \, B + \cdots \rightleftharpoons g \, G + h \, H + \cdots$$

les concentrations des réactifs et des produits à l'équilibre doivent être conformes à l'**expression de la constante d'équilibre**, que l'on désigne par le symbole K_c, **constante d'équilibre en fonction des concentrations**.

$$K_c = \frac{[G]^g [H]^h \cdots}{[A]^a [B]^b \cdots} \qquad (3.1)$$

Les exposants de cette équation correspondent aux coefficients stœchiométriques de l'équation chimique équilibrée.

 3.3 **Les modifications des expressions des constantes d'équilibre**   On peut écrire une expression de la constante d'équilibre en fonction des pressions partielles (K_p) pour les équilibres qui mettent en jeu des gaz. La forme est la même que pour K_c, mais elle fait appel aux pressions partielles plutôt qu'aux concentrations. Pour une réaction générale où les réactifs et les produits existent à l'état gazeux dans l'équation de la réaction.

$$K_p = \frac{(P_G)^g (P_H)^h \cdots}{(P_A)^a (P_B)^b \cdots} \qquad (3.2)$$

La relation entre K_p et K_c est donnée par

$$K_p = K_c (RT)^{\Delta n_{gaz}} \qquad (3.3)$$

où Δn_{gaz} est la différence entre le nombre de moles de produits gazeux et de réactifs gazeux.

Si on modifie l'équation chimique d'une réaction réversible, l'expression de la constante d'équilibre doit aussi être modifiée. Si on inverse l'équation, l'expression de K_c ou de K_p est inversée. Si on multiplie les coefficients par un facteur commun, l'expression de K_c ou de K_p est élevée à la puissance correspondante. Il y a deux autres idées importantes à retenir au sujet des constantes d'équilibre : (1) K_c et K_p sont exprimées par des nombres sans unités et (2) les phases solide et liquide pures ne sont pas représentées dans les expressions des constantes d'équilibre hétérogène.

Quand on additionne les équations des réactions individuelles afin d'obtenir une équation globale, on multiplie leurs constantes d'équilibre afin d'obtenir la constante d'équilibre de la réaction globale. En général, si K_c ou K_p d'une réaction est très grande, la réaction directe est complète ; si K_c ou K_p est très petite, la réaction directe ne se produit que de façon limitée. Habituellement, les calculs faits à partir de l'expression de la constante d'équilibre sont nécessaires seulement quand les valeurs de K_c ou de K_p se situent entre ces extrêmes.

Le **quotient réactionnel** est un rapport entre les concentrations (Q_c) ou les pressions partielles (Q_p) de la même forme que l'expression de la constante d'équilibre, mais on l'obtient à partir de concentrations ou de pressions partielles qui *ne sont pas à l'équilibre*. En comparant les valeurs de Q et de K, on peut déterminer si une réaction nette a lieu dans le sens direct ($Q < K$) ou dans le sens inverse ($Q > K$) pour atteindre l'équilibre.

		État initial	Réaction nette
	$Q = \dfrac{}{\text{réactifs}} = 0$	Réactifs seulement	→ (des produits se forment)
	$Q = \dfrac{\text{produits}}{\text{réactifs}} < K$	Principalement des réactifs	→ (des produits se forment)
	$Q = \dfrac{\text{produits}}{\text{réactifs}} = K$	À l'équilibre	⇌ (aucune)
	$Q = \dfrac{\text{produits}}{\text{réactifs}} > K$	Principalement des produits	← (des réactifs se forment)
R P	$Q = \dfrac{\text{produits}}{} = \infty$	Produits seulement	← (des réactifs se forment)

 3.4 **Le traitement qualitatif de l'équilibre : le principe de Le Chatelier**   Le **principe de Le Chatelier** nous permet de prédire qualitativement l'influence de diverses modifications (quantités de réactifs ou de produits, volume, pression externe ou température).

Ainsi, quand on impose une modification à un système à l'équilibre, il réagit de façon à atteindre un nouvel équilibre dans lequel la contrainte due à la modification est réduite au minimum. Les catalyseurs permettent d'atteindre plus rapidement l'équilibre, mais ils n'influent pas sur la valeur de la constante d'équilibre.

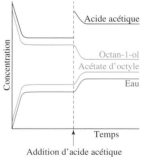

Addition d'acide acétique à un mélange à l'équilibre

 3.5 **Quelques exemples de problèmes d'équilibre**   Les problèmes les plus courants portent (1) sur la détermination de la valeur d'une constante d'équilibre à partir des conditions initiales et des conditions à l'équilibre et (2) sur l'utilisation des conditions initiales et de la constante d'équilibre pour déterminer les conditions d'équilibre. Il faut résoudre des équations algébriques pour effectuer certains calculs. Plusieurs techniques aident à résoudre ces problèmes.

Mots clés

Vous trouverez également la définition des mots clés dans le glossaire à la fin du livre.

Problèmes par sections

Les solutions présentées sous forme de clips sont indiquées par ▶

3.2 L'expression de la constante d'équilibre

1. Écrivez les expressions des constantes d'équilibre, K_c, pour les réactions suivantes.

  a) C (graphite)(s) + CO_2(g) ⇌ 2 CO(g)

  b) H_2S(g) + I_2(s) ⇌ 2 HI(g) + S(s)

  c) 4 CuO(s) ⇌ 2 Cu_2O(s) + O_2(g)

2. Équilibrez les équations suivantes, et écrivez les expressions des constantes d'équilibre, K_c, pour les réactions qu'elles représentent.

  a) H_2S(g) ⇌ H_2(g) + S_2(g)

  b) CS_2(g) + H_2(g) ⇌ CH_4(g) + H_2S(g)

  c) CO(g) + H_2(g) ⇌ CH_4(g) + H_2O(g)

3. Écrivez l'expression d'une constante d'équilibre, K_c, pour chacune des réactions réversibles suivantes.

  a) Le monoxyde de carbone gazeux réduit le monoxyde d'azote gazeux en azote gazeux ; l'autre produit est le dioxyde de carbone gazeux.

  b) L'oxygène gazeux oxyde l'ammoniac gazeux en monoxyde d'azote gazeux ; l'autre produit est la vapeur d'eau.

  c) L'hydrogénocarbonate de sodium solide se décompose pour donner du carbonate de sodium solide, de la vapeur d'eau et du dioxyde de carbone gazeux.

4. Si les concentrations à l'équilibre de la réaction A(g) + 2 B(g) ⇌ 2 C(g) sont [A] = 0,025 mol/L, [B] = 0,15 mol/L et [C] = 0,55 mol/L, calculez la valeur de K_c.

5. Si les concentrations à l'équilibre de la réaction 2 A(g) + B(g) ⇌ C(g) sont [A] = 2,4 × 10^{-2} mol/L, [B] = 4,6 × 10^{-3} mol/L et [C] = 6,2 × 10^{-3} mol/L, calculez la valeur de K_c.

6. Dans la réaction CO(g) + Cl_2(g) ⇌ $COCl_2$(g), K_c = 1,2 × 10^3 à 395 K. Quelle est la valeur à l'équilibre de [$COCl_2$] si, à l'équilibre, [CO] = 2 [Cl_2] = $\frac{1}{2}$ [$COCl_2$] ?

7. Dans la réaction 2 H_2(g) + S_2(g) ⇌ 2 H_2S(g), K_c = 6,28 × 10^3 à 900 K. Quelle est la valeur à l'équilibre de [H_2] si, à l'équilibre, [H_2S] = [S_2]$^{1/2}$?

8. L'équilibre s'établit dans un récipient hermétique de 1,75 L, à 250 °C, où se déroule la réaction suivante : PCl_5(g) ⇌ PCl_3(g) + Cl_2(g). À l'équilibre, on trouve les quantités suivantes : 0,562 g de PCl_5, 1,950 g de PCl_3 et 1,007 g de Cl_2. Quelle est la valeur de K_c pour cette réaction ? Quelle est la valeur de K_p ?

9. L'équilibre s'établit dans un récipient hermétique de 10,5 L, à 184 °C, où a lieu cette réaction : 2 NO_2(g) ⇌ 2 NO(g) + O_2(g). À l'équilibre, on trouve les quantités suivantes : 1,353 g de NO_2, 0,0960 g de NO et 0,0512 g de O_2. Quelle est la valeur de K_c pour cette réaction ? Quelle est la valeur de K_p ?

10. Lors de la dissociation de l'hydrogénosulfure d'ammonium, NH_4HS, à 25 °C, si on a au départ un échantillon solide pur, la pression *totale* des gaz est de 66,8 kPa, une fois l'équilibre atteint. Quelle est la valeur de K_p pour la réaction NH_4HS(s) ⇌ NH_3(g) + H_2S(g) ?

11. Lors de la dissociation du carbamate d'ammonium, NH_2COONH_4, à 30 °C, si on a au départ un échantillon solide pur, la pression *totale* des gaz est de 16,6 kPa, une fois l'équilibre atteint. Quelle est la valeur de K_p pour la réaction NH_2COONH_4(s) ⇌ 2 NH_3(g) + CO_2(g) ?

12. Dans la réaction 2 ICl(g) ⇌ I_2(g) + Cl_2(g) à 682 K, on place un échantillon de 0,682 g de ICl(g) dans un récipient de 625 mL. Une fois l'équilibre atteint, on trouve 0,0383 g de I_2 dans le mélange. Quelle est la valeur de K_c pour la réaction ?

13. On amène à l'équilibre un mélange de 5,25 g de I_2 et de 2,15 g de Br_2 dans un récipient de 3,15 L à 115 °C. À l'équilibre, 1,98 g de I_2 est présent. Quelle est la valeur de K_c à 115 °C pour la réaction I_2(g) + Br_2(g) ⇌ 2 IBr(g) ?

3.3 Les modifications des expressions des constantes d'équilibre

14. Écrivez les expressions des constantes d'équilibre, K_p, des réactions suivantes.

  a) CO(g) + H_2O(g) ⇌ CO_2(g) + H_2(g)

  b) N_2(g) + 3 H_2(g) ⇌ 2 NH_3(g)

  c) NH_4HS(s) ⇌ NH_3(g) + H_2S(g)

15. Écrivez l'expression d'une constante d'équilibre, K_p, basée sur la formation d'une mole de chacun des composés gazeux suivants à partir de leurs éléments, à 25 °C.

  a) NO(g)   **b)** NH_3(g)   **c)** NOCl(g)

  (*Indice :* Quels éléments ont des formes élémentaires diatomiques ?)

16. Déterminez les valeurs de K_p qui correspondent aux valeurs de K_c suivantes.

a) $CO(g) + Cl_2(g) \rightleftharpoons COCl_2(g)$
$K_c = 1,2 \times 10^3$ à 668 K

b) $2 NO(g) + Br_2(g) \rightleftharpoons 2 NOBr(g)$
$K_c = 1,32 \times 10^{-2}$ à 1000 K

c) $2 COF_2(g) \rightleftharpoons CO_2(g) + CF_4(g)$
$K_c = 2,00$ à 1000 °C

17. Déterminez les valeurs de K_c qui correspondent aux valeurs suivantes de K_p.

a) $SO_2Cl_2(g) \rightleftharpoons SO_2(g) + Cl_2(g)$
$K_p = 2,9$ à 303 K

b) $2 NO_2(g) \rightleftharpoons 2 NO(g) + O_2(g)$
$K_p = 27,9$ à 700 K

c) $CO(g) + Cl_2(g) \rightleftharpoons COCl_2(g)$
$K_p = 0,222$ à 395 °C

18. Dans la réaction $N_2(g) + O_2(g) \rightleftharpoons 2 NO(g)$, $K_c = 4,08 \times 10^{-4}$ à 2000 K. Quelle est la valeur de K_c à 2000 K pour la réaction $NO(g) \rightleftharpoons \frac{1}{2} N_2(g) + \frac{1}{2} O_2(g)$?

19. Dans la réaction $SO_3(g) \rightleftharpoons SO_2(g) + \frac{1}{2} O_2(g)$, $K_c = 16,7$ à 1000 K. Quelle est la valeur de K_c à 1000 K pour la réaction $2 SO_2(g) + O_2(g) \rightleftharpoons 2 SO_3(g)$?

20. ▶ Soit la réaction

$$2 NH_3(g) \rightleftharpoons N_2(g) + 3 H_2(g)$$

$K_c = 6,46 \times 10^{-3}$ à 300 °C

déterminez K_p à 300 °C pour la réaction

$$\frac{1}{3} N_2(g) + H_2(g) \rightleftharpoons \frac{2}{3} NH_3(g)$$

21. Soit la réaction

$$4 HCl(g) + O_2(g) \rightleftharpoons 2 Cl_2(g) + 2 H_2O(g)$$

$K_p = 0,269$ à 450 °C

déterminez K_c à 450 °C pour la réaction

$$\frac{1}{2} Cl_2(g) + \frac{1}{2} H_2O(g) \rightleftharpoons HCl(g) + \frac{1}{4} O_2(g)$$

22. ▶ Quelle est la valeur de K_p à 298 K pour la réaction $\frac{1}{2} CH_4(g) + H_2O(g) \rightleftharpoons \frac{1}{2} CO_2(g) + 2 H_2(g)$, considérant les données suivantes à 298 K ?

$$CO_2(g) + H_2(g) \rightleftharpoons CO(g) + H_2O(g)$$

$K_p = 9,80 \times 10^{-6}$

$$CH_4(g) + H_2O(g) \rightleftharpoons CO(g) + 3 H_2(g)$$

$K_p = 1,28 \times 10^{-21}$

23. Quelle est la valeur de K_p à 298 K pour la réaction $N_2(g) + 2 O_2(g) \rightleftharpoons N_2O_4(g)$, considérant les données suivantes à 298 K ?

$$\frac{1}{2} N_2(g) + \frac{1}{2} O_2(g) \rightleftharpoons NO(g)$$

$K_p = 6,9 \times 10^{-16}$

$$NO_2(g) \rightleftharpoons NO(g) + \frac{1}{2} O_2(g)$$

$K_p = 6,7 \times 10^{-6}$

$$N_2O_4(g) \rightleftharpoons 2 NO_2(g)$$

$K_p = 15$

24. Déterminez K_c à 298 K pour la réaction $\frac{1}{2} N_2(g) + \frac{1}{2} O_2(g) + \frac{1}{2} Cl_2(g) \rightleftharpoons NOCl(g)$, considérant les données suivantes à 298 K.

$$\frac{1}{2} N_2(g) + O_2 \rightleftharpoons NO_2(g)$$

$K_p = 9,9 \times 10^{-11}$

$$NOCl(g) + \frac{1}{2} O_2(g) \rightleftharpoons NO_2Cl(g)$$

$K_p = 11$

$$NO_2(g) + \frac{1}{2} Cl_2(g) \rightleftharpoons NO_2Cl(g)$$

$K_p = 0,030$

(*Indice :* Quelle est la relation entre K_c et K_p pour cette réaction ?)

25. Déterminez K_c à 298 K pour la réaction $2 CH_4(g) \rightleftharpoons C_2H_2(g) + 3 H_2(g)$, considérant les données suivantes à 298 K.

$$CH_4(g) + H_2O(g) \rightleftharpoons CO(g) + 3 H_2(g)$$

$K_p = 1,2 \times 10^{-25}$

$$2 C_2H_2(g) + 3 O_2(g) \rightleftharpoons 4 CO(g) + 2 H_2O(g)$$

$K_p = 1,1 \times 10^2$

$$H_2(g) + \frac{1}{2} O_2(g) \rightleftharpoons H_2O(g)$$

$K_p = 1,1 \times 10^{40}$

(*Indice :* Quelle est la relation entre K_c et K_p pour la réaction ?)

26. La réaction réversible $N_2O_4(g) \rightleftharpoons 2 NO_2(g)$ a une valeur de $K_p = 14,7$ à 25 °C. *Sans effectuer de calculs,* expliquez si la valeur numérique de K_p à 25 °C, pour la réaction $\frac{1}{2} N_2O_4(g) \rightleftharpoons NO_2(g)$, est supérieure, égale ou inférieure à 14,7.

27. La valeur de K_c pour la réaction $2 ICl(g) \rightleftharpoons I_2(g) + Cl_2(g)$ est-elle nécessairement plus grande que la valeur de K'_c pour la réaction $ICl(g) \rightleftharpoons \frac{1}{2} I_2(g) + \frac{1}{2} Cl_2(g)$? Expliquez votre réponse.

28. Dans la réaction $C(s) + CO_2(g) \rightleftharpoons 2 CO(g)$, $K_p = 6,4 \times 10^3$.
▶ Quelle sera la pression *totale* des gaz au-dessus d'un mélange à l'équilibre si $P_{CO} = 10 \, P_{CO_2}$?

29. Dans la réaction $H_2S(g) + I_2(s) \rightleftharpoons S(s) + 2 HI(g)$, $K_p = 1,35 \times 10^{-3}$ à 333 K. Quelle sera la pression *totale* des gaz au-dessus d'un mélange à l'équilibre si $P_{HI} = 0,010 \times P_{H_2S}$?

30. Dans la réaction $N_2O_4(g) \rightleftharpoons 2 NO_2(g)$, l'équilibre est atteint à une température à laquelle $P_{NO_2} = 3 \, (P_{N_2O_4})^{1/2}$. Quelle doit être la valeur de K_p à cette température ?

31. Dans la réaction $CO(g) + H_2O(g) \rightleftharpoons CO_2(g) + H_2(g)$, $K_p = 23,2$ à 600 K. Indiquez s'il est possible d'avoir un mélange à l'équilibre à 600 K dans les cas suivants et expliquez vos réponses.

a) $P_{CO} = P_{H_2O} = P_{CO_2} = P_{H_2}$

b) $P_{H_2}/P_{H_2O} = P_{CO_2}/P_{CO}$

c) $(P_{CO_2})(P_{H_2}) = (P_{CO})(P_{H_2O})$

d) $P_{CO_2}/P_{H_2O} = P_{H_2}/P_{CO}$

32. *Sans effectuer de calculs détaillés,* déterminez laquelle (lesquelles) des affirmations suivantes décrit (décrivent) l'équilibre établi quand un mélange initial contenant un nombre égal de moles de SO_2 et de O_2 est amené à l'équilibre dans un récipient de volume constant à une température de 1030 °C où se déroule la réaction suivante.

$$2 SO_2(g) + O_2(g) \rightleftharpoons 2 SO_3(g)$$

$$K_p = 9{,}94 \times 10^{-3} \text{ à } 773 \text{ K}$$

a) La pression du mélange augmente.

b) Le nombre de moles de SO_3 à l'équilibre est le double du nombre de moles de O_2 présent initialement.

c) Le nombre de moles de SO_3 à l'équilibre dépend du volume du récipient.

d) Dans le mélange à l'équilibre, le nombre de moles de SO_2 et le nombre de moles de O_2 ne sont plus égaux.

e) K_p de la réaction est plus grande que K_c.

33. *Sans effectuer de calculs détaillés,* déterminez laquelle (lesquelles) des affirmations suivantes décrit(décrivent) l'équilibre établi quand on laisse un mélange initial, contenant un nombre égal de moles de H_2, de N_2 et de HCN, et un excès de graphite, atteindre l'équilibre dans un récipient de volume constant à 2025 K où se déroule la réaction suivante.

$$H_2(g) + N_2(g) + C(\text{graphite}) \rightleftharpoons 2 \text{ HCN}(g)$$

$$K_c = 3{,}43 \times 10^{-3} \text{ à } 2025 \text{ K}$$

a) On peut augmenter la quantité à l'équilibre de HCN en comprimant le volume de la réaction.

b) Les quantités de H_2 et de N_2 augmentent par rapport à leur valeur initiale, mais demeurent dans des proportions équimolaires.

c) La quantité de graphite à l'équilibre est la même que la quantité de départ.

d) K_p de la réaction est inférieure à K_c.

e) La modification de la pression partielle de HCN par rapport à sa valeur initiale est deux fois plus grande que les modifications des pressions partielles de H_2 et de N_2.

34. Si un récipient de 2,50 L à 1000 °C contient 0,525 mol de CO_2, 1,25 mol de CF_4 et 0,75 mol de COF_2, dans quel sens une réaction nette aura-t-elle lieu pour que l'équilibre soit atteint ? Expliquez votre réponse.

$$CO_2(g) + CF_4(g) \rightleftharpoons 2 \text{ COF}_2(g)$$

$$K_c = 0{,}50 \text{ à } 1000 \text{ °C}$$

35. Si un mélange gazeux à 588 K contient 20,0 g de CO, 20,0 g de H_2O, 25,0 g de CO_2 et 25,0 g de H_2, dans quel sens une réaction nette aura-t-elle lieu pour que l'équilibre soit atteint ? Expliquez votre réponse.

$$CO(g) + H_2O(g) \rightleftharpoons CO_2(g) + H_2(g)$$

$$K_c = 31{,}4 \text{ à } 588 \text{ K}$$

36. On ajoute les quantités suivantes de substances dans un récipient de 7,25 L à 773 K : 0,103 mol de CO, 0,205 mol de H_2, 2,10 mol de CH_4, 3,15 mol de H_2O. Dans quel sens une réaction nette aura-t-elle lieu pour que l'équilibre soit atteint ? Expliquez votre réponse.

$$CO(g) + 3 H_2(g) \rightleftharpoons CH_4(g) + H_2O(g)$$

$$K_p = 9{,}94 \times 10^{-3} \text{ à } 773 \text{ K}$$

37. On ajoute les quantités de substances suivantes dans un récipient de 15,5 L à 773 K : 25,2 g de CO, 15,1 g de H_2, 130,2 g de CH_4, 125,0 g de H_2O. Dans quel sens une réaction nette aura-t-elle lieu pour que l'équilibre soit atteint ? Expliquez votre réponse.

$$CO(g) + 3 H_2(g) \rightleftharpoons CH_4(g) + H_2O(g)$$

$$K_p = 9{,}94 \times 10^{-3} \text{ à } 773 \text{ K}$$

3.4 Le traitement qualitatif de l'équilibre : le principe de Le Chatelier

38. Décrivez comment la constante d'équilibre pour une réaction globale est reliée aux constantes d'équilibre des réactions individuelles qui, en s'additionnant, produisent la réaction globale.

39. Dans chacune des réactions suivantes, la quantité de produit à l'équilibre augmentera-t-elle si on élève la pression totale du gaz de 100 kPa à 1000 kPa ? Expliquez vos réponses.

a) $SO_2(g) + Cl_2(g) \rightleftharpoons SO_2Cl_2(g)$

b) $N_2(g) + O_2(g) \rightleftharpoons 2 NO(g)$

c) $SO_2(g) + \frac{1}{2} O_2(g) \rightleftharpoons SO_3(g)$

40. Le volume du récipient influe sur le degré de dissociation d'une seule des deux réactions suivantes. Laquelle ? Expliquez pourquoi ces réactions se comportent ainsi.

a) $2 NO(g) \rightleftharpoons N_2 + O_2(g)$

b) $2 NOCl(g) \rightleftharpoons 2 NO(g) + Cl_2(g)$

41. Le degré de dissociation d'une des réactions suivantes augmente avec une élévation de température, alors que celui de l'autre diminue. Indiquez dans quelle situation se trouve chacune des réactions et expliquez pourquoi elles se comportent ainsi.

a) $2 NO(g) \rightleftharpoons N_2(g) + O_2(g)$ $\Delta H° = -180{,}5 \text{ kJ}$

b) $2 SO_3(g) \rightleftharpoons 2 SO_2(g) + O_2(g)$ $\Delta H° = 197{,}8 \text{ kJ}$

42. Quand l'équilibre est atteint à 25 °C, 12,5 % des molécules de N_2O_4 présentes dans un échantillon de gaz sont dissociées en NO_2.

$$N_2O_4(g) \rightleftharpoons 2 NO_2(g) \qquad \Delta H = 57{,}2 \text{ kJ}$$

Indiquez si le pourcentage de dissociation sera plus grand ou plus petit que 12,5 % dans les cas suivants :

a) Le mélange réactionnel est transféré dans un récipient dont le volume est le double.

b) La température est portée à 50 °C.

c) On ajoute un catalyseur au récipient de la réaction.

d) On ajoute du néon gazeux au mélange réactionnel dans un ballon à volume constant.

43. La réaction du gaz à l'eau est utilisée pour produire des gaz combustibles à partir de carbone (charbon) et de vapeur d'eau.

$$C(s) + H_2O(g) \rightleftharpoons CO(g) + H_2(g)$$

$$K_p = 9{,}8 \times 10^{-15} \text{ à } 298 \text{ K} \qquad \Delta H° = 131 \text{ kJ}$$

Déterminez quelle sera l'influence sur la quantité de $H_2(g)$ à l'équilibre final si un mélange gazeux initialement à l'équilibre avec un grand excès de C(s) à 298 K est soumis aux modifications suivantes :

a) On ajoute plus de $H_2O(g)$.

b) On ajoute un catalyseur.

c) On transfère le mélange dans un récipient de plus grand volume.

d) On ajoute plus de CO(g).

e) On ajoute un gaz inerte au récipient pour augmenter la pression totale.

f) On élève la température à 1000 K.

g) On retire une petite quantité de C(s).

44. Expliquez pourquoi le degré de dissociation des molécules diatomiques d'un élément en ses atomes doit augmenter lorsque la température s'élève ; par exemple,

$$Cl_2(g) \rightleftharpoons 2\ Cl(g)$$
$$S_2(g) \rightleftharpoons 2\ S(g)$$
$$H_2(g) \rightleftharpoons 2\ H(g)$$

45. L'affirmation avancée dans le problème 44 vaut-elle également pour la dissociation de molécules de *composés* en éléments constituants ; par exemple $2\ H_2O(g) \rightleftharpoons 2\ H_2(g) + O_2(g)$, $2\ NO(g) \rightleftharpoons N_2(g) + O_2(g)$, etc. ? Expliquez votre réponse.

(*Indice :* Utilisez les données de l'annexe C si c'est nécessaire.)

46. Dans la formation des composés gazeux suivants à partir de leurs éléments gazeux, quelles réactions sont plus complètes à pression élevée et quelles réactions ne sont pas touchées par la pression totale ?

a) NO(g) à partir de $N_2(g)$ et de $O_2(g)$

b) $NH_3(g)$ à partir de $N_2(g)$ et de $H_2(g)$

c) HI(g) à partir de $H_2(g)$ et de $I_2(g)$

d) $H_2S(g)$ à partir de $H_2(g)$ et de $S_2(g)$

47. Utilisez le principe de Le Chatelier pour expliquer le fait que la glace fond sous l'influence d'une pression élevée.

3.5 Quelques exemples de problèmes d'équilibre

48. La constante d'équilibre pour l'isomérisation du butane à 25 °C est $K_c = 7,94$.

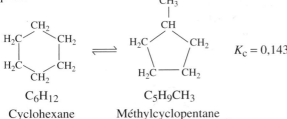

$$CH_3CH_2CH_2CH_3 \rightleftharpoons CH_3CHCH_3$$
Butane   Isobutane

Si on introduit 5,00 g de butane dans un ballon de 12,5 L à 25 °C, quelle masse d'isobutane sera présente une fois l'équilibre atteint ?

49. À 25 °C, l'équilibre suivant peut s'établir dans une solution liquide.

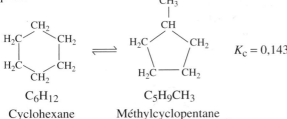

$$K_c = 0,143$$

C_6H_{12} $C_5H_9CH_3$
Cyclohexane   Méthylcyclopentane

Si l'équilibre est atteint dans un mélange initialement constitué de $1,00 \times 10^2$ g de cyclohexane, quelle masse de méthylcyclopentane sera présente ? (*Indice :* Le volume de la solution a-t-il une importance ?)

50. Dans la réaction $CO(g) + H_2O(g) \rightleftharpoons CO_2(g) + H_2(g)$, $K_c = 23,2$ à 600 K. Si on introduit 0,250 mol de CO et 0,250 mol de H_2O dans un récipient, combien de moles de CO_2 et de H_2 seront présentes une fois l'équilibre atteint ? (*Indice :* Le volume du mélange réactionnel a-t-il une importance ?)

51. Dans la réaction du gaz à l'eau, $C(s) + H_2O(g) \rightleftharpoons CO(g) + H_2(g)$, $K_c = 0,111$ à 1100 K. Si on mélange 0,100 mol de $H_2O(g)$ et 0,100 mol de $H_2(g)$ avec un excès de C(s) à cette température, combien de moles de CO(g) seront présentes une fois l'équilibre atteint ? Il n'y a pas de CO(g) au départ.

52. Dans la synthèse du phosgène à 395 °C, $CO(g) + Cl_2(g) \rightleftharpoons COCl_2(g)$, $K_c = 1,2 \times 10^3$. Si on place 20,0 g de CO et 35,5 g de Cl_2 dans un récipient de 8,05 L à 395 °C, combien de grammes de $COCl_2$ seront présents une fois l'équilibre atteint ?

53. Dans la décomposition du fluorure de carbonyle, $2\ COF_2(g) \rightleftharpoons CO_2(g) + CF_4(g)$, $K_c = 2,00$ à 1000 °C. Si on place 0,500 mol de $COF_2(g)$ dans un récipient de 3,23 L à 1000 °C, combien de moles de $COF_2(g)$ *ne seront pas dissociées* une fois l'équilibre atteint ?

54. Pour établir l'équilibre dans la réaction suivante à 250 °C,

$$PCl_3(g) + Cl_2(g) \rightleftharpoons PCl_5(g)$$
$$K_c = 26 \text{ à } 250\,°C$$

on introduit 0,100 mol de PCl_3, 0,100 mol de Cl_2 et 0,0100 mol de PCl_5 dans un ballon de 6,40 L. Combien de moles de chacun des gaz seront présentes une fois l'équilibre atteint ?

55. Si 0,250 mol de SO_2Cl_2, 0,150 mol de SO_2 et 0,0500 mol de Cl_2 atteignent l'équilibre dans un récipient de 12,0 L à 102 °C, combien de moles de chacun des gaz seront présentes ?

$$SO_2Cl_2(g) \rightleftharpoons SO_2(g) + Cl_2(g)$$
$$K_c = 7,77 \times 10^{-2} \text{ à } 102\,°C$$

56. Si 1,00 mol de SO_3 est amenée à l'équilibre dans un récipient de 5,00 L à 1030 °C, quel pourcentage de SO_3 *ne sera pas dissocié* ?

$$2\ SO_3(g) \rightleftharpoons 2\ SO_2(g) + O_2(g)$$
$$K_c = 0,504 \text{ à } 1030\,°C$$

(*Indice :* Utilisez la méthode des approximations successives décrite à l'annexe A.)

57. Si 1,00 mol de NH_3 est amenée à l'équilibre dans un récipient de 10,0 L à 300 °C, quel pourcentage de NH_3 *ne sera pas dissocié* ?

$$2\ NH_3(g) \rightleftharpoons N_2(g) + 3\ H_2(g)$$
$$K_c = 6,46 \times 10^{-3} \text{ à } 300\,°C$$

(*Indice :* Utilisez la méthode des approximations successives décrite à l'annexe A.)

58. Dans la réaction $C(s) + S_2(g) \rightleftharpoons CS_2(g)$, $K_p = 5,60$ à 1009 °C. Si, à l'équilibre, $P_{CS_2} = 15,4$ kPa, quelle sera la valeur de :

a) P_{S_2} ?

b) la pression totale des gaz, P_{totale} ?

59. Dans la réaction $Sb_2S_3(s) + 3 H_2(g) \rightleftharpoons 2 Sb(s) + 3 H_2S(g)$, $K_p = 0,429$ à 713 K. Si, à l'équilibre, $P_{H_2S} = 20,3$ kPa, quelle sera la valeur de :

a) P_{H_2} ?

b) la pression totale des gaz, P_{totale} ?

60. Dans la réaction $C(s) + 2 H_2(g) \rightleftharpoons CH_4(g)$, $K_p = 2,60 \times 10^{-3}$ à 1000 °C. Calculez la pression totale quand on amène à l'équilibre 0,100 mol de CH_4 et un excès de $C(s)$ à 1000 °C dans un récipient de 4,16 L.

61. Du molybdène solide est gardé en contact avec $CH_4(g)$, initialement à une pression de 101,3 kPa, dans une réaction à 973 K. Calculez la pression totale une fois l'équilibre atteint.

$$2 \text{ Mo}(s) + CH_4(g) \rightleftharpoons Mo_2C(s) + 2 H_2(g)$$
$$K_p = 360 \text{ à } 973 \text{ K}$$

Problèmes complémentaires

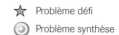 Les solutions présentées sous forme de clips sont indiquées par ▶

★ Problème défi

⟳ Problème synthèse

62. La réaction suivante est à l'équilibre.

$$4 HCl(g) + O_2(g) \rightleftharpoons 2 H_2O(g) + 2 Cl_2(g)$$
$$\Delta H° = -114,4 \text{ kJ}$$

Décrivez quatre modifications qu'on peut apporter au mélange pour augmenter la quantité de $Cl_2(g)$ à l'équilibre.

63. Considérez la réaction suivante à une température particulière :

$$NO_2(g) + N_2O(g) \rightleftharpoons 3 NO(g)$$

Quelle est la valeur de la constante d'équilibre K_c si les concentrations à l'équilibre sont : $[NO_2] = 1,25$ mol/L, $[N_2O] = 1,80$ mol/L et $[NO] = 0,0015$ mol/L ?

64. Selon la réaction suivante, à quelle puissance doit-on élever RT pour convertir K_c en K_p ?

$$2 SO_2(g) + O_2(g) \rightleftharpoons 2 SO_3(g)$$

65. L'équilibre est établi dans l'équation suivante :

$$A + B \rightleftharpoons C + D + K_c = 10,0$$

Dans ces conditions, laquelle des expressions suivantes est nécessairement vraie ?

a) $[C] [D] = [A] [B]$

b) $[C] = [A]$ et $[D] = [B]$

c) $[A] [B] = 0,10 [C] [D]$

d) $[A] = [B] [C] [D] = 10,0$

66. À un moment donné durant une réaction, les concentrations suivantes ont été mesurées.

$$2 ICl(g) \rightleftharpoons I_2(g) + Cl_2(g) \qquad K_c = 8,33 \times 10^{-4}$$

$$[ICl] = 0,15 \text{ mol/L}, [I_2] = 0,00125 \text{ mol/L},$$
$$[Cl_2] = 0,0075 \text{ mol/L}$$

Lequel des énoncés suivants est vrai ?

a) La réaction est à l'équilibre.

b) La réaction se poursuivra jusqu'à ce que tout le ICl soit consommé.

c) I_2 sera consommé jusqu'à ce que l'équilibre soit atteint.

d) La concentration de Cl_2 augmentera jusqu'à ce que l'équilibre soit atteint.

67. Lesquelles des affirmations suivantes sont vraies pour une réaction à l'équilibre ?

a) Toutes les concentrations des réactifs et des produits sont égales.

b) Le produit des concentrations des réactifs est égale au produit des concentrations des produits.

c) La somme des concentrations des réactifs est égale à la somme des concentrations des produits.

d) Les réactifs réagissent pour former les produits à la même vitesse que les produits réagissent pour former les réactifs.

e) Il y a une seule combinaison des concentrations à l'équilibre qui correspond à une valeur particulière de K_c.

f) Il y a plusieurs combinaisons des concentrations à l'équilibre qui correspondent à la valeur de K_c.

68. Dans la réaction $2 SO_2(g) + O_2(g) \rightleftharpoons 2 SO_3(g)$, l'équilibre est atteint à une température à laquelle $K_c = 100$. Laquelle ou lesquelles des affirmations est(sont) vraie(s) si le nombre de moles de SO_3 dans le mélange à l'équilibre est égal au nombre de moles de SO_2 ?

a) Le nombre de moles de O_2 est aussi égal au nombre de moles de SO_2.

b) Le nombre de moles de O_2 est la moitié du nombre de moles de SO_2.

c) $[O_2] = 0,01$ mol/L.

d) $[O_2]$ peut avoir plusieurs valeurs différentes.

69. Un mélange de 1,00 mol de chacun des composés $CO(g)$, $H_2O(g)$, et $CO_2(g)$ est introduit dans un ballon de 10,0 L à une température à laquelle $K_c = 10,0$ pour la réaction

$$CO(g) + H_2O(g) \rightleftharpoons CO_2(g) + H_2(g)$$

Laquelle des affirmations suivantes est vraie lorsque la réaction a atteint l'équilibre ?

a) La quantité de H_2 est de 1,00 mol.

b) La quantité de $CO_2(g)$ excède 1,00 mol, et les quantités de $CO(g)$, de $H_2O(g)$ et de $H_2(g)$ sont toutes inférieures à 1,00 mol.

c) Les quantités de tous les réactifs et de tous les produits excèdent 1,00 mol.

d) Les quantités de $CO_2(g)$ et de $H_2O(g)$ sont toutes deux inférieures à 1,00 mol.

70. Un mélange de 3,00 mol de chlore et de 2,10 mol d'iode est introduit dans un contenant rigide de 1,000 L à 350 °C. Lorsque le mélange a atteint l'équilibre, la concentration du chlorure d'iode est de 2,32 mol/L. Quelle est la constante d'équilibre pour cette réaction à 350 °C ?

$$Cl_2(g) + I_2(g) \rightleftharpoons 2\ ICl(g)$$

71. Lorsque la synthèse du méthanol se fait à une certaine température, $CO(g) + 2\ H_2(g) \rightleftharpoons CH_3OH(g)$, et $K_p = 9,23 \times 10^{-3}$. À cette même température, on laisse réagir un mélange gazeux contenant du H_2 et du CO dans un rapport molaire de 2 : 1 et à une pression initiale totale de 12,0 kPa. Quelle sera la pression partielle de $CH_3OH(g)$ dans le mélange à l'équilibre ? (*Indice :* Utilisez la méthode des approximations successives décrite à l'annexe A.)

72. On prépare à une certaine température un mélange gazeux dans lequel les pressions partielles sont initialement $P_{SO_3} = 1,50$ kPa, $P_{S_2} = 1,0$ kPa, $P_{O_2} = 0,500$ kPa. Quelle sera la pression partielle de SO_3 une fois l'équilibre atteint ?

$$2\ SO_3(g) \rightleftharpoons 2\ SO_2(g) + O_2(g)$$
$$K_p = 0,023$$

(*Indice :* Utilisez la méthode des approximations successives décrite à l'annexe A.)

73. À 500 °C, on trouve qu'un mélange à l'équilibre dans la réaction $CO(g) + H_2O(g) \rightleftharpoons CO_2(g) + H_2(g)$ contient 0,021 mol de CO ; 0,121 mol de H_2O ; 0,179 mol de CO_2 ; et 0,079 mol de H_2. Si on ajoute 0,100 mol de H_2 au mélange :

a) dans quel sens se produira-t-il une réaction nette pour que l'équilibre soit rétabli ?

b) quelles seront les quantités des quatre substances une fois l'équilibre rétabli ?

74. Dans l'isomérisation du butane en isobutane, $K_c = 7,94$ (voir le problème 48). Tracez un graphique de la concentration du butane et de l'isobutane en fonction du temps, comme dans

la figure 3.2 (page 119). Commencez par une concentration quelconque de butane afin de calculer celle de l'isobutane et illustrez les concentrations à l'équilibre dans leurs proportions relatives attendues.

75. Une analyse de la phase gazeuse [$S_2(g)$ et $CS_2(g)$] présente à l'équilibre à 1009 °C dans la réaction $C(s) + S_2(g) \rightleftharpoons CS_2(g)$ montre qu'elle est constituée de 13,71 % de C et de 86,29 % de S, en masse. Quelle est la valeur de K_c pour cette réaction ?

76. Un équilibre est établi dans la réaction homogène de l'acide acétique et de l'éthanol, dans laquelle on a au départ 1,51 mol de CH_3COOH et 1,66 mol de CH_3CH_2OH.

$$CH_3COOH(l) + CH_3CH_2OH(l) \rightleftharpoons$$
Acide acétique   Éthanol

$$CH_3COOCH_2CH_3(l) + H_2O(l) \quad K_c = ?$$
Acétate d'éthyle

Une fois l'équilibre atteint, on analyse exactement un centième du mélange à l'équilibre et on découvre la présence de $4,6 \times 10^{-3}$ mol de CH_3COOH. Calculez K_c pour la formation de l'acétate d'éthyle.

77. On place un échantillon de 0,100 mol de N_2O_4 dans un ballon de 2,50 L et on le laisse atteindre l'équilibre à 348 K. La fraction molaire de NO_2 à l'équilibre est de 0,746. Déterminez K_p à 348 K pour la réaction $N_2O_4(g) \rightleftharpoons 2\ NO_2(g)$.

78. Soit la dissociation de $H_2S(g)$ à 750 °C.

$$2\ H_2S(g) \rightleftharpoons 2\ H_2(g) + S_2(g)$$
$$K_c = 1,1 \times 10^{-6}$$

Si on place 1,00 mol de H_2S dans un récipient de 7,50 L et qu'on le chauffe à 750 °C, combien de moles de H_2 et de S_2 seront présentes une fois l'équilibre atteint ? (*Indice :* Cherchez une hypothèse qui peut grandement simplifier la solution algébrique.)

79. La décomposition du sulfate de calcium, $2\ CaSO_4(s) \rightleftharpoons 2\ CaO(s) + 2\ SO_2(g) + O_2(g)$, a une $K_p = 15,1$ à 1625 K. On introduit un échantillon de $CaSO_4(s)$ dans un récipient rempli d'air à une pression de 101,3 kPa à 1625 K. Quelle sera la pression partielle de $SO_2(g)$ une fois l'équilibre atteint ? Rappelez-vous que le pourcentage molaire de O_2 dans l'air est de 20,95 %.

80. Si on ajoute, à 25 °C, une grande quantité de $Na_2HPO_4(s)$ anhydre (sec) dans un récipient de 3,45 L contenant 42 mg de $H_2O(g)$, indiquez s'il se formera du $Na_2HPO_4 \cdot 2H_2O(s)$.

$$Na_2HPO_4(s) + 2\ H_2O(g) \rightleftharpoons Na_2HPO_4 \cdot 2H_2O(s)$$
$$K_p = 0,586$$

Si oui, combien se formera-t-il de moles ? (*Indice :* Quelle est la pression à l'équilibre de la vapeur d'eau au-dessus du mélange de l'hydrate et du composé ?)

81. La photo de la page suivante montre une solution saturée de $I_2(aq)$ flottant sur du $CCl_4(l)$ incolore (gauche). Après avoir agité vigoureusement le mélange et laissé l'équilibre s'établir, on constate que la majeure partie de l'iode est passée de la phase aqueuse à la couche de CCl_4, qui a alors pris la couleur violette (droite). Pour cet équilibre, $I_2(aq) \rightleftharpoons I_2(\text{dans } CCl_4)$,

$$K_c = \frac{[I_2]_{CCl_4}}{[I_2]_{aq}} = 85,5$$

La concentration de la solution saturée de $I_2(aq)$ est de $1,33 \times 10^{-3}$ mol/L.

a) Si on agite 25,0 mL de $I_2(aq)$ saturé avec 25,0 mL de $CCl_4(l)$, combien de milligrammes de I_2 resteront dans la phase aqueuse à l'équilibre ?

b) Si on agite 25,0 mL de $I_2(aq)$ saturé avec 50,0 mL de $CCl_4(l)$ au lieu de 25,0 mL, la masse de I_2 qui reste dans la phase aqueuse sera-t-elle égale, supérieure ou inférieure à celle calculée en *a* ? Expliquez votre réponse, mais sans effectuer de calculs.

c) Si on ajoute un second échantillon de 25,0 mL de $CCl_4(l)$ à la solution aqueuse à l'équilibre en *a* et qu'on laisse le système atteindre un nouvel équilibre, la masse de I_2 qui reste dans la couche aqueuse une fois le second équilibre atteint sera-t-elle égale, supérieure ou inférieure à celle obtenue en *b* ? Expliquez votre réponse, mais sans effectuer de calculs.

82. Montrez que l'expression de la constante d'équilibre de la réaction $H_2(g) + I_2(g) \rightleftharpoons 2\ HI(g)$ est conforme au mécanisme en deux étapes proposé.

Étape rapide $I_2(g) \underset{k_{-1}}{\overset{k_1}{\rightleftharpoons}} 2\ I(g)$

Étape lente $2\ I(g) + H_2(g) \underset{k_{-2}}{\overset{k_2}{\rightleftharpoons}} 2\ HI(g)$

83. On peut produire le benzène à partir de l'hexane selon la réaction réversible $C_6H_{14}(g) \rightleftharpoons C_6H_6(g) + 4\ H_2(g)$. On trouve que la constante en fonction des pressions partielles, K_p, de cette réaction varie avec la température en kelvin selon l'équation suivante.

$$\log_{10} K_p = 23,45 - (13\ 941/T)$$

Pour atteindre l'équilibre, on emploie au départ du $C_6H_{14}(g)$ pur. Quelle doit être la température si la pression initiale des gaz est de 101,3 kPa et la pression partielle à l'équilibre de C_6H_6 est de 10,1 kPa ?

84. Quel est le pourcentage molaire de $COCl_2$ dans le mélange gazeux à l'équilibre quand $COCl_2(g)$ se dissocie à 395 °C et que la pression *totale* à l'équilibre est de 300 kPa ?

$$COCl_2(g) \rightleftharpoons CO(g) + Cl_2(g)$$
$$K_p = 4,50 \quad \text{à } 395\ °C$$

85. Supposons que, dans la réaction $PCl_5(g) \rightleftharpoons PCl_3(g) + Cl_2(g)$, la fraction des molécules de PCl_5 qui se dissocient pour atteindre l'équilibre est α et que la pression *totale* des gaz à l'équilibre est P.

a) Montrez que

$$K_p = \frac{\alpha^2 P}{1 - \alpha^2}$$

(*Indice :* Supposez qu'il y a, au départ, 1,00 mol de PCl_5 dans un récipient de volume V. Utilisez la loi des gaz parfaits, au besoin.)

b) À 250 °C, $K_p = 180$. Quelle fraction de PCl_5 se dissocie à cette température quand la pression totale à l'équilibre est de 253 kPa ?

c) À quelle pression totale doit-on maintenir le mélange gazeux pour limiter la dissociation de PCl_5 à 10,0 %, à 250 °C ?

86. L'hémoglobine (Hb) dans le sang absorbe l'oxygène pour former de l'oxyhémoglobine, $Hb(O_2)_2$, qui transporte l'oxygène aux cellules. L'équilibre peut être représenté comme suit :

$$Hb + 2\ O_2(g) \rightleftharpoons Hb(O_2)_2$$

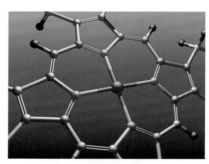

Considérez les données suivantes : la pression atmosphérique au niveau de la mer est de 101 kPa ; au sommet du mont Everest, elle est de 33,7 kPa ; dans un caisson hyperbare, elle peut être d'environ 400 kPa. Quelle est l'influence sur l'oxygène fourni aux cellules

a) de se rendre au sommet du mont Everest ?

b) de se trouver dans un caisson hyperbare ?

87. En considérant l'exemple synthèse de la page 149, quelles seront à l'équilibre les quantités de réactifs et de produits si 0,100 mol de chaque composé, $H_2S(g)$, $CH_4(g)$, $CS_2(g)$ et $H_2(g)$, est introduite dans un ballon de 1,00 L à 700 °C ?

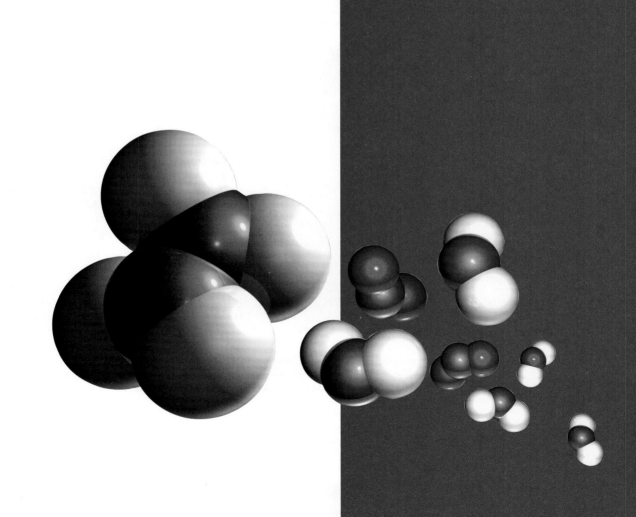

Les **acides**, les **bases** et l'**équilibre acidobasique**

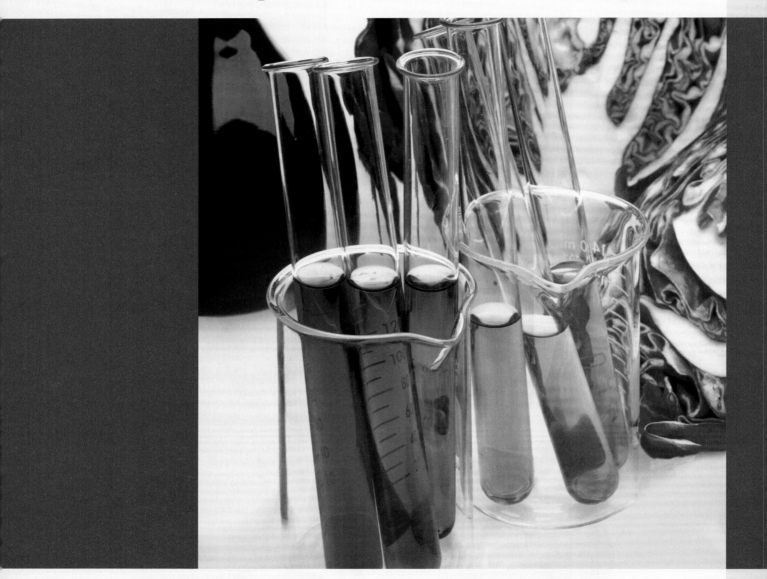

Les substances qui produisent des couleurs vives, souvent extraites des plantes, ont des propriétés étonnantes. L'anthocyanine, le composé organique responsable de la couleur pourpre du choux rouge, est un indicateur acidobasique qu'on peut facilement isoler en faisant bouillir le choux dans de l'eau. Comme le montre la photo, l'extrait devient vert dans un produit ménager à base d'ammoniac (une base), mais il devient rose dans le vinaigre (un acide). Les propriétés chimiques des acides et des bases, dont il sera question dans le présent chapitre, sont au cœur de nombreux procédés et phénomènes allant du durcissement du ciment à l'action anesthésique de la novocaïne.

Les acides et les bases sont des composés importants dont les noms et les formules ont été utilisés abondamment dans les chapitres précédents. Dans le présent chapitre, nous verrons que les acides et les bases en solutions aqueuses peuvent être considérés comme forts ou faibles selon leur degré de dissociation. Nous montrerons que les réactions acidobasiques constituent une des trois grandes catégories de réactions qui se produisent en solutions aqueuses et nous présenterons la stœchiométrie des titrages acidobasiques.

Nous examinerons aussi les facteurs qui influent sur la force des acides et des bases. Nous décrirons ce qu'on entend par le pH et le pOH d'une solution. Nous indiquerons la façon de calculer le pH d'une solution et de le garder constant par une solution tampon. Nous présenterons également les indicateurs acidobasiques et nous nous pencherons sur les réactions de neutralisation qui ont lieu lors des titrages.

Nous nous proposons de répondre aux questions suivantes :

- Que veut-on communiquer comme information lorsqu'on fournit le pH d'une solution, par exemple, quand on indique qu'un échantillon de pluie acide a un pH de 4,2 ?

- Comment le corps humain maintient-il normalement le pH du sang à 7,4 ?

- Comment les indicateurs acidobasiques fonctionnent-ils ?

- Comment un titrage acidobasique se réalise-t-il techniquement et quelles informations peut-on tirer d'une courbe de titrage selon la force relative des acides et des bases utilisés ?

Les solutions d'ammoniaque, $NH_3(aq)$, sont souvent étiquetées NH_4OH et appelées *hydroxyde d'ammonium*.

4.1 **La théorie des acides et des bases de Brønsted-Lowry**

C'est à Arrhenius que l'on doit la première théorie des acides et des bases. Selon celle-ci, un acide produit en solution aqueuse des ions hydrogène, $H^+(aq)$, et une base produit des ions hydroxyde, $OH^-(aq)$. L'élaboration de cette théorie a permis d'établir une distinction entre les acides *forts* et *faibles* et entre les bases *fortes* et *faibles*. Un acide fort s'ionise presque entièrement ; ses ions $H^+(aq)$ et ses anions se dissocient presque tous en solution. De la même façon, une base forte s'ionise en ions $OH^-(aq)$ et en cations. (Le tableau 4.2 à la page 168 donne la liste des acides forts et des bases fortes les plus courants.) L'ionisation des acides et des bases faibles est partielle. Cette réaction atteint un état d'équilibre dans lequel seul un faible pourcentage de l'acide ou de la base existe sous forme d'ions.

La théorie d'Arrhenius a cependant des limites, car elle ne s'applique qu'aux solutions *aqueuses* et elle n'explique pas adéquatement pourquoi certains composés, tels que l'ammoniac, NH_3, sont des bases. Il semble que, selon la théorie d'Arrhenius, une base doive *contenir* OH^-, ou du moins un groupement —OH qui peut devenir OH^-. Il n'y a pas d'ion ni de groupe semblables dans NH_3 ; pourtant, on sait expérimentalement que l'ammoniac est une base faible. En fait, parce qu'Arrhenius et ses contemporains pensaient qu'une base devait contenir OH^-, on a longtemps considéré que l'ammoniaque (nom donné à l'ammoniac en solution aqueuse) était de l'hydroxyde d'ammonium de formule NH_4OH. Ce nom et cette formule sont encore quelquefois utilisés de nos jours, mais il est peu probable que des molécules individuelles de NH_4OH existent en solution aqueuse. Il est impossible, par exemple, d'écrire une structure de Lewis pour NH_4OH.

La théorie de Brønsted-Lowry*

Donneur de protons

Dans la théorie de Brønsted-Lowry, synonyme d'acide.

Accepteur de protons

Dans la théorie de Brønsted-Lowry, synonyme de base.

Réaction acidobasique

Dans la théorie de Brønsted-Lowry, réaction entre un acide et une base.

La couleur rouge dans cette flèche représente la perte d'un proton par un acide, et la couleur bleue représente le gain d'un proton par une base.

Les lacunes de la théorie d'Arrhenius ont été en grande partie comblées par une autre théorie proposée indépendamment par J. N. Brønsted au Danemark et T. M. Lowry en Grande-Bretagne, en 1923. Selon cette théorie, un acide est un **donneur de protons**, et une base, un **accepteur de protons**. On entend par « proton » un atome d'hydrogène ionisé, c'est-à-dire H^+. Toutefois, une substance ne peut pas simplement céder un proton, parce que celui-ci ne peut exister dans une solution en tant que particule indépendante ou libre. Le proton chargé positivement se lie à un centre de charge négative, comme un doublet d'électrons libres d'un atome d'une autre espèce. *En conséquence, pour chaque acide, il doit y avoir une base disponible.* La réaction entre l'acide et la base est une **réaction acidobasique**. On représente l'ionisation de l'acide chlorhydrique de la façon suivante.

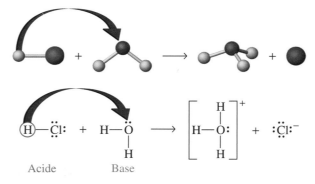

Dans la théorie de Brønsted-Lowry, H_3O^+ remplace H^+ de la théorie d'Arrhenius. L'ion H_3O^+, appelé *ion hydronium,* se forme quand l'atome O de la molécule H_2O établit, grâce à un doublet d'électrons libres, une liaison covalente de coordinence avec un proton H^+.

La théorie de Brønsted-Lowry ne se limite pas aux réactions en solutions aqueuses. Par exemple, qu'il soit en contact avec de l'eau ou de l'ammoniac liquide, $NH_3(l)$, HCl demeure un acide ; la différence, évidemment, est que la base qui accepte un proton de HCl est la molécule d'ammoniac.

---

* Les flèches présentées ici et dans les pages qui suivent ne servent qu'à illustrer les définitions des acides et des bases selon Bronsted-Lowry.

Par ailleurs, la théorie de Brønsted-Lowry explique bien comment la molécule d'ammoniac joue le rôle d'une base dans l'eau, ce que la théorie d'Arrhenius ne parvenait pas à faire. Dans l'ionisation de NH_3, l'eau est l'acide.

Rappelons-nous que NH_3 est une base *faible* et qu'elle ne s'ionise pas entièrement, ce qui nous amène à conclure que l'équation que nous venons d'écrire pour l'ionisation de NH_3 est incomplète. L'ionisation est une réaction *réversible* et elle atteint un état d'équilibre. Dans la réaction inverse, NH_4^+ est l'acide et OH^- est la base. Cette réaction acidobasique réversible est représentée ci-dessous et dans la **figure 4.1**.

Dans l'équation ci-dessus, les annotations désignent l'acide et la base pour la réaction directe *et* pour la réaction inverse. Remarquez que l'acide d'un côté de l'équation ne diffère de la base de l'autre côté que par un proton, c'est-à-dire H^+. Les couples NH_4^+/NH_3 et H_2O/OH^- sont appelés **couples acide-base**. L'**acide conjugué** d'une base est cette base *plus* un proton lié, H^+. Donc, l'acide NH_4^+ est l'acide conjugué de la base NH_3, et le couple NH_4^+/NH_3 est un couple acide-base. La **base conjuguée** d'un acide est cet acide *moins*

Couple acide-base

Dans la théorie de Brønsted-Lowry, couple acide/base (conjuguée) ou acide (conjugué)/base.

Acide conjugué

Dans la théorie de Brønsted-Lowry, acide résultant de l'ajout à une base d'un proton, H^+; chaque base possède un acide conjugué.

Base conjuguée

Dans la théorie de Brønsted-Lowry, base résultant de la cession par un acide d'un proton, H^+; chaque acide possède une base conjuguée.

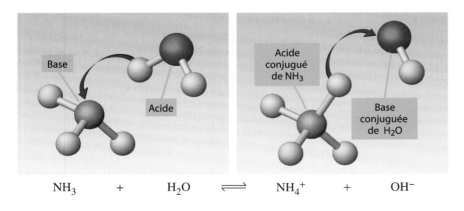

$$NH_3 \quad + \quad H_2O \quad \rightleftharpoons \quad NH_4^+ \quad + \quad OH^-$$

▲ **Figure 4.1**
L'ionisation de NH_3 en tant que base de Brønsted-Lowry
Le transfert d'un proton est représenté, comme ailleurs, par une flèche dont la couleur passe du rouge (perte d'un proton par un acide) au bleu (gain d'un proton par une base). Puisque l'ion ammonium, NH_4^+, est un acide plus fort que l'eau et que l'ion hydroxyde, OH^-, est une base plus forte que l'ammoniac, l'équilibre est déplacé vers la gauche. Le tableau 4.1 (page 167) présente les forces relatives de quelques acides et bases.

un proton, H^+. Donc, la base OH^- est la base conjuguée de l'acide H_2O, et le couple H_2O/OH^- est aussi un couple acide-base.

L'ionisation de l'acide acétique, CH_3COOH, est également une réaction partielle et réversible, qu'on peut représenter de la façon suivante.

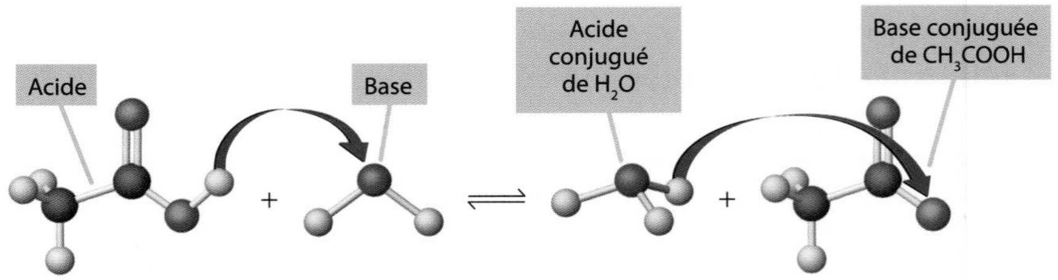

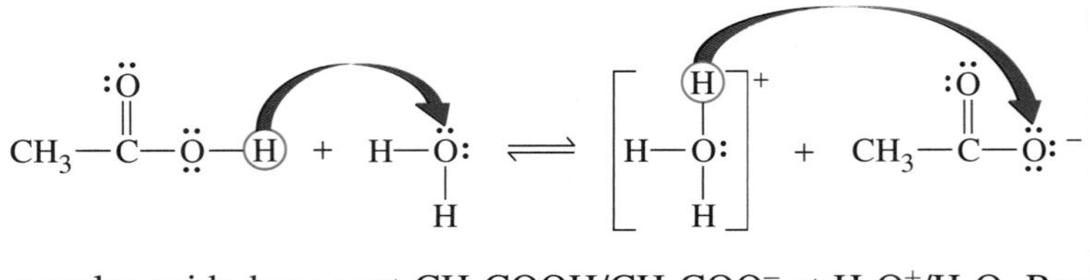

Les couples acide-base sont CH_3COOH/CH_3COO^- et H_3O^+/H_2O. Remarquez que, dans cette réaction, H_2O est une base alors que, dans l'ionisation de l'ammoniac, la molécule était un acide. Ce double rôle de H_2O est représenté ci-dessous.

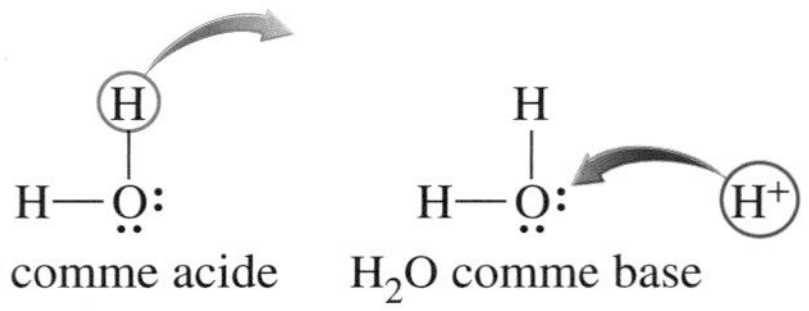

H_2O comme acide H_2O comme base

Une substance comme l'eau, qui peut agir tantôt comme un acide, tantôt comme une base, est dite **amphotère**. Dans l'exemple 4.1 et les exercices 4.1A et 4.1B, nous continuerons de nous familiariser avec les acides et les bases de Brønsted-Lowry et avec les espèces amphotères.

On peut écrire des expressions de constantes d'équilibre pour les ionisations réversibles de $CH_3COOH(aq)$ et de $NH_3(aq)$, comme nous l'avons fait pour d'autres réactions réversibles au chapitre 3. Dans chaque cas, on considère le solvant, $H_2O(l)$, comme un liquide pur, parce que sa concentration demeure pratiquement constante. Celle-ci ne figure donc pas dans l'expression des constantes d'équilibre. Par ailleurs, au lieu d'utiliser K_c pour les constantes d'équilibre, on emploie pour les acides le symbole K_a, appelé **constante d'acidité**[*], et pour les bases le symbole K_b, appelé **constante de basicité**[*].

$$CH_3COOH(aq) + H_2O(l) \rightleftharpoons H_3O^+(aq) + CH_3COO^-(aq)$$

$$K_a = \frac{[H_3O^+][CH_3COO^-]}{[CH_3COOH]} = 1,8 \times 10^{-5}$$

$$NH_3(aq) + H_2O(l) \rightleftharpoons NH_4^+(aq) + OH^-(aq)$$

$$K_b = \frac{[NH_4^+][OH^-]}{[NH_3]} = 1,8 \times 10^{-5}$$

On détermine les valeurs de K_a et de K_b par des expériences que nous décrirons un peu plus loin. Que K_a de l'acide acétique et K_b de l'ammoniac aient la même valeur est sans importance ; ce n'est que pure coïncidence.

Amphotère

Dans la théorie de Brønsted-Lowry, se dit d'une substance, telle l'eau, qui agit tantôt comme un acide, tantôt comme une base.

Constante d'acidité (K_a)

Dans la théorie de Brønsted-Lowry, constante qui décrit l'équilibre du processus réversible d'ionisation d'un acide faible. Aussi appelée constante d'ionisation d'un acide.

Constante de basicité (K_b)

Dans la théorie de Brønsted-Lowry, constante qui décrit l'équilibre du processus réversible d'ionisation d'une base faible. Aussi appelée constante d'ionisation d'une base.

---

[*] Les constantes d'acidité et de basicité sont aussi appelées *constantes d'ionisation d'un acide ou d'une base*.

EXEMPLE **4.1**

Nommez les acides et les bases de Brønsted-Lowry et leurs formes conjuguées dans chacune des réactions suivantes :

a) $H_2S + NH_3 \rightleftharpoons NH_4^+ + HS^-$;

b) $OH^- + H_2PO_4^- \rightleftharpoons H_2O + HPO_4^{2-}$.

➜ **Solution**

Pour trouver les acides et les bases de Brønsted-Lowry, nous devons rechercher les donneurs de protons et les accepteurs de protons dans chacune des réactions.

a) Puisque H_2S est converti en HS^- en donnant un proton, il est un acide ; HS^- est sa base conjuguée. Puisque NH_3 accepte le proton perdu par H_2S, il devient une base ; NH_4^+ est son acide conjugué.

$$H_2S \quad + \quad NH_3 \quad \rightleftharpoons \quad NH_4^+ \quad + \quad HS^-$$

| Acide | Base | Acide conjugué de NH_3 | Base conjuguée de H_2S |

b) OH^- accepte un proton de $H_2PO_4^-$. Par conséquent, OH^- est une base ; H_2O est son acide conjugué. $H_2PO_4^-$ donne un proton à OH^-. Donc, $H_2PO_4^-$ est un acide ; HPO_4^{2-} est sa base conjuguée.

$$OH^- \quad + \quad H_2PO_4^- \quad \rightleftharpoons \quad H_2O \quad + \quad HPO_4^{2-}$$

| Base | Acide | Acide conjugué de OH^- | Base conjuguée de $H_2PO_4^-$ |

EXERCICE 4.1 A

Nommez les acides et les bases de Brønsted-Lowry et leurs formes conjuguées dans chacune des réactions suivantes :

a) $NH_3 + HCO_3^- \rightleftharpoons NH_4^+ + CO_3^{2-}$;

b) $H_3PO_4 + H_2O \rightleftharpoons H_2PO_4^- + H_3O^+$.

EXERCICE 4.1 B

Trouvez l'espèce *amphotère* dans chacune des réactions de l'exercice 4.1A, et dites si elle a un rôle acide ou basique dans cette réaction. Écrivez ensuite l'équation d'une réaction dans laquelle elle joue le rôle opposé. Plus précisément, si l'espèce amphotère est un acide dans l'exercice 4.1A, utilisez-la comme base, et écrivez l'équation de sa réaction avec HCl. Si l'espèce amphotère est une base dans l'exercice 4.1A, utilisez-la alors comme acide, et écrivez l'équation de sa réaction avec NH_3.

La force des couples acide-base

Nous avons choisi l'acide chlorydrique, HCl, comme premier exemple d'un acide de Brønsted-Lowry et nous avons représenté son ionisation par une équation avec une *simple* flèche.

$$HCl \quad + \quad H_2O \quad \longrightarrow \quad H_3O^+ \quad + \quad Cl^-$$

| Acide | Base | Acide conjugué de H_2O | Base conjuguée de HCl |

Les expériences de conductivité électrique indiquent que HCl est un acide *fort* ; il est presque entièrement ionisé en solution aqueuse. Des expériences semblables montrent que l'acide acétique est un acide *faible*. Seulement une fraction des molécules de CH_3COOH s'ionisent dans une solution d'acide acétique, et on représente son ionisation comme une réaction partielle et réversible (double flèche).

$$CH_3COOH \quad + \quad H_2O \quad \rightleftharpoons \quad H_3O^+ \quad + \quad CH_3COO^-$$

| Acide | Base | Acide conjugué de H_2O | Base conjuguée de CH_3COOH |

Il y a deux façons de décrire la différence de force entre HCl et CH_3COOH. Premièrement, HCl étant un acide beaucoup *plus fort* que CH_3COOH, il a une plus grande tendance à transférer des protons aux molécules d'eau. Deuxièmement, on peut considérer les réactions inverses possibles. Puisque Cl^- est une base beaucoup *plus faible* que CH_3COO^-, il présente une moins grande tendance que ce dernier à accepter un proton de H_3O^+. En conséquence, l'inverse de l'ionisation de HCl est négligeable, alors que l'inverse de l'ionisation de CH_3COOH est très important. On peut résumer ces observations dans les généralisations suivantes sur les couples acide-base.

- *Plus un acide est fort, plus sa base conjuguée est faible.*

- *Plus une base est forte, plus son acide conjugué est faible.*

- *La réaction acidobasique favorisée dans un couple acide-base va du membre du couple le plus fort vers le membre le plus faible.*

Utilisons ces notions pour déterminer le sens d'un changement net dans la réaction suivante.

$$CH_3COOH + Br^- \overset{?}{\rightleftharpoons} HBr + CH_3COO^-$$

Comme HCl, HBr est un acide fort. Par conséquent, sa base conjuguée, Br^-, est une base très faible. La force de HBr favorise la réaction inverse, et la faiblesse de Br^- limite sérieusement la réaction directe. Il en découle que la réaction a lieu presque exclusivement dans le sens *inverse*. Le sens du changement va du membre fort (HBr) vers le membre faible (Br^-) du couple acide-base.

Pour mettre en application ce raisonnement, il faut avoir recours à un classement des forces relatives des acides et des bases, comme celui du **tableau 4.1**. Les acides les plus forts (gauche) et les bases conjuguées les plus faibles (droite) sont en haut du tableau. Au bas du tableau, on trouve les acides les plus faibles (gauche) et les bases conjuguées les plus fortes (droite).

Pour effectuer un classement de ce type, on peut utiliser les valeurs de K_a afin de comparer la force des acides faibles. On peut ainsi affirmer que l'acide fluorhydrique ($K_a = 6,6 \times 10^{-4}$) est un donneur de protons un peu plus fort que l'acide acétique ($K_a = 1,8 \times 10^{-5}$). Malheureusement, en milieu aqueux, *tous* les acides forts semblent céder presque la totalité de leurs protons aux molécules d'eau. Pour comparer la puissance des acides forts, on doit les étudier dans un solvant qui est une base plus faible que l'eau, par exemple dans l'éther diéthylique ou l'acétone. L'ionisation n'étant pas complète, on peut alors classer les acides forts selon leurs valeurs de K_a dans ces solutions non aqueuses.

4.2 La structure moléculaire et la force des acides et des bases

Expliquer des propriétés observables en fonction de la structure moléculaire d'une substance n'est pas un exercice aisé en chimie. Néanmoins, dans bien des cas, en examinant la formule chimique d'une substance, il est possible de dire s'il s'agit d'un acide ou non, voire de déterminer si la substance est forte ou faible. Les chimistes indiquent habituellement quels atomes d'hydrogène sont ionisables en écrivant les formules de l'une des deux façons suivantes.

TABLEAU 4.1	Forces relatives de quelques acides de Brønsted-Lowry et de leurs bases conjuguées
Acide	**Base conjuguée**
HI (acide iodhydrique)	I^- (ion iodure)
HBr (acide bromhydrique)	Br^- (ion bromure)
HCl (acide chlorhydrique)	Cl^- (ion chlorure)
H_2SO_4 (acide sulfurique)	HSO_4^- (ion hydrogénosulfate)
HNO_3 (acide nitrique)	NO_3^- (ion nitrate)
H_3O^+ (ion hydronium)	H_2O (eau)
HSO_4^- (ion hydrogénosulfate)	SO_4^{2-} (ion sulfate)
HNO_2 (acide nitreux)	NO_2^- (ion nitrite)
HF (acide fluorhydrique)	F^- (ion fluorure)
CH_3COOH (acide acétique)	CH_3COO^- (ion acétate)
H_2CO_3 (acide carbonique)	HCO_3^- (ion hydrogénocarbonate)
NH_4^+ (ion ammonium)	NH_3 (ammoniac)
HCO_3^- (ion hydrogénocarbonate)	CO_3^{2-} (ion carbonate)
H_2O (eau)	OH^- (ion hydroxyde)
CH_3OH (méthanol)	CH_3O^- (ion méthanolate)

Force croissante des acides

Force croissante des bases

1. *Dans la formule moléculaire d'un composé comportant un ou plusieurs atomes H ionisables, ces atomes s'écrivent habituellement en premier.* HNO_3, H_2SO_4 et H_3PO_4 sont des acides à un, deux et trois atomes d'hydrogène ionisables, respectivement. Le méthane, CH_4, comporte quatre atomes H, mais ceux-ci *ne* sont *pas* ionisables ; CH_4 *n'*est *pas* un acide. En effet, la liaison C—H est une liaison covalente très peu polarisée (C et H ont pratiquement la même électronégativité). Par contre, dans les molécules HNO_3, H_2SO_4 et H_3PO_4, l'atome H est lié à un atome O fortement électronégatif, ce qui lui confère une charge partielle positive importante qui facilite son départ sous forme d'ion libre H^+.

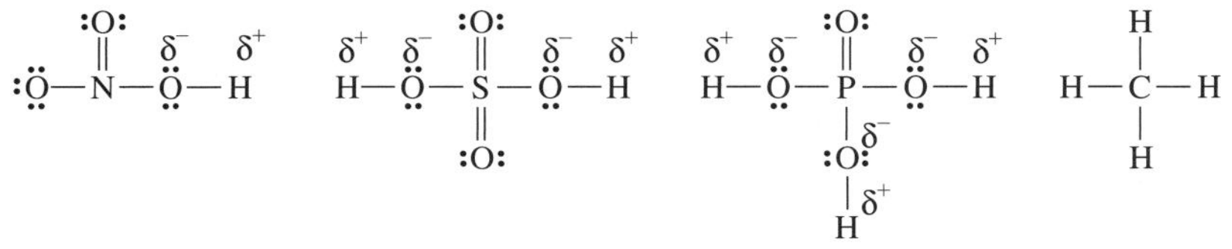

Par ailleurs, d'après son nom, on sait que l'acide acétique est un acide. Par sa formule, CH_3COOH, on voit qu'il a quatre atomes H, mais qu'un seul est ionisable, celui qui est écrit en dernier (en rouge dans la formule).

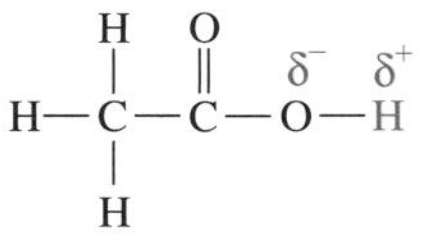

2. *Une formule développée condensée montre où se trouvent les atomes H dans une molécule et lesquels sont ionisables.* La formule développée condensée de l'acide acétique, CH_3COOH, révèle que trois des atomes H sont liés à un atome C. Tout comme les quatre atomes H dans CH_4, les trois du groupement —CH_3 *ne sont pas* ionisables. Seul, l'atome H lié à un atome O dans le groupement acide carboxylique (—COOH) est *ionisable*.

La façon la plus simple de déterminer si un acide est fort ou faible consiste à regarder sa constante d'acidité. Comme les acides forts s'ionisent presque complètement en solution, ils n'atteignent pas d'état d'équilibre, celui-ci étant totalement déplacé à droite. On ne leur associe habituellement donc pas une valeur numérique de constante d'acidité. De plus, on remarque qu'ils ne sont pas nombreux ; le **tableau 4.2** présente les plus courants. À moins d'une information contraire, on peut présumer que tous les autres acides sont faibles.

TABLEAU **4.2** Acides forts et bases fortes les plus courants			
Acides		**Bases**	
Acides du groupe VIIB	*Oxacides*	*Hydroxydes du groupe IA*	*Hydroxydes du groupe IIA*
HCl	HNO_3	LiOH	$Mg(OH)_2$
HBr	H_2SO_4*	NaOH	$Ca(OH)_2$
HI	$HClO_4$	KOH	$Sr(OH)_2$
		RbOH	$Ba(OH)_2$
		CsOH	

* H_2SO_4 est un acide fort à la première étape d'ionisation, mais un acide faible à la seconde étape.

Les bases fortes et les bases faibles

Peut-on dire si une substance est une base ou non en examinant sa formule chimique ? Et, si elle l'est, peut-on préciser s'il s'agit d'une base faible ou forte ? C'est possible, comme pour la plupart des acides. Par exemple, si la formule indique qu'un composé *ionique* contient des ions OH^-, on s'attend à ce qu'il s'agisse d'une base forte. NaOH et KOH sont des bases fortes. Le tableau 4.2 donne la liste des bases fortes les plus courantes. Comme pour les acides forts et pour les mêmes raisons, les bases fortes ne possèdent pas de valeur numérique de constante de basicité. Notons que le méthanol, CH_3OH, *n'est pas* une base ; le composé n'étant formé que de non-métaux, CH_3OH est un composé *moléculaire*. Le groupement OH forme une liaison covalente avec l'atome C ; il *n'existe pas* en tant que OH^-. De la même façon, l'acide acétique (CH_3COOH) n'est pas une base ; il produit des ions H^+ : c'est donc un *acide*. Pour reconnaître une base faible, on a habituellement besoin d'une équation chimique représentant la réaction d'ionisation. On peut toutefois repérer de nombreuses bases faibles en tenant compte des faits suivants.

Les bases fortes les plus courantes sont peu nombreuses. Les bases faibles les plus courantes sont l'ammoniac et les amines.

Les amines sont des composés dans lesquels au moins un des atomes H de NH_3 est remplacé par un groupement hydrocarboné. Les amines comportant de un à quatre atomes de carbone sont solubles dans l'eau ; comme NH_3, ce sont des bases *faibles*. Par exemple,

$$CH_3NH_2(aq) \ + \ H_2O(l) \ \rightleftharpoons \ CH_3NH_3^+(aq) \ + \ OH^-(aq)$$
Méthylamine   Ion méthylammonium

Les variations de la force des acides binaires dans un groupe du tableau périodique

Considérons maintenant quelques facteurs qui influent sur la force des acides. Nous nous pencherons tout d'abord sur les acides binaires.

Un acide binaire se compose d'hydrogène et d'un autre non-métal, A. La formule générale de l'acide est HA si A appartient au groupe VIIB, H_2A si A appartient au groupe VIB et H_3A si A appartient au groupe VB. Examinons quels facteurs agissent sur la force des acides binaires à l'intérieur d'un même groupe du tableau périodique et à l'intérieur d'une même période.

À titre d'exemple, considérons les acides binaires du groupe VIIB: les halogénures d'hydrogène, que l'on représente plus particulièrement par la formule HX. Pour commencer, nous pouvons écrire l'expression générale suivante.

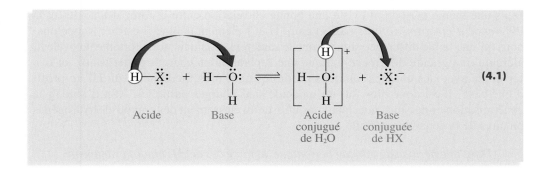

La force de la base —H_2O— et de son acide conjugué —H_3O^+— ne dépend pas de l'acide considéré. Toute différence entre les forces des acides doit être associée à la molécule HX et à l'ion X^-.

Dans l'équation 4.1, plus la tendance à effectuer le transfert d'un proton de HX à H_2O est grande, plus la réaction directe est favorisée et plus l'acide HX est fort. Plus la tendance à effectuer le transfert d'un proton de H_3O^+ à X^- est grande, plus la réaction inverse est favorisée et plus l'acide HX est faible.

Nous pouvons considérer que le transfert d'un proton de HX à H_2O est analogue au processus de bris de liaison dans une molécule gazeuse et à la production d'atomes gazeux, même si, en solution aqueuse, ce sont des ions et non des atomes qui se forment. L'énergie de liaison est une mesure de la tendance d'une liaison à se rompre. Plus l'énergie de liaison est faible, plus il est facile de rompre la liaison H—X, plus il est facile de perdre un proton et plus l'acide est fort.

Énergie de liaison (kJ/mol)	569	>	431	>	368	>	297
	HF		**HCl**		**HBr**		**HI**
Force de l'acide	$K_a = 6,6 \times 10^{-4}$	<	$\approx 10^6$	<	$\approx 10^8$	<	$\approx 10^9$

Il faut également évaluer la tendance que possède la réaction inverse de l'ionisation à transférer un proton. Les protons (H^+) sont captés par l'ion X^- chargé négativement. Plus l'ion X^- est petit, plus l'attraction est forte et plus la réaction inverse a tendance à avoir lieu. Réciproquement, plus l'ion X^- est *gros, moins* la réaction inverse a tendance à avoir lieu et plus l'acide HX est fort.

Rayon de l'anion (pm)	F^-		Cl^-		Br^-		I^-
	136	<	181	<	195	<	216
	HF		**HCl**		**HBr**		**HI**
Force de l'acide	$K_a = 6,6 \times 10^{-4}$	<	$\approx 10^6$	<	$\approx 10^8$	<	$\approx 10^9$

Donc, les deux facteurs — l'énergie de liaison et le rayon de l'anion — nous amènent à la même conclusion.

> *Dans un groupe du tableau périodique, la force des acides binaires augmente de haut en bas.*

Les variations de la force des acides binaires dans une période du tableau périodique

Dans une même période, il existe une bonne corrélation entre la force des acides et la *différence d'électronégativité* (ΔEN) entre H et l'élément auquel il est lié. Rappelons-nous qu'une faible différence signifie que le caractère de la liaison est fortement covalent, alors qu'une grande différence indique une séparation en charges partielles (δ^+ et δ^-). Un acide avec des charges ioniques partielles perd plus facilement son H^+ au profit d'une base : il est donc plus fort qu'un acide sans charges partielles. Afin d'obtenir la généralisation ci-dessous, nous pouvons utiliser un classement des composés hydrogénés binaires de la deuxième période.

> *Dans une période du tableau périodique, la force des acides binaires augmente de la gauche vers la droite.*

ΔEN	0,4	<	0,9	<	1,4	<	1,9
	CH$_4$	<	**NH$_3$**	<	**H$_2$O**	<	**HF**
Force de l'acide	$K_a \approx 10^{-55}$	<	$\approx 10^{-35}$	<	$\approx 10^{-16}$	<	$6,6 \times 10^{-4}$

Le méthane (CH_4) ne s'ionise pas comme un acide. En solution aqueuse, NH_3 s'ionise faiblement, mais comme une base et non comme un acide. La capacité de H_2O à s'ioniser est très limitée, comme nous le verrons à la section 4.3. Par contre, HF est un acide faible, dont $K_a = 6,6 \times 10^{-4}$.

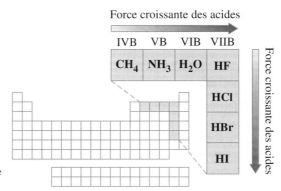

Tendances représentatives de la force des acides binaires

La force des oxacides

La plupart des acides sont composés non seulement d'hydrogène, mais aussi d'oxygène et d'un troisième non-métal désigné par la lettre E. Dans les oxacides, il y a au moins un atome H lié à un atome O.

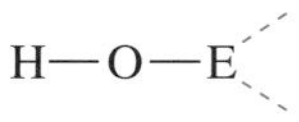

$$H — O — E$$

Dans cette structure, les pointillés indiquent que d'autres groupes peuvent également être liés à l'atome E. La force de la liaison O—H dépend de l'attraction de l'atome E pour les électrons de cette liaison. Si l'atome E attire fortement les électrons (l'attraction étant représentée par la longueur de la flèche au-dessous de chaque acide), alors les électrons de la liaison H—O sont délocalisés vers l'atome d'oxygène, ce qui augmente la charge partielle positive de l'atome d'hydrogène. On s'attend à ce que cet effet de délocalisation croisse avec une augmentation de l'électronégativité de E, ce qui affaiblit la liaison O—H et augmente la force de l'acide. Les données ci-dessous montrent bien l'influence de l'électronégativité de l'atome E (I, Br et Cl) sur la force de trois acides comparables.

Électronégativité de l'atome E (I, Br et Cl)	2,5	<	2,8	<	3,0
	$\overset{\delta^+ \quad \delta^-}{\text{H—O—I}}$		$\overset{\delta^+ \quad \delta^-}{\text{H—O—Br}}$		$\overset{\delta^+ \quad \delta^-}{\text{H—O—Cl}}$
Force des acides	$K_a = 2,3 \times 10^{-11}$	<	$2,5 \times 10^{-9}$	<	$2,9 \times 10^{-8}$

Pour un atome E donné, le nombre d'atomes O terminaux dans la molécule agit énormément sur la force de l'oxacide. Dans la comparaison suivante, où E correspond à Cl, nous constatons que les valeurs de K_a augmentent de plusieurs puissances de 10 pour chaque atome O terminal supplémentaire. L'oxygène est le deuxième élément le plus électronégatif. En conséquence, les atomes O terminaux s'associent avec l'atome E pour attirer les électrons de la liaison O—H, ce qui affaiblit celle-ci et augmente la force de l'acide.

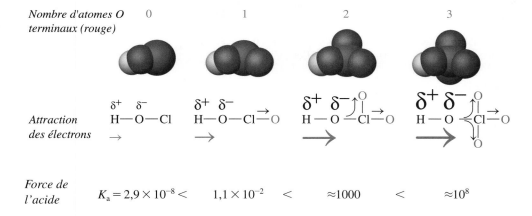

Nombre d'atomes O terminaux (rouge)	0	1	2	3

| *Attraction des électrons* | $\overset{\delta^+ \quad \delta^-}{\text{H—O—Cl}}$ | $\overset{\delta^+ \quad \delta^-}{\text{H—O—Cl}}\rightarrow O$ | $\overset{\delta^+ \quad \delta^-}{\text{H—O—Cl}}\rightarrow O$ | $\overset{\delta^+ \quad \delta^-}{\text{H—O—Cl}}\rightarrow O$ |

| *Force de l'acide* | $K_a = 2,9 \times 10^{-8} <$ | $1,1 \times 10^{-2}$ | $<$ | ≈ 1000 | $<$ | $\approx 10^8$ |

La force des acides carboxyliques

Comme pour les autres acides, la force d'un acide carboxylique dépend de la facilité avec laquelle les électrons peuvent être délocalisés dans la liaison O—H pour faciliter la libération d'un proton (H^+). Puisque tous les acides carboxyliques possèdent le groupement —COOH, il faut examiner la différence entre les groupements R (radicaux) pour expliquer les variations de la force des acides.

$$\text{R—}\overset{\overset{\displaystyle O}{\|}}{\text{C}}\text{—O—H}$$

Si le groupement R est une simple chaîne hydrocarbonée, il n'a que peu d'influence sur la force de l'acide, comme nous le constatons à l'examen des valeurs de K_a des acides suivants à deux et à cinq atomes de carbone.

CH_3COOH $K_a = 1,8 \times 10^{-5}$ $CH_3(CH_2)_3COOH$ $K_a = 1,5 \times 10^{-5}$

Acide acétique   Acide pentanoïque

Si les groupements R contiennent des atomes d'électronégativité élevée, ceux-ci peuvent attirer les électrons de la liaison O—H, ce qui affaiblit celle-ci et augmente la force de l'acide. Dans ces cas, il faut considérer deux facteurs pour prédire la force de l'acide carboxylique : (1) Combien y a-t-il d'atomes d'électronégativité élevée présents dans le groupement R ? (2) À quelle distance ces atomes sont-ils du groupement —COOH ? Dans la comparaison qui suit, les formules développées condensées mettent en évidence les substituants électronégatifs et indiquent leur nombre ainsi que la distance par rapport au groupement —COOH. Par ailleurs, rappelons-nous que Cl (EN = 3,0) est plus électronégatif que I (EN = 2,5).

I — CH₂CH₂COOH

Acide 3-iodopropanoïque

$K_a = 8,3 \times 10^{-5}$

Cl — CH₂CH₂COOH

Acide 3-chloropropanoïque

$K_a = 1,0 \times 10^{-4}$

CH₃CHClCOOH

Acide 2-chloropropanoïque

$K_a = 1,4 \times 10^{-3}$

CH₃CCl₂COOH

Acide 2,2-dichloropropanoïque

$K_a = 8,7 \times 10^{-3}$

$<$ $<$ $<$

Force croissante des acides

EXEMPLE **4.2**

Choisissez l'acide le plus fort dans chacune des paires suivantes : **a)** acide nitreux, HNO_2, et acide nitrique, HNO_3 ; **b)** $BrCH_2COOH$ et CCl_3COOH.

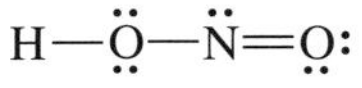

H—O̤—N̈═O̤:

Acide nitreux

O̤:
‖
H—O̤—N—O̤:

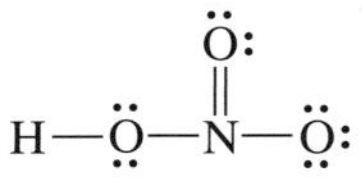

Acide nitrique

➡ Solution

a) Il faut remplacer les formules conventionnelles par des structures de Lewis pour évaluer le nombre d'atomes terminaux dans les deux acides. D'après les structures dans la marge, nous nous attendons à ce que HNO_3 soit l'acide le plus fort. Il a *deux* atomes O terminaux, alors que HNO_2 en a un seul. (En fait, HNO_3 est un acide fort, alors que HNO_2 est un acide faible.)

b) Nous nous attendons à ce que $BrCH_2COOH$ soit un acide un peu plus fort que CH_3COOH (acide acétique) en raison de la présence d'un atome Br électronégatif sur l'atome de carbone adjacent au groupement —COOH. Cependant, CCl_3COOH, qui porte *trois* atomes Cl un peu plus électronégatifs en position adjacente à l'atome C du groupement —COOH, devrait être beaucoup plus fort que CH_3COOH et $BrCH_2COOH$.

➡ Évaluation

a) Nous pouvons vérifier la justesse de notre conclusion en consultant le tableau 4.1 qui indique que HNO_3 est un acide plus fort que HNO_2.

b) Les valeurs de K_a pour chacun de ces acides, tirées du tableau de l'annexe C.2.A, sont : $1,8 \times 10^{-5}$ pour CH_3COOH, $1,3 \times 10^{-3}$ pour $BrCH_2COOH$, et $3,0 \times 10^{-1}$ pour CCl_3COOH.

EXERCICE 4.2 A

Choisissez l'acide le plus fort dans chacune des paires suivantes : **a)** H_2S et H_2Te ; **b)** $CH_3CH_2CH_2CHBrCOOH$ et $ClCH_2CH_2CH_2CH_2COOH$.

Classez les acides suivants selon leur force (c'est-à-dire de l'acide le plus faible à l'acide le plus fort). Expliquez le fondement de votre classement.

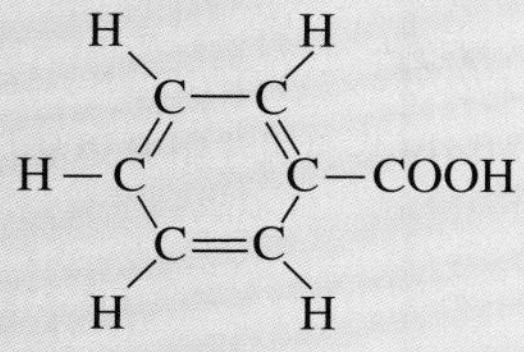

La force des amines comme bases

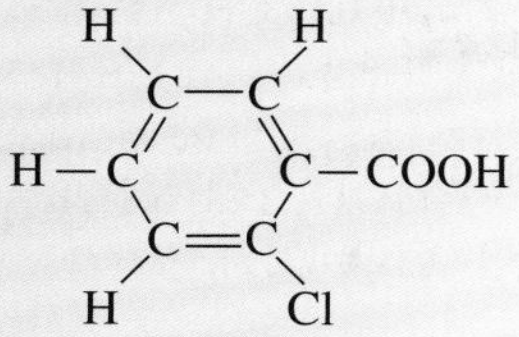

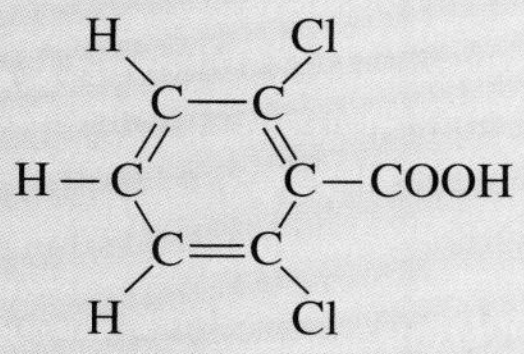

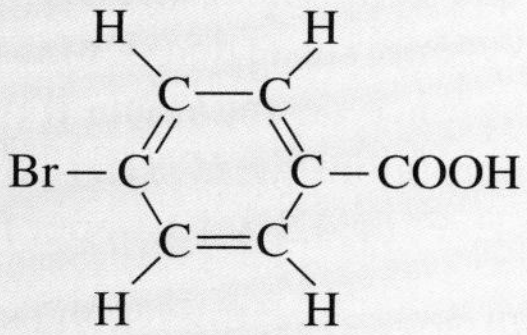

Examinons maintenant la structure moléculaire et la force des bases, plus particulièrement celles des amines, R-NH$_2$. Nous avons vu qu'un atome ou un groupement d'atomes qui attire les électrons d'une liaison susceptible de céder un proton (H$^+$) augmente la force d'un acide. Inversement, un atome ou un groupement d'atomes qui attire les électrons d'un atome auquel un proton (H$^+$) peut se lier produit une base plus faible. Par exemple, un atome électronégatif, tel que Br, retient le doublet libre de l'atome de N dans BrNH$_2$ et fait en sorte que les électrons de ce doublet sont moins disponibles pour former une liaison avec un proton. En conséquence, BrNH$_2$ ($K_b = 2,5 \times 10^{-8}$) est une base plus faible que NH$_3$ ($K_b = 1,8 \times 10^{-5}$).

Les amines aromatiques, qui renferment un cycle benzénique (C$_6$H$_6$), sont des bases plus faibles que les amines non aromatiques. Pour l'aniline, C$_6$H$_5$NH$_2$, la valeur de K_b est de $7,4 \times 10^{-10}$. Il faut se rappeler que, par le phénomène de résonance, les électrons π du cycle benzénique sont délocalisés dans le cycle tout entier. Dans l'aniline, le doublet d'électrons libre sur l'atome de N est aussi délocalisé. Ainsi, ces électrons sont beaucoup moins disponibles pour accepter un proton (H$^+$). La délocalisation des électrons est mise en évidence dans les structures limites de résonance III à V ci-dessous (les structures I et II sont les structures habituelles de Kekulé pour les cycles benzéniques)*.

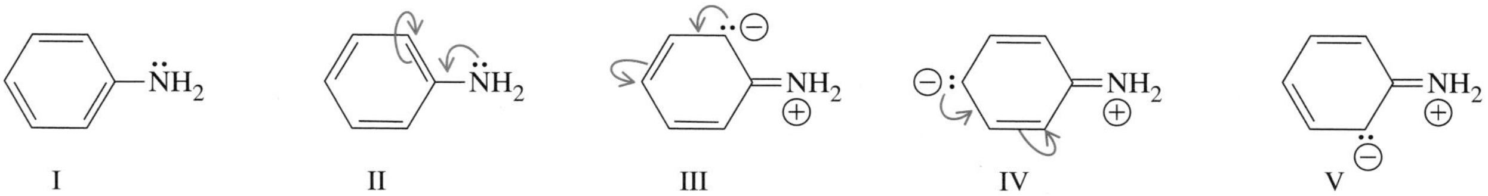

La présence de groupements électronégatifs liés au cycle benzénique diminue encore davantage la basicité relative des amines aromatiques comme l'aniline, comme nous allons le voir dans l'exemple 4.3.

---

* Les flèches présentées dans ces structures limites de résonance montrent le déplacement de doublets électroniques. Elles sont conformes à l'utilisation qui en est faite en chimie organique et reflètent les définitions des acides et des bases de Lewis énoncées à la page 231.

EXEMPLE 4.3

Quelle est la base la plus forte dans chacune des paires suivantes ?

(a) $HOCH_2CH_2NH_2$ et $CH_3CH_2NH_2$

(b) 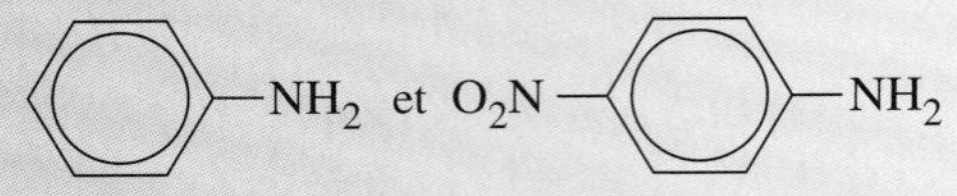 $-NH_2$ et O_2N- $-NH_2$

→ Solution

a) Nous notons que la molécule $HOCH_2CH_2NH_2$ a un atome électronégatif, en l'occurrence un atome d'oxygène, sur le deuxième atome de carbone du groupement portant le NH_2. En raison de la présence de cet atome d'oxygène, nous nous attendons à ce que la molécule soit une base plus faible que $CH_3CH_2NH_2$. Les valeurs de K_b sont en effet de $2,5 \times 10^{-5}$ pour $HOCH_2CH_2NH_2$ et de $4,3 \times 10^{-4}$ pour $CH_3CH_2NH_2$.

b) Le groupement NO_2, avec trois atomes électronégatifs, attire les électrons du groupement NH_2, faisant du $p\text{-}NO_2C_6H_4NH_2$ une molécule moins apte à attirer un proton (H^+) et, par conséquent, une base plus faible que $C_6H_5NH_2$.

EXERCICE 4.3 A

Classez les bases suivantes selon leur force (c'est-à-dire de la base la plus faible à la base la plus forte). Expliquez le fondement de votre classement.

a) 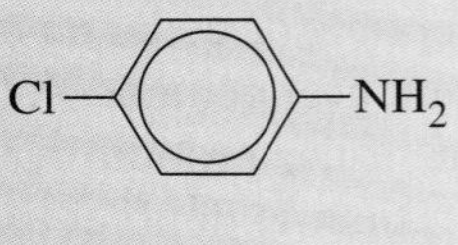 $Cl-$ $-NH_2$

c) $CH_3CHCl(CH_2)_2NH_2$

b) $CH_3(CH_2)_3NH_2$

d) 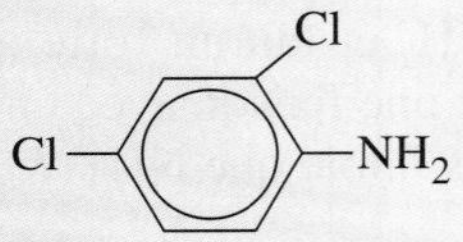 $-NH_2$

EXERCICE 4.3 B

Des cinq groupements R suivants, choisissez celui qui donne l'amine $R\text{-}NH_2$ **a)** la plus fortement basique et **b)** la plus faiblement basique. Expliquez vos choix.

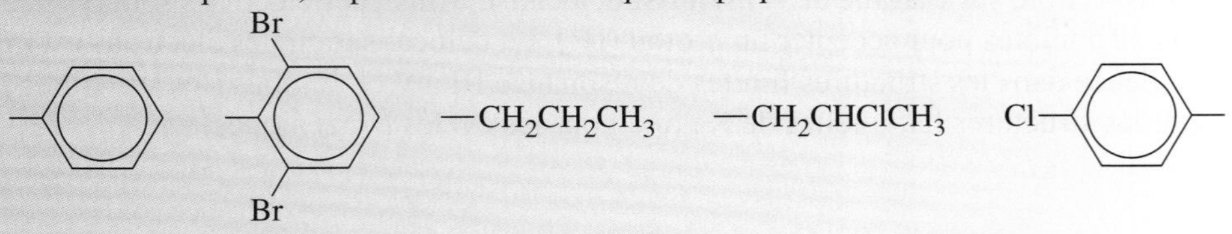

$-CH_2CH_2CH_3$ $-CH_2CHClCH_3$ $Cl-$

Les bases organiques

Comme nous l'avons indiqué à la section 4.2, les amines sont des composés dans lesquels au moins un des atomes H de NH_3 est remplacé par un groupement hydrocarboné, R. Les amines sont des bases, et celles qui sont hydrosolubles peuvent accepter un proton de l'eau. La triméthylamine, $(CH_3)_3N$, par exemple, réagit avec l'eau de la façon suivante.

$$(CH_3)_3N(aq) + H_2O(l) \rightleftharpoons [(CH_3)N-H]^+(aq) + OH^-(aq) \qquad K_b = 6,3 \times 10^{-5}$$

Presque toutes les amines, y compris celles qui ne sont pas très solubles dans l'eau, réagissent avec des acides forts pour former des sels hydrosolubles. Par exemple, on ne peut dissoudre que 3,5 g d'aniline ($C_6H_5NH_2$) dans 100 mL d'eau à 25 °C. Cependant, quand elle réagit avec l'acide chlorhydrique, l'aniline forme le sel appelé couramment *chlorhydrate d'aniline,* soluble jusqu'à environ 100 g par 100 mL d'eau.

$$C_6H_5NH_2(l) + HCl(aq) \rightleftharpoons \underbrace{C_6H_5NH_3^+(aq) + Cl^-(aq)}$$

Aniline   Chlorhydrate d'aniline

De nombreux médicaments, synthétiques ou naturels, portent le groupement fonctionnel amine. Les *alcaloïdes,* composés basiques contenant de l'azote, sont produits par les plantes. Parmi les alcaloïdes familiers, on trouve la caféine, la cocaïne, la morphine, la nicotine et la strychnine (**figure 4.2**). De nombreux alcaloïdes ont des effets physiologiques importants : ce sont des médicaments, des poisons ou des drogues.

On convertit souvent les médicaments aminés en sels pour augmenter leur solubilité dans l'eau. Ainsi, la procaïne (**figure 4.3**) est soluble jusqu'à 0,5 g dans 100 g d'eau, mais la solubilité de son sel, le chlorhydrate, est 200 fois supérieure. Le chlorhydrate de procaïne, souvent appelé par son nom commercial, Novocain, est un anesthésique local bien connu.

On a également recours à la chimie des amines quand on arrose le poisson de jus de citron. L'odeur désagréable du poisson est causée par des amines que l'acide citrique du jus de citron convertit en sels non volatils hydrosolubles, ce qui atténue leur odeur.

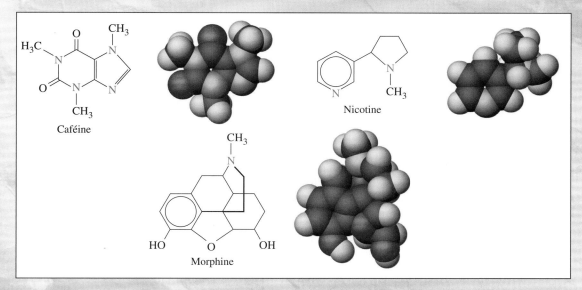

◀ Figure 4.2
Quelques alcaloïdes courants
Les atomes d'azote sont représentés en bleu.

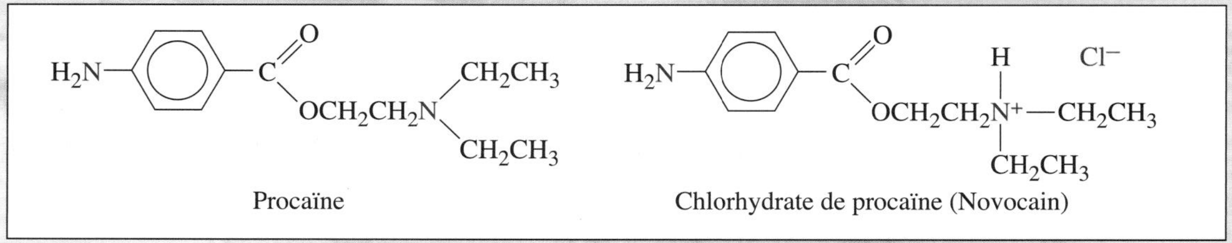

Caféine

Nicotine

Morphine

◀ Figure 4.3
La procaïne et son sel

Procaïne

Chlorhydrate de procaïne (Novocain)

4.3 L'auto-ionisation de l'eau et l'échelle de pH

Même l'eau la plus pure conduit l'électricité, bien que des instruments de mesure exceptionnellement sensibles soient nécessaires pour déceler le passage du courant. La conductivité électrique requiert la présence d'ions. Quelle est la provenance des ions dans l'eau pure ? La théorie de Brønsted-Lowry nous aide à comprendre comment ils se forment. Rappelons-nous que l'eau est *amphotère*. Donc, dans une faible mesure, les molécules d'eau peuvent transférer des protons entre elles. Pour chaque molécule H_2O qui perd un proton au cours de l'auto-ionisation, une autre en gagne un. Dans l'équation ci-dessous, l'acide conjugué H_3O^+ est beaucoup plus fort que l'acide H_2O. Par ailleurs, la base conjuguée OH^- est beaucoup plus forte que la base H_2O. En conséquence, la réaction *inverse* est fortement favorisée, et l'état d'équilibre est situé *très à gauche,* comme l'illustrent les flèches de longueurs inégales entre les réactifs et les produits.

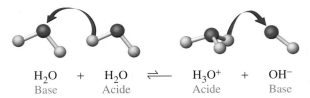

$$H_2O \quad + \quad H_2O \quad \rightleftharpoons \quad H_3O^+ \quad + \quad OH^-$$
Base   Acide   Acide   Base

Constante de dissociation de l'eau (K_{eau})

Constante d'équilibre qui décrit l'auto-ionisation de l'eau.

On peut écrire l'expression de la constante d'équilibre pour l'auto-ionisation de l'eau de la façon habituelle. Dans ce cas, on l'appelle **constante de dissociation de l'eau** et on la représente par le symbole K_{eau}.

$$2\,H_2O(l) \rightleftharpoons H_3O^+(aq) + OH^-(aq)$$

$$K_{eau} = [H_3O^+][OH^-]$$

Tout comme les autres constantes d'équilibre, la valeur de K_{eau} dépend de la température.

À 25 °C, dans l'eau pure, les concentrations à l'équilibre déterminées expérimentalement sont les suivantes.

$$[H_3O^+] = [OH^-] = 1,0 \times 10^{-7} \text{ mol/L}$$

On peut alors calculer la valeur de K_{eau}.

$$K_{eau} = [H_3O^+][OH^-] = (1,0 \times 10^{-7})(1,0 \times 10^{-7}) = 1,0 \times 10^{-14} \text{ (à 25 °C)} \quad \textbf{(4.2)}$$

La constante d'équilibre K_{eau} revêt une extrême importance puisqu'elle ne s'applique pas seulement à l'eau pure, mais à toutes les solutions aqueuses, c'est-à-dire aux solutions d'acides, de bases, de sels et de non-électrolytes. Considérons, par exemple, une solution de HCl 0,000 15 mol/L. Comme HCl est un acide fort, son ionisation est complète.

$$HCl + H_2O \longrightarrow H_3O^+ + Cl^-$$

Étant donné que l'ionisation est complète, HCl produit une concentration de H_3O^+ de 0,000 15 mol/L, ce qui est environ 1000 fois plus grand que 1×10^{-7} mol/L de H_3O^+ présents dans l'eau pure. On peut donc établir la valeur de $[H_3O^+]$ dans HCl 0,000 15 mol/L de la façon suivante.

$$[H_3O^+] = 0,000\,15 \text{ mol/L} = 1,5 \times 10^{-4} \text{ mol/L}$$

À l'aide de l'expression de K_{eau}, on peut alors calculer $[OH^-]$ dans la solution.

$$[OH^-] = \frac{K_{eau}}{[H_3O^+]} = \frac{1,0 \times 10^{-14}}{1,5 \times 10^{-4}} = 6,7 \times 10^{-11} \text{ mol/L}$$

Le pH et le pOH

Le biochimiste danois Søren Sørenson a proposé, en 1909, une convention pratique qui est encore en usage. Il a défini le terme pH comme « la puissance de l'ion hydrogène. » Il entendait par cette expression la concentration de l'ion hydrogène à une puissance négative de 10 : $[H^+] = 10^{-pH}$. Si on utilise $[H_3O^+]$ à la place de $[H^+]$ et un logarithme (log) au lieu d'une puissance de 10, on définit alors le **pH** d'une solution comme le logarithme *négatif* de $[H_3O^+]$.

RÉSOLUTION DE PROBLÈMES
Pour le pH, il est question d'un logarithme décimal, « log » (logarithme de base 10), et *non* d'un logarithme naturel, « ln » (logarithme de base *e*). Voir aussi l'annexe A.

$$pH = -\log[H_3O^+] \qquad (4.3)$$

pH

Puissance de l'ion hydrogène ; dans le cas d'une solution, opposé du logarithme de la concentration de l'ion hydronium : $pH = -\log[H_3O^+]$.

Pour calculer le pH de HCl 0,000 15 mol/L, on détermine d'abord $[H_3O^+]$ dans la solution. Comme nous l'avons vu précédemment, $[H_3O^+] = 1,5 \times 10^{-4}$ mol/L.

$$pH = -\log[H_3O^+] = -\log(1,5 \times 10^{-4}) = -[\log 1,5 + \log 10^{-4}]$$
$$= -[0,18 - 4,00] = -[-3,82] = 3,82$$

Le nombre $1,5 \times 10^{-4}$ a *deux* chiffres significatifs ; l'exposant 4 n'étant que l'indicateur de la position de la virgule décimale dans le nombre équivalent : 0,000 15. De même, dans l'expression $\log 1,5 \times 10^{-4} = 3,82$, le chiffre 3 n'entre pas dans l'évaluation du nombre de chiffres significatifs ; seuls les deux chiffres qui suivent la virgule décimale sont significatifs. Le pH a donc autant de chiffres après la virgule qu'il y a de chiffres significatifs dans la concentration qui a servi à le calculer.

Il est également important de pouvoir calculer $[H_3O^+]$ correspondant à un pH donné. Dans ces problèmes, il faut faire le calcul inverse. On peut trouver $[H_3O^+]$ d'une solution dont le pH est égal à 2,19 de la façon suivante.

$$-\log[H_3O^+] = pH = 2,19$$
$$\log[H_3O^+] = -2,19$$
$$[H_3O^+] = \text{antilog}(-2,19) = 10^{-2,19} = 6,5 \times 10^{-3}$$

RÉSOLUTION DE PROBLÈMES
On définit le pH comme le logarithme *opposé* de $[H_3O^+]$, de telle sorte que la valeur du pH soit habituellement un nombre *positif*.

On peut exprimer la concentration de n'importe quel ion en solution à l'aide d'une expression logarithmique semblable à celle qui est utilisée pour le pH. En particulier, on peut définir le **pOH** de la façon suivante.

$$pOH = -\log[OH^-] \qquad (4.4)$$

pOH

Dans le cas d'une solution aqueuse, opposé du logarithme de la concentration de l'ion hydroxyde : $pOH = -\log[OH^-]$.

Pour une solution de NaOH $2,5 \times 10^{-3}$ mol/L, $[OH^-] = 2,5 \times 10^{-3}$ mol/L et

$$pOH = -\log(2,5 \times 10^{-3}) = -(-2,60) = 2,60$$

On peut également utiliser des expressions logarithmiques pour remplacer les nombres exponentiels dans les constantes d'équilibre. On définit donc le **pK_{eau}** comme le logarithme négatif de K_{eau}. À 25 °C, $pK_{eau} = 14,00$. On se sert de pK_{eau} en partie pour établir une relation simple entre le pH et le pOH d'une solution.

pK_{eau}

Opposé du logarithme de K_{eau} : $pK_{eau} = -\log K_{eau}$.

$$K_{eau} = [H_3O^+][OH^-] = 1,0 \times 10^{-14}$$
$$-\log K_{eau} = -\log([H_3O^+][OH^-]) = -\log(1,0 \times 10^{-14})$$
$$pK_{eau} = -\log[H_3O^+] - \log[OH^-] = 14,00$$

$$pK_{eau} = pH + pOH = 14,00 \qquad \textbf{(4.5)}$$

Si on connaît la valeur du pH d'une solution, on peut calculer la valeur du pOH de cette solution et vice versa. Rappelons que nous avons trouvé le pOH de NaOH $2,5 \times 10^{-3}$ mol/L : il est de 2,60. On peut facilement calculer le pH de cette solution de la façon suivante.

$$pH = pK_{eau} - pOH = 14,00 - pOH = 14,00 - 2,60 = 11,40$$

Dans l'eau pure, les concentrations de H_3O^+ et de OH^- sont égales : $[H_3O^+] = [OH^-] = 1,0 \times 10^{-7}$ mol/L à 25°C. Le pH et le pOH sont donc tous les deux de 7,00. L'eau pure et toute solution aqueuse de pH 7,00 à 25 °C sont *neutres*. Si le pH est inférieur à 7,00, la solution est *acide* ; si le pH est supérieur à 7,00, la solution est *basique* ou *alcaline*. À mesure qu'une solution devient plus acide, $[H_3O^+]$ augmente et le pH diminue. À mesure qu'une solution devient plus basique, $[H_3O^+]$ diminue et le pH augmente. Le diagramme suivant résume ces idées.

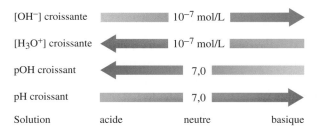

La **figure 4.4** présente les valeurs du pH d'un certain nombre de substances courantes. En l'examinant, il faut se rappeler que le pH est une échelle logarithmique. En conséquence, pour chaque diminution de une unité sur l'échelle, la valeur de $[H_3O^+]$ est *multipliée par* 10. Ainsi, le jus de citron (pH $\approx$ 2,3) est approximativement 10 fois plus acide que le jus d'orange (pH $\approx$ 3,5) et environ 100 fois plus acide que le jus de tomate (pH $\approx$ 4,5).

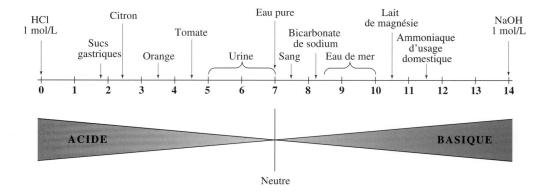

▲ **Figure 4.4   L'échelle de pH**
Les valeurs du pH de substances courantes varient de 0 à 14. On trouve parfois des nombres négatifs ($[H_3O^+]$ = 10 mol/L correspond à pH = −1), tout comme des nombres un peu plus grands que 14 ($[OH^-]$ = 10 mol/L correspond à pH = 15). Cependant, il est difficile d'effectuer des mesures précises de pH inférieurs à 1 de même que de pH supérieurs à 13.

EXEMPLE **4.4**

À l'aide d'un pH-mètre semblable à celui qui est illustré dans la **figure 4.5**, un étudiant détermine le pH du lait de magnésie, une suspension aqueuse saturée en hydroxyde de magnésium, et il obtient une valeur de 10,52. Quelle est la concentration molaire volumique de $Mg(OH)_2$ dans une solution aqueuse saturée ? Le $Mg(OH)_2(s)$ en suspension, non dissous, n'influe pas sur la mesure.

◆ Stratégie

Le pH-mètre mesure le pH du lait de magnésie. L'équation 4.5 met en relation pOH et pH, et l'équation 4.4 relie $[OH^-]$ à pOH. Après avoir calculé $[OH^-]$, nous pouvons utiliser le facteur de conversion 1 mol de $Mg(OH)_2$/2 mol de OH^- pour déterminer la concentration molaire volumique de la solution saturée de $Mg(OH)_2(aq)$.

◆ Solution

Nous supposons que l'hydroxyde de magnésium dissous est une base forte et qu'il est, par conséquent, complètement dissocié en ions.

$$Mg(OH)_2(aq) \longrightarrow Mg^{2+}(aq) + 2\ OH^-(aq)$$

Nous connaissons une façon simple d'obtenir $[OH^-]$ à partir du pOH qui, lui, peut être calculé à partir du pH.

$$pOH = 14,00 - pH = 14,00 - 10,52 = 3,48$$
$$\log[OH^-] = -3,48$$
$$[OH^-] = 10^{-3,48} = 3,3 \times 10^{-4}\ mol/L$$

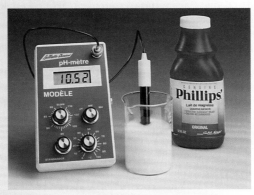

▶ **Figure 4.5**
Mesure du pH au moyen d'un pH-mètre : illustration de l'exemple 4.4
Aucun équipement de laboratoire n'est complet sans un pH-mètre, un instrument de mesure électronique.

Il suffit ensuite de relier la concentration molaire volumique de $Mg(OH)_2$ à la concentration des ions hydroxyde.

$$\text{Concentration molaire volumique} = \frac{3,3 \times 10^{-4}\ \cancel{\text{mol de OH}}}{1\ L} \times \frac{1\ \text{mol de } Mg(OH)_2}{2\ \cancel{\text{mol de OH}}}$$

$$= \frac{1,7 \times 10^{-4}\ \text{mol de } Mg(OH)_2}{1\ L} = 1,7 \times 10^{-4}\ mol/L\ \text{de } Mg(OH)_2$$

◆ Évaluation

Le chemin le plus direct pour vérifier la réponse est le suivant : à partir de la concentration molaire volumique calculée de $Mg(OH)_2$, nous déterminons à rebours $[OH^-]$, pOH et pH. Sauf erreur, le pH obtenu sera de 10,52.

EXERCICE 4.4 A

Quel est le pH d'une solution préparée en dissolvant 0,0105 mol de HNO_3 dans 225 L d'eau ?

EXERCICE 4.4 B

Quel est le pH d'une solution contenant 2,65 g de $Ba(OH)_2$ dans 735 mL de solution aqueuse ? Considérez que $Ba(OH)_2$ est entièrement dissocié.

EXEMPLE 4.5 Un exemple conceptuel

Une solution de HCl $1,0 \times 10^{-8}$ mol/L est-elle acide, basique ou neutre ?

➔ Analyse et conclusion

Le soluté est un acide fort, ce qui donne à penser que la solution est acide. Calculons le pH en considérant uniquement la dissociation de l'acide HCl.

$$HCl + H_2O \longrightarrow H_3O^+ + Cl^-$$

$$[H_3O^+] = 1,0 \times 10^{-8} \text{ mol/L} \quad \text{et} \quad pH = -\log [H_3O^+] = -\log (1,0 \times 10^{-8}) = 8,00$$

Comme le pH est supérieur à 7,00, il semble que la solution soit basique.

Toutefois, dans ce cas-ci, HCl(aq) est tellement dilué que l'auto-ionisation de l'eau produit plus de H_3O^+ que l'acide fort. Assurément, $[H_3O^+]$ totale provenant des *deux* sources est un peu plus grande que $1,0 \times 10^{-7}$ mol/L. En conséquence, le pH est légèrement inférieur à 7,00 et la solution est *acide*.

Nous pouvons généralement ne pas tenir compte de la faible auto-ionisation de l'eau si les autres processus d'ionisation prévalent. Toutefois, il faut habituellement la prendre en considération si le pH se situe à environ une unité de 7. La résolution mathématique de ce type de problème est abordée à la section 4.7 dans l'exemple 4.16A (page 201).

EXERCICE 4.5 A

Une solution de NaOH $1,0 \times 10^{-8}$ mol/L est-elle acide, basique ou neutre ? Expliquez votre réponse.

EXERCICE 4.5 B

La solution qu'on obtient après avoir mélangé 25,0 mL de HCl $1,0 \times 10^{-8}$ mol/L, 25,0 mL de NaOH $1,0 \times 10^{-8}$ mol/L et 25,0 mL d'eau pure est-elle acide, basique ou neutre ? Expliquez votre réponse.

4.4 L'équilibre en solution des acides faibles et des bases faibles

pK_a
Opposé du logarithme de K_a : $pK_a = -\log K_a$.

pK_b
Opposé du logarithme de K_b : $pK_b = -\log K_b$.

Pour calculer la valeur du pH d'une solution d'un acide faible, on détermine d'abord $[H_3O^+]$ en ayant recours à un calcul d'équilibre basé sur la constante d'acidité, K_a. Dans le cas d'une base faible, on procède de façon semblable pour trouver $[OH^-]$ à partir de la constante de basicité, K_b. Le **tableau 4.3** présente une courte liste de valeurs de K_a et de K_b. Il contient également les expressions logarithmiques des constantes d'acidité, **pK_a**, et de basicité, **pK_b**.

$$pK_a = -\log K_a \qquad (4.6)$$

$$pK_b = -\log K_b \qquad (4.7)$$

Les basses valeurs de pK_a et de pK_b correspondent aux grandes valeurs de K_a et de K_b, tout comme les faibles valeurs du pH correspondent à des valeurs élevées de $[H_3O^+]$. Dans le tableau 4.3, nous avons placé les données par ordre croissant de pK_a ou de pK_b, c'est-à-dire en ordre décroissant de la force des acides et des bases.

TABLEAU 4.3 Constantes d'acidité et de basicité de quelques acides et bases faibles dans l'eau à 25 °C*

Acide	Équilibre d'ionisation	Constante d'acidité, K_a	pK_a
Acides inorganiques			
Acide chloreux	$HClO_2 + H_2O \rightleftharpoons H_3O^+ + ClO_2^-$	$1{,}1 \times 10^{-2}$	1,96
Acide nitreux	$HNO_2 + H_2O \rightleftharpoons H_3O^+ + NO_2^-$	$7{,}2 \times 10^{-4}$	3,14
Acide fluorhydrique	$HF + H_2O \rightleftharpoons H_3O^+ + F^-$	$6{,}6 \times 10^{-4}$	3,18
Acide hypochloreux	$HOCl + H_2O \rightleftharpoons H_3O^+ + OCl^-$	$2{,}9 \times 10^{-8}$	7,54
Acide hypobromeux	$HOBr + H_2O \rightleftharpoons H_3O^+ + OBr^-$	$2{,}5 \times 10^{-9}$	8,60
Acide cyanhydrique	$HCN + H_2O \rightleftharpoons H_3O^+ + CN^-$	$6{,}2 \times 10^{-10}$	9,21
Acides carboxyliques			
Acide chloroacétique	$CH_2ClCOOH + H_2O \rightleftharpoons H_3O^+ + CH_2ClCOO^-$	$1{,}4 \times 10^{-3}$	2,85
Acide formique	$HCOOH + H_2O \rightleftharpoons H_3O^+ + HCOO^-$	$1{,}8 \times 10^{-4}$	3,74
Acide benzoïque	$C_6H_5COOH + H_2O \rightleftharpoons H_3O^+ + C_6H_5COO^-$	$6{,}3 \times 10^{-5}$	4,20
Acide acétique	$CH_3COOH + H_2O \rightleftharpoons H_3O^+ + CH_3COO^-$	$1{,}8 \times 10^{-5}$	4,74

Base		Constante de basicité, K_b	pK_b
Bases inorganiques			
Ammoniac	$NH_3 + H_2O \rightleftharpoons NH_4^+ + OH^-$	$1{,}8 \times 10^{-5}$	4,74
Hydrazine	$H_2NNH_2 + H_2O \rightleftharpoons H_2NNH_3^+ + OH^-$	$8{,}5 \times 10^{-7}$	6,07
Hydroxylamine	$HONH_2 + H_2O \rightleftharpoons HONH_3^+ + OH^-$	$9{,}1 \times 10^{-9}$	8,04
Amines			
Diméthylamine	$(CH_3)_2NH + H_2O \rightleftharpoons (CH_3)_2NH_2^+ + OH^-$	$5{,}9 \times 10^{-4}$	3,23
Éthylamine	$CH_3CH_2NH_2 + H_2O \rightleftharpoons CH_3CH_2NH_3^+ + OH^-$	$4{,}3 \times 10^{-4}$	3,37
Méthylamine	$CH_3NH_2 + H_2O \rightleftharpoons CH_3NH_3^+ + OH^-$	$4{,}2 \times 10^{-4}$	3,38
Pyridine	$C_5H_5N + H_2O \rightleftharpoons C_5H_5NH^+ + OH^-$	$1{,}5 \times 10^{-9}$	8,82
Aniline	$C_6H_5NH_2 + H_2O \rightleftharpoons C_6H_5NH_3^+ + OH^-$	$7{,}4 \times 10^{-10}$	9,13

* L'annexe C présente des tables plus exhaustives des constantes d'acidité et de basicité.

Les acides forts tels que $HClO_4$, HCl et HNO_3 s'ionisent presque complètement en milieu aqueux. On ne peut donc calculer leur constante d'acidité. Il en est de même pour les constantes de basicité des bases fortes, telles que NaOH et KOH.

Quelques calculs d'équilibre acidobasique

Les calculs d'équilibre dans ce chapitre ressemblent beaucoup à ceux du chapitre précédent. La marche à suivre consiste à écrire l'équation de la réaction réversible, à dresser un tableau des données sous l'équation, à évaluer les variations qui ont lieu lorsque l'équilibre s'établit, puis à calculer les concentrations à l'équilibre.

EXEMPLE 4.6

Le vinaigre du commerce contient près de 1 mol/L de CH_3COOH et, comme on le voit dans la **figure 4.6**, il a un pH d'environ 2,4. Calculez le pH d'une solution de $CH_3COOH(aq)$ 1,00 mol/L et montrez que les pH calculés et mesurés concordent.

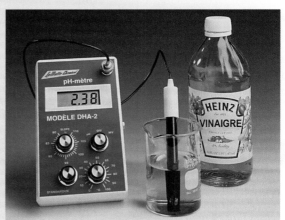

▶ **Figure 4.6**
Démonstration de la faible force de l'acide acétique : mesure du pH du vinaigre

Le pH du vinaigre, une solution aqueuse d'acide acétique, est beaucoup plus élevé que celui d'un acide fort de la même concentration molaire volumique (environ 1 mol/L).

➡ **Stratégie**

Pour établir le pH d'une solution, il faut d'abord calculer $[H_3O^+]$. Pour ce faire, nous devons déterminer d'où proviennent les ions hydronium. Dans $CH_3COOH(aq)$ 1,00 mol/L, H_3O^+ provient (1) de l'ionisation de CH_3COOH et (2) de l'auto-ionisation de H_2O. Nous évaluons l'importance relative des deux sources en comparant K_a de l'acide acétique et K_{eau} de l'eau.

$$CH_3COOH + H_2O \rightleftharpoons H_3O^+ + CH_3COO^- \quad K_a = 1,8 \times 10^{-5}$$

$$H_2O + H_2O \rightleftharpoons H_3O^+ + OH^- \quad K_{eau} = 1,0 \times 10^{-14}$$

Puisque K_{eau} est beaucoup plus petite que K_a de l'acide acétique, l'auto-ionisation de l'eau est une source négligeable de H_3O^+, et nous ne devons pas en tenir compte dans le calcul de l'équilibre de CH_3COOH. Nous ne considérons que l'ionisation de l'acide acétique.

➡ **Solution**

Les concentrations initiales qui apparaissent ci-dessous sont celles qui existaient avant que l'ionisation de l'acide acétique commence. Il n'y a pas d'ions acétate en solution, mais il y a des ions H_3O^+ en traces provenant de l'eau. Nous écrivons donc $[CH_3COO^-] = 0$, mais $[H_3O^+] \approx 0$.

RÉSOLUTION DE PROBLÈMES
Le symbole $\approx$ signifie « approximativement égal à ».

La réaction	CH_3COOH	+ H_2O $\rightleftharpoons$	H_3O^+	+ CH_3COO^-
Concentrations initiales (mol/L)	1,00		≈ 0	0
Modifications (mol/L)	$-x$		$+x$	$+x$
Concentrations à l'équilibre (mol/L)	$(1,00 - x)$		x	x

$$K_a = \frac{[H_3O^+][CH_3COO^-]}{[CH_3COOH]} = \frac{x \cdot x}{1,00 - x} = \frac{x^2}{1,00 - x} = 1,8 \times 10^{-5}$$

Remarquez qu'il s'agit d'une équation quadratique ; la puissance la plus élevée est x^2. Nous pouvons réarranger l'équation et la présenter sous sa forme familière :

$$x^2 + 1,8 \times 10^{-5}x - 1,8 \times 10^{-5} = 0$$

Puis, nous pouvons utiliser la formule quadratique pour résoudre l'équation et trouver la valeur de x, comme nous l'avons fait plusieurs fois dans le chapitre précédent. Cependant, l'équation est beaucoup plus simple à résoudre si nous faisons les *approximations* suivantes, à condition qu'elles soient *valides*.

Nous supposons que x est beaucoup plus petit que 1,00, c'est-à-dire que $x \ll 1$. Nous remplaçons ensuite le terme $(1,00 - x)$ par 1,00. L'équation à résoudre devient

$$\frac{x^2}{1,00 - x} = \frac{x^2}{1,00} = 1,8 \times 10^{-5}$$

$$x^2 = 1,8 \times 10^{-5}$$

$$x = [H_3O^+] = \sqrt{(1,8 \times 10^{-5})} = 4,2 \times 10^{-3} \text{ mol/L}$$

$$pH = -\log [H_3O^+] = -\log (4,2 \times 10^{-3}) = 2,38$$

◆ Évaluation

Quand on fait une approximation, il faut toujours vérifier sa validité. Ici, nous pouvons le faire en utilisant la valeur calculée de x pour déterminer si la valeur de $(1,00 - x)$ est effectivement très près de 1,00. Nous trouvons que $1,00 - x = 1,00 - 4,2 \times 10^{-3} = 1,00 - 0,0042 = 0,9958 \approx 1,00$ (à deux décimales près). L'approximation est valide compte tenu de la précision permise par les calculs (à deux décimales).

La concordance entre les pH calculés et déterminés expérimentalement est remarquablement bonne (les deux pH sont de 2,38).

EXERCICE 4.6 A

Déterminez le pH de l'acide propanoïque CH_3CH_2COOH 0,250 mol/L. Vous trouverez la valeur de K_a à l'annexe C.2.

EXERCICE 4.6 B

La solubilité de l'*o*-nitrophénol ($K_a = 6,0 \times 10^{-8}$) dans l'eau est de 2,1 g/L. Quel est le pH d'une solution aqueuse saturée de cette substance ?

Dans l'exemple 4.6, nous avons considéré une solution de $CH_3COOH(aq)$ 1,00 mol/L. Admettons que 1,00 mol/L est la concentration molaire volumique *nominale*. Cela indique comment préparer la solution (dissoudre 1,00 mol de CH_3COOH pur, soit 60,05 g, dans assez d'eau pour obtenir un litre de solution).

Une fois l'acide acétique dissous, une partie de cet acide s'ionise, de sorte que la concentration des molécules de CH_3COOH, c'est-à-dire $[CH_3COOH]$, n'est plus de 1,00 mol/L. À la place, $[CH_3COOH] = (1,00 - x)$ mol/L, où $x = [H_3O^+] = [CH_3COO^-]$. Il faut se rappeler que nous avons fait l'approximation $x \ll 1$, de sorte que $(1,00 - x) \approx 1,00$. Cette approximation implique que la concentration de l'acide acétique non ionisé $[CH_3COOH]$ est égale à la concentration nominale, 1,00 mol/L, en raison de la faible quantité de CH_3COOH ionisé.

En général, ce genre d'hypothèse est acceptable si elle répond à la condition suivante.

Le pourcentage de molécules d'acide dissociées à l'équilibre (x) est plus petit que 5 % de c_{acide}.

Pourcentage de dissociation (ou pourcentage d'ionisation)

Dans le cas d'un acide, rapport, exprimé en pourcentage, de [H₃O⁺] et de la concentration molaire volumique nominale de l'acide.

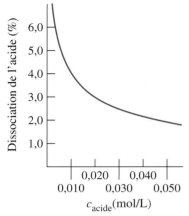

▲ Figure 4.7
L'influence de la concentration molaire volumique sur le pourcentage de dissociation de l'acide acétique

Le pourcentage de dissociation est inférieur à 5,0 lorsque les concentrations sont supérieures à environ 0,005 mol/L.

Dans cette affirmation, $x = $[H₃O⁺], et c_{acide} est la concentration molaire volumique nominale de l'acide. Nous constatons que l'hypothèse que nous avons émise dans l'exemple 4.6 est valide.

$$\frac{x}{c_{\text{acide}}} \times 100 \ \% = \frac{4,2 \times 10^{-3} \ \text{mol/L}}{1,00 \ \text{mol/L}} \times 100 \ \% = 0,42 \ \%$$

Le résultat 0,42 % représente le **pourcentage de dissociation (ou pourcentage d'ionisation)** de l'acide acétique dans cet exemple. Plus on dilue un acide faible, plus sa concentration diminue et plus son pourcentage de dissociation augmente. Dans l'exemple 4.6, si la concentration de CH₃COOH avait été de 0,10 mol/L, x aurait été de $1,3 \times 10^{-3}$, et le pourcentage de dissociation, de 1,3 %.

La « règle du 5 % » repose à la fois sur la concentration molaire volumique nominale de l'acide et sur la valeur de K_a. On s'attend à ce qu'elle soit satisfaite si la relation suivante est vraie.

Le rapport c_{acide}/K_a est plus grand que 100.

La **figure 4.7** indique que l'acide acétique suit la règle si c_{acide} est supérieure à 0,005 mol/L environ.

EXEMPLE 4.7

Quel est le pH de CH₂ClCOOH(aq) 0,002 00 mol/L ?

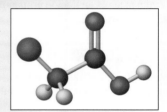

Acide chloroacétique

➔ Stratégie

Ce problème peut être résolu de la même façon que celui de l'exemple 4.6. Cependant, quand viendra le moment de faire l'approximation, il nous faudra appliquer le critère établi ci-dessus, soit un rapport $c_{\text{acide}} / K_a > 100$. Ensuite, nous pourrons décider si nous utilisons l'approximation ou si nous procédons à la résolution de l'équation quadratique.

➔ Solution

Comme dans l'exemple 4.6, nous présentons les données sous forme de tableau.

La réaction	CH₂ClCOOH + H₂O ⇌	H₃O⁺ +	CH₂ClCOO⁻
Concentrations initiales (mol/L)	0,002 00	≈ 0	0
Modifications (mol/L)	− x	+ x	+ x
Concentrations à l'équilibre (mol/L)	(0,002 00 − x)	x	x

Nous trouvons la constante d'acidité de l'acide chloroacétique, CH₂ClCOOH, dans le tableau 4.3 (page 181) et nous l'utilisons pour le calcul suivant.

$$K_a = \frac{[\text{H}_3\text{O}^+][\text{CH}_2\text{ClCOO}^-]}{[\text{CH}_2\text{ClCOOH}]}$$

$$1,4 \times 10^{-3} = \frac{x \cdot x}{0,002 \ 00 - x} = \frac{x^2}{0,002 \ 00 - x}$$

À cette étape, nous effectuons l'approximation suivante : $x \ll 0{,}002\ 00$ et $(0{,}002\ 00 - x) \approx 0{,}002\ 00$. Mais avant de poursuivre, nous évaluons le rapport c_{acide}/K_a, comme nous l'avons fait dans l'exemple 4.6.

$$\frac{c_{\text{acide}}}{K_a} = \frac{0{,}002\ 00}{1{,}4 \times 10^{-3}} = 1{,}4$$

Puisque ce rapport est de beaucoup inférieur à 100, nous devons reconnaître que l'approximation n'est pas valide. Nous utilisons alors la formule quadratique pour résoudre l'équation du second degré. Après avoir réarrangé celle-ci, nous obtenons

$$x^2 = (0{,}002\ 00 - x) \times 1{,}4 \times 10^{-3}$$

$$x^2 + 1{,}4 \times 10^{-3}x - 2{,}8 \times 10^{-6} = 0$$

$$x = \frac{-1{,}4 \times 10^{-3} \pm \sqrt{(1{,}4 \times 10^{-3})^2 - 4 \times 1 \times (-2{,}8 \times 10^{-6})}}{2}$$

$$= \frac{-1{,}4 \times 10^{-3} \pm \sqrt{1{,}3 \times 10^{-5}}}{2}$$

$$= [H_3O^+] = \frac{-1{,}4 \times 10^{-3} \pm 3{,}6 \times 10^{-3}}{2} = \frac{2{,}2 \times 10^{-3}}{2} = 1{,}1 \times 10^{-3}$$

Donc, $x = [H_3O^+] = 1{,}1 \times 10^{-3}$ mol/L. Nous pouvons alors déterminer le pH.

$$pH = -\log[H_3O^+] = -\log(1{,}1 \times 10^{-3}) = 2{,}96$$

➔ Évaluation

Remarquez que, si nous avions utilisé l'approximation, nous aurions obtenu

$$x = \sqrt{0{,}002\ 00 \times 1{,}4 \times 10^{-3}} = [H_3O^+] = 1{,}7 \times 10^{-3}\ \text{mol/L}$$

un résultat qui est presque de 55 % supérieur à la réponse obtenue : $[H_3O^+] = 1{,}1 \times 10^{-3}$ mol/L, et qui dépasse largement celui que nous aurions obtenu avec la règle du 5 %.

EXERCICE 4.7 A

Calculez le pH de l'acide chloreux 0,0100 mol/L. Vous trouverez la valeur de K_a dans le tableau 4.3 (page 181).

EXERCICE 4.7 B

Reportez-vous à l'exemple 4.7 et déterminez la concentration minimale en moles par litre de l'acide chloroacétique pour laquelle la règle du 5 % s'appliquerait. (*Indice :* Deux conditions doivent être satisfaites. Quelles sont-elles ?)

On peut utiliser les méthodes des exemples 4.6 et 4.7 pour calculer les valeurs du pH de solutions de bases faibles si on tient compte des modifications suivantes.

- On utilise l'expression de K_b pour calculer $[OH^-]$.

- On calcule le pOH à partir de $[OH^-]$.

- On calcule le pH en utilisant l'expression : $pH + pOH = 14{,}00$.

- On utilise l'approximation $c_{\text{base}} - x \approx c_{\text{base}}$ pour résoudre l'équation quadratique si c_{base}/K_b est plus grand que 100.

EXEMPLE 4.8

Quel est le pH de $NH_3(aq)$ 0,500 mol/L ?

➔ Stratégie

Dans l'exemple 4.6, nous avons expliqué pourquoi l'auto-ionisation de l'eau est une source négligeable de H_3O^+ dans $CH_3COOH(aq)$. De la même manière, l'auto-ionisation de l'eau est une source négligeable de OH^- dans $NH_3(aq)$. En conséquence, nous pouvons calculer $[OH^-]$ en appliquant la méthode habituelle pour l'ionisation du $NH_3(aq)$. De cette concentration de OH^-, nous pourrons obtenir le pOH, puis le pH.

➔ Solution

En suivant les étapes mentionnées plus haut, nous calculons d'abord $[OH^-]$ de cette solution. Remarquez que l'auto-ionisation de l'eau ne contribue que pour une part négligeable à $[OH^-]$, parce que K_{eau} est beaucoup plus petite que K_b. Nous pouvons donc présenter les données de la façon suivante.

La réaction	NH_3 + $H_2O \rightleftharpoons NH_4^+$ + OH^-		
Concentrations initiales (mol/L)	0,500	0	≈ 0
Modifications (mol/L)	$-x$	$+x$	$+x$
Concentrations à l'équilibre (mol/L)	$(0,500 - x)$	x	x

Nous trouvons la constante de basicité pour l'ammoniac dans le tableau 4.3 et l'utilisons dans l'équation ci-dessous.

$$K_b = \frac{[NH_4^+][OH^-]}{[NH_3]}$$

$$1,8 \times 10^{-5} = \frac{x \cdot x}{0,500 - x} = \frac{x^2}{0,500 - x}$$

Pour déterminer si l'approximation $0,500 - x \approx 0,500$ est permise, nous évaluons le rapport suivant.

$$\frac{c_{base}}{K_b} = \frac{0,500}{1,8 \times 10^{-5}} = 2,8 \times 10^4$$

Ce rapport étant plus grand que 100, l'approximation paraît valide. Résolvons alors l'équation simplifiée.

$$\frac{x^2}{0,500 - x} \approx \frac{x^2}{0,500} = 1,8 \times 10^{-5}$$

$$x^2 = 0,500 \times 1,8 \times 10^{-5} = 9,0 \times 10^{-6}$$

$$x = [OH^-] = \sqrt{(9,0 \times 10^{-6})} = 3,0 \times 10^{-3} \text{ mol/L}$$

Connaissant $[OH^-]$, nous pouvons calculer le pOH.

$$pOH = -\log [OH^-] = -\log (3,0 \times 10^{-3}) = 2,52$$

Enfin, nous pouvons calculer le pH.

$$pH + pOH = 14,00$$

$$pH = 14,00 - pOH = 14,00 - 2,52 = 11,48$$

➔ Évaluation

Nous avons déjà justifié l'utilisation de l'approximation $x \ll 0,500$. Nous pouvons déterminer dans quelle mesure celle-ci est valide par un calcul simple :

$$0,500 - x = 0,500 - 0,0030 = 0,497$$

Ainsi, nous constatons que l'approximation produit un écart de seulement 3 par rapport à 500, soit une erreur de 0,6 %.

EXERCICE 4.8 A

Quel est le pH d'une solution de méthylamine, CH_3NH_2, 0,200 mol/L ? Vous trouverez la valeur de K_b dans le tableau 4.3.

EXERCICE 4.8 B

Quel est le pH de la solution que l'on obtient en diluant à 1,000 L un volume de 5,00 mL de $NH_3(aq)$ 0,0100 mol/L ?

Il y a plusieurs façons d'établir la constante d'équilibre, K_a, d'un acide faible ou la constante d'équilibre, K_b, d'une base faible. La méthode la plus simple consiste à mesurer le pH et à calculer $[H_3O^+]$ ou $[OH^-]$ à partir de la valeur du pH. Dans l'exemple 4.9, nous déterminons K_b de la diméthylamine, $(CH_3)_2NH_2$, à partir du pH d'une solution aqueuse de cette base.

EXEMPLE 4.9

On a déterminé expérimentalement que le pH d'une solution aqueuse de diméthylamine 0,164 mol/L est de 11,98. Quelles sont les valeurs de K_b et de pK_b de ce produit ?

$$(CH_3)_2NH + H_2O \rightleftharpoons [(CH_3)_2NH_2]^+ + OH^- \qquad K_b = ?$$

Diméthylamine　　　　　　Ion diméthylammonium

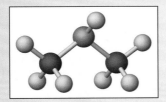

Diméthylamine

→ Stratégie

Ce problème est semblable à celui de l'exemple 3.11, page 141. Là, le point de départ était la concentration à l'équilibre du trioxyde de soufre $[SO_3]$. Ici, ce sera la concentration à l'équilibre de l'ion hydroxyde $[OH^-]$, que nous pouvons obtenir à partir de la mesure du pH de la solution.

→ Solution

Suivons la méthode utilisée dans l'exemple 3.11 et commençons par établir un tableau des données.

La réaction	$(CH_3)_2NH$ + $H_2O \rightleftharpoons$	$[(CH_3)_2NH_2]^+$	+ OH^-
Concentrations initiales (mol/L)	0,164	0	≈ 0
Modifications (mol/L)	− ?	+ ?	+ ?
Concentrations à l'équilibre (mol/L)	0,164 − ?	?	?

Dans l'exemple 3.11, la concentration à l'*équilibre* d'un des produits était donnée. Ici, on nous indique indirectement une concentration à l'équilibre. Nous pouvons donc obtenir $[OH^-]$ (? ci-dessus) à partir du pH de la solution.

$$pOH = 14,00 - pH = 14,00 - 11,98 = 2,02$$
$$-\log [OH^-] = pOH = 2,02$$
$$\log [OH^-] = -2,02$$
$$[OH^-] = 10^{-2,02} = 9,5 \times 10^{-3} \, mol/L$$

Revenons maintenant en arrière et remplaçons chacun des espaces vides par une valeur numérique dans le tableau des données.

La réaction	$(CH_3)_2NH + H_2O \rightleftharpoons [(CH_3)_2NH_2]^+ + OH^-$		
Concentrations initiales (mol/L)	0,164	0	≈ 0
Modifications (mol/L)	$-9,5 \times 10^{-3}$	$+9,5 \times 10^{-3}$	$+9,5 \times 10^{-3}$
Concentrations à l'équilibre (mol/L)	$(0,164 - 9,5 \times 10^{-3})$	$9,5 \times 10^{-3}$	$9,5 \times 10^{-3}$

Enfin, substituons les concentrations à l'équilibre dans l'expression de K_b et résolvons l'équation pour trouver K_b. Il faut noter qu'aucune approximation n'est nécessaire ; nous connaissons toutes les concentrations qui entrent dans l'expression de K_b.

$$K_b = \frac{[(CH_3)_2NH_2^+][OH^-]}{[(CH_3)_2NH]} = \frac{(9,5 \times 10^{-3})(9,5 \times 10^{-3})}{(0,164 - 0,0095)} = 5,8 \times 10^{-4}$$

$$pK_b = -\log K_b = -\log (5,8 \times 10^{-4}) = 3,24$$

➡ Évaluation

Contrairement aux trois exemples précédents, la question de la validité de l'approximation ne se pose pas ici. C'est que nous n'avons pas à nous demander si l'expression mol/L $- x$ peut être remplacée par mol/L, puisque nous avons une valeur de mol/L = 0,164 et une valeur de $x = 0,0095$.

EXERCICE 4.9 A

Supposez qu'on découvre un nouvel acide, HZ, et qu'on trouve que le pH d'une solution 0,0100 mol/L est de 3,12. Quelles sont les valeurs de K_a et de pK_a pour HZ ?

$$HZ + H_2O \rightleftharpoons H_3O^+ + Z^- \qquad K_a = ?$$

EXERCICE 4.9 B

Quelle est la concentration molaire volumique de $NH_3(aq)$ si la solution a le même pH qu'une solution de $(CH_3)_2NH(aq)$ 0,200 mol/L ? Utilisez les données du tableau 4.3 (page 181).

EXEMPLE 4.10   Un exemple conceptuel

Sans faire de calculs détaillés, indiquez laquelle des solutions suivantes a la plus grande $[H_3O^+]$: l'acide chlorhydrique, HCl, 0,030 mol/L ou l'acide acétique, CH_3COOH, 0,050 mol/L.

➡ Analyse et conclusion

HCl(aq) est un acide fort, qui est ionisé presque à 100 %. Dans HCl 0,030 mol/L, $[H_3O^+]$ = 0,030 mol/L. CH_3COOH est un acide faible. Il faudrait que CH_3COOH 0,050 mol/L soit ionisé à plus de 50 % pour que $[H_3O^+]$ soit égale à celle de HCl 0,030 mol/L. À la page 184, dans la figure 4.7, nous avons vu qu'une solution, pourtant très diluée, de CH_3COOH 0,005 mol/L n'est ionisée qu'à 5 % ; le pourcentage de dissociation de CH_3COOH 0,050 mol/L est encore plus faible. Par ailleurs, un simple examen de la grandeur de K_a de l'acide acétique ($1,8 \times 10^{-5}$)

permet de prévoir qu'à l'équilibre la proportion de molécules ionisées sera modeste et restera, dans tous les cas, inférieure à 50 %. La solution de HCl 0,030 mol/L a donc la plus grande $[H_3O^+]$.

EXERCICE 4.10 A

Sans faire de calculs détaillés, déterminez laquelle des solutions suivantes a le pH le plus *élevé* : l'ammoniaque, $NH_3(aq)$, 0,025 mol/L ou la méthylamine, $CH_3NH_2(aq)$, 0,030 mol/L. (*Indice :* Consultez le tableau 4.3, page 181.)

EXERCICE 4.10 B

Sans faire de calculs détaillés, déterminez laquelle des solutions suivantes a le pH le plus élevé : l'acide chlorhydrique, HCl(aq), 0,0010 mol/L ou l'acide acétique, $CH_3COOH(aq)$, 0,10 mol/L.

4.5 Les acides polyprotiques

Un **acide monoprotique** est un acide qui ne peut céder qu'un proton par molécule. L'acide chlorhydrique, HCl, est un acide monoprotique. L'acide acétique, CH_3COOH, possède quatre atomes H par molécule, mais seulement l'un d'entre eux est ionisable ; c'est aussi un acide monoprotique. Un **acide polyprotique (ou polyacide)** a *plus d'un* atome H ionisable par molécule. L'acide carbonique, H_2CO_3, possède deux atomes H ionisables : c'est un acide *diprotique*. L'acide phosphorique, H_3PO_4, possède trois atomes H, qui sont tous ionisables : c'est un acide *triprotique*. Dans la présente section, nous étudierons trois acides polyprotiques : l'acide phosphorique, l'acide carbonique et l'acide sulfurique, H_2SO_4. L'annexe C.2 répertorie d'autres acides polyprotiques.

> **Acide monoprotique**
>
> Acide ayant un seul atome H ionisable par molécule.
>
> **Acide polyprotique (ou polyacide)**
>
> Acide ayant plus d'un atome H ionisable par molécule, de sorte que l'ionisation d'un acide de ce type s'effectue en plusieurs étapes distinctes.

L'acide phosphorique

L'acide phosphorique sert principalement à la fabrication des engrais phosphatés. On l'utilise par ailleurs largement, ainsi que ses sels, dans l'industrie alimentaire.

Les acides polyprotiques se caractérisent entre autres par le fait que leurs atomes H ionisables se dissocient séparément. Par exemple, une molécule de H_3PO_4 ne libère pas en une seule fois ses trois atomes H ionisables. L'ionisation complète a plutôt lieu en trois étapes distinctes, chacune mettant en jeu une réaction partielle réversible avec sa propre valeur de K_a.

1 $\quad H_3PO_4 + H_2O \rightleftharpoons H_3O^+ + H_2PO_4^- \qquad K_{a_1} = \dfrac{[H_3O^+][H_2PO_4^-]}{[H_3PO_4]} = 7{,}1 \times 10^{-3}$

2 $\quad H_2PO_4^- + H_2O \rightleftharpoons H_3O^+ + HPO_4^{2-} \qquad K_{a_2} = \dfrac{[H_3O^+][HPO_4^{2-}]}{[H_2PO_4^-]} = 6{,}3 \times 10^{-8}$

3 $\quad HPO_4^{2-} + H_2O \rightleftharpoons H_3O^+ + PO_4^{3-} \qquad K_{a_3} = \dfrac{[H_3O^+][PO_4^{3-}]}{[HPO_4^{2-}]} = 4{,}3 \times 10^{-13}$

Il est facile d'expliquer pourquoi la deuxième constante d'acidité, K_{a_2}, est beaucoup plus petite que la première, K_{a_1}. Dans la première ionisation, quand un proton quitte une molécule H_3PO_4, il doit vaincre l'attraction de l'ion $H_2PO_4^-$ auquel il était joint jusque-là. Dans la deuxième ionisation, le proton libéré doit vaincre l'attraction de l'ion HPO_4^{2-}. Puisque HPO_4^{2-} porte une charge qui est le double de celle de $H_2PO_4^-$, le proton subit une attraction ionique plus forte que dans la première ionisation, et sa libération s'effectue beaucoup

$$\begin{array}{c} OH \\ | \\ HO-P-OH \\ \| \\ O \end{array}$$

Acide phosphorique

moins facilement. Dans l'ionisation finale, la séparation entre le proton et l'ion est encore plus difficile ; c'est pourquoi K_{a_3} est beaucoup plus petite que K_{a_2}. La constante de la première ionisation est donc la plus élevée, et les constantes des ionisations subséquentes diminuent progressivement : $K_{a_1} > K_{a_2} > K_{a_3}$ ... Chaque nouvelle K_a est souvent des centaines, voire des milliers, de fois plus petite que la précédente. Lorsque c'est le cas, on peut formuler deux autres généralisations.

- Puisque K_{a_2}, K_{a_3}, ... sont très faibles, peu d'anions produits à la première étape continuent à s'ioniser.

- Dans toutes les solutions, sauf celles qui sont extrêmement diluées, presque tous les ions H_3O^+ proviennent de la première étape.

Dans la première étape d'ionisation de l'acide phosphorique, les ions H_3O^+ et $H_2PO_4^-$ sont produits en nombre égal. Si la deuxième ionisation (celle de $H_2PO_4^-$) est très faible, on peut alors dire que $[H_3O^+] \approx [H_2PO_4^-]$. L'expression de la constante K_{a_2} devient donc :

$$K_{a_2} = \frac{[\cancel{H_3O^+}][HPO_4^{2-}]}{[\cancel{H_2PO_4^-}]} = 6,3 \times 10^{-8}$$

Les concentrations molaires volumiques de H_3O^+ et de $H_2PO_4^-$ s'annulent et on obtient l'égalité suivante.

$$[HPO_4^{2-}] = K_{a_2} = 6,3 \times 10^{-8}$$

Cette relation est valide quelles que soient les valeurs de $[H_3O^+]$ et de $[H_2PO_4^-]$ et, par conséquent, quelle que soit la concentration molaire volumique initiale de l'acide phosphorique lui-même.

EXEMPLE 4.11

Calculez les concentrations suivantes dans une solution aqueuse de H_3PO_4 5,0 mol/L :
a) $[H_3O^+]$; **b)** $[H_2PO_4^-]$; **c)** $[HPO_4^{2-}]$; **d)** $[PO_4^{3-}]$.

➡ Stratégie

Nous pouvons obtenir les concentrations de ces ions par des calculs qui permettent d'appliquer les généralisations sur les acides polyprotiques formulées un peu plus haut.

➡ Solution

a) K_{a_1} excède K_{a_2} par plus de 10^5. Ainsi, lorsque l'acide phosphorique s'ionise, presque tous les ions H_3O^+ proviennent de la première étape. Cette ionisation est résumée ci-dessous.

La réaction	H_3PO_4 + H_2O $\rightleftharpoons$	H_3O^+ +	$H_2PO_4^-$
Concentrations initiales (mol/L)	5,0	≈ 0	0
Modifications (mol/L)	$-x$	$+x$	$+x$
Concentrations à l'équilibre (mol/L)	$(5,0-x)$	x	x

$$K_{a_1} = \frac{[H_3O^+][H_2PO_4^-]}{[H_3PO_4]} = \frac{x \cdot x}{(5,0 - x)} = 7,1 \times 10^{-3}$$

Si nous supposons que $x \ll 5,0$, de sorte que $(5,0 - x) = 5,0$, nous pouvons écrire

$$x^2 = (5,0)(7,1 \times 10^{-3}) = 3,6 \times 10^{-2}$$

$$x = [H_3O^+] = 0,19 \text{ mol/L}$$

b) Puisque K_{a_2} est très faible, seul un petit nombre d'ions $H_2PO_4^-$ produits dans la première étape s'ionise davantage. Pour cette raison, $[H_2PO_4^-] = [H_3O^+]$ et $[H_2PO_4^-] = 0,19$ mol/L.

c) Nous avons établi plus haut que $[HPO_4^{2-}] = K_{a_2}$ quelle que soit la concentration molaire volumique de la solution d'acide phosphorique. Donc, $[HPO_4^{2-}] = K_{a_2} = 6,3 \times 10^{-8}$ mol/L.

d) PO_4^{3-} n'est formé que par la troisième ionisation, qui est très limitée. Nous avons alors toutes les données nécessaires pour calculer $[PO_4^{3-}]$.

$$\frac{[H_3O^+][PO_4^{3-}]}{[HPO_4^{2-}]} = K_{a_3} = 4,3 \times 10^{-13}$$

Dans cette expression, $[H_3O^+] = 0,19$ et $[HPO_4^-] = 6,3 \times 10^{-8}$.

$$\frac{0,19 \times [PO_4^{3-}]}{6,3 \times 10^{-8}} = 4,3 \times 10^{-13}$$

$$[PO_4^{3-}] = 1,4 \times 10^{-19} \text{ mol/L}$$

➡ Évaluation

Utilisons la «règle du 5 %» pour le pourcentage de dissociation afin de vérifier la validité de l'approximation selon laquelle $x \ll 5,0$.

$$\frac{x}{c_{acide}} \times 100 \% = \frac{0,19 \text{ mol/L}}{5,0 \text{ mol/L}} \times 100 \% = 3,8 \%$$

L'approximation répond aux exigences de la règle.

EXERCICE 4.11 A

Quel est le pH d'une solution qui contient 0,125 mol/L d'acide maléique, un additif utilisé pour retarder le rancissement des huiles et des graisses ?

$$HOOCCH = CHCOOH + H_2O \rightleftharpoons H_3O^+ + HOOCCH = CHCOO^-$$

Acide maléique

$$K_{a_1} = 1,2 \times 10^{-2}$$

$$HOOCCH = CHCOO^- + H_2O \rightleftharpoons H_3O^+ + {}^-OOCCH = CHCOO^-$$

$$K_{a_2} = 4,7 \times 10^{-7}$$

EXERCICE 4.11 B

On ajoute des acides dans les boissons au cola pour abaisser le pH à environ 2,5 dans le but de donner à celles-ci un goût aigre. Montrez qu'on trouve un pH de cet ordre dans un cola qui contient de 0,057 % à 0,084 %, en masse, d'acide phosphorique (H_3PO_4) à 75 %.

Une boisson au cola typique contient de l'acide phosphorique (voir l'exercice 4.11B).

L'acide carbonique

Quand le dioxyde de carbone se dissout dans l'eau, la réaction suivante a lieu, produisant de l'acide carbonique, un acide diprotique faible.

$$CO_2(aq) + H_2O(l) \rightleftharpoons H_2CO_3(aq)$$

La réaction est réversible. L'acide carbonique est instable et se décompose rapidement en $CO_2(g)$ et en H_2O. Dans un récipient ouvert, le $CO_2(g)$ s'échappe de la solution aqueuse, et la réaction est complète *vers la gauche,* comme on doit s'y attendre selon le principe de Le Chatelier.

Les deux étapes d'ionisation de H_2CO_3 et leurs valeurs de K_a sont données à la page suivante. On voit que K_{a_1} est beaucoup plus grande que K_{a_2}. En conséquence, les généralisations que nous avons formulées au sujet des acides polyprotiques (page 190)

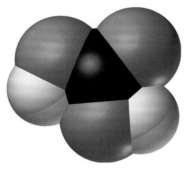

HO$\diagdown$C$\diagup$O

$|$

OH

Acide carbonique

s'appliquent à l'acide carbonique. Autrement dit, peu d'ions HCO_3^- produits à la première étape s'ionisent par la suite.

1 $H_2CO_3 + H_2O \rightleftharpoons H_3O^+ + HCO_3^-$ $K_{a_1} = \dfrac{[H_3O^+][HCO_3^-]}{[H_2CO_3]} = 4{,}2 \times 10^{-7}$

2 $HCO_3^- + H_2O \rightleftharpoons H_3O^+ + CO_3^{2-}$ $K_{a_2} = \dfrac{[H_3O^+][CO_3^{2-}]}{[HCO_3^-]} = 4{,}7 \times 10^{-11}$

La neutralisation de H_2CO_3 par une mole de NaOH, dans la première étape, produit un sel, l'hydrogénocarbonate de sodium, $NaHCO_3$. La neutralisation par deux moles de NaOH produit des carbonates, par exemple le carbonate de sodium, Na_2CO_3.

Les équilibres relatifs à l'ionisation de l'acide carbonique jouent un rôle capital dans plusieurs phénomènes naturels, tels que la formation de l'eau dure et celle des cavernes de calcaire. Ces équilibres sont également essentiels au maintien du pH sanguin normal (page 214).

L'acide sulfurique

L'acide sulfurique est synthétisé en plus grande quantité que tout autre produit chimique et il sert essentiellement à la production d'engrais. Il s'agit d'un acide diprotique inhabituel parce que sa première étape d'ionisation est presque complète, alors que sa deuxième ne l'est pas.

1 $H_2SO_4 + H_2O \longrightarrow H_3O^+ + HSO_4^-$ $K_{a_1} \approx 10^3$

2 $HSO_4^- + H_2O \rightleftharpoons H_3O^+ + SO_4^{2-}$ $K_{a_2} = \dfrac{[H_3O^+][SO_4^{2-}]}{[HSO_4^-]} = 1{,}1 \times 10^{-2}$

Pour les besoins des calculs, il est utile de regrouper les solutions d'acide sulfurique en trois catégories, décrites ci-dessous en ordre croissant de complexité.

O

$\|$

HO — S — OH

$\|$

O

Acide sulfurique

1. *Solutions concentrées* (H_2SO_4 à plus de 0,50 mol/L). Dans ces solutions, presque tous les H_3O^+ sont produits à la première ionisation, qui est complète, alors que la seconde est partielle. Donc, dans H_2SO_4 1,00 mol/L, on s'attend à ce que $[H_3O^+] = 1{,}00$ mol/L. (Voir l'exemple 4.12A.)

2. *Solutions très diluées* (H_2SO_4 à moins de 0,0010 mol/L). Bien qu'elle soit petite par rapport à K_{a_1}, K_{a_2} est assez grande pour que, dans les solutions suffisamment diluées, la seconde ionisation soit également complète. On prévoit, d'une part, que deux ions H_3O^+ seront produits pour chaque molécule H_2SO_4 présente au départ et, d'autre part, qu'il n'y aura presque pas de molécules H_2SO_4 ni d'ions HSO_4^- en solution. Par exemple, dans H_2SO_4 0,0010 mol/L, $[H_3O^+] = 0{,}0020$ mol/L et $[SO_4^{2-}] \approx 0{,}0010$ mol/L. (Voir l'exercice 4.12A.)

3. *Concentrations intermédiaires* (H_2SO_4 entre 0,0010 mol/L et 0,50 mol/L). Il faut tenir compte des deux étapes d'ionisation quand on calcule les concentrations ioniques. (Voir l'exemple 4.12B.)

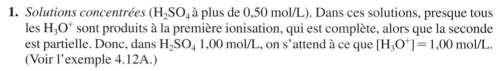

EXEMPLE 4.12A

Quel est le pH approximatif de H_2SO_4 0,71 mol/L ?

➜ Solution

L'acide sulfurique à cette concentration appartient à la première des trois catégories énumérées ci-dessus : presque tous les H_3O^+ proviennent de la première étape d'ionisation de H_2SO_4, qui est complète.

$$H_2SO_4 + H_2O \longrightarrow H_3O^+ + HSO_4^-$$

Donc, pour H_2SO_4 0,71 mol/L, $[H_3O^+] = 0,71$ mol/L.

$$pH = -\log [H_3O^+] = -\log 0,71 = 0,15$$

EXEMPLE **4.12B**

Quel est le pH d'une solution de H_2SO_4 $1,5 \times 10^{-2}$ mol/L ?

➔ Solution

Comme la concentration de H_2SO_4 est comprise entre 0,0010 mol/L et 0,50 mol/L, il faut tenir compte des deux ionisations.

• 1re ionisation $H_2SO_4 + H_2O \longrightarrow H_3O^+ + HSO_4^-$

Puisqu'il se dissocie presque à 100 %, H_2SO_4 engendrera à l'équilibre une concentration de H_3O^+ égale à sa concentration initiale.

$$[H_2SO_4] \approx [H_3O^+] = [HSO_4^-] = 1,5 \times 10^{-2} \text{ mol/L}$$

• 2e ionisation $HSO_4^- + H_2O \rightleftharpoons H_3O^+ + SO_4^{2-}$

Nous devons traiter cette ionisation d'un acide faible comme nous l'avons fait précédemment, mais en n'oubliant pas d'inclure, dans les concentrations initiales, l'apport en H_3O^+ issu de l'ionisation de H_2SO_4.

La réaction	HSO_4^-	+	H_2O	$\rightleftharpoons$	H_3O^+	+	SO_4^{2-}
Concentrations initiales (mol/L)	$1,5 \times 10^{-2}$				$1,5 \times 10^{-2}$		0
Modifications (mol/L)	$-x$				$+x$		$+x$
Concentrations à l'équilibre (mol/L)	$(1,5 \times 10^{-2} - x)$				$(1,5 \times 10^{-2} + x)$		x

Ayant trouvé la constante d'acidité de HSO_4^- à l'annexe C.2, nous l'utilisons dans le calcul suivant.

$$K_a = [H_3O^+] [SO_4^{2-}] / [HSO_4^-]$$
$$1,1 \times 10^{-2} = (1,5 \times 10^{-2} + x) x / (1,5 \times 10^{-2} - x)$$

À cette étape, nous pourrions effectuer les approximations suivantes : $x << 1,5 \times 10^{-2}$ et $(1,5 \times 10^{-2} - x) \approx 1,5 \times 10^{-2}$. Avant d'aller plus loin, nous devons évaluer le rapport c_{acide}/K_a.

$$c_{acide} / K_a = 1,5 \times 10^{-2} \text{ mol/L} / 1,1 \times 10^{-2} = 1,4$$

Puisque ce rapport est de beaucoup inférieur à 100, nous devons reconnaître que l'approximation n'est pas valide. Nous devons donc utiliser la formule quadratique pour résoudre l'équation ci-dessous.

$$x^2 + 2,6 \times 10^{-2} x - 1,7 \times 10^{-4} = 0$$

$$x = \frac{-2,6 \times 10^{-2} \pm \sqrt{(2,6 \times 10^{-2})^2 - 4 \times 1 \times (-1,7 \times 10^{-4})}}{2}$$

$$= \frac{-2,6 \times 10^{-2} \pm \sqrt{1,4 \times 10^{-3}}}{2}$$

$$= \frac{-2,6 \times 10^{-2} \pm 0,037}{2} = \frac{0,011}{2} = 0,0055$$

Donc, $[H_3O^+] = 1,5 \times 10^{-2} + x = 1,5 \times 10^{-2} + 5,5 \times 10^{-3} = 2,1 \times 10^{-2}$ mol/L

$$pH = -\log [H_3O^+] = -\log 2,1 \times 10^{-2} = 1,68$$

EXERCICE 4.12 A

Quel est le pH approximatif de H_2SO_4 $8,5 \times 10^{-4}$ mol/L ?

EXERCICE 4.12 B

Sans faire de calculs détaillés, indiquez laquelle des réponses suivantes se rapproche le plus de la valeur mesurée de $[H_3O^+]$ dans H_2SO_4 0,020 mol/L : **a)** 0,020 mol/L ; **b)** 0,025 mol/L ; **c)** 0,039 mol/L ; **d)** 0,045 mol/L ? Expliquez votre raisonnement.

4.6 Les ions en tant qu'acides et bases

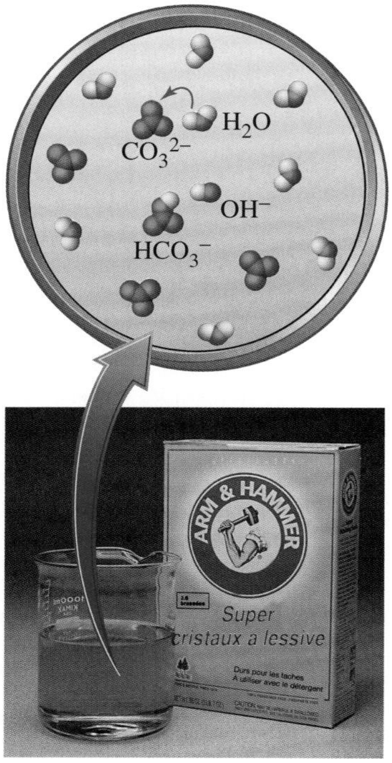

Une boîte d'un produit de nettoyage courant présente une mise en garde, comme celle que l'on trouve sur les produits qui sont soit très acides, soit très basiques : « Évitez tout contact avec les yeux ou un contact prolongé avec la peau. » Le composant principal de ce produit de nettoyage, indiqué sur l'étiquette, est le carbonate de sodium, Na_2CO_3. À première vue, on est porté à croire que Na_2CO_3 n'est ni un acide ni une base, parce qu'on ne voit aucun atome H, aucun groupe OH, ni aucun atome N porteur d'un doublet d'électrons libres. Pourtant, d'après la **figure 4.8**, il est clair que la soude[*], Na_2CO_3(aq) 1 mol/L, est très basique. Na_2CO_3 est en fait un sel, un composé ionique formé d'un acide conjugué et d'une base conjuguée.

Quand le composé ionique Na_2CO_3(s) se dissout, il produit des ions Na^+ et CO_3^{2-} dans la solution.

$$Na_2CO_3(s) \xrightarrow{H_2O} 2\,Na^+(aq) + CO_3^{2-}(aq)$$

La théorie de Brønsted-Lowry explique comment les ions carbonate réagissent avec l'eau pour produire des ions OH^-.

$$\underset{\text{Base}}{CO_3^{2-}} + \underset{\text{Acide}}{H_2O} \rightleftharpoons \underset{\text{Acide conjugué de } CO_3^{2-}}{HCO_3^-} + \underset{\text{Base conjuguée de } H_2O}{OH^-}$$

Cette réaction élève $[OH^-]$ à une valeur beaucoup plus grande que $1,0 \times 10^{-7}$ mol/L, et $[H_3O^+]$ diminue en conséquence. Le pH atteint donc une valeur largement supérieure à 7,0. Comme les ions sodium ne réagissent pas avec l'eau, ils n'influent pas sur le pH de la solution.

$$Na^+(aq) + H_2O \longrightarrow \text{aucune réaction}$$

En effet, l'ion Na^+ est en réalité l'acide conjugué de la base forte NaOH. Il s'agit donc d'un acide trop faible pour provoquer la dissociation de l'eau.

Bien que les réactions acidobasiques des ions ne soient pas fondamentalement différentes des autres réactions acidobasiques, on les appelle souvent réactions d'**hydrolyse**. Comme elles impliquent la formation d'ions H_3O^+ ou OH^- en solution, ces réactions confèrent à cette dernière un caractère acide ou basique. On dit que CO_3^{2-} provenant de Na_2CO_3(aq) s'hydrolyse, tandis que Na^+ ne le fait pas. Les cations du groupe IA et du groupe IIA ne s'hydrolysent pas parce qu'ils sont des acides conjugués provenant de bases fortes. Toutefois, de nombreux autres cations métalliques s'hydrolysent, notamment ceux qui sont de petite taille et qui portent une charge élevée, par exemple Al^{3+}.

Considérons maintenant quelques généralisations utiles concernant l'hydrolyse. Les photos de la page suivante présentent des sels en solution. Les béchers contiennent par

▲ **Figure 4.8**
Hydrolyse de l'ion carbonate
Cette solution de carbonate de sodium contient quelques gouttes de thymolphtaléine, un indicateur qui est incolore si le pH est inférieur à 9,4 et qui vire au bleu si le pH est supérieur à 10,6. La solution illustrée ci-dessus a un pH supérieur à 10,6, comme le révèle sa couleur bleue. Elle est fortement basique en raison de l'hydrolyse de CO_3^{2-} qui agit comme base.

Hydrolyse

Au sens général, réaction d'une substance avec l'eau au cours de laquelle à la fois les molécules de la substance et de l'eau se dissocient ; dans un sens plus restreint, réaction acidobasique entre un ion et l'eau, qui a généralement comme résultat de rendre la solution légèrement acide ou basique.

---

[*] Ne pas confondre avec la soude caustique, NaOH.

ailleurs quelques gouttes d'un indicateur : le bromothymol. La couleur de l'indicateur change en fonction du pH de la façon suivante :

pH < 7	pH = 7	pH > 7
Jaune	Vert	Bleu

Les sels représentés dans les photographies sont indiqués en rouge dans le texte.

1. *Les sels d'acides forts et de bases fortes forment des solutions **neutres*** (pH = 7). Les bases fortes sont les hydroxydes des métaux du groupe IA et du groupe IIA. NaCl, KNO_3 et BaI_2 sont des exemples de sels d'acides forts et de bases fortes. Les anions Cl^-, NO_3^- et I^- sont des bases conjuguées d'acides forts et, par conséquent, des bases très faibles. Elles ne s'hydrolysent pas, pas plus que les cations du groupe IA et du groupe IIA.

2. *Les sels d'acides faibles et de bases fortes forment des solutions **basiques*** (pH > 7). L'anion s'hydrolyse comme une base. Exemples : Na_2CO_3, KNO_2, CH_3COONa. Les anions CO_3^{2-}, NO_2^- et CH_3COO^- sont des bases conjuguées d'acides faibles et, de ce fait, des bases considérablement plus fortes que Cl^-, NO_3^- et I^- (revoir le tableau 4.1, page 167). Encore là, les cations du groupe IA et du groupe IIA ne s'hydrolysent pas.

NaCl(aq)

3. *Les sels d'acides forts et de bases faibles forment des solutions **acides*** (pH < 7). Le cation s'hydrolyse comme un acide. Exemples : NH_4Cl, NH_4NO_3, NH_4Br. Le cation NH_4^+ est l'acide conjugué de la base faible NH_3. Comme dans le premier cas, les anions comme Cl^-, NO_3^- et Br^- sont les bases conjuguées d'acides forts et ne s'hydrolysent pas.

4. *Les sels d'acides faibles et de bases faibles forment des solutions acides dans certains cas, neutres et basiques dans d'autres.* Les cations s'hydrolysent comme des acides, et les anions, comme des bases. Le pH de la solution dépend des forces relatives des acides et des bases. Ainsi, si la K_a du cation est supérieure à la K_b de l'anion, la solution est acide. Dans le cas où K_a est inférieure à K_b, la solution est basique. Si $K_a = K_b$, la solution est neutre. On détermine les K_a et K_b correspondants du cation et de l'anion à l'aide de la formule $K_a \times K_b = K_{eau}$, dont la démonstration est présentée après l'exercice 4.13B. Exemples : NH_4CN (basique), NH_4NO_2 (acide), CH_3COONH_4 (neutre).

CH_3COONa(aq)

On peut résumer tous ces points en un seul énoncé :

Seuls les ions conjugués d'acides faibles et de bases faibles s'hydrolysent de façon importante.

NH₄Cl(aq)

CH_3COONH_4(aq)

EXEMPLE 4.13 **Un exemple conceptuel**

Indiquez si les solutions suivantes sont acides, basiques ou neutres : **a)** $NH_4I(aq)$; **b)** NaF(aq).

→ **Analyse et conclusion**

a) L'iodure d'ammonium, NH_4I, est le sel d'un acide fort, HI, et d'une base faible, NH_3. C'est un exemple du point 3. Le cation NH_4^+ s'hydrolyse et la solution est *acide*.

$$NH_4^+ + H_2O \rightleftharpoons NH_3 + H_3O^+$$

L'anion, I^-, une base très faible, ne s'hydrolyse pas de façon marquée.

b) Le fluorure de sodium, NaF, est le sel d'un acide faible, HF, et d'une base forte, NaOH. C'est un exemple du point 2. L'anion F^- s'hydrolyse et la solution est *basique*.

$$F^- + H_2O \rightleftharpoons HF + OH^-$$

Le cation, Na^+, un acide très faible, ne s'hydrolyse pas de façon marquée.

EXERCICE 4.13 A

Indiquez si les solutions suivantes sont acides, basiques ou neutres et expliquez vos réponses :
a) $NaNO_3(aq)$; **b)** $CH_3CH_2CH_2COOK(aq)$.

EXERCICE 4.13 B

Classez les solutions suivantes en ordre *croissant* de pH et expliquez votre raisonnement :
NaCl(aq), HCl(aq), NaOH(aq), $KNO_2(aq)$, $NH_4I(aq)$.

Pour déterminer le pH d'une solution dans laquelle l'hydrolyse a lieu, il nous faut connaître la constante d'équilibre de la réaction d'hydrolyse. Considérons, par exemple, l'hydrolyse de l'ion acétate, CH_3COO^-.

$$CH_3COO^- + H_2O \rightleftharpoons CH_3COOH + OH^-$$

Deux des termes dans l'expression de K_b sont les mêmes que dans celle de K_a de l'ionisation de l'acide acétique, CH_3COOH, l'acide conjugué de CH_3COO^-. Il semble alors qu'il devrait y avoir une relation entre K_b de CH_3COO^- et K_a de CH_3COOH. Multiplions le numérateur et le dénominateur de l'expression de K_b par $[H_3O^+]$.

$$K_b = \frac{[CH_3COOH][OH^-][H_3O^+]}{[CH_3COO^-][H_3O^+]} = \frac{K_{eau}}{K_a} = \frac{1,0 \times 10^{-14}}{1,8 \times 10^{-5}} = 5,6 \times 10^{-10}$$

On remarque que les termes en bleu sont équivalents à K_{eau}. Ceux qui sont en rouge correspondent à l'*inverse* de K_a de l'acide acétique, c'est-à-dire à $1/K_a$. Après avoir réarrangé l'équation, on obtient

$$K_a \times K_b = K_{eau} \tag{4.8}$$

Le produit de K_a et de K_b d'un couple acide-base est égal à la constante de dissociation de l'eau qui est, à 25 °C, $K_{eau} = 1,0 \times 10^{-14}$. De nombreux tableaux de constantes d'acidité et de basicité ne donnent que les valeurs de pK_a, mais on peut trouver la valeur de K_b à partir de K_a.

$$pK_a + pK_b = pK_{eau} = 14,00 \qquad \text{(4.9)}$$

$$pK_b = 14,00 - pK_a$$
$$-\log K_b = 14,00 + \log K_a$$
$$K_b = \frac{1 \times 10^{-14}}{K_a}$$

Une fois qu'on a obtenu de cette façon les constantes d'acidité et de basicité, on peut déterminer si la solution d'un sel dont le cation et l'anion s'hydrolysent est acide, basique ou neutre (exemple 4.14A). On peut également calculer le pH d'une telle solution (exemple 4.14B).

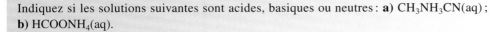

EXEMPLE **4.14A**

Indiquez si les solutions suivantes sont acides, basiques ou neutres : **a)** $CH_3NH_3CN(aq)$; **b)** $HCOONH_4(aq)$.

➔ Solution

Les deux sels sont des exemples du point 4 (page 195), où le cation et l'anion s'hydrolysent de façon importante. Il faut donc déterminer les K_a et K_b des cations et des anions afin de comparer leurs valeurs.

a) Le cation $CH_3NH_3^+$ est l'acide conjugué de la base faible CH_3NH_2, et l'anion CN^- est la base conjuguée de l'acide faible HCN.

$$K_{a\ CH_3NH_3^+} = K_{eau} / K_{b\ CH_3NH_2} = 1,0 \times 10^{-14} / 4,2 \times 10^{-4} = 2,4 \times 10^{-11}$$

$$K_{b\ CN^-} = K_{eau} / K_{a\ HCN} = 1,0 \times 10^{-14} / 6,2 \times 10^{-10} = 1,6 \times 10^{-5}$$

Comme $K_a < K_b$, la solution est basique.

b) Le cation NH_4^+ est l'acide conjugué de la base faible NH_3 et l'anion $HCOO^-$ est la base conjuguée de l'acide faible HCOOH.

$$K_{a\ NH_4^+} = K_{eau} / K_{b\ NH_3} = 1,0 \times 10^{-14} / 1,8 \times 10^{-5} = 5,6 \times 10^{-10}$$

$$K_{b\ HCOO^-} = K_{eau} / K_{a\ HCOOH} = 1,0 \times 10^{-14} / 1,8 \times 10^{-4} = 5,6 \times 10^{-11}$$

Comme $K_a > K_b$, la solution est acide.

EXEMPLE **4.14B**

Calculez le pH d'une solution d'acétate de sodium, $CH_3COONa(aq)$ 0,25 mol/L.

➔ Stratégie

Les ions acétate s'hydrolysent comme une base, et nous devons déduire la valeur numérique de K_b pour cette hydrolyse. Nous pouvons utiliser la méthode habituelle pour obtenir une équation quadratique que nous pouvons résoudre pour trouver la concentration $[OH^-]$. Il sera alors facile de calculer le pH.

➔ Solution

Présentons les données sous l'équation de la réaction d'hydrolyse de la façon habituelle.

La réaction	CH_3COO^- + H_2O $\rightleftharpoons$ CH_3COOH + OH^-		
Concentrations initiales (mol/L)	0,25	0	≈ 0
Modifications (mol/L)	$-x$	$+x$	$+x$
Concentrations à l'équilibre (mol/L)	$(0,25 - x)$	x	x

$$K_b = \frac{[CH_3COOH][OH^-]}{[CH_3COO^-]} = \frac{K_{eau}}{K_a} = \frac{1,0 \times 10^{-14}}{1,8 \times 10^{-5}} = 5,6 \times 10^{-10}$$

$$\frac{x \cdot x}{0,25 - x} = 5,6 \times 10^{-10}$$

Nous supposons que $x \ll 0,25$, de sorte que $(0,25 - x) = 0,25$.

$$\frac{x^2}{0,25} = 5,6 \times 10^{-10}$$

$$x^2 = 1,4 \times 10^{-10}$$

$$x = [OH^-] = \sqrt{(1,4 \times 10^{-10})} = 1,2 \times 10^{-5} \text{ mol/L}$$

$$pOH = -\log [OH^-] = -\log (1,2 \times 10^{-5}) = 4,92$$

$$pH = 14,00 - pOH = 14,00 - 4,92 = 9,08$$

RÉSOLUTION DE PROBLÈMES
L'approximation est justifiée, puisque $[OH^-]$ (qui est égale à $1,2 \times 10^{-5}$) est beaucoup plus petite que c_{base} (0,25).

➜ Évaluation

D'abord, nous constatons que l'approximation $x \ll 0,25$ est justifiée parce que $x = 1,2 \times 10^{-5}$. Nous observons que notre réponse est au moins qualitativement correcte, car le pH > 7. L'hydrolyse de l'ion acétate devrait produire une solution basique. On prend souvent à tort la valeur de pOH (4,92) pour un pH, or le pH d'une solution basique ne peut pas être inférieur à 7.

EXERCICE 4.14 A

Calculez le pH d'une solution de NH_4Cl 0,052 mol/L.

EXERCICE 4.14 B

Un échantillon de 50,00 mL d'une solution de $CH_3COOH(aq)$ 0,120 mol/L est neutralisé à l'aide de 18,75 mL d'une solution de $NaOH(aq)$ 0,320 mol/L. Quel est le pH de la solution neutralisée ? (*Indice :* Qu'est-ce qu'une réaction de neutralisation, et quelles sont les concentrations de ses produits ?)

EXEMPLE **4.15**

Quelle est la concentration molaire volumique d'une solution de nitrate d'ammonium, NH_4NO_3, dont le pH est égal à 4,80 ?

➜ Stratégie

Le nitrate d'ammonium est le sel de l'acide fort, HNO_3, et de la base faible, NH_3. Dans NH_4NO_3, NH_4^+ s'hydrolyse, mais pas NO_3^-. Les calculs doivent être basés sur $NH_4^+(aq)$ à l'équilibre de l'hydrolyse. Dans ce cas, la concentration des ions H_3O^+, déduite du pH, est la valeur connue, et la concentration initiale de NH_4^+ est l'inconnue.

➜ Solution

L'équilibre d'hydrolyse et la constante d'acidité de NH_4^+ sont les suivants.

RÉSOLUTION DE PROBLÈMES
Puisque K_a de l'hydrolyse de NH_4^+ est égale à K_b de l'hydrolyse de CH_3COO^- (voir l'exemple 4.14B), on comprend pourquoi le pH de $CH_3COONH_4(aq)$ est neutre, comme l'illustre le point 4 (page 195).

$$NH_4^+ + H_2O \rightleftharpoons H_3O^+ + NH_3 \qquad K_a = \frac{K_{eau}}{K_{b\,NH_3}} = \frac{1,0 \times 10^{-14}}{1,8 \times 10^{-5}} = 5,6 \times 10^{-10}$$

Comme d'habitude, nous pouvons calculer $[H_3O^+]$ à partir du pH de la solution.

$$\log [H_3O^+] = -pH = -4,80$$

$$[H_3O^+] = 10^{-4,80} = 1,6 \times 10^{-5} \text{ mol/L}$$

Cette valeur de $[H_3O^+]$ est de beaucoup supérieure à la concentration d'ions hydronium dans l'eau pure ($1,0 \times 10^{-7}$ mol/L). Nous pouvons donc supposer que tous les ions hydronium proviennent de la réaction d'hydrolyse et présenter les données comme ci-dessous, où x est la concentration initiale inconnue de NH_4^+.

La réaction	NH_4^+	$+$	$H_2O \rightleftharpoons$	H_3O^+	$+$	NH_3
Concentrations initiales (mol/L)	x			≈ 0		0
Modifications (mol/L)	$-1,6 \times 10^{-5}$			$+1,6 \times 10^{-5}$		$+1,6 \times 10^{-5}$
Concentrations à l'équilibre (mol/L)	$(x - 1,6 \times 10^{-5})$			$1,6 \times 10^{-5}$		$1,6 \times 10^{-5}$

Remplaçons alors les concentrations à l'équilibre dans l'expression de la constante d'acidité de la réaction d'hydrolyse.

$$K_a = \frac{[H_3O^+][NH_3]}{[NH_4^+]} = \frac{(1,6 \times 10^{-5})(1,6 \times 10^{-5})}{(x - 1,6 \times 10^{-5})} = 5,6 \times 10^{-10}$$

Pour simplifier le calcul, nous pouvons faire les approximations habituelles : si nous supposons que l'ion ammonium NH_4^+ *ne s'hydrolyse presque pas,* la variation de $[NH_4^+]$ sera nettement inférieure à la valeur initiale de $[NH_4^+]$. Autrement dit, si $1,6 \times 10^{-5} \ll x$, nous pouvons remplacer $(x - 1,6 \times 10^{-5})$ par x et résoudre alors l'équation pour trouver x.

$$\frac{(1,6 \times 10^{-5})^2}{x} = 5,6 \times 10^{-10}$$

$$x = \frac{(1,6 \times 10^{-5})^2}{5,6 \times 10^{-10}} = [NH_4^+] = 0,46 \text{ mol/L}$$

La solution se compose de NH_4NO_3 0,46 mol/L.

➔ Évaluation

Vérifions les deux approximations que nous avons faites dans ce problème : $[H_3O^+]$ dans la solution ($1,6 \times 10^{-5}$ mol/L) est 160 fois plus grande que $[H_3O^+]$ produite par l'auto-ionisation de l'eau pure ($1,0 \times 10^{-7}$ mol/L). (1) Notre décision de considérer l'auto-ionisation de l'eau comme négligeable est justifiée. (2) Le remplacement de la valeur $(x - 1,6 \times 10^{-5})$ par x est aussi acceptable, puisque la valeur de x est beaucoup plus grande que $1,6 \times 10^{-5}$.

EXERCICE 4.15 A

Quelle est la concentration molaire volumique d'une solution d'acétate de sodium, $CH_3COONa(aq)$, dont le pH est égal à 9,10 ?

EXERCICE 4.15 B

Sans faire de calculs détaillés, déterminez laquelle des solutions suivantes a le pH *le plus élevé* : NH_4NO_2 0,10 mol/L ou NH_4CN 0,10 mol/L. Expliquez votre raisonnement.

4.7 L'effet d'ion commun

Les deux solutions représentées dans la **figure 4.9** contiennent de l'acide acétique, CH₃COOH, à la même concentration molaire volumique. L'une et l'autre renferment un indicateur appelé *bleu de bromophénol*. La solution de droite comprend un deuxième soluté : l'acétate de sodium, CH₃COONa. Comme le montrent leurs couleurs, les deux solutions ont des valeurs de pH *différentes*. La solution qui contient à la fois de l'acide acétique *et* de l'acétate de sodium a un pH plus élevé de *deux* unités environ. Dans cette solution, $[H_3O^+]$ correspond à environ un centième de ce qu'elle est dans la solution qui a pour unique soluté l'acide acétique. Il s'agit d'un exemple classique du principe de Le Chatelier.

Quand on l'ajoute à une solution d'acide acétique, l'acétate de sodium se dissocie complètement pour donner $CH_3COO^-(aq)$ et $Na^+(aq)$. En conséquence, la concentration de $CH_3COO^-(aq)$, un des produits de l'ionisation de l'acide acétique, augmente. Selon le principe de Le Chatelier, si on augmente la concentration d'un des produits d'une réaction réversible (dans ce cas, CH_3COO^-), l'équilibre se déplace vers la *gauche*.

Quand un sel fournit CH_3COO^-,
l'équilibre se déplace vers la *gauche*.

$$CH_3COOH + H_2O \rightleftharpoons H_3O^+ + CH_3COO^-$$

| Acide | Base | Acide conjugué de H₂O | Base conjuguée de CH₃COOH |

À mesure que CH_3COO^-, une base, est consommée dans la réaction inverse, H_3O^+ l'est aussi. La concentration en H_3O^+ diminue, et le pH augmente en conséquence. Puisqu'on le trouve à la fois dans l'acide acétique et dans l'acétate de sodium aqueux, l'ion acétate est un *ion commun*. L'**effet d'ion commun** limite l'ionisation d'un acide faible ou d'une base faible grâce à la présence d'un ion commun provenant d'un électrolyte fort.

Dans l'exemple 4.16A, nous calculons le pH de la solution de l'exemple 4.5 (page 180). L'exemple 4.16B propose le calcul du pH de la solution contenant l'acide acétique et l'acétate de sodium que nous venons de décrire. Dans l'exercice 4.16A, nous examinons l'effet de l'ion commun NH_4^+ sur l'ionisation de $NH_3(aq)$.

Effet d'ion commun

Capacité d'ions provenant d'un électrolyte fort de limiter l'ionisation d'un acide ou d'une base faible.

□ CH_3COO^-
● CH_3COOH
● H_3O^+

▶ **Figure 4.9**
L'effet d'ion commun
Les deux solutions contiennent du bleu de bromophénol comme indicateur. Celui-ci vire au jaune si le pH est inférieur à 3,0 et au mauve si le pH est supérieur à 4,6. L'addition d'ions acétate à droite (l'ion Na⁺ a été omis à des fins de clarté) empêche l'ionisation de l'acide acétique. En conséquence, il y a moins d'ions H₃O⁺ produits et le pH augmente. Ce qui se passe au niveau moléculaire est représenté de façon schématique. En réalité, seulement une très faible quantité d'acide acétique est ionisée dans chacun des cas, et la [H₃O⁺] est une centaine de fois plus faible à droite qu'à gauche.

CH₃COOH 1,00mol/L   CH3COOH 1,00mol/L + CH3COONa 1,00 mol/L

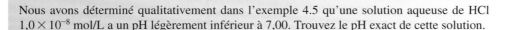

EXEMPLE **4.16A**

Nous avons déterminé qualitativement dans l'exemple 4.5 qu'une solution aqueuse de HCl $1,0 \times 10^{-8}$ mol/L a un pH légèrement inférieur à 7,00. Trouvez le pH exact de cette solution.

➜ Stratégie

Dans un cas comme celui-ci, il faut évaluer la contribution de H_2O en ions H_3O^+ en présence de HCl $1,0 \times 10^{-8}$ mol/L.

➜ Solution

La réaction	$2\,H_2O(l)$	$\rightleftharpoons$	$H_3O^+(aq)$	$+$	$OH^-(aq)$
Concentrations initiales (mol/L)			$1,0 \times 10^{-8}$ (de HCl)		0
Modifications (mol/L)			$+x$		$+x$
Concentrations à l'équilibre (mol/L)			$1,0 \times 10^{-8} + x$		x

$$K_{\text{eau}} = 1,0 \times 10^{-14} = (1,0 \times 10^{-8} + x)x$$

Après avoir réarrangé l'équation, nous obtenons

$$x^2 + 1,0 \times 10^{-8}x - 1,0 \times 10^{-14} = 0$$

$$x = \frac{-1,0 \times 10^{-8} \pm \sqrt{(1,0 \times 10^{-8})^2 - 4 \times 1 \times (-1,0 \times 10^{-14})}}{2}$$

$$= 9,5 \times 10^{-8}$$

$$pH = -\log[H_3O^+] = -\log(1,0 \times 10^{-8} + 9,5 \times 10^{-8})$$

$$= 6,98$$

EXEMPLE **4.16B**

Calculez le pH d'une solution qui contient de l'acide acétique, CH_3COOH, 1,00 mol/L et de l'acétate de sodium, CH_3COONa, 1,00 mol/L.

➜ Stratégie

Le pH d'une solution ne dépend pas de la méthode utilisée pour sa préparation. Par exemple, nous pouvons dissoudre l'acétate de sodium dans une solution aqueuse d'acide acétique ou dissoudre l'acide acétique dans une solution aqueuse d'acétate de sodium. Supposons que nous avons, au départ, une solution de $CH_3COONa(aq)$ 1,00 mol/L. Dans ce cas, le composé ionique CH_3COONa est complètement dissocié en ions.

$$CH_3COONa(s) \xrightarrow{\;H_2O\;} CH_3COO^-(aq) + Na^+(aq)$$

Nous pouvons alors ajouter la quantité requise d'acide acétique. De cette façon, les concentrations initiales de CH_3COO^- et de CH_3COOH sont toutes les deux de 1,00 mol/L.

➜ Solution

La réaction	CH_3COOH	$+$	H_2O	$\rightleftharpoons$	H_3O^+	$+$	CH_3COO^-
Concentrations initiales (mol/L)	$1,00$				≈ 0		$1,00$
Modifications (mol/L)	$-x$				$+x$		$+x$
Concentrations à l'équilibre (mol/L)	$(1,00 - x)$				x		$(1,00 + x)$

$$K_a = \frac{[H_3O^+][CH_3COO^-]}{[CH_3COOH]}$$

$$1{,}8 \times 10^{-5} = \frac{x(1{,}00 + x)}{1{,}00 - x}$$

Si x est très petit, nous pouvons supposer que $(1{,}00 - x) \approx (1{,}00 + x) \approx 1{,}00$.

$$\frac{x(\cancel{1{,}00})}{\cancel{1{,}00}} = 1{,}8 \times 10^{-5}$$

$$x = [H_3O^+] = 1{,}8 \times 10^{-5}$$

$$pH = -\log [H_3O^+] = -\log (1{,}8 \times 10^{-5}) = 4{,}74$$

➔ Évaluation

Remarquons que l'approximation selon laquelle x est très petit est valide.

$$(1{,}00 - 1{,}8 \times 10^{-5}) \approx 1{,}00 \quad \text{et} \quad (1{,}00 + 1{,}8 \times 10^{-5}) \approx 1{,}00.$$

En comparant la valeur de pH obtenue (4,74) avec celle trouvée dans l'exemple 4.6 (page 182), où il n'y avait pas d'effet d'ion commun (pH = 2,38), nous constatons avec quelle efficacité l'ion acétate empêche l'ionisation de l'acide acétique.

EXERCICE 4.16 A

Calculez le pH d'une solution qui contient NH_3 0,15 mol/L et NH_4NO_3 0,35 mol/L.

$$NH_3 + H_2O \rightleftharpoons NH_4^+ + OH^- \qquad K_b = 1{,}8 \times 10^{-5}$$

EXERCICE 4.16 B

Quel est l'ion commun dans une solution aqueuse composée de HCl 0,10 mol/L et de CH_3COOH 0,10 mol/L ? Quelle est la concentration des ions H_3O^+ dans cette solution ? Quelle est la concentration des ions CH_3COO^- et celle de CH_3COOH ?

Le mélange d'acides ou de bases

L'effet d'ion commun s'applique aussi aux cas de mélanges d'acides ou de bases. L'ion commun est alors respectivement H_3O^+ et OH^-. La résolution des problèmes, dans les cas de mélanges d'un acide fort et d'un acide faible ou d'une base forte et d'une base faible, s'effectue sensiblement de la même façon que la résolution des problèmes concernant des mélanges d'acides faibles et de bases faibles. On doit toutefois tenir compte de l'influence de l'acide fort ou de la base forte sur les concentrations initiales, comme l'illustre l'exemple 4.17.

Comme nous l'avons déjà vu, les acides forts et les bases fortes s'ionisent complètement en solution. Les concentrations respectives des ions H_3O^+ et OH^- correspondent donc à la somme des concentrations initiales des acides forts (pour $[H_3O^+]$) ou des bases fortes (pour $[OH^-]$).

Nous n'aborderons pas, dans ce manuel, le calcul du pH de mélanges d'acides faibles ou de bases faibles.

EXEMPLE **4.17**

Calculez le pH des mélanges suivants : **a)** HCl 0,100 mol/L et HNO$_3$ 0,050 mol/L ; **b)** HCl 0,0100 mol/L et HCOOH 1,0000 mol/L ; **c)** NH$_3$ 0,300 mol/L et KOH 0,400 mol/L.

➜ Solution

a) Ces deux acides forts s'ionisent complètement en solution.

	HCl	+	H$_2$O	→	H$_3$O$^+$	+	Cl$^-$
Avant l'ionisation	0,100				0		0
Après l'ionisation	0				0,100		0,100

	HNO$_3$	+	H$_2$O	→	H$_3$O$^+$	+	NO$_3^-$
Avant l'ionisation	0,050				0		0
Après l'ionisation	0				0,050		0,050

La concentration totale en ions H$_3$O$^+$ est de 0,100 mol/L + 0,050 mol/L = 0,150 mol/L.

$$pH = -\log [H_3O^+] = -\log 0{,}150 = 0{,}824$$

b) Étant un acide fort, HCl se dissocie complètement en solution. HCOOH est un acide faible qui ne s'ionise que partiellement. Nous devons donc effectuer un calcul d'équilibre en considérant, à la ligne des concentrations initiales, l'ion commun H$_3$O$^+$ qui provient de HCl.

	HCl	+	H$_2$O	⟶	H$_3$O$^+$	+	Cl$^-$
Avant l'ionisation	0,0100				0		0
Après l'ionisation	0				0,0100		0,0100

La réaction	HCOOH	+	H$_2$O	⇌	HCOO$^-$	+	H$_3$O$^+$
Concentrations initiales (mol/L)	1,0000				0		0,0100 (de HCl)
Modifications (mol/L)	$-x$				$+x$		$+x$
Concentrations à l'équilibre (mol/L)	$1{,}0000 - x$				x		$0{,}0100 + x$

$$K_a = \frac{[HCOO^-]\,[H_3O^+]}{[HCOO]} = \frac{x\,(0{,}0100 + x)}{1{,}0000 - x} = 1{,}8 \times 10^{-4}$$

L'équation réarrangée devient

$$x^2 + 0{,}0102x - 1{,}8 \times 10^{-4} = 0$$

$$x = \frac{-0{,}0102 \pm \sqrt{(-0{,}0102)^2 - 4 \times 1 \times -1{,}8 \times 10^{-4}}}{2}$$

$$= 0{,}0093$$

La concentration totale en ions H$_3$O$^+$ est de 0,0100 mol/L + 0,0093 mol/L = 0,0193 mol/L.

$$pH = -\log [H_3O^+] = -\log 0{,}0193 = 1{,}714$$

Dans cet exemple, les deux acides influent sensiblement sur la concentration totale en ions H$_3$O$^+$ de la solution.

c) La base forte KOH se dissocie totalement en solution. Nous devons considérer l'ion commun OH$^-$ provenant de cette source à la ligne des concentrations initiales de la réaction de dissociation de la base faible NH$_3$.

RÉSOLUTION DE PROBLÈMES
L'approximation n'est pas justifiée ici. Il faut donc effectuer le calcul à l'aide de la formule quadratique. L'apport en ions H$_3$O$^+$ provenant de HCl doit être inclus dans les concentrations initiales et non pas simplement ajouté aux ions H$_3$O$^+$ fournis par la dissociation de HCOOH. En effet, la présence de l'acide fort diminue le pourcentage de dissociation de l'acide faible (principe de Le Chatelier).

		KOH	+	H_2O	$\longrightarrow$	K^+	+	OH^-
Avant la dissociation		0,400				0		0
Après la dissociation		0				0,400		0,400

La réaction	NH_3	+	H_2O	$\rightleftharpoons$	NH_4^+	+	OH^-
Concentrations initiales (mol/L)	0,300				0		0,400 (de KOH)
Modifications (mol/L)	$-x$				$+x$		$+x$
Concentrations à l'équilibre (mol/L)	$0,300 - x$				x		$0,400 + x$

$$K_b = \frac{[NH_4^+]\,[OH^-]}{[NH_3]} = \frac{x\,(0,400 + x)}{0,300 - x} = 1,8 \times 10^{-5}$$

Si x est très petit, nous pouvons supposer que $0,300 - x \approx 0,300$ et que $0,400 + x \approx 0,400$.

$$\frac{x\,(0,400)}{0,300} = 1,8 \times 10^{-5} \qquad x = 1,4 \times 10^{-5}$$

La concentration totale en ions OH^- est de 0,400 mol/L + $1,4 \times 10^{-5}$ mol/L $\approx$ 0,400 mol/L.

$$pOH = -\log[OH^-] = -\log 0,400 = 0,398$$
$$pH = 14,000 - pOH = 14,000 - 0,398 = 13,602$$

Dans ce cas, même si les bases sont présentes à des concentrations similaires, seule la base forte KOH contribue de façon appréciable à la concentration totale des ions OH^- en solution.

RÉSOLUTION DE PROBLÈMES
L'approximation est valide puisque $x \ll 0,300$. On pouvait s'attendre à cette affirmation, puisque la base NH_3 a une K_b relativement faible ; donc elle s'ionise très peu. La présence initiale d'ions OH^- en forte concentration limite encore plus l'ionisation de NH_3.

EXERCICE 4.17 A

Quel est l'ion commun dans une solution composée de NaOH 0,200 mol/L et de $Ca(OH)_2$ 0,050 mol/L ? Quelle est la valeur du pH de cette solution ?

EXERCICE 4.17 B

Calculez le pH des mélanges suivants et indiquez, pour chacun de ceux-ci, le pourcentage de dissociation de l'acide faible ou de la base faible : **a)** HNO_2 0,100 mol/L et HNO_3 0,020 mol/L ; **b)** NH_3 0,650 mol/L et NaOH 0,500 mol/L ; **c)** CH_3NH_2 0,750 mol/L et KOH $1,0 \times 10^{-6}$ mol/L.

4.8 Les solutions tampons

Solution tampon

Solution contenant un acide faible et sa base conjuguée, ou une base faible et son acide conjugué ; le pH d'une solution de ce type varie très peu si on y ajoute de faibles quantités d'un acide fort — celles-ci sont alors neutralisées par le composant basique du tampon — ou de faibles quantités d'une base forte — celles-ci sont alors neutralisées par le composant acide du tampon.

Le mélange de l'exemple 4.16B (page 201), qui contient à la fois de l'acide acétique et de l'acétate de sodium, est une **solution tampon**, c'est-à-dire une solution dont le pH varie *très peu* quand on lui ajoute de petites quantités d'acide fort ou de base forte.

Les solutions tampons présentent de nombreuses applications importantes dans l'industrie, en laboratoire et chez les organismes vivants. Certaines réactions chimiques consomment des acides, d'autres en produisent et un grand nombre sont catalysées par H_3O^+. Si on veut étudier la cinétique de ces réactions ou simplement régir leurs vitesses, il faut souvent régulariser le pH. On peut réduire au minimum les variations de pH en effectuant les réactions dans des solutions tampons. Les réactions catalysées par des enzymes sont particulièrement sensibles aux variations de pH. Les études qui font intervenir des protéines sont habituellement effectuées dans des milieux tamponnés parce que le nombre et le type de charges électriques portées par les molécules de protéines influent sur leur fonctionnement et ces charges dépendent du pH.

Eau

1,00 L d'eau + 0,010 mol de OH⁻

1,00 L d'eau

1,00 L d'eau + 0,010 mol de H₃O⁺

pH

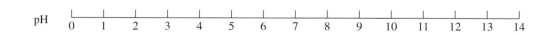

0 1 2 3 4 5 6 7 8 9 10 11 12 13 14

Solution tampon

1,00 L de tampon + 0,010 mol de OH⁻

1,00 L de tampon

1,00 L de tampon + 0,010 mol de H₃O⁺

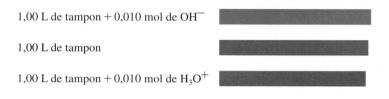

◀ **Figure 4.10**
Représentation de l'effet tampon

Le pH subit de très grandes variations quand on ajoute à de l'eau pure une petite quantité d'un acide ou d'une base. L'eau n'a aucune capacité à tamponner. Par contre, l'ajout d'un acide ou d'une base dans une solution tampon contenant CH_3COOH 1,00 mol/L et CH_3COONa 1,00 mol/L ne fait pratiquement pas varier le pH.

La **figure 4.10**, ci-dessus, montre que l'eau pure est inapte à stabiliser le pH. Même de très petites quantités d'acides ou de bases produisent de grandes variations de son pH. Pour constituer un système tampon, une solution doit respecter l'*une* des conditions suivantes.

- Elle doit contenir *un acide faible et son sel fournissant sa base conjuguée.*

- Elle doit contenir *une base faible et son sel fournissant son acide conjugué.*

Le composant acide de la solution tampon peut neutraliser l'ajout de petites quantités de OH^-, tandis que le composant basique peut neutraliser l'addition de petites quantités de H_3O^+.

Le fonctionnement d'une solution tampon

Examinons de plus près la solution tampon de l'exemple 4.16B, qui contient CH_3COOH 1,00 mol/L et CH_3COONa 1,00 mol/L. Nous pouvons la représenter au moyen de l'équation et de l'expression de la constante d'équilibre suivantes.

$$CH_3COOH + H_2O \rightleftharpoons H_3O^+ + CH_3COO^-$$

$$K_a = \frac{[H_3O^+][CH_3COO^-]}{[CH_3COOH]} = 1,8 \times 10^{-5}$$

À l'équilibre, nous obtenons $[H_3O^+]$ au moyen de l'expression suivante.

$$[H_3O^+] = K_a \times \frac{[CH_3COOH]}{[CH_3COO^-]}$$

$$= 1,8 \times 10^{-5} \times \frac{[CH_3COOH]}{[CH_3COO^-]}$$

Substituons alors les concentrations à l'équilibre de l'exemple 4.16B (page 201) dans cette expression en ayant recours à l'approximation selon laquelle $x \ll 1,00$.

$$[H_3O^+] = K_a \times \frac{[CH_3COOH]}{[CH_3COO^-]}$$

$$= 1,8 \times 10^{-5} \times \frac{(1,00 - x)}{(1,00 + x)} = 1,8 \times 10^{-5} \times \frac{1,00}{1,00} = 1,8 \times 10^{-5} \text{ mol/L}$$

À partir de cette valeur de $[H_3O^+]$, nous pouvons obtenir le pH de la solution tampon.

$$pH = -\log [H_3O^+] = -\log (1,8 \times 10^{-5}) = 4,74$$

Supposons maintenant que nous ajoutons à la solution tampon suffisamment de base forte pour neutraliser 2 % de l'acide acétique. La concentration de celui-ci sera réduite et passera de 1,00 mol/L à 0,98 mol/L ; celle de l'ion acétate augmentera et passera de 1,00 mol/L à 1,02 mol/L. Une réaction de neutralisation dans une solution tampon transforme toujours une partie d'un des composants du tampon en l'autre.

La réaction du tampon	CH_3COOH	$+$	OH^-	$\longrightarrow$	H_2O	$+$	CH_3COO^-
Concentrations initiales du tampon	1,00 mol/L		≈ 0				1,00 mol/L
Ajout			0,02 mol/L				
Modifications	$-$ 0,02 mol/L		$-$ 0,02 mol/L				$+$ 0,02 mol/L
Après la neutralisation	0,98 mol/L		≈ 0 mol/L				1,02 mol/L

Calculons à présent $[H_3O^+]$ et le pH d'une solution de CH_3COOH 0,98 mol/L et de CH_3COONa 1,02 mol/L. Nous pouvons le faire de la même façon que nous avons déterminé $[H_3O^+]$ dans la solution de l'exemple 4.16B, qui était composée de CH_3COOH 1,00 mol/L et de CH_3COONa 1,00 mol/L. Cependant, simplifions nos calculs en présumant que $[H_3O^+]$ (ou x) sera très petite par rapport à 0,98 mol/L, la concentration de CH_3COOH, et à 1,02 mol/L, la concentration de CH_3COO^-. Nous pouvons alors utiliser l'expression de $[H_3O^+]$ dans le tampon.

$$[H_3O^+] = K_a \times \frac{[CH_3COOH]}{[CH_3COO^-]}$$

$$= 1,8 \times 10^{-5} \times \frac{(0,98 - x)}{(1,02 + x)} \approx 1,8 \times 10^{-5} \times \frac{0,98}{1,02} \approx 1,7 \times 10^{-5} \text{ mol/L}$$

$$pH = -\log [H_3O^+] = -\log (1,7 \times 10^{-5}) = 4,77.$$

Notons que $[H_3O^+]$ et le pH de la solution tampon ont à peine varié.

Quand nous ajoutons un acide à une solution tampon, la situation est tout à fait semblable. Si 2 % de la base conjuguée (ion acétate) sont neutralisés par l'ajout de H_3O^+, nous pouvons dresser le tableau suivant.

La réaction du tampon	CH_3COO^-	$+$	H_3O^+	$\longrightarrow$	H_2O	$+$	CH_3COOH
Tampon initial	1,00 mol/L		≈ 0 mol/L				1,00 mol/L
Ajout			0,02 mol/L				
Modifications	$-$ 0,02 mol/L		$-$ 0,02 mol/L				$+$ 0,02 mol/L
Après la neutralisation	0,98 mol/L		≈ 0 mol/L				1,02 mol/L

Pour calculer $[H_3O^+]$ et le pH d'une solution contenant CH_3COOH 1,02 mol/L et CH_3COONa 0,98 mol/L, nous procédons comme précédemment.

$$[H_3O^+] = K_a \times \frac{[CH_3COOH]}{[CH_3COO^-]}$$

$$= 1,8 \times 10^{-5} \times \frac{(1,02 - x)}{(0,98 + x)} \approx 1,8 \times 10^{-5} \times \frac{1,02}{0,98} \approx 1,9 \times 10^{-5} \text{ mol/L}$$

$$pH = -\log [H_3O^+] = -\log (1,9 \times 10^{-5}) = 4,72.$$

Encore là, $[H_3O^+]$ et le pH varient à peine.

Nous avons montré qu'une solution tampon s'oppose à un changement de pH lors de l'ajout d'un acide ou d'une base. Cependant, il faudrait remarquer que, lorsque nous ajoutons un *acide,* le pH *diminue* faiblement et, lorsque nous ajoutons une *base,* il s'*élève* faiblement. Il est utile de se rappeler ces faits lorsque vient le moment de vérifier les calculs sur les solutions tampons.

Une équation pour les solutions tampons

Dans certaines applications, il faut calculer à plusieurs reprises le pH de solutions tampons. On peut le faire au moyen d'une équation simple, *à condition d'avoir pris conscience des limites de celle-ci.*

Pour établir une telle équation, on commence par une équation permettant de déterminer $[H_3O^+]$ dans un tampon contenant de l'acide acétique et de l'acétate de sodium, une équation que nous avons déjà utilisée à la page 205.

$$[H_3O^+] = K_a \times \frac{[CH_3COOH]}{[CH_3COO^-]}$$

On prend ensuite le logarithme *négatif* de chaque membre de l'équation.

$$-\log [H_3O^+] = -\log K_a - \log \frac{[CH_3COOH]}{[CH_3COO^-]}$$

Puis, on substitue pH à $-\log [H_3O^+]$ et pK_a à $-\log K_a$. On remplace aussi le logarithme du rapport des concentrations par l'expression équivalente : $\log [CH_3COOH] - \log [CH_3COO^-]$.

$$pH = pK_a - \{\log [CH_3COOH] - \log [CH_3COO^-]\}$$
$$pH = pK_a - \log [CH_3COOH] + \log [CH_3COO^-]$$

On remplace alors la différence de logarithmes pour avoir de nouveau le logarithme d'un rapport.

$$pH = pK_a + \log \frac{[CH_3COO^-]}{[CH_3COOH]}$$

Cette équation, qui permet de calculer le pH d'un tampon formé d'acide acétique et d'ion acétate, est appelée **équation de Henderson-Hasselbalch** ; sa forme générale s'exprime comme suit :

RÉSOLUTION DE PROBLÈMES
Les manipulations des termes logarithmiques ont pour effet d'inverser le rapport initial et de changer le signe du logarithme, qui devient alors positif.

Équation de Henderson-Hasselbalch

Équation reliant le pH d'une solution d'un acide faible et de sa base conjuguée (ou d'une base faible et de son acide conjugué) au pK_a et aux concentrations stœchiométriques de l'acide (ou de la base) et de sa base (ou de son acide) : $pH = pK_a + \log$ ([base conjuguée]/[acide faible]) ou $pH = pK_a + \log$ ([base faible]/[acide conjugué]).

Équation de Henderson-Hasselbalch

$$pH = pK_a + \log \frac{[\text{base conjuguée}]}{[\text{acide faible}]} \quad \text{ou} \quad pH = pK_a + \log \frac{[\text{base faible}]}{[\text{acide conjugué}]} \quad \textbf{(4.10)}$$

selon que le tampon est formé d'un acide faible et de sa base conjuguée ou d'une base faible et de son acide conjugué.

L'équation de Henderson-Hasselbalch a une limite importante. Elle fonctionne seulement si on peut substituer les concentrations molaires volumiques mesurées ou nominales aux concentrations molaires volumiques à l'équilibre des acides faibles et des bases conjuguées. On traite les acides faibles et les bases conjuguées *comme si* leurs concentrations molaires volumiques étaient inchangées par l'équilibre d'ionisation. C'est la même approximation que celle que nous avons abordée à la page 183 et qui entraîne des substitutions comme celles-ci : c_{acide} pour $(c_{\text{acide}} - x)$, c_{base} pour $(c_{\text{base}} + x)$, et ainsi de suite.

En raison de ses limites, l'équation de Henderson-Hasselbalch fonctionne seulement dans le cas de solutions tampons qui correspondent aux critères suivants :

- La valeur du rapport [base conjuguée]/[acide faible], ou [base faible]/[acide conjugué], se situe *entre 0,10 et 10*.

- Les deux termes [base conjuguée] et [acide faible], ou [base faible] et [acide conjugué], sont *au moins 100 fois* supérieurs au K_a.

EXEMPLE 4.18

On prépare une solution tampon pour qu'elle contienne NH_3 0,24 mol/L et NH_4Cl 0,20 mol/L. **a)** Quel est le pH de ce tampon ? **b)** Que devient le pH si on ajoute 0,0050 mol de NaOH à 0,500 L de cette solution ?

➔ Stratégie

Pour la question *a*, nous déterminerons le pH en suivant la méthode que nous avons retenue lors de la présentation de l'effet d'ion commun, bien que l'équation de Henderson-Hasselbalch puisse parfaitement convenir. Nous utiliserons cette dernière dans la question *b*.

➔ Solution

a) Commençons par la présentation habituelle servant à décrire l'équilibre.

La réaction	NH_3	+	H_2O $\rightleftharpoons$	NH_4^+	+	OH^-
Concentrations initiales (mol/L)	0,24			0,20		≈ 0
Modifications (mol/L)	$-x$			$+x$		$+x$
Concentrations à l'équilibre (mol/L)	$(0,24 - x)$			$(0,20 + x)$		x

En substituant les concentrations à l'équilibre dans l'expression de K_b, nous supposons que $x \ll 0,20$, ce qui permet de remplacer $(0,20 + x)$ par 0,20 et $(0,24 - x)$ par 0,24.

$$K_b = \frac{[NH_4^+][OH^-]}{[NH_3]}$$

$$1,8 \times 10^{-5} = \frac{(0,20 + x)x}{(0,24 - x)}$$

$$1,8 \times 10^{-5} = \frac{0,20x}{0,24}$$

Résolvons alors l'équation pour trouver x qui correspond à $[OH^-]$.

$$0,20x = (1,8 \times 10^{-5}) \times 0,24$$

$$x = [OH^-] = 1,8 \times 10^{-5} \times \frac{0,24}{0,20} = 2,2 \times 10^{-5} \text{ mol/L}$$

Nous pouvons utiliser $[OH^-]$ pour calculer le pOH et le pH de la solution.

$$pOH = -\log [OH^-] = -\log (2,2 \times 10^{-5}) = 4,66$$

$$pH = 14,00 - pOH = 14,00 - 4,66 = 9,34$$

b) Il faut d'abord calculer le résultat de la neutralisation du NaOH ajouté. L'ajout de 0,005 mol de OH^- à 0,500 L de tampon donne en premier lieu une solution dont $[OH^-] = 0,005$ mol de $OH^-/0,500$ L $= 0,01$ mol/L. $[OH^-]$ est presque réduite à zéro par la neutralisation.

La réaction du tampon	$[NH_4^+]$	+	OH^-	$\longrightarrow$ H_2O	+	NH_3
Tampon initial	0,20 mol/L		≈ 0 mol/L			0,24 mol/L
Ajout			0,01 mol/L			
Modifications	$-0,01$ mol/L		$-0,01$ mol/L			$+0,01$ mol/L
Après la neutralisation	0,19 mol/L		≈ 0 mol/L			0,25 mol/L

Il faut ensuite calculer $[H_3O^+]$ et le pH en utilisant les nouvelles concentrations molaires volumiques de NH_3 et de NH_4^+.

Solution au moyen de l'expression de la constante d'équilibre. Appliquons la méthode utilisée dans la question *a* pour la solution tampon initiale. Commençons par substituer les concentrations à l'équilibre dans l'expression de K_b en supposant que $x \ll 0,19$. Nous pouvons ainsi substituer 0,19 à $(0,19 + x)$ et 0,25 à $(0,25 - x)$.

$$K_b = \frac{[NH_4^+][OH^-]}{[NH_3]}$$

$$1,8 \times 10^{-5} = \frac{(0,19 + x)x}{(0,25 - x)} = \frac{0,19x}{0,25}$$

Résolvons alors l'équation pour trouver x qui est égal à $[OH^-]$.

$$0,19x = (1,8 \times 10^{-5}) \times 0,25$$

$$x = [OH^-] = 1,8 \times 10^{-5} \times \frac{0,25}{0,19} = 2,4 \times 10^{-5} \text{ mol/L}$$

Calculons d'abord le pOH, puis le pH.

$$pOH = -\log [OH^-] = -\log (2,4 \times 10^{-5}) = 4,62$$

$$pH = 14,00 - pOH = 14,00 - 4,62 = 9,38$$

Solution au moyen de l'équation de Henderson-Hasselbalch. Pour commencer, substituons les informations appropriées dans le membre de droite de l'équation de Henderson-Hasselbalch.

$$pH = pK_a + \log \frac{[\text{base faible}]}{[\text{acide conjugué}]}$$

L'acide conjugué de ce tampon est NH_4^+, qui provient du sel NH_4Cl. La base faible est NH_3. Nous avons besoin de la valeur du pK_a de NH_4^+. Nous pouvons l'obtenir à partir de la valeur de K_b de NH_3 en nous rappelant que $pK_a + pK_b = 14,00$.

$$pK_a = 14,00 - pK_b = 14,00 - [-\log (1,8 \times 10^{-5})]$$
$$= 14,00 - 4,74 = 9,26$$

Les concentrations sont de 0,25 mol/L pour NH_3, la base faible, et de 0,19 mol/L pour NH_4^+, l'acide conjugué.

$$pH = 9,26 + \log \frac{0,25}{0,19} = 9,26 + 0,12 = 9,38$$

➜ Évaluation

Comme prévu, les approximations que nous avons faites dans la partie a sont valides : $x = 2,2 \times 10^{-5}$ mol/L est beaucoup plus petit que 0,20 mol/L et 0,24 mol/L. Notez que, pour les calculs à l'équilibre — comme dans la partie a —, il est souvent plus facile de se servir des concentrations en moles par litre, alors que, pour les calculs stœchiométriques et l'utilisation de l'équation 4.10 — comme dans la partie b —, il est plus pratique d'employer les moles. Finalement, observons la faible augmentation du pH de 9,34 dans la partie a à 9,38 dans la partie b, occasionnée par l'ajout d'une quantité plutôt substantielle de OH^- à la solution tampon. À 0,24 mol/L de NH_3 et 0,20 mol/L de NH_4Cl, la solution est fortement tamponnée.

EXERCICE 4.18 A

Quel est le pH final si on ajoute 0,03 mol de HCl à 0,500 L d'une solution tampon qui contient 0,24 mol/L de NH_3 et 0,20 mol/L de NH_4Cl ?

EXERCICE 4.18 B

Dans l'exemple 4.18, nous avons vu que l'addition de 0,0050 mol de NaOH à 0,500 L d'une solution qui contient 0,24 mol/L de NH_3 et 0,20 mol/L de NH_4Cl a fait passer le pH de 9,34 à 9,38. Combien de moles de NaOH faudrait-il ajouter pour élever le pH à 9,50 ? (*Indice* : Quelle doit être la valeur du rapport $[NH_3]/[NH_4^+]$?)

En laboratoire, on a souvent besoin de préparer une solution tampon d'un pH déterminé. On peut alors former ce tampon simplement à partir d'un acide faible (ou d'une base faible), qu'on neutralise partiellement au moyen d'une base forte (ou d'un acide fort). Cette neutralisation partielle permet de former la base conjuguée (ou l'acide conjugué), tout en conservant intacte une portion de l'acide faible (ou de la base faible) initial. On peut également ajouter directement le sel à l'acide faible (ou à la base faible). Dans l'exemple 4.19, nous utilisons l'équation de Henderson-Hasselbalch pour faire les calculs nécessaires, même si l'utilisation de l'expression de la constante d'équilibre non modifiée pourrait convenir.

EXEMPLE **4.19**

Quelle concentration d'ions acétate dans 0,500 mol/L de CH_3COOH produit une solution tampon dont le pH est 5,00 ?

➤ Solution

Utilisons l'équation de Henderson-Hasselbalch pour une solution tampon composée d'acide acétique et d'ions acétate.

$$pH = pK_a + \log \frac{[CH_3COO^-]}{[CH_3COOH]}$$

Remplaçons pH par 5,00, pK_a par $- \log K_a$ et $[CH_3COOH]$ par 0,500. Nous pouvons alors résoudre l'équation pour trouver $[CH_3COO^-]$.

$$5,00 = -\log (1,8 \times 10^{-5}) + \log \frac{[CH_3COO^-]}{0,500}$$

$$5,00 = 4,74 + \log \frac{[CH_3COO^-]}{0,500}$$

$$\log \frac{[CH_3COO^-]}{0,500} = 5,00 - 4,74 = 0,26$$

$$\frac{[CH_3COO^-]}{0,500} = 10^{0,26} = 1,82$$

$$[CH_3COO^-] = 0,500 \times 1,82 = 0,910 \text{ mol/L}$$

➤ Évaluation

La façon la plus simple de vérifier notre réponse consiste à calculer le pH d'une solution composée de $CH_3COOH(aq)$ 0,500 mol/L et de $CH_3COO^-(aq)$ 0,910 mol/L. Nous prévoyons obtenir, bien entendu, un pH de 5,00.

EXERCICE 4.19 A

Quelle concentration d'acide acétique dans 0,250 mol/L de CH_3COONa est nécessaire pour produire une solution tampon dont le pH est 4,50 ?

EXERCICE 4.19 B

Quelle masse de NH_4Cl doit-être présente dans 0,250 L de NH_3 0,150 mol/L pour produire une solution tampon dont le pH est 9,05 ?

Le pouvoir tampon et la zone d'efficacité d'un tampon

Dans l'exemple 4.18 (page 208), nous avons étudié le pouvoir tampon d'une solution de NH_3 0,24 mol/L et de NH_4Cl 0,20 mol/L. Nous avons constaté que l'ajout de 0,0050 mol de OH^- à 0,500 L de cette solution entraînait une faible augmentation du pH, qui passait de 9,34 à 9,38. Si nous avions ajouté 0,050 mol de OH^- (soit une quantité 10 fois plus grande), nous aurions trouvé le tampon moins efficace ; le pH aurait atteint 9,79.

Il y a une limite à la capacité d'une solution tampon à neutraliser l'ajout d'un acide ou d'une base, et cette limite est atteinte avant que l'un des composants du tampon ait été complètement consommé. Dans le cas du tampon contenant 0,24 mol/L de NH_3 et 0,20 mol/L de NH_4Cl, les limites se situent juste au-dessous de 0,20 mol de OH^-/L (qui neutraliserait tout le NH_4^+) et sont juste un peu inférieures à 0,24 mol de H_3O^+/L (qui neutraliserait tout le NH_3).

En général, plus la solution tampon contient des composants dont la concentration est élevée, plus grande est la quantité d'acide ou de base qu'elle peut neutraliser. Un tampon est d'autant plus efficace que les concentrations de son acide et de sa base sont *similaires*. Dans l'équation de Henderson-Hasselbalch, les concentrations égales s'annulent et, puisque log 1 = 0, pH = pK_a. Pour un tampon contenant de l'acide acétique et de l'acétate de sodium par exemple, on obtient pH = pK_a = 4,74.

$$pH = pK_a + \log \frac{[CH_3COO^-]}{[CH_3COOH]}$$
$$= 4,74 + \log 1$$
$$= 4,74$$

Les conditions qui régissent un pouvoir tampon élevé sont identiques à celles qui sont requises dans l'équation de Henderson-Hasselbalch.

En général, la zone de pH à l'intérieur de laquelle une solution tampon est efficace se situe à plus ou moins une unité de pH de chaque côté de la valeur du pK_a de l'acide, ce qui correspond aux rapports suivants.

$$0,10 < \left\{ \frac{[\text{base conjuguée}]}{[\text{acide faible}]} \quad \text{ou} \quad \frac{[\text{base faible}]}{[\text{acide conjugué}]} \right\} < 10,0$$

$$-1,0 < \left\{ \log \frac{[\text{base conjuguée}]}{[\text{acide faible}]} \quad \text{ou} \log \frac{[\text{base faible}]}{[\text{acide conjugué}]} \right\} < 1,0$$

Par conséquent, pour le système acide acétique-ion acétate, la zone efficace est comprise entre 3,74 et 5,74. Pour un tampon ammoniaque-ion ammonium, où le pK_a de NH_4^+ est 9,26, la zone efficace est comprise entre 8,26 et 10,26.

4.9 Les indicateurs acidobasiques

Un **indicateur acidobasique** est un acide faible dont la couleur varie selon qu'il est sous la forme d'un acide faible ou de sa base conjuguée. (Précisons qu'il peut être incolore.) La couleur d'une solution contenant un indicateur dépend des proportions relatives de l'acide faible et de la base conjuguée qui, elles, dépendent du pH.

Indicateur acidobasique

Acide faible dont la couleur varie selon qu'il est sous la forme d'un acide faible ou sous la forme de sa base conjuguée.

Dans la **figure 4.11** (page suivante), quelques gouttes de l'indicateur rouge de phénol font virer la couleur de l'eau pure à l'*orange*. Si on ajoute à cette solution quelques gouttes de jus de citron, un acide, la couleur vire au *jaune* ; quelques gouttes d'ammoniaque commerciale, une base, la font virer au *rouge*. Le rouge de phénol est bien connu des personnes qui entretiennent une piscine. C'est l'indicateur couramment utilisé pour s'assurer que l'eau

► **Figure 4.11**
Rouge de phénol:
un indicateur de pH

S'il est en milieu acide, le rouge de phénol prend la couleur jaune (gauche). Dans l'eau pure (centre), il devient orange. Dans une solution alcaline, l'indicateur vire au rouge (droite).

de la piscine possède un pH à peu près neutre, c'est-à-dire ni acide ni basique. Pour expliquer ces changements de couleur, désignons la forme en milieu acide du rouge de phénol par HIn et la forme en milieu basique par In⁻. Entre les deux s'établit l'équilibre suivant.

$$\underset{\text{Jaune}}{\text{HIn}} + \text{H}_2\text{O} \rightleftharpoons \text{H}_3\text{O}^+ + \underset{\text{Rouge}}{\text{In}^-}$$

Dans une solution acide, $[\text{H}_3\text{O}^+]$ est élevée. Puisqu'elle est présente dans l'équation d'équilibre, H_3O^+ empêche l'ionisation de la forme acide de l'indicateur (HIn). Conformément au principe de Le Chatelier, l'équilibre se déplace vers la gauche, ce qui favorise la forme jaune de l'indicateur. Dans une solution basique, comme NH_3(aq), H_3O^+ en provenance de la forme acide de l'indicateur est neutralisé. L'équilibre se déplace vers la droite, ce qui favorise l'anion rouge de l'indicateur. Dans une solution à peu près neutre, les formes acide et basique de l'indicateur sont présentées en concentrations à peu près égales, et on observe la couleur orange, un mélange de rouge et de jaune.

Indicateur *rouge de phénol*	pH < 6,6 Jaune	6,6 < pH < 8,2 Orange	pH > 8,2 Rouge

La constante d'acidité de l'indicateur peut être représentée par l'équation suivante

$$K_{\text{HIn}} = [\text{In}^-]\,[\text{H}_3\text{O}^+] / [\text{HIn}]$$

Les concentrations en solution des espèces HIn et In⁻ sont dépendantes du pH ou de la concentration des ions H_3O^+, comme le démontre le réarrangement suivant de l'équation de la constante d'acidité.

$$[\text{HIn}] / [\text{In}^-] = [\text{H}_3\text{O}^+] / K_{\text{HIn}}$$

Nous percevons plus une couleur qu'une autre si les molécules qui composent cette couleur sont au moins dix fois plus nombreuses. Ainsi, l'indicateur est de la couleur de HIn si le quotient $[\text{HIn}] / [\text{In}^-]$ est supérieur ou égal à 10 ; il est de la couleur de In⁻ si ce même quotient est égal ou inférieur à 0,1. Entre ces deux valeurs, l'indicateur nous paraît comme un mélange de ces deux couleurs.

Afin de déterminer à quel pH change un indicateur, on peut utiliser l'équation de Henderson-Hasselbalch puisque, au point de virage, les deux formes de l'indicateur (l'acide faible et la base conjuguée) coexistent. Pour que la couleur de la forme HIn prédomine, il faut, comme nous l'avons mentionné précédemment, que le rapport [HIn] / [In⁻] soit au moins de 10 : 1. L'équation devient alors

$$pH = pK_{HIn} + \log [In^-] / [HIn] = pK_{HIn} + \log 1/10 = pK_{HIn} - 1$$

Si la couleur de la forme In⁻ prédomine, le rapport [HIn] / [In⁻] est au moins de 1 : 10, et on obtient l'équation suivante.

$$pH = pK_{HIn} + \log [In^-] / [HIn] = pK_{HIn} + \log 10/1 = pK_{HIn} + 1$$

On en conclut donc que le changement de couleur des indicateurs s'effectue sur un intervalle d'environ 2 unités de pH, déterminé par l'équation suivante.

$$pH = pK_{HIn} \pm 1$$

Un des indicateurs acidobasiques couramment utilisés dans les laboratoires d'introduction à la chimie est le tournesol. Il s'agit d'un colorant naturel extrait de divers lichens. On le trouve souvent sous forme de bandes de papier qui ont été imbibées d'une solution aqueuse de tournesol et qui ont été séchées. On mouille le papier de tournesol avec la solution qu'on veut analyser. Le tournesol change de couleur sur un intervalle de pH beaucoup plus étendu que les autres indicateurs ; de ce fait, il ne donne qu'une idée générale du caractère acide ou basique d'une solution (**figure 4.12**).

Indicateur tournesol

pH > 4,5	pH > 8,3
Rouge	Bleu

La **figure 4.13** (page suivante) illustre les zones de virage (changement de couleur) et les couleurs de plusieurs autres indicateurs acidobasiques courants.

On choisit souvent les indicateurs acidobasiques lorsqu'on n'a pas besoin d'une lecture précise de pH. La prochaine section traitera d'une technique qui fait usage d'indicateurs acidobasiques : le titrage acide-base.

▶ **Figure 4.12**
Le tournesol : un indicateur couramment utilisé
On utilise souvent le papier de tournesol pour déterminer approximativement le caractère acide ou basique d'une substance. L'échantillon de sol à gauche fait virer au bleu le tournesol rouge : il est donc basique. L'échantillon de droite fait virer au rouge le tournesol bleu : il est donc acide.

Sol alcalin   Sol acide

▼ **Figure 4.13   Zones de virage et couleurs de plusieurs indicateurs courants**
Le pK_a de chaque indicateur correspond à la partie centrale de la zone de virage.

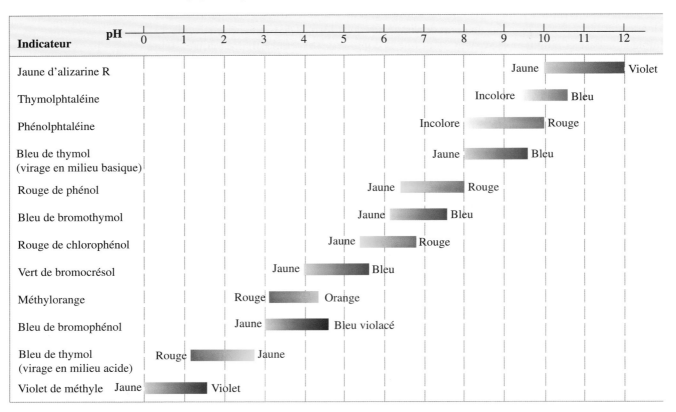

Les systèmes tampons du sang

Les tampons sont d'une extrême importance dans le sang et les liquides corporels. Les cellules des organismes vivants doivent maintenir un pH adéquat pour effectuer les processus physiologiques essentiels, surtout parce que la fonction enzymatique (section 2.11, page 102) est nettement dépendante du pH. La valeur normale du pH dans le plasma sanguin est de 7,4. Des variations prolongées de quelques dixièmes d'unité de pH peuvent causer des maladies graves ou la mort.

L'acidose, une pathologie dans laquelle le pH sanguin diminue, peut être causée par une insuffisance cardiaque, une insuffisance rénale, le diabète sucré, une diarrhée persistante, un régime prolongé riche en protéines ou d'autres facteurs. Un exercice violent pendant une longue durée peut causer une acidose temporaire.

L'alcalose, caractérisée par une augmentation du pH sanguin, peut résulter de vomissements importants, d'une hyperventilation (respiration excessive, quelquefois causée par l'anxiété ou l'hystérie) ou du mal d'altitude. Des échantillons de sang artériel prélevés chez des alpinistes, qui ont atteint le sommet du mont Everest (8848 m) sans oxygène d'appoint, avaient des valeurs de pH entre 7,7 et 7,8. Cette alcalose était due à l'hyperventilation ; pour compenser les pressions partielles très faibles de O_2 à cette altitude (environ 5,7 kPa par rapport à 21,2 kPa au niveau de la mer), l'alpiniste est obligé de respirer extrêmement rapidement.

Le sang humain a un fort pouvoir tampon : l'addition de 0,01 mol de HCl à un litre de sang fait à peine diminuer le pH, celui-ci passant de 7,4 à 7,2. Par contre, la même quantité de HCl ajoutée à une solution saline (NaCl) isotonique avec le sang abaisse beaucoup le pH, le faisant passer de 7,0 à 2,0. La solution saline ne possède aucun pouvoir tampon.

Plusieurs tampons participent à la régulation du pH sanguin. Le plus important, peut-être, est le système HCO_3^- (ion bicarbonate) et H_2CO_3 (acide carbonique). [Dans ce système, on traite le $CO_2(g)$ comme s'il était complètement transformé en H_2CO_3, et on ne considère que la première ionisation de l'acide diprotique H_2CO_3.]

$$H_2CO_3 + H_2O \rightleftharpoons H_3O^+ + HCO_3^- \qquad (1)$$

Le dioxyde de carbone passe des tissus au sang comme déchet des réactions métaboliques. Dans les poumons, $CO_2(g)$ est remplacé par $O_2(g)$, qui est transporté par le sang dans tout l'organisme.

Les tampons du sang doivent être capables de neutraliser un excès d'acidité, notamment l'acide lactique produit au cours d'un exercice. Une concentration relativement élevée de HCO_3^- joue un rôle à cet égard ; les ions bicarbonate réagissent avec l'excès d'acide pour inverser la réaction d'ionisation de l'équation (1).

L'excès d'alcalinité est beaucoup moins courant que l'excès d'acidité. S'il survient toutefois, les poumons peuvent alors produire plus de H_2CO_3 en réabsorbant du $CO_2(g)$ pour accroître le contenu du sang en H_2CO_3.

$$CO_2(g) + H_2O(l) \rightleftharpoons H_2CO_3(aq)$$

H_2CO_3 s'ionise alors au besoin pour neutraliser l'excès de base. C'est pourquoi on suggère aux personnes souffrant d'hyperventilation de respirer dans un sac afin d'inspirer le CO_2 produit par l'expiration.

Les autres tampons du sang comprennent le système dihydrogénophosphate ($H_2PO_4^-$) /hydrogénophosphate (HPO_4^{2-}).

$$H_2PO_4^- + H_2O \longrightarrow H_3O^+ + HPO_4^{2-} \qquad (2)$$

HPO_4^{2-} réagit avec l'excès d'acidité dans la réaction inverse de la réaction (2). Un excès de base qui entre dans le sang peut être neutralisé partiellement par la réaction avec $H_2PO_4^-$.

Quelques protéines plasmatiques agissent aussi comme tampons. Les groupements $—COO^-$ portés par les molécules de protéines peuvent réagir avec l'acide en excès.

$$—COO^- + H_3O^+ \longrightarrow —COOH + H_2O$$

Les groupements $—NH_3^+$ des molécules de protéines peuvent neutraliser l'excès de base.

$$—NH_3^+ + OH^- \longrightarrow —NH_2 + H_2O$$

Les systèmes tampons du sang effectuent un travail remarquable pour maintenir le pH sanguin à 7,4. Toutefois, si le métabolisme normal fait défaut, ils peuvent perdre leur efficacité.

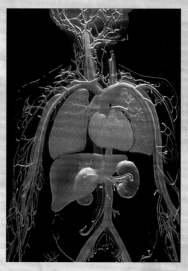

Le sang est bien tamponné. Chez l'être humain, il se maintient à un pH de 7,4 dans la circulation.

EXEMPLE 4.20 **Un exemple conceptuel**

Expliquez les changements de couleur de l'indicateur *bleu de thymol* que produisent les ajouts illustrés par les photos ci-dessous.

a) Quelques gouttes de bleu de thymol sont ajoutées à du HCl(aq). *Couleur de la solution après l'addition : rouge.*

b) Une quantité d'acétate de sodium est ajoutée à la solution *a*. *Couleur de la solution après l'addition : jaune.*

c) Une petite quantité d'hydroxyde de sodium est ajoutée à la solution *b*. *Couleur de la solution après l'addition : jaune.*

d) Une quantité plus grande d'hydroxyde de sodium est ajoutée à la solution *c*. *Couleur de la solution après l'addition : bleue.*

➜ Analyse et conclusion

a) La couleur rouge de l'indicateur signale que la solution est fortement acide : pH < 1,2 (voir la figure 4.13). HCl est complètement ionisé.

$$HCl + H_2O \longrightarrow H_3O^+ + Cl^-$$

b) La couleur jaune signale que le pH s'est élevé à plus de 3,0. Il correspond à $[H_3O^+] < 1 \times 10^{-3}$. La réaction entre l'excès d'ions acétate et H_3O^+ (réactif limitant) est presque complète.

$$\underset{\text{(Provenant de HCl)}}{H_3O^+} + \underset{\text{(Provenant de CH}_3\text{COONa)}}{CH_3COO^-} \longrightarrow CH_3COOH + H_2O$$

La solution résultante est composée d'un acide faible, CH_3COOH, et de sa base conjuguée, CH_3COO^-. C'est une solution tampon dont le pH est égal à $pK_a = 4,74$.

c) La petite quantité de NaOH ajoutée est neutralisée par l'acide faible.

$$CH_3COOH + OH^- \longrightarrow H_2O + CH_3COO^-$$

Cette réaction ne produit qu'une petite variation dans le rapport $[CH_3COO^-]/[CH_3COOH]$ et des variations mineures correspondantes de $[H_3O^+]$ et du pH. La couleur de la solution demeure jaune.

d) La quantité de NaOH ajoutée est suffisante pour neutraliser tout le CH_3COOH dans le tampon. Le pouvoir tampon a été dépassé, et l'effet tampon est annulé. Les OH^- qui n'ont pas réagi élèvent le pH à une valeur supérieure à 9,6, point où l'indicateur bleu de thymol a une couleur bleue.

$$CH_3COOH + \underset{\text{(Excès)}}{OH^-} \longrightarrow H_2O + CH_3COO^-$$

EXERCICE 4.20 A

On sait qu'une solution possède l'une des compositions suivantes : **a)** NH_4Cl 1,00 mol/L ; **b)** NH_4Cl 1,00 mol/L / NH_3 1,00 mol/L ; **c)** HCl 1,00 mol/L / HNO_3 1,00 mol/L ; **d)** CH_3COOH 1,00 mol/L / CH_3COONa 1,00 mol/L. On lui ajoute quelques gouttes de l'indicateur vert de bromocrésol qui produit une couleur verte (figure 4.13, page 214). Quelle(s) solution(s) cette observation nous permet-elle d'éliminer ? Quel autre test simple qui met en jeu un acide ou une base courants en laboratoire nous permettrait également de répondre à la question ?

EXERCICE 4.20 B

Supposons que la solution de la figure *b* de l'exemple 4.20 est constituée de 100,0 mL d'un tampon dans lequel $[CH_3COOH] = [CH_3COO^-] = 0,200$ mol/L. Approximativement combien de moles de NaOH, au minimum, faut-il ajouter pour que la couleur passe au bleu comme dans la figure *d* ? (*Indice* : Reportez-vous à la figure 4.13.)

4.10 Les réactions de neutralisation et les courbes de titrage

Jusqu'ici, nous avons examiné les propriétés et les interactions des acides et des bases en solution. Dans la présente section, nous nous pencherons sur les conditions et les applications d'une importante réaction acidobasique, la neutralisation.

Les réactions acidobasiques : la neutralisation

Dans la réaction d'un acide avec une base, appelée **neutralisation**, les caractéristiques de l'acide et de la base s'annulent, ou se neutralisent, l'une l'autre. L'acide et la base sont convertis en une solution aqueuse d'un composé ionique, appelé *sel*.

Si on utilise des formules conventionnelles pour l'acide et la base, on peut écrire une équation dite complète pour la réaction de neutralisation :

$$\underset{\text{Acide}}{HCl(aq)} + \underset{\text{Base}}{NaOH(aq)} \longrightarrow \underset{\text{Sel}}{NaCl(aq)} + \underset{\text{Eau}}{H_2O(l)}$$

> **Neutralisation**
>
> Réaction entre un acide et une base au cours de laquelle les caractéristiques des deux substances s'annulent réciproquement : l'acide et la base sont convertis en une solution aqueuse d'un composé ionique, appelé sel.

Toutefois, cette équation moléculaire n'est pas toujours la meilleure façon de représenter ce qui se passe. Pour montrer que les réactifs et un des produits de la réaction existent en tant qu'ions en solution, on peut écrire l'équation sous forme *ionique*.

$$\underset{\text{Acide}}{\underbrace{H_3O^+(aq) + Cl^-(aq)}} + \underset{\text{Base}}{\underbrace{Na^+(aq) + OH^-(aq)}} \longrightarrow \underset{\text{Sel}}{\underbrace{Na^+(aq) + Cl^-(aq)}} + \underset{\text{Eau}}{H_2O(l)}$$

Équation ionique nette

Équation qui représente les molécules et les ions prenant réellement part à une réaction, et qu'on obtient en éliminant les ions qui apparaissent inchangés des deux côtés de l'équation (les ions «spectateurs»).

Quand on élimine les ions «spectateurs» – ceux qui «ne participent pas à la réaction de neutralisation» et qui apparaissent intacts des deux côtés de l'équation ionique –, on s'aperçoit que l'équation se réduit à une forme simple, appelée **équation ionique nette**. Dans l'équation précédente, Na^+ et Cl^- sont des ions spectateurs, puisqu'ils proviennent respectivement d'une base forte (NaOH) et d'un acide fort (HCl). L'équation ionique nette est

$$H_3O^+(aq) + OH^-(aq) \longrightarrow 2\ H_2O(l)$$

Cette forme d'équation permet de comprendre la nature de la neutralisation : les ions H_3O^+ et OH^- se combinent pour former de l'eau. En général, elle représente l'essentiel de la réaction. Si les ions spectateurs dans une réaction de neutralisation appartiennent à un sel soluble, ils restent en solution. Si on fait évaporer toute la solution, on obtient un sel pur, par exemple NaCl (sel de table).

EXEMPLE **4.21**

Le nitrate de baryum sert à produire la couleur verte dans les feux d'artifice. On peut le fabriquer en faisant réagir l'acide nitrique avec l'hydroxyde de baryum. Écrivez **a)** une équation complète[*] ; **b)** une équation ionique ; **c)** une équation ionique nette de cette réaction de neutralisation.

➔ Solution

a) Écrivons les formules chimiques des substances qui participent à la réaction et équilibrons l'équation.

Acide nitrique	Hydroxyde de baryum	Nitrate de baryum	Eau

$$HNO_3(aq) \quad + \quad Ba(OH)_2(aq) \longrightarrow Ba(NO_3)_2(aq) \quad + \quad H_2O(l)$$
$$\textit{(non équilibrée)}$$

$$2\ HNO_3(aq) \quad + \quad Ba(OH)_2(aq) \longrightarrow Ba(NO_3)_2(aq) \quad + \quad 2\ H_2O(l)$$
$$\textit{(équilibrée)}$$

b) Puis, représentons les électrolytes forts par les formules de leurs ions, et l'eau, un non-électrolyte, par sa formule moléculaire.

Acide fort	Base forte	Sel	Eau

$$2\ H_3O^+(aq) + 2\ NO_3^-(aq) + Ba^{2+}(aq) + 2\ OH^-(aq) \longrightarrow Ba^{2+}(aq) + 2\ NO_3^-(aq) + 4\ H_2O(l)$$

c) Éliminons les ions spectateurs (Ba^{2+} et NO_3^-) de la réaction ionique.

$$2\ H_3O^+(aq) + \cancel{2\ NO_3^-(aq)} + \cancel{Ba^{2+}(aq)} + 2\ OH^-(aq)$$
$$\longrightarrow \cancel{Ba^{2+}(aq)} + \cancel{2\ NO_3^-(aq)} + 4\ H_2O(l)$$

Nous obtenons l'équation

$$2\ H_3O^+(aq) + 2\ OH^-(aq) \longrightarrow 4\ H_2O(l)$$

ou, plus simplement,

$$H_3O^+(aq) + OH^-(aq) \longrightarrow 2\ H_2O(l)$$

EXERCICE 4.21 A

L'hydroxyde de calcium est utilisé pour neutraliser les rejets industriels d'acide chlorhydrique. Écrivez **a)** une équation complète ; **b)** une équation ionique ; **c)** une équation ionique nette pour cette neutralisation.

RÉSOLUTION DE PROBLÈMES

Dans l'équation équilibrée en *a*, on remarque 2 H_2O(l) dans les produits alors que, en *b* et dans les deux premières équations en *c*, on note plutôt 4 H_2O(l) dans les produits. Cette différence vient du fait que, en *a*, on considère que les ions H^+ (2 HNO_3) et OH^- (Ba(OH)$_2$) s'unissent pour former H_2O alors que, en *b* et en *c*, on considère plutôt que ce sont les ions H_3O^+ et OH^- qui s'unissent pour former 2 H_2O(l).

---

[*] L'équation complète est souvent appelée *équation moléculaire,* mais ce terme est trompeur. De nombreuses formules écrites dans ces équations, par exemple NaCl(aq), représentent des entités formulaires de composés ioniques, et non des molécules réelles.

Écrivez **a)** une équation complète ; **b)** une équation ionique ; **c)** une équation ionique nette pour la réaction de neutralisation suivante :

$$KHSO_4(aq) + NaOH(aq) \longrightarrow ?$$

Les réactions acidobasiques : titrages

Dans la plupart des problèmes de stœchiométrie, on insiste sur le calcul de la quantité de produit formé à partir d'un réactif limitant et d'autres réactifs en excès. Par contraste, dans les réactions de neutralisation, on ne s'intéresse habituellement pas au produit de la réaction, mais plutôt au mélange de réactifs (un acide et une base) dans des proportions *stœchiométriques*. L'opération par laquelle on combine deux réactifs en solution dans des proportions stœchiométriques est appelée **titrage**. Le vinaigre peut contenir de 4 à 10 % d'acide acétique. On peut déterminer la quantité exacte d'acide acétique dans un vinaigre donné par titrage avec une base de concentration connue.

On peut se servir des titrages pour déterminer les concentrations des acides et des bases dans des solutions « inconnues », par exemple la concentration de H_2SO_4, dans un accumulateur. On peut également avoir recours aux titrages pour déterminer les concentrations des solutions déjà préparées avec précision. Par exemple, on ne peut pas simplement dissoudre 1,000 mol de NaOH (40,00 g de NaOH), dans 1,000 L de solution aqueuse pour préparer du NaOH 1,000 mol/L. Dans la forme où on l'utilise habituellement, NaOH n'est généralement pas très pur et il absorbe de l'eau (c'est-à-dire qu'il est un composé hygroscopique).

L'instrument principal dans un titrage est la **burette**, un long tube de verre gradué conçu pour débiter des volumes précis d'une solution au moyen d'un robinet d'arrêt. Lors d'un titrage, on place la solution d'un des réactifs, appelé **titrant**, dans la burette. On verse dans une fiole conique la solution de l'autre réactif à laquelle on ajoute quelques gouttes d'une solution d'un indicateur acidobasique. On laisse s'écouler le titrant de la burette dans la fiole conique, où une réaction de neutralisation a lieu. Examinons la technique de titrage illustrée dans la **figure 4.14**.

a) À l'aide d'une pipette, on instille, dans une fiole conique contenant une certaine quantité d'eau, un volume de HCl(aq) mesuré avec précision. Puis on ajoute quelques gouttes d'une solution de phénolphtaléine, un indicateur acidobasique. La solution est incolore, ce qui signifie qu'elle est acide (voir la figure 4.13).

Les médecins « titrent » parfois les symptômes d'une maladie à l'aide d'un médicament. Ils administrent des quantités croissantes de celui-ci jusqu'à ce que la réaction voulue se manifeste. Dans son livre La vitamine C contre le rhume, *Linus Pauling recommande de titrer un rhume à l'aide de cette vitamine. Le malade doit prendre de la vitamine C en doses croissantes jusqu'à la disparition des symptômes. Heureusement, les points de virage dans un titrage acide-base sont beaucoup plus faciles à déceler que ceux d'un titrage médical.*

Titrage

Technique de laboratoire consistant à combiner deux réactifs en solution dans des proportions stœchiométriques.

Burette

Long tube gradué en verre muni d'un robinet d'arrêt, utilisé pour le titrage et servant à débiter des volumes précis de solution.

Titrant

Solution d'un réactif, de concentration et de composition connues, utilisée lors d'un titrage.

▼ **Figure 4.14**
La technique du titrage
Les étapes de la technique représentée dans les photographies sont décrites dans le texte.

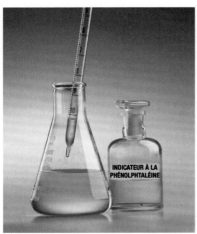

(a) (b) (c)

Point d'équivalence

Dans un titrage, point auquel les deux réactifs ont été introduits dans un mélange réactionnel selon leurs proportions stœchiométriques, c'est-à-dire point auquel l'acide et la base sont tout juste neutralisés.

b) On laisse s'écouler dans la fiole conique le NaOH(aq) contenu dans la burette. HCl est en excès et NaOH est le réactif limitant tant que HCl n'a pas été complètement neutralisé. La solution demeure incolore, ce qui indique qu'elle est encore acide.

c) Lorsque l'acide est tout juste neutralisé, c'est-à-dire lorsqu'il a atteint son **point d'équivalence**, HCl et NaOH sont dans des proportions stœchiométriques. Si l'on instille alors une goutte additionnelle de NaOH(aq), la solution devient légèrement basique, et l'indicateur vire au rose pâle. On arrête le titrage et on note le volume de la solution qui s'est écoulée de la burette.

Pour faire un titrage efficace, on doit utiliser un indicateur qui change de couleur au point d'équivalence.

Étudions maintenant comment organiser les données recueillies lors d'un titrage afin d'effectuer quelques calculs. Pour ce faire, nous aurons recours à l'équation décrivant la réaction de neutralisation.

EXEMPLE 4.22

Quel volume de NaOH 0,2010 mol/L est nécessaire pour neutraliser 20,00 mL de HCl 0,1030 mol/L lors d'un titrage acide-base?

➡ Stratégie

Pour résoudre ce problème, il faut suivre quatre étapes:

1. Écrire une équation qui décrit la neutralisation et obtenir le facteur stœchiométrique qui relie les moles de NaOH et de HCl.

2. Déterminer le nombre de moles de HCl qu'il faut neutraliser.

3. Trouver le nombre de moles de NaOH requis pour la neutralisation.

4. Déterminer le volume de solution qui contient ce nombre de moles de NaOH.

➡ Solution

Appliquons maintenant ces étapes.

1 L'équation moléculaire qui représente la réaction est

$$NaOH(aq) + HCl(aq) \longrightarrow NaCl(aq) + H_2O(l)$$

À partir de cette équation, nous pouvons exprimer l'équivalence stœchiométrique entre les réactifs

1 mol de NaOH réagit avec 1 mol de HCl

2 Nous obtenons le nombre de moles de HCl à titrer en multipliant la concentration molaire volumique de HCl(aq) (0,1030 mol HCl/L) par le volume (0,020 00 L).

$$? \text{ mol de HCl} = \frac{0,1030 \text{ mol de HCl}}{1 \text{ L de HCl (aq)}} \times 0,020\,00 \text{ L de HCl (aq)}$$

$$= 0,002\,060 \text{ mol de HCl}$$

3 Sachant qu'une mole de HCl réagit avec une mole de NaOH, nous en déduisons qu'il faut 0,002 060 mol de NaOH pour réaliser le titrage.

4 La concentration molaire volumique de la solution de NaOH utilisée est de 0,2010 mol/L. Le volume nécessaire de cette solution à ajouter est donc

$$V_{NaOH} = \frac{n_{NaOH}}{c_{NaOH}} = \frac{0,002\,060 \text{ mol}}{0,2010 \text{ mol/L}} = 1,025 \times 10^{-2} \text{ L ou } 10,25 \text{ mL}$$

➜ Évaluation

Par cette démonstration détaillée, nous faisons ressortir qu'il faut un nombre équivalent de moles d'acide et de base pour effectuer la neutralisation (voir le point 3). Le nombre de moles étant le produit de la concentration molaire volumique par le volume (voir le point 2), nous pouvons formuler l'équation suivante.

$c_A V_A = c_B V_B$ où c_A et c_B correspondent respectivement aux concentrations molaires volumiques de l'acide et de la base, et V_A et V_B, aux volumes respectifs de l'acide et de la base au point de neutralisation.

La détermination du volume de la base NaOH nécessaire à la neutralisation devient

$$V_B = \frac{c_A V_A}{c_B} = \frac{0{,}1030 \text{ mol/L} \times 20{,}00 \text{ mL}}{0{,}2010 \text{ mol/L}} = 10{,}25 \text{ mL}$$

L'application intégrale de cette formule n'est toutefois possible que dans le cas d'une réaction entre un monoacide et une monobase. Dans le cas d'un polyacide ou d'une polybase, il faut considérer le nombre de moles d'ions H_3O^+ et d'ions OH^- libérés respectivement par l'acide et la base. L'exemple 4.23 illustre un problème de ce type.

EXERCICE 4.22 A

Quel volume de HBr(aq) 0,010 60 mol/L est nécessaire pour neutraliser 25,00 mL de KOH 0,015 80 mol/L ?

$$HBr(aq) + KOH(aq) \longrightarrow KBr(aq) + H_2O(l)$$

EXERCICE 4.22 B

On dissout un échantillon de 2,000 g d'une solution d'acide nitrique, HNO_3, à 20,0 % en masse dans une quantité d'eau et on titre. Quel volume de KOH(aq) 0,3580 mol/L est nécessaire pour le titrage ? On considère qu'au point d'équivalence une solution de KNO_3(aq) s'est formée.

EXEMPLE 4.23

Pour neutraliser un échantillon de 10,00 mL d'une solution aqueuse d'hydroxyde de calcium, il faut 23,30 mL de HNO_3(aq) 0,020 00 mol/L. Quelle est la concentration molaire volumique de la solution d'hydroxyde de calcium ?

➜ Stratégie

Pour obtenir la concentration de $Ca(OH)_2$(aq), nous devons déterminer combien de moles de $Ca(OH)_2$ sont consommées lors du titrage et diviser ce nombre par le volume de l'échantillon titré, soit 0,010 00 L ou 10,00 mL. Pour connaître le nombre de moles de $Ca(OH)_2$, nous pouvons procéder comme dans l'exemple 4.22.

➜ Solution

Commençons par équilibrer l'équation de la réaction.

$$2\,HNO_3(aq) \quad + \quad Ca(OH)_2(aq) \quad \longrightarrow \quad Ca(NO_3)_2(aq) \quad + \quad 2\,H_2O(l)$$
Acide nitrique   Hydroxyde de calcium   Nitrate de calcium   Eau

Pour obtenir le nombre de moles de HNO_3 utilisé, nous multiplions la concentration molaire volumique par le volume.

$$? \text{ mol de } HNO_3 = \frac{0{,}020\,00 \text{ mol de } HNO_3}{1 \text{ L de } HNO_3(aq)} \times 0{,}023\,30 \text{ L de } HNO_3(aq)$$

$$= 4{,}660 \times 10^{-4} \text{ mol de } HNO_3$$

Nous savons, selon l'équation équilibrée, que 2 moles de HNO_3 sont nécessaires pour neutraliser 1 mol de $Ca(OH)_2$.

Le nombre de moles de $Ca(OH)_2$ en solution est donc

$$? \text{ mol de } Ca(OH)_2 = 4,660 \times 10^{-4} \text{ mol de } \cancel{HNO_3} \times \frac{1 \text{ mol de } Ca(OH)_2}{2 \text{ mol de } \cancel{HNO_3}}$$

$$= 2,330 \times 10^{-4} \text{ mol de } Ca(OH)_2$$

Nous venons de calculer la quantité de $Ca(OH)_2$ qui se trouve dans un échantillon de 10,00 mL (0,010 00 L). Nous pouvons alors utiliser la définition de la concentration molaire volumique pour écrire

$$\text{Concentration molaire volumique} = \frac{2,330 \times 10^{-4} \text{ mol de } Ca(OH)_2}{0,010\ 00 \text{ L}} = 0,023\ 30 \text{ mol/L de } Ca(OH)_2$$

Il aurait également été possible d'utiliser l'équation $c_A V_A = c_B V_B$, où

$$c_B = \frac{c_A V_A}{V_B} = \frac{0,020\ 00 \text{ mol/L} \times 23,30 \text{ mL}}{10,00 \text{ mol/L}}$$

$$= 0,046\ 60 \text{ mol/L}$$

Toutefois, il ne faut pas oublier que 1 mol de HNO_3 réagit avec 2 mol de $Ca(OH)_2$. Nous devons donc diviser cette concentration par 2 :

$$\frac{0,046\ 60 \text{ mol/L}}{2} = 0,023\ 30 \text{ mol/L}$$

EXERCICE 4.23 A

Pour titrer 25,00 mL de $H_2SO_4(aq)$ de concentration inconnue, il faut 25,20 mL de $NaOH(aq)$ 0,1000 mol/L. Quelle est la concentration molaire volumique de $H_2SO_4(aq)$?

$$2\ NaOH(aq) + H_2SO_4(aq) \longrightarrow Na_2SO_4(aq) + 2\ H_2O(l)$$

EXERCICE 4.23 B

Quel volume de $NaOH(aq)$ 0,550 mol/L est nécessaire pour titrer un échantillon de 10,00 mL de vinaigre à 4,12 % en masse d'acide acétique, CH_3COOH ? Considérez que la masse volumique du vinaigre est de 1,01 g/mL.

Point de virage

Dans un titrage, point auquel un indicateur change de couleur.

Courbe de titrage

Graphique du pH d'une solution titrée en fonction du volume de titrant, qui est ajouté au moyen d'une burette.

Lors du titrage, le point auquel un indicateur change de couleur est appelé le **point de virage** de l'indicateur, et le truc consiste à le faire coïncider avec le point d'équivalence de la neutralisation. Il faut plus précisément un indicateur dont le changement de couleur se produit dans un intervalle de pH qui englobe le pH du point d'équivalence.

Pour bien faire correspondre le point de virage de l'indicateur et le point d'équivalence d'une réaction de neutralisation, on trace une **courbe de titrage**, un graphique du pH de la solution titrée en fonction du volume de titrant, cette solution qu'on ajoute à l'aide de la burette. Il est possible de mesurer le pH au moyen d'un pH-mètre, raccordé à un enregistreur qui peut tracer automatiquement la courbe de titrage. Un peu plus loin dans la présente section, nous examinons deux types de courbes de titrage et nous calculons le pH attendu à quelques points caractéristiques de leur tracé. Ces calculs nous permettent de revoir certains équilibres acidobasiques présentés précédemment dans ce chapitre.

Lors d'un titrage typique, le volume du titrant est inférieur à 50 mL, et sa concentration molaire volumique est généralement inférieure à 1 mol/L. La quantité caractéristique de H_3O^+ ou de OH^- qu'on ajoute à l'aide d'une burette n'est que de quelques millièmes de mole, par exemple $2,00 \times 10^{-3}$ mol. Pour éviter les calculs comportant de nombreux termes exponentiels, on utilise comme unité la millimole (mmol) plutôt que la mole. Puisque 1 mmol est égale à 0,001 mol, on obtient les millimoles en divisant les moles par 1000. On obtient également les millilitres en divisant les litres par 1000. Il en découle une nouvelle définition de la concentration molaire volumique :

$$\frac{mol}{L} = \frac{mol/1000}{L/1000} = \frac{mmol}{mL}$$

Par conséquent, une solution de HCl à 0,500 mol/L contient 0,500 mol de HCl par litre de solution ou 0,500 mmol de HCl par millilitre de solution.

Le titrage d'un acide fort par une base forte

Supposons qu'on a 20,00 mL de HCl 0,500 mol/L, un acide fort, dans une fiole conique et qu'on y ajoute lentement du NaOH 0,500 mol/L, une base forte. Afin de déterminer les données qui permettront de tracer la courbe de titrage, on peut calculer le pH de la solution à différents points lors de la manipulation. On peut alors placer sur le graphique ces valeurs de pH en fonction du volume de NaOH(aq) ajouté. À partir de la courbe, on peut établir le pH au point d'équivalence et trouver un indicateur approprié pour ce titrage. Ce type de titrage est appelé **titrage potentiométrique**.

Dans l'exemple 4.24, nous calculons quatre points représentatifs sur la courbe de titrage. Dans l'exercice 4.24A, nous nous intéressons à la région qui se trouve près du point d'équivalence afin d'illustrer l'élévation brusque du pH en fonction du volume de titrant ajouté.

Titrage potentiométrique

Titrage d'un acide par une base (ou d'une base par un acide), consistant à déterminer le pH au point d'équivalence au moyen d'une courbe de titrage, tracée à l'aide des valeurs du pH en fonction du volume de la base (ou de l'acide).

EXEMPLE 4.24

Calculez le pH des points suivants lors du titrage de 20,00 mL de HCl 0,500 mol/L par NaOH 0,500 mol/L.

$$H_3O^+ + Cl^- + Na^+ + OH^- \longrightarrow Na^+ + Cl^- + 2\ H_2O$$

a) Avant de commencer l'addition de NaOH (*le pH initial*).

b) Après l'addition de 10,00 mL de NaOH 0,500 mol/L (*le point de demi-neutralisation*). La moitié du HCl initial est neutralisé ; il en reste la moitié.

c) Après l'addition de 20,00 mL de NaOH 0,500 mol/L (*le point d'équivalence*). Ni l'acide ni la base ne sont en excès.

d) Après l'addition de 20,20 mL de NaOH 0,500 mol/L (*après le point d'équivalence*). Le titrant est en excès.

➜ Stratégie

a) Avant l'addition du NaOH(aq), la solution de HCl(aq) a une concentration de 0,500 mol/L. Nous calculons son pH par la méthode habituelle. C'est le *point initial* du titrage.

b) Lorsque 10,00 mL de la solution de NaOH(aq) 0,500 mol/L ont été ajoutés, la moitié du HCl a été neutralisée. Nous utilisons les calculs à l'équilibre, pour déterminer la quantité restante de H_3O^+ puis, à partir de la concentration de H_3O^+, nous calculons le pH. C'est le *point de demi-neutralisation*.

c) La réaction de neutralisation est complète lorsque HCl et NaOH ont été mis en contact selon les proportions stœchiométriques. Le pH est celui du NaCl(aq) produit. C'est le *point d'équivalence* du titrage.

d) Au-delà du point d'équivalence, les ions OH⁻ sont en excès et la solution est basique ; mais les calculs sont semblables à ceux de la partie *b*, excepté que maintenant nous devons transformer la concentration des ions OH⁻ en pOH et ensuite en pH.

➔ Solution

a) Puisqu'il s'agit d'un acide fort, HCl s'ionise complètement. Par conséquent, dans la solution initiale, $[H_3O^+] = 0{,}500$ mol/L, et

$$\text{pH} = -\log [H_3O^+] = -\log (0{,}500) = 0{,}301$$

b) Nous trouvons la quantité totale de H_3O^+ à titrer de la façon suivante.

$$20{,}00 \text{ mL} \times 0{,}500 \text{ mmol de } H_3O^+/\text{mL} = 10{,}0 \text{ mmol de } H_3O^+$$

La quantité de OH⁻ dans 10,00 mL de NaOH 0,500 mol/L est

$$10{,}00 \text{ mL} \times 0{,}500 \text{ mmol de } OH^-/\text{mL} = 5{,}00 \text{ mmol de } OH^-$$

Nous pouvons représenter la progression de la réaction de neutralisation de la façon suivante.

La réaction	H_3O^+	$+$	OH^-	$\longrightarrow$	$2 H_2O$
Quantités initiales (mmol)	10,0		≈ 0		
Ajout (mmol)			5,00		
Modifications (mmol)	$-5{,}00$		$-5{,}00$		
Après la réaction (mmol)	5,0		≈ 0		

Le volume total est de 20,00 mL + 10,00 mL = 30,00 mL, et

$$[H_3O^+] = \frac{5{,}0 \text{ mmol de } H_3O^+}{30{,}00 \text{ mL}} = 0{,}17 \text{ mol/L}$$

$$\text{pH} = -\log [H_3O^+] = -\log 0{,}17 = 0{,}77$$

c) Au point d'équivalence, nous avons une solution de NaCl(aq), sans plus. Puisque ni Na⁺ ni Cl⁻ ne s'hydrolysent, le pH est fixé par l'eau, et la solution a un pH égal à 7,00.

d) La quantité de OH⁻ dans 20,20 mL de NaOH 0,500 mol/L est

$$20{,}20 \text{ mL} \times \frac{0{,}500 \text{ mmol de } OH^-}{1 \text{ mL}} = 10{,}1 \text{ mmol de } OH^-$$

Encore là, nous pouvons représenter la progression de la neutralisation comme suit.

La réaction	H_3O^+	$+$	OH^-	$\longrightarrow$	$2 H_2O$
Quantités initiales (mmol)	10,0		≈ 0		
Ajout (mmol)			10,1		
Modifications (mmol)	$-10{,}0$		$-10{,}0$		
Après la réaction (mmol)	≈ 0		0,1		

Nous pouvons calculer la concentration de OH⁻, le pOH et le pH de la façon suivante.

$$[OH^-] = \frac{0{,}1 \text{ mmol}}{(20{,}00 + 21{,}00) \text{ mL}} = 0{,}002 \text{ mol/L}$$

$$\text{pOH} = -\log [OH^-] = -\log 0{,}002 = 2{,}7$$

$$\text{pH} = 14{,}00 - \text{pOH} = 14{,}00 - 2{,}7 = 11{,}3$$

EXERCICE 4.24 A

Pour le titrage décrit dans l'exemple 4.24, déterminez le pH après l'addition des volumes suivants de NaOH 0,500 mol/L : **a)** 19,90 mL ; **b)** 19,99 mL ; **c)** 20,01 mL ; **d)** 20,10 mL.

Lors du titrage de 25,00 mL de NaOH 0,220 mol/L, quel est le pH de la solution après l'addition de 8,10 mL de HCl 0,252 mol/L ?

La **figure 4.15** illustre les caractéristiques de la courbe de titrage dans le cas d'un *acide fort* et d'une *base forte*.

- Le pH est *faible* au début du titrage, parce que la concentration de l'acide fort est maximale.

- Le pH change lentement au fur et à mesure que l'on tend vers le point d'équivalence, puisque la base ajoutée neutralise de plus en plus l'acide présent.

- Juste avant le point d'équivalence, le pH s'élève brusquement. Comme il ne reste pratiquement plus d'acide en solution, l'ajout d'une base forte a désormais un effet très important sur le pH.

- Au point d'équivalence, le pH est de 7,00 puisque le sel formé de l'acide conjugué d'une base forte et de la base conjuguée d'un acide fort ne s'hydrolyse pas. Il n'influe donc pas sur le pH.

- Juste après le point d'équivalence, le pH continue de s'élever rapidement.

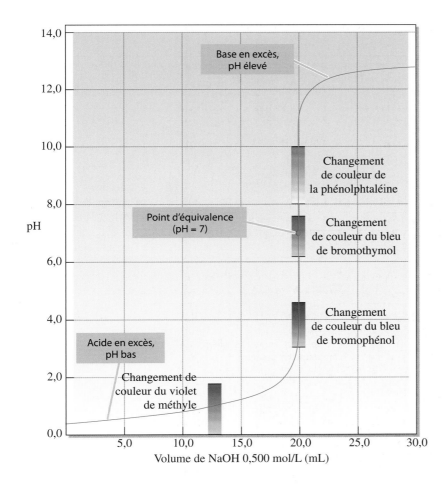

◀ Figure 4.15
Courbe de titrage d'un acide fort par une base forte : 20,00 mL de HCl 0,500 mol/L par NaOH 0,500 mol/L

Tout indicateur qui change de couleur dans la portion verticale de la courbe est adéquat pour le titrage. Le violet de méthyle change de couleur trop rapidement pour être utilisé dans cet exemple de titrage.

- En s'éloignant du point d'équivalence, le pH continue d'augmenter, mais beaucoup plus lentement.

- Pour le titrage d'un acide fort par une base forte, on peut utiliser tout indicateur dont la couleur change dans l'intervalle de pH entre 4 et 10.

Le titrage d'un acide faible par une base forte

Si on utilise la même base forte pour titrer deux solutions différentes de concentration molaire volumique égale (un acide fort et un acide faible), on obtient des courbes de titrage qui ont deux caractéristiques communes : (1) le volume de base requis pour atteindre le point d'équivalence est le même ; (2) les courbes *après* les points d'équivalence sont sensiblement les mêmes. Cependant, il y a certaines différences importantes, comme le montre la **figure 4.16**.

Contrairement à la courbe de titrage d'un acide fort par une base forte, la courbe de titrage d'un acide faible par une base forte possède les caractéristiques suivantes :

- Le pH initial est plus élevé, parce que l'acide faible n'est que partiellement ionisé.

- Au point de demi-neutralisation, pH = pK_a. À ce point, la solution est un tampon dans lequel les concentrations de l'acide faible et de sa base conjuguée (l'anion) sont égales. Le pouvoir tampon y est donc maximal.

- Au point d'équivalence, le pH est plus grand que 7, parce que la base conjuguée de l'acide faible s'hydrolyse.

- La partie abrupte de la courbe de titrage, juste avant et après le point d'équivalence, est restreinte à un intervalle de pH plus petit.

Le point de demi-neutralisation correspond au point de la courbe où on a ajouté la moitié du volume de titrant nécessaire pour atteindre le point d'équivalence.

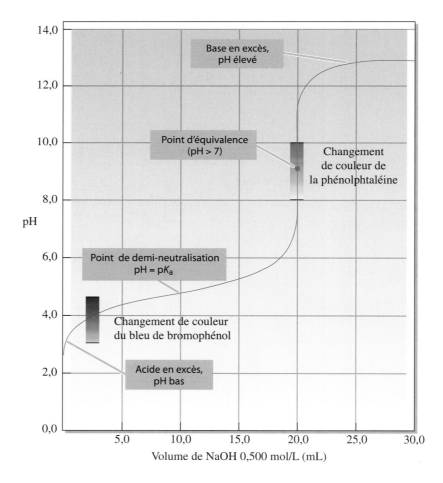

▶ **Figure 4.16**
Courbe de titrage d'un acide faible par une base forte : 20,00 mL de CH$_3$COOH 0,500 mol/L par NaOH 0,500 mol/L

Pour ce titrage, on peut utiliser la phénolphtaléine comme indicateur ; le bleu de bromophénol n'est pas adéquat. Quand exactement la moitié de l'acide est neutralisée, [CH$_3$COOH] = [CH$_3$COO$^-$] et pH = pK_a = 4,74.

- Le choix d'indicateurs pour le titrage est plus limité. Le changement de couleur doit avoir lieu en solution basique. Généralement, le point milieu de l'intervalle du pH dans lequel l'indicateur change de couleur doit être bien au-dessus de pH 7.

Il est donc important de noter que le pH au point d'équivalence ne dépend pas de la concentration de l'acide titré, mais de sa constante d'acidité, K_a. Toutefois, c'est la concentration de l'acide, et non sa constante d'acidité, K_a, qui détermine le volume de titrant nécessaire à la neutralisation. La **figure 4.17** illustre ces caractéristiques.

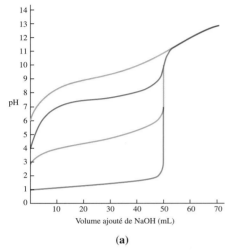

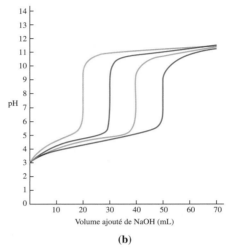

(a)

(b)

Courbe jaune : HCN	$K_a = 6{,}2 \times 10^{-10}$
Courbe bleue : HOCl	$K_a = 2{,}8 \times 10^{-8}$
Courbe verte : CH₃COOH	$K_a = 1{,}8 \times 10^{-5}$
Courbe rouge : acide fort	

Courbe rouge : CH₃COOH	0,100 mol/L
Courbe verte : CH₃COOH	0,080 mol/L
Courbe bleue : CH₃COOH	0,060 mol/L
Courbe jaune : CH₃COOH	0,040 mol/L

◀ **Figure 4.17**
Courbes de titrage

(a) Différents acides à des concentrations de 0,100 mol/L titrés par NaOH 0,100 mol/L. Le pH au point d'équivalence dépend de la constante d'acidité de l'acide titré.
(b) CH₃COOH à différentes concentrations titré par NaOH 0,100 mol/L. Le volume de titrant au point d'équivalence est influencé par la concentration de l'acide et non par sa constante d'acidité.

Les calculs de l'exemple 4.25 permettront d'expliquer certains de ces points. La **figure 4.18** montre que tous les types de calculs que nous avons employés dans ce chapitre sont requis pour tracer la courbe de titrage d'un acide faible par une base forte.

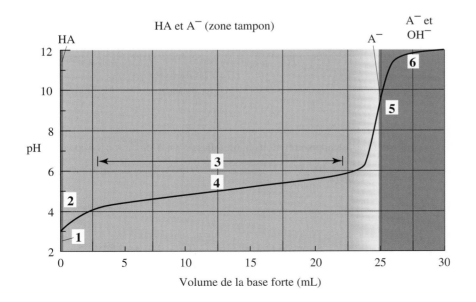

◀ **Figure 4.18 Résumé des types de calculs d'équilibre pour la courbe de titrage d'un acide faible par une base forte**

Les *six* types de calculs requis pour élaborer le graphique sont :
1. Le pH initial : l'ionisation d'un acide faible.
2. Les premières étapes du titrage : l'ionisation d'un acide faible limitée par un ion commun.
3. Dans l'intervalle du pH où pH = $pK_a \pm 1$: les solutions tampons (équation de Henderson-Hasselbalch).
4. Au point de demi-neutralisation : pH = pK_a.
5. Au point d'équivalence : l'hydrolyse d'un anion (base conjuguée d'un acide faible).
6. Au-delà du point d'équivalence : une base forte en solution aqueuse.

Calculez le pH pour chacun des points suivants de la courbe de titrage de 20,00 mL de CH$_3$COOH 0,500 mol/L par NaOH 0,500 mol/L.

$$CH_3COOH + Na^+ + OH^- \longrightarrow Na^+ + CH_3COO^- + H_2O$$

a) Avant de commencer l'addition de NaOH (*pH initial*).

b) Après l'addition de 8,00 mL de NaOH 0,500 mol/L (*zone tampon*).

c) Après l'addition de 10,00 mL de NaOH 0,500 mol/L (*point de demi-neutralisation*).

d) Après l'addition de 20,00 mL de NaOH 0,500 mol/L (*point d'équivalence*).

e) Après l'addition de 21,00 mL de NaOH 0,500 mol/L (*après le point d'équivalence*).

➔ **Stratégie**

a) Le pH initial est celui de la solution de CH$_3$COOH, 0,500 mol/L. Parce que l'acide est faible, nous devons faire les calculs à l'équilibre de [H$_3$O$^+$]. Le pH s'obtient directement de la [H$_3$O$^+$].

b) Des concentrations appréciables d'acide acétique et d'ion acétate sont présentes dans la zone tampon. Après un bref calcul stœchiométrique, nous pouvons utiliser l'équation de Henderson-Hasselbalch (4.10) pour déterminer le pH.

c) À ce point dans le titrage, l'acide faible est neutralisé à moitié et pH = pK_a.

d) Le pH au point d'équivalence est établi par l'hydrolyse de l'ion acétate (revoir l'exemple 4.14B).

e) Au-delà du point d'équivalence, nous avons une solution de CH$_3$COONa(aq) contenant un excès de OH$^-$. À partir de la concentration des ions OH$^-$, nous pouvons déterminer le pOH et ensuite le pH.

➔ **Solution**

a) Ce calcul est semblable à celui de l'exemple 4.6 (page 182), si ce n'est que l'acide est à 0,500 mol/L.

La réaction	CH$_3$COOH + H$_2$O $\rightleftharpoons$	H$_3$O$^+$	+ CH$_3$COO$^-$
Concentrations initiales (mol/L)	0,500	≈ 0	0
Modifications (mol/L)	$-x$	$+x$	$+x$
Concentrations à l'équilibre (mol/L)	$(0,500 - x)$	x	x

$$K_a = \frac{[H_3O^+][CH_3COO^-]}{[CH_3COOH]}$$

$$1,8 \times 10^{-5} = \frac{x \cdot x}{0,500 - x}$$

Nous pouvons faire les approximations habituelles, c'est-à-dire $x \ll 0,500$.

$$K_a = \frac{x^2}{0,500} = 1,8 \times 10^{-5}$$

$$x^2 = 9,0 \times 10^{-6}$$

$$x = [H_3O^+] = 3,0 \times 10^{-3}$$

$$pH = -\log[H_3O^+] = -\log(3,0 \times 10^{-3}) = 2,52$$

b) La quantité de CH$_3$COOH en solution est de

$$20,00 \text{ mL} \times \frac{0,500 \text{ mmol de CH}_3\text{COOH}}{1 \text{ mL}} = 10,00 \text{ mmol de CH}_3\text{COOH}$$

L'addition de 8,00 mL de NaOH 0,500 mol/L représente l'addition de

$$8,00 \; \text{mL} \times \frac{0,500 \; \text{mmol de OH}^-}{1 \; \text{mL}} = 4,00 \; \text{mmol de OH}^-$$

À ce point dans le titrage, nous avons les données suivantes.

La réaction	CH₃COOH	+ OH⁻	⟶	H₂O +	CH₃COO⁻
Quantités initiales (mmol)	10,0	≈ 0			≈ 0
Ajout (mmol)		4,00			
Modifications (mmol)	− 4,00	− 4,00			+ 4,00
Après la réaction (mmol)	6,0	≈ 0			4,0

L'approche la plus simple consiste à utiliser l'équation de Henderson-Hasselbalch, avec $pK_a = 4,74$, $[CH_3COO^-] = 4,0 \; \text{mmol}/(20,00 + 8,00) \; \text{mL}$ et $[CH_3COOH] = 6,0 \; \text{mmol}/(20,00 + 8,00) \; \text{mL}$.

$$pH = pK_a + \log \frac{[CH_3COO^-]}{[CH_3COOH]}$$

$$pH = 4,74 + \log \frac{(4,0/28,00)}{(6,0/28,00)}$$

$$pH = 4,74 + \log 0,67 = 4,74 - 0,17 = 4,57$$

RÉSOLUTION DE PROBLÈMES
Les unités de concentration dans l'expression logarithmique sont mmol/mL = mol/L. Cependant, il n'est pas nécessaire de les inclure ici puisqu'elles se trouvent dans un rapport et qu'elles s'annulent.

c) Au point où la moitié de l'acide a été neutralisée (point de demi-neutralisation), le titrage a progressé jusqu'à la situation suivante.

La réaction	CH₃COOH	+ OH⁻	⟶	H₂O +	CH₃COO⁻
Quantités initiales (mmol)	10,0	≈ 0			≈ 0
Ajout (mmol)		5,00			
Modifications (mmol)	− 5,00	− 5,00			+ 5,00
Après la réaction (mmol)	5,0	≈ 0			5,0

Puisque CH_3COOH et CH_3COO^- sont présents en quantités égales (5,0 mmol) dans le même volume total de 30,00 mL de solution, leurs concentrations sont égales, ce qui signifie que

$$pH = pK_a = 4,74$$

d) Au point d'équivalence, 10,0 mmol de CH_3COOH et 10,0 mmol de NaOH ont réagi pour produire 10,0 mmol de CH_3COONa dans 40,00 mL de solution (20,00 mL d'acide + 20,00 mL de base). La concentration molaire volumique de la solution est obtenue de la façon suivante.

$$\frac{10,0 \; \text{mmol de CH}_3\text{COONa}}{40,00 \; \text{mL}} = 0,250 \; \text{mol/L de CH}_3\text{COONa}$$

Dans l'exemple 4.14B (page 197), qui porte sur l'hydrolyse, nous avons calculé le pH de CH_3COONa 0,250 mol/L et avons trouvé pH = 9,08.

e) L'addition de 21,00 mL de NaOH 0,500 mol/L représente l'ajout de la quantité suivante.

$$21,00 \; \text{mL} \times \frac{0,500 \; \text{mmol de OH}^-}{1 \; \text{mL}} = 10,5 \; \text{mmol de OH}^-$$

RÉSOLUTION DE PROBLÈMES
Après le point d'équivalence, on peut déterminer la quantité de OH⁻ produite par CH_3COO^- à l'aide de l'équilibre
$CH_3COO^-(aq) + H_2O(l) \rightleftharpoons$
$CH_3COOH(aq) + OH^-(aq)$
On trouve alors que CH_3COO^- ne fournit que 1×10^{-8} mol/L de OH⁻, quantité négligeable par rapport à celle qui est déjà présente en solution et qui est de 0,01 mol/L.

Ce point se situe après le point d'équivalence, où nous avons les données suivantes.

La réaction	CH₃COOH	+ OH⁻	⟶	H₂O +	CH₃COO⁻
Quantités initiales (mmol)	10,0	≈ 0			≈ 0
Ajout (mmol)		10,5			
Modifications (mmol)	− 10,0	− 10,0			+ 10,0
Après la réaction (mmol)	≈ 0	0,5			10,0

L'ion acétate est une base faible par rapport à OH⁻. La concentration de l'ion hydroxyde est simplement

$$[OH^-] = \frac{0,5 \text{ mmol}}{20,00 + 21,00 \text{ mL}} = 0,01 \text{ mol/L}$$

$$pOH = -\log [OH^-] = -\log (1 \times 10^{-2}) = 2,0$$

$$pH = 14,00 - pOH = 14,00 - 2,0 = 12,0$$

EXERCICE 4.25 A

Pour le titrage décrit dans l'exemple 4.25, déterminez le pH après l'addition des volumes suivants de NaOH 0,500 mol/L : **a)** 12,50 mL ; **b)** 20,10 mL

EXERCICE 4.25 B

Dans un titrage semblable à celui de l'exemple 4.25, 20,00 mL d'une solution de NaOH 0,500 mol/L sont titrés par une solution de CH_3COOH(aq) 0,500 mol/L. Calculez le pH après l'addition des volumes de titrant suivants : **a)** 10,00 mL ; **b)** 20,00 mL ; **c)** 30,00 mL ; **d)** 40,00 mL. Tracez la courbe de titrage.

EXEMPLE 4.26 Un exemple conceptuel

La courbe de titrage ci-dessous met en jeu des solutions d'un acide et d'une base à 1,0 mol/L. Nommez le type de titrage que représente cette courbe.

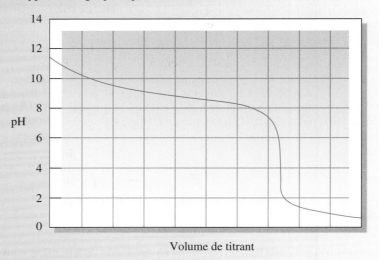

→ Analyse et conclusion

Nous pouvons examiner les caractéristiques de la courbe de titrage et en tirer certaines conclusions.

- Le pH est élevé au début et diminue durant le titrage. La solution titrée est donc une *base* ; le titrant est un *acide*.

- La base doit être une *base faible*. Le pH initial est d'environ 11,5, mais une base forte à 1,0 mol/L se dissocierait complètement, de sorte que $[OH^-] = 1,0$ mol/L, $[H_3O^+] = 1,0 \times 10^{-14}$ et pH = 14,00.

- Le pH au point d'équivalence est *inférieur à 7*. C'est le pH prévu pour l'hydrolyse d'un sel d'un *acide fort* et d'une *base faible*.

- Après le point d'équivalence, le pH diminue à une valeur très basse (pH < 1), ce qui porte à croire de nouveau que le titrant est un *acide fort*.

À partir de ces observations, nous concluons que la courbe représente le titrage d'une *base faible* par un *acide fort*.

EXERCICE 4.26 A

Pour le titrage décrit dans l'exemple 4.26 : **a)** estimez la valeur de K_b de la base faible ; **b)** obtenez une valeur du pH au point d'équivalence à l'aide de calculs et d'estimations faits à partir de la courbe de titrage.

(*Indice :* Faut-il connaître le volume réel de titrant ?)

EXERCICE 4.26 B

Tracez la courbe du titrage d'une base faible par un acide faible [par exemple, $NH_3(aq)$ titré par $CH_3COOH(aq)$] et commentez les difficultés que ce titrage peut poser.

4.11 Les acides et les bases de Lewis

Nous avons consacré la majeure partie du présent chapitre à la théorie des acides et des bases de Brønsted-Lowry, qui explique bien les réactions en milieu aqueux. Cependant, il existe des réactions en milieu non aqueux, à l'état gazeux et même à l'état solide, qu'on peut considérer comme des réactions acidobasiques. Les chimistes ont élaboré quelques théories plus générales sur les acides et les bases et, dans cette dernière section, nous en étudierons brièvement une des variantes les plus importantes.

En 1923, G. N. Lewis proposa une théorie sur les acides et les bases qui met l'accent sur le rôle des doublets d'électrons, contrairement à la théorie de Brønsted-Lowry, qui fait appel aux protons. Un **acide de Lewis** est un *accepteur* de doublets d'électrons. Une **base de Lewis** est un *donneur* de doublets d'électrons. Dans une réaction acidobasique selon Lewis, un lien covalent se forme entre l'acide et la base. L'exemple suivant illustre la formation d'une liaison covalente de coordinence entre BF_3 et F^-.

Acide de Lewis
Accepteur de doublets d'électrons.

Base de Lewis
Donneur de doublets d'électrons.

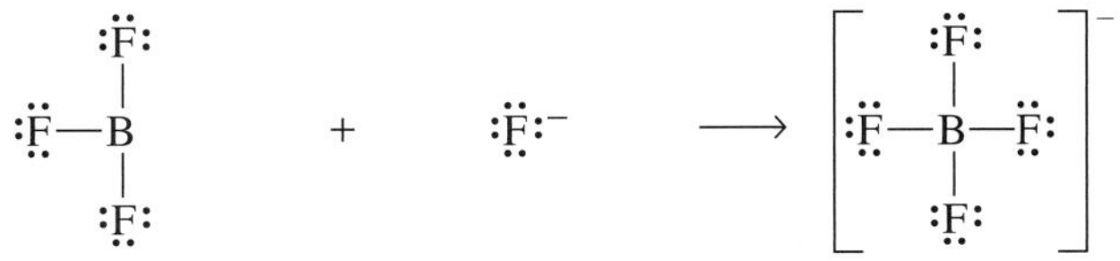

Acide de Lewis   Base de Lewis

Cet exemple indique que, dans une réaction acidobasique selon Lewis, on devrait chercher (1) une espèce qui possède une orbitale vide pouvant recevoir un doublet d'électrons (comme l'atome B dans la molécule BF_3) et (2) une espèce qui porte un doublet d'électrons libres (comme l'ion F^-).

Cette définition nous permet de considérer les bases typiques selon Brønsted-Lowry, telles que OH^-, NH_3 et H_2O, comme des bases de Lewis. Elles portent toutes des doublets d'électrons à partager.

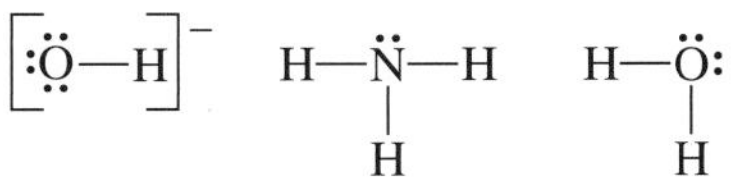

Selon cette définition, un acide de Brønsted-Lowry tel que HCl ne semble pas correspondre à un acide de Lewis. Une molécule de HCl ne peut pas accepter un doublet d'électrons. Cependant, si on considère que HCl s'ionise pour produire H^+, l'ion H^+ est alors un acide de Lewis. Il accepte un doublet d'électrons en se liant à un doublet d'électrons libre d'une molécule d'eau pour former un ion hydronium, H_3O^+. On peut concevoir HCl comme une *source* d'acide de Lewis.

Considérons maintenant une réaction acidobasique selon la théorie de Lewis. On voit que, contrairement à la théorie de Brønsted-Lowry, aucun atome d'hydrogène n'y participe.

$$CaO(s) + SO_2(g) \longrightarrow CaSO_3(s)$$

La meilleure façon de concevoir cette réaction comme une réaction acidobasique de Lewis consiste à écrire les structures de Lewis et à indiquer le doublet d'électrons (en rouge) fourni par O^{2-} (la base) à SO_2 (l'acide). Cette réaction comporte également le déplacement d'un doublet d'électrons (en bleu) qui quitte la liaison soufre-oxygène pour adopter une position de doublet libre.

En chimie organique, les acides de Lewis sont souvent appelés *électrophiles* : ce sont des espèces qui sont attirées par les électrons. Les bases de Lewis sont appelées *nucléophiles* : elles sont attirées par un site positif.

EXEMPLE **SYNTHÈSE**

Une solution aqueuse d'acide cyanoacétique 0,0500 mol/L a un point de congélation de –0,11 °C. Calculez le point de congélation d'une solution aqueuse d'acide cyanoacétique 0,250 mol/L.

➜ **Stratégie**

Pour déterminer le point de congélation de la solution de 0,250 mol/L, nous devons calculer la concentration totale des espèces en solution. Nous pouvons affirmer que, pour les solutions aqueuses diluées, la concentration molaire volumique est approximativement égale à la molalité. En conséquence, nous pouvons utiliser la valeur du point de congélation et l'équation 1.7 pour déterminer la concentration molaire volumique des molécules et des ions dans l'acide cyanoacétique 0,0500 mol/L. Avec ces informations, nous serons en mesure d'évaluer la constante d'acidité, K_a, pour l'acide cyanoacétique. Ensuite, nous pourrons appliquer cette valeur de K_a pour calculer la concentration molaire volumique totale des molécules et des ions dans la solution de 0,250 mol/L et de nouveau utiliser l'équation 1.7 pour trouver, cette fois, le point de congélation.

➜ **Solution**

Nous pouvons écrire l'équation d'ionisation pour l'acide cyanoacétique, la concentration initiale (mol/L) de la solution *c,* et les concentrations molaires volumiques des ions *x* selon la méthode utilisée dans le chapitre.

La réaction	$CNCH_2COOH(aq)$ + $H_2O(l)$ $\rightleftharpoons$	$H_3O^+(aq)$ +	$CNCH_2COO^-(aq)$
Concentrations initiales (mol/L)	c	≈ 0	0
Modifications (mol/L)	$-x$	$+x$	$+x$
Concentrations à l'équilibre	$c - x$	x	x

Maintenant, nous pouvons représenter la concentration totale des particules (molécules et ions) dans la solution.

$$\text{Concentration totale} = (c - x) + x + x = c + x$$

Nous trouvons la molalité totale de la solution de 0,0500 mol/L, en réorganisant l'équation 1.7 pour obtenir m.

$$m = \frac{\Delta T_{cong}}{-K_{cong}} = \frac{-0,11\ °C}{-1,86\ °C\ kg/mol} = 0,059\ mol/kg$$

La valeur 0,059 mol/kg (ou 0,059 mol/L) est égale à $c + x$, où $c = 0,0500$ mol/L. Nous pouvons alors trouver x.

$$0,059\ mol/L = c + x \quad \text{et} \quad x = 0,059\ mol/L - 0,0500\ mol/L = 0,009\ mol/L$$

Nous obtenons K_a de l'acide cyanoacétique en substituant les valeurs connues dans l'expression de la constante d'acidité.

$$K_a = \frac{[H_3O^+][CNCH_2COO^-]}{CNCH_2COOH]}$$

$$= \frac{(x)(x)}{c - x} = \frac{(0,009)^2}{0,0500 - 0,009} = 2 \times 10^{-3}$$

Pour obtenir la concentration molaire volumique totale des molécules et des ions dans l'acide cyanoacétique 0,250 mol/L, nous utilisons à nouveau l'expression de K_a, cette fois avec $c = 0,250$ mol/L et nous calculons la valeur de x.

$$K_a = \frac{[H_3O^+][CNCH_2COO^-]}{CNCH_2COOH]}$$

$$= \frac{(x)(x)}{c - x} = \frac{x^2}{0,250 - x} = 2 \times 10^{-3}$$

$$x^2 + 0,002x - 5 \times 10^{-4} = 0$$

$$x = \frac{-0,0200 \pm \sqrt{(0,002)^2 + (4 \times 5 \times 10^{-4})}}{2}$$

$$= 0,02$$

La concentration molaire volumique totale dans la solution d'acide cyanoacétique 0,250 mol/L est la somme de la concentration initiale c et de celles des ions x.

$$c + x = (0,250 + 0,02)\ mol/L = 0,27\ mol/L$$

Maintenant, nous utilisons l'équation 1.7 pour calculer l'abaissement du point de congélation dans cette solution. (Nous continuons de supposer que molalité ≈ concentration molaire volumique.)

$$\Delta T_{cong} = -K_{cong} \times m = -1,86\ °C\ kg/mol \times 0,27\ mol/kg = -0,50\ °C$$

Puisque le point de congélation de l'eau est de 0 °C, celui de la solution d'acide cyanoacétique 0,250 mol/L est de –0,50 °C.

➡ Évaluation

Nous savons (a) qu'une solution à 0,250 mol/L est cinq fois plus concentrée qu'une solution à 0,0500 mol/L et (b) que l'abaissement du point de congélation est proportionnel à la molalité. Pourquoi alors ne pouvons-nous pas nous contenter d'écrire 5 × (−0,11 °C) = −0,55 °C ? Parce que le pourcentage de dissociation de l'acide faible dépend de sa concentration (revoir la figure 4.7). Ainsi, le pourcentage de dissociation dans la solution d'acide cyanoacétique 0,250 mol/L n'est pas aussi élevé que dans la solution plus diluée 0,0500 mol/L. En conséquence, nous ne pouvons pas présumer que l'abaissement du point de congélation est simplement multiplié par cinq, ce que prouvent nos calculs.

Résumé

4.1 **La théorie des acides et des bases de Brønsted-Lowry** Selon la théorie de Brønsted-Lowry, un acide est un **donneur de protons**, et une base, un **accepteur de protons**. Chaque acide possède sa **base conjuguée**, et chaque base, son **acide conjugué**. Lors d'une **réaction acidobasique**, la réaction directe se produit entre un acide et une base ; la réaction inverse a lieu entre une base conjuguée et un acide conjugué.

$$H—A + B: \rightleftharpoons H—B + A^- \quad (4.1)$$
$$\text{Acide} \quad \text{Base} \qquad \text{Acide} \quad \text{Base}$$
$$\text{conjugué} \quad \text{conjuguée}$$
$$\text{de B} \qquad \text{de HA}$$

On peut classer les acides et les bases de Brønsted-Lowry selon leur force relative. Si un acide est fort, sa base conjuguée est faible ; si une base est forte, son acide conjugué est faible. La réaction acidobasique qui est favorisée est celle qui va du membre le plus fort vers le membre le plus faible de chaque **couple acide-base**. Une substance qui peut agir comme acide ou comme base est **amphotère**. Pour les réactions réversibles acidobasiques, les constantes d'équilibre sont appelées **constante d'acidité**, K_a, et **constante de basicité**, K_b, respectivement. Ces constantes sont calculées par la même méthode que celle utilisée pour le calcul de K_c.

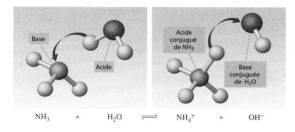

$$NH_3 + H_2O \rightleftharpoons NH_4^+ + OH^-$$

4.2 **La structure moléculaire et la force des acides et des bases** L'ionisation d'un acide nécessite le bris d'une liaison et la libération d'un proton (H^+). Des facteurs comme l'électronégativité, le nombre d'atomes O terminaux dans les oxacides et l'introduction de substituants sur les chaînes carbonées des acides carboxyliques influent sur la facilité avec laquelle une liaison est rompue.

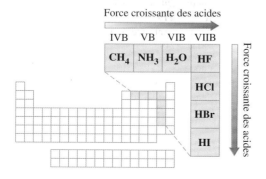

4.3 **L'auto-ionisation de l'eau et l'échelle de pH** L'eau est amphotère ; elle peut agir comme un acide ou comme une base. Un transfert de protons limité entre des molécules H_2O dans l'eau pure produit des ions H_3O^+ et des ions OH^-. Les concentrations de H_3O^+ et de OH^- sont conformes à la **constante de dissociation de l'eau** dans toutes les solutions aqueuses.

$$K_{eau} = [H_3O^+][OH^-] = 1,0 \times 10^{-14} \text{ à } 25 \text{ °C} \quad (4.2)$$

Dans la notation des logarithmes négatifs

$$\mathbf{pH} = -\log [H_3O^+] \quad (4.3)$$

$$\mathbf{pOH} = -\log [OH^-] \quad (4.4)$$

$$\mathbf{p}K_{eau} = -\log K_{eau}$$

Le pH de l'eau pure et des solutions neutres est de 7. Le pH des solutions acides est inférieur à 7, et celui des solutions basiques, supérieur à 7. Dans *toutes* les solutions aqueuses à 25 °C, pH + pOH = 14,00.

$$pK_{eau} = 14,00 = pH + pOH \quad (4.5)$$

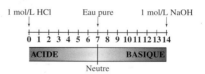

4.4 **L'équilibre en solution des acides faibles et des bases faibles** Les calculs relatifs aux acides et aux bases faibles servent à déterminer les concentrations à l'équilibre de toutes les espèces en présence et commencent souvent par les informations sur les conditions initiales et les constantes d'acidité et de basicité. Ces constantes peuvent être exprimées sous forme logarithmique et sont alors appelées **pK_a** et **pK_b**, où

$$pK_a = -\log K_a \quad (4.6)$$

$$pK_b = -\log K_b \quad (4.7)$$

4.5 **Les acides polyprotiques** Un acide qui ne peut céder qu'un proton (H^+) par molécule s'appelle un **acide monoprotique** ; celui qui peut en céder plus d'un est appelé **acide polyprotique**.

Les acides polyprotiques ont notamment pour particularité le fait que leurs atomes H ionisables se dissocient séparément, c'est-à-dire par étapes ; ces étapes peuvent être décrites par des réactions réversibles distinctes ayant chacune sa propre expression de constante d'acidité.

Acide phosphorique

4.6 **Les ions en tant qu'acides et bases** Les ions, tout comme les molécules neutres, peuvent agir comme acides et comme bases. Les réactions des ions avec les molécules d'eau, appelées **hydrolyses**, ont pour effet de rendre certaines solutions de sels soit acides, soit basiques. En calculant le pH d'une solution saline, il est souvent nécessaire d'établir la constante d'acidité ou de basicité à partir de celle de sa base ou de son acide conjugués :

$$K_a \times K_b = K_{eau} \qquad (4.8)$$

$$\underset{\left(\substack{\text{acide faible ou} \\ \text{acide conjugué}}\right)}{pK_a} + \underset{\left(\substack{\text{base faible ou} \\ \text{base conjuguée}}\right)}{pK_b} = 14,00 \qquad (4.9)$$

4.7 **L'effet d'ion commun** L'ionisation d'un acide faible ou d'une base faible diminue en présence d'un ion commun provenant d'un électrolyte fort et ce, en accord avec le principe de Le Chatelier. Ce phénomène s'appelle **effet d'ion commun**.

4.8 **Les solutions tampons** Une **solution tampon** est le mélange d'un acide faible et de sa base conjuguée ou d'une base faible et de son acide conjugué. Un tampon maintient un pH sensiblement constant quand on additionne de petites quantités d'un acide fort ou d'une base forte. Un des composants d'un tampon neutralise les petites quantités de l'acide ajouté, et l'autre composant neutralise les petites quantités de la base ajoutée. Le pH d'une solution tampon est donné par l'**équation de Henderson-Hasselbalch** :

$$pH = pK_a + \log \frac{[\text{base conjuguée}]}{[\text{acide faible}]}$$

ou

$$pH = pK_a + \log \frac{[\text{base faible}]}{[\text{acide conjugué}]} \qquad (4.10)$$

4.9 **Les indicateurs acidobasiques** Les **indicateurs acidobasiques** sont des acides faibles dont l'acide et la base conjuguée ont des couleurs différentes en solution aqueuse. L'action des indicateurs acidobasiques constitue une autre application de l'effet d'ion commun. H_3O^+ de la solution analysée influe sur l'équilibre entre les formes acide, HIn, et basique, In⁻, de l'indicateur, ce qui détermine la couleur sous laquelle ce dernier se présente.

4.10 **Les réactions de neutralisation et les courbes de titrage** Pour être adéquat pour un **titrage** acide-base, un indicateur doit subir un changement de couleur au pH du **point d'équivalence**, qui est le point dans un titrage où l'acide et la base ont réagi dans des proportions stœchiométriques et où ni l'un ni l'autre ne sont en excès. Une **courbe de titrage** est un graphique du pH de la solution titrée en fonction du volume de la solution de **titrant**. Elle sert à déterminer le point d'équivalence et le pK_a de l'acide titré ou le pK_b de la base titrée, permettant ainsi d'identifier l'acide ou la base.

Courbe de titrage d'un acide faible par une base forte

4.11 **Les acides et les bases de Lewis** Selon la théorie de Lewis, un **acide** accepte le doublet d'électrons d'une **base**, qui est le donneur d'un doublet d'électrons. Dans une réaction acidobasique selon Lewis, de nouvelles liaisons covalentes se forment.

Mots clés

Vous trouverez également la définition des mots clés dans le glossaire à la fin du livre.

Problèmes par sections

Les solutions présentées sous forme de clips sont indiquées par ▶

À moins d'une indication contraire, on considère que la température est de 25 °C.

4.1 La théorie des acides et des bases de Brønsted-Lowry

1. Indiquez les couples acide-base de chacune des réactions suivantes.
   a) $HClO_3 + H_2O \longrightarrow H_3O^+ + ClO_3^-$
   b) $HSeO_4^- + NH_3 \rightleftharpoons NH_4^+ + SeO_4^{2-}$
   c) $HCO_3^- + OH^- \longrightarrow CO_3^{2-} + H_2O$
   d) $C_5H_5NH^+ + H_2O \rightleftharpoons C_5H_5N + H_3O^+$

2. Indiquez les couples acide-base de chacune des réactions suivantes. Puis, utilisez le tableau 4.1 (page 167) pour classer les quatre réactions en ordre croissant selon leur tendance à être complètes (vers la droite).
   a) $HSO_4^- + F^- \rightleftharpoons HF + SO_4^{2-}$
   b) $NH_4^+ + Cl^- \rightleftharpoons NH_3 + HCl$
   c) $HCl + CH_3COO^- \longrightarrow CH_3COOH + Cl^-$
   d) $CH_3OH + Br^- \rightleftharpoons HBr + CH_3O^-$

3. Écrivez des équations qui montrent l'ionisation des acides et des bases suivants.
   a) $HI(aq)$ d) $H_2PO_4^-(aq)$
   b) $KOH(aq)$ e) $CH_3NH_2(aq)$
   c) $HNO_2(aq)$ f) $CH_3CH_2COOH(aq)$

4. Écrivez des équations qui montrent l'ionisation des acides et des bases suivants.
   a) $HNO_3(aq)$ d) $HClO_2(aq)$
   b) $CH_3(CH_2)_2COOH(aq)$ e) $HC_2O_4^-(aq)$
   c) $Ba(OH)_2(aq)$ f) $(CH_3)_2NH(aq)$

5. Trouvez l'espèce amphotère et écrivez les équations de sa réaction avec $OH^-(aq)$ et avec $HBr(aq)$: H_2S, SO_2, HSO_3^-, H_2CO_3.

6. Trouvez l'espèce amphotère et écrivez deux équations de la réaction avec $H_2O(l)$ qui en illustre le caractère amphotère: HI, $H_2PO_4^-$, H_2SO_4, H_2CO_3, CO_3^{2-}.

7. Avec laquelle des bases suivantes la réaction de l'acide acétique sera-t-elle la plus complète (vers la droite)?
   a) CO_3^{2-}
   b) F^-
   c) Cl^-
   d) NO_3^-

4.2 La structure moléculaire et la force des acides et des bases

8. Expliquez pourquoi l'acide perchlorique, $HClO_4$, est un acide fort, alors que l'acide chloreux, $HClO_2$, est un acide faible.

9. Indiquez l'acide le plus fort dans chaque paire et expliquez votre choix.
   a) H_2S et H_2Se c) H_3AsO_4 et $H_2PO_4^-$
   b) $HClO_3$ et HIO_3

10. Indiquez l'acide le plus fort dans chaque paire et expliquez votre choix.
    a) H_2Se et HBr c) HNO_3 et HSO_4^-
    b) HN_3 et HCN

11. Le phénol, C_6H_5OH, s'ionise comme acide.

$$HO-C_6H_5 + H_2O \rightleftharpoons H_3O^+ + {}^-O-C_6H_5 \qquad K_a = 1,0 \times 10^{-10}$$

Classez les phénols substitués suivants dans l'ordre où, selon vous, leurs valeurs de K_a augmentent. À votre avis, où le phénol lui-même se situe-t-il dans ce classement?

a)   b)   c)   d)

4.3 L'auto-ionisation de l'eau et l'échelle de pH

12. Le pH du café à 25 °C est de 4,32. Quelle est la valeur de $[H_3O^+]$ dans le café ?

13. Quel est le pH de chacune des solutions aqueuses suivantes ?
   a) HCl 0,0025 mol/L   **c)** $Ba(OH)_2$ 0,015 mol/L
   b) NaOH 0,055 mol/L   **d)** HBr $1,6 \times 10^{-3}$ mol/L

14. Laquelle des deux solutions a le pH le plus faible : H_2SO_4 0,000 48 mol/L ou une solution de vinaigre de pH 2,42 ?

15. Laquelle des deux solutions a le pH le plus élevé : $Ba(OH)_2(aq)$ 0,0062 mol/L ou un produit de nettoyage à l'ammoniac de pH 11,65 ?

16. Décrivez comment préparer 2,00 L d'une solution aqueuse de pH 3,60, si vous disposez d'un approvisionnement suffisant de HCl 0,100 mol/L.

4.4 L'équilibre en solution des acides faibles et des bases faibles

Au besoin, consultez le tableau 4.3 (page 181) et l'annexe C.2A pour les valeurs de K_a et de K_b.

17. L'acide formique, HCOOH ($K_a = 1,8 \times 10^{-4}$), est l'irritant associé aux piqûres de fourmis (latin, *formica,* fourmi). Calculez le pH et le pourcentage de dissociation d'une solution aqueuse contenant 75,0 g de HCOOH par litre de solution.

18. La pyridine, C_5H_5N ($K_b = 1,5 \times 10^{-9}$), est une base organique utilisée dans la synthèse de vitamines, de médicaments et de fongicides. Calculez le pH et le pourcentage de dissociation d'une solution aqueuse contenant 1,25 g de C_5H_5N dans 125 mL de solution.

19. L'acide azothydrique, HN_3 ($pK_a = 4,72$), est peut-être mieux connu sous la forme de son sel, l'azoture de sodium, NaN_3, la substance capable de fournir un dégagement gazeux dans les coussins gonflables pour automobiles. Quelle concentration molaire volumique de HN_3 est nécessaire pour produire une solution aqueuse de pH 3,10 ?

20. On dissout un échantillon de 1,00 g d'aspirine (acide acétylsalicylique) dans 0,300 L d'eau à 25 °C, et on trouve que son pH est de 2,62. Quelle est la constante d'acidité, K_a, de l'acide acétylsalicylique ?

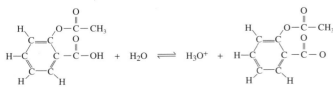

21. La codéine, $C_{18}H_{21}NO_3$, un analgésique couramment prescrit, est une base faible. Une solution aqueuse saturée contient 1,00 g de codéine dans 120 mL de solution et a un pH de 9,8. Quelle est la constante de basicité, K_b, de la codéine ?
$$C_{18}H_{21}NO_3 + H_2O \rightleftharpoons [C_{18}H_{21}NHO_3]^+ + OH^-$$
$$K_b = ?$$

22. Calculez le pH d'une solution d'acide trichloroacétique, CCl_3COOH 0,105 mol/L ($pK_a = 0,52$).

23. La pipéridine, $C_5H_{11}N$ ($pK_b = 2,89$), est un liquide incolore qui a l'odeur du poivre. Calculez le pH d'une solution de $C_5H_{11}N$ 0,002 50 mol/L.

24. Quelle est la concentration molaire volumique d'une solution d'acide formique, HCOOH(aq), qui a le même pH que $CH_3COOH(aq)$ 0,150 mol/L ?

25. Quelle est la concentration molaire volumique d'une solution de méthylamine, $CH_3NH_2(aq)$, qui a le même pH que $NH_3(aq)$ 0,0850 mol/L ?

4.5 Les acides polyprotiques

26. *Sans faire de calculs détaillés,* déterminez laquelle des solutions d'acides polyprotiques aura le *pH le plus faible* : H_2SO_4 0,0045 mol/L ou H_3PO_4 0,0045 mol/L.

27. *Sans faire de calculs détaillés,* déterminez lequel des pH suivants est le plus probable pour H_2SO_4 0,010 mol/L ?

   a) 2,00   **b)** 1,85   **c)** 1,70   **d)** 1,50

28. L'acide oxalique, HOOCCOOH, est un acide dicarboxylique faible qu'on trouve dans le suc cellulaire de nombreuses plantes (par exemple les feuilles de rhubarbe) sous la forme de son sel de potassium ou de calcium. La solubilité dans l'eau de l'acide oxalique à 25 °C est d'environ 83 g/L. Quels sont le pH et [$^-$OOCCOO$^-$] dans la solution saturée ?

$$HOOCCOOH + H_2O \rightleftharpoons H_3O^+ + HOOCCOO^-$$
$$K_{a_1} = 5,4 \times 10^{-2}$$

$$HOOCCOO^- + H_2O \rightleftharpoons H_3O^+ + \, ^-OOCCOO^-$$
$$K_{a_2} = 5,3 \times 10^{-5}$$

29. Dans une solution de $H_3PO_4(aq)$ 0,15 mol/L, déterminez le pH, [H_3PO_4], [$H_2PO_4^-$], [HPO_4^{2-}], [PO_4^{3-}].

30. Dans l'acide thiophosphorique, H_3PO_3S, un atome S remplace un des atomes O dans la molécule H_3PO_4.

Les valeurs de K_a de cet acide sont

$$K_{a_1} = 1,6 \times 10^{-2}, \, K_{a_2} = 3,7 \times 10^{-6}, \, K_{a_3} = 8,3 \times 10^{-11}$$

Dans une solution de $H_3PO_3S(aq)$ 0,50 mol/L, déterminez le pH, [H_3PO_3S], [$H_2PO_3S^-$], [HPO_3S^{2-}] et [PO_3S^{3-}].

4.6 Les ions en tant qu'acides et bases

31. Écrivez les équations des réactions d'hydrolyse qui ont lieu dans les solutions suivantes et indiquez si la solution est acide, basique ou neutre.

   a) $CH_3CH_2COOK(aq)$ **c)** $NH_4CN(aq)$

   b) $Mg(NO_3)_2(aq)$

32. Laquelle des solutions aqueuses suivantes à 0,100 mol/L a le pH le *plus faible* ?

   a) $NaNO_3$ **c)** NH_4I

   b) CH_3COOK **d)** Na_3PO_4

33. Laquelle des solutions du problème 32 a le pH le *plus élevé* ?

34. Écrivez une équation de la réaction d'hydrolyse qui a lieu dans une solution de NaOCl 0,080 mol/L et déterminez la constante d'équilibre de cette hydrolyse ainsi que le pH de la solution.

35. Quelle est la concentration molaire volumique d'une solution d'acétate de sodium dont le pH est de 9,05 ?

36. Quelle est la concentration molaire volumique d'une solution de bromure d'ammonium dont le pH est de 5,75 ?

37. *Sans faire de calculs détaillés,* déterminez parmi les solutions suivantes lesquelles auront un pH supérieur à 7,00 et lesquelles auront un pH inférieur à 7,00.

   a) C_6H_5COOH 0,0050 mol/L

   b) NH_3 $1,0 \times 10^{-5}$ mol/L

   c) CH_3NH_3Cl 0,022 mol/L

   d) KH_2PO_4 0,10 mol/L

   e) $Ba(OH)_2(aq)$ saturée

   f) $NaNO_2$ 0,25 mol/L

38. *Sans faire de calculs détaillés,* classez les solutions aqueuses suivantes à 0,10 mol/L selon l'ordre *croissant* de leur pH.

   a) HCl   **e)** NH_3

   b) CH_3COONa **f)** H_2SO_4

   c) KCl   **g)** NH_4NO_3

   d) H_3PO_4 **h)** KOH

39. Écrivez deux équations : l'une représentant l'ionisation de HPO_4^{2-} comme acide et l'autre représentant son ionisation (hydrolyse) comme base. Doit-on s'attendre à ce qu'une solution aqueuse de Na_2HPO_4 soit acide ou basique ? (*Indice* : Quelles sont les valeurs de K_a et de K_b ?)

40. Prédisez si une réaction acidobasique aura lieu entre les composés suivants.

   a) CH_3COONa 0,25 mol/L et HI 0,15 mol/L

   b) KNO_2 0,050 mol/L et KNO_3 0,18 mol/L

   c) $Ca(OH)_2$ 0,0050 mol/L et HNO_3 0,0010 mol/L

   d) NH_4Cl 0,20 mol/L et NaOH 0,35 mol/L

4.7 L'effet d'ion commun

41. Parmi les substances suivantes, indiquez celles qui *empêcheront* l'ionisation de l'acide formique, HCOOH(aq), et expliquez vos réponses.

   a) NaCl   **d)** $(HCOO)_2Ca$

   b) KOH(aq)   **e)** Na_2CO_3

   c) HNO_3

42. Parmi les substances suivantes, indiquez celles qui *favoriseront* l'ionisation de l'acide formique, HCOOH(aq), et expliquez vos réponses.

   a) KI   **d)** HCOONa

   b) NaOH(aq)   **e)** NaCN

   c) HNO_3

43. Calculez [NH_4^+] dans une solution contenant NH_3 0,15 mol/L *et* KOH 0,015 mol/L.

44. Calculez [$C_6H_5COO^-$] dans une solution contenant C_6H_5COOH 0,015 mol/L et HCl 0,051 mol/L.

45. Calculez le pH d'une solution formée de diéthylamine, $(CH_3CH_2)_2NH$ 0,132 mol/L et de chlorure de diéthyl-ammonium, $(CH_3CH_2)_2NH_2Cl$, 0,145 mol/L. [Dans le cas de $(CH_3CH_2)_2NH$, $K_b = 6,9 \times 10^{-4}$.]

46. Calculez le pH des solutions contenant les substances suivantes.

a) KOH 0,050 mol/L et $(CH_3)_3N$ 0,150 mol/L

b) HNO_3 0,125 mol/L et HNO_2 0,100 mol/L

4.8 Les solutions tampons

47. On prépare une solution contenant de l'acide formique, HCOOH, 0,405 mol/L et du formate de sodium, HCOONa, 0,326 mol/L. Quel est le pH de cette solution tampon ?

48. Quel est le pH d'une solution tampon contenant du méthylamine, CH_3NH_2, 0,245 mol/L et du chlorure de méthylammonium, CH_3NH_3Cl, 0,186 mol/L ?

49. Quelle masse de $(NH_4)_2SO_4(s)$ doit-on dissoudre dans 0,100 L de $NH_3(aq)$ 0,350 mol/L pour produire une solution tampon de pH 10,05 ?

50. Le seul soluté important dans le vinaigre blanc est l'acide acétique, CH_3COOH. Supposons qu'on veuille préparer une solution tampon à partir d'un vinaigre blanc quelconque ($\rho = 1,01$ g/mL, 4,53 % en masse de CH_3COOH). Quel serait le pH du tampon obtenu en dissolvant 10,0 g d'acétate de sodium, CH_3COONa, dans 0,250 L de vinaigre ?

51. Si on ajoute 1,00 mL de HCl 0,250 mol/L à 50,0 mL de la solution tampon décrite dans le problème 47, quel sera le pH de la solution finale ?

52. Si on ajoute 2,00 mL de NaOH 0,0850 mol/L à 75,0 mL de la solution tampon décrite dans le problème 48, quel sera le pH de la solution finale ?

53. On a vu qu'un des composants d'une solution tampon est un acide, et l'autre, une base. Les deux composants peuvent-ils être HCl et NaOH ? Expliquez votre réponse.

54. Calculez le pH des solutions suivantes après leur avoir ajouté 0,025 mol de HCl, si le volume de la solution reste inchangé.

a) 1,00 L de HCN 0,075 mol/L

b) 1,00 L de KCN 0,075 mol/L

c) 1,00 L de HCN 0,075 mol/L + KCN 0,075 mol/L

d) 1,00 L de H_2O

55. Calculez le pH des solutions du problème 54 si on leur ajoute plutôt 0,025 mol de KOH, si le volume de la solution reste inchangé.

56. Quel couple parmi les suivants doit-on utiliser pour obtenir un tampon de pH 5,00 ayant le pouvoir tampon maximal ? Expliquez votre réponse.

a) HCN et NaCN

c) HF et NaF

b) CH_3COOH et CH_3COO^-

d) $C_6H_5NH_2$ et $C_6H_5NH_3Cl$

4.9 Les indicateurs acidobasiques

57. Pourquoi y a-t-il plus d'indicateurs acidobasiques adéquats pour le titrage d'un acide fort par une base forte que pour le titrage d'un acide faible par une base forte ?

58. Pourquoi un seul indicateur acidobasique peut-il suffire à déterminer le point d'équivalence dans un titrage, alors qu'il en faut souvent plus d'un pour déterminer le pH d'une solution ?

59. Reportez-vous à la figure 4.13 (page 214) et dites quelle couleur prennent les indicateurs acidobasiques suivants dans les solutions aqueuses données.

a) bleu de bromothymol dans NH_4Cl 0,10 mol/L

b) bleu de bromophénol dans CH_3COOK 0,10 mol/L

c) phénolphtaléine dans Na_2CO_3 0,10 mol/L

d) violet de méthyle dans CH_3COOH 0,10 mol/L

60. On pense que le pH d'une solution tampon particulière est de 9,5. Décrivez comment on peut utiliser une paire d'indicateurs acidobasiques pour le vérifier. Quelle paire d'indicateurs de la figure 4.13 (page 214) convient le mieux ? Expliquez votre réponse.

61. Une solution de HCl(aq) 0,100 mol/L qui contient l'indicateur bleu de thymol a une teinte rouge. Une solution de NaOH(aq) 0,100 mol/L contenant l'indicateur phénolphtaléine a aussi une teinte rouge. Quelle couleur obtiendra-t-on en mélangeant des volumes égaux des deux solutions (avec leurs indicateurs) ?

62. Ajouté à une solution inconnue, l'indicateur vert de bromocrésol a une couleur jaune. Quand on l'ajoute à un autre échantillon de la même solution, l'indicateur bleu de thymol vire aussi au jaune. À une unité près, quel est le pH de la solution ?

4.10 Les réactions de neutralisation et les courbes de titrage

63. Décrivez le titrage d'une base forte (par exemple NaOH) par un acide fort (par exemple HCl) en énumérant ses caractéristiques selon le modèle de la page 225.

64. Décrivez le titrage d'une base faible (par exemple NH_3) par un acide fort (par exemple HCl) en énumérant ses caractéristiques selon le modèle de la page 226.

65. Peut-on utiliser le même indicateur dans le titrage d'une base faible par un acide fort que dans le titrage d'un acide faible par une base forte ? Expliquez votre réponse.

66. Le chlorure de rubidium a été utilisé comme antidépresseur dans des recherches médicales. On peut le préparer en faisant réagir une solution aqueuse d'hydroxyde de rubidium avec de l'acide chlorhydrique. Écrivez une équation complète, une équation ionique et une équation ionique nette de cette réaction.

67. On peut préparer l'iodure de strontium en faisant réagir du carbonate de strontium solide avec de l'acide iodhydrique. Écrivez une équation complète, une réaction ionique et une équation ionique nette de cette réaction.

68. Dans les cafetières automatiques, il se forme souvent un dépôt de substances minérales ($CaCO_3$). Les instructions du fabricant suggèrent généralement un traitement avec du vinaigre pour éliminer ce dépôt. Écrivez une équation ionique nette de la réaction qui a lieu. (*Indice :* Rappelez-vous que le vinaigre contient de l'acide acétique, CH_3COOH.)

69. Pour soulager la douleur causée par une piqûre de fourmi, on utilise une pâte d'hydrogénocarbonate de sodium (bicarbonate de sodium) et d'eau. Le produit irritant dans la piqûre de fourmi est l'acide formique, $HCOOH$. Écrivez une équation ionique nette de la réaction qui a lieu.

70. Combien de millilitres de HCl 0,0195 mol/L sont nécessaires pour titrer

   a) 25,00 mL de KOH(aq) 0,0365 mol/L ?

   b) 10,00 mL de $Ca(OH)_2$(aq) 0,0116 mol/L ?

   c) 20,00 mL de NH_3(aq) 0,0225 mol/L ?

71. Combien de millilitres de $Ba(OH)_2$(aq) 0,0108 mol/L sont nécessaires pour titrer

   a) 20,00 mL de H_2SO_4(aq) 0,0265 mol/L ?

   b) 25,00 mL de HCl(aq) 0,0213 mol/L ?

   c) 10,00 mL de CH_3COOH(aq) 0,0868 mol/L ?

72. Le vinaigre est une solution aqueuse d'acide acétique, CH_3COOH. Il faut 31,45 mL d'hydroxyde de potassium, KOH, 0,2560 mol/L pour titrer un échantillon de 10,00 mL de vinaigre. Quelle est la concentration molaire volumique de l'acide acétique dans le vinaigre ?

73. La plupart des nettoie-vitres sont des solutions aqueuses d'ammoniac, NH_3. Il faut 39,95 mL de HCl 0,1008 mol/L pour titrer un échantillon de 10,00 mL d'un nettoie-vitre. Quelle est la concentration molaire volumique de l'ammoniac dans ce produit ?

74. Une solution de NaOH à 5,00 % en masse a une masse volumique de 1,054 g/mL. Quelle concentration molaire volumique minimale d'une solution de HCl(aq) faut-il utiliser pour titrer un échantillon de 5,00 mL de NaOH(aq) si on doit effectuer le titrage sans avoir à remplir complètement la burette de 50,00 mL ?

75. *Sans faire de calculs détaillés,* déterminez lequel des deux antiacides suivants neutralise le plus d'acide gastrique [solution diluée de HCl(aq)] si on compare des masses égales : Alka-Seltzer (hydrogénocarbonate de sodium) ou Tums (carbonate de calcium).

76. *Sans faire de calculs détaillés,* déterminez lequel des deux produits suivants réduit le plus efficacement l'acidité d'une piscine si on compare des masses égales : la soude caustique (NaOH) ou la soude calcinée (Na_2CO_3).

77. Dans le titrage de 20,00 mL de CH_3COOH 0,500 mol/L par NaOH 0,500 mol/L, calculez le pH au point où 7,45 mL de NaOH ont été ajoutés.

78. Dans le titrage de 20,00 mL de HCl 0,500 mol/L par NaOH 0,500 mol/L, calculez le volume de NaOH requis pour atteindre un pH de 2,0. (*Indice :* Écrivez une équation pour trouver le volume inconnu, *V*.)

79. Dans le titrage de 25,00 mL de NaOH 0,324 mol/L par HCl 0,250 mol/L, combien de millilitres de HCl(aq) doit-on ajouter pour atteindre un pH de 11,50 ? (*Indice :* Voir le problème 78.)

80. Tracez, au moyen de calculs, une courbe pour le titrage de 40,00 mL de NH_3 0,200 mol/L par HCl 0,500 mol/L et répondez aux questions suivantes.

   a) Quel est le volume de titrant requis pour atteindre le point d'équivalence ?

   b) Quel est le pH initial ?

   c) Quel est le pH après l'addition de 5,00 mL de HCl ?

   d) Quel est le pH au point de demi-neutralisation ?

   e) Quel est le pH après l'addition de 10,00 mL de HCl ?

   f) Quel est le pH au point d'équivalence ?

   g) Quel est le pH après l'addition de 20,00 mL de HCl ?

   h) Parmi les indicateurs de la figure 4.13 (page 214), lequel conviendrait le mieux pour ce titrage ?

81. À la suite d'un titrage de 50,0 mL d'une substance A par une substance B de concentration égale à 0,050 mol/L, on obtient les résultats suivants.

Volume de B ajouté (mL)	pH résultant	Volume de B ajouté (mL)	pH résultant
0,0	11,2	40,9	8,2
5,0	10,8	50,0	5,7
10,0	10,4	50,1	3,6
20,0	10,0	50,2	3,0
25,0	9,8	50,4	2,8
30,0	9,7	50,5	2,6
35,0	9,5	60,0	2,4
40,0	9,2	65,0	2,2
40,5	8,9	70,0	2,1
40,7	8,7	80,0	2,0
40,8	8,5	90,0	1,9

a) Tracez la courbe de ce titrage et identifiez la substance A (voir l'annexe C.2A). Proposez un composé pour la substance B. Avez-vous plusieurs réponses à suggérer pour la substance B ? Expliquez votre réponse.

b) Déterminez la concentration initiale de la substance A.

c) Choisissez le meilleur indicateur pour ce titrage parmi ceux proposés dans la figure 4.13 (page 214).

82. On place 0,100 mol d'un acide faible dans 100,0 mL d'eau et on le titre par NaOH 0,400 mol/L. Après l'ajout de 125 mL de base, le pH est de 7,54. Identifiez l'acide faible à l'aide de l'annexe C.2A.

4.11 Les acides et les bases de Lewis

83. Déterminez l'acide de Lewis et la base de Lewis dans chacune des réactions suivantes.

a) $OH^-(aq) + Al(OH)_3(s) \longrightarrow Al(OH)_4^-(aq)$

b) $Cu^{2+}(aq) + 4\ NH_3(aq) \longrightarrow [Cu(NH_3)_4]^{2+}(aq)$

c) $CO_2(g) + OH^-(aq) \longrightarrow HCO_3^-(aq)$

84. Déterminez l'acide de Lewis et la base de Lewis dans chacune des réactions suivantes.

a) $CaO(s) + CO_2(g) \longrightarrow CaCO_3(s)$

b) $Ag^+(aq) + 2\ CN^-(aq) \longrightarrow Ag(CN)_2^-(aq)$

c) $B(OH)_3(s) + OH^-(aq) \longrightarrow B(OH)_4^-(aq)$

Problèmes complémentaires

 Les solutions présentées sous forme de clips sont indiquées par

⭐ Problème défi

🔄 Problème synthèse

85. Avec lequel des acides suivants la réaction de l'ion sulfate, SO_4^{2-} sera-t-elle la plus complète (vers la droite) : HF, HCl, HCO_3^- ou CH_3COOH ? Expliquez votre réponse.

86. Une solution de détergent a un pH de 11,13 à 25 °C. Quelle est la valeur de $[OH^-]$ dans cette solution ?

87. Quel est le pOH de chacune des solutions aqueuses suivantes ?
a) NaOH $2,5 \times 10^{-3}$ mol/L
b) HCl $3,2 \times 10^{-3}$ mol/L
c) $Ca(OH)_2$ $3,6 \times 10^{-4}$ mol/L
d) HNO_3 0,000 220 mol/L

88. Le phénol, C_6H_5OH ($pK_a = 10,00$), est largement utilisé dans la synthèse des composés organiques, mais on le connaît mieux comme désinfectant d'usage général (acide carbolique). Une solution aqueuse saturée de phénol a un pH de 4,90. Quelle est la concentration molaire volumique du phénol dans cette solution ?

89. L'acide citrique ($pK_{a_1} = 3,13$, $pK_{a_2} = 4,76$, $pK_{a_3} = 6,40$) est présent dans les agrumes. Calculez le pH approximatif du jus de citron, qui est constitué d'environ 5 % en masse d'acide citrique.

$$\begin{array}{c} CH_2COOH \\ | \\ HO-CCOOH \\ | \\ CH_2COOH \end{array}$$

Acide citrique

90. Écrivez les équations des réactions d'hydrolyse qui ont lieu dans les solutions suivantes et indiquez si la solution est acide, basique ou neutre.

a) $RbClO_4(aq)$
c) $C_6H_5NH_3F(aq)$
b) $CH_3CH_2NH_3Br(aq)$

91. Écrivez une équation de la réaction d'hydrolyse qui a lieu dans une solution de NH_4Cl 0,602 mol/L et déterminez la constante d'équilibre de cette hydrolyse ainsi que le pH.

92. Calculez le pH d'une solution contenant CH_3CH_2COOH 0,350 mol/L et CH_3CH_2COOK 0,0786 mol/L. (Pour CH_3CH_2COOH, $K_a = 1,3 \times 10^{-5}$.)

93. Dans le titrage de 10,00 mL de CH_3COOH 1,050 mol/L par NaOH 0,480 mol/L, combien de millilitres de NaOH(aq) doit-on ajouter pour atteindre un pH de 4,20 ? (*Indice* : Quelle doit-être la valeur de $[CH_3COO^-]/[CH_3COOH]$? Quel volume de NaOH(aq), V, est nécessaire pour obtenir cette valeur ?)

94. Tracez, au moyen de calculs, une courbe pour le titrage de 25,00 mL de CH_3CH_2COOH 0,250 mol/L ($pK_a = 4,89$) par NaOH 0,330 mol/L et répondez aux questions suivantes :

a) Quel est le volume de titrant requis pour atteindre le point d'équivalence ?

b) Quel est le pH initial ?

c) Quel est le pH après l'addition de 2,00 mL de NaOH ?

d) Quel est le pH au point de demi-neutralisation ?

e) Quel est le pH après l'addition de 12,00 mL de NaOH ?

f) Quel est le pH au point d'équivalence ?

g) Quel est le pH après l'addition de 20,00 mL de NaOH ?

h) Parmi les indicateurs de la figure 4.13 (page 214), lequel conviendrait le mieux pour ce titrage ?

95. Parmi les choix suivants dans le titrage de 10,00 mL de CH_3COOH 1,00 mol/L par NaOH 0,500 mol/L, lequel produirait une solution dont « l'aspect moléculaire » correspondrait à la figure ci-dessous ? Après l'addition d'un volume de NaOH 0,5000 mol/L de 0,00 mL ; 5,00 mL ; 20,00 mL ; 22,00 mL ; 30,00 mL. Expliquez vos réponses.

- ● = Na^+
- ○ = OH^-
- ⬭ = CH_3COOH
- ⬬ = CH_3COO^-

96. Un échantillon de 10,00 mL d'une solution d'acide sulfurique, H_2SO_4, utilisée dans un accumulateur ($\rho = 1,265$ g/mL) est dilué à 100,0 mL avec de l'eau. Il faut 38,70 mL de KOH 0,238 mol/L pour titrer un échantillon de 10,00 mL de l'acide dilué, où la solution est constituée de K_2SO_4(aq). Calculez la concentration molaire volumique et le pourcentage massique de H_2SO_4 dans l'acide d'accumulateurs.

97. Une cuvée de boues d'épuration est essorée à 28 % de solides ; l'eau qui reste a un pH de 6,0. Pour qu'elles puissent servir à amender les terres agricoles, on rend les boues très alcalines, ce qui tue les microorganismes pathogènes. Quelle quantité de chaux vive, CaO, est nécessaire pour élever le pH de 1000 kg de ces boues à une valeur de 12,0 ?

$$CaO(s) + H_2O(l) \longrightarrow Ca(OH)_2(aq)$$

98. Quel volume d'acide nitrique concentré (70,4 % en masse de HNO_3 ; $\rho = 1,42$ g/mL) doit-on dissoudre dans l'eau pour préparer 0,500 L d'une solution de pH = 2,20 ?

99. Calculez le pH d'une solution de $Ba(OH)_2$ $2,0 \times 10^{-8}$ mol/L ? (*Indice :* Quelles sont les deux sources de OH^- ?)

100. Une solution peut-elle avoir $[H_3O^+]$ égale à 2 fois $[OH^-]$? Une solution peut-elle avoir un pH égal à 2 fois le pOH ? Si oui, les deux solutions sont-elles identiques ?

101. Reportez-vous aux photographies de l'exemple 4.20 (page 216) traitant des changements de couleur du bleu de thymol. Supposons que la photo *b* représente 100,0 mL d'une solution tampon contenant $[CH_3COOH] = [CH_3COO^-] = 0,200$ mol/L. Combien de moles de NaOH doit-on ajouter approximativement, au minimum, pour obtenir le changement de couleur observé sur la photo *d* ? (*Indice :* Consultez la figure 4.13, page 214.)

102. Déterminez $[H_3O^+]$ dans H_2SO_4(aq) 0,020 mol/L et comparez le résultat avec celui obtenu à l'exercice 4.12B (page 194). (*Indice :* Quelles sont les deux sources de H_3O^+ qu'il faut prendre en considération ?)

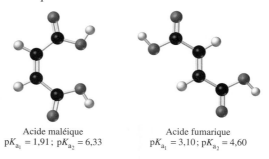

103. Utilisez les données de l'annexe C.1 concernant la réaction de neutralisation $H^+(aq) + OH^-(aq) \longrightarrow H_2O(l)$, pour déterminer si la constante de dissociation de l'eau, K_{eau}, augmente ou diminue en fonction de l'élévation de la température.

104. Expliquez pourquoi l'*écart* entre les valeurs de pK_{a_1} et de pK_{a_2} est beaucoup plus important pour l'acide maléique que pour l'acide fumarique.

Acide maléique
$pK_{a_1} = 1,91$; $pK_{a_2} = 6,33$

Acide fumarique
$pK_{a_1} = 3,10$; $pK_{a_2} = 4,60$

105. Dans un ouvrage de référence, on trouve $pK_{b_1} = 6,07$ et $pK_{b_2} = 15,05$ pour l'hydrazine, N_2H_4. Dessinez une formule développée pour l'hydrazine et écrivez les équations qui montrent comment elle peut s'ioniser comme une base en deux étapes distinctes. Expliquez pourquoi pK_{b_2} est beaucoup plus grand que pK_{b_1}. Calculez le pH de N_2H_4 0,150 mol/L.

106. Dans un ouvrage de référence, on trouve la solubilité de la méthylamine, CH_3NH_2. Elle est de 959 L de CH_3NH_2 gazeux par litre d'eau liquide à 25 °C et sous une pression de 101,3 kPa de $CH_3NH_2(g)$. Quel est le pH d'une solution aqueuse saturée de méthylamine dans ces conditions ?

107. La courbe de titrage ci-dessous représente des solutions d'un acide et d'une base à 1,00 mol/L. En vous inspirant de la méthode décrite à la page 230 (exemple 4.26 et exercice 4.26A):

a) déterminez le type de titrage acide-base représenté par cette courbe.

b) évaluez la valeur du pK du *titrant*.

c) obtenez la valeur du pH au point d'équivalence, par calcul et par évaluation à partir de la courbe de titrage.

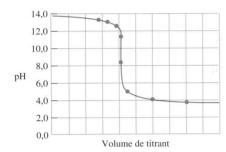

108. Sachant que la couleur d'un indicateur acidobasique est la « couleur acide » si au moins 90 % de l'indicateur est sous la forme HIn, et la « couleur basique » si au moins 90 % de l'indicateur est sous la forme In⁻, montrez que la zone de virage est donnée approximativement par pH = pK_{HIn} ± 1.

109. Nous avons appris comment déterminer le pH d'une solution aqueuse dans laquelle a lieu l'hydrolyse d'un ion. Il est beaucoup plus difficile de calculer le pH si l'ion peut *à la fois* s'hydrolyser et subir une autre ionisation.

a) Écrivez une équation représentant l'ionisation de $H_2PO_4^-$ comme un acide, et une autre pour représenter son hydrolyse (ionisation en tant que base).

b) Montrez qu'une solution aqueuse contenant $H_2PO_4^-$ a un pH *indépendant* de sa concentration molaire volumique, pourvu que la solution soit suffisamment concentrée (à plus de 0,010 mol/L environ). Montrez que le pH correspond à la formule : pH = $^1/_2$(pK_{a_1} + pK_{a_2}).

110. On utilise l'acide *o*-phtalique [*o*-$C_6H_4(COOH)_2$], un diacide, pour préparer l'indicateur phénolphtaléine. Une solution saturée d'acide *o*-phtalique contient 0,6 g/100 mL et a un pH de 2,33. Une solution à 0,10 mol/L d'hydrogéno-*o*-phtalate de potassium a un pH de 4,19. Déterminez le pK_{a_1} et le pK_{a_2} de l'acide *o*-phtalique. (*Indice :* Reportez-vous au problème 109.)

111. La pluie normale est légèrement acide en raison de la dissolution du CO_2 atmosphérique dans l'eau de pluie et de l'ionisation de l'acide carbonique, H_2CO_3, qui en résulte. À une pression partielle du $CO_2(g)$ de 101,3 kPa et à une température de 25 °C, la solubilité du $CO_2(g)$ dans l'eau est de 0,759 mL de $CO_2(g)$ par millilitre de $H_2O(l)$ dans les conditions TPN. Sachant que l'air contient 0,036 % de CO_2 par volume, évaluez le pH de l'eau de pluie saturée en $CO_2(g)$. (*Indice :* Rappelez-vous la loi de Henry, page 32, et considérez que le CO_2 dissous est présent sous la forme d'acide carbonique.)

112. Un wagon-citerne transportant $1,5 \times 10^3$ kg d'acide sulfurique concentré déraille et déverse son chargement. L'acide est du H_2SO_4 à 93,2 % et il a une masse volumique de 1,84 g/mL. Combien de kilogrammes de carbonate de sodium (soude calcinée) sont nécessaires pour neutraliser l'acide ? (*Indice :* Quelle est la réaction de neutralisation ?)

113. On ajoute 75 mL de HCl(aq) 4,5 mol/L à 125 mL de Na_2CO_3(aq) 1,05 mol/L. Puis on fait évaporer toute la solution. Quelle masse de NaCl(s) obtient-on ?

114. Quelle est la concentration molaire volumique de OH⁻ dans la solution qui résulte du mélange de 25,10 mL de NaOH 0,2455 mol/L et de 35,05 mL de HNO_3 0,1524 mol/L ?

115. On doit analyser un acide d'accumulateur pour connaître son contenu en acide sulfurique. Un échantillon de 1,00 mL a une masse de 1,239 g. Cet échantillon est dilué à 250,0 mL avec de l'eau, et il faut 32,44 mL de NaOH 0,009 86 mol/L pour titrer 10,00 mL de l'acide dilué. Quel est le pourcentage massique de H_2SO_4 dans l'acide d'accumulateur ?

116. Le graphique ci-dessous représente la courbe de titrage de 10,0 mL d'acide phosphorique, H_3PO_4, 0,100 mol/L par NaOH 0,100 mol/L.

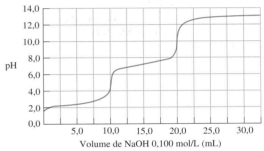

a) Écrivez une équation ionique nette de la réaction de neutralisation qui a lieu avant le premier point d'équivalence. Quelle substance est présente dans la solution au premier point d'équivalence ?

b) Écrivez une équation ionique nette de la réaction de neutralisation qui a lieu entre le premier et le deuxième point d'équivalence. Quelle substance est présente dans la solution au deuxième point d'équivalence ?

c) Choisissez un indicateur adéquat pour le titrage de chacun des points d'équivalence.

d) H_3PO_4 est un acide *tri*protique. Pour quelle raison, selon vous, le troisième point d'équivalence n'apparaît-il pas sur la courbe de titrage ?

e) Comment la courbe de titrage serait-elle modifiée si la solution titrée était composée *à la fois* de H_3PO_4 et de HCl 0,100 mol/L ?

117. Les solutions tampons doivent nécessairement contenir des composants capables de réagir avec un acide ou une base ajoutés. L'ion dihydrogénophosphate, $H_2PO_4^-$, peut le faire ; il est amphotère. Pourquoi alors NaH_2PO_4(aq) seul n'est-il pas un tampon particulièrement efficace ? Une solution qui contient NaH_2PO_4 et Na_2HPO_4 est-elle un tampon efficace ? Expliquez votre réponse. (*Indice :* Utilisez la courbe de titrage qui accompagne le problème 116.)

118. Sachant que $H_2C\!\!=\!\!CHCH_2COOH$ (acide but-3-énoïque) 0,0500 mol/L possède un point de congélation de $-0,096$ °C, déterminez sa constante d'acidité, K_a.

119. Montrez que, lorsque $[H_3O^+]$ d'une solution est réduite de moitié par rapport à sa valeur initiale, le pH augmente de 0,30 *quelle que soit la valeur initiale du pH*. Est-il également vrai que, lorsqu'une solution est diluée de moitié par rapport à sa concentration initiale, son pH augmente de 0,30 ? Expliquez votre réponse.

120. Quel est le pH d'une solution contenant CH_3COOH 0,250 mol/L et aussi $HCOOH$ 0,150 mol/L ? (*Indice :* Il faut résoudre deux équations simultanément.)

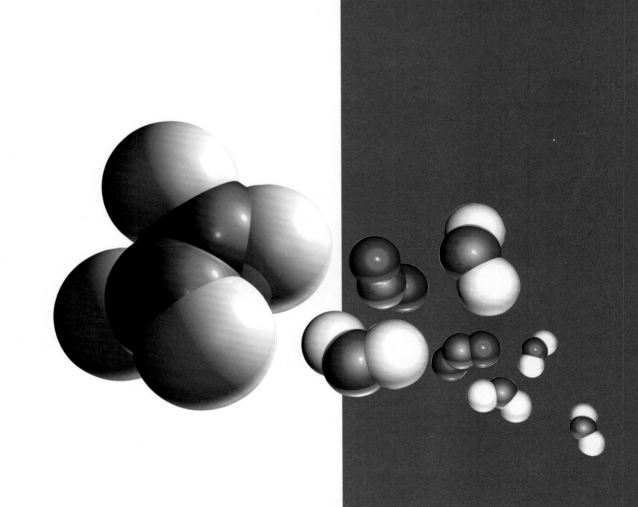

D'autres équilibres en solutions aqueuses : les sels peu solubles et les ions complexes

Nous considérons généralement le carbonate de calcium, CaCO$_3$, comme insoluble dans l'eau mais, en réalité, il y est très légèrement soluble. Seulement quelques milligrammes de CaCO$_3$ se dissolvent dans un litre d'eau. Néanmoins, lorsqu'elles se déposent et s'accumulent au fil des siècles dans les grottes, ces quantités minimes parviennent à former des stalactites, des stalagmites, et d'autres structures remarquables et complexes. Dans le présent chapitre, nous examinerons certaines propriétés chimiques des sels peu solubles.

A̲u chapitre 3, nous avons défini des concepts généraux relatifs à l'équilibre chimique et nous les avons appliqués surtout à des réactions qui mettent en jeu des gaz. Dans la majeure partie du chapitre 4, nous avons traité de l'équilibre en solution aqueuse des acides faibles et des bases faibles. Dans le présent chapitre, nous insisterons surtout sur les types d'équilibre entre les sels peu solubles et leurs ions en solution, et sur ceux qui concernent les ions complexes. Comme nous le verrons, ces équilibres accompagnent parfois d'autres équilibres, notamment de nature acidobasique.

Les applications des concepts présentés dans ce chapitre nous touchent de près. Elles sont importantes, par exemple, en santé dentaire (il existe un lien entre la carie dentaire et la solubilité des substances peu solubles) et en photographie (le développement des films met à profit la formation d'ions complexes). Nous en étudierons aussi d'autres utilisations.

L'étude de ce chapitre permettra, entre autres, de répondre aux questions suivantes :

- Pourquoi se sert-on de sulfate de baryum lorsqu'on fait une radiographie de l'estomac ?

- Quel est l'effet d'un ion commun sur les équilibres de solubilité ?

- Comment peut-on prédire la formation d'un précipité au cours d'une réaction ?

- Le pH a-t-il une influence sur la solubilité ?

- Qu'est-ce que l'analyse qualitative inorganique des cations et quelles en sont les étapes ?

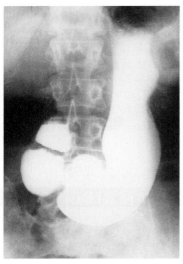

Le sulfate de baryum est si peu soluble dans l'eau qu'il peut être utilisé à l'intérieur du corps. Il est en outre opaque aux rayons X ; cette radiographie révèle le contour d'un estomac enduit de $BaSO_4$(s). Celui-ci sera éliminé sans dommage par le système digestif du patient.

Produit de solubilité (K_{ps})

Produit des concentrations des ions qui interviennent dans un équilibre de solubilité, chacune étant élevée à une puissance égale au coefficient stœchiométrique de cet ion dans l'équation chimique de l'équilibre ; cette constante dépend de la température.

5.1 Le produit de solubilité

De nombreux composés ioniques importants sont très peu solubles dans l'eau. En fait, on utilise souvent le terme « insoluble » pour les décrire. Par exemple, la solubilité du sulfate de baryum, $BaSO_4$, n'est que de 0,000 246 g par 100 g d'eau à 25 °C.

On peut utiliser l'équation suivante pour représenter l'équilibre entre $BaSO_4$(s) et ses ions dans une solution aqueuse *saturée*.

$$BaSO_4(s) \rightleftharpoons Ba^{2+}(aq) + SO_4^{2-}(aq)$$

Le symbole (aq) indique, comme d'habitude, que le solvant est l'eau, mais on n'écrit pas H_2O dans l'équation chimique. Et, comme nous l'avons vu aux chapitres 3 et 4, les liquides et les solides purs ne figurent pas dans les expressions des constantes d'équilibre (K_c). Par ailleurs, on utilise un nom et un symbole particuliers pour la constante représentant l'équilibre de solubilité : on l'appelle la constante du produit de solubilité et on la représente par K_{ps}.

$$K_{ps} = [Ba^{2+}][SO_4^{2-}] = 1,1 \times 10^{-10} \text{ (à 25 °C)}$$

La constante du produit de solubilité, ou plus simplement le **produit de solubilité (K_{ps})**, est le produit des concentrations en moles par litre (mol/L) des ions qui participent à un équilibre de solubilité, chacune étant élevée à une puissance égale au coefficient stœchiométrique de cet ion dans l'équation chimique de l'équilibre. Comme les autres constantes d'équilibre, K_{ps} dépend de la température. Le **tableau 5.1** répertorie quelques équilibres de solubilité caractéristiques ainsi que leur produit de solubilité à 25 °C. On trouve à l'annexe C.2C une liste plus complète des valeurs de K_{ps}.

Tel que l'illustre l'exemple 5.1, une expression de K_{ps} se rapporte à une équation équilibrée qui est toujours exprimée en fonction d'une mole du solide ionique.

EXEMPLE 5.1

Écrivez une expression du produit de solubilité lorsque l'équilibre est atteint dans une solution aqueuse saturée de chacun des sels peu solubles suivants : **a)** phosphate de fer(III), $FePO_4$; **b)** hydroxyde de chrome(III), $Cr(OH)_3$.

➜ Stratégie

Dans les équations chimiques auxquelles se rapporte une expression de K_{ps}, une seule mole de solide est représentée dans le membre de gauche. Les coefficients du côté droit représentent alors les nombres de moles de cations et d'anions par mole du composé. Et, comme dans les autres expressions de constantes d'équilibre, les coefficients de l'équation équilibrée deviennent les exposants de l'expression de K_{ps}.

➜ Solution

a) $FePO_4(s) \rightleftharpoons Fe^{3+}(aq) + PO_4^{3-}(aq)$ $K_{ps} = [Fe^{3+}][PO_4^{3-}]$

b) $Cr(OH)_3(s) \rightleftharpoons Cr^{3+}(aq) + 3\ OH^-(aq)$ $K_{ps} = [Cr^{3+}][OH^-]^3$

EXERCICE 5.1 A

Écrivez une expression de K_{ps} lorsque l'équilibre est atteint dans une solution aqueuse saturée de chacun des composés suivants : **a)** MgF_2 ; **b)** Li_2CO_3 ; **c)** $Cu_3(AsO_4)_2$.

EXERCICE 5.1 B

Écrivez une expression de K_{ps} lorsque l'équilibre est atteint dans une solution saturée **a)** d'hydroxyde de magnésium, le lait de magnésie; **b)** de fluorure de scandium, ScF_3, utilisé dans la préparation du scandium métallique; **c)** de phosphate de zinc(II), utilisé dans les ciments dentaires.

TABLEAU **5.1** Quelques produits de solubilité à 25 °C*		
Soluté	**Équilibre de solubilité**	K_{ps}
Bromure d'argent	$AgBr(s) \rightleftharpoons Ag^+(aq) + Br^-(aq)$	$5,0 \times 10^{-13}$
Carbonate de baryum	$BaCO_3(s) \rightleftharpoons Ba^{2+}(aq) + CO_3^{2-}(aq)$	$5,1 \times 10^{-9}$
Carbonate de calcium	$CaCO_3(s) \rightleftharpoons Ca^{2+}(aq) + CO_3^{2-}(aq)$	$2,8 \times 10^{-9}$
Carbonate de magnésium	$MgCO_3(s) \rightleftharpoons Mg^{2+}(aq) + CO_3^{2-}(aq)$	$3,5 \times 10^{-8}$
Carbonate de strontium	$SrCO_3(s) \rightleftharpoons Sr^{2+}(aq) + CO_3^{2-}(aq)$	$1,1 \times 10^{-10}$
Chlorure d'argent	$AgCl(s) \rightleftharpoons Ag^+(aq) + Cl^-(aq)$	$1,8 \times 10^{-10}$
Chlorure de mercure(I)	$Hg_2Cl_2(s) \rightleftharpoons Hg_2^{2+}(aq) + 2\,Cl^-(aq)$	$1,3 \times 10^{-18}$
Chlorure de plomb(II)	$PbCl_2(s) \rightleftharpoons Pb^{2+}(aq) + 2\,Cl^-(aq)$	$1,6 \times 10^{-5}$
Chromate de plomb(II)	$PbCrO_4(s) \rightleftharpoons Pb^{2+}(aq) + CrO_4^{2-}(aq)$	$2,8 \times 10^{-13}$
Fluorure de calcium	$CaF_2(s) \rightleftharpoons Ca^{2+}(aq) + 2\,F^-(aq)$	$5,3 \times 10^{-9}$
Fluorure de magnésium	$MgF_2(s) \rightleftharpoons Mg^{2+}(aq) + 2\,F^-(aq)$	$3,7 \times 10^{-8}$
Hydroxyde d'aluminium	$Al(OH)_3(s) \rightleftharpoons Al^{3+}(aq) + 3\,OH^-(aq)$	$1,3 \times 10^{-33}$
Hydroxyde de chrome(III)	$Cr(OH)_3(s) \rightleftharpoons Cr^{3+}(aq) + 3\,OH^-(aq)$	$6,3 \times 10^{-31}$
Hydroxyde de fer(III)	$Fe(OH)_3(s) \rightleftharpoons Fe^{3+}(aq) + 3\,OH^-(aq)$	4×10^{-38}
Hydroxyde de magnésium	$Mg(OH)_2(s) \rightleftharpoons Mg^{2+}(aq) + 2\,OH^-(aq)$	$1,8 \times 10^{-11}$
Iodure d'argent	$AgI(s) \rightleftharpoons Ag^+(aq) + I^-(aq)$	$8,5 \times 10^{-17}$
Iodure de plomb(II)	$PbI_2(s) \rightleftharpoons Pb^{2+}(aq) + 2\,I^-(aq)$	$7,1 \times 10^{-9}$
Oxalate de calcium	$CaC_2O_4(s) \rightleftharpoons Ca^{2+}(aq) + C_2O_4^{2-}(aq)$	$2,7 \times 10^{-9}$
Phosphate de magnésium	$Mg_3(PO_4)_2(s) \rightleftharpoons 3\,Mg^{2+}(aq) + 2\,PO_4^{3-}(aq)$	1×10^{-25}
Sulfate de baryum	$BaSO_4(s) \rightleftharpoons Ba^{2+}(aq) + SO_4^{2-}(aq)$	$1,1 \times 10^{-10}$
Sulfate de calcium	$CaSO_4(s) \rightleftharpoons Ca^{2+}(aq) + SO_4^{2-}(aq)$	$9,1 \times 10^{-6}$
Sulfate de strontium	$SrSO_4(s) \rightleftharpoons Sr^{2+}(aq) + SO_4^{2-}(aq)$	$3,2 \times 10^{-7}$
Sulfure de cuivre(II)	$CuS(s) \rightleftharpoons Cu^{2+}(aq) + S^{2-}(aq)$	$8,7 \times 10^{-36}$
Sulfure de mercure(II)	$HgS(s) \rightleftharpoons Hg^{2+}(aq) + S^{2-}(aq)$	2×10^{-53}
Sulfure de zinc	$ZnS(s) \rightleftharpoons Zn^{2+}(aq) + S^{2-}(aq)$	$1,6 \times 10^{-24}$

* L'annexe C.2C présente un tableau plus exhaustif des produits de solubilité.

5.2 La relation entre K_{ps} et solubilité

Le terme «produit de solubilité» indique qu'il existe une relation entre K_{ps} et la solubilité d'un soluté ionique. Cependant, cela *ne* signifie *pas* que le K_{ps} et la solubilité — définie comme la concentration molaire volumique d'un soluté dans une solution aqueuse saturée — soient équivalents. Cela signifie seulement qu'on peut déterminer la valeur du K_{ps} à partir de la solubilité et vice versa.

Bien que les calculs relatifs à la constante K_{ps} soient souvent plus simples que ceux des autres constantes d'équilibre, ils donnent lieu à plus d'erreurs, en partie à cause du peu de précision de certaines valeurs de K_{ps}, et en partie à cause des attractions interioniques qui compliquent les relations d'équilibre quand les concentrations des ions sont élevées. On n'utilise donc habituellement pas le concept de produit de solubilité pour les solutés ioniques moyennement ou très solubles. Même pour les solutés peu solubles, certains calculs ne donnent que des approximations de la réalité.

À l'instar des autres calculs d'équilibre, ceux qui ont trait à l'équilibre de solubilité ont deux applications principales : soit la détermination d'une valeur de K_{ps} à partir de données expérimentales, soit le calcul des concentrations à l'équilibre quand une valeur de K_{ps} est connue. L'exemple 5.2 illustre la première application.

EXEMPLE **5.2**

À 20 °C, une solution aqueuse saturée de carbonate d'argent contient 32 mg de Ag_2CO_3 par litre de solution. Calculez la valeur de K_{ps} de Ag_2CO_3 à 20 °C.

$$Ag_2CO_3(s) \rightleftharpoons 2\,Ag^+(aq) + CO_3^{2-}(aq) \quad K_{ps} = ?$$

➜ Stratégie

Pour évaluer le K_{ps}, il faut connaître les concentrations des ions dans la solution saturée, mais c'est la solubilité du soluté non dissocié qui est donnée. Ainsi, le but premier du calcul est d'obtenir les concentrations des ions en moles par litre à partir de la concentration du soluté, laquelle est exprimée en milligrammes par litre. Nous pourrons par la suite obtenir une valeur de K_{ps} en substituant les concentrations des ions dans l'expression de la constante de solubilité.

➜ Solution

Utilisons l'équation chimique (ci-dessus) pour relier les concentrations des ions à la solubilité donnée. À partir de l'équation, nous voyons qu'il y a 2 mol de Ag^+ et 1 mol de CO_3^{2-} en solution pour 1 mol de Ag_2CO_3 dissous, ce qui donne les facteurs de conversion (bleu) dans les relations suivantes.

$$[Ag^+] = \frac{32 \text{ mg de } Ag_2CO_3}{L} \times \frac{1 \text{ g de } Ag_2CO_3}{1000 \text{ mg de } Ag_2CO_3} \times \frac{1 \text{ mol de } Ag_2CO_3}{275{,}8 \text{ g de } Ag_2CO_3} \times \frac{2 \text{ mol de } Ag^+}{1 \text{ mol de } Ag_2CO_3}$$

$$= 2{,}3 \times 10^{-4} \text{ mol/L}$$

$$[CO_3^{2-}] = \frac{32 \text{ mg de } Ag_2CO_3}{L} \times \frac{1 \text{ g de } Ag_2CO_3}{1000 \text{ mg de } Ag_2CO_3} \times \frac{1 \text{ mol de } Ag_2CO_3}{275{,}8 \text{ g de } Ag_2CO_3} \times \frac{1 \text{ mol de } CO_3^{2-}}{1 \text{ mol de } Ag_2CO_3}$$

$$= 1{,}2 \times 10^{-4} \text{ mol/L}$$

Nous pouvons alors écrire l'expression de K_{ps} de Ag_2CO_3 et substituer les valeurs des concentrations des ions à l'équilibre.

$$K_{ps} = [Ag^+]^2[CO_3^{2-}] = (2{,}3 \times 10^{-4})^2(1{,}2 \times 10^{-4}) = 6{,}3 \times 10^{-12}$$

EXERCICE 5.2 A

Dans l'exemple 4.4 (page 179), nous avons déterminé la solubilité de l'hydroxyde de magnésium (lait de magnésie) à partir de la mesure du pH de sa solution saturée. Utilisez les données de cet exemple pour déterminer la valeur de K_{ps} de $Mg(OH)_2$.

EXERCICE 5.2 B

On trouve qu'une solution aqueuse saturée de chromate d'argent(I) contient 14 ppm de Ag^+, en masse. Déterminez la valeur de K_{ps} du chromate d'argent(I). Supposez que la solution a une masse volumique de 1,00 g/mL.

$1 ppm = \dfrac{1 \text{ partie}}{\text{par million}} = 1 \text{ mg/L}$

Dans le second type de calcul, illustré dans l'exemple 5.3, nous déterminons la solubilité d'un soluté à partir de données fournies dans le tableau 5.1 ou l'annexe C.2C. Ce type de calcul est pratique, car de nombreux ouvrages de référence ne donnent que les valeurs de K_{ps}, et non celles des solubilités.

EXEMPLE **5.3**

À partir de la valeur de K_{ps} du sulfate d'argent, calculez sa solubilité.

$$Ag_2SO_4(s) \rightleftharpoons 2\,Ag^+(aq) + SO_4^{2-}(aq) \qquad K_{ps} = 1,4 \times 10^{-5} \text{ à } 25\ ^\circ C$$

➡ Stratégie

L'équation montre que, si 1 mol de $Ag_2SO_4(s)$ se dissout, il se forme 1 mol de SO_4^{2-} et 2 mol de Ag^+ dans la solution. Soit s le nombre de moles de Ag_2SO_4 dissous par litre de solution ; les concentrations des ions s'expriment alors comme suit.

$$[SO_4^{2-}] = s \quad \text{et} \quad [Ag^+] = 2s$$

Ces concentrations doivent satisfaire à l'expression de K_{ps}.

➡ Solution

$$K_{ps} = [Ag^+]^2[SO_4^{2-}]$$

$$1,4 \times 10^{-5} = (2s)^2(s) = 4s^3$$

$$s^3 = \frac{1,4 \times 10^{-5}}{4} = 3,5 \times 10^{-6}$$

$$s = \sqrt[3]{(3,5 \times 10^{-6})} = 1,5 \times 10^{-2} \text{ mol/L}$$

Il faut se rappeler que s représente $[SO_4^{2-}]$ dans la solution saturée et que l'équation de dissolution montre que la solubilité de Ag_2SO_4 est égale à $[SO_4^{2-}]$, ce qui est indiqué par le facteur de conversion en bleu.

$$\frac{1,5 \times 10^{-2} \ \cancel{\text{mol de } SO_4^{2-}}}{L} \times \frac{1 \text{ mol de } Ag_2SO_4}{1 \ \cancel{\text{mol de } SO_4^{2-}}} = 1,5 \times 10^{-2} \text{ mol/L de } Ag_2SO_4$$

➡ Évaluation

Nous avons substitué les concentrations des ions dans l'expression de K_{ps}. À ce propos, il est important de signaler : (1) que le facteur 2 apparaît dans $2s$ parce que la concentration de Ag^+ est le *double* de celle de SO_4^{2-}, et (2) que l'exposant 2 apparaît dans le terme $(2s)^2$ parce que la concentration de Ag^+ doit être élevée à la puissance *deux* dans l'expression de K_{ps}. Soyez attentifs, car des situations semblables pourraient se présenter dans d'autres problèmes.

EXERCICE 5.3 A

Calculez la solubilité de l'arséniate d'argent, étant donné que

$$Ag_3AsO_4(s) \rightleftharpoons 3\,Ag^+(aq) + AsO_4^{3-}(aq) \qquad K_{ps} = 1,0 \times 10^{-22}$$

EXERCICE 5.3 B

Déterminez le nombre de parties par million de I^- dans une solution aqueuse saturée d'iodure de plomb, PbI_2 ($K_{ps} = 7,1 \times 10^{-9}$). Supposez que la solution a une masse volumique de 1,00 g/mL.

Au lieu de calculer les solubilités, on peut parfois se limiter à quelques raisonnements qualitatifs pour comparer les solubilités de plusieurs substances. Il suffit souvent de comparer les valeurs de K_{ps}, comme l'illustre l'exemple 5.4.

EXEMPLE 5.4 **Un exemple conceptuel**

Sans faire de calculs détaillés, mais en utilisant les données du tableau 5.1, établissez l'ordre croissant de la solubilité dans l'eau des halogénures d'argent suivants : AgCl, AgBr, AgI.

➔ Analyse et conclusion

La clé de la solution de ce problème consiste à reconnaître que tous ces solutés sont du même type, c'est-à-dire que le rapport entre cation et anion est de 1:1 dans chacun des cas. Comme le montre l'équation suivante pour l'équilibre de solubilité de AgX, les concentrations des ions sont égales entre elles et égales à la solubilité, *s,* puisque les coefficients stœchiométriques des membres de l'équation sont tous 1.

$$AgX(s) \rightleftharpoons Ag^+(aq) + X^-(aq)$$
$$s \text{ mol de } Ag^+/L \quad s \text{ mol de } X^-/L$$
$$K_{ps} = [Ag^+][X^-] = (s)(s) = s^2$$

La solubilité du soluté $s = \sqrt{K_{ps}}$.

L'ordre croissant de solubilité est le même que l'ordre croissant des valeurs de K_{ps}.

Solubilités en ordre croissant   AgI   <   AgBr   <   AgCl

K_{ps} en ordre croissant $K_{ps} = 8,5 \times 10^{-17}$ < $5,0 \times 10^{-13}$ < $1,8 \times 10^{-10}$

Cette méthode ne fonctionne que si l'on compare des solutés qui sont du même type, c'est-à-dire de la forme MX ou MX_2 et ainsi de suite. Dans tous les autres cas, par exemple si on veut comparer les solubilités de $CaSO_4$ et de $PbCl_2$, on doit obligatoirement calculer leurs solubilités respectives, tel que l'illustre l'exemple 5.3

EXERCICE 5.4 A

Sans faire de calculs détaillés, et en utilisant les données du tableau 5.1, classez les solutés suivants par ordre croissant de solubilité : MgF_2, CaF_2, $PbCl_2$, PbI_2.

EXERCICE 5.4 B

Classez les solutés suivants par ordre croissant de solubilité : $CaCO_3$, $PbCl_2$, $Mg_3(PO_4)_2$, BaS_2O_3. Les valeurs de K_{ps} sont présentées à l'annexe C.2C.

5.3 L'effet d'ion commun sur les équilibres de solubilité

Effet d'ion commun

Capacité d'ions provenant d'un électrolyte fort (1) de limiter l'ionisation d'un acide ou d'une base faible ou (2) de réduire la solubilité d'un composé ionique peu soluble.

L'**effet d'ion commun**, que nous avons étudié au chapitre 4, s'applique également aux équilibres de solubilité. Par exemple, on peut ajouter du sulfate de sodium, Na_2SO_4 (sel soluble), à une solution saturée de sulfate d'argent, Ag_2SO_4 (sel peu soluble). L'ion sulfate provenant du sulfate de sodium

$$Na_2SO_4(s) \xrightarrow{H_2O} 2\,Na^+(aq) + SO_4^{2-}(aq)$$

fait augmenter $[SO_4^{2-}]$ et perturbe l'équilibre de solubilité du sulfate d'argent.

$$Ag_2SO_4(s) \rightleftharpoons 2\,Ag^+(aq) + SO_4^{2-}(aq)$$

Selon le principe de Le Chatelier, la perturbation est réduite au minimum par le déplacement de l'équilibre vers la gauche. Pour établir un nouvel équilibre, plusieurs phénomènes se produisent :

- $Ag_2SO_4(s)$ précipite.

- $[Ag^+]$ est *inférieure* à sa valeur dans l'équilibre initial.

- $[SO_4^{2-}]$ est *supérieure* à sa valeur dans l'équilibre initial.

On peut obtenir un effet semblable en ajoutant du nitrate d'argent, $AgNO_3(aq)$, à $Ag_2SO_4(aq)$ saturé. On observera alors que :

- $Ag_2SO_4(s)$ précipite.

- $[Ag^+]$ est *supérieure* à sa valeur dans l'équilibre initial.

- $[SO_4^{2-}]$ est *inférieure* à sa valeur dans l'équilibre initial.

On peut illustrer l'effet par le diagramme suivant.

$\longleftarrow$ | Quand un sel fournit Ag^+ ou SO_4^{2-}, l'équilibre se déplace vers la *gauche*.

$$Ag_2SO_4(s) \rightleftharpoons 2\,Ag^+(aq) + SO_4^{2-}(aq)$$

Et on peut résumer l'effet d'ion commun sur un équilibre de solubilité par l'énoncé suivant.

La solubilité d'un composé ionique peu soluble est abaissée quand on ajoute à la solution un second soluté qui fournit un ion commun.

La **figure 5.1** illustre l'effet de l'ajout de Na_2SO_4 à une solution saturée et claire de sulfate d'argent. Qualitativement, les deux ions communs, Ag^+ et SO_4^{2-}, ont le même effet sur la solubilité de Ag_2SO_4 ; ils la réduisent. Quantitativement toutefois, l'effet de Ag^+ est

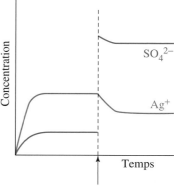

Addition de sulfate de sodium à un mélange à l'équilibre

Le graphique montre comment une solution saturée de sulfate d'argent réagit à l'ajout d'ions sulfate. Rappelons que le sulfate d'argent est peu soluble dans l'eau. L'équilibre de solubilité est forcé de se déplacer vers la gauche. Après qu'il s'est rétabli, on constate que la concentration des ions Ag^+ est considérablement diminuée.

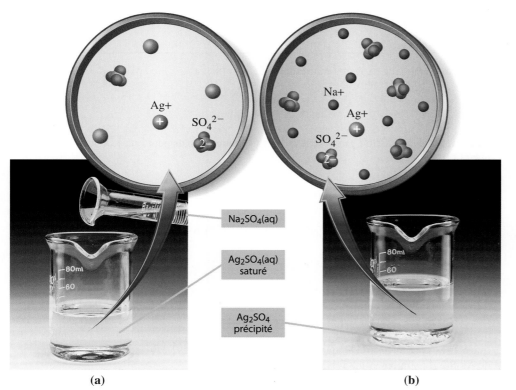

◀ Figure 5.1
Effet d'ion commun sur l'équilibre de solubilité

(**a**) La solution de $Ag_2SO_4(aq)$ saturée, dont on a enlevé le solide non dissous, contient deux cations pour chaque anion. (**b**) Après l'ajout de $Na_2SO_4(aq)$, il y a toujours deux fois plus de cations que d'anions, mais la plupart des cations sont des Na^+. La majorité des ions Ag^+ de l'équilibre initial (environ 7/8) ont précipité sous la forme de $Ag_2SO_4(s)$.

(a)   (b)

plus prononcé que celui de SO_4^{2-}, comme on peut le constater en comparant la solution de l'exercice 5.5A avec celle de l'exemple 5.5.

L'effet d'ion commun est fréquemment utilisé en chimie analytique, comme l'illustre la méthode suivante de détermination du pourcentage de calcium dans le calcaire. Ce dernier est composé principalement de carbonate de calcium, $CaCO_3$, auquel s'ajoutent d'autres constituants en petites quantités.

En premier lieu, on obtient l'ion calcium en solution en dissolvant l'échantillon de calcaire dans HCl(aq).

$$CaCO_3(s, impur) + 2 H_3O^+(aq) \longrightarrow Ca^{2+}(aq) + 3 H_2O(l) + CO_2(g)$$

EXEMPLE **5.5**

Calculez la solubilité de Ag_2SO_4 dans Na_2SO_4(aq) 1,00 mol/L.

➜ Stratégie

Le solvant utilisé ici à la place de l'eau pour préparer la solution saturée de Ag_2SO_4 est Na_2SO_4(aq) 1,00 mol/L. Nous supposons que Na_2SO_4 est complètement dissocié et que la présence de Ag_2SO_4 n'a aucun effet sur cette dissociation. Représentons encore par s le nombre de moles de Ag_2SO_4 qui se dissout par litre de solution saturée. À partir de s mol de Ag_2SO_4/L, nous obtenons s mol de SO_4^{2-}/L et $2s$ mol de Ag^+/L. Nous pouvons présenter ces renseignements sous la forme habituelle en incluant 1,00 mol de SO_4^{2-}/L déjà présente.

➜ Solution

La réaction	$Ag_2SO_4(s) \rightleftharpoons 2 Ag^+ (aq)$	$+$	$SO_4^{2-}(aq)$ K_{ps} $=$ $1,4 \times 10^{-5}$
Concentrations initiales (mol/L)	0		1,00 (provenant de Na_2SO_4)
De Ag_2SO_4	$+ 2s$		$+ s$
Concentrations à l'équilibre (mol/L)	$2s$		$(1,00 + s)$

La relation habituelle de K_{ps} doit être satisfaite.

$$K_{ps} = [Ag^+]^2[SO_4^{2-}]$$
$$1,4 \times 10^{-5} = (2s)^2(1,00 + s)$$

Pour simplifier l'équation, supposons que s soit beaucoup plus petit que 1,00 mol/L, de sorte que $(1,00 + s) \approx 1,00$.

$$(2s)^2(1,00) = 1,4 \times 10^{-5}$$
$$4s^2 = 1,4 \times 10^{-5}$$
$$s^2 = 3,5 \times 10^{-6}$$
$$s = \text{solubilité} = \sqrt{(3,5 \times 10^{-6})} = 1,9 \times 10^{-3} \text{ mol de } Ag_2SO_4/L$$

➜ Évaluation

Quand nous supposons que $(1,00 + s) \approx 1,00$, nous affirmons que presque tout l'ion commun provient de la source ajoutée et non du soluté peu soluble initialement présent dans la solution. Dans le cas présent, l'approximation est valide : $(1,00 + 1,9 \times 10^{-3}) = 1,00$ (à deux décimales près). En guise de comparaison, il faut se rappeler que, dans l'exemple 5.3 (page 251), nous avons trouvé que la solubilité de Ag_2SO_4 dans l'eau pure est de $1,5 \times 10^{-2}$ mol de Ag_2SO_4/L, soit environ 8 fois plus grande.

Calculez la solubilité de Ag_2SO_4 dans $AgNO_3(aq)$ 1,00 mol/L.

Combien de grammes de nitrate d'argent doit-on ajouter à 250,0 mL d'une solution saturée et claire de $Ag_2SO_4(aq)$ pour réduire sa solubilité à $1,0 \times 10^{-3}$ mol/L ? (K_{ps} de $Ag_2SO_4 = 1,4 \times 10^{-5}$.)

Après avoir neutralisé l'excès de HCl(aq), on ajoute une solution d'oxalate d'ammonium, $(NH_4)_2C_2O_4(aq)$, en *excès*. Par excès, on entend l'utilisation de $C_2O_4^{2-}$ en quantité suffisante pour qu'il ne se forme plus de précipité et qu'il reste une importante concentration de $C_2O_4^{2-}$ dans la solution saturée.

$$Ca^{2+}(aq) + C_2O_4^{2-}(aq) \longrightarrow CaC_2O_4(s)$$

La présence de l'ion oxalate en excès, qui agit alors comme ion commun, réduit sensiblement la solubilité de $CaC_2O_4(s)$. Sans cet ion commun, un pourcentage faible mais significatif de Ca^{2+} resterait en solution. On sépare le précipité par filtration et on le lave pour enlever les impuretés résiduelles. Pour le lavage, on utilise $(NH_4)_2C_2O_4(aq)$ plutôt que l'eau pure — encore une fois pour que l'ion commun, $C_2O_4^{2-}$, maintienne la solubilité a un très faible niveau.

Enfin, on chauffe le précipité à 500 °C pour décomposer l'oxalate de calcium en $CaCO_3(s)$ *pur*.

$$CaC_2O_4(s) \xrightarrow{\Delta} CaCO_3(s, pur) + CO(g)$$

On peut alors déterminer la masse de $CaCO_3(s)$ obtenue et calculer le pourcentage de calcium dans l'échantillon initial de calcaire.

5.4 Les réactions de précipitation

Nous savons que de nombreux composés ioniques se dissolvent dans l'eau, mais qu'il y a une limite à la quantité de ces solutés qui se dissolvent dans une certaine quantité d'eau. Pour NaCl(aq) à 25 °C, cette limite correspond à une concentration d'environ 5,47 mol/L. Parce que la concentration maximale de soluté de NaCl est relativement élevée, on dit que NaCl(aq) est très soluble dans l'eau. Par contre, si la concentration maximale du soluté est inférieure à environ 0,01 mol/L, on considère généralement que le soluté est *insoluble* dans l'eau.

Les combinaisons de certains cations et anions peuvent donner des composés ioniques insolubles dans l'eau. Si ces ions proviennent de sources différentes et qu'on les place ensemble en solution aqueuse, il y a production d'un composé ionique. Ce composé forme un solide appelé **précipité**. Une réaction chimique entre des ions qui produit un précipité est appelée une **réaction de précipitation**. La **figure 5.2** montre qu'un précipité d'iodure d'argent, AgI(s), se forme quand on mélange des solutions de composés solubles, le nitrate d'argent, $AgNO_3$, et l'iodure de potassium, KI.

La prédiction des réactions de précipitation

Considérons maintenant comment on aurait pu *prédire* la formation d'un précipité d'iodure d'argent dans la réaction illustrée à la figure 5.2. Quand on veut *prédire* une réaction chimique, on dispose de renseignements sur les réactifs, et il faut chercher des informations

▲ **Figure 5.2**
Précipitation d'iodure d'argent, AgI(s)

Quand on ajoute une solution aqueuse incolore de nitrate d'argent à une autre contenant de l'iodure de potassium, il se forme un précipité jaune d'iodure d'argent.

$$Ag^+(aq) + I^-(aq) \longrightarrow AgI(s)$$

Précipité

Composé ionique solide non soluble, produit par la combinaison de cations et d'anions dans une solution.

Réaction de précipitation

Réaction chimique entre des ions en solution, qui produit un précipité.

sur les produits (le membre de droite de l'équation). Pour prédire une réaction chimique, il faut également savoir quand une réaction n'a pas lieu, ce que l'on note en écrivant « aucune réaction » du côté droit de l'équation. Examinons maintenant le cas de la figure 5.2 : $AgNO_3(aq) + KI(aq) \longrightarrow$? Pour prédire les réactions de précipitation, il est généralement utile d'écrire l'équation sous sa forme *ionique*.

$$Ag^+(aq) + NO_3^-(aq) + K^+(aq) + I^-(aq) \longrightarrow ?$$

En combinant ces ions, on constate que KNO_3 et AgI sont les seuls composés simples *différents* des réactifs de départ qui peuvent se former. Une réaction de précipitation a lieu *seulement* si le produit potentiel est insoluble, c'est-à-dire s'il forme un *précipité*.

En résumé, pour faire des prédictions, on a besoin de savoir quels composés ioniques sont solubles dans l'eau et lesquels ne le sont pas. On peut soit chercher les données de solubilité dans un ouvrage de référence, soit mémoriser les solubilités des solutés. Cette dernière possibilité est plus simple qu'il ne le semble de prime abord, parce qu'on peut résumer une foule de données relatives aux composés ioniques courants à l'aide de quelques **règles de solubilité**, dont la liste apparaît dans le **tableau 5.2**.

À l'aide du tableau 5.2, on conclut que KNO_3 est soluble (tous les nitrates sont solubles) et que AgI ne l'est pas (tous les chlorures, les bromures et les iodures sont solubles, *excepté* ceux de Pb^{2+}, de Ag^+ et de Hg_2^{2+}). On conclut donc que AgI est le composé insoluble qui précipite. On peut compléter l'équation en montrant le précipité de AgI sous forme de solide et KNO_3 sous forme d'ions dissociés.

$$Ag^+(aq) + \cancel{NO_3^-(aq)} + \cancel{K^+(aq)} + I^-(aq) \longrightarrow AgI(s) + \cancel{K^+(aq)} + \cancel{NO_3^-(aq)}$$

Habituellement, on ne s'intéresse qu'à l'équation ionique nette, de sorte qu'on peut éliminer les ions spectateurs et écrire

$$Ag^+(aq) + I^-(aq) \longrightarrow AgI(s)$$

Nous verrons plus loin pourquoi cette équation indique que, quelle que soit leur source, s'ils sont placés dans la même solution, Ag^+ et I^- forment un précipité de $AgI(s)$. Les concentrations respectives de Ag^+ et de I^- influent sur l'importance de la réaction de précipitation mais, pour l'instant, il est pratique de ne considérer que les règles générales de solubilité du tableau 5.2.

Règles de solubilité

Ensemble d'énoncés généraux servant à décrire des classes de substances selon leur solubilité dans l'eau.

TABLEAU 5.2   **Règles générales relatives à la solubilité de composés ioniques courants dans l'eau à 25 °C**

Composés *solubles*

Les nitrates (NO_3^-), les acétates (CH_3COO^-) et les perchlorates (ClO_4^-).
Les sels de métaux du groupe IA et les sels d'ammonium (NH_4^+).

Composés *modérément solubles*

Les chlorures (Cl^-), les bromures (Br^-) et les iodures (I^-), *excepté* ceux qui contiennent Pb^{2+}, Ag^+ et Hg_2^{2+}.
Les sulfates (SO_4^{2-}), *excepté* ceux qui contiennent Sr^{2+}, Ba^{2+}, Pb^{2+} et Hg_2^{2+}. ($CaSO_4$ est légèrement soluble.)

Composés *très peu solubles*

Les carbonates (CO_3^{2-}), les hydroxydes (OH^-), les phosphates (PO_4^{3-}) et les sulfures (S^{2-}), *excepté* les composés de l'ammonium et ceux des métaux du groupe IA. (La solubilité des hydroxydes et des sulfures de Ca^{2+}, de Sr^{2+} et de Ba^{2+} varie de légère à modérée.)

EXEMPLE 5.6

Prédisez si une réaction de précipitation aura lieu dans chacun des cas suivants. Si oui, écrivez une équation ionique nette de cette réaction.

a) $Na_2SO_4(aq) + MgCl_2(aq) \longrightarrow ?$

b) $(NH_4)_2S(aq) + Cu(NO_3)_2(aq) \longrightarrow ?$

c) $K_2CO_3(aq) + ZnCl_2(aq) \longrightarrow ?$

➜ Stratégie

S'il s'agit de solutions aqueuses, nous écrivons d'abord l'équation des réactifs sous forme ionique. Nous écrivons ensuite les formules des produits possibles. La réaction n'aura lieu que si au moins un des produits est insoluble. Nous consultons le tableau 5.2 pour connaître la solubilité des produits et alors nous pouvons conclure si une réaction de précipitation aura lieu.

➜ Solution

a) Les réactifs initiaux sont en solution aqueuse. Commençons par écrire l'équation sous forme ionique :

$$2\,Na^+(aq) + SO_4^{2-}(aq) + Mg^{2+}(aq) + 2\,Cl^-(aq) \longrightarrow ?$$

Puis, déterminons les produits possibles : $NaCl$ et $MgSO_4$. La réaction n'aura lieu que si un de ces produits est insoluble (ou les deux). Or, le tableau 5.2 nous indique que les deux produits sont solubles dans l'eau ; tous les composés courants du sodium sont solubles, de même que la plupart des sulfates, y compris ceux du magnésium. Nous pouvons donc conclure que

$$Na_2SO_4(aq) + MgCl_2(aq) \longrightarrow \textit{aucun précipité}$$

b) Représentons les réactifs en solution au moyen d'une équation ionique :

$$2\,NH_4^+(aq) + S^{2-}(aq) + Cu^{2+}(aq) + 2\,NO_3^-(aq) \longrightarrow ?$$

Les produits possibles dans ce cas sont NH_4NO_3 et CuS. Selon les règles de solubilité du tableau 5.2, tous les nitrates sont solubles dans l'eau, mais la plupart des sulfures, incluant CuS, ne le sont pas. Donc, CuS forme un précipité ; la réaction qui a lieu n'implique pas les ions NH_4^+ et NO_3^-, qui sont des ions spectateurs ; nous pouvons donc les annuler. Nous obtenons alors l'équation ionique nette suivante.

$$S^{2-}(aq) + Cu^{2+}(aq) \longrightarrow CuS(s)$$

c) L'équation ionique est

$$2\,K^+(aq) + CO_3^{2-}(aq) + Zn^{2+}(aq) + 2\,Cl^-(aq) \longrightarrow ?$$

et les produits possibles sont KCl et $ZnCO_3$. Selon le tableau 5.2, tous les composés courants du potassium sont solubles mais, parmi les carbonates, seuls ceux des métaux du groupe IA le sont. Nous nous attendons à la formation d'un précipité de $ZnCO_3(s)$ et d'une solution contenant des ions K^+ et Cl^-. L'équation ionique nette est

$$CO_3^{2-}(aq) + Zn^{2+}(aq) \longrightarrow ZnCO_3(s)$$

EXERCICE 5.6

Prédisez si une réaction aura lieu dans chacun des cas suivants. Si oui, écrivez une équation ionique nette pour la réaction.

a) $MgSO_4(aq) + KOH(aq) \longrightarrow ?$

b) $FeCl_3(aq) + Na_2S(aq) \longrightarrow ?$

c) $CaCO_3(s) + NaCl(aq) \longrightarrow ?$

▲ **Figure 5.3**
Prédire le produit d'une réaction de précipitation
L'ajout de $NH_3(aq)$ à $FeCl_3(aq)$ produit un précipité. Lequel ?

EXEMPLE 5   Un exemple conceptuel

La **figure 5.3** montre que l'addition goutte à goutte d'ammoniaque, $NH_3(aq)$, à du chlorure de fer(III), $FeCl_3(aq)$, produit un précipité. Quel est-il ?

➜ Analyse et conclusion

Les réactifs initiaux, NH_3 et $FeCl_3$, sont tous les deux solubles. Tous les composés courants d'ammonium sont solubles dans l'eau, de sorte qu'il est peu probable que le précipité contienne NH_4^+. Il doit alors contenir Fe^{3+}. Mais quel est l'anion ? Rappelez-vous que NH_3 est une base faible qui produit des ions OH^- en solution aqueuse.

a) $NH_3(aq) + H_2O(l) \rightleftharpoons NH_4^+(aq) + OH^-(aq)$

D'après les règles de solubilité du tableau 5.2, nous nous attendons à ce que $OH^-(aq)$ se combine avec $Fe^{3+}(aq)$ pour former $Fe(OH)_3(s)$, qui est *insoluble*.

b) $Fe^{3+}(aq) + 3\ OH^-(aq) \longrightarrow Fe(OH)_3(s)$

Pour écrire l'équation ionique nette correspondant à la réaction de précipitation, il faut multiplier l'équation *a* par *trois* pour obtenir les trois ions OH^- nécessaires à l'équation *b*. Nous pouvons alors additionner l'équation *b* et l'équation *a* multipliée par trois, ce qui donne :

$$3\ NH_3(aq) + 3\ H_2O(l) \rightleftharpoons 3\ NH_4^+(aq) + \cancel{3\ OH^-(aq)}$$

$$Fe^{3+}(aq) + \cancel{3\ OH^-(aq)} \longrightarrow Fe(OH)_3(s)$$

Équation ionique nette : $Fe^{3+}(aq) + 3\ NH_3(aq) + 3\ H_2O(l) \longrightarrow 3\ NH_4^+(aq) + Fe(OH)_3(s)$

Les traits rouges montrent que les ions hydroxydes formés lors de l'ionisation de NH_3 sont consommés dans la précipitation de $Fe(OH)_3(s)$, si bien qu'aucun $OH^-(aq)$ libre n'apparaît dans l'équation ionique nette.

EXERCICE 5.7

Supposez que, une fois tout $Fe(OH)_3(s)$ précipité, on ajoute au bécher de la figure 5.3 une grande quantité de $HCl(aq)$. Décrivez le phénomène attendu et écrivez une équation ionique nette illustrant ce phénomène.

Quelques applications des réactions de précipitation

Dans bien des cas, les réactions de précipitation constituent une méthode intéressante pour préparer des substances chimiques, parce qu'elles peuvent être généralement réalisées à l'aide d'un équipement simple et donner un pourcentage élevé de rendement en produits. Le **tableau 5.3** donne la liste de quelques réactions de précipitation importantes en industrie, et la **figure 5.4** illustre l'une d'entre elles.

▶ **Figure 5.4**
Importante réaction de précipitation en industrie
La précipitation de $Mg(OH)_2$ de l'eau de mer s'effectue dans d'immenses réservoirs. C'est la première étape du procédé Dow servant à l'extraction du magnésium de l'eau de mer.

TABLEAU **5.3** Quelques réactions de précipitation d'importance pratique	
Réaction en solution aqueuse	**Application**
$Al^{3+} + 3\ OH^- \longrightarrow Al(OH)_3(s)$	Purification de l'eau. (Le précipité gélatineux de $Al(OH)_3$ fait décanter les matières en suspension.)
$Al^{3+} + PO_4^{3-} \longrightarrow AlPO_4(s)$	Contribution des ions Al^{3+} à l'élimination des phosphates dans le traitement des eaux usées.
$Mg^{2+} + 2\ OH^- \longrightarrow Mg(OH)_2(s)$	Précipitation de l'ion magnésium de l'eau de mer. (Première étape du procédé Dow servant à extraire du magnésium de l'eau de mer.)
$Ag^+ + Br^- \longrightarrow AgBr(s)$	Préparation de $AgBr$ utilisé dans la fabrication des pellicules photographiques.
$Zn^{2+} + SO_4^{2-} + Ba^{2+} + S^{2-} \longrightarrow ZnS(s) + BaSO_4(s)$	Production de *lithopone,* un mélange utilisé comme pigment blanc dans les peintures à l'eau et à l'huile.
$H_3PO_4(aq) + Ca(OH)_2(aq) \longrightarrow CaHPO_4 \cdot 2H_2O(s)$	Préparation de l'hydrogénophosphate de calcium dihydraté, utilisé comme agent de polissage dans les dentifrices.

Dans les limites de la précision des mesures effectuées, le rendement réel de la réaction de précipitation est souvent égal au rendement théorique. Dans ce cas, on peut utiliser la réaction pour une analyse quantitative. Par exemple, si NaCl est la source de l'ion chlorure dans un matériau soluble dans l'eau, on peut déterminer la quantité réelle de NaCl présent, comme le montre l'exemple 5.8.

Parfois, en préparant une solution, un étudiant utilise par erreur l'eau du robinet au lieu de l'eau désionisée — eau de laquelle on a retiré tous les minéraux. Si le soluté est $NaNO_3$, il n'en résultera aucun problème, puisque les sels contenant des ions sodium ou les nitrates sont solubles dans l'eau. Par contre, si le soluté est $AgNO_3$, il se formera peut-être une solution translucide (**figure 5.5**). Cette translucidité est due à la présence de traces de précipité, principalement AgCl. Quelle concentration de Cl^- peut être tolérée dans l'eau sans qu'il ne se forme de précipité ? Les règles générales de solubilité que l'on vient de voir, bien qu'elles soient pratiques, ne permettent pas de répondre à ce type de question. Il faut donc élaborer une méthode permettant de quantifier plus exactement les réactions de précipitation et les substances résiduelles qui restent en solution.

EXEMPLE **5.8**

Une tasse (environ 240 g) d'un bouillon de poulet clarifié donne 4,302 g de AgCl quand on y ajoute un excès de $AgNO_3(aq)$. En supposant que tous les ions Cl^- proviennent de NaCl, trouvez la masse de NaCl dans cet échantillon de bouillon.

➔ Stratégie

La solution de ce problème se résume à un calcul de stœchiométrie. Il nous faut d'abord écrire la réaction de précipitation pour établir le rapport molaire entre les ions Ag^+ et Cl^-; ensuite, en appliquant les facteurs de conversion habituels, nous calculons la masse de NaCl.

➔ Solution

L'équation de la réaction de précipitation est

$$Ag^+(aq) + Cl^-(aq) \longrightarrow AgCl(s)$$

▲ Figure 5.5
Précipitation des anions de l'eau du robinet

Quand on ajoute quelques gouttes de AgNO₃(aq) à l'eau du robinet, on voit apparaître un précipité blanc causé par la présence de certains ions (par exemple, Cl^-, CO_3^{2-} et SO_4^{2-}) qui forment des composés d'argent peu solubles.

L'équivalence stœchiométrique à partir de laquelle nous obtenons le facteur stœchiométrique est

$$1 \text{ mol de } Cl^-(aq) \text{ pour } 1 \text{ mol de } AgCl(s)$$

et la suite de conversions nécessaires est

$$\text{g de AgCl} \longrightarrow \text{mol de AgCl} \longrightarrow \text{mol de } Cl^- \longrightarrow \text{mol de NaCl} \longrightarrow \text{g de NaCl}$$

Nous pouvons, de la manière habituelle, combiner ces conversions dans une seule équation.

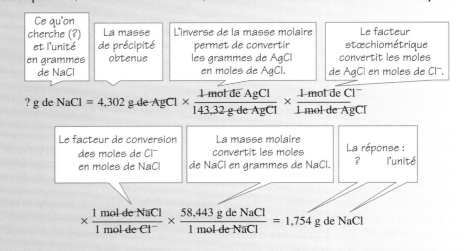

$$? \text{ g de NaCl} = 4,302 \text{ g de AgCl} \times \frac{1 \text{ mol de AgCl}}{143,32 \text{ g de AgCl}} \times \frac{1 \text{ mol de } Cl^-}{1 \text{ mol de AgCl}}$$

$$\times \frac{1 \text{ mol de NaCl}}{1 \text{ mol de } Cl^-} \times \frac{58,443 \text{ g de NaCl}}{1 \text{ mol de NaCl}} = 1,754 \text{ g de NaCl}$$

EXERCICE 5.8 A

Quel est le pourcentage massique de NaCl dans un mélange de chlorure de sodium et de nitrate de sodium si un échantillon de 0,9056 g de ce mélange donne 0,9372 g de AgCl(s) quand on le laisse réagir avec un excès de AgNO₃(aq) ?

EXERCICE 5.8 B

Soit un échantillon d'eau de mer comme celui qui est décrit dans l'exercice 1.9A (page 17). Combien de grammes de précipité s'attendrait-on à obtenir à la suite de l'addition **a)** d'un excès de AgNO₃(aq) à 225 mL d'eau de mer ; **b)** d'un excès de NaOH(aq) à 5,00 L d'eau de mer ? Quels sont les précipités formés en *a* et en *b* ?

La détermination quantitative de la précipitation

Commençons par les expressions qui décrivent l'équilibre entre AgCl(s) et ses ions, Ag^+ et Cl^-.

$$AgCl(s) \rightleftharpoons Ag^+(aq) + Cl^-(aq) \qquad K_{ps} = [Ag^+][Cl^-] = 1,8 \times 10^{-10}$$

Supposons que l'on veuille préparer AgNO₃(aq) 0,100 mol/L en utilisant l'eau du robinet comme solvant et que, dans cette eau, $[Cl^-] = 1 \times 10^{-6}$ mol/L. On écrit le quotient réactionnel, le **produit ionique**, désigné par le symbole *Q,* de ces conditions initiales. Puis on compare *Q* à K_{ps}.

Produit ionique (*Q*)

Quotient réactionnel ayant le même format qu'une constante d'équilibre, mais défini à l'aide des concentrations initiales plutôt que des concentrations à l'équilibre.

$$Q = [Ag^+]_{initiale} \times [Cl^-]_{initiale} = (0,100) \times 1 \times 10^{-6} = 1 \times 10^{-7}$$

On constate que *Q* excède de beaucoup la valeur de K_{ps} ($1 \times 10^{-7} > 1,8 \times 10^{-10}$). Il faut se rappeler que, lorsque le quotient réactionnel excède la valeur de *K* correspondante, une réaction nette a lieu dans le sens *inverse* ; Ag^+ et Cl^- se combinent pour former AgCl(s). Donc, la *précipitation a lieu* et se poursuit jusqu'à ce que *Q* diminue et devienne égal à K_{ps}. À ce moment, le soluté solide sera en équilibre avec ses ions dans une solution saturée.

Supposons maintenant qu'on prépare $AgNO_3$ 0,100 mol/L en utilisant comme solvant de l'eau désionisée, dans laquelle la concentration des ions chlorure est de 1×10^{-10} mol/L. Encore là, on peut calculer une valeur de Q.

$$Q = [Ag^+]_{initiale} \times [Cl^-]_{initiale} = (0,100) \times 1 \times 10^{-10} = 1 \times 10^{-11}$$

Ce produit ionique, Q, est plus petit que K_{ps} ($1 \times 10^{-11} < 1,8 \times 10^{-10}$). Selon le critère établi au chapitre 3, une réaction nette aura lieu dans le sens *direct*. Ce n'est cependant pas possible, car il n'y a pas de AgCl(s) présent susceptible de se dissoudre. La solution est *insaturée,* et on peut dire sans hésitation qu'*il n'y a pas de AgCl(s) qui précipitera* dans cette solution.

En se basant sur de tels exemples, on peut formuler des règles générales qui permettent de prédire ce qui se produit quand on mélange des solutions contenant des ions pouvant précipiter sous forme de solide ionique peu soluble (insoluble).

- *Il y aura* précipitation si $Q > K_{ps}$.
- *Aucune* précipitation *ne peut avoir lieu si $Q < K_{ps}$.*
- Une solution est *juste au point de saturation* si $Q = K_{ps}$.

Dans l'exemple 5.9, nous montrons que l'application de ces critères repose sur une démarche en trois étapes.

1 Déterminer les concentrations initiales des ions.

2 Évaluer le produit ionique Q.

3 Comparer Q et K_{ps} pour déterminer s'il y aura précipitation ou non.

EXEMPLE 5.9

Y aura-t-il formation d'un précipité si l'on dissout 1,00 mg de Na_2CrO_4 dans 225 mL de $AgNO_3$(aq) 0,000 15 mol/L ?

$$Ag_2CrO_4(s) \rightleftharpoons 2\,Ag^+(aq) + CrO_4^{2-}(aq) \qquad K_{ps} = 1,1 \times 10^{-12}$$

→ Stratégie

Appliquons la stratégie en trois étapes que nous venons d'exposer.

→ Solution

1 *Les concentrations initiales des ions :* la concentration initiale de Ag^+ est tout simplement $1,5 \times 10^{-4}$ mol/L. Pour établir $[CrO_4^{2-}]$, il faut d'abord déterminer le nombre de moles de CrO_4^{2-} que l'on a mis dans la solution.

$$? \text{ mol de } CrO_4^{2-} = 1,00 \times 10^{-3} \text{ g de } Na_2CrO_4 \times \frac{1 \text{ mol de } Na_2CrO_4}{162,0 \text{ g de } Na_2CrO_4} \times \frac{1 \text{ mol de } CrO_4^{2-}}{1 \text{ mol de } Na_2CrO_4}$$

$$= 6,17 \times 10^{-6} \text{ mol de } CrO_4^{2-}$$

Nous avons $6,17 \times 10^{-6}$ mol de CrO_4^{2-} dans 225 mL (0,225 L) de solution, de sorte que la concentration de l'ion chromate est

$$[CrO_4^{2-}] = \frac{6,17 \times 10^{-6} \text{ mol de } CrO_4^{2-}}{0,225 \text{ L}} = 2,74 \times 10^{-5} \text{ mol/L}$$

2 *Évaluation de Q :*

$$Q = [Ag^+]^2_{initiale}\,[CrO_4^{2-}]_{initiale} = (1,5 \times 10^{-4})^2(2,74 \times 10^{-5}) = 6,2 \times 10^{-13}$$

3 *Comparaison de Q avec K_{ps} :* $Q = 6,2 \times 10^{-13}$ et $K_{ps} = 1,1 \times 10^{-12}$. Puisque $Q < K_{ps}$, nous concluons qu'*il n'y aura pas formation d'un précipité*.

EXERCICE 5.9 A

Y aura-t-il formation d'un précipité si l'on ajoute 1,00 g de $Pb(NO_3)_2$ et 1,00 g de MgI_2 à 1,50 L de H_2O ? (K_{ps} $PbI_2 = 7,1 \times 10^{-9}$.)

EXERCICE 5.9 B

Y aura-t-il précipitation dans une solution qui contient 2,5 ppm de $MgCl_2$ dont le pH est de 10,35 ? Supposez que la masse volumique de la solution est de 1,00 g/mL. [K_{ps} $Mg(OH)_2 = 1,8 \times 10^{-11}$.]

Lorsqu'il y a mélange de solutions, on doit tenir compte de l'influence de la dilution quand on applique les critères de précipitation. L'exemple 5.10 montre l'influence qualitative de cette dilution, et l'exemple 5.11, l'influence quantitative.

Illustration de l'exemple 5.10.

EXEMPLE 5.10   Un exemple conceptuel

Sur la photo du haut ci-contre, on voit le résultat de l'ajout de quelques gouttes d'une solution d'iodure de potassium concentrée, KI(aq), à une solution diluée de nitrate de plomb, $Pb(NO_3)_2$(aq). Quel est le solide jaune qui apparaît d'abord ? Expliquez pourquoi il disparaît ensuite.

➔ Analyse et conclusion

À l'endroit où les gouttes de KI(aq) concentré entrent en contact avec la solution de $Pb(NO_3)_2$, [I^-] est assez élevée *juste après l'ajout* pour que

$$Q = [Pb^{2+}][I^-]^2 > K_{ps}$$

Puisque $Q > K_{ps}$, l'iodure de plomb jaune, PbI_2(s), précipite. Toutefois, quand PbI_2(s) initialement formé se dilue dans l'ensemble de la solution de KI(aq), [I^-] n'est plus assez élevée par rapport à la concentration de Pb^{2+} pour maintenir une solution saturée, et le solide se redissout. En nous basant sur une distribution *uniforme* de l'ion I^- dans la solution, nous considérons la relation suivante comme vraie.

$$Q = [Pb^{2+}][I^-]^2 < K_{ps}$$

EXERCICE 5.10

Décrivez comment on pourrait utiliser les observations dont témoignent les photos de l'exemple 5.10 pour faire une estimation de la valeur de K_{ps} de PbI_2.

EXEMPLE 5.11

Y aura-t-il formation d'un précipité de MgF_2 si l'on mélange 0,100 L de $MgCl_2$ 0,0015 mol/L et 0,200 L de NaF 0,025 mol/L ?

$$MgF_2(s) \rightleftharpoons Mg^{2+}(aq) + 2 F^-(aq) \qquad K_{ps} = 3,7 \times 10^{-8}$$

➔ Stratégie

Le volume des solutions mélangées est 0,100 L + 0,200 L = 0,300 L. Appliquons maintenant la stratégie en trois étapes vue précédemment.

➜ Solution

1 *Concentrations initiales des ions :* premièrement, il faut déterminer $[Mg^{2+}]$ et $[F^-]$ telles qu'elles existent au moment où on mélange les solutions.

$$[Mg^{2+}] = \frac{0,100 \text{ L} \times \dfrac{0,0015 \text{ mol de MgCl}_2}{\text{L}} \times \dfrac{1 \text{ mol de Mg}^{2+}}{1 \text{ mol de MgCl}_2}}{0,300 \text{ L}} = 5,0 \times 10^{-4} \text{ mol/L}$$

$$[F^-] = \frac{0,200 \text{ L} \times \dfrac{0,025 \text{ mol de NaF}}{\text{L}} \times \dfrac{1 \text{ mol de F}^-}{1 \text{ mol de NaF}}}{0,300 \text{ L}} = 1,7 \times 10^{-2} \text{ mol/L}$$

2 *Évaluation de Q :*

$$Q = [Mg^{2+}][F^-]^2 = (5,0 \times 10^{-4})(1,7 \times 10^{-2})^2 = 1,4 \times 10^{-7}$$

3 *Comparaison de Q avec K_{ps} :* $Q = 1,4 \times 10^{-7}$ et $K_{ps} = 3,7 \times 10^{-8}$

Puisque $Q > K_{ps}$, nous concluons qu'*il y aura précipitation de MgF$_2$.*

EXERCICE 5.11 A

On mélange des volumes égaux de MgCl$_2$(aq) 0,0010 mol/L et de NaF(aq) 0,020 mol/L. Y aura-t-il formation d'un précipité de MgF$_2$(s) ?

EXERCICE 5.11 B

Combien de grammes de KI(s) doit-on dissoudre dans 10,5 L de Pb(NO$_3$)$_2$(aq) 0,002 00 mol/L pour que PbI$_2$(s) soit *juste sur le point de précipiter* ?

Pour déterminer si la précipitation est complète

Il existe des critères pour déterminer s'il y aura une précipitation dans une solution. Jusqu'à quel point toutefois sera-t-elle complète, si elle a lieu ? En d'autres termes, quel pourcentage de l'ion en question est précipité, et quel pourcentage reste en solution ? Un solide peu soluble ne précipite jamais totalement, mais on considère habituellement qu'une précipitation est complète si l'ion cible est précipité à environ 99,9 % et qu'il en reste donc moins de 0,1 % en solution.

Les trois conditions qui *favorisent* généralement une *précipitation complète* sont les suivantes :

1. Une très petite valeur de K_{ps}.

2. Une concentration initiale élevée de l'ion cible.

3. Une concentration de l'ion commun qui excède de beaucoup celle de l'ion cible.

Dans ces conditions, la mise en solution du précipité est empêchée. La concentration de l'ion cible qui reste en solution est particulièrement faible ; elle ne représente qu'un pourcentage minime de la concentration initiale.

Certains types de calculs rénaux sont principalement constitués d'oxalate de calcium, $CaC_2O_4(s)$.

EXEMPLE 5.12

À 750 mL d'une solution dont $[Ca^{2+}] = 0,0050$ mol/L, on ajoute suffisamment d'oxalate d'ammonium solide, $(NH_4)_2C_2O_4(s)$, pour avoir au départ $[C_2O_4^{2-}] = 0,0051$ mol/L. La précipitation de Ca^{2+} sous la forme de $CaC_2O_4(s)$ sera-t-elle complète ? Sinon, quelle masse de CaC_2O_4 restera en solution ?

$$CaC_2O_4(s) \rightleftharpoons Ca^{2+}(aq) + C_2O_4^{2-}(aq) \qquad K_{ps} = 2,7 \times 10^{-9}$$

➜ Stratégie

Utilisons d'abord l'approche habituelle en trois étapes pour déterminer si la précipitation a lieu. Si elle n'a pas lieu, il n'est pas nécessaire d'aller plus loin puisque, de toute évidence, la précipitation ne sera pas complète. Si la précipitation a lieu, nous devons faire d'autres calculs, lesquels se feront en deux parties. D'abord, nous traiterons la situation comme si la précipitation complète avait lieu. Cela nous permettra de déterminer la concentration de $C_2O_4^{2-}$ en excès. Ensuite, au moyen d'un calcul semblable à celui de l'exemple 5.5, nous procéderons comme pour la solubilité d'un soluté légèrement soluble en présence d'un ion commun.

➜ Solution

Utilisons d'abord l'approche habituelle en trois étapes.

1 *Concentrations initiales des ions :* elles sont données ; il s'agit de $[Ca^{2+}] = 0,0050$ mol/L et de $[C_2O_4^{2-}] = 0,0051$ mol/L.

2 *Évaluation de Q :*

$$Q = [Ca^{2+}][C_2O_4^{2-}] = (5,0 \times 10^{-3})(5,1 \times 10^{-3}) = 2,6 \times 10^{-5}$$

3 *Comparaison de Q avec K_{ps} :* puisque Q ($2,6 \times 10^{-5}$) excède de beaucoup K_{ps} de CaC_2O_4 ($2,7 \times 10^{-9}$), la précipitation aura lieu.

Puis, pour simplifier la solution algébrique, utilisons l'approche suivante en deux étapes : (1) supposons que tout le Ca^{2+} précipite sous la forme de $CaC_2O_4(s)$, et notons la concentration de $C_2O_4^{2-}$ qui reste en excès ; (2) calculons la solubilité de $CaC_2O_4(s)$ dans une solution aqueuse qui contient l'excès de $C_2O_4^{2-}$ comme ion commun. La valeur de $[C_2O_4^{2-}]$ que nous avons inscrite comme concentration *après* la précipitation (étape 1), 0,0001 mol/L, devient la concentration initiale dans l'équilibre de solubilité (étape 2). La solubilité trouvée permet d'évaluer la masse résiduelle de CaC_2O_4 en solution.

Étape 1. La précipitation

La réaction	Ca^{2+}(aq)	+	$C_2O_4^{2-}$(aq)	⟶	CaC_2O_4(s)
Concentrations initiales (mol/L)	0,0050		0,0051		
Modifications (mol/L)	− 0,0050		− 0,0050		
Concentrations après la précipitation (mol/L)	0		0,0001		

Étape 2. L'équilibre de solubilité

La réaction	CaC_2O_4(s)	⟶	Ca^{2+}(aq)	+	$C_2O_4^{2-}$(aq)
Concentrations initiales (mol/L)			0		0,0001
Modifications (mol/L)			+s		+s
Concentrations à l'équilibre (mol/L)			s		(0,0001 + s)

Comme d'habitude, nous supposons que $s \ll 0,0001$ et que $(0,0001 + s) \approx 0,0001$. Nous obtenons alors

$$K_{ps} = [Ca^{2+}][C_2O_4^{2-}] = s(0,0001 + s) \approx s \times 0,0001 = 2,7 \times 10^{-9}$$

$$s = [Ca^{2+}] = 3 \times 10^{-5} \text{ mol/L}$$

Sur 5×10^{-3} mol de Ca^{2+}/L (concentration initiale), il reste 3×10^{-5} mol de Ca^{2+}/L après la précipitation. Le pourcentage de Ca^{2+} qui reste en solution est donc

$$\frac{3 \times 10^{-5} \text{ mol/L}}{5 \times 10^{-3} \text{ mol/L}} \times 100 = 0{,}6 \%$$

Selon la règle, pour qu'il y ait précipitation complète, il faut qu'il reste moins de 0,1 % de l'ion en solution : nous concluons donc que *la précipitation est incomplète*. La masse résiduelle de CaC_2O_4 en solution après la précipitation est calculée à partir de la solubilité trouvée ci-dessus.

$$3 \times 10^{-5} \text{ mol} \times \frac{750 \text{ mL}}{1000 \text{ mL}} \times 128{,}1 \text{ g/mol} = 3 \times 10^{-3} \text{ g de } CaC_2O_4$$

➔ Évaluation

Dans ce problème, nous considérons la contribution de s au terme $0{,}0001 + s$ comme négligeable. De telles approximations sont habituellement valides dans les cas d'ions communs parce que la concentration de l'ion commun est le plus souvent relativement grande. Toutefois, ici, 0,0001 mol/L n'est pas une concentration élevée. Si nous omettons l'approximation et résolvons l'équation quadratique, nous obtenons $s = 2 \times 10^{-5}$ mol/L. Le pourcentage de Ca^{2+} en solution devient alors 0,4 %. Néanmoins, notre conclusion selon laquelle la précipitation est incomplète est toujours valable. En revanche, si notre tâche avait été de calculer $[Ca^{2+}]$ restant en solution, nous n'aurions pas été autorisés à faire l'approximation qui simplifie le calcul.

EXERCICE 5.12

Soit 500 mL d'une solution dans laquelle $[Ca^{2+}] = 0{,}0050$ mol/L. On ajoute suffisamment d'oxalate d'ammonium solide, $(NH_4)_2C_2O_4(s)$, pour que dans la solution $[C_2O_4^{2-}] = 0{,}0100$ mol/L. La précipitation de Ca^{2+} sous la forme de $CaC_2O_4(s)$ sera-t-elle complète ? (K_{ps} $CaC_2O_4 = 2{,}7 \times 10^{-9}$.) Sinon, quelle masse de CaC_2O_4 restera en solution ?

La précipitation sélective : ne précipiter qu'un ion

Dans l'exemple 5.4 (page 252), nous avons comparé les solubilités de AgCl, de AgBr et de AgI. Nous avons trouvé que AgI est le moins soluble, et AgCl, le plus soluble. Dans l'exemple 5.13, nous allons examiner comment la différence de solubilité de AgI et de AgCl peut nous permettre de séparer I^- de Cl^- en solution aqueuse.

EXEMPLE 5.13

À l'aide d'une burette, on ajoute lentement une solution aqueuse de nitrate d'argent, $AgNO_3$, 2,00 mol/L à une solution aqueuse qui contient 0,0100 mol/L de Cl^- et 0,0100 mol/L de I^- **(figure 5.6)**.

$$AgCl(s) \rightleftharpoons Ag^+(aq) + Cl^-(aq) \qquad K_{ps} = 1{,}8 \times 10^{-10}$$
$$AgI(s) \rightleftharpoons Ag^+(aq) + I^-(aq) \qquad K_{ps} = 8{,}5 \times 10^{-17}$$

a) Quel ion, Cl^- ou I^-, précipite le premier ? **b)** Lorsque le second ion commence à précipiter, quelle est la concentration restante du premier ? **c)** La séparation des deux ions par précipitation sélective est-elle possible ?

➔ Stratégie

Il faut remarquer que la concentration molaire volumique de la solution de $AgNO_3$ est 200 fois plus grande que $[Cl^-]$ ou $[I^-]$. La précipitation ne nécessite qu'un très petit volume de

AgNO$_3$(aq). Pour cette raison, nous pouvons négliger la faible dilution de Cl$^-$ et de I$^-$ qui a lieu quand on ajoute la solution de la burette à celle du bécher.

➜ Solution

a) Nous cherchons [Ag$^+$] nécessaire pour précipiter chacun des anions. La précipitation est sur le point de commencer quand la solution est juste au point de saturation, c'est-à-dire quand $Q = K_{ps}$.

Pour précipiter Cl$^-$. Lorsque $Q = K_{ps}$ dans le cas du chlorure d'argent, [Cl$^-$] dans la solution est de 0,0100 mol/L ; nous pouvons alors calculer [Ag$^+$].

$$Q = [Ag^+][Cl^-] = K_{ps} = 1,8 \times 10^{-10}$$

$$[Ag^+] = \frac{K_{ps}}{[Cl^-]} = \frac{1,8 \times 10^{-10}}{0,0100} = 1,8 \times 10^{-8} \text{ mol/L}$$

Pour précipiter I$^-$. Lorsque $Q = K_{ps}$ dans le cas de l'iodure d'argent, [I$^-$] dans la solution est de 0,0100 mol/L ; nous pouvons alors calculer [Ag$^+$].

$$Q = [Ag^+][I^-] = K_{ps} = 8,5 \times 10^{-17}$$

$$[Ag^+] = \frac{K_{ps}}{[I^-]} = \frac{8,5 \times 10^{-17}}{0,0100} = 8,5 \times 10^{-15} \text{ mol/L}$$

Aussitôt que la concentration de Ag$^+$ dans la solution atteint $8,5 \times 10^{-15}$ mol/L, AgI(s) commence à précipiter. Cette concentration de Ag$^+$ est très inférieure au $1,8 \times 10^{-8}$ mol/L de Ag$^+$ nécessaire pour précipiter AgCl(s). I$^-$ est le premier ion à précipiter.

b) Déterminons ensuite [I$^-$] restant en solution lorsque [Ag$^+$] = $1,8 \times 10^{-8}$ mol/L. C'est [Ag$^+$] quand AgCl(s) commence à précipiter.

[I$^-$] résiduelle quand AgCl(s) commence à précipiter. Nous pouvons réarranger l'expression de K_{ps} de l'iodure d'argent et résoudre l'équation pour trouver [I$^-$].

$$[I^-] = \frac{K_{ps}}{[Ag^+]} = \frac{8,5 \times 10^{-17}}{1,8 \times 10^{-8}} = 4,7 \times 10^{-9} \text{ mol/L}$$

c) Vérifions maintenant le pourcentage de I$^-$ encore en solution quand AgCl(s) commence à précipiter.

▶ **Figure 5.6**
**Précipitation sélective :
illustration de l'exemple 5.13**

(**a**) Le premier précipité à se former quand on ajoute du AgNO$_3$(aq) à une solution aqueuse contenant Cl$^-$ et I$^-$ est du AgI(s) jaune. (**b**) Presque tout I$^-$ est précipité avant que ne commence la précipitation du AgCl(s) blanc.

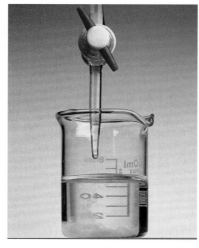

(a)   (b)

Pourcentage de I⁻ résiduel en solution

$$? \% = \frac{4,7 \times 10^{-9} \text{ mol/L}}{0,0100 \text{ mol/L}} \times 100 \% = 4,7 \times 10^{-5} \%$$

Ce pourcentage est très inférieur au 0,1 % proposé comme règle d'une précipitation complète, à la page 263. La précipitation de I⁻ sous la forme de AgI(s) est presque complète avant que ne commence la précipitation de Cl⁻ sous la forme de AgCl(s). La séparation de Cl⁻ et de I⁻ par précipitation sélective est donc possible.

◆ Évaluation

Cet exemple illustre une règle générale : plus la différence entre les valeurs de K_{ps} est grande, plus il est probable qu'on puisse séparer les ions par précipitation sélective.

EXERCICE 5.13 A

Répondez aux trois questions posées dans l'exemple 5.13 si les concentrations de la solution sont [Cl⁻] = [Br⁻] = 0,0100 mol/L. (K_{ps} AgBr = 5,0 × 10⁻¹³.)

EXERCICE 5.13 B

À l'aide des résultats de l'exemple 5.13 et de l'exercice 5.13A, et *sans faire de calculs détaillés,* déterminez si l'on peut séparer I⁻ et Br⁻ par précipitation sélective d'une solution où [I⁻] = [Br⁻] = 0,0100 mol/L. Expliquez votre raisonnement.

5.5 L'influence du pH sur la solubilité

La solubilité de certains solutés ioniques est très influencée par le pH si une réaction acidobasique a lieu en même temps que le soluté se dissout. Examinons pourquoi il en est ainsi. Si l'on ajoute un acide fort à une solution contenant l'ion fluorure F⁻, celui-ci, qui constitue une base relativement forte, accepte un proton H_3O^+, et l'acide faible HF se forme. Cette réaction est l'inverse de l'ionisation de HF.

$$H_3O^+(aq) + F^-(aq) \longrightarrow HF(aq) + H_2O(l)$$

Acide   Base   Acide conjugué de F⁻   Base conjuguée de H_3O^+

Supposons maintenant que la solution contenant l'ion F⁻ est une solution saturée de fluorure de calcium en équilibre avec CaF_2(s). Selon le principe de Le Chatelier, à mesure que F⁻(aq) est converti en HF(aq), les équilibres suivants se déplacent vers la droite, et il se produit une réaction globale au cours de laquelle la dissolution de CaF_2(s) est favorisée.

Les équilibres se déplacent vers la droite ⟶

$$CaF_2(s) \rightleftharpoons Ca^{2+}(aq) + 2 F^-(aq)$$

$$2 H_3O^+(aq) + 2 F^-(aq) \rightleftharpoons 2 HF(aq) + 2 H_2O(l)$$

Réaction globale $CaF_2(s) + 2 H_3O^+(aq) \rightleftharpoons Ca^{2+}(aq) + 2 HF(aq) + 2 H_2O(l)$

Contrairement au fluorure de calcium, le chlorure d'argent a une solubilité *indépendante* du pH. Par exemple, AgCl(s) ne se dissout pas dans HNO_3(aq) dilué. L'ion chlorure, la base conjuguée très faible de l'acide fort HCl, n'accepte pas un proton H_3O^+.

$$H_3O^+(aq) + Cl^-(aq) \longrightarrow \text{aucune réaction}$$

L'effervescence indique que le calcaire contient des carbonates.

▲ Figure 5.7
Réaction entre un acide et un carbonate
Quand on met une goutte de HCl(aq) sur un morceau de calcaire, on observe une effervescence caractéristique de la formation de CO_2(g).

Donc, la solubilité de AgCl(s) n'augmente pas à mesure que le pH diminue.

L'ion carbonate est une base moyennement forte, et les solubilités des carbonates dépendent beaucoup du pH. Quand on ajoute un acide à un carbonate insoluble, comme $CaCO_3$, les ions carbonates sont rapidement convertis en ions hydrogénocarbonates. Ces ions continuent à réagir pour former de l'acide carbonique, qui se dissocie ensuite en CO_2(g) et en eau.

$$CO_3^{2-}(aq) + H_3O^+(aq) \longrightarrow HCO_3^-(aq) + H_2O(l)$$

$$HCO_3^-(aq) + H_3O^+(aq) \longrightarrow H_2CO_3(aq) + H_2O(l)$$

$$H_2CO_3(aq) \longrightarrow H_2O(l) + CO_2(g)$$

Parce que le CO_2(g) s'échappe de la solution, la réaction inverse a peu de chances de se produire.

Dire que la solubilité d'un carbonate « insoluble » est augmentée quand on acidifie la solution signifie que la concentration du cation Ca^{2+} augmente dans cette solution. Comme on le constate en examinant les équations suivantes de la réaction entre $CaCO_3$(s) et HCl(aq), une réaction chimique globale dans laquelle les ions carbonates se décomposent a lieu. Le soluté dans la solution acide n'est pas le carbonate de calcium mais plutôt le chlorure de calcium.

$$CaCO_3(s) + 2\ HCl(aq) \longrightarrow Ca^{2+}(aq) + 2\ Cl^-(aq) + H_2O(l) + CO_2(g)$$

La **figure 5.7** illustre une analyse géologique simple basée sur cette réaction.

EXEMPLE **5.14**

Quelle est la solubilité de l'hydroxyde de magnésium, $Mg(OH)_2$(s), dans une solution tampon dont $[OH^-] = 1,0 \times 10^{-5}$ mol/L, c'est-à-dire dans une solution de pH 9,00 ?

$$Mg(OH)_2(s) \rightleftharpoons Mg^{2+}(aq) + 2\ OH^-(aq) \qquad K_{ps} = 1,8 \times 10^{-11}$$

➜ Stratégie

Remarquons d'abord que, parce que la solution est un tampon, tout OH^- provenant de la dissolution de $Mg(OH)_2$(s) est neutralisé par le composant acide du tampon. Le pH reste donc à 9,00 et $[OH^-]$ à $1,0 \times 10^{-5}$ mol/L. Nous pouvons calculer $[Mg^{2+}]$ dans la solution à partir de l'expression de K_{ps} en utilisant $[OH^-] = 1,0 \times 10^{-5}$ mol/L.

➜ Solution

$$K_{ps} = [Mg^{2+}][OH^-]^2 = 1,8 \times 10^{-11}$$

$$K_{ps} = [Mg^{2+}] \times (1,0 \times 10^{-5})^2 = 1,8 \times 10^{-11}$$

$$[Mg^{2+}] = \frac{1,8 \times 10^{-11}}{1,0 \times 10^{-10}} = 0,18 \text{ mol/L}$$

Pour chaque mole de Mg^{2+}(aq) qui passe en solution, il doit y avoir dissolution d'une mole de $Mg(OH)_2$(s). La solubilité de $Mg(OH)_2$ et la concentration à l'équilibre de Mg^{2+} sont donc les mêmes. La solubilité de $Mg(OH)_2$ à un pH de 9,00 est de 0,18 mol de $Mg(OH)_2$/L.

EXERCICE 5.14 A

Quelle est la solubilité de $Fe(OH)_2$ dans une solution tampon de pH 6,50 ? [K_{ps} $Fe(OH)_2$ = $8,0 \times 10^{-16}$.]

EXERCICE 5.14 B

Une solution tampon contenant CH_3COOH 0,520 mol/L et CH_3COONa 0,180 mol/L peut-elle avoir également une $[Fe^{3+}] = 1,0 \times 10^{-3}$ mol/L sans qu'un précipité de $Fe(OH)_3$(s) ne se forme ? Expliquez votre réponse. [K_a $CH_3COOH = 1,8 \times 10^{-5}$; K_{ps} $Fe(OH)_3 = 4 \times 10^{-38}$.]

À l'aide de la méthode utilisée dans l'exemple 5.14, le calcul de la solubilité de $Mg(OH)_2$ à pH 3,00 donne $1,8 \times 10^{11}$ mol/L, un résultat impossible. L'examen de la figure 1.10 (page 21) permet de comprendre ce qui se passe. On observe que chaque ion est associé à plusieurs molécules H_2O. Celles-ci assurent les forces ion-dipôle qui maintiennent les ions en solution, ce qui laisse entrevoir qu'il ne peut pas y avoir en solution autant d'ions qu'il y a de molécules d'eau ; la solubilité maximale d'un soluté doit donc être inférieure aux 55,6 moles de H_2O par litre d'eau pure. Si le pH est maintenu à 3,00 avec HCl(aq), la vraie solubilité molaire est celle du $MgCl_2$ qui s'est formé dans cette réaction.

$$Mg(OH)_2(s) + 2\,H_3O^+(aq) + 2\,Cl^-(aq) \longrightarrow Mg^{2+}(aq) + 2\,Cl^-(aq) + 4\,H_2O(l)$$

EXEMPLE 5.15 **Un exemple conceptuel**

Sans faire de calculs détaillés, déterminez dans laquelle des solutions suivantes $Mg(OH)_2(s)$ est le plus soluble : **a)** NH_3 1,00 mol/L ; **b)** NH_3 1,00 mol/L avec NH_4^+ 1,00 mol/L ; **c)** NH_4Cl 1,00 mol/L.

$$Mg(OH)_2(s) \rightleftharpoons Mg^{2+}(aq) + 2\,OH^-(aq) \qquad K_{ps} = 1,8 \times 10^{-11}$$

→ Analyse et conclusion

À un pH élevé, les ions OH^- dans la solution jouent le rôle d'ions communs et font *diminuer* la solubilité de $Mg(OH)_2$. Aux valeurs de pH plus faibles, les ions OH^- produits par la dissolution de $Mg(OH)_2$ sont neutralisés, ce qui provoque la dissolution de plus de $Mg(OH)_2$ et *augmente* ainsi sa solubilité. Il faut comparer les valeurs du pH des trois solutions.

a) Nous savons que le pH de NH_3 1,00 mol/L, une base faible, est beaucoup plus élevé que 7.

b) Puisque $[NH_3] = [NH_4^+]$, la solution tampon formée de NH_3 1,00 mol/L et de NH_4^+ 1,00 mol/L a un pH égal au pK_a de NH_4^+. Pour NH_3, $K_b = 1,8 \times 10^{-5}$, et $pK_b = -\log(1,8 \times 10^{-5}) = 4,74$. Pour NH_4^+, $pK_a = 14,00 - pK_b = 14,00 - 4,74 = 9,26$. La solution tampon est basique.

c) Dans $NH_4Cl(aq)$, seul NH_4^+ s'hydrolyse.

$$NH_4^+(aq) + H_2O(l) \rightleftharpoons H_3O^+(aq) + NH_3(aq) \qquad K_a = K_{eau}/K_b$$

Cette solution est sans doute acide, c'est-à-dire que son pH est inférieur à 7. En conséquence, la solution de $NH_4Cl(aq)$, qui a le pH le plus bas, est celle qui dissout la plus grande quantité de $Mg(OH)_2$.

EXERCICE 5.15

Décrivez la dissolution de $Mg(OH)_2(s)$ dans $NH_4Cl(aq)$ au moyen d'une réaction acidobasique nette dans laquelle NH_4^+ est l'acide.

Ces photos montrent l'effet des pluies acides sur la statue de marbre de George Washington. La photographie du haut date de 1935, et celle du bas, du milieu des années 1990. Le principal constituant du marbre est le carbonate de calcium, $CaCO_3(s)$.

5.6 Les équilibres mettant en jeu des ions complexes

À première vue, les données du **tableau 5.4** sont incohérentes. Elles portent sur la solubilité du AgCl(s) dans des solutions contenant l'ion commun Cl^-. Les solubilités *prédites,* obtenues par calcul comme dans l'exemple 5.5 (page 254), sont beaucoup plus petites que les solubilités dans l'eau, et elles diminuent progressivement à mesure que $[Cl^-]$ augmente. Par contre, les solubilités *mesurées* ne sont pas aussi faibles que celles qui sont prédites et, dans le cas des solutions dont $[Cl^-]$ est supérieure à 0,3 mol/L environ, la solubilité du AgCl(s) *augmente en fonction* de $[Cl^-]$. Ces données inattendues exigent une nouvelle explication, qui est fournie par la formation d'ions complexes.

TABLEAU **5.4**	Solubilité du chlorure d'argent dans NaCl(aq)	
[Cl⁻] (mol/L)	Solubilité prédite (mol AgCl/L × 10⁻⁵)	Solubilité mesurée (mol AgCl/L × 10⁻⁵)
0,000	1,3	1,3
0,003 9	0,004 6	0,072
0,036	0,000 50	0,19
0,35	0,000 051	1,7
1,4	0,000 013	18
2,9	0,000 006 3	1000

Solubilité décroissante

Solubilité décroissante

Solubilité décroissante

Le pH, la solubilité et la carie dentaire

L'émail, un matériau dur qui recouvre les dents, est composé en majeure partie d'une substance minérale, l'*hydroxyapatite*, $Ca_5(PO_4)_3OH$. L'hydroxyapatite est insoluble dans l'eau, mais légèrement soluble en solution acide, ce qui est à l'origine de la carie dentaire.

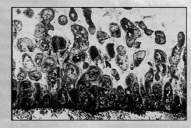

La plaque sur l'émail des dents, vue au microscope électronique.

Une glycoprotéine, appelée *mucine,* forme un film sur les dents, la *plaque.* Sans brossage et utilisation de la soie dentaire, la plaque s'accumule et emprisonne des particules alimentaires. Les bactéries métabolisent les sucres dans ces particules et produisent de l'acide lactique ($CH_3CHOHCOOH$). La salive ne pénètre pas la plaque et ne peut donc pas avoir un effet tampon sur l'acide accumulé. Le pH peut conséquemment descendre jusqu'à 4,5. Les H_3O^+ neutralisent les OH^- et convertissent les PO_4^{3-} de l'hydroxyapatite en HPO_4^{2-} partiellement ionisés. Le sel de calcium de HPO_4^{2-} est soluble dans l'eau, et une partie de l'hydroxyapatite se dissout.

$$Ca_5(PO_4)_3OH(s) + 4\ H_3O^+(aq) \longrightarrow 5\ Ca^{2+}(aq) + 3\ HPO_4^{2-}(aq) + 5\ H_2O(l)$$

Laissé sans soin, l'émail se dissout, et la carie s'installe. L'érosion des dents est encore plus rapide chez les personnes souffrant de *boulimie,* un trouble de l'alimentation qui consiste à ingérer une quantité excessive d'aliments, puis à les vomir. L'acide chlorhydrique qui reflue de l'estomac fait tomber le pH de la bouche jusqu'à 1,5.

Pour lutter contre la carie dentaire, on peut ajouter des fluorures à l'eau potable et aux dentifrices. Les fluorures convertissent une partie de l'hydroxyapatite qui se trouve dans l'émail en *fluorapatite*.

$$\underset{\text{Hydroxyapatite}}{Ca_5(PO_4)_3OH(s)} +\ F^-(aq) \rightleftharpoons \underset{\text{Fluorapatite}}{Ca_5(PO_4)_3F(s)} +\ OH^-(aq)$$

La fluorapatite est moins soluble dans les acides que l'hydroxyapatite parce que F^- est une base plus faible que OH^-, ce qui a pour effet de ralentir la carie dentaire.

La formation d'ions complexes

Ion complexe

Ion formé d'un cation métallique central auquel sont liés des atomes ou des groupes d'atomes neutres ou anioniques, appelés ligands.

Ligand

Espèce (atome, molécule, anion) liée au cation central métallique d'un ion complexe.

Un **ion complexe** est formé d'un cation métallique central auquel sont liés d'autres atomes, ou groupes d'atomes neutres ou anioniques, appelés **ligands**. Dans la présente section, nous concentrerons notre attention sur quatre ligands communs : les anions Cl^- et OH^-, et les molécules H_2O et NH_3. Les structures de Lewis montrent que ces ligands ont tous en commun au moins un doublet d'électrons libres. En résumé, dans la formation d'ions complexes, l'atome métallique central, un *acide de Lewis*, accepte des doublets d'électrons provenant des ligands, qui sont des *bases de Lewis*. Les ligands et l'atome métallique central sont unis par des liaisons covalentes de coordinence.

L'ion complexe qui est la cause de l'augmentation de la solubilité de $AgCl(s)$ à une concentration élevée de Cl^- se compose d'un ion Ag^+ central et de deux ions Cl^- agissant comme ligands. L'équation suivante représente la formation de cet ion complexe, qui est l'espèce entre crochets. La **figure 5.8** illustre une structure de l'ion complexe.

$$Ag^+(aq) + 2\,Cl^-(aq) \rightleftharpoons [AgCl_2]^-(aq)$$

Cet ion complexe est un *anion* de charge nette 1−, car il est constitué d'*un* cation de charge 1+ (Ag^+) et de *deux* anions de charge 1− (Cl^-).

L'ion complexe formé par un ion cuivre(II) et des molécules d'ammoniac (**figure 5.9**) est un *cation* complexe ; l'ion cuivre central a une charge de 2+ et les molécules d'ammoniac sont neutres.

$$\underset{\text{Bleu}}{Cu^{2+}(aq)} + 4\,NH_3(aq) \rightleftharpoons \underset{\text{Bleu violacé intense}}{[Cu(NH_3)_4]^{2+}(aq)}$$

Dans une solution de $Cl^-(aq)$, les ions Ag^+ n'existent pas tous sous la forme de $[AgCl_2]^-$, et dans une solution de $NH_3(aq)$, les ions Cu^{2+} n'existent pas tous sous la forme de $[Cu(NH_3)_4]^{2+}$. La réaction de formation d'un ion complexe est *réversible*, et on décrit l'état d'équilibre de cette réaction à l'aide d'une constante d'équilibre appelée **constante de formation**, représentée par le symbole K_f.

▲ **Figure 5.8**
Structure de l'ion complexe $[AgCl_2]^-$

Cette illustration indique que les doublets d'électrons libres des ions Cl^- sont utilisés pour former des liaisons covalentes de coordinence avec l'ion Ag^+ central. L'ion complexe possède une structure linéaire.

Constante de formation (K_f)

Constante servant à décrire l'état d'équilibre entre, d'une part, un ion complexe et, d'autre part, le cation et les ligands à partir desquels cet ion est produit.

$$Ag^+(aq) + 2\,Cl^-(aq) \rightleftharpoons [AgCl_2]^-(aq) \qquad K_f = \frac{[AgCl_2]^-}{[Ag^+][Cl^-]^2} = 1{,}2 \times 10^8$$

$$Cu^{2+}(aq) + 4\,NH_3(aq) \rightleftharpoons [Cu(NH_3)_4]^{2+}(aq) \qquad K_f = \frac{[Cu(NH_3)_4]^{2+}}{[Cu^{2+}][NH_3]^4} = 1{,}1 \times 10^{13}$$

◀ **Figure 5.9**
Formation d'un ion complexe

La couleur bleu pâle de la solution diluée de $CuSO_4(aq)$ (à gauche) est due à la présence de $Cu^{2+}(aq)$. Lors de l'ajout de $NH_3(aq)$ (étiqueté « hydroxyde d'ammonium concentré »), la solution devient d'un bleu violacé intense (à droite) à mesure que $Cu^{2+}(aq)$ est converti en $[Cu(NH_3)_4]^{2+}(aq)$. La représentation moléculaire montre les ions SO_4^{2-} et $[Cu(NH_3)_4]^{2+}$.

TABLEAU 5.5	Constantes de formation de quelques ions complexes	
Ion complexe	**Réaction d'équilibre**	K_f
$[Co(NH_3)_6]^{3+}$	$Co^{3+} + 6\,NH_3 \rightleftharpoons [Co(NH_3)_6]^{3+}$	$4,5 \times 10^{33}$
$[Cu(NH_3)_4]^{2+}$	$Cu^{2+} + 4\,NH_3 \rightleftharpoons [Cu(NH_3)_4]^{2+}$	$1,1 \times 10^{13}$
$[Fe(CN)_6]^{4-}$	$Fe^{2+} + 6\,CN^- \rightleftharpoons [Fe(CN)_6]^{4-}$	$1,0 \times 10^{37}$
$[Fe(CN)_6]^{3-}$	$Fe^{3+} + 6\,CN^- \rightleftharpoons [Fe(CN)_6]^{3-}$	$1,0 \times 10^{42}$
$[PbCl_3]^-$	$Pb^{2+} + 3\,Cl^- \rightleftharpoons [PbCl_3]^-$	$2,4 \times 10^1$
$[Ag(NH_3)_2]^+$	$Ag^+ + 2\,NH_3 \rightleftharpoons [Ag(NH_3)_2]^+$	$1,6 \times 10^7$
$[Ag(CN)_2]^-$	$Ag^+ + 2\,CN^- \rightleftharpoons [Ag(CN)_2]^-$	$5,6 \times 10^{18}$
$[Ag(S_2O_3)_2]^{3-}$	$Ag^+ + 2\,S_2O_3^{2-} \rightleftharpoons [Ag(S_2O_3)_2]^{3-}$	$1,7 \times 10^{13}$
$[Zn(NH_3)_4]^{2+}$	$Zn^{2+} + 4\,NH_3 \rightleftharpoons [Zn(NH_3)_4]^{2+}$	$4,1 \times 10^8$
$[Zn(CN)_4]^{2-}$	$Zn^{2+} + 4\,CN^- \rightleftharpoons [Zn(CN)_4]^{2-}$	$1,0 \times 10^{18}$
$[Zn(OH)_4]^{2-}$	$Zn^{2+} + 4\,OH^- \rightleftharpoons [Zn(OH)_4]^{2-}$	$4,6 \times 10^{17}$

Le **tableau 5.5** ci-dessus répertorie quelques constantes de formation représentatives. On trouve une liste plus exhaustive à l'annexe C.2D.

La formation des ions complexes et la solubilité

La **figure 5.10** montre que le chlorure d'argent insoluble dans l'eau *se dissout* dans l'ammoniaque. Un ion Ag^+ de AgCl(s) se combine avec deux molécules NH_3 pour produire l'ion complexe $[Ag(NH_3)_2]^+$. Le Cl^- de AgCl(s) passe en solution sous la forme de Cl^-(aq). Pour bien décrire cette dissolution, on a recours à la réaction globale qui résulte de la combinaison de deux processus d'équilibre.

1) $$AgCl(s) \rightleftharpoons \cancel{Ag^+(aq)} + Cl^-(aq) \quad K_{ps} = 1,8 \times 10^{-10}$$

2) $$\cancel{Ag^+(aq)} + 2\,NH_3(aq) \rightleftharpoons [Ag(NH_3)_2]^+(aq) \quad K_f = 1,6 \times 10^7$$

Réaction globale
$$AgCl(s) + 2\,NH_3(aq) \rightleftharpoons [Ag(NH_3)_2]^+(aq) + Cl^-(aq)$$

$$K_c = K_{ps} \times K_f = 2,9 \times 10^{-3}$$

La constante d'équilibre de la dissolution de AgCl(s) dans NH_3(aq) n'est pas élevée ($K_c = 2,9 \times 10^{-3}$). Néanmoins, en présence de NH_3(aq) en concentration élevée, l'équilibre se déplace fortement vers la droite, de sorte qu'une quantité importante de AgCl(s) se dissout.

On peut écrire des équations et des constantes d'équilibre, K_c, semblables pour représenter l'action de NH_3(aq) sur AgBr(s) et AgI(s). Dans chaque cas, $K_c = K_{ps} \times K_f$. Les constantes d'équilibre, K_c, de la dissolution de AgCl(s), de AgBr(s) et de AgI(s) dans

▼ **Figure 5.10**
Formation d'un ion complexe et solubilité d'un soluté

Un précipité de AgCl(s) (bécher de gauche) se dissout facilement dans une solution aqueuse de NH_3 à cause de la formation de l'ion complexe $[Ag(NH_3)_2]^+$ (à droite). La représentation moléculaire de la solution finale montre les ions $[Ag(NH_3)_2]^+$ et Cl^-, et les molécules NH_3.

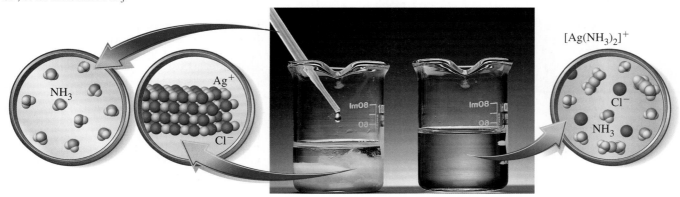

NH_3(aq) sont respectivement $2,9 \times 10^{-3}$, $8,0 \times 10^{-6}$ et $1,4 \times 10^{-9}$. Ces valeurs sont conformes aux observations. En effet, AgCl(s) est modérément soluble, AgBr(s), très peu soluble, et AgI(s), très peu soluble dans l'ammoniaque. Les valeurs de K_c sont directement proportionnelles aux valeurs de K_{ps} parce que K_f est la même dans chaque réaction. Donc, les solubilités de AgCl, de AgBr et de AgI dans NH_3(aq) varient de la même façon que leurs valeurs de K_{ps}.

Solubilité dans NH₃(aq) $\qquad$ AgCl $\qquad > \qquad$ AgBr $\qquad > \qquad$ AgI

K_{ps} $\qquad\qquad\qquad 1,8 \times 10^{-10} \quad > \quad 5,0 \times 10^{-13} \quad > \quad 8,5 \times 10^{-17}$

Le bromure d'argent, sous forme d'émulsion dans la gélatine, est utilisé dans les pellicules photographiques (**figure 5.11**). L'image photographique est un dépôt d'argent métallique dans une émulsion, produit par l'exposition de la pellicule à la lumière suivie du traitement au moyen d'un agent réducteur doux [par exemple l'hydroquinone, $C_6H_4(OH)_2$]. Après avoir développé le film, il faut le « fixer » pour enlever le AgBr(s) non exposé afin que la pellicule ne noircisse pas davantage sous l'action de la lumière. À cette fin, on peut utiliser le thiosulfate de sodium, $Na_2S_2O_3$ (aussi appelé *hyposulfite de sodium,* ou « hypo »).

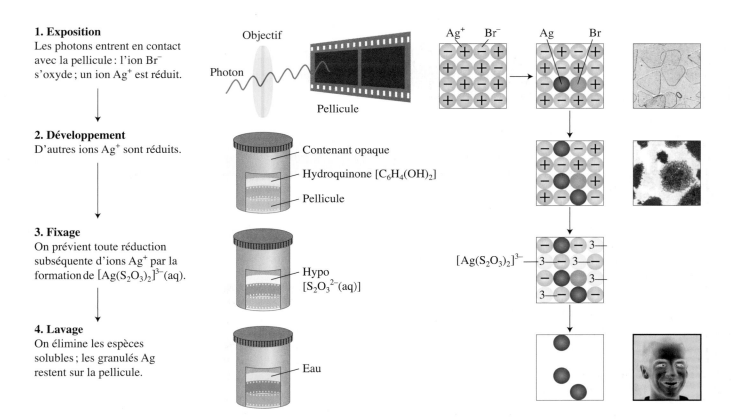

1. Exposition
Les photons entrent en contact avec la pellicule : l'ion Br^- s'oxyde ; un ion Ag^+ est réduit.

2. Développement
D'autres ions Ag^+ sont réduits.

3. Fixage
On prévient toute réduction subséquente d'ions Ag^+ par la formation de $[Ag(S_2O_3)_2]^{3-}$(aq).

4. Lavage
On élimine les espèces solubles ; les granulés Ag restent sur la pellicule.

▲ Figure 5.11 **Étapes du développement d'un négatif**
1. *Exposition.* Les cristaux de AgBr absorbent des photons en des endroits très précis. À la suite de cette absorption, l'ion Br^- s'oxyde et perd un électron au profit d'un ion Ag^+ qui se réduit. L'image ainsi formée est dite latente, puisqu'elle n'est pas encore visible. **2.** *Développement.* L'image latente est transformée en image réelle après la réduction contrôlée d'autres ions Ag^+ à l'aide d'hydroquinone et à partir de ceux déjà réduits par l'exposition. Il en résulte une concentration en argent métallique environ un million de fois plus importante que celle qui est produite par la simple exposition à la lumière. **3.** *Fixage.* Afin d'éviter toute réduction subséquente, qui entraînerait un noircissement de la pellicule, on élimine l'argent résiduel sur le négatif en transformant le AgBr insoluble en ion complexe $[Ag(S_2O_3)_2]^{3-}$ soluble. **4.** *Lavage.* Un rinçage à l'eau permet d'éliminer les ions $[Ag(S_2O_3)_2]^{3-}$ de la surface de la pellicule. Le négatif est alors prêt pour l'impression de la photo ; pour ce faire, on recommence les étapes précédentes sur un papier photo recouvert d'une émulsion de sels d'argent.

La dissolution de AgBr(s) dans $Na_2S_2O_3$(aq), comme celle de AgBr(s) dans NH_3(aq), est le résultat global de deux processus d'équilibre simultanés.

$$AgBr(s) \rightleftharpoons \cancel{Ag^+(aq)} + Br^-(aq) \qquad K_{ps} = 5{,}0 \times 10^{-13}$$

$$\cancel{Ag^+(aq)} + 2\, S_2O_3{}^{2-}(aq) \rightleftharpoons [Ag(S_2O_3)_2]^{3-}(aq) \qquad K_f = 1{,}7 \times 10^{13}$$

Réaction globale

$$AgBr(s) + 2\, S_2O_3{}^{2-}(aq) \rightleftharpoons [Ag(S_2O_3)_2]^{3-}(aq) + Br^-(aq)$$

$$K_c = K_{ps} \times K_f = 5{,}0 \times 10^{-13} \times 1{,}7 \times 10^{13} = 8{,}5$$

On peut maintenant voir pourquoi le thiosulfate de sodium est utilisé comme fixateur en photographie, mais pas l'ammoniaque. La constante d'équilibre de la dissolution de AgBr(s) dans $S_2O_3{}^{-2}$(aq) ($K_c = 8{,}5$) est environ un million de fois plus élevée que celle de sa dissolution dans NH_3(aq) ($K_c = 8{,}0 \times 10^{-6}$). Les solutions de thiosulfate de sodium peuvent dissoudre plus complètement l'excès de AgBr(s) sur la pellicule photographique que les solutions d'ammoniaque.

Les trois exemples qui suivent illustrent trois types courants de calculs sur des réactions mettant en jeu des ions complexes.

- Dans l'exemple 5.16, on illustre l'utilisation d'une expression de K_f pour calculer les concentrations à l'équilibre.

- Dans l'exemple 5.17, on applique les critères de précipitation aux solutions contenant des ions complexes.

- Dans l'exemple 5.18, on illustre le calcul de la solubilité quand des ions complexes sont produits.

EXEMPLE **5.16**

Calculez la concentration de l'ion argent libre, $[Ag^+]$, dans une solution aqueuse contenant $AgNO_3$ 0,10 mol/L et NH_3 3,0 mol/L.

$$Ag^+(aq) + 2\, NH_3(aq) \rightleftharpoons [Ag(NH_3)_2]^+(aq) \qquad K_f = 1{,}6 \times 10^7$$

➡ **Stratégie**

Puisque K_f est un nombre élevé, commençons par supposer que la réaction de formation du $[Ag(NH_3)_2]^+$ est complète. Nous pouvons alors déterminer les concentrations de $[Ag(NH_3)_2]^+$ et de NH_3 en excès par des calculs stœchiométriques directs. Ensuite, nous pouvons retourner à la réaction de formation de l'ion complexe et évaluer combien d'argent est produit par la réaction inverse. Pour ce calcul, nous utiliserons l'expression de K_f et nous chercherons la valeur de x, qui représente $[Ag^+]$.

➡ **Solution**

Nous supposons que la réaction de formation est complète.

La réaction	Ag^+	$+\ 2\,NH_3$	$\longrightarrow$	$[Ag(NH_3)_2]^+$
Concentrations initiales (mol/L)	0,10	3,0		0
Modifications (mol/L)	$-0{,}10$	$-0{,}20$		$+0{,}10$
Concentrations finales (mol/L)	0	2,8		0,10

À présent, posons la question d'une autre façon : « Quelle est la valeur de $[Ag^+]$ dans une solution contenant $[Ag(NH_3)_2]^+$ 0,10 mol/L et NH_3 2,8 mol/L ? » Pour y répondre, il faut se rappeler que l'équilibre peut être atteint dans les deux sens. Considérons alors l'*inverse* de la réaction de formation en résolvant l'équation pour trouver $[Ag^+]$.

La réaction	Ag^+	$+$	$2\,NH_{3\pi}$	$\rightleftharpoons$	$[Ag(NH_3)_2]^+$
Concentrations initiales (*mol/L*)	0		2,8		0,10
Modifications (*mol/L*)	$+x$		$+2x$		$-x$
Concentrations à l'équilibre (*mol/L*)	x		$(2,8 + 2x)$		$(0,10 - x)$

Puisque la constante de formation est élevée, presque tout l'argent sera présent sous la forme de $[Ag(NH_3)_2]^+$; il y en aura très peu sous la forme de Ag^+. Nous pouvons alors supposer que x est très petit par rapport à 0,10 et que $2x$ est très petit par rapport à 2,8.

$$\frac{[[Ag(NH_3)_2]^+]}{[Ag^+][NH_3]^2} = K_f$$

$$\frac{(0,10 - x)}{x(2,8 + 2x)^2} = 1,6 \times 10^7$$

$$\frac{0,10}{x(2,8)^2} = 1,6 \times 10^7$$

$$0,10 = x(2,8)^2 \times 1,6 \times 10^7$$

$$x = \frac{0,10}{(2,8)^2 \times 1,6 \times 10^7}$$

$$= [Ag^+] = 8,0 \times 10^{-10}\ \text{mol/L}$$

EXERCICE 5.16 A

Calculez la concentration de l'ion argent libre, $[Ag^+]$, dans une solution aqueuse contenant $AgNO_3$ 0,10 mol/L et $Na_2S_2O_3$ 1,0 mol/L.

$$Ag^+(aq) + 2\,S_2O_3^{2-}(aq) \rightleftharpoons [Ag(S_2O_3)_2]^{3-}(aq) \qquad K_f = 1,7 \times 10^{13}$$

EXERCICE 5.16 B

Quelle doit être la concentration *totale* de NH_3 dans une solution contenant initialement $AgNO_3$ 0,050 mol/L, si $[Ag^+]$ doit être de $1,0 \times 10^{-8}$ mol/L ? ($K_f\ [Ag(NH_3)_2]^+ = 1,6 \times 10^7$.)

EXEMPLE 5.17

Y aura-t-il formation d'un précipité de $AgBr(s)$, si l'on ajoute 1,00 g de KBr à 1,00 L de la solution décrite dans l'exemple 5.16 ?

$$AgBr(s) \rightleftharpoons Ag^+(aq) + Br^-(aq) \qquad K_{ps} = 5,0 \times 10^{-13}$$

➜ Stratégie

Il nous faut comparer Q pour la solution décrite avec K_{ps} du bromure d'argent. Dans l'expression de Q, $[Ag^+]$ est la concentration calculée dans l'exemple 5.16. Nous pouvons déterminer $[Br^-]$ à partir des données du présent exemple.

➔ Solution

Dans l'exemple 5.16, la solution contient $AgNO_3$ 0,10 mol/L et NH_3 3,0 mol/L, et nous avons déterminé que $[Ag^+] = 8,0 \times 10^{-10}$ mol/L. Il faut maintenant trouver $[Br^-]$ quand 1,00 g de KBr se dissout dans 1,00 L de la solution.

$$[Br^-] = \frac{1,00 \text{ g de KBr} \times \dfrac{1 \text{ mol de KBr}}{119,0 \text{ g de KBr}} \times \dfrac{1 \text{ mol de Br}^-}{1 \text{ mol de KBr}}}{1 \text{ L}} = 8,40 \times 10^{-3} \text{ mol/L}$$

Ensuite, il faut comparer Q et K_{ps} de AgBr.

$$Q = [Ag^+]_{initiale} \times [Br^-]_{initiale} = (8,0 \times 10^{-10})(8,40 \times 10^{-3}) = 6,7 \times 10^{-12}$$

Puisque $Q > K_{ps}$, nous concluons qu'un précipité de AgBr(s) se formera dans la solution.

EXERCICE 5.17 A

Y aura-t-il formation d'un précipité de AgI(s), si l'on ajoute 1,00 g de KI à 1,00 L de la solution décrite à l'exercice 5.16A ?

$$AgI(s) \rightleftharpoons Ag^+(aq) + I^-(aq) \qquad K_{ps} = 8,5 \times 10^{-17}$$

EXERCICE 5.17 B

Quelle masse maximale de KBr peut-on ajouter à 250,0 mL d'une solution dont $[NH_3]$ = 1,00 mol/L et $[[Ag(NH_3)_2]^+]$ = 0,050 mol/L sans qu'il y ait formation d'un précipité de AgBr(s) ? ($K_f [Ag(NH_3)_2]^+ = 1,6 \times 10^7$; K_{ps} AgBr $= 5,0 \times 10^{-13}$.)

EXEMPLE 5.18

Quelle est la solubilité de AgBr(s) dans NH_3 3,0 mol/L ?

$$AgBr(s) + 2 NH_3(aq) \rightleftharpoons [Ag(NH_3)_2]^+(aq) + Br^-(aq) \qquad K_c = 8,0 \times 10^{-6}$$

➔ Stratégie

Remarquons d'abord que la réaction de dissolution est une réaction globale. Sa constante d'équilibre, K_c, est le produit de $K_f [Ag(NH_3)_2]^+$ et de K_{ps} AgBr. Si la valeur de K_c n'avait pas été fournie, il aurait fallu l'établir de la même façon que pour AgCl(s) dans NH_3(aq) à la page 272. Notons aussi que, pour chaque entité formulaire de AgBr(s) qui se dissout, nous obtenons un ion $[Ag(NH_3)_2]^+$ et un ion Br^-. La solubilité que nous cherchons est la même que les concentrations molaires volumiques de l'un ou l'autre de ces ions à l'équilibre.

➔ Solution

Utilisons la présentation habituelle.

La réaction	AgBr(s) +	2 NH₃(aq)	⇌	[Ag(NH₃)₂]⁺ +	Br⁻(aq)
Concentrations initiales (mol/L)		3,0		0	0
Modifications (mol/L)		$-2s$		$+s$	$+s$
Concentrations à l'équilibre (mol/L)		$(3,0 - 2s)$		s	s

Écrivons alors l'expression de la constante d'équilibre de la réaction et insérons les données ci-dessus.

$$K_c = \frac{[[Ag(NH_3)_2]^+][Br^-]}{[NH_3]^2} = \frac{s \cdot s}{(3,0 - 2s)^2} = 8,0 \times 10^{-6}$$

À cette étape, nous pouvons supposer que $s \ll 3,0$ et continuer de la façon habituelle, mais nous pouvons aussi simplifier le calcul en exprimant l'équation de la façon suivante.

$$\frac{s^2}{(3,0 - 2s)^2} = \left(\frac{s}{3,0 - 2s}\right)^2 = 8,0 \times 10^{-6}$$

Nous extrayons ensuite la racine carrée de chaque membre de l'équation.

$$\frac{s}{3,0 - 2s} = \sqrt{(8,0 \times 10^{-6})} = 2,8 \times 10^{-3}$$

Et nous pouvons alors terminer le calcul.

$$s = (3,0 - 2s)(2,8 \times 10^{-3}) = (8,4 \times 10^{-3}) - 5,6 \times 10^{-3}s$$

$$1,0056\,s = 8,4 \times 10^{-3}$$

$$s = [[Ag(NH_3)_2]^+] = [Br^-] = 8,4 \times 10^{-3} \text{ mol/L}$$

La solubilité est donc de $8,4 \times 10^{-3}$ mol de AgBr/L.

EXERCICE 5.18 A

Quelle est la solubilité de AgBr(s) dans $Na_2S_2O_3$(aq) 0,500 mol/L ?

$$AgBr(s) + 2\,S_2O_3^{2-}(aq) \rightleftharpoons [Ag(S_2O_3)_2]^{3-}(aq) + Br^-(aq) \qquad K_c = 8,5$$

EXERCICE 5.18 B

Sans faire de calculs détaillés, déterminez dans laquelle des solutions suivantes de concentration 0,100 mol/L la solubilité de AgI(s) est la plus grande : NH_3(aq), $Na_2S_2O_3$(aq) ou NaCN(aq). Expliquez votre réponse.

EXEMPLE 5.19   Un exemple conceptuel

La **figure 5.12** montre qu'un précipité se forme quand on ajoute de l'acide nitrique, HNO_3(aq), à la solution incolore obtenue à la figure 5.10 de la page 272. Écrivez une ou plusieurs équations pour montrer ce qui se produit.

◀ **Figure 5.12**
Destruction d'un ion complexe
À la solution claire de la figure 5.10 (à gauche), on ajoute HNO_3(aq) (à droite).

→ Analyse et conclusion

Les principaux solutés dans la solution de la figure 5.10 sont $[Ag(NH_3)_2]^+$(aq), Cl^-(aq) et NH_3(aq) libre. Il y a des traces de Ag^+ libre. La solution de HNO_3(aq) ajoutée est une source de H_3O^+. Il se produit un transfert de protons entre H_3O^+, un acide, et NH_3 libre, une base :

$$H_3O^+(aq) + NH_3(aq) \longrightarrow NH_4^+(aq) + H_2O(l) \qquad \text{(a)}$$

Selon le principe de Le Chatelier, le déséquilibre créé par cette élimination de $NH_3(aq)$ favorise la *décomposition* de $[Ag(NH_3)_2]^+(aq)$. Plus de $NH_3(aq)$ est produit et, simultanément, plus de $Ag^+(aq)$:

$$[Ag(NH_3)_2]^+(aq) \longrightarrow Ag^+(aq) + 2\ NH_3(aq) \qquad \text{(b)}$$

Comme $[Ag^+]$ augmente, le produit ionique $[Ag^+][Cl^-]$ excède bientôt K_{ps}, et $AgCl(s)$ précipite :

$$Ag^+(aq) + Cl^-(aq) \longrightarrow AgCl(s) \qquad \text{(c)}$$

L'équation globale est alors $2(a) + (b) + (c)$:

$$[Ag(NH_3)_2]^+(aq) + Cl^-(aq) + 2\ H_3O^+(aq) \longrightarrow AgCl(s) + 2\ NH_4^+(aq) + 2\ H_2O(l)$$

EXERCICE 5.19

À la figure 5.12, doit-on s'attendre à ce que $AgCl(s)$ précipite si l'on utilise du nitrate d'ammonium, $NH_4NO_3(aq)$, à la place de $HNO_3(aq)$? Expliquez votre réponse.

Les ions complexes dans les réactions acidobasiques

Lorsque nous avons abordé les réactions d'hydrolyse au chapitre 4, nous avons précisé que les cations des groupes IA et IIA ne s'hydrolysent pas. Cependant, nous avons également mentionné que de nombreux autres cations métalliques s'hydrolysent, notamment ceux qui ont un petit volume et une charge élevée (page 194). La formation d'ions complexes permet d'expliquer pourquoi il en est ainsi.

Les solutions aqueuses de composés de fer(III), par exemple, sont à peu près aussi acides que des solutions d'acide acétique. Pour expliquer comment des ions H_3O^+ peuvent être produits dans ces solutions, mentionnons d'abord que la majeure partie du Fe(III) est présent sous la forme de l'ion complexe $[Fe(H_2O)_6]^{3+}$. On trouve très fréquemment des molécules d'eau comme ligands dans des ions complexes en milieu aqueux : ce sont des bases de Lewis.

Considérons à présent que, en raison de son pouvoir attracteur d'électrons, l'ion Fe^{3+} à charge élevée affaiblit une liaison O—H d'une molécule d'eau servant de *ligand,* ce qui provoque le transfert d'un proton à une molécule d'eau de la solution. Il en résulte la formation d'un ion H_3O^+ en solution et la conversion d'un ligand H_2O en OH^-. La **figure 5.13** ainsi que l'équation suivante illustrent ce processus.

$$[Fe(H_2O)_6]^{3+}(aq) + H_2O(l) \rightleftharpoons [FeOH(H_2O)_5]^{2+}(aq) + H_3O^+(aq) \qquad K_a = 9 \times 10^{-4}$$

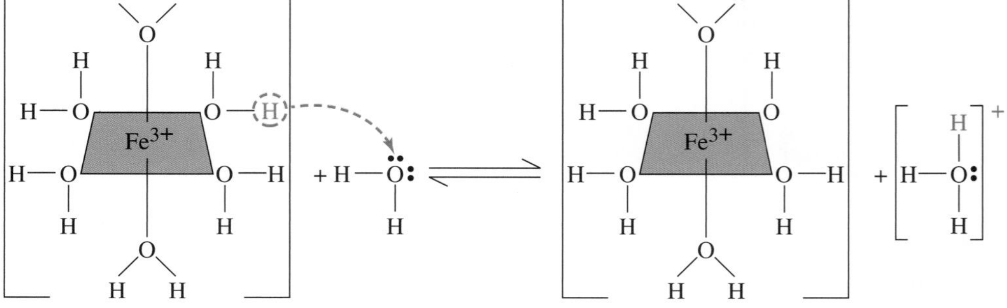

▶ **Figure 5.13**
Ionisation de $[Fe(H_2O)_6]^{3+}(aq)$ en tant qu'acide

Le transfert d'un proton d'une molécule d'eau servant de ligand dans $[Fe(H_2O)_6]^{3+}(aq)$ à une molécule d'eau de solvant produit une augmentation de $[H_3O^+]$ dans la solution.

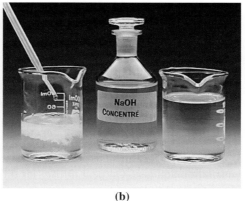

(a) (b)

◀ Figure 5.14
**Caractère amphotère
de Al(OH)₃(s)**

(a) L'hydroxyde d'aluminium, $Al(OH)_3(s)$, réagit avec $HCl(aq)$. Dans la solution incolore résultante (à droite), l'aluminium est présent sous la forme de l'ion complexe $[Al(H_2O)_6]^{3+}(aq)$. (b) Le précipité $Al(OH)_3(s)$ réagit avec $NaOH(aq)$ pour produire une solution (à droite) de l'ion complexe incolore $[Al(OH)_4]^-(aq)$ contenant l'aluminium.

Dans l'ion complexe de fer(II), $[Fe(H_2O)_6]^{2+}$, l'effet attracteur d'électrons de l'ion central Fe^{2+} est plus faible, car celui-ci est plus volumineux et sa charge est moins élevée. En conséquence, $[Fe(H_2O)_6]^{2+}$ ne s'ionise pas autant que $[Fe(H_2O)_6]^{3+}$.

$$[Fe(H_2O)_6]^{2+}(aq) + H_2O(l) \rightleftharpoons [Fe(H_2O)_5OH]^+(aq) + H_3O^+(aq) \quad K_a = 1 \times 10^{-7}$$

Tel que l'illustre la **figure 5.14**, $Al(OH)_3(s)$, qui est insoluble dans l'eau, réagit *autant* avec $HCl(aq)$ que $NaOH(aq)$ pour s'y dissoudre. La formation d'ions complexes aide à expliquer ce comportement.

Lorsque $Al(OH)_3(s)$ réagit avec $HCl(aq)$ (figure 5.14*a*), H_3O^+ provenant de $HCl(aq)$ réagit avec OH^- de $Al(OH)_3(s)$ pour produire H_2O. Les molécules H_2O deviennent des ligands dans l'ion complexe $[Al(H_2O)_6]^{3+}$. Le résultat global est le suivant.

$$Al(OH)_3(s) + 3\ H_3O^+(aq) \longrightarrow [Al(H_2O)_6]^{3+}(aq)$$

Lorsque $Al(OH)_3(s)$ réagit avec $NaOH(aq)$ (figure 5.14*b*), les ions OH^- provenant de $NaOH(aq)$ ainsi que ceux provenant de $Al(OH)_3(s)$ deviennent des ligands dans l'ion complexe $[Al(OH)_4]^-$. L'équation suivante montre le résultat global dans ce cas.

$$Al(OH)_3(s) + OH^-(aq) \longrightarrow [Al(OH)_4]^-(aq)$$

L'hydroxyde d'aluminium est *amphotère*. Rappelons qu'un hydroxyde amphotère peut réagir aussi bien avec un acide qu'avec une base. Les hydroxydes de zinc et de chrome(III) sont également amphotères. Les ions produits en solution acide sont respectivement $[Zn(H_2O)_4]^{2+}(aq)$ et $[Cr(H_2O)_6]^{3+}(aq)$. En solution basique, ce sont plutôt $[Zn(OH)_4]^{2-}$ et $[Cr(OH)_4]^-$. L'hydroxyde de fer(III), pour sa part, n'est pas amphotère. $Fe(OH)_3$ se dissout en solution acide pour produire le cation $[Fe(H_2O)_6]^{3+}(aq)$, mais il ne réagit pas en solution basique.

Les oxydes Al_2O_3, ZnO et Cr_2O_3 se comportent vis-à-vis des acides et des bases de la même façon que les hydroxydes. Par exemple, considérons les réactions de l'oxyde d'aluminium.

$$Al_2O_3(s) + 6\ H_3O^+(aq) + 3\ H_2O(l) \longrightarrow 2\ [Al(H_2O)_6]^{3+}(aq)$$

$$Al_2O_3(s) + 2\ OH^-(aq) + 3\ H_2O(l) \longrightarrow 2\ [Al(OH)_4]^-(aq)$$

5.7 L'analyse qualitative inorganique

De nombreux concepts étudiés dans ce manuel — surtout dans le présent chapitre et le précédent — ont des applications importantes en chimie analytique. Par exemple, la chimie des acides et des bases, les réactions de précipitation, l'oxydoréduction et la formation d'ions complexes occupent une place primordiale dans un domaine de la chimie analytique appelé *analyse qualitative inorganique classique*.

Le qualificatif « qualitative » signifie qu'on tente de déterminer ce qui est présent sans le doser (ce qui serait de l'analyse *quantitative*). « Inorganique » indique qu'on analyse les constituants inorganiques, généralement les ions. On entend par « classique » les analyses qui font intervenir des réactions chimiques et des méthodes élaborées pour la plupart au XIXᵉ siècle. Bien qu'elle ne soit pas actuellement très utilisée, l'analyse qualitative classique constitue encore un bon moyen d'appliquer tous les concepts de base des équilibres en solution aqueuse. Par ailleurs, certains tests qualitatifs, comme celui qui permet de distinguer l'eau désionisée de l'eau du robinet (figure 5.5), sont si simples qu'on les préfère encore aux tests sophistiqués plus modernes.

La **figure 5.15** résume la façon de procéder pour déceler quelque 26 cations courants en solution aqueuse. On peut utiliser les différences de solubilité de certains composés de ces cations pour les séparer en cinq groupes. On effectue ensuite d'autres divisions dans chacun des groupes. Finalement, on obtient chacun des cations présents dans une solution de laquelle les autres cations ont été éliminés. On fait alors un test pour confirmer la présence de ce cation dans la solution. Pour analyser les anions, on utilise un autre schéma. Dans notre étude, nous considérerons de façon détaillée le groupe des cations appelé *groupe 1,* puis nous aborderons plus brièvement l'analyse des autres cations.

Les cations du groupe 1

À une solution aqueuse qui pourrait contenir jusqu'à 26 cations différents, qu'on appelle *inconnus,* on ajoute HCl(aq). S'il se forme un précipité, on sait alors que la solution contient au moins un des cations suivants : Pb^{2+}, Hg_2^{2+} ou Ag^+. En effet, ce sont les seuls qui forment des chlorures insolubles. S'il n'y a pas de précipité du groupe 1, on sait que Pb^{2+}, Hg_2^{2+} et Ag^+ sont *absents* de la solution. S'il y a un précipité, on le filtre et on le conserve. On garde la solution séparée du précipité (le filtrat) pour analyser les autres groupes.

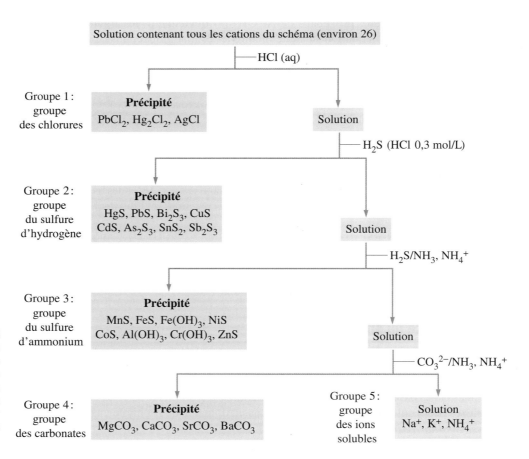

▶ **Figure 5.15**
Aperçu du schéma de l'analyse qualitative de quelques cations courants

On utilise les différences de solubilité des composés pour séparer les cations en cinq groupes. On effectue ensuite des divisions supplémentaires dans chaque groupe afin d'isoler chacun des cations présents dans une solution séparée et on confirme finalement par un test la présence de ce cation dans la solution.

Un précipité du groupe 1 peut contenir $PbCl_2$, Hg_2Cl_2 ou $AgCl$, ou un mélange de ces chlorures. Parmi ceux-ci, $PbCl_2(s)$ est le plus soluble dans l'eau, et on peut arriver à le dissoudre en partie simplement en lavant le précipité à l'eau *chaude*. Pour vérifier la présence de Pb^{2+}, on ajoute $K_2CrO_4(aq)$ à l'eau chaude de lavage. Si Pb^{2+} est présent, l'ion chromate se combine avec l'ion plomb pour former un précipité *jaune* de chromate de plomb, $PbCrO_4(s)$, qui est moins soluble que $PbCl_2(s)$ (**figure 5.16**).

$$Pb^{2+}(aq) + CrO_4^{2-}(aq) \longrightarrow PbCrO_4(s) \quad K_{ps} = 2,8 \times 10^{-13}$$

Puis, on traite la portion non dissoute du précipité avec $NH_3(aq)$. Si $AgCl(s)$ est présent dans ce précipité, il se dissout selon la réaction suivante, illustrée à la figure 5.10 (page 272).

$$AgCl(s) + 2\,NH_3(aq) \longrightarrow [Ag(NH_3)_2]^+(aq) + Cl^-(aq)$$

On peut confirmer la dissolution de $AgCl(s)$ en traitant $[Ag(NH_3)_2]^+(aq)$ par $HNO_3(aq)$; le résultat est illustré à la figure 5.12 (page 277).

$$[Ag(NH_3)_2]^+(aq) + Cl^-(aq) + 2\,H_3O^+(aq) \longrightarrow AgCl(s) + 2\,NH_4^+(aq) + 2\,H_2O(l)$$

En même temps que $AgCl(s)$ se dissout dans $NH_3(aq)$, le $Hg_2Cl_2(s)$ présent subit une réaction d'*oxydoréduction*. Un des produits de la réaction est un mélange gris foncé de mercure élémentaire et de $HgNH_2Cl(s)$ (figure 5.16).

$$Hg_2Cl_2(s) + 2\,NH_3(aq) \longrightarrow \underbrace{Hg(l) + HgNH_2Cl(s)}_{\text{Gris foncé}} + NH_4^+(aq) + Cl^-(aq)$$

La présence d'un mélange gris foncé à cette étape indique donc que des ions mercure(I) étaient présents dans la solution initiale.

Le sulfure d'hydrogène dans le schéma de l'analyse qualitative

Une fois que les chlorures des cations du groupe 1 ont été précipités, on utilise le sulfure d'hydrogène comme réactif dans le schéma de l'analyse qualitative. H_2S est un *diacide faible*.

$$H_2S(aq) + H_2O \rightleftharpoons H_3O^+(aq) + HS^-(aq) \qquad K_{a_1} = 1,0 \times 10^{-7}$$

$$HS^-(aq) + H_2O \rightleftharpoons H_3O^+(aq) + S^{2-}(aq) \qquad K_{a_2} = 1,0 \times 10^{-19}$$

D'après la valeur extrêmement petite de K_{a_2}, on s'attend à ce que l'ion hydrogéno-sulfure, HS^-, s'ionise très peu, ce qui indique que HS^-, et non S^{2-} lui-même, est l'agent précipitant. On peut représenter la précipitation d'un sulfure de métal MS par l'équation globale suivante.

$$H_2S(aq) + H_2O(l) \rightleftharpoons H_3O^+(aq) + \cancel{HS^-(aq)}$$

$$M^{2+}(aq) + \cancel{HS^-(aq)} + H_2O(l) \rightleftharpoons MS(s) + H_3O^+(aq)$$

Réaction globale $\quad M^{2+}(aq) + H_2S(aq) + 2\,H_2O(l) \rightleftharpoons MS(s) + 2\,H_3O^+(aq)$

Le sulfure d'hydrogène gazeux possède une odeur familière d'«œufs pourris» que l'on remarque en particulier dans les régions volcaniques et près des sources d'eau chaude sulfurée. En concentration de 10 ppm, le gaz peut causer des maux de tête et des nausées, et autour de 100 ppm, il peut être mortel. En raison de sa toxicité, on ne produit géné-ralement $H_2S(g)$ qu'en petites quantités et directement dans la solution où il est utilisé. Par exemple, il est libéré lentement quand on chauffe le thioacétamide en solution aqueuse.

$$\overset{\overset{\displaystyle S}{\|}}{CH_3CNH_2}(aq) + H_2O(l) \longrightarrow \overset{\overset{\displaystyle O}{\|}}{CH_3CNH_2}(aq) + H_2S(aq)$$
Thioacétamide $\qquad\qquad\qquad$ Acétamide (éthanamide)

▲ **Figure 5.16**
Précipités des cations du groupe 1

À gauche. Le précipité des cations du groupe 1 : $PbCl_2$ (blanc), Hg_2Cl_2 (blanc), AgCl (blanc). *Au milieu.* Le produit de la réaction du test pour Hg_2^{2+} : un mélange gris foncé de Hg (noir) et de $HgNH_2Cl$ (blanc). *À droite.* Le produit de la réaction du test pour Pb^{2+} : $PbCrO_4$ (jaune), qui résulte de la réaction de $K_2CrO_4(aq)$ avec $PbCl_2(aq)$ saturée.

Les valeurs de K_{ps} des précipités des cations du groupe 1 sont :
$PbCl_2$, $1,6 \times 10^{-5}$
Hg_2Cl_2, $1,3 \times 10^{-18}$
$AgCl$, $1,8 \times 10^{-10}$

Les cations des groupes 2, 3, 4 et 5

Quand on applique le principe de Le Chatelier à la réaction globale relative à la précipitation des sulfures de métaux, on voit que la réaction est favorisée vers la *gauche* en solution *acide*, où $[H_3O^+]$ est élevée, et vers la *droite* en solution *basique*, où $[H_3O^+]$ est faible. Les sulfures métalliques sont donc plus solubles en solution acide et moins solubles en solution basique.

$$M^{2+}(aq) + H_2S(aq) + 2\ H_2O(l) \underset{\text{Solution acide}}{\overset{\text{Solution basique}}{\rightleftharpoons}} MS(s) + 2\ H_3O^+(aq)$$

La concentration de HS^- est si faible dans une solution fortement acide de $H_2S(aq)$ que seuls les sulfures les plus insolubles précipitent. Les sulfures de cette catégorie sont les huit sulfures des métaux du groupe 2[*]. Ils précipitent avec $H_2S(aq)$ en présence de HCl 0,3 mol/L. Des huit cations du groupe 3, cinq forment des sulfures qui sont solubles en solution acide mais insolubles dans une solution tampon alcaline NH_3/NH_4Cl. Les trois autres cations du groupe 3 forment des hydroxydes qui précipitent dans la solution alcaline.

Les cations des groupes 4 et 5 forment des sulfures solubles, même en solution basique. Leurs hydroxydes, à l'exception de $Mg(OH)_2$, sont aussi modérément solubles ou très solubles. Les cations du groupe 4 précipitent sous la forme de carbonates dans une solution tampon alcaline. Les cations du groupe 5 restent solubles en présence de tous les réactifs courants.

Dans chacun des groupes de l'analyse qualitative, il faut utiliser des réactions supplémentaires pour dissoudre les précipités et pour séparer et précipiter sélectivement chacun des cations afin de les identifier et de confirmer leur présence. Ces réactions comprennent l'oxydoréduction, la formation d'ions complexes, le comportement amphotère et la précipitation. Les tests de coloration de flamme sont une particularité importante de plusieurs ions des groupes 4 et 5.

Considérons, par exemple, comment on pourrait déceler la présence de Cr^{3+} dans une solution inconnue. Lorsque les cations du groupe 3 sont précipités, ceux des groupes 1 et 2 ont déjà été enlevés, et les cations des groupes 4 et 5 restent dans le filtrat. On dissout le précipité du groupe 3 dans un mélange de HCl(aq) et de HNO_3(aq), et on obtient une solution dans laquelle peuvent se trouver les ions suivants :

$$Fe^{3+},\ Mn^{2+},\ Co^{2+},\ Ni^{2+},\ Al^{3+},\ Zn^{2+}\ et\ Cr^{3+}.$$

On neutralise alors la solution en la rendant basique à l'aide de NaOH(aq), tout en y ajoutant du peroxyde d'hydrogène, H_2O_2(aq). Bien que tous les hydroxydes du groupe 3 soient insolubles dans l'eau, trois d'entre eux sont *amphotères*. En plus d'être basiques, ils sont suffisamment acides pour se dissoudre dans la solution alcaline.

$$Al(OH)_3(s)\ +\ OH^-(aq) \longrightarrow [Al(OH)_4]^-(aq)$$

$$Zn(OH)_2(s)\ +\ 2\ OH^-(aq) \longrightarrow [Zn(OH)_4]^{2-}(aq)$$

$$Cr(OH)_3(s)\ +\ OH^-(aq) \longrightarrow [Cr(OH)_4]^-(aq)$$

Le peroxyde d'hydrogène, un agent *oxydant*, provoque plusieurs oxydations, y compris celle de $Cr(OH)_4^-$ en CrO_4^{2-}.

$$3\ H_2O_2(aq) + 2\ Cr(OH)_4^-(aq) + 2\ OH^-(aq) \longrightarrow 2\ CrO_4^{2-}(aq) + 8\ H_2O(l)$$
Vert   Jaune

Le groupe 3 est donc partagé en deux sous-groupes : un précipité d'hydroxydes et un filtrat. Le filtrat peut contenir ou non $[Al(OH)_4]^-$, $[Zn(OH)_4]^{2-}$ et $[CrO_4]^{2-}$. L'apparition d'une couleur jaune constitue une bonne indication de la présence de CrO_4^{2-} ; les autres ions qui peuvent être présents dans le filtrat sont incolores. On peut également confirmer la présence de CrO_4^{2-} par d'autres tests, notamment par la précipitation de $BaCrO_4(s)$ jaune.

---

[*] On trouve Pb^{2+} dans les groupes 1 et 2. $PbCl_2(s)$ est assez soluble pour qu'une quantité suffisante de Pb^{2+} reste dans le *filtrat* du groupe 1. On peut ensuite précipiter Pb^{2+} dans le groupe 2 sous forme de PbS(s), qui est beaucoup moins soluble que $PbCl_2(s)$.

On chauffe un mélange de solides contenant 1,00 g de chlorure d'ammonium et 2,00 g d'hydroxyde de baryum pour en expulser l'ammoniac. Le $NH_3(g)$ libéré est alors dissous dans 0,500 L d'eau contenant 225 ppm de Ca^{2+} sous forme de chlorure de calcium. Quel précipité se formera dans l'eau ?

➜ Stratégie

Le précipité, s'il y en a un, sera $Ca(OH)_2(s)$. Les ions Ca^{2+} sont présents dans l'eau, et, après la dissolution du $NH_3(g)$ libéré, les groupements OH^- sont produits par ionisation de la base faible $NH_3(aq)$:

$$NH_3(aq) + H_2O(l) \rightleftharpoons NH_4^+(aq) + OH^-(aq) \quad K_b = 1,8 \times 10^{-5} \qquad \textbf{(a)}$$

Si un précipité se forme, le produit ionique final dans l'eau, $Q = [Ca^{2+}][OH^-]$, doit être supérieur au K_{ps} de $Ca(OH)_2$.

$$Ca(OH)_2(s) \rightleftharpoons Ca^{2+}(aq) + 2\,OH^-(aq) \quad K_{ps} = 5,5 \times 10^{-6} \qquad \textbf{(b)}$$

Pour déterminer la quantité de $NH_3(g)$ libéré, nous devons tenir compte, dans notre calcul, du réactif limitant dans l'équation suivante :

$$2\,NH_4Cl(s) + Ba(OH)_2 \rightleftharpoons BaCl_2(s) + 2\,H_2O(l) + 2\,NH_3(g) \qquad \textbf{(c)}$$

Les dernières étapes du calcul permettront d'obtenir la $[OH^-]$ à partir de l'équation *a*, de convertir les ppm de Ca^{2+} en $[Ca^{2+}]$, et de comparer les valeurs de Q et K_{ps} pour l'équation *b*.

➜ Solution

Pour déterminer la quantité de $NH_3(g)$ disponible, nous utilisons deux calculs stœchiométriques basés sur la réaction *c*.

Supposons que NH_4Cl est le réactif limitant :

$$? \text{ mol } NH_3 = 1,00 \text{ g } NH_4Cl \times \frac{1 \text{ mol } NH_4Cl}{53,49 \text{ g } NH_4Cl} \times \frac{2 \text{ mol } NH_3}{2 \text{ mol } NH_4Cl}$$

$$= 0,0187 \text{ mol } NH_3$$

Supposons que $Ba(OH)_2$ est le réactif limitant :

$$? \text{ mol } NH_3 = 2,00 \text{ g } Ba(OH)_2 \times \frac{1 \text{ mol } Ba(OH)_2}{171,3 \text{ g } Ba(OH)_2} \times \frac{2 \text{ mol } NH_3}{1 \text{ mol } Ba(OH)_2}$$

$$= 0,0234 \text{ mol } NH_3$$

À partir de la plus petite valeur obtenue ci-dessus, nous déterminons la concentration molaire volumique de NH_3.

$$\frac{0,0187 \text{ mol } NH_3}{0,500 \text{ L}} = 0,0374 \text{ mol/L de } NH_3$$

Utilisons maintenant la méthode de l'exemple 4.8 pour déterminer $[OH^-]$, où $[OH^-] = x$ et $[NH_3] = 0,0374 - x$.

$$K_b = \frac{[NH_4^+][OH^-]}{[NH_3]} = \frac{x \cdot x}{0,0374 - x} = 1,8 \times 10^{-5}$$

Nous supposons que $x \ll 0,0374$ et cherchons la valeur de $x = [OH^-]$.

$$x^2 = 0,0374 \times 1,8 \times 10^{-5} = 6,7 \times 10^{-7}$$

$$\text{et } x = \sqrt{6,7 \times 10^{-7}} = 8,2 \times 10^{-4}$$

Le $NH_3(g)$ est injecté dans 0,500 L de liquide. Puisque ce dernier est pratiquement de l'eau pure avec $\rho = 1,00$ g/mL, sa masse est de 500 g. Nous pouvons alors calculer la masse de Ca^{2+} présente dans 500 g d'eau, en nous basant sur 225 ppm au sens littéral du terme.

$$? \text{ g Ca}^{2+} = 500 \text{ g d'eau} \times \frac{225 \text{ g Ca}^{2+}}{1\,000\,000 \text{ g d'eau}} = 0,113 \text{ g Ca}^{2+}$$

Transformons la masse de Ca^{2+} en moles et divisons-la par le volume de la solution. Nous obtenons alors $[Ca^{2+}]$:

$$[Ca^{2+}] = \frac{0,113 \text{ g Ca}^{2+}}{0,500 \text{ L}} \times \frac{1 \text{ mol Ca}^{2+}}{40,08 \text{ g Ca}^{2+}} = 5,64 \times 10^{-3} \text{ mol/L}$$

Maintenant, nous pouvons calculer le produit ionique, Q, et comparer sa valeur à celle du K_{ps} de $Ca(OH)_2$.

$$Q = [Ca^{2+}][OH^-]^2 = 5,64 \times 10^{-3} \times (8,2 \times 10^{-4})^2 = 3,8 \times 10^{-9}$$

Quand nous comparons Q et K_{ps}, nous concluons qu'aucun précipité ne se formera.

$$Q = 3,8 \times 10^{-9} \text{ est beaucoup plus petit que } K_{ps} = 5,5 \times 10^{-6}.$$

➔ Évaluation

En déterminant $[OH^-]$, nous faisons l'approximation que celle-ci est beaucoup plus petite que $[NH_3]$, ce qui est fondé : $x = 8,2 \times 10^{-4}$ ne représente qu'environ 2 % de 0,0374.

Notez que, même s'il y avait formation d'un précipité, celui-ci serait en quantité infime. Le rendement maximal à partir de 0,113 g de Ca^{2+} serait de 0,209 g de $Ca(OH)_2$ [soit 0,113 g de $Ca^{2+} \times$ (74,1 g de $Ca(OH)_2$ / 40,1 g de Ca^{2+})]. Avec une précipitation incomplète, la quantité serait encore plus petite. Précisons toutefois qu'on peut observer dans une solution une quantité même infime de précipité. Celui-ci apparaît alors sous forme de turbidité.

Résumé

5.1 **Le produit de solubilité** Le produit de solubilité, K_{ps}, représente l'équilibre entre un composé ionique peu soluble et ses ions dans une solution aqueuse saturée. K_{ps} et la solubilité sont liés d'une façon telle qu'on peut établir la valeur de l'un à partir de la valeur de l'autre.

Pour une solution saturée de sulfate de baryum, l'équilibre est représenté par l'équation :

$$BaSO_4(s) \rightleftharpoons Ba^{2+}(aq) + SO_4^{2-}(aq) \text{ et } K_{ps} = [Ba^{2+}][SO_4^{2-}]$$

5.2 **La relation entre K_{ps} et solubilité** La solubilité d'un composé est définie par sa concentration molaire volumique dans une solution aqueuse saturée. La relation qui existe entre le K_{ps} et la solubilité d'un soluté ionique permet de déterminer la valeur de l'un à partir de celle de l'autre.

5.3 **L'effet d'ion commun sur les équilibres de solubilité** La solubilité d'un composé ionique peu soluble est diminuée, souvent de façon importante, en présence d'un excès de l'un des ions qui participent à l'équilibre de solubilité. Cet **effet d'ion** commun est particulièrement utile dans les méthodes qui font appel à la précipitation en analyse quantitative.

> Quand un sel fournit Ag^+ ou SO_4^{2-}, l'équilibre se déplace vers la *gauche*.

$$Ag_2SO_4(s) \rightleftharpoons 2\,Ag^+(aq) + SO_4^{2-}(aq)$$

5.4 **Les réactions de précipitation** On peut prédire d'une façon simple la formation d'un précipité à l'aide de quelques **règles de solubilité** dans de l'eau de composés ioniques courants. De plus, on peut déterminer ce qui arrivera quand certains ions sont placés dans une même solution en comparant le quotient réactionnel ou le **produit ionique**, Q, avec K_{ps}.

- Si $Q > K_{ps}$, un précipité se forme.
- Si $Q < K_{ps}$, il ne se forme pas de précipité (la solution est insaturée).
- Si $Q = K_{ps}$, la solution est saturée.

On suppose que la précipitation sera complète quand pas plus de 0,1 % de l'ion cible reste en solution après la formation du **précipité**. Une faible valeur de K_{ps}, une concentration initiale élevée et la présence d'un ion commun favorisent la précipitation complète. Un mélange d'ions en solution peut parfois être séparé par l'ajout d'un ion avec lequel ceux-ci forment des précipités semblables. Par exemple, on peut séparer les ions chlorure et iodure en utilisant $Ag^+(aq)$ pour précipiter $AgI(s)$, alors que Cl^- reste en solution. La précipitation sélective exige qu'il y ait un écart important entre les valeurs de K_{ps} des solides peu solubles.

5.5 **L'influence du pH sur la solubilité** La solubilité de quelques composés peu solubles dépend du pH. Par exemple, les solutés deviennent plus solubles en solution acide si leurs anions sont suffisamment basiques pour accepter des protons $H_3O^+(aq)$. Les hydroxydes, les carbonates et les fluorures deviennent tous plus solubles à mesure que le pH diminue.

5.6 **Les équilibres mettant en jeu des ions complexes** Un **ion complexe** est formé d'un cation métallique central auquel sont liés d'autres atomes, ou groupes d'atomes neutres ou anioniques, appelés **ligands**.

La **constante de formation**, K_f, d'un ion complexe représente l'équilibre entre l'ion complexe, les cations libres et les ligands libres.

Certains solutés deviennent plus solubles en présence d'espèces qui peuvent servir de ligands dans des ions complexes. Ainsi, $AgCl(s)$ est soluble dans $NH_3(aq)$ parce que Ag^+ peut se fixer à deux molécules NH_3 pour former $[Ag(NH_3)_2]^+$. L'importance de la dissolution d'un soluté en présence de ligands complexes dépend des valeurs de K_{ps} et de la constante de formation de l'ion complexe, K_f.

La capacité des molécules H_2O qui servent de ligands à donner des protons explique le caractère acide de certains ions complexes. La formation d'ions complexes avec des ions OH^- comme ligands explique le comportement amphotère de certains oxydes et hydroxydes [par exemple ceux de l'aluminium, du chrome(III) et du zinc].

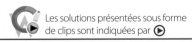

L'analyse qualitative inorganique La précipitation, les réactions acidobasiques et d'oxydoréduction, la formation d'ions complexes et le comportement amphotère sont tous utilisés fréquemment dans les schémas classiques d'analyse qualitative des cations courants.

Ce type d'analyse, résumé dans la figure 5.15 pour les cations métalliques, exploite les différences de solubilité des composés ioniques en présence de réactifs particuliers pour séparer, puis confirmer la présence ou l'absence de cations dans les solutions dont la composition est inconnue.

Mots clés

Vous trouverez également la définition des mots clés dans le glossaire à la fin du livre.

constante de formation (K_f) **271**
effet d'ion commun **252**
ion complexe **270**

ligand **271**
précipité **255**
produit de solubilité (K_{ps}) **248**

produit ionique (Q) **260**
réaction de précipitation **255**
règles de solubilité **256**

Problèmes par sections

Les solutions présentées sous forme de clips sont indiquées par ▶

Utilisez les données des tableaux 5.1 (page 249) et 5.5 (page 272) ou celles de l'annexe C, au besoin.

5.1 **Le produit de solubilité (K_{ps})**

1. ▶ Écrivez une équation chimique qui représente l'équilibre de solubilité et donnez l'expression du produit de solubilité de

    a) $Hg_2(CN)_2$, $K_{ps} = 5 \times 10^{-40}$
    b) Ag_3AsO_4, $K_{ps} = 1{,}0 \times 10^{-22}$

2. Écrivez une équation chimique qui représente l'équilibre de solubilité et donnez l'expression du produit de solubilité de

    a) YF_3, $K_{ps} = 6{,}6 \times 10^{-13}$
    b) $Fe_4[Fe(CN)_6]_3$, $K_{ps} = 3{,}3 \times 10^{-41}$

5.2 La relation entre K_{ps} et solubilité

3. Les valeurs numériques de la solubilité et du produit de solubilité d'un composé ionique peu soluble peuvent-elles être identiques ? Laquelle des deux est habituellement la plus élevée ? Expliquez votre réponse.

4. Les valeurs de K_{ps} du $CuCO_3$ et du $ZnCO_3$ sont respectivement de $1,4 \times 10^{-10}$ et de $1,4 \times 10^{-11}$. Cela signifie-t-il que la solubilité de $CuCO_3$ est 10 fois plus grande que celle de $ZnCO_3$? Expliquez votre réponse.

5. Un ouvrage de référence donne pour la solubilité du chromate de baryum 0,0010 g de $BaCrO_4$/100 mL H_2O. Calculez la valeur de K_{ps} de $BaCrO_4$.

6. Déterminez lequel de ces solutés peu solubles a la plus grande solubilité : $AgCl$ ou Ag_2CrO_4.

7. Il faut 2,3 mL de HCl(aq) 0,0010 mol/L pour neutraliser un échantillon de 250,0 mL d'une solution aqueuse saturée d'hydroxyde de lanthane(III), $La(OH)_3$. La solution est limpide, sans dépôt de $La(OH)_3$(s).

$$La(OH)_3(\text{aq saturée}) + 3\ HCl(\text{aq}) \longrightarrow$$
$$LaCl_3(\text{aq}) + 3\ H_2O(\text{l})$$

Utilisez cette donnée pour déterminer la valeur de K_{ps} de l'hydroxyde de lanthane.

8. Calculez la concentration de Cu^{2+} en parties par milliard (ppb) dans une solution saturée d'arséniate de cuivre(II), $Cu_3(AsO_4)_2$(aq). (*Indice :* 1 ppb signifie 1 g de Cu^{2+} par 10^9 g de solution.)

9. Étant donné les valeurs de K_{ps} de $PbCl_2$, de $1,6 \times 10^{-5}$ à 25 °C et de $3,3 \times 10^{-3}$ à 80 °C, se formera-t-il à partir de ce sel une quantité de précipité suffisante pour être visible si l'on refroidit 1,00 mL de $PbCl_2$(aq) saturé, faisant passer la température de 80 °C à 25 °C ? Supposez que l'on puisse déceler une quantité aussi minime que 1 mg du solide.

5.3 L'effet d'ion commun sur les équilibres de solubilité

10. Dans laquelle des solutions suivantes Ag_2CrO_4 est-il *le moins soluble* : l'eau pure, K_2CrO_4 0,10 mol/L ou $AgNO_3$ 0,10 mol/L ? Expliquez votre réponse.

11. Calculez la solubilité de $Mg(OH)_2$ dans $MgCl_2$ 0,10 mol/L.

12. Calculez la solubilité de $Mg(OH)_2$ dans $NaOH$(aq) 0,25 mol/L.

13. Un échantillon de 1,05 g de $LiCl$ est utilisé pour préparer 0,125 L d'une solution aqueuse. La solution est alors saturée de Li_3PO_4. Quelles seront les valeurs de $[Li^+]$ et de $[PO_4^{3-}]$ dans la solution saturée ?

14. Une solution est saturée de Ag_2SO_4.
  a) Calculez $[Ag^+]$ dans cette solution saturée.
  b) Quelle masse de Na_2SO_4 doit-on ajouter à 0,500 L de la solution pour diminuer $[Ag^+]$ et l'amener à $4,0 \times 10^{-3}$ mol/L ?

15. Une solution est saturée de Ag_2CrO_4.
  a) Calculez $[CrO_4^{2-}]$ dans cette solution saturée.
  b) Quelle masse de $AgNO_3$ doit-on ajouter à 0,635 L de la solution pour diminuer $[CrO_4^{2-}]$ et l'amener à $1,0 \times 10^{-8}$ mol/L ?

5.4 Les réactions de précipitation

16. Complétez chacune des équations suivantes sous forme d'*équation ionique nette*. Si aucune réaction n'a lieu, indiquez-le.
  a) $K^+(\text{aq}) + I^-(\text{aq}) + Pb^{2+}(\text{aq}) + 2\ NO_3^-(\text{aq}) \longrightarrow$
  b) $Mg^{2+}(\text{aq}) + 2\ Br^-(\text{aq}) + Zn^{2+}(\text{aq}) + SO_4^{2-}(\text{aq}) \longrightarrow$
  c) $Cr^{3+}(\text{aq}) + 3\ Cl^-(\text{aq}) + Li^+(\text{aq}) + OH^-(\text{aq}) \longrightarrow$
  d) $H^+(\text{aq}) + Cl^-(\text{aq}) + CH_3COOH(\text{aq}) \longrightarrow$
  e) $Ba^{2+}(\text{aq}) + 2\ OH^-(\text{aq}) + H^+(\text{aq}) + I^-(\text{aq}) \longrightarrow$
  f) $K^+(\text{aq}) + HSO_4^-(\text{aq}) + Na^+(\text{aq}) + OH^-(\text{aq}) \longrightarrow$

17. Indiquez si une réaction est possible dans chacun des cas suivants. Si oui, écrivez une *équation ionique nette* équilibrée pour la réaction qui a lieu.
  a) $MgO(\text{s}) + HI(\text{aq}) \longrightarrow$
  b) $HCOOH(\text{aq}) + NH_3(\text{aq}) \rightleftharpoons$
  c) $CH_3COOH(\text{aq}) + H_2SO_4(\text{aq}) \longrightarrow$
  d) $CuSO_4(\text{aq}) + Na_2CO_3(\text{aq}) \longrightarrow$
  e) $KBr(\text{aq}) + Zn(NO_3)_2 \longrightarrow$

18. Indiquez si une réaction est possible dans chacun des cas suivants. Si oui, écrivez une *équation ionique nette* équilibrée pour la réaction qui a lieu.

  a) $BaS(\text{aq}) + CuSO_4(\text{aq}) \longrightarrow$
  b) $Cr(OH)_3(\text{s}) + HBr(\text{aq}) \longrightarrow$
  c) $NH_3(\text{aq}) + H_2SO_4(\text{aq}) \longrightarrow$
  d) $MgBr_2(\text{aq}) + ZnSO_4(\text{aq}) \longrightarrow$
  e) $NaOH(\text{aq}) + Mg(NO_3)_2(\text{aq}) \longrightarrow$

19. Vous soupçonnez qu'une certaine poudre blanche est soit $MgSO_4$(s), soit $Mg(OH)_2$(s). Vous ajoutez HCl(aq) dilué et vous obtenez le résultat illustré dans la figure. Le test indique-t-il ce qu'est la poudre ? Si non, quel test faudrait-il effectuer ? Expliquez votre réponse.

20. Quand on mélange des solutions de nitrate de cuivre(II) et de carbonate de potassium, il se forme un précipité. Écrivez une équation ionique nette de cette réaction.

21. Quelle est la concentration minimale de CrO_4^{2-} dans $AgNO_3(aq)$ 0,001 05 mol/L nécessaire pour provoquer la précipitation de $Ag_2CrO_4(s)$?

22. Y aura-t-il formation d'un précipité si l'on ajoute 0,0010 mol de $Hg_2(NO_3)_2$ et 0,0010 mol de NaCl à 20,00 L d'eau pure ?

23. On ajoute lentement une solution de NaF(aq) concentrée à une solution qui contient $CaCl_2$ 0,010 mol/L et $MgCl_2$ 0,010 mol/L.

a) Quel précipité se formera le premier ?

b) Quelle est la valeur de $[F^-]$ nécessaire pour que commence la formation du deuxième précipité ?

c) Peut-on séparer Ca^{2+} et Mg^{2+} par précipitation sélective de leurs fluorures ? Expliquez votre réponse.

24. On ajoute lentement $Pb(NO_3)_2(aq)$ concentré à une solution contenant $Na_2CrO_4(aq)$ 0,015 mol/L et Na_2SO_4 0,015 mol/L.

a) Quel précipité se formera le premier ?

b) Quelle est la valeur de $[Pb^{2+}]$ nécessaire pour que commence la formation du deuxième précipité ?

c) Peut-on séparer CrO_4^{2-} et SO_4^{2-} par précipitation sélective avec Pb^{2+} ? Expliquez votre réponse.

25. On ajoute une fraction de 10,00 mL d'une solution de $AgNO_3(aq)$ 0,25 mol/L à 100,0 mL d'une solution qui contient 0,010 mol/L de Cl^- et 0,010 mol/L de Br^-.

a) $AgCl(s)$ précipitera-t-il de cette solution ? Si oui, combien de moles précipiteront ?

b) $AgBr(s)$ précipitera-t-il de cette solution ? Si oui, combien de moles précipiteront ?

5.5 L'influence du pH sur la solubilité

26. Calculez la solubilité de $Al(OH)_3(s)$ dans une solution tampon de pH 4,50.

27. Laquelle des substances suivantes ajouteriez-vous à un mélange de $CaCO_3(s)$ et de sa solution saturée pour augmenter la solubilité de $CaCO_3$: plus d'eau, Na_2CO_3, NaOH, $NaHSO_4$? Expliquez votre choix.

28. Parmi les solides suivants, lesquels sont susceptibles d'être plus solubles en solution acide ? en solution basique ? Lesquels sont susceptibles d'avoir une solubilité essentiellement indépendante du pH ? Expliquez vos choix.

a) C_6H_5COOH d) $LiNO_3$

b) $BaCO_3$ e) $CaCl_2$

c) CaC_2O_4 f) $Sr(OH)_2$

5.6 Les équilibres mettant en jeu des ions complexes

29. Un ion complexe est formé de Cr^{3+} comme ion central, ainsi que de quatre molécules NH_3 et de deux ions Cl^- comme ligands. Écrivez la formule de cet ion complexe.

30. Lequel des ions complexes suivants produira la *plus faible* concentration en ions Ag^+ dans une solution contenant 0,10 mol/L de l'ion complexe et 1,0 mol/L du ligand libre ? Expliquez votre choix.

a) $[Ag(NH_3)_2]^+$

b) $[Ag(CN)_2]^-$

c) $[Ag(S_2O_3)_2]^{3-}$

31. Quand on ajoute quelques gouttes de $Na_2SO_4(aq)$ concentré à une solution diluée de $AgNO_3(aq)$, il se forme un précipité blanc. Quand on ajoute une petite quantité de $NH_3(aq)$ concentré au mélange, le précipité se redissout pour donner une solution incolore. Quand on acidifie cette solution avec $HNO_3(aq)$, un précipité blanc apparaît de nouveau. Écrivez une équation pour chacune de ces trois observations.

32. Écrivez des équations ioniques nettes plausibles pour représenter ce qui peut se passer dans chacun des cas suivants. Si aucune réaction n'a lieu, mentionnez-le.

a) $ZnCl_2(aq) + NaOH(aq\ conc.) \longrightarrow$

b) $Al_2O_3(s) + HCl(aq\ conc.) \longrightarrow$

c) $Fe(OH)_3(s) + NaOH(aq\ conc.) \longrightarrow$

33. Quelle est la concentration de Zn^{2+} dans une solution dont la concentration de $[Zn(NH_3)_4]^{2+}$ est égale à 0,25 mol/L et la concentration de NH_3 est égale à 1,50 mol/L ?

34. $PbI_2(s)$ précipitera-t-il si l'on ajoute 2,00 mL de KI(aq) 2,00 mol/L à 0,300 L d'une solution aqueuse dont la concentration de $[PbCl_3]^-$ est égale à 0,010 mol/L et la concentration de Cl^- est égale à 1,50 mol/L ?

35. Combien de milligrammes de KBr peut-on ajouter avant que $AgBr(s)$ précipite dans 1,42 L d'une solution aqueuse dont la concentration de $[Ag(NH_3)_2]^+$ est égale à 0,220 mol/L et la concentration de NH_3 est égale à 0,805 mol/L ?

36. Calculez la solubilité de $AgBr(s)$ dans $Na_2S_2O_3(aq)$ 0,100 mol/L. (*Indice :* Exprimez la réaction de dissolution sous forme d'équation et déterminez la valeur de K_c par la méthode illustrée à la page 272.)

5.7 L'analyse qualitative inorganique

37. Pb^{2+} et Ag^+ forment tous les deux des chlorures et des sulfures insolubles. Dans le schéma de l'analyse qualitative de la figure 5.15 (page 280), on trouve Pb^{2+} à la fois dans le groupe 1 et dans le groupe 2, alors que Ag^+ n'apparaît que dans le groupe 1. Donnez une explication plausible de cette observation.

38. La photographie ci-contre illustre le test pour NH_4^+ dans le schéma de l'analyse qualitative. On traite un échantillon de l'inconnu de départ avec NaOH(aq) concentré, et une bande de papier tournesol rouge humide est suspendue dans la vapeur au-dessus de la solution. Dans un test positif pour NH_4^+, la couleur du papier tournesol vire au bleu.

a) Expliquez le fonctionnement de ce test pour NH_4^+ en écrivant les équations ioniques des réactions en jeu.

b) Pourquoi est-il possible d'effectuer un test pour NH_4^+ sur l'échantillon *initial,* alors que tous les autres cations doivent être séparés en groupes avant qu'on puisse faire les tests ?

39. On traite un mélange inconnu de cations du groupe 1 avec HCl(aq) et on obtient un précipité blanc. Quand on y ajoute NH_3(aq), le précipité devient gris. Selon ces tests, indiquez pour chacun des cations du groupe 1 si sa présence ou son absence est certaine ou incertaine.

40. On traite un mélange inconnu de cations du groupe 3 avec NaOH(aq) et H_2O_2. Il ne se forme aucun précipité, mais la couleur de la solution devient jaune vif. Indiquez pour chacun des cations du groupe 3 si sa présence ou son absence est probable ou si sa présence demeure incertaine.

Problèmes complémentaires

 Les solutions présentées sous forme de clips sont indiquées par

⭐ Problème défi

🔄 Problème synthèse

Utilisez les données des tableaux 5.1 (page 249) et 5.5 (page 272) ou celles des annexes C.2C et C.2D, au besoin.

41. L'ion Ba^{2+}(aq) est toxique s'il est ingéré. La dose létale chez la souris est d'environ 12 mg de Ba^{2+} par kilogramme de masse corporelle. Malgré ce fait, $BaSO_4$ est très utilisé en médecine pour les radiographies du tube digestif (voir la photo page 248).

a) Expliquez pourquoi $BaSO_4$(s) est sans danger pour le tube digestif, même si Ba^{2+}(aq) est toxique.

b) Quelle est la concentration de Ba^{2+}, en milligrammes par litre, dans une solution de $BaSO_4$(aq) saturée ?

c) $MgSO_4$ peut être mélangé à $BaSO_4$(s) lors de cet acte médical. Quelle fonction remplit $MgSO_4$?

42. Écrivez une équation pour montrer pourquoi $Zn(OH)_2$(s) se dissout aisément dans chacune des solutions diluées suivantes.

a) HCl(aq) **b)** CH_3COOH(aq)

c) NH_3(aq) **d)** NaOH(aq)

43. La plupart des savons ordinaires sont des sels de sodium d'acides gras à longue chaîne et sont solubles dans l'eau. Les savons de cations bivalents, tel que Ca^{2+}, sont quant à eux peu solubles ; on les trouve souvent dans les dépôts des savons ordinaires qui se forment dans l'eau dure. Le palmitate de calcium est un savon au calcium typique : $Ca[CH_3(CH_2)_{14}COO]_2$. Un ouvrage de référence donne une valeur de 0,003 g/100 mL à 25 °C pour la solubilité de ce savon. Si l'on utilise suffisamment de ce savon pour produire une concentration d'ion palmitate égale à 0,10 mol/L dans un échantillon d'eau contenant 25 ppm de Ca^{2+}, y aura-t-il formation d'un dépôt de savon ? Si oui, combien de grammes de palmitate de calcium précipiteront dans un récipient contenant 6,5 L de cette eau ?

44. L'eau potable fluorée contient environ 1 ppm de F^-. Le MgF_2 est-il suffisamment soluble dans l'eau pour être utilisé comme source d'ion fluorure pour cette fluoruration ? Expliquez votre réponse. (*Indice :* 1 ppm signifie 1 g de F^- par 10^6 g de solution.)

45. Le tartre des chaudières (principalement CaCO₃) est insoluble dans l'eau. L'acide chlorhydrique est parfois utilisé pour enlever ce tartre dans les centrales d'énergie commerciales. Écrivez une équation qui montre ce qui se passe. Le tartre se forme aussi dans les cafetières automatiques. Pour l'enlever, on préconise de rincer l'appareil avec du vinaigre (acide acétique). Écrivez une équation pour montrer ce qui se passe.

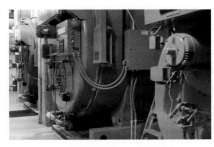

46. L'oxalate de plomb(II) précipitera-t-il si l'on ajoute 50,0 mg de $Pb(NO_3)_2$ à 0,500 L de $H_2C_2O_4$ 0,0100 mol/L ?

a) Pour PbC_2O_4, $K_{ps} = 4,8 \times 10^{-10}$

b) Pour $H_2C_2O_4$, $K_{a_1} = 5,4 \times 10^{-2}$, $K_{a_2} = 5,3 \times 10^{-5}$

47. Montrez qu'il se formera un précipité de $Mg(OH)_2(s)$ dans une solution aqueuse contenant $MgCl_2$ 0,350 mol/L et NH_3 0,750 mol/L. On peut empêcher la formation du précipité en ajoutant NH_4Cl à la solution. Expliquez pourquoi il en est ainsi. Quelle masse minimale de NH_4Cl doit être présente dans 0,500 L de la solution pour empêcher que $Mg(OH)_2(s)$ précipite ?

48. Quel réactif en solution (y compris l'eau pure) utiliseriez-vous pour séparer les cations dans les paires suivantes, c'est-à-dire pour faire précipiter sélectivement un seul cation en gardant l'autre en solution ?

a) $BaCl_2(s)$ et $NaCl(s)$

b) $MgCO_3(s)$ et $Na_2CO_3(s)$

c) $AgNO_3(s)$ et $KNO_3(s)$

d) $PbSO_4(s)$ et $CuCO_3(s)$

e) $Mg(OH)_2(s)$ et $BaSO_4(s)$

49. Une solution aqueuse préparée à partir d'un solide blanc donne un précipité blanc quand on la traite avec $Ba(NO_3)_2$. De quel solide s'agit-il : de $MgCl_2$, de $MgSO_4$ ou de $Mg(NO_3)_2$?

50. Calculez le nombre de moles de NH_3 qui doivent être présentes pour empêcher la précipitation de $AgCl(s)$ dans 0,250 L d'une solution de $AgNO_3$ 0,100 mol/L lorsqu'on ajoute par la suite 0,100 mol de NaCl.

51. On analyse un échantillon de 0,100 L de $SrC_2O_4(aq)$ saturé pour déterminer sa teneur en ion oxalate au moyen du titrage par l'ion permanganate en solution acide. Le volume de $KMnO_4$ 0,005 00 mol/L requis est de 3,22 mL. Utilisez ces données pour déterminer la valeur de K_{ps} de SrC_2O_4. Lors du titrage de l'ion oxalate par l'ion permanganate, on obtient $Mn^{2+}(aq)$ et $CO_2(g)$ comme produits.

52. Le $CaCO_3$, qui est le principal composé du marbre, un matériau qu'on a beaucoup utilisé pour des statues et des ornements d'édifices, est facilement attaqué par les acides. Déterminez la solubilité du marbre (c'est-à-dire $[Ca^{2+}]$ dans une solution saturée) dans les cas suivants.

a) L'eau de pluie normale de pH 5,6

b) L'eau de pluie « acide » de pH 4,22

Supposez que la réaction globale qui a lieu est la suivante.

$$CaCO_3(s) + H_3O^+(aq) \rightleftharpoons Ca^{2+}(aq) + HCO_3^-(aq) + H_2O$$

$$K = 6,0 \times 10^1$$

53. Trouvez K_a de l'acide hydrazoïque, HN_3, et K_{ps} de l'azoture de plomb, $Pb(N_3)_2$, en consultant l'annexe C. À partir de ce que vous aurez trouvé, déterminez K_c de la dissolution de $Pb(N_3)_2(s)$ en solution acide. Puis calculez la solubilité de $Pb(N_3)_2(s)$ dans une solution tampon de pH 2,85.

54. La question de l'exercice 5.15 (page 269) porte sur une équation qui décrit la dissolution de $Mg(OH)_2(s)$ dans $NH_4Cl(aq)$. Déterminez une valeur de K_c de cette réaction, puis calculez la solubilité de $Mg(OH)_2$ dans $NH_4Cl(aq)$ 0,500 mol/L.

55. Dans le présent chapitre, nous avons exprimé la précipitation d'un sulfure de métal (page 281) à l'aide de l'équation suivante.

$$M^{2+}(aq) + H_2S(aq) + 2 H_2O \rightleftharpoons MS(s) + 2 H_3O^+(aq)$$

Utilisez la description du produit de solubilité de $MS(s)$ donnée en note au bas du tableau de l'annexe C.2C, et d'autres données pertinentes, pour montrer que la constante d'équilibre dans la réaction de précipitation est de forme : $K_c = K_{eau}K_{a_1} / K_{ps}$. Quelle est la valeur de K_c si le sulfure de métal est FeS ?

56. On peut représenter la dissolution d'un sulfure de métal en solution acide par l'équation inverse du problème 55. À l'aide de cette équation et de sa constante d'équilibre, déterminez la solubilité de $MnS(s)$ dans une solution tampon contenant CH_3COOH 1,50 mol/L et CH_3COO^- 0,45 mol/L.

57. Combien de millilitres de NaBr(aq) 0,0050 mol/L peut-on ajouter avant que $AgBr(s)$ précipite dans 165 mL d'une solution aqueuse dont la concentration de $[Ag(NH_3)_2]^+$ est égale à 0,62 mol/L et la concentration de NH_3 est égale à 0,50 mol/L ?

58. Un mélange solide *blanc* est constitué de *deux* composés, qui contiennent des cations différents. Quand on traite le mélange avec de l'eau, une partie se dissout alors qu'une autre reste insoluble. La solution ainsi obtenue est traitée par $NH_3(aq)$ et donne un précipité blanc. La partie du mélange initial qui est insoluble dans l'eau se dissout dans HCl(aq) avec un dégagement *gazeux*. La solution qui en résulte est traitée par $(NH_4)_2SO_4(aq)$ et produit un précipité *blanc*. Parmi les cations suivants, énumérez ceux qui *peuvent* être présents dans le mélange solide initial et ceux qui *ne peuvent pas* l'être. Expliquez votre raisonnement.

a) Mg^{2+} **c)** Ba^{2+} **e)** NH_4^+

b) Cu^{2+} **d)** Na^+

La **thermodynamique** : **spontanéité, entropie** et **énergie libre**

Les progrès de la thermodynamique sont étroitement liés à l'invention de la machine à vapeur, qui fait avancer cette locomotive.

La thermodynamique traite de la relation entre la chaleur et le travail. Quel rapport cette discipline scientifique peut-elle bien avoir avec la chimie ? En fait, ces deux branches du savoir entretiennent un lien très étroit. Dans le présent chapitre, nous aborderons trois notions importantes : la *spontanéité* — caractéristique d'un processus qui se déclenche sans intervention extérieure ; l'*entropie* — une mesure du niveau de désordre régnant parmi les atomes et les molécules d'un système ; et l'*énergie libre* — une fonction thermodynamique qui relie l'enthalpie et l'entropie à la spontanéité. Et, ce qui est peut-être le plus important, nous établirons un lien entre les variations d'énergie libre et les constantes d'équilibre qui nous permettra de *prédire* ces dernières à partir de données répertoriées dans les tables.

L'étude de ce chapitre permettra de répondre à d'importantes questions dont celles-ci :

- Comment distinguer les transformations spontanées des transformations non spontanées ?

- Comment expliquer que, lors de l'évaporation de l'eau, il y a augmentation du désordre et de l'entropie ?

- Comment se fait-il que la rouille (un oxyde de fer) ne redevient pas du fer métallique et de l'oxygène gazeux ?

- Comment expliquer que le sel de table (le chlorure de sodium) ne se décompose pas en sodium et en chlore gazeux ?

Thermodynamique

Science qui étudie la relation entre la chaleur et le mouvement (ou le travail), de même que la conversion d'une forme d'énergie en une autre.

Les deux sens du terme « spontané »

Dans une « combustion spontanée », un matériau combustible s'enflamme soudainement, comme c'est le cas de la cargaison de gants de latex dont on voit ici les restes après qu'elle eut pris feu et provoqué un incendie, en 1995, au Brooklyn Naval Yard où elle était entreposée. Dans le langage courant, on dit que la combustion est « spontanée » parce qu'elle survient de façon soudaine et sans avertissement. Suivant l'usage en science, une réaction spontanée est une réaction qui a une tendance naturelle à se produire. Cependant, dire qu'elle est spontanée ne nous dit pas si la réaction se produira rapidement ou très lentement.

Processus spontané

Processus qui a lieu dans un système laissé à lui-même : il ne nécessite aucune intervention extérieure après avoir été déclenché.

Processus non spontané

Processus qui ne peut pas avoir lieu dans un système thermodynamique laissé à lui-même : il nécessite une intervention extérieure.

6.1 Pourquoi étudier la thermodynamique ?

L'étude de la **thermodynamique** permet d'acquérir des connaissances qui facilitent la vie. Les scientifiques et les ingénieurs possédant des notions de thermodynamique peuvent ainsi effectuer des calculs qui leur permettent d'épargner beaucoup de temps et d'argent et, dès lors, bien des frustrations, quand ils essaient d'établir des protocoles de recherche. Qu'on se souvienne de la déclaration de Le Chatelier sur l'importance de l'équilibre chimique, un concept clé de la thermodynamique (page 133).

Deux chimistes américains, G. N. Lewis et Merle Randall, ont reconnu très tôt, au début du XXᵉ siècle, l'utilité de la thermodynamique ; ils l'ont d'ailleurs mentionné dans l'introduction de leur ouvrage devenu un classique[*].

> *Pour le chimiste industriel, la thermodynamique offre des renseignements sur la stabilité des substances qu'il fabrique, sur le rendement qu'il peut espérer atteindre, sur les méthodes permettant d'éviter la formation de substances indésirables, sur l'écart optimal de températures et de pressions, sur le bon choix de solvants...*

Avec beaucoup de clairvoyance, ils ont plus tard émis l'opinion que « les progrès les plus importants en thermodynamique appliquée sont encore à venir ». Même Lewis et Randall seraient surpris de voir l'ampleur des résultats de leur prédiction. Dans notre étude, nous verrons qu'on peut appliquer la thermodynamique non seulement à des réactions dans des béchers, des batteries et des hauts fourneaux, mais aussi à des systèmes aussi complexes que les organismes vivants.

6.2 Les transformations spontanées

On sait par expérience que certains processus se produisent sans intervention extérieure. La glace fond dans un verre de thé glacé laissé à la température ambiante. Un clou en fer rouille quand on l'expose à l'oxygène et à la vapeur d'eau de l'air humide. Il se produit une violente réaction lorsque le sodium métallique et le chlore gazeux sont mis en présence l'un de l'autre.

$$2\,Na(s) \;+\; Cl_2(g) \longrightarrow 2\,NaCl(s)$$

Ce sont tous des exemples de processus spontanés. Un processus qui se produit dans un système laissé à lui-même est un **processus spontané** ; aucune intervention extérieure au système n'est requise pour le provoquer.

On sait très bien, par ailleurs, que certains autres processus ne se produisent pas sans aide. Ils sont *non spontanés*. L'eau *ne gèle pas* à la température ambiante. L'oxyde de fer d'un clou rouillé *ne redevient pas* du fer métallique et de l'oxygène gazeux. Le chlorure de sodium solide *ne se décompose pas* en sodium métallique et en chlore gazeux. Un **processus non spontané** est un processus qui ne peut pas se produire dans un système sans intervention extérieure. L'énoncé suivant résume ces observations.

> *Un processus spontané dans un sens est non spontané dans le sens inverse et vice versa.*

Certains processus non spontanés sont impossibles, comme congeler de l'eau liquide à la pression atmosphérique normale et à une température constante de 25 °C. D'autres, telle la conversion du chlorure de sodium en sodium métallique et en chlore gazeux, *ne sont pas* impossibles, mais pour qu'ils se produisent, il faut leur imposer une action provenant de

---

* G. N. Lewis et M. Randall, *Thermodynamics and the Free Energy of Chemical Substances*, McGraw-Hill, 1923.

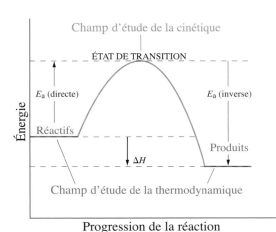

Champ d'étude de la cinétique

ÉTAT DE TRANSITION

E_a (directe)

E_a (inverse)

Réactifs

Produits

ΔH

Énergie

Champ d'étude de la thermodynamique

Progression de la réaction

◄ **Figure 6.1**
Champs d'étude de la thermodynamique et de la cinétique
La thermodynamique nous indique si un processus sera spontané ou non. La cinétique nous informe plutôt de la vitesse à laquelle la réaction aura lieu en fonction de l'importance de son énergie d'activation (page 89).

Le panneau routier signale un risque d'éboulis, un processus spontané. D'ailleurs, cette indication implique que peu de choses s'opposent à la chute de pierres (énergie d'activation faible). Une pluie abondante ou une faible secousse sismique pourraient produire une « poussée » suffisante pour faire bouger quelques roches.

l'extérieur du système. Le chlorure de sodium, NaCl, peut fondre, et on *peut* convertir celui qui est fondu en sodium et en chlore. On peut effectuer cette transformation au moyen, par exemple, de l'action d'un courant électrique, dans un processus appelé *électrolyse*.

Le terme « spontané » ne dit rien de la vitesse du processus. La réaction entre le sodium et le chlore est extrêmement rapide ; l'oxydation du fer entraînant la formation de rouille est beaucoup plus lente. Si on mélange H_2 et O_2 gazeux à la température ambiante, on n'observe aucune réaction chimique. Pourtant, les critères thermodynamiques indiquent que la formation de l'eau est bel et bien spontanée. Donc, si la thermodynamique peut nous informer de la *possibilité* d'un processus, seule la cinétique chimique (chapitre 2) peut nous informer de la *vitesse* à laquelle il se produira. La cinétique chimique indique que la réaction entre H_2 et O_2 sera infiniment lente à température ambiante en raison de son énergie d'activation élevée. À température élevée, la thermodynamique prédit encore que la réaction sera spontanée, et la cinétique chimique prévoit que la réaction sera rapide. Conformément à ces prédictions, à température élevée, l'hydrogène et l'oxygène se combinent à la vitesse de l'explosion. En d'autres termes, la thermodynamique détermine l'*état* d'équilibre d'un système ; la cinétique détermine la *voie empruntée* par les réactifs pour atteindre l'équilibre (**figure 6.1**). Les deux disciplines fournissent d'importants éléments de réponse à la question : la réaction aura-t-elle lieu ?

L'exemple 6.1 nous montre déjà à cette étape de nos explications la façon de reconnaître si un processus est spontané ou non. Cependant, il existe des cas où l'incertitude subsiste.

EXEMPLE 6.1

Indiquez si chacun des processus suivants est spontané ou non et commentez les cas dans lesquels il est impossible de le déterminer clairement : **a)** l'action du produit de nettoyage pour cuvettes de toilettes, HCl(aq), sur des dépôts de calcaire, $CaCO_3$(s) ; **b)** l'ébullition de l'eau à la pression atmosphérique normale et à 65 °C ; **c)** la réaction de N_2(g) avec O_2(g) pour produire NO(g) à la température ambiante ; **d)** la fusion d'un cube de glace.

➔ Solution

a) Quand on ajoute l'acide, il se produit une effervescence — un dégagement gazeux — qui indique que la réaction a lieu sans aucune intervention humaine. L'équation ionique nette est la suivante.

$$CaCO_3(s) + 2\ H_3O^+(aq) \longrightarrow Ca^{2+}(aq) + 3\ H_2O(l) + CO_2(g)$$

La réaction est *spontanée*.

b) On sait que le point d'ébullition normal d'un liquide est la température à laquelle sa pression de vapeur est égale à 101,3 kPa. Dans le cas de l'eau, cette température est de 100 °C. Donc, l'ébullition de l'eau à 65 °C et à 101,3 kPa est *non spontanée* et est impossible.

c) L'azote et l'oxygène gazeux forment un mélange dans l'air, et il n'y a aucune indication que leur réaction puisse produire du NO toxique à la température ambiante. Cette réaction semble *non spontanée*. Ou bien, il pourrait s'agir d'un exemple de réaction spontanée qui se produit très lentement, comme celle de H_2 avec O_2 pour produire H_2O. Pour répondre à cette question, il faudrait un complément d'information et des critères pour l'analyser.

d) Pour répondre à cette question, il faudrait connaître la température. On sait que, à une pression de 101,3 kPa, la glace fond spontanément à des températures supérieures à son point de fusion normal de 0 °C. Au-dessous de cette température, elle ne fond pas.

EXERCICE 6.1

Indiquez si chacun des processus suivants est spontané ou non et commentez les cas dans lesquels il est impossible de le déterminer clairement : **a)** la décomposition d'un morceau de bois enfoui dans le sol ; **b)** la formation de sodium, Na(s), et de chlore, Cl_2(g), si on agite vigoureusement une solution de chlorure de sodium, NaCl(aq) ; **c)** la formation de chaux, CaO(s), et de dioxyde de carbone, CO_2(g), sous une pression de 101,3 kPa, à partir de calcaire, $CaCO_3$(s), à 600 °C ; **d)** l'ionisation du chlorure d'hydrogène quand HCl(g) se dissout dans l'eau liquide.

Les cas sans solution dans l'exemple 6.1 indiquent qu'il serait utile d'avoir des critères pour savoir si un processus peut se produire spontanément. Le bon sens peut aider. On sait qu'une auto descendra une pente si on la laisse au point mort et qu'on oublie de mettre le frein à main. On sait également que, dans un ruisseau, l'eau coule toujours dans la même direction — vers le bas. Qu'est-ce qui explique ces phénomènes ? C'est l'attraction terrestre. Si aucune force ne s'y oppose, elle entraîne les corps vers le centre de la Terre, c'est-à-dire dans le sens de l'énergie potentielle *décroissante*.

Grâce à un raisonnement semblable, les premiers chimistes ont avancé l'idée que les réactions chimiques spontanées se produisent dans le sens de l'énergie décroissante. L'énergie interne, *U*, est définie comme le contenu énergétique total d'un système, et ΔU, comme la variation d'énergie interne qui accompagne un processus tel qu'une réaction chimique. Toutefois, parce que la plupart des réactions chimiques ont lieu dans des récipients ouverts, on a trouvé commode d'utiliser une quantité d'énergie étroitement liée, appelée *enthalpie, H*. Au cours d'une réaction chimique à pression constante, la variation d'enthalpie, ΔH, est égale à la chaleur de réaction, q_p, c'est-à-dire à la quantité de chaleur qui entre dans le système ou qui le quitte.

La **figure 6.2** permet de comparer un processus mécanique spontané — une chute d'eau — avec deux processus chimiques. L'écoulement *spontané* de l'eau d'une chute s'effectue vers le bas, vers une énergie potentielle plus faible. L'énergie interne dans un système chimique est analogue à l'énergie potentielle dans un système mécanique. Toutefois, à la place de l'énergie interne, utilisons l'enthalpie, *H*, qui est plus familière et qui en découle directement. Grâce à l'analogie de la chute, on peut s'attendre à ce que les réactions dans lesquelles l'enthalpie diminue soient spontanées. Ces réactions, c'est-à-dire celles dont $\Delta H < 0$, sont *exothermiques*. De même, on peut s'attendre à ce que les réactions dans lesquelles l'enthalpie augmente soient non spontanées. Il s'agit alors de réactions dont $\Delta H > 0$, et qu'on appelle *endothermiques*. La figure 6.2 illustre le caractère *exothermique* de la réaction de H_2(g) avec O_2(g) pour produire H_2O(l) ; il s'agit aussi d'une réaction *spontanée*. La figure montre que l'évaporation de l'eau est un processus *endothermique*. Pourtant, à 25 °C et sous une pression inférieure à 3,17 kPa, l'évaporation de l'eau est également *spontanée*.

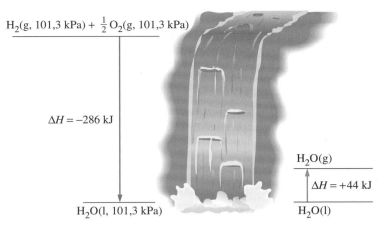

$$H_2(g, 101,3 \text{ kPa}) + \tfrac{1}{2} O_2(g, 101,3 \text{ kPa})$$

$$\Delta H = -286 \text{ kJ}$$

$$H_2O(l, 101,3 \text{ kPa})$$

La formation d'eau liquide à 25 °C,
sous une pression de 101,3 kPa :
un processus spontané et exothermique

$$H_2O(g)$$

$$\Delta H = +44 \text{ kJ}$$

$$H_2O(l)$$

L'évaporation de l'eau à 25 °C,
sous une pression inférieure à 3,17 kPa :
un processus spontané et endothermique

◀ **Figure 6.2**
Le sens de la diminution de l'énergie : un critère pour les transformations spontanées ?

L'eau dans la chute (au centre) s'écoule spontanément vers le bas, où l'énergie potentielle est moins élevée. Le diagramme d'enthalpie (à gauche) illustre la diminution d'enthalpie quand l'eau liquide se forme spontanément à partir de ses éléments, à 25 °C et sous une pression de 101,3 kPa. Les situations semblent analogues. Le diagramme d'enthalpie (à droite) représente l'évaporation de l'eau pour produire H₂O(g) à sa pression de vapeur à l'équilibre et à 25 °C. Ce processus aussi est spontané, mais l'enthalpie *augmente*, de sorte que l'analogie avec la chute ne s'applique pas dans ce cas.

L'idée que les réactions exothermiques sont spontanées, alors que les réactions endothermiques ne le sont pas, se vérifie dans de nombreux cas. Toutefois, comme on vient de le voir pour l'évaporation de l'eau, la variation d'enthalpie ne constitue pas un critère suffisant pour prédire les transformations spontanées. Il faut examiner d'autres facteurs.

6.3 L'entropie : désordre et spontanéité

Supposons que l'on dépose sur une table un jeu de cartes neuf. Les cartes sont bien empilées et disposées en ordre. Quelqu'un ouvre une fenêtre et le vent souffle les cartes par terre. Lequel des arrangements de cartes illustrés dans la **figure 6.3** verra-t-on à l'équilibre ? Certainement *pas* l'arrangement *a* : certaines cartes sont encore en vol, et l'énergie potentielle *n'a pas* encore atteint son minimum. Les arrangements *b* et *c* sont tous les deux dans l'état d'énergie minimal qu'ils peuvent atteindre. Si l'on ne considérait que leur état d'énergie, on dirait que les deux arrangements sont également probables. Pourtant, on sait que l'arrangement *c* est plus près de ce que l'on observerait. Un arrangement *en désordre* est nettement plus probable que l'arrangement de *b,* dans lequel toutes les cartes sont tournées du même côté. On pourrait passer sa vie à disperser des jeux de cartes et ne jamais observer l'arrangement *b*. Cet exemple donne à penser qu'il y a *deux* tendances naturelles derrière les processus spontanés : la tendance vers un état d'énergie plus faible et la tendance vers un état plus désordonné. Pour juger si une transformation est spontanée, il faut prendre en considération *deux* questions.

- L'enthalpie du système augmente-t-elle ou diminue-t-elle, et de combien ?
- Le système devient-il plus ou moins désordonné, et jusqu'à quel point ?

(a)   **(b)**   **(c)**

◀ **Figure 6.3**
L'entropie : l'importance du caractère aléatoire ou du désordre

Quand on ouvre un jeu de cartes neuf, les cartes sont placées par couleurs et par ordre de valeur. Si un courant d'air souffle les cartes par terre, on s'attend à trouver un arrangement comme celui que l'on voit en **(c)**.

Quand un processus implique à la fois une diminution d'énergie et une augmentation du désordre, comme à la figure 6.3*c*, on peut facilement prédire la direction de la transformation spontanée. Cependant, dans certains cas, un des deux facteurs est négligeable et l'autre a la priorité. C'est ce qu'on observe, par exemple, lors de la formation d'une solution idéale de benzène, C_6H_6, et de toluène, $C_6H_5CH_3$ (**figure 6.4**). Parce qu'il ne se produit aucune réaction et aussi parce que les forces intermoléculaires sont à peu près identiques dans la solution et dans les liquides purs, $\Delta H \approx 0$. Comme la variation d'enthalpie n'est pas importante, la tendance naturelle vers un désordre accru l'emporte. Un état dans lequel les deux types de molécules restent séparés les uns des autres est très organisé et ne peut pas durer. Il se forme alors une solution dans laquelle les molécules sont mélangées uniformément et au hasard. C'est l'état de *désordre* maximal. La probabilité de désordre est plus grande dans la solution puisque le volume total est plus important que dans chaque composante prise séparément. Plus le volume est grand, plus la probabilité de désordre est importante.

Dans bien des cas cependant, les deux facteurs sont en opposition. L'enthalpie diminue et le degré de désordre diminue, ou l'enthalpie augmente et le degré de désordre augmente. Dans ces situations, il faut déterminer lequel des facteurs prédomine. Les substances ioniques solubles, dont la dissolution dans l'eau est endothermique ($\Delta H > 0$), constituent des exemples courants. L'énergie du système augmente mais, quand le soluté se dissout, le système devient généralement plus désordonné.

L'entropie

On appelle **entropie (*S*)** la propriété thermodynamique d'un système qui est liée à son caractère aléatoire ou à son désordre.

Plus le désordre est grand dans un système, plus l'entropie est élevée.

L'enthalpie et la variation d'enthalpie sont des *fonctions d'état*, c'est-à-dire qu'elles possèdent une valeur unique qui ne dépend que de l'état actuel du système et non pas de la façon dont ce système a atteint cet état. Nous allons démontrer un peu plus loin que l'entropie est aussi une *fonction d'état*, c'est-à-dire que l'entropie d'un système possède une valeur unique quand la composition, la température et la pression du système sont précisées. La différence d'entropie entre deux états, la **variation d'entropie (Δ*S*)** possède aussi une valeur unique.

Nous avons indiqué que la solution idéale de la figure 6.4 est plus désordonnée que les composants qui la forment. L'entropie doit augmenter lors de la formation d'une solution idéale. C'est ce qu'illustre l'expression ci-dessous, dans laquelle nous écrivons S_{sln} pour l'entropie de la solution, S_A pour l'entropie du solvant (A) et S_B pour l'entropie du soluté (B).

$$\Delta S = S_{sln} - [S_{A(l)} + S_{B(l)}] > 0$$

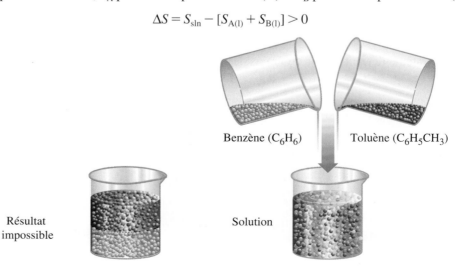

▶ Figure 6.4
Formation d'une solution idéale

La solution à gauche, dans laquelle les molécules de benzène et de toluène demeurent séparées, est impossible. Cette solution est plus ordonnée que la solution dont les molécules sont mélangées au hasard. La tendance naturelle à atteindre l'état de désordre maximal entraîne la formation de la solution.

Benzène (C_6H_6)   Toluène ($C_6H_5CH_3$)

Résultat impossible   Solution

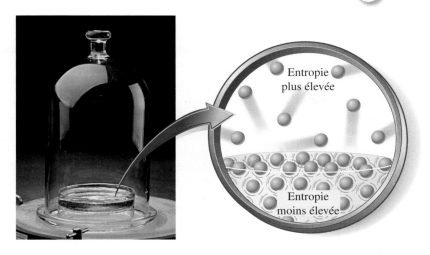

◀ Figure 6.5
Augmentation du désordre et de l'entropie lors de l'évaporation de l'eau
La photographie illustre l'évaporation de l'eau à l'échelle macroscopique, bien qu'il semble ne rien se passer. Dans la représentation à l'échelle moléculaire, on voit que les molécules sont très éloignées les unes des autres dans la phase vapeur (désordre élevé) et très rapprochées à l'état liquide (ordre élevé), et que toutes les molécules sont en mouvement.

La **figure 6.5** illustre l'augmentation de désordre et d'entropie qui accompagne l'évaporation de l'eau. En général, l'entropie *augmente* dans les cas suivants.

- Les solides fondent et deviennent liquides.
- Les solides ou les liquides se vaporisent pour produire des gaz.
- Les solides ou les liquides se dissolvent dans un solvant pour former des solutions de non-électrolytes.
- Une réaction chimique provoque une augmentation du nombre de molécules de *gaz*.
- Une substance est chauffée. (L'augmentation de la température signifie que les mouvements atomiques, ioniques ou moléculaires augmentent. L'augmentation du mouvement signifie que le désordre augmente.)

L'exemple 6.2 permet d'appliquer les principes qui se dégagent de ce que nous venons de dire. La représentation suivante peut aider à comprendre ce que signifie un degré de désordre ou un caractère aléatoire. Imaginons une classe de maternelle. Il existe un *ordre* maximal quand les élèves sont assis à leur pupitre et écoutent avec attention une histoire qu'on leur raconte. Quand ils deviennent fatigués et qu'ils se mettent à bouger, il y a une diminution de l'ordre au profit du désordre. Il y a encore plus de désordre quand ils sont libres de quitter leurs pupitres pour s'adonner à des activités. Le *désordre* est maximal quand on les laisse aller dans la cour de récréation.

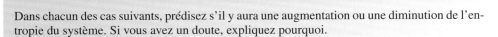

EXEMPLE 6.2

Dans chacun des cas suivants, prédisez s'il y aura une augmentation ou une diminution de l'entropie du système. Si vous avez un doute, expliquez pourquoi.

a) La synthèse de l'ammoniac.

$$N_2(g) + 3 H_2(g) \longrightarrow 2 NH_3(g)$$

b) La préparation d'une solution de saccharose (sucre de table).

$$C_{12}H_{22}O_{11}(s) \xrightarrow{H_2O(l)} C_{12}H_{22}O_{11}(aq)$$

c) L'évaporation à sec d'une solution aqueuse d'urée, $CO(NH_2)_2$.

$$CO(NH_2)_2(aq) \longrightarrow CO(NH_2)_2(s)$$

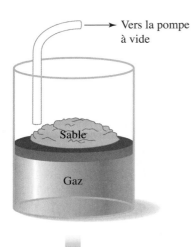

Vers la pompe à vide

Sable

Gaz

Vers la pompe à vide

Sable

Gaz

▲ **Figure 6.6**
Processus presque réversible

On peut inverser le sens d'un processus *réversible* par la variation infinitésimale d'une des variables du système. Sur le dessin, des grains de sable sont enlevés un à un, et le gaz se dilate très lentement. Si on *ajoute* un grain de sable à la masse, le piston s'abaissera et comprimera le gaz. Le processus n'est pas tout à fait réversible, parce que les grains de sable n'ont pas une masse infinitésimale.

Chaleur (*q*)

Énergie absorbée ou émise par un système et causée par une différence de température entre le système et son environnement.

Travail (*w*)

Énergie absorbée ou émise par un système thermodynamique. S'exprime sous forme de produit d'une force par une distance.

→ **Solution**

a) Quatre moles de réactifs gazeux donnent deux moles de produits gazeux. Puisque deux moles de gaz — un état de la matière très désordonné — sont *perdues,* nous prédisons une *diminution* de l'entropie.

b) Les molécules de saccharose sont très ordonnées à l'état solide, alors qu'elles sont distribuées au hasard dans l'eau d'une solution aqueuse. Nous prédisons une *augmentation* de l'entropie.

c) Quand l'eau s'évapore, un liquide est converti en gaz, ce qui laisse supposer une *augmentation* de l'entropie. L'urée, par contre, passe d'une distribution moléculaire aléatoire dans la solution à un solide très ordonné, ce qui laisse supposer une *diminution* de l'entropie. Sans autre information, nous ne pouvons pas dire si l'entropie du système augmente ou diminue.

EXERCICE 6.2 A

Dans chacun des cas suivants, prédisez s'il y aura une augmentation ou une diminution de l'entropie du système. Si vous avez un doute, expliquez pourquoi.

a) $NH_3(g) + HCl(g) \longrightarrow NH_4Cl(s)$

b) $2\,KClO_3(s) \longrightarrow 2\,KCl(s) + 3\,O_2(g)$

c) $CO(g) + H_2O(g) \longrightarrow CO_2(g) + H_2(g)$

EXERCICE 6.2 B

La transformation d'un liquide en vapeur s'accompagne d'une augmentation du désordre, comme le montre la représentation à l'échelle moléculaire de la figure 6.5. Expliquez pourquoi l'eau liquide ne disparaît pas complètement.

Il est souvent nécessaire de *quantifier* les variations d'entropie, c'est-à-dire de leur attribuer une valeur numérique. Pour ce faire, il faut établir une relation entre la variation d'entropie d'un système, ΔS, et la quantité de chaleur, $q_{rév}$, qui est échangée de façon réversible entre le système et le milieu extérieur, à la température T, exprimée en kelvins.

Variation d'entropie d'un système

$$\Delta S = \frac{q_{rév}}{T} \tag{6.1}$$

Que signifie $q_{rév}$? La variation d'énergie interne, ΔU, et la variation d'enthalpie, ΔH, sont des fonctions d'état, mais la quantité de **chaleur (*q*)** et le **travail (*w*)** n'en sont pas. Pour que la variation d'entropie, ΔS, soit une fonction d'état, il faut préciser la voie empruntée pour obtenir cette variation et ce, afin d'attribuer à q une valeur unique. Cette voie doit être un processus *réversible*. Un processus réversible n'est jamais plus qu'un écart infinitésimal par rapport à l'équilibre, c'est-à-dire qu'il s'agit d'un processus qui peut être inversé par une infime variation d'une variable. Lors d'un transfert réversible de chaleur, il ne peut y avoir qu'une différence infinitésimale de température entre le système et le milieu extérieur. Peut-être est-il plus facile d'imaginer un processus dans lequel un *travail* est accompli de façon réversible, comme dans la **figure 6.6**.

On peut expliquer l'équation $\Delta S = q_{rév}/T$ en rappelant que, sous l'influence de la chaleur, le mouvement des atomes et des molécules d'une substance augmente. Cette augmentation du mouvement introduit un désordre plus grand dans la substance et son entropie augmente. Cette observation est vraie, que la substance soit un solide, un liquide ou un gaz. L'importance de l'augmentation du désordre dépend de la quantité de chaleur et, par conséquent, ΔS est directement proportionnelle à $q_{rév}$.

Enfin, la relation *inverse* entre ΔS et la température, T, en kelvins, exprime le fait qu'une quantité de chaleur produit plus de désordre dans un système très ordonné que dans un système très désordonné. Par exemple, une quantité donnée de chaleur produit plus de désordre dans un solide à *basse* température que dans un gaz à température *élevée*. Prenons les tremblements de terre comme analogie : une secousse sismique de magnitude 5,0 sur l'échelle de Richter peut causer un désordre considérable sur les tablettes bien garnies d'un supermarché. Toutefois, une onde de choc de 5,0, consécutive à un tremblement de terre de magnitude 6,7, contribuerait très peu au désordre produit par la secousse initiale (**figure 6.7**).

La variation d'enthalpie correspondant à la transition entre deux phases à leur température d'équilibre a une valeur unique. Cette variation d'enthalpie est la $q_{\text{rév}}$ dont nous avons besoin pour calculer la variation d'entropie de la transition. Par exemple, on peut représenter la fusion de la glace à 273 K par l'équation suivante.

$$H_2O(s) \longrightarrow H_2O(l) \qquad \Delta H_{\text{fusion}} = 6,01 \text{ kJ} \qquad \Delta S_{\text{fusion}} = ?$$

On peut alors calculer la variation d'entropie, ΔS_{fusion}, de la façon suivante.

$$\Delta S_{\text{fusion}} = \frac{q_{\text{rév}}}{T} = \frac{\Delta H_{\text{fusion}}}{T} = \frac{6,01 \text{ kJ}}{273 \text{ K}} = 0,0220 \text{ kJ/K} = 22,0 \text{ J/K}$$

Dans ce calcul, on voit que les unités de la variation d'entropie sont celles de l'énergie divisée par la température : kJ/K ou J/K.

Un peu plus loin, nous utiliserons l'entropie pour énoncer la *deuxième loi de la thermodynamique,* et nous obtiendrons ainsi un critère pour les transformations spontanées. Cependant, examinons d'abord de plus près la façon d'évaluer l'entropie et ses variations.

▲ **Figure 6.7**
Analogie pour une variation d'entropie

En 1994, le tremblement de terre d'une magnitude de 6,7 qui a secoué Northridge, en Californie, a généré beaucoup de désordre dans ce supermarché de la région de Los Angeles. Les plus petites ondes de choc qui ont suivi n'ont cependant produit que peu de désordre supplémentaire.

Les entropies molaires standard

Comme elle est associée au désordre, l'entropie doit être nulle dans un système parfaitement régulier et sans désordre. Une substance cristalline au zéro absolu de température, où les mouvements atomique et moléculaire cessent, constitue un exemple d'ordre parfait. La **troisième loi de la thermodynamique** peut s'énoncer de la façon suivante.

> *L'entropie d'une substance parfaitement cristalline est nulle à 0 K.*

La troisième loi de la thermodynamique permet de connaître l'entropie d'une substance à partir de données expérimentales. Par exemple, on transfère lentement de la chaleur à une substance qui se trouve à 0 K, et on mesure sa température. Les variations d'entropie sont calculées à l'aide de l'expression $\Delta S = q_{\text{rév}}/T$. Puisque l'entropie à 0 K est nulle, lorsque les variations d'entropie sont additionnées, il en résulte une entropie *absolue*.

Dans la **figure 6.8**, l'entropie absolue est représentée en fonction de la température en kelvins de deux substances, l'hydrogène et le chlorométhane, CH_3Cl. Chaque courbe possède des caractéristiques intéressantes. Il y a des bonds importants de l'entropie au point de fusion, là où le solide se transforme en liquide, lequel est plus désordonné. Au point d'ébullition, il y a un saut encore plus prononcé, ce qui laisse entrevoir que le plus grand accroissement du désordre survient lors de la transformation d'un liquide en gaz.

En comparant l'hydrogène et le chlorométhane, à 298 K, on s'aperçoit que l'entropie de $CH_3Cl(g)$ est beaucoup plus grande que celle de $H_2(g)$. Une des différences importantes réside dans leurs structures moléculaires : les molécules CH_3Cl ont cinq atomes, alors que les molécules H_2 en ont deux. Les cinq atomes des molécules CH_3Cl peuvent se mouvoir les uns par rapport aux autres de manières plus variées — ils ont plus de modes vibratoires — que les deux atomes des molécules H_2. Plus les molécules possèdent de façons d'absorber de l'énergie, plus l'entropie est grande. Cette observation nous incite à ajouter aux cinq cas d'augmentation de l'entropie, énoncés à la page 297, la règle suivante.

> *En général, plus il y a d'atomes dans une molécule d'une substance, plus l'entropie est grande.*

Troisième loi de la thermodynamique

L'entropie d'une substance pure, parfaitement cristalline, est nulle à 0 K.

Il faut se rappeler qu'il n'existe aucune manière de mesurer la valeur absolue de l'énergie interne U et de l'enthalpie H. On ne mesure que des variations, c'est-à-dire ΔU et ΔH.

Entropie et probabilité

En général, la probabilité de gagner un prix est plus élevée à une tombola locale qu'à une loterie nationale. À un événement de petite envergure, il y a moins de participants et une plus grande probabilité de détenir le billet gagnant. Des calculs de probabilité permettent également de déterminer l'occurrence d'événements se produisant au niveau moléculaire.

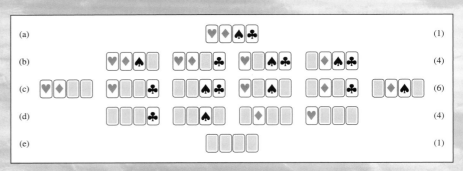

Les 16 arrangements possibles de 4 cartes jetées par terre

On laisse tomber par terre quatre cartes — un carreau, un cœur, un pique et un trèfle. Les cartes peuvent se retrouver à l'endroit ou à l'envers (☐) Le nombre de possibilités de chacun des arrangements est indiqué à droite.

À l'échelle moléculaire, les possibilités sont plus nombreuses et, par conséquent, la probabilité est plus grande qu'il y ait un état désordonné qu'un état ordonné. Pour illustrer ce point, revenons aux cartes éparpillées par un coup de vent dont nous avons parlé à la page 295, mais limitons-nous à quatre cartes. Une carte peut tomber de deux façons — à l'endroit et à l'envers — et le nombre d'arrangements possibles des quatre cartes est de $2^4 = 16$. Ces 16 possibilités sont représentées dans la figure et sont divisées en 5 catégories :

a) les quatre cartes sont à l'endroit ;

b) trois cartes sont à l'endroit et une carte est à l'envers (☐) ;

c) deux cartes sont à l'endroit et deux cartes sont à l'envers (☐) ;

d) une carte est à l'endroit et trois cartes sont à l'envers (☐) ;

e) les quatre cartes sont à l'envers (☐).

D'après la figure, nous constatons que la probabilité que les cartes soient dans l'arrangement (a) ou dans l'arrangement (e) est de 1/16 ; ce sont les arrangements les plus ordonnés. La probabilité de l'arrangement (b) est de 4/16, comme celle de l'arrangement (d). La probabilité de l'arrangement (c) est la plus grande, soit de 6/16 ; c'est l'arrangement qu'on verrait le plus souvent si on observait l'éparpillement des quatre cartes un très grand nombre de fois.

Les premiers chercheurs en thermodynamique ont créé le concept d'entropie sans tenir compte de la nature fondamentale de la matière : certains d'entre eux n'étaient d'ailleurs même pas convaincus de l'existence des atomes comme éléments constitutifs de la matière. Ludwig Boltzmann (1844-1906) fut le premier à soutenir que les observations macroscopiques en thermodynamique sont régies par les lois de la mécanique et les lois du hasard, appliquées aux atomes et aux molécules. À cette fin, il a démontré une équation qui associe entropie et probabilité.

$$S = k \ln W$$

Dans cette équation, S représente l'entropie d'un système dans un état quelconque, et W, le nombre de configurations d'égale énergie dans lesquelles on peut trouver les particules microscopiques. La constante de proportionnalité, k, est appelée constante de Boltzmann et est égale à R/N_A, la constante universelle des gaz divisée par le nombre d'Avogadro.

Parce que les arrangements (a) et (e) ne présentent qu'une seule possibilité (voir la figure), l'équation de Boltzmann indique que $W = 1$, $\ln 1 = 0$ et $S = 0$. Les arrangements (a) et (e) représentent un ordre parfait et une entropie nulle. En ce qui a trait aux arrangements (b) et (d), ils offrent chacun quatre possibilités, et l'entropie est proportionnelle à $\ln 4$ (1,39). Quant à l'arrangement (c), qui compte six possibilités, son entropie est proportionnelle à $\ln 6$ (1,79). Donc, plus il y a d'arrangements possibles — plus un système est désordonné —, plus l'entropie est grande. Remarquons que l'équation de Boltzman prédit également que l'entropie d'un cristal parfait à 0 K doit être nulle ; dans cet état, $W = 1$. L'équation de Boltzmann est donc en accord avec le troisième principe de la thermodynamique.

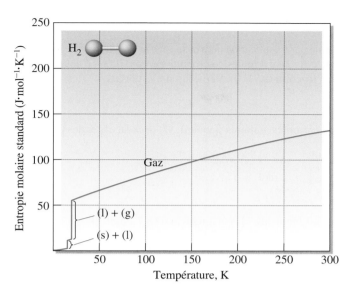

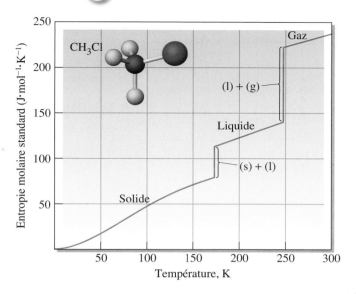

▲ **Figure 6.8 L'entropie en fonction de la température**

Les entropies de l'hydrogène, H_2, et du chlorométhane, CH_3Cl, sont représentées graphiquement en fonction de la température, de 0 K à 300 K. Les données de chaque composé sont exprimées en moles. Les phases présentes à différentes températures sont indiquées. Le premier segment de ligne verticale sur chaque courbe représente la fusion, (s) + (l) ; le second représente l'évaporation, (l) + (g).

La figure 6.8 indique également que l'entropie, comme l'énergie interne et l'enthalpie, est une propriété *extensive* — sa grandeur dépend de la quantité de matière. Les données de la figure sont les entropies *molaires* standard. L'**entropie molaire standard ($S°$)** est l'entropie d'une mole d'une substance dans son état standard. Habituellement, les entropies molaires standard sont présentées sous forme de tableaux à une température de 25 °C (298 K). L'annexe C.1 fournit une liste de données typiques.

Dans le présent ouvrage, les entropies molaires standard servent surtout à calculer les variations d'entropie standard des réactions chimiques. En effet, on peut associer la variation d'entropie aux entropies des réactifs et des produits de la même manière qu'on relie la variation d'enthalpie aux enthalpies de formation. Autrement dit, on peut écrire l'expression suivante.

Entropie molaire standard ($S°$)

Entropie d'une mole d'une substance à la pression normale et à une température donnée.

Variation d'entropie d'une réaction chimique

$$\Delta S° = \Sigma \, v_p \, S°(\text{produits}) - \Sigma \, v_r \, S°(\text{réactifs}) \qquad \textbf{(6.2)}$$

Dans cette équation, Σ désigne une somme, et v_p et v_r sont les coefficients des produits et des réactifs dans l'équation de la réaction. L'exemple 6.3 est une application de cette expression et des données de l'annexe C.1.

EXEMPLE 6.3

À l'aide des données de l'annexe C.1, calculez la variation d'entropie standard, à 25 °C, du procédé Deacon. Il s'agit d'une réaction catalysée, réalisée à haute température, qui sert à transformer le chlorure d'hydrogène en chlore.

$$4 \, HCl(g) + O_2(g) \longrightarrow 2 \, Cl_2(g) + 2 \, H_2O(g)$$

➜ Stratégie

Nous pouvons résoudre ce problème par l'application pure et simple de l'équation 6.2. En outre, puisque 5 moles de réactifs gazeux donnent 4 moles de produits gazeux, il faut s'attendre à ce que l'entropie diminue dans cette réaction ($\Delta S < 0$). Vérifions si c'est le cas.

➜ Solution

Associons $\Delta S°$ de la réaction aux entropies molaires standard, $S°$, des réactifs et des produits :

$$\Delta S° = \sum \nu_p\, S°(\text{produits}) - \sum \nu_r\, S°(\text{réactifs})$$

$$= \left[2 \text{ mol} \times S°_{Cl_2(g)} + 2 \text{ mol} \times S°_{H_2O(g)}\right]$$

$$- \left[4 \text{ mol} \times S°_{HCl(g)} + 1 \text{ mol} \times S°_{O_2(g)}\right]$$

$$= \left(2 \text{ mol} \times 223{,}0 \text{ J·mol}^{-1}\text{·K}^{-1}\right) + \left(2 \text{ mol} \times 188{,}7 \text{ J·mol}^{-1}\text{·K}^{-1}\right)$$

$$= -\left(4 \text{ mol} \times 186{,}8 \text{ J·mol}^{-1}\text{·K}^{-1}\right) + \left(1 \text{ mol} \times 205{,}0 \text{ J·mol}^{-1}\text{·K}^{-1}\right)$$

$$= -128{,}8 \text{ J/K}$$

➜ Évaluation

Comme nous nous y attendions, $\Delta S°$ est négative ; l'entropie diminue.

EXERCICE 6.3 A

À l'aide des données de l'annexe C.1, calculez la variation d'entropie standard à 25 °C de la réaction suivante. Remarquez qu'il s'agit d'une des réactions de l'exercice 6.2A dont nous ne pouvions prédire si l'entropie augmentait ou diminuait.

$$CO(g) + H_2O(g) \longrightarrow CO_2(g) + H_2(g)$$

EXERCICE 6.3 B

La réaction suivante a lieu lors de l'oxydation catalysée à haute température de $NH_3(g)$. À l'aide des données de l'annexe C.1, calculez la variation d'entropie molaire standard de cette réaction à 25 °C.

$$NH_3(g) + O_2(g) \longrightarrow N_2(g) + H_2O(g) \quad (\textit{équation non équilibrée})$$

La deuxième loi de la thermodynamique

Nous avons vu qu'il n'est pas possible d'utiliser la variation d'enthalpie dans une réaction (ΔH) comme seul critère pour juger du caractère spontané d'une transformation. Peut-on utiliser la tendance vers un désordre croissant ($\Delta S > 0$) comme seul critère ?

En fait, c'est possible, mais seulement si on prend en considération la variation d'entropie du système *et* du *milieu extérieur*. On appelle cette variation d'entropie totale *variation d'entropie de l'Univers*.

$$\Delta S_{\text{totale}} = \Delta S_{\text{univ}} = \Delta S_{\text{système}} + \Delta S_{\text{extérieur}} \qquad (6.3)$$

Deuxième loi de la thermodynamique

Tous les processus spontanés ou naturels augmentent l'entropie de l'Univers :
$$\Delta S = \Delta S_{\text{totale}} = \Delta S_{\text{univers}}$$
$$= \Delta S_{\text{système}} + \Delta S_{\text{extérieur}}$$

La **deuxième loi de la thermodynamique** stipule que *tous les processus spontanés ou naturels augmentent l'entropie de l'Univers*. Dans un processus spontané, on a la relation suivante.

$$\Delta S_{\text{univ}} > 0$$

Si un processus entraîne une *augmentation* de l'entropie *à la fois* du système et du milieu extérieur, alors il est sûrement *spontané*. De même, si un processus entraîne une *diminution* de l'entropie du système *et* du milieu extérieur, il est *non spontané* et il ne peut pas se produire. Que devient ΔS_{univ} si un terme est positif, et l'autre, négatif ? Considérons la congélation de l'eau liquide à $-15\,°C$.

$$H_2O(l) \longrightarrow H_2O(s)$$

Nous pouvons prévoir que $\Delta S_{sys} < 0$. La glace est plus ordonnée que l'eau liquide. N'oublions pas cependant que, lorsque l'eau gèle, il y a dégagement de chaleur ; il s'agit de la chaleur de fusion. Et, puisque cette chaleur est absorbée par le milieu extérieur, $\Delta S_{ext} > 0$. Nous pouvons démontrer par calcul que la grandeur de ΔS_{ext} est supérieure à celle de ΔS_{sys}*. La variation d'entropie totale, ΔS_{univ}, est supérieure à zéro, et le processus global est *spontané,* comme nous le savions déjà par intuition.

Bien que ΔS_{univ} constitue un critère pour juger du caractère spontané d'une transformation, il est difficile de l'appliquer, parce qu'il faut souvent considérer des interactions complexes entre le système et le milieu extérieur. La section 6.4 présente une approche plus simple.

6.4 L'énergie libre et la variation d'énergie libre

L'objectif de cette section est de proposer une nouvelle fonction thermodynamique et un nouveau critère de transformation spontanée, fondé *uniquement sur le système,* c'est-à-dire indépendant du milieu extérieur.

Pour ce faire, imaginons un procédé effectué à une température et à une pression constantes, et dont le travail ne fait intervenir que la pression et le volume. Dans ce processus, $\Delta H_{sys} = q_p$. Puisque le processus s'effectue à une température constante, il y a échange de chaleur avec le milieu extérieur, c'est-à-dire $q_{ext} = -q_p = -\Delta H_{sys}$. Nous pouvons utiliser cette information pour évaluer ΔS_{ext}**.

$$\Delta S_{ext} = \frac{q_{ext}}{T} = \frac{-\Delta H_{sys}}{T} \qquad \textbf{(6.4)}$$

Considérons alors l'expression

$$\Delta S_{univ} = \Delta S_{sys} + \Delta S_{ext}$$

et remplaçons l'expression ci-dessus par le facteur équivalent de ΔS_{ext}.

$$\Delta S_{univ} = \Delta S_{sys} - \frac{\Delta H_{sys}}{T}$$

Nous pouvons ensuite multiplier par T,

$$T\Delta S_{univ} = T\Delta S_{sys} - \Delta H_{sys} = -(\Delta H_{sys} - T\Delta S_{sys})$$

---

* Il faut calculer ces variations d'entropie pour un processus *réversible* hypothétique ayant les mêmes états initial et final que la congélation de l'eau en surfusion à $-15\,°C$. Cependant, ce genre de calculs dépasse les limites de ce manuel.

** Pour que cette équation soit valide, le milieu extérieur doit gagner ou perdre de la chaleur par une voie *réversible,* c'est-à-dire $q_{ext} = q_{rév}$.

J. Willard Gibbs (1839-1903), professeur de physique mathématique à l'Université Yale, était peu connu de ses contemporains, surtout parce que ses idées très abstraites étaient publiées dans des revues sans renom. Ses idées ont fini par être comprises, et sa réputation de géant dans un domaine en émergence, la thermodynamique, s'est répandue.

Énergie libre de Gibbs (G)

Fonction thermodynamique servant à fixer des critères d'équilibre et de variation spontanée : $G = H - TS$ où H est l'enthalpie d'un système, T sa température en kelvins, et S son entropie.

Variation d'énergie libre (ΔG)

À température constante, différence entre les valeurs de l'énergie libre associées à deux états d'un système (par exemple les valeurs associées à l'énergie libre des produits et des réactifs d'une réaction chimique) ; cette différence est donnée par l'équation de Gibbs : $\Delta G = \Delta H - T\Delta S$ où H est l'enthalpie du système, T sa température en kelvins, et S son entropie.

puis par -1 pour changer de signes.

$$-T\Delta S_{\text{univ}} = \Delta H_{\text{sys}} - T\Delta S_{\text{sys}} \qquad (6.5)$$

Cette équation est importante, parce qu'elle relie ΔS_{univ}, qui est inaccessible, à deux quantités, ΔH_{sys} et $-T\Delta S_{\text{sys}}$, qui, elles, sont fondées entièrement sur le système lui-même. Il n'est pas nécessaire de prendre en considération le milieu extérieur.

Faisons maintenant appel à une autre fonction thermodynamique. Le terme de gauche de l'équation 6.5 est égal à la variation d'une fonction appelée **énergie libre de Gibbs** (**G**), c'est-à-dire

Variation d'énergie libre

$$\Delta G = -T\Delta S_{\text{univ}} \qquad (6.6)$$

Alors, la **variation d'énergie libre** (ΔG) d'un processus à température constante est donnée par l'*équation de Gibbs*.

$$\Delta G_{\text{sys}} = \Delta H_{\text{sys}} - T\Delta S_{\text{sys}}$$

Comme tous les termes concernent le système, nous pouvons laisser tomber les indices.

Équation de Gibbs

$$\Delta G = \Delta H - T\Delta S \qquad (6.7)$$

Puisque le critère d'une transformation spontanée est $\Delta S_{\text{univ}} > 0$, et parce que $\Delta G = -T\Delta S_{\text{univ}}$, il faut que $\Delta G < 0$, ce qui veut dire que la variation d'énergie libre doit être *négative*. En résumé, les critères qui s'appliquent dans le cas d'un processus à une température et à une pression constantes sont les suivants :

- Si $\Delta G < 0$ (négative), le processus est *spontané*.

- Si $\Delta G > 0$ (positive), le processus est *non spontané*.

- Si $\Delta G = 0$, ni le processus direct ni le processus inverse ne sont favorisés ; il n'y a pas de transformation globale, et le processus est *à l'équilibre*.

L'utilisation de ΔG comme critère d'une transformation spontanée

Considérons d'abord quelques applications qualitatives de l'équation de Gibbs.

$$\Delta G = \Delta H - T\Delta S$$

Dans l'équation, on voit que, si ΔH est *négative* et ΔS *positive*, alors ΔG doit être *négative*, et la réaction sera *spontanée*. On peut tout aussi facilement voir que, si ΔH est *positive* et ΔS *négative*, alors ΔG doit être *positive*, et la réaction est *non spontanée*.

Les situations dans lesquelles ΔH et ΔS sont *toutes les deux positives* ou *toutes les deux négatives* exigent plus de réflexion. Dans ces cas, qu'une réaction soit spontanée ou non — c'est-à-dire que ΔG soit négative ou positive — dépend de la température. Habituellement, toutefois, le terme ΔH domine à une température *plus basse* et le terme $T\Delta S$ domine à une température *plus élevée*, comme le laisse voir la **figure 6.9**. En tout, il y a *quatre* possibilités de ΔG, selon les signes de ΔH et de ΔS. Ces quatre possibilités sont résumées dans le **tableau 6.1** et illustrées dans l'exemple 6.4.

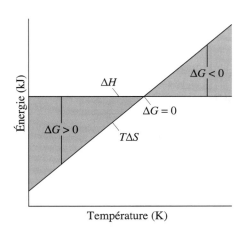

◀ **Figure 6.9**
ΔG comme critère d'une transformation spontanée

Les unités de ΔG, ΔH et $T\Delta S$ sont celles de l'énergie (joule). À toute température, la valeur de ΔG est la valeur de la droite de ΔH *moins* la valeur de la droite de $T\Delta S$, c'est-à-dire que ΔG est l'écart entre les deux droites. À la température à laquelle les droites se coupent, cette différence est *nulle* ($\Delta G = 0$), et le système est à l'équilibre. Au-dessous de cette température, $\Delta G > 0$, et la réaction est *non spontanée* (section orange). Au-dessus de cette température, $\Delta G < 0$, et la réaction est *spontanée* (section rose). La situation décrite dans la figure est celle du cas 3 dans le tableau 6.1.

TABLEAU 6.1 Critères d'une transformation spontanée : $\Delta G = \Delta H - T\Delta S$

Cas	ΔH	ΔS	ΔG	Transformation	Exemple
1	−	+	−	Spontanée à toute T	$2\,O_3(g) \longrightarrow 3\,O_2(g)$
2	−	−	−	Spontanée vers les basses T	$N_2(g) + 3\,H_2(g) \longrightarrow 2\,NH_3(g)$
	−	−	+	Non spontanée vers les T élevées	
3	+	+	+	Non spontanée vers les basses T	$2\,H_2O(g) \longrightarrow 2\,H_2(g) + O_2(g)$
	+	+	−	Spontanée vers les T élevées	
4	+	−	+	Non spontanée à toute T	$2\,C(graphite) + 2\,H_2(g) \longrightarrow C_2H_4(g)$

EXEMPLE 6.4

Prédisez lequel des quatre cas du tableau 6.1 s'applique aux réactions suivantes.

a) $C_6H_{12}O_6(s) + 6\,O_2(g) \longrightarrow 6\,CO_2(g) + 6\,H_2O(g)$ $\Delta H = -2540$ kJ

b) $Cl_2(g) \longrightarrow 2\,Cl(g)$

➔ Solution

a) La réaction est exothermique ; $\Delta H < 0$. Puisque 12 mol de produits gazeux remplacent 6 mol de réactifs gazeux, nous prévoyons que $\Delta S > 0$ pour cette réaction. Puisque $\Delta H < 0$ et $\Delta S > 0$, cette réaction est spontanée quelle que soit la température (cas 1 du tableau 6.1).

b) Une mole de réactif gazeux produit 2 mol de produit gazeux, et nous prévoyons que $\Delta S > 0$. Aucune valeur n'est fournie pour ΔH. Cependant, nous pouvons déterminer le signe de ΔH en examinant ce qui se produit durant la réaction. Des liaisons sont rompues, mais aucune n'est formée. Comme les molécules doivent absorber de l'énergie pour que des liaisons se brisent, la réaction est endothermique. Donc, ΔH est *positive*. Puisque ΔH et ΔS sont toutes les deux positives, cette réaction est un exemple du cas 3 du tableau 6.1. La réaction est non spontanée à basse température, mais spontanée à température élevée.

EXERCICE 6.4 A

Prédisez lequel des quatre cas du tableau 6.1 est susceptible de s'appliquer à chacune des réactions suivantes.

a) $N_2(g) + 2\,F_2(g) \longrightarrow N_2F_4(g)$ $\Delta H = -7,1$ kJ

b) $COCl_2(g) \longrightarrow CO(g) + Cl_2(g)$ $\Delta H = +110,4$ kJ

EXERCICE 6.4 B

Prédisez lequel des quatre cas du tableau 6.1 est susceptible de s'appliquer à la réaction suivante. Dans le cas du BrF(g), utilisez la valeur −93,85 kJ/mol pour ΔH_f^o et d'autres données de l'annexe C.1, au besoin.

$$Br_2(g) \ + \ BrF_3(g) \ \longrightarrow \ 3\ BrF(g)$$

EXEMPLE 6.5 **Un exemple conceptuel**

Les molécules ne peuvent exister qu'à l'intérieur de certaines limites de température. Ces limites sont, au minimum, 0 K et, au maximum, quelques milliers de kelvins. Expliquez pourquoi il en est ainsi.

→ Analyse et solution

Afin de provoquer la dissociation d'une molécule en atomes, il faut fournir à celle-ci de l'énergie en quantité suffisante pour que les vibrations induites permettent aux atomes de se séparer : il s'agit d'un processus endothermique ($\Delta H > 0$). Un système d'atomes individuels est cependant plus désordonné que les mêmes atomes liés sous forme de molécules ($\Delta S > 0$). Le facteur clé est la température, T. À basse température, ΔH est le facteur déterminant, et les molécules sont généralement stables par rapport aux atomes non combinés. Cependant, quelle que soit la valeur de ΔH, il est toujours possible d'atteindre une température à laquelle $T\Delta S$ excède ΔH. ΔG est alors négative, et la dissociation devient spontanée.

$$\Delta H - T\Delta S = \Delta G < 0$$

Dans le cas de toutes les molécules connues, cette température limite ne dépasse jamais quelques milliers de kelvins.

EXERCICE 6.5

Si le processus décrit dans la figure 6.9 est celui de CO_2(s, 101,3 kPa) $\longrightarrow CO_2$(g, 101,3 kPa), à quelle température les deux droites se coupent-elles ? Expliquez votre réponse à l'aide du diagramme de phases du CO_2 (**figure 6.10**).

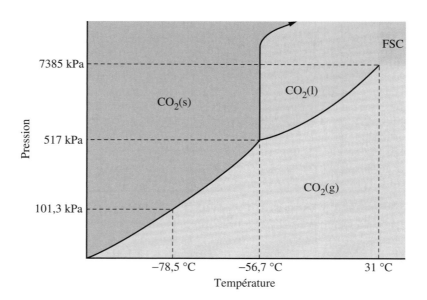

► **Figure 6.10**
Diagramme de phases du dioxyde de carbone, CO_2
Les axes de la pression et de la température ne sont pas à l'échelle.

6.5 La variation d'énergie libre standard

La **variation d'énergie libre standard** ($\Delta G°$) d'une réaction est la variation d'énergie libre au moment où les réactifs et les produits sont dans leur état standard. La convention pour les états standard est la même que celle qui est utilisée pour $\Delta H°$: l'état standard d'un solide ou d'un liquide est la substance pure à une pression de 101,3 kPa* et à la température voulue. Pour un gaz, l'état standard est le gaz pur qui se comporte comme un gaz parfait à une pression de 101,3 kPa et à la température voulue. Pour évaluer la variation d'énergie libre standard d'une réaction, on peut utiliser les variations d'entropie et d'enthalpie standard dans l'équation de Gibbs.

> **Variation d'énergie libre standard**
>
> $$\Delta G° = \Delta H° - T\Delta S° \qquad (6.8)$$

En ayant recours à cette équation, il faut veiller à utiliser les mêmes unités d'énergie pour $\Delta H°$ et $\Delta S°$. Par exemple, les données présentées sous forme de tableau sont généralement en *kilojoules* pour les variations d'enthalpie et en *joules par kelvin* pour les entropies.

Pour évaluer $\Delta G°$, on peut aussi utiliser les énergies libres standard de formation des tables. L'**énergie libre standard de formation** ($\Delta G_f°$) est la variation d'énergie libre qui se produit lors de la formation de une mole d'une substance dans son état standard à partir des formes de référence de ses éléments dans leur état standard. Les formes de référence des éléments sont généralement leur forme la plus stable. Comme les enthalpies standard de formation, les énergies libres standard de formation des *éléments* dans leur forme de référence ont des valeurs de *zéro*. L'annexe C.1 contient les énergies libres standard de formation de nombreuses substances à 25 °C (298 K), la température habituelle des données dans les tableaux.

Pour obtenir l'énergie libre standard d'une réaction à partir des énergies libres standard de formation, on utilise la relation suivante :

> **Variation des énergies libres standard de formation d'une réaction**
>
> $$\Delta G° = \sum v_p \,\Delta G_f°(\text{produits}) - \sum v_r \,\Delta G_f°(\text{réactifs}) \qquad (6.9)$$

L'exemple 6.6 illustre les deux méthodes de calcul de la variation d'énergie libre standard.

Variation d'énergie libre standard ($\Delta G°$)

Variation d'énergie libre au point d'une réaction chimique où les reactifs et les produits sont dans leur état standard.

Énergie libre standard de formation ($\Delta G_f°$)

Variation d'énergie libre ayant lieu lors de la formation d'une mole d'une substance dans son état standard, à partir des formes de référence de ses éléments dans leur état standard; les formes de référence des éléments sont généralement leur forme la plus stable à la pression normale et à une température donnée.

EXEMPLE **6.6**

Calculez $\Delta G°$ à 298 K de la réaction

$$4\,HCl(g) + O_2(g) \longrightarrow 2\,Cl_2(g) + 2\,H_2O(g) \qquad \Delta H° = -114,4\ kJ$$

a) à l'aide de l'équation de Gibbs et **b)** à partir des énergies libres standard de formation.

➔ Stratégie

a) Pour utiliser l'équation de Gibbs, nous avons besoin des valeurs de $\Delta H°$ et de $\Delta S°$. La valeur de $\Delta H°$ est donnée, et nous pouvons obtenir $\Delta S°$ à partir des entropies molaires standard.

b) Nous devons chercher les énergies libres standard de formation à l'annexe C.1 et les utiliser dans l'équation 6.9.

---

* L'UICPA a recommandé de choisir une pression de 1 bar (1×10^5 Pa) comme état standard plutôt que 1 atm (101 325 Pa). Comme l'influence du changement de pression à l'état standard est minime, on continuera d'utiliser 101,3 kPa.

→ Solution

a) Nous avons déterminé $\Delta S°$ dans l'exemple 6.3 et nous avons trouvé une valeur de $-128,8$ J/K. Pour que $\Delta H°$ et $\Delta S°$ aient la même unité d'énergie, nous devons transformer $-128,8$ J/K en $-0,1288$ kJ/K.

$$\Delta G° = \Delta H° - T\Delta S° = -114,4 \text{ kJ} - \left[298 \text{ K} \times \left(-0,1288 \text{ kJ/K}\right)\right]$$

$$= -114,4 \text{ kJ} + 38,4 \text{ kJ} = -76,0 \text{ kJ}$$

b) $\Delta G° = 2\,\Delta G°_f\left[\text{Cl}_2(\text{g})\right] + 2\,\Delta G°_f\left[\text{H}_2\text{O}(\text{g})\right] - 4\,\Delta G°_f\left[\text{HCl}(\text{g})\right] - \Delta G°_f\left[\text{O}_2(\text{g})\right]$

$$= (2 \text{ mol} \times 0,00 \text{ kJ/mol}) + (2 \text{ mol} \times -228,6 \text{ kJ/mol})$$

$$- (4 \text{ mol} \times -95,30 \text{ kJ/mol}) - (1 \text{ mol} \times 0,00 \text{ kJ/mol})$$

$$= (-457,2 + 381,2) \text{ kJ} = -76,0 \text{ kJ}$$

→ Évaluation

Dans la partie *a*, nous devons avant tout vérifier que le produit $T\Delta S°$ est d'environ 40 kJ (ce qui est bien le cas : $300 \times 0,13$). Nous devons par la suite nous assurer que l'addition de ce produit à la valeur de $\Delta H°$ donne une valeur de $\Delta G \approx -75$ kJ. Dans la partie *b*, il faut que le calcul donne la même réponse que celle de la partie *a*, ce qui est le cas.

EXERCICE 6.6 A

Utilisez l'équation de Gibbs pour déterminer la variation d'énergie libre standard, à 25 °C, des réactions suivantes.

a) $2\,\text{NO}(\text{g}) + \text{O}_2(\text{g}) \longrightarrow 2\,\text{NO}_2(\text{g})$
$\Delta H° = -114,1$ kJ
$\Delta S° = -146,2$ J/K

b) $2\,\text{CO}(\text{g}) + 2\,\text{NH}_3(\text{g}) \longrightarrow \text{C}_2\text{H}_6(\text{g}) + 2\,\text{NO}(\text{g})$
$\Delta H° = 409,0$ kJ
$\Delta S° = -129,1$ J·mol^{-1}·K^{-1}

EXERCICE 6.6 B

Utilisez les énergies libres standard de formation de l'annexe C.1 pour déterminer la variation d'énergie libre standard, à 25 °C, des réactions suivantes :

a) $\text{CS}_2(\text{l}) + 2\,\text{S}_2\text{Cl}_2(\text{g}) \longrightarrow \text{CCl}_4(\text{l}) + 6\,\text{S}(\text{s})$

b) $\text{NH}_3(\text{g}) + \text{O}_2(\text{g}) \longrightarrow \text{N}_2(\text{g}) + \text{H}_2\text{O}(\text{g})$ (*équation non équilibrée*)

6.6 La variation d'énergie libre et l'équilibre

Jusqu'à présent, nous avons traité des conditions dans lesquelles $\Delta G < 0$ (processus spontané) et dans lesquelles $\Delta G > 0$ (processus non spontané). Considérons maintenant un processus qui n'est ni spontané ni non spontané. Dans ce cas, il n'y a aucune transformation globale, parce qu'un processus direct et un processus inverse se produisent à la même vitesse. C'est la condition d'équilibre à laquelle $\Delta G = 0$.

$$\Delta G = \Delta H - T\Delta S = 0 \qquad \text{(à l'équilibre)}$$
et
$$\Delta H = T\Delta S \qquad \text{(à l'équilibre)}$$

À la température d'*équilibre,* on peut utiliser cette expression pour déterminer ΔH à partir d'une valeur de ΔS, ou ΔS à partir d'une valeur de ΔH.

Quand on associe l'enthalpie et l'entropie de vaporisation au point d'ébullition *normal* d'un liquide, on traite des variations d'entropie et d'enthalpie *standard*. Le liquide et la vapeur sont tous les deux à l'état standard : une pression de 101,3 kPa. Considérons l'ébullition du benzène à 80,10 °C.

$$C_6H_6(l, 101,3 \text{ kPa}) \rightleftharpoons C_6H_6(g, 101,3 \text{ kPa}) \qquad \Delta H° = 30,76 \text{ kJ/mol}$$

$$\Delta S°_{vap} = \frac{\Delta H°_{vap}}{T_{éb}} = \frac{30,76 \text{ kJ/mol}}{(80,10 + 273,15) \equiv} = 0,087\ 08 \text{ kJ·mol}^{-1}\text{·K}^{-1}$$

On peut également exprimer l'entropie molaire standard de vaporisation du benzène à 80,10 °C en joules par mole par kelvin (J·mol^{-1}·K^{-1}).

$$\Delta S°_{vap} = 0,087\ 08 \text{ kJ·mol}^{-1}\text{·K}^{-1} \times \frac{1000 \text{ J}}{1 \text{ kJ}} = 87,08 \text{ J·mol}^{-1}\text{·K}^{-1}$$

Les chimistes ont remarqué que de nombreux liquides possèdent à peu près la même entropie molaire standard de vaporisation à leur point d'ébullition normal — environ 87 J·mol^{-1}·K^{-1} —, une observation que résume la **loi de Trouton**.

Loi de Trouton

L'entropie de vaporisation d'un liquide non polaire est approximativement de 87 J·mol^{-1}·K^{-1}, c'est-à-dire que $S°_{vap} = \Delta H°_{vap}/T_{éb} \approx 87$ J·mol^{-1}·K^{-1}.

Loi de Trouton

$$\Delta S°_{vap} = \frac{\Delta H°_{vap}}{T_{éb}} \approx 87 \text{ J·mol}^{-1}\text{·K}^{-1} \qquad \textbf{(6.10)}$$

La loi de Trouton implique qu'à peu près la même quantité de désordre est générée quand une mole de substance passe de l'état liquide à l'état gazeux si les comparaisons sont faites à la température d'ébullition normale. La loi fonctionne bien pour les substances *non polaires,* comme celles de la **figure 6.11**. Elle fait généralement défaut dans le cas de liquides de structures plus ordonnées, comme ceux qui comportent un réseau étendu de liaisons hydrogène. Dans ces cas, il se produit une augmentation plus grande du désordre durant l'évaporation, et $\Delta S°_{vap}$ est supérieure à 87 J·mol^{-1}·K^{-1}. Par exemple, pour l'évaporation de H_2O à 100 °C, $\Delta S°_{vap} = 109$ J·mol^{-1}·K^{-1}.

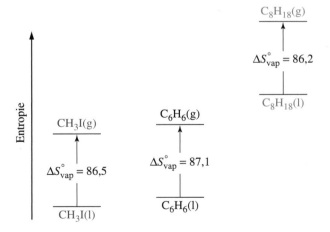

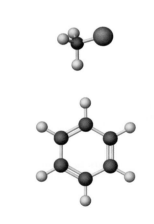

▲ **Figure 6.11 Illustration de la loi de Trouton**
Les entropies de vaporisation sont données en joules par mole par kelvin (J·mol^{-1}·K^{-1}) de liquide vaporisé. Les trois liquides ont tous une entropie molaire de vaporisation d'environ 87 J·mol^{-1}·K^{-1}. Cependant, le tableau suivant montre que les liquides ont peu d'autres points communs.

	Masse moléculaire (u)	Entropie molaire $S°_{298 K}$ (J·mol^{-1}·K^{-1})	Au point d'ébullition normal		
			$T_{éb}$ (K)	$\Delta H°_{vap}$ (kJ·mol^{-1})	$\Delta S°_{vap}$ (J·mol^{-1}·K^{-1})
CH_3I, iodométhane	142	163	315,6	27,3	86,5
C_6H_6, benzène	78	173	353,3	30,8	87,1
C_8H_{18}, octane	114	358	398,9	34,4	86,2

(De haut en bas) Modèles moléculaires de l'iodométhane, du benzène et de l'octane.

EXEMPLE **6.7**

À son point d'ébullition normal, l'enthalpie de vaporisation du pentadécane, $CH_3(CH_2)_{13}CH_3$, est de 49,45 kJ/mol. Quelle doit être sa température d'ébullition normale approximative ?

➔ Stratégie

Nous venons de voir que la loi de Trouton fournit une valeur approximative (87 J·mol^{-1}·K^{-1}) de l'entropie molaire de vaporisation d'un liquide *non polaire* à son point d'ébullition normal. Le pentadécane, un alcane, est un liquide non polaire et, quand il est en équilibre avec sa vapeur à une pression de 101,3 kPa, nous pouvons appliquer la loi de Trouton.

➔ Solution

$$\Delta S°_{vap} = \frac{\Delta H°_{vap}}{T_{éb}} \approx 87 \text{ J·mol}^{-1}\text{·K}^{-1}$$

$$T_{éb} \approx \frac{\Delta H°_{vap}}{87 \text{ J·mol}^{-1}\text{·K}^{-1}} \approx \frac{49,45 \times 10^3 \text{ J·mol}^{-1}}{87 \text{ J·mol}^{-1}\text{·K}^{-1}} \approx 570 \text{ K}$$

➔ Évaluation

Cette approximation est-elle bonne ? La valeur expérimentale du point d'ébullition du pentadécane est de 543,8 K. Notre évaluation se situe à près de 5 % de la valeur réelle.

EXERCICE 6.7 A

Le point d'ébullition normal du styrène, $C_6H_5CH=CH_2$, est de 145,1 °C. Évaluez l'enthalpie molaire de vaporisation du styrène à son point d'ébullition normal.

EXERCICE 6.7 B

Dans le cas du méthanol, CH_3OH, $\Delta S°_{vap}$ sera-t-elle supérieure, inférieure ou à peu près égale à 87 J·mol^{-1}·K^{-1} ? Expliquez votre réponse. Utilisez la valeur de 64,7 °C comme point d'ébullition normal et les données de l'annexe C.1 pour évaluer $\Delta S°_{vap}$.

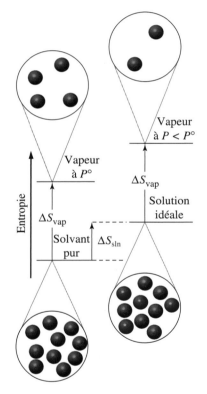

▲ **Figure 6.12**
Explication de la loi de Raoult fondée sur l'entropie

Le diagramme met en évidence les caractéristiques suivantes :

- L'entropie d'une solution est supérieure à celle d'un solvant pur.
- La variation d'entropie pour l'évaporation d'une quantité de solvant, ΔS_{vap}, est la même, qu'elle provienne d'un solvant pur ou d'une solution idéale.
- La phase vapeur au-dessus de la solution est plus désordonnée qu'au-dessus du solvant pur ; elle est à une pression plus faible.

Retour sur la loi de Raoult

Revenons à la loi de Raoult, déjà abordée dans la section 1.7.

$$P_{solv} = \chi_{solv} \cdot P°_{solv}$$

Puisque la fraction molaire du solvant dans une solution (χ_{solv}) est inférieure à 1, la pression de vapeur du solvant (P_{solv}) dans une solution idéale est plus faible que celle du solvant pur ($P°_{solv}$).

Le concept d'entropie nous fournit une façon d'expliquer la loi de Raoult. La **figure 6.12** montre qu'une solution est plus désordonnée qu'un solvant pur et que, par conséquent, elle a une entropie supérieure à celle de ce dernier. Puisque les forces intermoléculaires dans la solution et dans le solvant pur sont comparables, on prévoit que l'enthalpie de vaporisation (ΔH_{vap}) sera la même pour la solution et pour le solvant pur. L'entropie de vaporisation doit également être la même, parce que $\Delta S_{vap} = \Delta H_{vap}/T$. Cependant, puisque la solution idéale est plus désordonnée que le solvant pur, la vapeur de la solution doit aussi être plus désordonnée que la vapeur du solvant pur. Le désordre dans une vapeur s'accroît si les molécules peuvent se déplacer plus librement, c'est-à-dire si elles sont à une pression *plus faible*. Donc, les solutés dans une solution font diminuer la pression de vapeur du solvant.

La relation entre $\Delta G°$ et la constante d'équilibre ($K_{\text{éq}}$)

L'eau à l'état liquide est en équilibre avec l'eau à l'état gazeux à une pression de 101,3 kPa et à une température de 100 °C (373 K). Comme on vient tout juste de le voir, dans ce processus (ou n'importe quel autre), ΔG à l'*équilibre* est *nulle*. De plus, comme le liquide et la vapeur sont tous les deux dans leur état standard (101,3 kPa), on peut écrire

$$H_2O(l, 101,3\ kPa) \rightleftharpoons H_2O(g, 101,3\ kPa) \qquad \Delta G°_{373} = 0$$

On peut écrire la même équation pour exprimer l'évaporation de l'eau à 25 °C (298 K) et déterminer $\Delta G°_{298}$ à partir des valeurs des tables des énergies libres standard de formation.

$$H_2O(l, 101,3\ kPa) \rightleftharpoons H_2O(g, 101,3\ kPa) \qquad \Delta G°_{298} = +8,590\ kJ$$

La valeur *positive* de $\Delta G°_{298}$ indique que le processus est *non spontané*. Cela ne signifie pas que l'eau ne s'évaporera pas à 25 °C, mais seulement que la vapeur produite n'aura pas *une pression de 101,3 kPa*; l'équilibre est déplacé *vers la gauche*. La pression de vapeur à l'*équilibre* de l'eau à 25 °C est de 3,17 kPa. Cette observation peut être représentée par l'équation suivante.

$$H_2O(l, 3,17\ kPa) \rightleftharpoons H_2O(g, 3,17\ kPa) \qquad \Delta G_{298} = 0$$

Pour résumer ce qui a été dit, $\Delta G° = 0$ constitue un critère qui permet de définir l'équilibre, mais ce critère est valable seulement à une température, celle à laquelle il y a équilibre entre les réactifs et les produits tous présents dans leur état standard. Lorsque l'équilibre s'établit à toute autre température, certains réactifs et certains produits, ou tous les réactifs et tous les produits, sont alors dans un état *non standard*. Dans ces conditions *non standard*, le critère de l'équilibre est $\Delta G = 0$ (*et non* $\Delta G° = 0$). Il semble ainsi que $\Delta G°$ soit d'une utilité limitée, mais nous allons voir maintenant qu'elle est cependant tout à fait pratique.

Les quantités ΔG et $\Delta G°$ sont reliées par le *quotient réactionnel, Q*, selon l'équation suivante.

$$\Delta G = \Delta G° + RT \ln Q \qquad \qquad \text{(6.11)}$$

Considérons alors une réaction à l'équilibre pour laquelle $\Delta G = 0$ et $Q = K_{\text{éq}}$, ce qui conduit à l'expression

$$0 = \Delta G° + RT \ln K_{\text{éq}} \quad \textit{(à l'équilibre)}$$

et

$$\Delta G° = -RT \ln K_{\text{éq}} \qquad \textit{(à l'équilibre)} \qquad \text{(6.12)}$$

Cette équation est l'une des plus importantes de toute la thermodynamique chimique. Elle nous apprend que, si on connaît $\Delta G°$ d'une réaction à une température donnée, on peut *calculer* la constante d'équilibre à cette température. Connaissant la constante d'équilibre, on peut alors calculer les concentrations ou les pressions partielles à l'équilibre, tout comme nous l'avons fait dans les chapitres précédents. Pour appliquer cette équation, il faut noter les points suivants.

- R, la constante des gaz, prend généralement la valeur de 8,3145 J·mol^{-1}·K^{-1}.

- T, la température, est exprimée en kelvins (K).

- $K_{\text{éq}}$ doit prendre la forme décrite dans la section ci-dessous.

La constante d'équilibre ($K_{\text{éq}}$)

Nous avons vu au chapitre 3 qu'on écrit une expression de K_c si les réactifs et les produits sont définis en termes de concentrations, et une expression de K_p, si on utilise les pressions partielles. Dans l'expression $\Delta G° = -RT \ln K_{\text{éq}}$, on représente la **constante d'équilibre** par le symbole $K_{\text{éq}}$ plutôt que par K_c ou K_p, et $K_{\text{éq}}$ peut être différente des deux autres constantes. Comme l'expression qui lie la variation d'énergie libre standard et la constante d'équilibre comporte le terme « $\ln K_{\text{éq}}$ », une condition particulière s'applique à $K_{\text{éq}}$: elle doit être un nombre *sans dimension*. En effet, elle ne doit pas comporter d'unités, parce qu'on ne peut pas obtenir le logarithme d'une unité.

On appelle *activités* les quantités sans dimension nécessaires dans l'expression de la constante d'équilibre $K_{\text{éq}}$, mais on peut continuer à utiliser les concentrations molaires volumiques et les pressions partielles si on utilise les conventions suivantes par rapport aux activités.

- *Pour les phases solides et liquides pures :* l'activité $a = 1$.

- *Pour les gaz :* on suppose un comportement de gaz parfait et on remplace l'activité par la valeur *numérique* de la pression partielle du gaz, établie selon les formules suivantes.

$$p_{\text{gaz}} = (p\,(\text{atm})/1{,}00\ \text{atm}) = (p\,(\text{kPa})/101{,}3\ \text{kPa})$$

Ces formules permettent d'obtenir des facteurs sans unités. Lors de la détermination de la constante d'équilibre à partir des pressions partielles, on utilisera donc exceptionnellement les atmosphères comme unité afin de simplifier les calculs.

- *Pour les solutés en solution aqueuse :* on suppose que les interactions intermoléculaires ou interioniques sont négligeables — c'est-à-dire que la solution est *diluée* — et on remplace l'activité du soluté par la valeur *numérique* de la concentration molaire volumique de ce dernier.

> **Constante d'équilibre ($K_{\text{éq}}$)**
>
> Constante utilisée dans les relations thermodynamiques, telle $\Delta G° = -RT \ln K_{\text{éq}}$; dans l'expression de $K_{\text{éq}}$, les espèces en solution sont représentées par leurs concentrations molaires volumiques, et les gaz par leurs pressions partielles en atmosphères.

EXEMPLE 6.8

Écrivez l'expression de la constante d'équilibre, $K_{\text{éq}}$, de l'oxydation de l'ion chlorure par le dioxyde de manganèse en solution acide.

$$\text{MnO}_2(s) + 4\,\text{H}^+(aq) + 2\,\text{Cl}^-(aq) \rightleftharpoons \text{Mn}^{2+}(aq) + \text{Cl}_2(g) + 2\,\text{H}_2\text{O}(l)$$

➜ Stratégie

Premièrement, écrivons l'expression de $K_{\text{éq}}$ en fonction des activités a, puis substituons les quantités appropriées à ces activités conformément aux conventions établies plus haut.

➜ Solution

$$K_{\text{éq}} = \frac{a_{\text{Mn}^{2+}} \times a_{\text{Cl}_2} \times (a_{\text{H}_2\text{O}})^2}{a_{\text{MnO}_2} \times (a_{\text{H}^+})^4 \times (a_{\text{Cl}^-})^2}$$

Nous pouvons sous-entendre le terme représentant $\text{MnO}_2(s)$; c'est une phase solide pure dont $a = 1$. En ce qui a trait à Mn^{2+}, H^+ et Cl^-, des espèces ioniques en solution aqueuse diluée, nous remplaçons les activités par les concentrations molaires volumiques. Quant à l'activité du chlore gazeux, nous substituons sa pression partielle. Comme H_2O est l'espèce prépondérante en solution aqueuse diluée, son activité est essentiellement la même que celle de l'eau liquide pure : $a = 1$. Après avoir effectué ces substitutions, nous obtenons l'équation suivante :

$$K_{\text{éq}} = \frac{[\text{Mn}^{2+}](P_{\text{Cl}_2})}{[\text{H}^+]^4[\text{Cl}^-]^2}$$

➤ Évaluation

Il faut remarquer que cette expression de $K_{éq}$ contient des concentrations molaires volumiques et une pression partielle. Ce n'est ni K_c ni K_p.

EXERCICE 6.8 A

Écrivez l'expression de $K_{éq}$ de la réaction suivante.

$$2\,Al(s)\ +\ 6\,H^+(aq)\ \longrightarrow\ 2\,Al^{3+}(aq)\ +\ 3\,H_2(g)$$

EXERCICE 6.8 B

Donnez l'équation représentant la dissolution de l'hydroxyde de magnésium en solution acide, puis écrivez l'expression de $K_{éq}$ de cette réaction.

Le calcul des constantes d'équilibre ($K_{éq}$)

Nous pouvons maintenant faire appel à plusieurs notions pour calculer une constante d'équilibre, $K_{éq}$, et examiner sa signification. Calculons $K_{éq}$ dans le cas de l'évaporation de l'eau à 25 °C, sachant que nous avons déjà écrit

$$H_2O(l)\ \rightleftharpoons\ H_2O(g)\qquad \Delta G^\circ_{298} = +8,590\ kJ$$

Nous commençons par réarranger l'équation $\Delta G^\circ = -RT\ \ln K_{éq}$ afin de la présenter sous la forme

$$\ln K_{éq} = \frac{-\Delta G^\circ}{RT}$$

Puis nous substituons les valeurs de ΔG°, de R et de T. En effectuant ces substitutions, nous remplaçons la valeur de ΔG° d'abord par 8,590 kJ·mol^{-1}, puis par 8,590 $\times$ 10^3 J·mol^{-1}. L'indication « mol^{-1} » du symbole kJ·mol^{-1} signifie que les quantités dans l'équation chimique sont données en fonction d'une mole[*]. Comme le montre le calcul ci-dessous, lorsque l'on convertit des kilojoules par mole en joules par mole, les unités se simplifient correctement.

$$\ln K_{éq} = \frac{-8,590\ \times\ 10^3\ \cancel{J \cdot mol^{-1}}}{8,3145\ \cancel{J \cdot mol^{-1}} \cdot \cancel{K^{-1}}\ \times\ 298,15\ \cancel{K}} = -3,465$$

$$K_{éq} = e^{-3,465} = 0,0313$$

Selon les conventions se rapportant aux activités, l'activité de $H_2O(l)$ est de un, et l'expression appropriée de $K_{éq}$ est

$$K_{éq} = P_{H_2O(g)} = 0,0313$$

La pression de vapeur à l'*équilibre* de l'eau à 25 °C est donc de 0,0313 atm (3,17 kPa). Cette valeur calculée est la même que la valeur mesurée expérimentalement.

---

[*] Nous pouvons dire également que l'équation équilibrée représente « une mole de réaction » et que $\Delta G^\circ = 8,590$ kJ·mol^{-1} signifie 8,590 kilojoules par mole de réaction. La variation d'énergie libre d'une réaction doit toujours être liée à une équation équilibrée, et c'est l'équation qui permet d'établir une mole de réaction.

EXEMPLE 6.9

Déterminez la valeur de $K_{éq}$, à 25 °C, de la réaction : $2\ NO_2(g) \rightleftharpoons N_2O_4(g)$.

→ Stratégie

Il faut d'abord obtenir une valeur de $\Delta G°$, laquelle se trouve à l'annexe C.1 dans le tableau des énergies libres standard de formation. Ensuite, nous pouvons calculer $K_{éq}$ à l'aide de l'équation 6.12.

→ Solution

$$\Delta G° = \Delta G_f°\big[N_2O_4(g)\big] - 2 \times \Delta G_f°\big[NO_2(g)\big]$$

$$= \left(1\ \text{mol de } N_2O_4 \times \frac{97,82\ \text{kJ}}{1\ \text{mol de } N_2O_4}\right) - \left(2\ \text{mol de } NO_2 \times \frac{51,30\ \text{kJ}}{1\ \text{mol de } NO_2}\right)$$

$$= -4,78\ \text{kJ}$$

Puis, dans $\Delta G°$, nous remplaçons les kilojoules par des joules par mole pour indiquer que les quantités dans l'équation chimique sont exprimées en moles. Nous pouvons alors réarranger l'expression suivante et résoudre l'équation pour trouver $K_{éq}$, après avoir effectué les substitutions appropriées.

$$\Delta G° = -4780\ \text{J·mol}^{-1},\ R = 8,3145\ \text{J·mol}^{-1}\text{·K}^{-1},\ \text{et } T = 298,15\ \text{K}$$

$$\Delta G° = -RT \ln K_{éq}$$

$$\ln K_{éq} = \frac{-\Delta G°}{RT} = \frac{-(-4780\ \text{J·mol}^{-1})}{8,3145\ \text{J·mol}^{-1}\text{·K}^{-1} \times 298,15\ \text{K}} = 1,93$$

$$K_{éq} = e^{1,93} = 6,9$$

→ Évaluation

Dans ce problème, la valeur de $\Delta G°$ étant négative, il faut que $\ln K_{éq}$ soit plus grand que 1. Si nous avons fait une erreur plutôt commune et oublié le signe moins dans le membre de droite de l'équation 6.12, la valeur de $K_{éq}$ sera inférieure à 1 (c'est-à-dire, $e^{-1,93} = 0{,}145$), ce qui est une indication que notre calcul est à revoir.

EXERCICE 6.9 A

Utilisez les données de l'annexe C.1 pour déterminer $K_{éq}$, à 25 °C, de la réaction : $2\ HgO(s) \rightleftharpoons 2\ Hg(l) + O_2(g)$.

EXERCICE 6.9 B

Utilisez les données de l'annexe C.1 pour déterminer $K_{éq}$, à 25 °C, de la réaction : $2\ NO(g) + Br_2(l) \rightleftharpoons 2\ NOBr(g)$. Si on laisse réagir $NO(g)$ à une pression de 1,00 atm avec un excès de $Br_2(l)$, quelles seront les pressions partielles de $NO(g)$ et de $NOBr(g)$ à l'équilibre ?

La signification du signe et de la grandeur de $\Delta G°$

Au chapitre 3 (page 129), nous avons trouvé que la grandeur de $K_{éq}$ pouvait être utilisée pour décider, *grosso modo*, si une réaction : (a) est pratiquement complète, (b) ne se produit que très faiblement dans le sens direct ou (c) atteint une condition d'équilibre qui doit être décrite par $K_{éq}$. Nous avons maintenant une équation qui relie $K_{éq}$ et $\Delta G°$.

$$\Delta G° = -RT \ln K_{éq}$$

Nous pouvons utiliser $\Delta G°$ seule pour choisir parmi les trois possibilités que nous venons d'énumérer. La **figure 6.13** présente trois profils évolutifs d'une réaction, qui indiquent la façon dont l'énergie libre peut varier au cours de celle-ci à partir des réactifs dans leur état standard (à gauche) en allant vers les produits également dans leur état standard (à droite). Dans un profil évolutif, la valeur minimale représente l'équilibre chimique. Ce point minimal peut être atteint dans les deux directions, selon la valeur du quotient réactionnel, Q. Cependant, une fois ce minimum atteint, la réaction cesse de progresser.

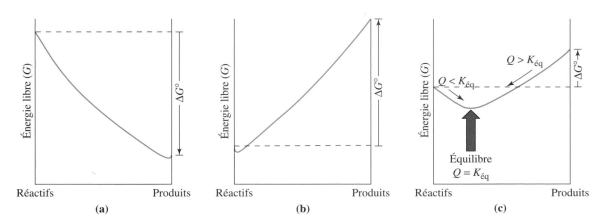

▲ **Figure 6.13**
$\Delta G°$ et la direction et l'importance d'une transformation spontanée

(a) $\Delta G°$ *est élevée et négative :* la position d'équilibre se situe très à droite. La réaction est presque complète. **(b)** $\Delta G°$ *est élevée et positive :* la position d'équilibre se situe très à gauche. La réaction se produit à peine. **(c)** $\Delta G°$ *n'est ni très élevée ni très faible et est positive ou négative :* la position d'équilibre se situe bien à l'intérieur du profil évolutif de la réaction. Si $Q < K_{éq}$, une réaction nette a lieu dans le sens direct ; si $Q > K_{éq}$, une réaction nette a lieu dans le sens inverse.

Dans le cas *a,* l'énergie libre des produits est très inférieure à celle des réactifs. La différence d'énergie libre entre les deux — la variation d'énergie libre standard, $\Delta G°$ — est une quantité *élevée* et *négative,* et la position d'équilibre est tellement loin à droite que la réaction est considérée comme complète. Dans le cas *b,* la situation est inversée : l'énergie libre des produits est beaucoup plus élevée que celle des réactifs, la variation d'énergie libre standard est une quantité *élevée* et *positive,* et la position d'équilibre est située tellement loin à gauche que l'on considère qu'aucune réaction n'a lieu. Dans le cas *c,* la différence entre les énergies libres des réactifs et des produits est petite, et la position d'équilibre se situe plutôt vers le milieu du profil évolutif de la réaction.

Il n'est pas possible de dire avec beaucoup de précision ce qu'on entend par valeur « élevée » et valeur « faible » de $\Delta G°$. En règle générale, toutefois, si $\Delta G°$ atteint plusieurs centaines de kilojoules par mole et a un signe négatif, il est tout à fait probable que la réaction sera complète ou presque. Si $\Delta G°$ atteint plusieurs centaines de kilojoules par mole et porte un signe positif, il est tout aussi probable qu'aucune réaction mesurable n'aura lieu. Quand la valeur négative ou positive de $\Delta G°$ est très près de zéro, il faut généralement faire un calcul d'équilibre.

Les réactions couplées

Considérons la décomposition de l'oxyde de mercure(II).

$$HgO(s) \longrightarrow Hg(l) + {}^1/_2\, O_2(g) \qquad \Delta G°_{298} = +58,56\ kJ \qquad \Delta H°_{298} = +90,83\ kJ$$

Puisque la réaction produit un gaz à partir d'un solide, l'entropie augmente : $\Delta S° > 0$. Quand $\Delta H° > 0$ et $\Delta S° > 0$, la réaction directe est favorisée à température élevée (cas 3 du tableau 6.1, page 305). Comme $\Delta G°_{298}$ n'est pas particulièrement élevée, la réaction qui produit $O_2(g)$ dans son état standard (101,3 kPa) devient spontanée à une température

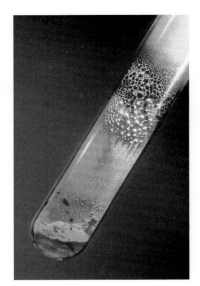

La décomposition de l'oxyde de mercure(II) rouge, HgO, sous l'effet de la chaleur. On remarque les gouttelettes argentées de mercure liquide.

modérée d'environ 400 °C. La thermodynamique plutôt favorable de cette réaction a permis à Joseph Priestley (1733-1804) d'isoler l'oxygène, en 1774, simplement en chauffant l'oxyde de mercure(II).

Considérons maintenant la réaction dans laquelle l'oxyde de cuivre(I) se décompose pour produire du cuivre métallique et de l'oxygène gazeux.

$$Cu_2O(s) \longrightarrow 2\,Cu(s) \;+\; {}^1/_2\,O_2(g) \qquad \Delta G^\circ_{298} = +\,149,9\;kJ \qquad \Delta H^\circ_{298} = +\,170,7\;kJ$$

Dans ce cas, ΔG° a une valeur beaucoup plus positive que dans la réaction de l'oxyde de mercure(II). Il faut chauffer $Cu_2O(s)$ à une température beaucoup plus élevée que $HgO(s)$ — à plus de 2500 °C — pour que sa décomposition dans des conditions d'état standard devienne spontanée. Il est impossible de produire du cuivre métallique en chauffant simplement l'oxyde.

À supposer, par contre, qu'on chauffe $Cu_2O(s)$ en présence de carbone, ce dernier se combine avec l'oxygène qui provient de $Cu_2O(s)$. On peut envisager le fait que ce processus se compose de deux réactions qui, en s'additionnant, produisent une réaction globale. On obtient l'équation globale en combinant les équations des deux réactions, et son ΔG en faisant la somme des deux valeurs de ΔG. C'est la méthode utilisée pour traiter les valeurs de ΔH au moyen de la loi de Hess.

$$Cu_2O(s) \longrightarrow 2\,Cu(s) + \tfrac{1}{2}\,\cancel{O_2(g)} \qquad \Delta G^\circ_{298} = +149,9\;kJ$$

$$C(graphite) + \tfrac{1}{2}\,\cancel{O_2(g)} \longrightarrow CO(g) \qquad\qquad \Delta G^\circ_{298} = -137,2\;kJ$$

$$\rule{12cm}{0.4pt}$$

$$Cu_2O(s) + C(graphite) \longrightarrow 2\,Cu(s) + CO(g) \qquad \Delta G^\circ_{298} = +12,7\;kJ$$

La réaction globale avec les réactifs et les produits dans leur état standard n'est pas spontanée à 298 K, mais elle est beaucoup plus près de l'être que la décomposition sans carbone de $Cu_2O(s)$. Bien que la production commerciale de cuivre au moyen de cette réaction soit exécutée à des températures beaucoup plus élevées, la réaction globale devient en fait spontanée dans des conditions standard, à environ 100 °C.

Toute combinaison de deux ou plusieurs réactions simples est une **réaction couplée**. Cependant, ce terme est habituellement réservé à la combinaison d'une réaction *spontanée* et d'une réaction *non spontanée*, qui produit une réaction globale *spontanée*.

Réaction couplée

Toute combinaison de deux ou plusieurs réactions simples. Dans la majorité des cas, une réaction spontanée est associée à une réaction non spontanée, ce qui donne une réaction globale spontanée.

6.7 L'influence de la température sur ΔG° et $K_{éq}$

Nous avons maintenant établi les critères d'une transformation spontanée, et nous avons examiné un certain nombre d'évaluations qualitatives et quantitatives qui peuvent être effectuées à l'aide de ces deux seules équations.

$$\Delta G = \Delta H - T\Delta S$$

$$\Delta G^\circ = -RT \ln K_{éq}$$

Il semble y avoir une limite sérieuse, toutefois. Tous les calculs quantitatifs ont été faits à 25 °C seulement, parce que les données thermodynamiques des tables sont le plus souvent répertoriées à cette température. Il arrive cependant que, pour des raisons pratiques, il faille effectuer des réactions à différentes températures.

Pour obtenir les constantes d'équilibre à différentes températures, on suppose que ΔH et ΔS ne varient pas beaucoup en fonction de la température. (Remarquez que nous avons déjà fait cette hypothèse à la figure 6.9.) On suppose notamment que les valeurs de ΔH° et de ΔS°, à 25 °C, s'appliquent également à d'autres températures. Cette hypothèse est généralement valide, parce que les enthalpies standard de formation et les entropies molaires standard des produits et des réactifs varient toutes sensiblement de la même façon en fonction de la température.

Pour obtenir une valeur de $\Delta G°$, on peut substituer les valeurs, à 25 °C, de $\Delta H°$ et de $\Delta S°$ ainsi que la température voulue dans l'expression

$$\Delta G° = \Delta H° - T\Delta S°$$

Puis, pour obtenir $K_{éq}$ à la température voulue, on peut utiliser l'équation

$$\Delta G° = -RT \ln K_{éq}$$

Comme la plupart du temps on veut calculer $K_{éq}$, il est possible d'utiliser une autre approche qui consiste à *combiner* les deux équations en une seule associant $K_{éq}$ et la température.

$$\Delta H° - T\Delta S° = \Delta G° = -RT \ln K_{éq}$$

On obtient alors l'équation suivante.

$$\ln K_{éq} = \frac{-\Delta H°}{RT} + \frac{\Delta S°}{R}$$

Si l'on suppose que $\Delta H°$ et $\Delta S°$ restent à peu près constantes sur une gamme de températures, on peut remplacer le terme $\Delta S°/R$ par une constante, puis écrire l'équation qui suit.

$$\ln K_{éq} = \frac{-\Delta H°}{RT} + \text{constante} \qquad \text{(6.13)}$$

La représentation graphique de $\ln K_{éq}$ en fonction de $1/T$ est une droite dont la pente est $-\Delta H°/R$ et l'ordonnée à l'origine, $\Delta S°/R$. La meilleure façon de vérifier l'hypothèse selon laquelle $\Delta H°$ et $\Delta S°$ sont indépendantes de la température consiste à reporter sur ce graphique quelques données à l'équilibre pour voir si elles donnent bien une droite. C'est ce qu'illustre la **figure 6.14**.

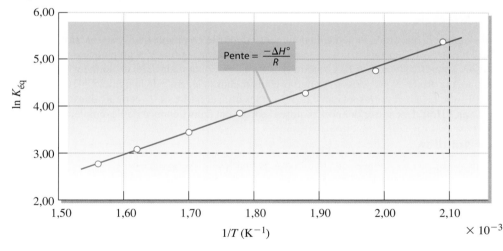

◄ Figure 6.14
Influence de la température sur $K_{éq}$ de la réaction CO(g) + H₂O(g) ⇌ CO₂(g) + H₂(g)

La valeur de $\Delta H°$ obtenue à l'aide de la pente de la droite est d'environ −40 kJ, une valeur suffisamment près de celle de −41,2 kJ pour $\Delta H°_{298}$, obtenue à partir des données de l'annexe C.1. Certaines données utilisées dans le graphique sont illustrées dans le tableau.

T (K)	$1/T$	$K_{éq}$	$\ln K_{éq}$	T (K)	$1/T$	$K_{éq}$	$\ln K_{éq}$
478	$2,09 \times 10^{-3}$	210	5,35	588	$1,70 \times 10^{-3}$	31	3,43
533	$1,88 \times 10^{-3}$	73	4,29	643	$1,56 \times 10^{-3}$	16	2,77

Grâce à la méthode expliquée à l'annexe A.5, on peut remplacer l'équation précédente par la suivante.

Équation de van't Hoff

$$\ln \frac{K_2}{K_1} = \frac{\Delta H°}{R}\left(\frac{1}{T_1} - \frac{1}{T_2}\right) \qquad \text{(6.14)}$$

Cette équation, appelée *équation de van't Hoff*, associe la constante d'équilibre, $K_{\text{éq}}$, à deux températures. La valeur de la constante d'équilibre à la température T_1 est K_1, et la valeur à la température T_2 est K_2. $\Delta H°$ est la variation d'enthalpie standard dans la réaction, et R est la constante des gaz.

Si l'équilibre s'effectue entre un liquide ou un solide et sa vapeur, la constante d'équilibre est simplement la pression de la vapeur. En conséquence, il faut substituer P (pression de vapeur) à K (constante d'équilibre) et $\Delta H°_{\text{vap}}$ ou $\Delta H°_{\text{sub}}$ à $\Delta H°$. L'équation est alors appelée *équation de Clausius-Clapeyron*.

RÉSOLUTION DE PROBLÈMES

Pour la résolution de problèmes, on peut aussi utiliser l'une des deux formes suivantes de l'équation de van't Hoff.

$$\ln \frac{K_2}{K_1} = \frac{-\Delta H°}{R}\left(\frac{1}{T_2} - \frac{1}{T_1}\right)$$

$$\ln \frac{K_2}{K_1} = \frac{\Delta H°}{R}\left(\frac{T_2 - T_1}{T_1 \cdot T_2}\right)$$

Équations de Clausius-Clapeyron

Vaporisation

$$\ln \frac{P_2}{P_1} = \frac{\Delta H°_{\text{vap}}}{R}\left(\frac{1}{T_1} - \frac{1}{T_2}\right) \qquad \textbf{(6.15)}$$

Sublimation

$$\ln \frac{P_2}{P_1} = \frac{\Delta H°_{\text{sub}}}{R}\left(\frac{1}{T_1} - \frac{1}{T_2}\right) \qquad \textbf{(6.16)}$$

EXEMPLE 6.10

Considérons la réaction suivante à 298 K.

$$CO(g) + H_2O(g) \rightleftharpoons CO_2(g) + H_2(g) \qquad \Delta H°_{298} = -41,2 \text{ kJ}$$

Déterminez $K_{\text{éq}}$ de la réaction à 725 K.

→ Stratégie

Il s'agit de la réaction pour laquelle nous avons donné le graphique de $K_{\text{éq}}$ en fonction de $1/T$, à la figure 6.14. Cependant, nous ne pouvons pas simplement utiliser ce graphique pour obtenir $\ln K_{\text{éq}}$ quand $1/T = 1/725$ K. Ce point se situe à l'extérieur de la série de données qui a servi à tracer la droite. Nous pouvons toutefois choisir, dans la légende de la figure 6.14, une valeur de T avec la valeur correspondante de $K_{\text{éq}}$, et les utiliser à titre de T_1 et de K_1 dans l'équation de van't Hoff. Les autres données requises se trouvent dans l'énoncé de l'exemple.

→ Solution

Supposons que les données que nous avons choisies sont les suivantes :

$$K_2 = ? \quad T_2 = 725 \text{ K} \quad \Delta H° = \Delta H°_{298} = -41,2 \text{ kJ/mol}$$

$$K_1 = 16 \quad T_1 = 643 \text{ K}$$

Substituons dans l'équation.

$$\ln \frac{K_2}{K_1} = \frac{\Delta H°}{R}\left(\frac{1}{T_1} - \frac{1}{T_2}\right) = \frac{(-41,2 \times 1000) \text{ J·mol}^{-1}}{8,3145 \text{ J·mol}^{-1}\text{·K}^{-1}}\left(\frac{1}{643 \text{ K}} - \frac{1}{725 \text{ K}}\right)$$

$$\ln \frac{K_2}{K_1} = -4,96 \times 10^3 \, K \times \left(1,56 \times 10^{-3} - 1,38 \times 10^3\right) K^{-1}$$

$$\ln \frac{K_2}{K_1} = -0,89$$

$$\frac{K_2}{K_1} = e^{-0,89} = 0,41$$

$$K_2 = 0,41 \times K_1 = 0,41 \times 16 = 6,6$$

→ Évaluation

Notez que, dans les données accompagnant la figure 6.14, la valeur de $K_{éq}$ devient progressivement plus petite à mesure que la température augmente. Puisque T_2 est plus grande que la plus haute température de ces données, il s'ensuit que K_2 doit être inférieure à 16. La valeur calculée, 6,6, semble donc acceptable.

EXERCICE 6.10 A

Dans l'exemple 6.9, nous avons déterminé la valeur de $K_{éq}$ à 25 °C, pour la réaction $2\,NO_2(g) \rightleftharpoons N_2O_4(g)$. Quelle est la valeur de $K_{éq}$ de cette réaction, à 65 °C ? (*Indice :* il faut utiliser les données des tables pour établir la valeur de $\Delta H°$.)

EXERCICE 6.10 B

À 25 °C, la pression de vapeur de l'eau est de 0,0313 atm, et l'enthalpie de vaporisation est de 44,0 kJ/mol. Utilisez l'équation de Clausius-Clapeyron pour calculer la pression de vapeur à 40,0 °C. Comparez votre résultat avec la valeur expérimentale de 0,0728 atm.

EXEMPLE 6.11   Un exemple conceptuel

Évaluer $\Delta S°_{298}$ dans le cas de la dissociation de l'oxyde de cuivre(II)

$$4\,CuO(s) \rightleftharpoons 2\,Cu_2O(s) + O_2(g) \quad \Delta H°_{298} = 283 \text{ kJ}$$

sachant que la pression à l'équilibre de $O_2(g)$ est de 1,00 atm à 1395 K.

→ Analyse et conclusion

Bien que nous ne puissions pas nous attendre à ce que, dans ce problème, les variations d'enthalpie et d'entropie restent constantes dans le grand intervalle de température, nous pouvons supposer, pour les besoins d'une *estimation*, que leurs valeurs ne varient pas de façon importante. Donc, supposons que $\Delta S°_{298}$ est à peu près égale à $\Delta S°_{1395}$. De plus, $\Delta H°_{1395} \approx \Delta H°_{298}$. Nous pouvons calculer $\Delta S°_{1395}$ à l'aide de l'équation

$$\Delta G°_{1395} = \Delta H°_{1395} - T\Delta S°_{1395}$$

$$\Delta S°_{298} \approx \Delta S°_{1395} = \frac{\Delta H°_{1395} - \Delta G°_{1395}}{T} \approx \frac{\Delta H°_{298} - \Delta G°_{1395}}{T}$$

$$\approx \frac{283 \text{ kJ} - \Delta G°_{1395}}{1395 \text{ K}}$$

Tout ce qu'il faut maintenant, c'est la valeur de $\Delta G°_{1395}$, que nous pouvons obtenir à l'aide de l'équation suivante.

$$\Delta G°_{1395} = -RT \ln K_{éq}$$

Enfin, tout se résume alors à la question : « Quelle est la valeur de $K_{éq}$ à 1395 K ? »

Comme les activités des solides sont égales à 1, dans cette réaction, $K_{éq} = P_{O_2}$. À 1395 K, la pression à l'équilibre de O_2 est de 1,00 atm. Donc, à 1395 K,

$$K_{éq} = 1,00 \quad \text{et} \quad \Delta G°_{1395} = -RT \ln 1,00 = 0$$

La valeur recherchée est

$$\Delta S°_{298} \approx \frac{283 \text{ kJ} - 0}{1395 \text{ } K} = 0,203 \text{ kJ/K}$$

La thermodynamique et les organismes vivants

Dans les organismes vivants, l'énergie emmagasinée dans les aliments sous forme d'énergie potentielle est transformée en énergie cinétique utilisée pour respirer, courir et accomplir des tâches de toute sorte. Comment ces transformations d'énergie se produisent-elles ? Obéissent-elles aux principes de la thermodynamique ?

Une réaction dont l'énergie libre diminue est *exergonique* ($\Delta G < 0$), et celle dont l'énergie libre augmente est *endergonique* ($\Delta G > 0$). Les organismes vivants ont recours à des réactions exergoniques pour soutenir les processus vitaux, mais ils doivent aussi faire appel à des processus qui emmagasinent l'énergie (endergoniques) pour alimenter les réactions exergoniques.

Chez les vivants, des molécules complexes, comme les protéines et l'ADN, sont produites à partir d'éléments et de composés plus simples, comme O_2, CO_2 et H_2O. Ces processus font habituellement intervenir une *diminution* de l'entropie ($\Delta S < 0$) et une *augmentation* de l'enthalpie ($\Delta H > 0$) et, par conséquent, une *augmentation* de l'énergie libre ($\Delta G > 0$).

$$\Delta G = \Delta H - T\Delta S$$

Ces processus sont, en principe, *non spontanés*. Comment les réactions non spontanées essentielles à la vie se produisent-elles, puisqu'elles ont lieu dans une direction qui n'est pas naturelle ?

Considérons l'analogie suivante. Si nous laissons échapper un livre, il tombe sur le plancher : c'est un processus spontané. Mais le livre ne revient pas dans nos mains : il faudrait que s'accomplisse un processus non spontané pour que cela se réalise. Supposons maintenant que le livre sur le plancher est attaché à un autre plus gros par une corde. Nous pouvons alors saisir la corde et laisser le plus gros livre tomber, ce qui fait monter le plus petit : c'est le principe de la poulie simple (**figure 6.15**). Le processus spontané (chute du gros livre) est la force motrice du processus non spontané (élévation du petit livre). On appelle ce phénomène un processus *couplé,* analogue aux réactions chimiques couplées (page 315).

La réaction par laquelle les plantes combinent les sucres simples, glucose et fructose, en saccharose (sucre de table commun) a une ΔG positive ; elle est endergonique. Elle doit être couplée à une réaction exergonique, telle l'hydrolyse de l'ATP (adénosine triphosphate) en ADP (adénosine diphosphate). La somme des deux réactions donne $\Delta G < 0$.

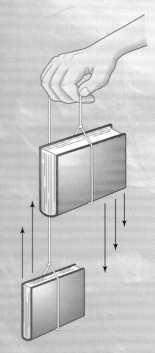

▲ Figure 6.15
Analogie pour les réactions couplées

Le petit livre ne s'élève pas de lui-même ; c'est un processus non spontané. Quand il est couplé par une corde à un plus gros livre qu'on laisse tomber (un processus spontané), le petit livre monte. Le processus couplé est spontané.

$$\text{Glucose + fructose} \longrightarrow \text{saccharose} + \cancel{H_2O} \qquad \Delta G = +29,3 \text{ kJ}$$
$$\text{ATP} + \cancel{H_2O} \longrightarrow \text{ADP} + HPO_4^{2-} \qquad \Delta G = -30,5 \text{ kJ}$$

$$\text{Glucose + fructose + ATP} \longrightarrow \text{saccharose + ADP} + HPO_4^{2-} \quad \Delta G = -1,2 \text{ kJ}$$

Ces réactions sont couplées au moyen d'un *intermédiaire,* le glucose 1-phosphate. Au départ, l'ATP réagit avec le glucose pour former cet intermédiaire. Une partie de l'énergie emmagasinée dans les liaisons de l'ATP est transférée aux liaisons dans l'intermédiaire.

(a) $\qquad\qquad \text{Glucose + ATP} \longrightarrow \text{glucose 1-phosphate + ADP}$

Quand l'intermédiaire réagit avec le fructose, l'énergie est transférée à la molécule de saccharose.

(b) $\qquad\qquad \text{Glucose 1-phosphate + fructose} \longrightarrow \text{saccharose} + HPO_4^{2-}$

Le glucose 1-phosphate, l'intermédiaire, est éliminé de l'équation de la réaction globale [(a) + (b)].

$$\text{Glucose + fructose + ATP} \longrightarrow \text{saccharose + ADP} + HPO_4^{2-} \qquad \Delta G = -1,2 \text{ kJ}$$

EXERCICE 6.11

Évaluez ΔS°_{298} de la réaction

$$4\,CuO(s) \rightleftharpoons 2\,Cu_2O(s) + O_2(g) \quad \Delta H^\circ_{298} = 283\ kJ$$

Pour ce faire, déterminez d'abord $K_{éq}$ à 298 K en utilisant l'équation de van't Hoff. Puis, utilisez les équations suivantes.

$$\Delta G^\circ_{298} = -RT\ \ln K_{éq} \quad et \quad \Delta G^\circ_{298} = \Delta H^\circ_{298} - T\Delta S^\circ_{298}$$

Montrez que le résultat est à peu près identique à celui obtenu dans l'exemple 6.11 et expliquez pourquoi il en est ainsi.

EXEMPLE **SYNTHÈSE**

On peut récupérer l'argent usé des solutions photographiques ou des expériences de laboratoire en utilisant une réaction d'oxydoréduction appropriée. Un échantillon de 100,0 mL d'argent usé est constitué de $Ag^+(aq)$ 0,200 mol/L et de $Fe^{3+}(aq)$ 0,200 mol/L. En ajoutant suffisamment de sulfate de fer(II), on produira une solution de $Fe^{2+}(aq)$ de concentration 0,200 mol/L. Lorsque l'équilibre est atteint à 25 °C, combien de moles d'argent solide sont présentes ?

$$Ag^+(aq) + Fe^{2+}(aq) \rightleftharpoons Ag(s) + Fe^{3+}(aq)$$

➜ Stratégie

L'argent métallique, $Ag(s)$, doit venir des ions Ag^+ présents au départ dans la solution. Nous pouvons déterminer $[Ag^+]$ à l'équilibre et la quantité de $Ag(s)$ qui se formera. L'étape clé du calcul à l'équilibre sera l'application de la méthode présentée au chapitre 3. Mais auparavant, nous devons trouver la constante d'équilibre de la réaction. Puisque l'information n'est pas fournie, nous devons nous tourner vers l'équation 6.12 reliant $\ln K_{éq}$ à la ΔG° de la réaction. Nous pouvons obtenir ΔG° des données de l'annexe C. Nous établirons l'ordre des étapes à suivre dans la section solution ci-dessous.

➜ Solution

Pour déterminer ΔG°, nous écrivons la donnée appropriée de l'annexe C sous l'équation chimique et appliquons l'équation 6.9.

$$Ag^+(aq) \quad + \quad Fe^{2+}(aq) \quad \rightleftharpoons \quad Ag(s) \quad + \quad Fe^{3+}(aq)$$

ΔG°_f, kJ/mol   77,11 $-78,90$ $-4,7$

$$\Delta G^\circ = 1\ mol\ Fe^{3+} \times (-4,7\ kJ/mol\ Fe^{3+})$$

$$- \left[(1\ mol\ Ag^+ \times 77,11\ kJ/mol\ Ag^+) + 1\ mol\ Fe^{2+} \times (-78,90\ kJ/mol\ Fe^{2+}) \right]$$

$$= -2,9\ kJ$$

Puis, nous utilisons la valeur obtenue de ΔG° dans l'équation 6.12 pour trouver $\ln K_{éq}$.

$$\Delta G^\circ = -\ln K_{éq} \quad et \quad \ln K_{éq} = \frac{-\Delta G^\circ}{RT}$$

$$\ln K_{éq} = \frac{2900\ J\cdot mol^{-1}}{8,3145\ J\cdot mol^{-1}\cdot K^{-1} \times 298\ K} = 1,2$$

Nous déterminons $K_{\text{éq}}$ en présentant l'équation exponentielle des deux côtés de l'expression.

$$K_{\text{éq}} = e^{\ln K_{\text{éq}}} = e^{1,2} = 3,3$$

Nous pourrions établir la direction du changement net en calculant Q_c, mais ce n'est pas nécessaire. La réaction doit se produire vers la droite pour former de l'argent métallique, lequel est inexistant au départ. Maintenant, nous inscrivons sous l'équation les concentrations de la solution selon la méthode habituelle.

La réaction	$Ag^+(aq)$	$+ Fe^{2+}(aq)$	$\rightleftharpoons$ $Ag(s)$	$+ Fe^{3+}(aq)$
Concentrations initiales (mol/L)	0,200	0,200	—	0,0200
Modifications (mol/L)	$-x$	$-x$		$+x$
Concentrations à l'équilibre (mol/L)	$0,200 - x$	$0,200 - x$		$0,0200 + x$

Ensuite, nous introduisons les concentrations à l'équilibre dans l'expression de $K_{\text{éq}}$ et exprimons l'équation quadratique selon la forme habituelle.

$$K_{\text{éq}} = \frac{[Fe^{3+}]}{[Ag^+][Fe^{2+}]} = \frac{0,0200 + x}{(0,200 - x)^2} = \frac{0,0200 + x}{0,0400 - 0,400x + x^2} = 3,3$$

$$0,0200 + x = 0,13 - 1,3x + 3,3x^2$$

$$3,3x^2 - 2,3x + 0,11 = 0$$

La résolution de l'équation quadratique nous donne la valeur de x. Rappelons que x doit être plus petit que 0,200.

$$x = \frac{2,3 \pm \sqrt{(2,3)^2 - 4 \times 0,11 \times 3,3}}{2 \times 3,3} = \frac{2,3 \pm \sqrt{5,3 - 1,5}}{6,6} = \frac{2,3 \pm 1,9}{6,6} = 0,06$$

Nous déterminons alors les concentrations à l'équilibre des ions.

$$[Ag^+] = [Fe^{2+}] = 0,200 - x = 0,200 - 0,06 = 0,14 \text{ mol/L}$$

$$[Fe^{3+}] = 0,0200 + x = 0,0200 + 0,06 = 0,08 \text{ mol/L}$$

Finalement, nous pouvons déterminer le nombre de mole(s) de $Ag(s)$ déplacé de la solution en prenant la différence entre la concentration initiale et la concentration à l'équilibre, et en multipliant celle-ci par le volume.

$$? \text{ mol } Ag(s) = ([Ag^+]_{\text{initiale}} - [Ag^+]_{\text{éq}}) \times 0,1000 \text{ L}$$

$$= (0,200 - 0,14) \text{ mol/L} \times 0,1000 \text{ L}$$

$$= 0,006 \text{ mol } Ag(s)$$

➜ Évaluation

Pour faire le bon choix entre les deux racines de l'équation quadratique, nous nous sommes guidés sur le fait que $x < 0,200$. La $[Ag^+]$ à l'équilibre est égale à $(0,200 - x)$ mol/L et cette valeur doit être une quantité positive. La valeur rejetée est $x = 0,6$. Nous pouvons vérifier que les concentrations à l'équilibre sont correctes en montrant que Q_c basée sur ces concentrations est égale à la valeur de $K_{\text{éq}}$ utilisée dans les calculs. Ici, nous obtenons $Q_c = 0,08 /(0,14)^2 = 4$, ce qui se rapproche convenablement de $K_{\text{éq}} = 3,3$, compte tenu de la précision plutôt limitée des calculs. La limite dans la précision a été introduite au moment où nous avons établi la valeur de $\Delta G°$, car il a fallu calculer la différence entre deux nombres de grandeur presque égale.

Résumé

6.1 **Pourquoi étudier la thermodynamique?** La **thermodynamique** permet de prévoir la stabilité des substances chimiques. Elle permet également de déterminer la direction des réactions chimiques et d'évaluer dans quelle mesure celles-ci sont complètes.

6.2 **Les transformations spontanées** Un **processus spontané** se produit par lui-même dans un système, sans intervention extérieure. Un **processus non spontané** ne peut pas se produire dans un système sans intervention extérieure.

6.3 **L'entropie: désordre et spontanéité** L'**entropie** (S) est la propriété thermodynamique d'un système qui est liée à son caractère aléatoire ou au désordre. La **variation d'entropie** (ΔS) est la différence d'entropie entre deux états d'un système.

La **troisième loi de la thermodynamique** stipule que l'entropie d'un cristal parfait à 0 K peut être considérée comme nulle. Ce principe est le point de départ de la détermination expérimentale des **entropies molaires standard**, qui peuvent être utilisées pour calculer les variations d'entropie dans des réactions chimiques.

La direction d'un processus spontané est celle dans laquelle l'entropie (le désordre) augmente. Dans ce cas, la variation d'entropie est la somme de la variation d'entropie du système et du milieu extérieur. Le changement d'entropie total, aussi appelé *changement d'entropie de l'Univers,* est représenté par la relation suivante:

$$\Delta S_{\text{totale}} = \Delta S_{\text{univ}} = \Delta S_{\text{système}} + \Delta S_{\text{extérieur}} \quad (6.3)$$

Selon la **deuxième loi de la thermodynamique**, pour qu'il y ait processus spontané, il faut que l'entropie de l'Univers, S_{univ}, augmente, c'est-à-dire que $\Delta S_{\text{univ}} > 0$.

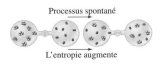

Processus spontané

L'entropie augmente

6.4 **L'énergie libre et la variation d'énergie libre** L'**énergie libre de Gibbs** (G) est une mesure de la spontanéité d'un processus. La **variation d'énergie libre** (ΔG) est égale à $-T\Delta S_{\text{univ}}$, et elle s'applique *seulement à un système isolé,* sans tenir compte du milieu extérieur. Elle est définie par l'équation de Gibbs.

$$\Delta G = \Delta H - T\Delta S \quad (6.7)$$

Dans un processus spontané à température et à pression constantes, ΔG doit être négative, c'est-à-dire $\Delta G < 0$. Dans de nombreux cas, on peut prédire le signe de ΔG simplement en connaissant les signes de ΔH et de ΔS.

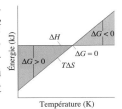

6.5 **La variation d'énergie libre standard** On peut calculer la **variation d'énergie libre standard** ($\Delta G°$) soit en substituant dans l'équation de Gibbs les enthalpies et entropies standard de réaction et la température en kelvins, soit en combinant les **énergies libres standard de formation** au moyen de l'expression

$$\Delta G° = \left[\Sigma \nu_p \, \Delta G_f°(\text{produits}) \right] - \left[\Sigma \nu_r \, \Delta G_f°(\text{réactifs}) \right] \quad (6.9)$$

6.6 **La variation d'énergie libre et l'équilibre** Il y a condition d'équilibre lorsque $\Delta G = 0$. Basée sur cette condition, la **loi de Trouton** stipule que l'entropie molaire standard de vaporisation des liquides non polaires est à peu près constante à leur point d'ébullition normal.

$$\Delta S_{\text{vap}}° = \frac{\Delta H_{\text{vap}}°}{T_{\text{éb}}} \approx 87 \text{ J·mol}^{-1}\text{·K}^{-1} \quad (6.10)$$

La variation d'énergie libre standard est une propriété particulièrement utile pour décrire un équilibre en raison de sa relation avec la **constante d'équilibre** ($K_{\text{éq}}$).

$$\Delta G° = -RT \ln K_{\text{éq}} \quad (6.12)$$

Cette équation exige, entre autres, que l'expression de $K_{\text{éq}}$ soit constituée de quantités *sans unités* appelées « activités ». Cependant, aux activités, on peut généralement substituer les valeurs *numériques* des concentrations molaires volumiques dans le cas des solutés et celles des pressions partielles en atmosphères dans le cas des gaz.

La valeur de $\Delta G°$ est en elle-même souvent suffisante pour déterminer si une réaction est susceptible (a) d'être complète ($\Delta G°$ très élevée et négative), (b) de se produire à peine ($\Delta G°$ très élevée et positive), ou (c) d'atteindre une condition d'équilibre qui nécessite un calcul d'équilibre ($\Delta G°$ pas très élevée, soit positive, soit négative).

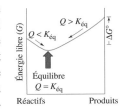

Dans certains cas, on peut faire en sorte qu'une réaction non spontanée se produise en la combinant avec une réaction spontanée, c'est-à-dire que l'on couple deux réactions pour engendrer une réaction globale spontanée, appelée **réaction couplée**.

6.7 **L'influence de la température sur $\Delta G°$ et $K_{\text{éq}}$** Les valeurs de $\Delta G_f°$, $\Delta H_f°$ et $S°$ répertoriées dans les tables sont données en général pour une température de 25 °C. Afin de trouver des valeurs de $K_{\text{éq}}$ à d'autres températures à partir de ces données répertoriées, on suppose généralement que $\Delta H°$ et $\Delta S°$ sont indépendantes de la température. Grâce à cette hypothèse, on peut obtenir l'*équation de van't Hoff* pour relier la constante d'équilibre et la température.

$$\ln \frac{K_2}{K_1} = \frac{\Delta H°}{R} \left(\frac{1}{T_1} - \frac{1}{T_2} \right) \quad (6.14)$$

Mots clés

Vous trouverez également la définition des mots clés dans le glossaire à la fin du livre.

chaleur (q)   **298**
constante d'équilibre ($K_{éq}$)   **312**
deuxième loi de
      la thermodynamique   **302**
énergie libre de Gibbs (G)   **304**
énergie libre standard de formation
      (ΔG_f°)   **307**

entropie (S)   **296**
entropie molaire standard (S°)   **301**
loi de Trouton   **309**
processus non spontané   **292**
processus spontané   **292**
réaction couplée   **316**
thermodynamique   **292**

travail (w)   **298**
troisième loi de la thermodynamique   **299**
variation d'énergie libre standard
      (ΔG°)   **307**
variation d'énergie libre (ΔG)   **304**
variation d'entropie (ΔS)   **296**

Problèmes par sections

 6.3   L'entropie : désordre et spontanéité

1. Dans chacune des réactions suivantes, indiquez si vous prévoyez une augmentation ou une diminution de l'entropie du système. Si vous ne pouvez vous prononcer simplement en examinant l'équation, expliquez pourquoi.

a) $CH_3OH(l) \longrightarrow CH_3OH(g)$
b) $N_2O_4(g) \longrightarrow 2\ NO_2(g)$
c) $CO(g) + H_2O(g) \longrightarrow CO_2(g) + H_2(g)$
d) $2\ KClO_3(s) \longrightarrow 2\ KCl(s) + 3\ O_2(g)$

2. Dans chacune des réactions suivantes, indiquez s'il y aura une augmentation ou une diminution de l'entropie du système. Si l'examen de l'équation ne suffit pas pour porter un jugement, expliquez pourquoi.

a) $CH_3COOH(l) \longrightarrow CH_3COOH(s)$
b) $N_2(g) + O_2(g) \longrightarrow 2\ NO(g)$
c) $N_2H_4(l) \longrightarrow N_2(g) + 2\ H_2(g)$
d) $2\ NH_3(g) + H_2SO_4(aq) \longrightarrow (NH_4)_2SO_4(aq)$

3. Comparez les deux processus suivants et dites lequel a la valeur de ΔS *la plus élevée*. Expliquez votre choix.

a) $C(\text{diamant}, 101,3\ kPa) \longrightarrow C(\text{graphite}, 101,3\ kPa)$
b) $CO_2(s, 101,3\ kPa) \longrightarrow CO_2(g, 101,3\ kPa)$

4. De la même manière qu'à la figure 6.4 (page 296), décrivez la situation si les deux liquides étaient l'eau et l'octane (C_8H_{18}, un composant de l'essence). Dans quelle condition finale trouvera-t-on le mélange ? Expliquez votre réponse.

5. En vous inspirant de la figure 6.5 (page 297), représentez à l'aide de schémas les variations d'entropie qui se produisent lors de :

a) la fusion d'un solide ;
b) la condensation d'une vapeur.

6. On vous propose trois façons de compléter l'affirmation qui suit. Dites ce qui est faux dans chacun des cas et complétez correctement l'énoncé. *Pour qu'un processus se produise spontanément,*

a) l'entropie du système doit augmenter.
b) l'entropie du milieu extérieur doit augmenter.
c) l'entropie du système et l'entropie du milieu extérieur doivent toutes les deux augmenter.

7. On vous propose trois façons de compléter l'affirmation qui suit. Dites ce qui est faux dans chacun des cas et complétez correctement l'énoncé. *La variation d'énergie libre d'une réaction indique*

a) si la réaction est endothermique ou exothermique.
b) si la réaction est accompagnée d'une augmentation ou d'une diminution du désordre moléculaire.
b) si l'équilibre d'une réaction est favorisé par une température haute ou basse.

8. En vous appuyant sur des considérations de variations d'entropie, expliquez pourquoi il est si difficile d'éliminer la pollution environnementale.

9. L'utilisation des cannettes d'aluminium pose de nombreux problèmes. Ainsi, leur destruction dans des conditions environnementales normales semble prendre un temps presque infini. Peut-on dire que la désintégration dans l'environnement est un processus non spontané ? Expliquez votre réponse.

6.4 **L'énergie libre et la variation d'énergie libre**

10. Expliquez pourquoi la variation d'énergie libre est un critère de transformation spontanée plus facile à utiliser que la variation d'entropie seule.

11. Expliquez pourquoi, dans une réaction réversible, les réactions directe et inverse peuvent être spontanées, mais pas dans les mêmes conditions.

12. Donnez un exemple d'un changement de phase qui est non spontané à basse température et spontané à température élevée. Quelle est la température à l'équilibre ?

13. Donnez un exemple d'un changement de phase qui est spontané à basse température et non spontané à température élevée. Quelle est la température à l'équilibre ?

14. Dites si chacune des réactions suivantes est spontanée à une température basse, à une température élevée, à toutes les températures ou pas du tout. Expliquez vos réponses.

a) $PCl_3(g) + Cl_2(g) \longrightarrow PCl_5(g)$ $\Delta H° = -87,9$ kJ
b) $2\ NH_3(g) \longrightarrow N_2(g) + 3\ H_2(g)$ $\Delta H° = +92,2$ kJ
c) $2\ N_2O(g) \longrightarrow 2\ N_2(g) + O_2(g)$ $\Delta H° = -164,1$ kJ

15. Dites si chacune des réactions suivantes est spontanée à une température basse, à une température élevée, à toutes les températures ou pas du tout. Expliquez vos réponses.

a) $H_2O(g) + O_2(g) \longrightarrow H_2O_2(g)$
$\Delta H° = +105,5$ kJ
b) $CH_4(g) + O_2(g) \longrightarrow CO_2(g) + 2\ H_2O(g)$
$\Delta H° = -802,3$ kJ
c) $2\ CO(g) + O_2(g) \longrightarrow 2\ CO_2(g)$
$\Delta H° = -566,0$ kJ

16. La réaction suivante est non spontanée dans des conditions standard, à température ambiante.

$$COCl_2(g) \longrightarrow CO(g) + Cl_2(g)$$

Pour rendre cette réaction spontanée, faudrait-il élever ou diminuer la température ? Expliquez votre réponse.

17. Dites si la réaction suivante est spontanée dans des conditions standard, à température ambiante.

$$3\ O_2(g) \longrightarrow 2\ O_3(g)\quad \Delta H° = +285,4\ \text{kJ}$$

Quelle influence aura une variation de température sur la spontanéité de cette réaction ? Expliquez votre réponse.

6.5 **La variation d'énergie libre standard**

18. À l'aide des données de l'annexe C.1, calculez les valeurs de $\Delta G°$ des réactions suivantes, à 25 °C.

a) $C_2H_4(g) + H_2(g) \longrightarrow C_2H_6(g)$
b) $SO_3(g) + CaO(s) \longrightarrow CaSO_4(s)$

19. À l'aide des données de l'annexe C.1, calculez les valeurs de $\Delta G°$ des réactions ci-dessous, à 25 °C.

a) $FeO(s) + H_2(g) \longrightarrow Fe(s) + H_2O(g)$
b) $CdO(s) + 2\ HCl(g) \longrightarrow CdCl_2(s) + H_2O(l)$

20. À l'aide des données de l'annexe C.1, calculez $\Delta H°$ et $\Delta S°$, à 298 K, de la réaction ci-dessous. Déterminez ensuite $\Delta G°$ de deux manières et comparez les résultats.

$$C(graphite) + H_2O(g) \longrightarrow CO(g) + H_2(g)$$

21. À l'aide des données de l'annexe C.1, calculez $\Delta H°$ et $\Delta S°$, à 298 K, de la réaction ci-dessous. Déterminez ensuite $\Delta G°$ de deux manières et comparez les résultats.

$$CS_2(l) + 3\ O_2(g) \longrightarrow CO_2(g) + 2\ SO_2(g)$$

6.6 **La variation d'énergie libre et l'équilibre**

22. Évaluez le point d'ébullition normal de l'heptane, C_7H_{16}, sachant qu'à cette température $\Delta H°_{vap} = 31,69$ kJ/mol.

23. Un ouvrage de référence répertorie les valeurs suivantes pour le chloroforme (trichlorométhane), à 298 K :

$$\Delta H°_f [CHCl_3(l)] = -132,3\ \text{kJ/mol},$$
$$\Delta H°_f [CHCl_3(g)] = -102,9\ \text{kJ/mol}.$$

Évaluez le point d'ébullition normal du chloroforme.

24. Le point d'ébullition normal de $Br_2(l)$ est 59,47 °C. Évaluez $\Delta H°_{vap}$ du brome. Comparez votre résultat avec la valeur obtenue à partir des données de l'annexe C.1.

25. Dans le cas de la réaction $H_2(g) + I_2(g) \rightleftharpoons 2\ HI(g)$, nous avons $K_p = 46,0$, à 765 K.

a) Quelle est la valeur de ΔG d'un mélange à l'équilibre à 765 K ?
b) Quelle est la valeur de $\Delta G°$ de cette réaction à 765 K ?

26. Dans le cas de la réaction $2\ SO_2(g) + O_2(g) \rightleftharpoons 2\ SO_3(g)$, nous avons $\Delta G° = -36,3$ kJ, à 850 K.

a) Quelle est la valeur de ΔG d'un mélange à l'équilibre à 850 K ?
b) Quelle est la valeur de K_p de cette réaction à 850 K ?

27. Écrivez les expressions de $K_{éq}$ des réactions suivantes. Parmi ces expressions, y en a-t-il qui correspondent à d'autres constantes d'équilibre telles que K_c, K_p, K_a, K_b, K_{eau} et K_{ps} ? Lesquelles ?

a) $2\ NO(g) + O_2(g) \rightleftharpoons 2\ NO_2(g)$
b) $MgSO_3(s) \rightleftharpoons MgO(s) + SO_2(g)$
c) $HCN(aq) + H_2O(l) \rightleftharpoons H_3O^+(aq) + CN^-(aq)$

28. À l'aide des données de l'annexe C.1, calculez K_p des réactions suivantes à 298 K.

   a) $2 N_2O(g) + O_2(g) \rightleftharpoons 4 NO(g)$

   b) $2 NH_3(g) + 2 O_2(g) \rightleftharpoons N_2O(g) + 3 H_2O(g)$

29. À l'aide des données de l'annexe C.1, calculez K_p des réactions suivantes à 298 K.

   a) $2 SO_2(g) + O_2(g) \rightleftharpoons 2 SO_3(g)$

   b) $CH_4(g) + 2 H_2O(g) \rightleftharpoons CO_2(g) + 4 H_2(g)$

30. On a les données suivantes pour l'évaporation du toluène à 298 K : $\Delta S° = 99,7$ J·mol^{-1}·K^{-1} ; $\Delta H° = 38,0$ kJ/mol. Calculez la pression de vapeur à l'équilibre du toluène, à 298 K.

$$C_6H_5CH_3(l) \rightleftharpoons C_6H_5CH_3(g)$$

31. On a les données suivantes pour la sublimation du naphtalène à 298 K : $\Delta S° = 168,7$ J·mol^{-1}·K^{-1} ; $\Delta H° = 73,6$ kJ/mol. Calculez la pression de vapeur du naphtalène à l'équilibre avec son solide, à 298 K.

$$C_{10}H_8(s) \rightleftharpoons C_{10}H_8(g)$$

32. Dans un mélange à l'*équilibre*, où a lieu la réaction à 345 °C

$$CO(g) + H_2O(g) \rightleftharpoons CO_2(g) + H_2(g)$$

on a trouvé les fractions molaires suivantes des gaz : $\chi_{CO_2} = \chi_{H_2} = 0,320$; $\chi_{CO} = 0,0133$ et $\chi_{H_2O} = 0,347$.

   a) Quelle est la valeur de $\Delta G°$ de cette réaction à 345 °C ?

b) Dans quel sens une réaction globale aura-t-elle lieu si on met en contact 0,085 mol de CO, 0,112 mol de H_2O, 0,145 mol de CO_2 et 0,226 mol de H_2 et qu'on laisse s'établir l'équilibre ?

c) Quelle est la composition du mélange à l'équilibre de la réaction en *b* ?

33. Dans le cas de la réaction

$$CO_2(g) + 4 H_2(g) \rightleftharpoons CH_4(g) + 2 H_2O(g)$$

nous avons $\Delta G° = -32,3$ kJ, à 440°C.

   a) Quelle est la valeur de K_p de cette réaction ?

   b) Dans quel sens une réaction globale aura-t-elle lieu pour établir l'équilibre dans un mélange dont, au départ, $P_{CO_2} = 25,33$ kPa, $P_{H_2} = 65,86$ kPa, $P_{CH_4} = 113,48$ kPa et $P_{H_2O} = 255,34$ kPa ?

   c) Quelles sont les pressions partielles des gaz à l'équilibre en *b* ?

34. À l'aide des données de l'annexe C.1, déterminez laquelle des réactions suivantes peut être couplée à la réaction

$$CoO(s) \longrightarrow Co(s) + {}^1/_2 O_2(g) \qquad \Delta G° = 237,9 \text{ kJ}$$

pour rendre spontanée la réduction de CoO(s) en Co(s) dans des conditions standard à 298 K et expliquez votre réponse.

   a) L'oxydation de C(graphite) en CO(g)

   b) L'oxydation de $H_2(g)$ en $H_2O(g)$

   c) L'oxydation de CO(g) en $CO_2(g)$

6.7 **L'influence de la température sur $\Delta G°$ et $K_{éq}$**

35. Dans l'industrie, on utilise la réaction ci-dessous pour produire du chlorure de thionyle, un produit chimique qui entre dans la fabrication de pesticides.

$$SO_3(g) + SCl_2(l) \rightleftharpoons SOCl_2(l) + SO_2(g)$$

Le tableau qui suit présente les données thermodynamiques, à 298 K. À l'aide de ces données et de celles de l'annexe C.1, déterminez la température à laquelle $K_{éq} = 1,0 \times 10^{15}$.

	$\Delta H_f°$ (kJ·mol^{-1})	$S°$ (J·mol^{-1}·K^{-1})
$SCl_2(l)$	$-50,0$	184
$SOCl_2(l)$	$-245,6$	121

36. Le tableau ci-dessous présente des données thermodynamiques à 298 K. À l'aide de ces données et de celles de l'annexe C.1, calculez $K_{éq}$, à 45 °C, de la réaction

$$CO_2(g) + SF_4(g) \rightleftharpoons CF_4(g) + SO_2(g)$$

	$\Delta H_f°$ (kJ·mol^{-1})	$S°$ (J·mol^{-1}·K^{-1})
$SF_4(g)$	-763	299,6
$CF_4(g)$	-925	261,6

37. Le point d'ébullition normal du butan-1-ol, $CH_3(CH_2)_2CH_2OH(l)$, est de 117,8 °C.

$$CH_3(CH_2)_2CH_2OH(l, 1,00 \text{ atm}) \rightleftharpoons$$
$$CH_3(CH_2)_2CH_2OH(g, 1,00 \text{ atm}) \qquad \Delta H° = 43,82 \text{ kJ}$$

Calculez le point d'ébullition normal du butan-1-ol quand la pression barométrique est de 0,983 atm.

38. Le point d'ébullition de l'éther diéthylique, $CH_3CH_2OCH_2CH_3(l)$, est de 34,66 °C.

$$CH_3CH_2OCH_2CH_3(l, 1,00 \text{ atm}) \rightleftharpoons$$
$$CH_3CH_2OCH_2CH_3(g, 1,00 \text{ atm}) \qquad \Delta H° = 26,70 \text{ kJ}$$

Calculez la pression de vapeur de l'éther diéthylique à 32,50 °C.

39. À l'aide des données de l'annexe C.1, calculez $K_{éq}$, à 375 °C, de la réaction réversible dans laquelle le sulfure d'hydrogène et le dioxyde de carbone gazeux produisent de l'eau et du sulfure de carbonyle gazeux, COS(g).

40. À l'aide des données de l'annexe C.1, évaluez le point d'ébullition normal du tétrachlorure de carbone, CCl_4.

41. À l'aide des données de l'annexe C.1, déterminez la température à laquelle il faut chauffer $Ag_2O(s)$ pour produire $O_2(g)$ à une pression partielle à l'équilibre de 0,21 atm, la même que celle dans l'atmosphère.

$$2 Ag_2O(s) \rightleftharpoons 4 Ag(s) + O_2(g)$$

Problèmes complémentaires ★ Problème défi ⊙ Problème synthèse

42. Si vous laissez tomber 50 pièces de monnaie sur le sol, expliquez pourquoi il est peu probable que toutes les pièces tombent du côté « face ». Qu'est-ce qui a le plus de chances de survenir ?

43. L'expansion du gaz représentée ci-dessous est-elle réversible ? Expliquez votre réponse.

(*Indice :* La figure 6.6, page 298, illustre l'expansion réversible d'un gaz.)

44. Indiquez laquelle des substances suivantes suit le mieux, selon vous, la loi de Trouton et laquelle en dévie le plus. Expliquez votre réponse.

a) $CH_3(CH_2)_6CH_2OH$

b) CH_3CH_2OH

c) $CH_3(CH_2)_6CH_3$

45. Expliquez le sens du célèbre énoncé attribué à Rudolf Clausius, en 1865 : *Die Energie der Welt ist konstant ; die Entropie der Welt strebt einem Maximum zu.* (« L'énergie de l'Univers est constante ; l'entropie de l'Univers augmente vers un maximum. »)

46. Montrez que l'influence de la température sur l'équilibre, que nous avons prédite de façon qualitative au chapitre 3, correspond à l'influence de la température sur $K_{éq}$, abordée à la section 6.7.

47. L'énergie libre de formation d'une solution est reliée à la concentration par l'expression : $\Delta G = \Delta G_f^\circ + RT \ln c$, où c est la concentration molaire volumique du soluté. La concentration de la créatinine, un dérivé d'acide aminé formé durant la contraction musculaire, est de 2,0 mg/100 mL de sang et de 75 mg/100 mL d'urine. Calculez la variation d'énergie libre reliée au transfert de la créatinine du sang vers l'urine, à 37 °C. (*Indice :* Il n'est pas nécessaire de convertir en concentration molaire volumique les concentrations exprimées en milligrammes par 100 mL. La constante de proportionnalité entre les deux s'annule dans les calculs.)

48. Pour la décomposition du bicarbonate de sodium, $NaHCO_3(s)$, ★ évaluez la température à laquelle la pression totale des gaz au-dessus des solides est de 1,00 atm.

$$2\,NaHCO_3(s) \rightleftharpoons Na_2CO_3(s) + H_2O(g) + CO_2(g)$$

49. La pression de vapeur de l'hydrazine, N_2H_4, à 35,0 °C, est de 0,0338 atm ; à 50,0 °C, elle est de 0,0750 atm. Évaluez la variation d'énergie libre standard, à 25 °C, de l'évaporation, et déterminez une valeur plus exacte à l'aide des données de l'annexe C.1. Comparez les résultats.

$$N_2H_4(l) \longrightarrow N_2H_4(g)$$

50. Quand on fait circuler l'éthane sur un catalyseur, à 900 K ⊙ et à 1,00 atm, il est partiellement décomposé en éthylène et en hydrogène.

$$CH_3{-}CH_3(g) \longrightarrow CH_2(g){=}CH_2(g) + H_2(g)$$

Calculez le pourcentage molaire de $H_2(g)$ à l'équilibre. (*Indice :* Utilisez les données de l'annexe C.1.)

51. Voici des valeurs de K_p à différentes températures de la réaction $2\,SO_2(g) + O_2(g) \rightleftharpoons 2\,SO_3(g)$. À 800 K, $K_p = 9,1 \times 10^2$; à 900 K, $K_p = 4,2 \times 10^1$; à 1000 K, $K_p = 3,2$; à 1100 K, $K_p = 0,39$; et à 1170 K, $K_p = 0,12$. Représentez graphiquement $\ln K_p$ en fonction de $1/T$ et déterminez $\Delta H°$ de cette réaction.

52. Une pompe à ultravide a la capacité de réduire la pression ★ d'un système à environ $1,3 \times 10^{-12}$ atm. Selon vous, est-il possible d'atteindre un vide aussi poussé à 25 °C, si un échantillon de $NH_4Cl(s)$ est présent dans le système (voir l'illustration) ? Sinon, peut-on atteindre cette pression très faible en variant la température ? Expliquez votre réponse. [*Indice :* Considérez la dissociation de $NH_4Cl(s)$ en $NH_3(g)$ et en $HCl(g)$.]

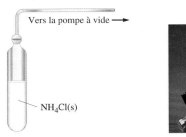

53. À l'aide des données de l'annexe C.1 et de l'enthalpie molaire de fusion du mercure, qui est de 2,30 kJ/mol au point de fusion (−38,86 °C), évaluez la pression de vapeur du mercure solide à la température de sublimation de la glace sèche [$CO_2(s)$], −78,5 °C.

54. On produit le cyanure d'hydrogène en grandes quantités pour ★ la fabrication de plastiques. Un des procédés de fabrication met en jeu la réaction du méthane (gaz naturel) et de l'ammoniac à environ 1200 °C.

$$CH_4(g) + NH_3(g) \rightleftharpoons HCN(g) + 3\,H_2(g)$$

Un récipient contient $CH_4(g)$ et $NH_3(g)$, tous les deux à une pression initiale de 1,00 atm à 1200 °C. Quelle sera la pression totale du gaz quand le système aura atteint l'équilibre ?

55. L'équation suivante représente la décomposition du phosgène.

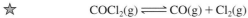

$$COCl_2(g) \rightleftharpoons CO(g) + Cl_2(g)$$

À quelle température un échantillon de $COCl_2(g)$ sera- t-il dissocié à 10,0 % sous une pression totale de 1,00 atm ? (*Indice :* Reportez-vous au problème 85 du chapitre 3, page 158.)

56. Il faudrait une grande quantité de carburant pour une expédition aller-retour vers Mars. Pour réduire la quantité de carburant, il est proposé de transporter une petite quantité d'hydrogène. Sur Mars, on laisserait réagir l'hydrogène avec le dioxyde de carbone, très abondant dans l'atmosphère martienne, ce qui donnerait du méthane et de l'eau. L'eau serait décomposée en hydrogène et en oxygène par électrolyse. L'hydrogène serait recyclé dans la première réaction, et l'oxygène serait emmagasiné. Au retour, l'engin spatial serait mû par la réaction du méthane et de l'oxygène produits sur Mars. Selon  vous, ce projet est-il thermodynamiquement possible ? Expliquez votre réponse.

57. À l'aide des données thermodynamiques de l'annexe C.1, calculez une valeur de K_{ps} de Ag_2SO_4, et comparez votre résultat avec celui du tableau des constantes du produit de solubilité de l'annexe C.2C.

58. À l'aide des données thermodynamiques de l'annexe C.1, obtenez une valeur de $K_{éq}$ de la réaction suivante.

$$Mg(OH)_2(s) + 2\,NH_4^+(aq) \rightleftharpoons$$
$$Mg^{2+}(aq) + 2\,NH_3(aq) + 2\,H_2O(l)$$

Obtenez ensuite $K_{éq}$, à partir des autres constantes d'équilibre répertoriées à l'annexe C.1, et comparez les résultats.

59. On ajoute de l'argent solide à une solution qui contient Ag^+, Fe^{2+} et Fe^{3+} à une concentration de 0,100 mol/L pour chacun des ions. Quelles seront les concentrations molaires volumiques des trois ions une fois l'équilibre atteint dans la réaction suivante ? (*Indice :* Utilisez les données thermodynamiques de l'annexe C.1.)

$$Ag^+(aq) + Fe^{2+}(aq) \rightleftharpoons Ag(s) + Fe^{3+}(aq)$$

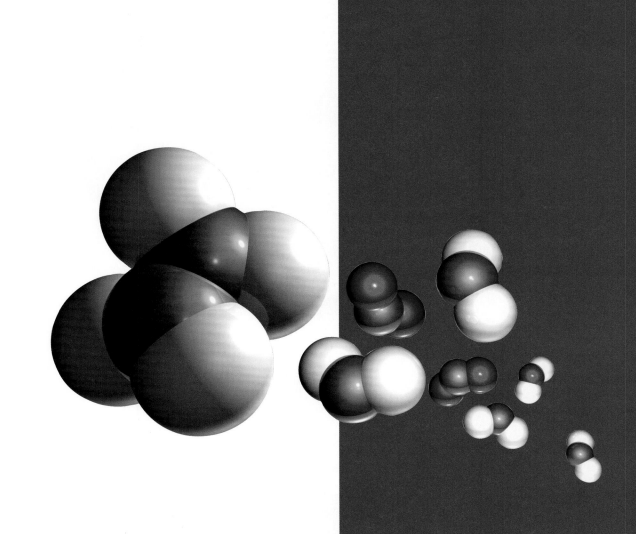

L'oxydoréduction

La réaction du cuivre avec l'acide nitrique est un exemple d'oxydoréduction.

En chimie, la catégorie de réactions qui procède par *oxydoréduction* est peut-être la plus vaste de toutes. Elle comprend tous les processus de combustion, la plupart des réactions métaboliques des organismes vivants, l'extraction des métaux de leurs minerais, la fabrication d'innombrables produits chimiques et un grand nombre de réactions qui ont lieu dans notre environnement naturel.

Le terme *oxydation* était à l'origine utilisé pour nommer des réactions au cours desquelles une substance se combine à l'oxygène. Le processus inverse, qui consiste à soustraire de l'oxygène d'un composé, portait le nom de *réduction*. Cependant, pour englober le large éventail des réactions d'oxydoréduction, il faut une définition beaucoup plus générale de l'oxydation et de la réduction.

C'est ce que nous nous proposons de faire dans le présent chapitre. Nous nous emploierons aussi à répondre, entre autres, aux questions suivantes :

- Comment reconnaître et équilibrer une réaction d'oxydoréduction ?

- Que sont les agents oxydants et les agents réducteurs ?

- Comment les réactions d'oxydoréduction interviennent-elles dans notre vie quotidienne ?

7.1 Les réactions d'oxydoréduction

Les réactions dites d'oxydoréduction impliquent un transfert d'électrons d'un élément à un autre. Afin de mieux reconnaître les composés qui ont tendance à perdre des électrons et ceux qui ont plutôt tendance à en gagner, nous utiliserons la notion de nombre d'oxydation.

Les nombres d'oxydation

Pour vous aider à mieux comprendre, nous avons essayé jusqu'ici d'établir des relations entre les observations macroscopiques et le comportement moléculaire. La notion de nombre d'oxydation ne met l'accent, malheureusement, ni sur le niveau microscopique ni sur le niveau moléculaire ; il s'agit d'un système arbitraire auquel les chimistes trouvent commode de recourir quand ils étudient des matières différentes en relation avec l'oxydation et la réduction.

Nombre d'oxydation

Paramètre indiquant la charge réelle d'un ion monoatomique ou la charge hypothétique attribuée, au moyen d'une série de conventions, à un atome d'une molécule ou d'un ion polyatomique.

Les nombres d'oxydation sont plus faciles à illustrer qu'à définir mais, après avoir examiné quelques exemples pratiques, vous devriez être en mesure de les associer à la définition suivante : le **nombre d'oxydation** représente soit la charge réelle sur un ion monoatomique, soit une charge *hypothétique* attribuée, au moyen d'une série de conventions, à un atome dans une molécule ou dans un ion polyatomique. Par exemple, dans la formation du chlorure de sodium, chaque atome Na perd un électron et chaque atome Cl en gagne un. Le composé est constitué d'ions Na^+ et Cl^-. On dit que Na a un nombre d'oxydation de +1 et que Cl a un nombre d'oxydation de −1. Le terme connexe *état d'oxydation* s'applique à la condition ou à l'état réel correspondant à un nombre d'oxydation donné. Par exemple, l'ion Cl^- est un état d'oxydation du chlore ayant un nombre d'oxydation de −1. Les expressions *nombre d'oxydation* et *état d'oxydation* sont souvent utilisées l'une pour l'autre.

Dans le composé ionique $CaCl_2$, le chlore a également pour nombre d'oxydation −1 et il existe sous la forme d'ions Cl^-. Pour sa part, le calcium a un nombre d'oxydation de +2 et il est présent sous forme d'ions Ca^{2+}. Remarquez que les signes positif et négatif sont placés *devant* le nombre, ce qui nous permet de distinguer le nombre d'oxydation de la charge électronique, où les signes positif et négatif suivent le nombre, comme dans 2+ de l'ion calcium. La somme des nombres d'oxydation des atomes (ions) dans une entité formulaire de $CaCl_2$ est de $+ 2 - 1 - 1 = 0$.

Dans la formation d'une molécule, il n'y a aucun transfert d'électrons ; ceux-ci sont partagés. On peut cependant attribuer *arbitrairement* des nombres d'oxydation *comme si* les électrons étaient transférés. Par exemple, dans la molécule H_2O, on attribue à chaque atome H un nombre d'oxydation de +1. Puisqu'il faut que le total des nombres d'oxydation des trois atomes dans la molécule soit égal à *zéro*, on doit donc attribuer à l'atome O un nombre d'oxydation de −2, parce que $+ 1 + 1 - 2 = 0$.

Dans la molécule H_2, les atomes H sont identiques. Par conséquent, on devrait leur attribuer le même nombre d'oxydation. Mais s'il faut que la somme de ces nombres d'oxydation soit *zéro* (la charge de la molécule H_2), alors le nombre d'oxydation de chaque atome H doit aussi être 0.

Ces exemples vous permettent de constater qu'il faut procéder systématiquement lorsqu'on attribue les nombres d'oxydation. La grande majorité des composés peuvent être abordés à l'aide des règles qui suivent. Les exceptions importantes sont énumérées dans la marge. Les règles sont énoncées *par ordre décroissant de priorité* ; si deux règles se contredisent, utilisez la première, et cela vaut généralement pour les exceptions. Pour chaque règle, nous avons fourni quelques exemples. Toutes les règles sont illustrées dans l'exemple 7.1.

1. *Dans le cas des atomes d'une espèce neutre (un atome isolé, une molécule ou une entité formulaire), la somme de tous les nombres d'oxydation est égale à 0.*

   Exemples : Le nombre d'oxydation d'un atome Fe non combiné est 0. La somme des nombres d'oxydation des atomes dans une molécule de Cl_2, de S_8 ou de $C_6H_{12}O_6$ est de 0. La somme des nombres d'oxydation des ions dans $MgBr_2$ vaut 0.

   Puisque tous les atomes de la molécule d'un élément sont identiques, chaque atome Cl de Cl_2 et chaque atome S de S_8 a un nombre d'oxydation de 0.

2. *Dans le cas des atomes d'un ion, la somme des nombres d'oxydation est égale à la charge de l'ion.*

   Exemples : Le nombre d'oxydation de Cr dans l'ion Cr^{3+} est +3. La somme des nombres d'oxydation dans PO_4^{3-} est de −3, et la somme dans NH_4^+ est de +1.

3. *Dans leurs composés, les métaux du groupe IA ont tous un nombre d'oxydation de +1, et ceux du groupe IIA ont un nombre d'oxydation de +2. Ces valeurs correspondent respectivement aux nombres d'électrons de valence que ces métaux ont à perdre pour acquérir la configuration électronique des gaz rares.*

   Exemples : Le nombre d'oxydation de Na dans Na_2SO_4 est +1, et celui de Ca dans $Ca_3(PO_4)_2$ est +2.

4. *Dans ses composés, le nombre d'oxydation du fluor est −1. C'est en effet l'élément le plus électronégatif et il lui manque un seul électron pour acquérir la configuration électronique des gaz rares.*

   Exemples : Le nombre d'oxydation de F est −1 dans HF, ClF_3 et SO_2F_2.

5. *Dans ses composés, l'hydrogène a un nombre d'oxydation de +1.*

   Exemples : Le nombre d'oxydation de H est +1 dans HCl, H_2O, NH_3, CH_4.

   La principale exception à la règle 5 concerne H quand il est lié à un métal, comme dans les composés appelés hydrures métalliques, où H a un nombre d'oxydation de −1. NaH et CaH_2 en sont des exemples.

6. *Dans la plupart de ses composés, l'oxygène a un nombre d'oxydation de −2.*

   Exemples : Le nombre d'oxydation de O est −2 dans CO, CH_3OH, $C_6H_{12}O_6$ et ClO_4^-.

7. *Dans leurs composés binaires (deux éléments) avec des métaux, les éléments du groupe VIIB ont un nombre d'oxydation de −1, ceux du groupe VIB, un nombre d'oxydation de −2, et ceux du groupe VB, un nombre d'oxydation de −3.*

   Exemples : Le nombre d'oxydation de Br est −1 dans $CaBr_2$, celui de S est −2 dans Na_2S et celui de N est −3 dans Mg_3N_2.

   Les principales exceptions à la règle 6 concernent les atomes O qui sont liés l'un à l'autre, comme dans les peroxydes (par exemple, dans H_2O_2, le nombre d'oxydation de O est −1) et dans les superoxydes (par exemple, dans KO_2, le nombre d'oxydation de O est −1/2).

EXEMPLE **7.1**

Dans les composés suivants, quel nombre d'oxydation est attribué aux atomes de chacun des éléments ? **a)** $KClO_4$; **b)** $Cr_2O_7^{2-}$; **c)** CaH_2 ; **d)** Na_2O_2 ; **e)** Fe_3O_4.

➜ Stratégie

Pour trouver les nombres d'oxydation, nous appliquons les règles établies ci-dessus en respectant les priorités que nous avons définies précédemment. Notez toutefois que nous ne pouvons pas appliquer la règle 1 au départ, sauf pour les éléments non liés.

➜ Solution

a) Le nombre d'oxydation de K est +1 (règle 3) et celui de O est de −2 (règle 6). La somme des *quatre* atomes O est de −8. En ce qui a trait à ces deux éléments, la somme est de +1 −8 = −7. Le nombre d'oxydation de l'atome Cl doit donc être +7, de sorte que la somme de tous les atomes de l'entité formulaire soit de 0 (règle 1). Les nombres d'oxydation sont +1 pour K, +7 pour Cl et −2 pour O.

b) Le nombre d'oxydation de O est −2 (règle 6) et la somme des *sept* atomes O est de −14. La somme des nombres d'oxydation de tous les atomes dans cet *ion* doit être de −2 (règle 2). Cela signifie que la somme des nombres d'oxydation des *deux* atomes Cr est de +12, et que le nombre d'oxydation d'*un* atome Cr est +6. Les nombres d'oxydation sont +6 pour Cr et −2 pour O.

c) Le nombre d'oxydation de Ca est +2 (règle 3). La somme de l'entité formulaire doit être de 0 (règle 1). Même si le nombre d'oxydation de H est habituellement +1 (règle 5), il doit être ici −1, de façon que la somme des *deux* atomes H soit de −2. La règle 3 a priorité sur la règle 5. Les nombres d'oxydation sont +2 pour Ca et −1 pour H.

d) Le nombre d'oxydation de Na est +1 (règle 3), et la somme des *deux* atomes Na de +2. La somme des nombres d'oxydation à l'intérieur de l'entité formulaire doit être de 0 (règle 1). Même si le nombre d'oxydation de O est habituellement −2 (règle 6), il doit être ici −1, de façon que la somme des *deux* atomes O soit de −2. La règle 3 a priorité sur la règle 6. Les nombres d'oxydation sont +1 pour Na et −1 pour O.

e) Le nombre d'oxydation de O est −2 (règle 6) et la somme des *quatre* atomes O égale −8. La somme des nombres d'oxydation à l'intérieur de l'unité formulaire doit être de 0 (règle 1). La somme des *trois* atomes Fe doit être de +8, et le nombre d'oxydation de chaque atome Fe est +8/3. Les nombres d'oxydation sont $+2^2/_3$ pour Fe et −2 pour O.

➜ Évaluation

Il faut se rappeler que la somme des nombres d'oxydation de tous les atomes présents doit être égale à la charge totale de la formule moléculaire ou ionique. Remarquez que nous avons fait appel à la règle 1 ou à la règle 2 dans chacun des cas que nous avons analysés ci-dessus. Habituellement, les nombres d'oxydation fractionnaires indiquent une moyenne. Le composé Fe_3O_4 est en réalité $Fe_2O_3 \cdot FeO$. Deux des atomes Fe ont des nombres d'oxydation de +3 et le troisième a un nombre d'oxydation de +2. La moyenne est $(3 + 3 + 2)/3 = +8/3$.

RÉSOLUTION DE PROBLÈMES
Les composés CH_3F, $CHCl_3$, C_3O_2 et l'ion polyatomique $C_2O_4^{2-}$ illustrent la variabilité des nombres d'oxydation des atomes de carbone dans les composés organiques.

EXERCICE 7.1 A

Dans les composés ci-dessous, quel nombre d'oxydation est attribué aux atomes de chacun des éléments?

a) Al_2O_3 **c)** CH_3F **e)** $NaMnO_4$ **g)** Cs_2O

b) P_4 **d)** $HAsO_4^{2-}$ **f)** ClO_2^-

EXERCICE 7.1 B

Dans les composés suivants, quel nombre d'oxydation est attribué à l'atome souligné?

a) $H\underline{Sb}F_6$; **b)** $\underline{C}HCl_3$; **c)** $\underline{P}_3O_{10}^{5-}$; **d)** $\underline{S}_4O_6^{2-}$; **e)** $\underline{C}_3O_2$; **f)** $\underline{N}O_2^+$; **g)** $\underline{C}_2O_4^{2-}$.

▲ **Figure 7.1**
Réaction aluminothermique

$2\,Al(s) + Fe_2O_3(s)$
$\longrightarrow 2\,Fe(l) + Al_2O_3(s)$

Reconnaître les réactions d'oxydoréduction

La réaction spectaculaire représentée dans la **figure 7.1**, appelée *réaction aluminothermique,* est utilisée pour produire du fer liquide servant à souder de gros objets de fer.

$$2\,Al(s) + Fe_2O_3(s) \longrightarrow 2\,Fe(l) + Al_2O_3(s)$$

Même en se reportant à la définition restreinte donnée au début de cette section, on peut qualifier cette réaction d'oxydoréduction. Al est *oxydé* en Al_2O_3; les atomes d'aluminium métallique se lient à des atomes d'oxygène. Fe_2O_3 est *réduit* en Fe; l'oxyde de fer(III) perd des atomes d'oxygène.

On peut utiliser les nombres d'oxydation pour reconnaître une réaction d'oxydoréduction. Prenez la réaction aluminothermique comme exemple. Dans l'équation ci-dessous, on attribue des nombres d'oxydation aux atomes Al, Fe et O selon les conventions établies précédemment, et on les écrit sous forme d'exposants au-dessus des symboles chimiques.

$$\overset{0}{2\,Al(s)} + \overset{+3\,-2}{Fe_2O_3(s)} \longrightarrow \overset{0}{2\,Fe(l)} + \overset{+3\,-2}{Al_2O_3(s)}$$

Dans la réaction aluminothermique, le nombre d'oxydation des atomes Al *augmente,* passant de 0 à +3, et le nombre d'oxydation des atomes Fe *diminue,* passant de +3 à 0. La variation des nombres d'oxydation illustre ainsi l'oxydoréduction.

> *Dans une réaction d'oxydoréduction, le nombre d'oxydation d'un ou de plusieurs éléments augmente (réaction d'**oxydation**), et le nombre d'oxydation d'un ou de plusieurs éléments diminue (réaction de **réduction**).*

La réaction illustrée dans la **figure 7.2** est très différente de la réaction aluminothermique, mais l'équation développée permet de reconnaître qu'il s'agit aussi d'une réaction d'oxydoréduction. Les nombres d'oxydation sont indiqués dans l'équation qui suit.

$$\overset{0}{Mg(s)} + \overset{+2}{Cu^{2+}(aq)} \longrightarrow \overset{+2}{Mg^{2+}(aq)} + \overset{0}{Cu(s)}$$

$Mg(s)$ est *oxydé* en $Mg^{2+}(aq)$ et $Cu^{2+}(aq)$ est *réduit* en $Cu(s)$.

Oxydation

Processus qui a comme effet d'augmenter le nombre d'oxydation d'un ou de plusieurs éléments, et qui constitue la demi-réaction d'oxydoréduction au cours de laquelle des électrons sont perdus.

Réduction

Processus qui a comme effet de diminuer le nombre d'oxydation d'un ou de plusieurs éléments, et qui constitue la demi-réaction d'oxydoréduction au cours de laquelle des électrons sont gagnés.

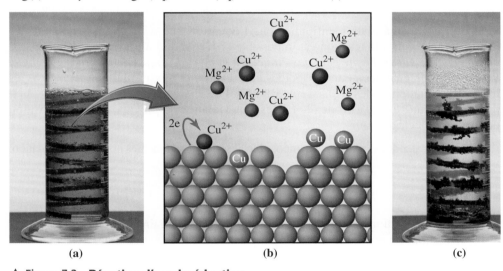

(a)   **(b)**   **(c)**

▲ Figure 7.2   **Réaction d'oxydoréduction**

$$Mg(s) + Cu^{2+}(aq) \longrightarrow Mg^{2+}(aq) + Cu(s)$$

(a) Sur la photo de gauche, un ruban de magnésium enroulé en spirale est placé dans une solution de $CuSO_4(aq)$. **(b)** Représentation de la réaction à l'échelle moléculaire. Des électrons passent du magnésium métallique aux ions Cu^{2+}, lesquels sont du coup transformés en atomes de Cu métallique. Le transfert d'électrons produit aussi des ions Mg^{2+} en solution. (Pour des fins de clarté, nous avons omis les ions sulfate.) **(c)** Après quelques heures, $Cu^{2+}(aq)$ est totalement déplacé de la solution, laissant un dépôt de cuivre métallique rouge-brun, un peu de magnésium qui n'a pas réagi et une solution de $MgSO_4(aq)$ incolore.

La réaction simple de la figure 7.2 semble représenter en réalité la définition la plus fondamentale des réactions d'oxydoréduction. Dans cette réaction, on constate que deux activités ont lieu simultanément, c'est-à-dire :

Oxydation $Mg(s) \longrightarrow Mg^{2+}(aq) + 2\,e^-$

Réduction $Cu^{2+}(aq) + 2\,e^- \longrightarrow Cu(s)$

Le nombre d'oxydation de Mg augmente, passant de 0 à +2 (une oxydation), alors que l'atome Mg perd deux électrons. L'ion Cu^{2+} gagne les deux électrons, et son nombre d'oxydation diminue, passant de +2 à 0 (une réduction). Puisque les électrons (particules de matière) ne peuvent être ni créés ni détruits, l'oxydation et la réduction doivent toujours avoir lieu ensemble. La définition fondamentale de l'oxydation et de la réduction qui suit tient compte de ces notions.

Une réaction d'oxydoréduction consiste en deux processus qui ont lieu simultanément. Dans un des processus, des électrons sont perdus (oxydation) et, dans l'autre, ils sont gagnés (réduction). L'oxydation et la réduction doivent toujours avoir lieu ensemble.

Écrire et équilibrer des réactions d'oxydoréduction

Le concept d'oxydoréduction nous propose une nouvelle perspective pour équilibrer les équations chimiques. Supposons, par exemple, que nous voulions équilibrer l'équation suivante :

$$MnO_2(s) + O_2(g) + H^+(aq) \longrightarrow Mn^{2+}(aq) + H_2O \quad \textit{(équation non équilibrée)}$$

Pour équilibrer les quatre atomes O à gauche, il faut « 4 H_2O » à droite et, pour équilibrer les huit atomes H à droite, il faut « 8 H^+ » à gauche.

$$MnO_2(s) + O_2(g) + 8\,H^+(aq) \longrightarrow Mn^{2+} + 4\,H_2O$$
(les charges ne sont pas équilibrées, et la réaction est impossible)

Pourquoi avons-nous mentionné sous l'équation que « les charges ne sont pas équilibrées » et que « la réaction est impossible »? L'équation n'est pas équilibrée parce qu'*une charge électrique ne peut pas être créée ni détruite dans une réaction chimique*. Les charges électriques nettes associées aux réactifs et aux produits doivent être les mêmes. L'équation ci-dessus laisse voir 8 unités de charge positive à gauche ($8 \times 1+$), mais seulement *2* unités à droite (2+). C'est une violation du principe de la conservation des charges électriques.

Pour constater que la réaction est impossible, il suffit d'examiner les nombres d'oxydation.

$$\overset{+4\ -2}{MnO_2} + \overset{0}{O_2} + \overset{+1}{H^+} \longrightarrow \overset{+2}{Mn^{2+}} + \overset{+1\ -2}{H_2O}$$

Le nombre d'oxydation de Mn *diminue,* passant de +4 à +2 (gain de 2 électrons) : il s'agit d'une réduction. Le nombre d'oxydation de O *diminue,* passant de 0 dans O_2 à −2 dans H_2O (gain de 2 électrons) : il s'agit aussi d'une réduction. Le nombre d'oxydation de H ne change pas. La réaction est impossible, parce que des réductions ne peuvent pas avoir lieu sans être accompagnées d'une oxydation.

Nous pouvons continuer à équilibrer des réactions d'oxydoréduction par simple tâtonnement pourvu que nous nous rappelions les deux points que nous venons de mentionner. Certaines équations sont tout de même très difficiles à équilibrer de cette façon. À la section 7.3, nous allons présenter une méthode systématique basée sur le transfert des électrons. Pour le moment, nous allons surtout traiter d'une approche appelée méthode de *la variation des nombres d'oxydation.*

1 Pour équilibrer une équation d'oxydoréduction par cette méthode, nous commençons par trouver les éléments dont les atomes subissent une *variation* du nombre d'oxydation. Au moins une de ces variations doit mettre en jeu une *augmentation* du nombre d'oxydation (un processus d'oxydation) et l'autre, une *diminution* du nombre d'oxydation (une réduction). Par conséquent, dans la réaction d'oxydoréduction exposée ci-dessous, qui transforme NO, un polluant atmosphérique nuisible, en N_2 inoffensif, nous commençons à équilibrer l'équation en attribuant des nombres d'oxydation.

$$\overset{-3\ +1}{NH_3} + \overset{+2\ -2}{NO} \longrightarrow \overset{0}{N_2} + \overset{+1\ -2}{H_2O} \quad \textit{(non équilibrée)}$$

2 Remarquons que l'atome N dans NH_3 subit une *augmentation* du nombre d'oxydation (celui-ci passe de -3 à 0 à la suite d'une perte de 3 électrons) et que l'atome N dans NO subit une *diminution* du nombre d'oxydation (celui-ci passe de $+2$ à 0 à la suite d'un gain de 2 électrons); résumons ces variations sous la forme d'un diagramme.

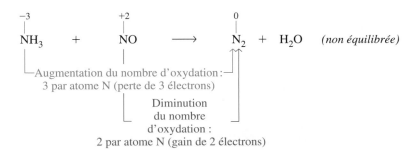

3 L'étape suivante est l'étape clé de la méthode: puisque tous les électrons perdus par un élément ou un composé doivent être gagnés par un autre élément ou composé, nous ajustons les coefficients des réactifs pour faire en sorte que l'*augmentation totale* des nombres d'oxydation dans le processus d'oxydation soit égale à la *diminution totale* des nombres d'oxydation dans le processus de réduction. Les ajustements nécessaires sont « $2\,NH_3$ » (pour une *augmentation* totale du nombre d'oxydation de 6) et « $3\,NO$ » (pour une *diminution* totale du nombre d'oxydation de 6 également).

Exigence à satisfaire:

augmentation totale du nombre d'oxydation $=$ diminution totale du nombre d'oxydation

Cela équivaut à dire que la perte totale et le gain total d'électrons sont égaux dans une réaction d'oxydoréduction.

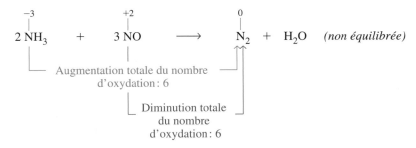

4 Nous procédons ensuite comme d'habitude: pour équilibrer les atomes N, nous avons besoin d'un nombre total de 5 atomes N de chaque côté de l'équation. Il faut donc écrire le terme « $5/2\,N_2$ » à droite. Nous avons également besoin d'un nombre total de 3 atomes O de chaque côté, ce qui exige d'ajouter le terme « $3\,H_2O$ » à droite.

$$2\,NH_3 + 3\,NO \longrightarrow 5/2\,N_2 + 3\,H_2O \quad \textit{(équilibrée)}$$

5 Nous pouvons vérifier si l'équation est équilibrée en remarquant qu'il y a maintenant 6 atomes H de chaque côté. Enfin, si nous le désirons, nous pouvons faire disparaître le coefficient fractionnaire en multipliant tous les coefficients par *deux*.

$$2 \times \{2\,NH_3 + 3\,NO \longrightarrow 5/2\,N_2 + 3\,H_2O\}$$
$$4\,NH_3 + 6\,NO \longrightarrow 5\,N_2 + 6\,H_2O \quad \textit{(équilibrée)}$$

Dans l'exemple 7.2, nous appliquons la méthode de *la variation des nombres d'oxydation* à une équation ionique nette pour une réaction en solution aqueuse. L'exemple met en évidence les points qui suivent.

- Dans une réaction en solution aqueuse, H_2O est souvent à la fois un réactif et un milieu dans lequel la réaction a lieu.

- Si une réaction a lieu dans une solution *acide*, H^+ apparaîtra généralement comme un réactif ou comme un produit.

Dans l'exercice 7.2B, le même réactif (Cl_2) subit à la fois une oxydation et une réduction, et ce type de réaction d'oxydoréduction est appelé **réaction de dismutation**. De plus, la réaction a lieu en solution basique.

- Si une réaction a lieu en solution *basique,* OH^- apparaîtra généralement comme un réactif.

- Dans une réaction de *dismutation,* une partie d'un réactif est oxydée, et une autre partie du même réactif est simultanément réduite.

Réaction de dismutation

Réaction d'oxydoréduction au cours de laquelle un même réactif subit à la fois une oxydation et une réduction.

EXEMPLE 7.2

Équilibrez l'équation d'oxydoréduction suivante.

$$Fe^{2+}(aq) + Cr_2O_7^{2-}(aq) + H^+(aq) \longrightarrow Fe^{3+}(aq) + Cr^{3+}(aq) + H_2O(l)$$

➜ Stratégie

Pour bien équilibrer une réaction d'oxydoréduction, il faut suivre les cinq étapes illustrées dans le présent exemple.

➜ Solution

1 *Repérer les éléments dont les nombres d'oxydation varient dans la réaction.* Le nombre d'oxydation de Fe augmente, passant de +2 dans Fe^{2+} à +3 dans Fe^{3+}; c'est une réaction d'oxydation. Le nombre d'oxydation de Cr diminue, passant de +6 dans $Cr_2O_7^{2-}$ à +3 dans Cr^{3+}; c'est une réaction de réduction. Les nombres d'oxydation de O et de H demeurent respectivement −2 et +1.

$$\overset{+2}{Fe^{2+}} + \overset{+6}{Cr_2O_7^{2-}} + H^+ \longrightarrow \overset{+3}{Fe^{3+}} + \overset{+3}{Cr^{3+}} + H_2O$$

2 *Déterminer la variation du nombre d'oxydation des atomes des éléments qui subissent des changements.*

$$\overset{+2}{Fe^{2+}} + \overset{+6}{Cr_2O_7^{2-}} + H^+ \longrightarrow \overset{+3}{Fe^{3+}} + \overset{+3}{Cr^{3+}} + H_2O$$

Augmentation du nombre d'oxydation:
1 par atome Fe (perte de 1 électron)

Diminution du nombre d'oxydation: 3 par atome Cr (gain de 3 électrons)

3 *Ajouter les coefficients appropriés de sorte que l'augmentation totale des nombres d'oxydation égale la diminution totale.* Puisque les atomes Cr sont présents par paire dans $Cr_2O_7^{2-}$, il faut déterminer ces totaux par rapport à *deux* atomes Cr (diminution totale du nombre d'oxydation: 6) et à *six* atomes Fe (augmentation totale du nombre d'oxydation: 6).

$$6 \overset{+2}{\text{Fe}}{}^{2+} + \overset{+6}{\text{Cr}_2}\text{O}_7{}^{2-} + \text{H}^+ \longrightarrow 6 \overset{+3}{\text{Fe}}{}^{3+} + 2 \overset{+3}{\text{Cr}}{}^{3+} + \text{H}_2\text{O}$$

Augmentation totale du nombre
d'oxydation : 6
Diminution totale du nombre d'oxydation : 6

4 *Déterminer par tâtonnement les coefficients qui restent.* Pour équilibrer les sept atomes O à gauche, il faut placer le terme « 7 H$_2$O » à droite et, pour équilibrer les 14 atomes H à droite, il faut placer « 14 H$^+$ » à gauche.

$$6\,\text{Fe}^{2+} + \text{Cr}_2\text{O}_7{}^{2-} + 14\,\text{H}^+ \longrightarrow 6\,\text{Fe}^{3+} + 2\,\text{Cr}^{3+} + 7\,\text{H}_2\text{O} \quad \text{(équilibrée)}$$

5 *Vérifier si les charges électriques sont équilibrées.* Nous avons équilibré l'équation par rapport aux atomes. Nous voyons qu'elle est aussi équilibrée par rapport aux charges lorsque nous additionnons les charges électriques représentées de chaque côté de l'équation.

$$(6 \times 2+) + (2-) + (14 \times +1) = (6 \times 3+) + (2 \times 3+)$$
$$+12 \qquad -2 \qquad +14 \quad = \quad +18 \qquad +6$$
$$+24 = +24$$

EXERCICE 7.2 A

Équilibrez l'équation d'oxydoréduction suivante.

$$\text{MnO}_4{}^-(aq) + \text{C}_2\text{O}_4{}^{2-}(aq) + \text{H}^+(aq) \longrightarrow \text{Mn}^{2+}(aq) + \text{H}_2\text{O}(l) + \text{CO}_2(g)$$

EXERCICE 7.2 B

Équilibrez l'équation d'oxydoréduction suivante.

$$\text{Cl}_2(g) + \text{OH}^-(aq) \longrightarrow \text{ClO}_3{}^-(aq) + \text{Cl}^-(aq) + \text{H}_2\text{O}(l)$$

7.2 Les demi-réactions

Qu'une solution aqueuse contenant des ions cuivre(II) ait une coloration bleue (revoir la figure 5.9, page 271) et que l'argent métallique solide ait une couleur argentée sont probablement des faits qui vous sont familiers. Nous pouvons donc nous en servir pour décrire ce qui se produit quand un fil de cuivre est plongé dans une solution aqueuse contenant des ions Ag$^+$ (**figure 7.3**, page suivante). En guise d'explication sommaire, nous pourrions dire : « Le cuivre se dissout et l'argent précipite. » Essayons d'expliquer scientifiquement ce qui se passe.

Les *atomes* Cu cèdent des électrons pour devenir des *ions* Cu^{2+}. Les électrons restent sur le fil de cuivre, et les ions Cu^{2+} se dissolvent. Puisque l'état d'oxydation du cuivre augmente, passant de 0 à +2, nous sommes en présence d'une oxydation.

$$\textit{Oxydation} \qquad \text{Cu(s)} \longrightarrow \text{Cu}^{2+}(aq) + 2\,e^-$$

Il se produit en même temps une autre transformation : les ions Ag$^+$ de la solution touchent le fil de cuivre, captent des électrons et se déposent sous forme d'atomes Ag. Puisque l'état d'oxydation de l'argent diminue, passant de +1 à 0, nous sommes en présence d'une réduction.

$$\textit{Réduction} \qquad \text{Ag}^+(aq) + e^- \longrightarrow \text{Ag(s)}$$

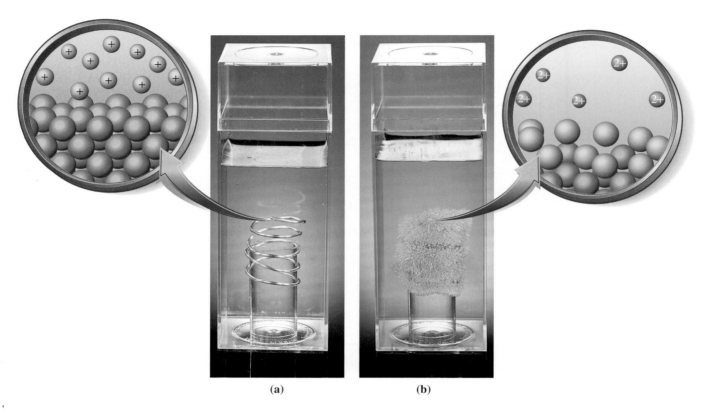

(a)   **(b)**

▲ Figure 7.3   **Déplacement de Ag$^+$(aq) par Cu(s) : une réaction d'oxydoréduction**
Quand on met un fil de cuivre dans une solution incolore de AgNO$_3$(aq), il se forme une coloration bleue dans la solution, et un dépôt argenté recouvre le cuivre. Dans les représentations « moléculaires », **(a)** les couches d'atomes de cuivre (bruns) en ordre parfait sont en contact avec une solution incolore contenant des ions d'argent (gris) ; **(b)** des ions de cuivre(II) sont passés en solution, et des atomes d'argent ont formé un dépôt.

Demi-réaction

Partie d'une réaction d'oxydoréduction qui constitue soit un processus d'oxydation, soit un processus de réduction.

Ces deux processus sont appelés des demi-réactions. Une **demi-réaction** est soit une oxydation, soit une réduction. Ensemble, deux demi-réactions — une oxydation et une réduction — constituent, comme nous l'avons vu précédemment, une réaction d'oxydoréduction.

7.3 La méthode des demi-réactions pour équilibrer les équations d'oxydoréduction

Nous pouvons ramener les équations des deux demi-réactions à une équation globale d'oxydoréduction, mais généralement nous ne pouvons pas simplement additionner les deux. Nous devons nous assurer au préalable que le même nombre d'électrons est en jeu dans la demi-réaction d'oxydation et dans celle de réduction. Dans la réaction entre Cu(s) et Ag$^+$(aq), chaque atome Cu perd *deux* électrons et, dans l'autre réaction, chaque ion Ag$^+$ n'en gagne qu'*un* seul. Il faut multiplier l'équation de demi-réaction de réduction par 2 avant de combiner les deux demi-réactions pour obtenir l'équation d'oxydoréduction globale.

Oxydation	$Cu(s) \longrightarrow Cu^{2+}(aq) + 2e^-$
Réduction	$2\,Ag^+(aq) + 2e^- \longrightarrow 2\,Ag(s)$
Réaction globale	$Cu(s) + 2\,Ag^+(aq) \longrightarrow Cu^{2+}(aq) + 2\,Ag(s)$

Nous venons d'illustrer un des principes de base de la méthode des demi-réactions que nous utilisons pour équilibrer les équations d'oxydoréduction :

Tous les électrons « perdus » dans une demi-réaction d'oxydation doivent être « gagnés » dans une demi-réaction de réduction. Bien qu'ils puissent se déplacer dans une réaction chimique, les électrons ne peuvent être ni créés ni détruits.

La méthode utilisée pour équilibrer l'équation de la réaction entre Cu(s) et Ag$^+$(aq) est résumée ci-dessous :

1 Établir parmi les espèces celles qui subissent l'oxydation et celles qui subissent la réduction. Écrire deux équations de demi-réaction schématiques.

2 Équilibrer le nombre d'atomes dans chaque équation de demi-réaction. En général, on équilibre au départ tous les atomes excepté O et H, et on équilibre ensuite les O et H.

3 Équilibrer les charges électriques en ajoutant le nombre d'électrons nécessaires pour établir la même charge nette de chaque côté de la demi-réaction. Les électrons gagnés apparaissent du côté gauche de la demi-réaction de réduction ; les électrons perdus apparaissent du côté droit de la demi-réaction d'oxydation.

4 Multiplier les coefficients par des facteurs qui rendent égal le nombre d'électrons dans les équations d'oxydation et de réduction. Il peut être nécessaire de multiplier une seule des demi-réactions, ou les deux, par un facteur approprié.

5 Additionner les deux demi-réactions pour obtenir une équation globale d'oxydoréduction.

6 Simplifier l'équation globale, s'il y a lieu. Dans certains cas, il faut diviser tous les coefficients par un diviseur commun ; dans d'autres cas, il faut réduire les coefficients des espèces qui apparaissent des deux côtés de l'équation de telle sorte que ces espèces figurent d'un côté seulement.

Les réactions d'oxydoréduction en solution acide

Voyons maintenant comment appliquer la méthode en six étapes que nous avons présentée ci-dessus. D'abord, nous allons examiner les réactions d'oxydoréduction qui ont lieu en solution *acide*. Dans ce cas, H$^+$ ou H$_2$O apparaissent dans l'une des équations de demi-réaction, ou dans les deux, et dans l'équation globale.

EXEMPLE 7.3

L'ion permanganate, MnO$_4^-$, est utilisé en laboratoire comme agent oxydant, et l'ion thiosulfate, S$_2$O$_3^{2-}$, comme agent réducteur. Écrivez une équation équilibrée de la réaction de ces ions en solution aqueuse acide pour produire l'ion manganèse(II) et l'ion sulfate.

➜ Stratégie

Nous devons d'abord écrire une équation schématique, où seulement les principaux réactifs et produits de la réaction d'oxydoréduction sont représentés.

Les réactifs sont MnO$_4^-$ et S$_2$O$_3^{2-}$; les produits sont Mn^{2+} et SO$_4^{2-}$. Avant d'aborder la méthode en six étapes, il faut écrire l'équation à équilibrer et attribuer les nombres d'oxydation, que nous plaçons au-dessus de l'équation.

RÉSOLUTION DE PROBLÈMES
Pour simplifier les équations d'oxydoréduction dans ce chapitre, nous représenterons l'ion hydronium par H$^+$ plutôt que par H$_3$O$^+$. Par ailleurs, en équilibrant les équations, nous omettrons de désigner l'état dans lequel se trouvent les composés comme (l) et (aq), excepté dans l'équation finale équilibrée.

$$\overset{+7 \;\; -2}{MnO_4^-} \; + \; \overset{+2 \;\; -2}{S_2O_3^{2-}} \; \longrightarrow \; \overset{+2}{Mn^{2+}} \; + \; \overset{+6 \;\; -2}{SO_4^{2-}} \qquad (non \; équilibrée)$$

Puisque la réaction a lieu en solution *aqueuse acide*, H^+ et H_2O sont susceptibles d'en faire partie. Nous verrons où les placer en équilibrant l'équation.

➔ Solution

1 *Établir lesquelles des espèces subissent l'oxydation et lesquelles, la réduction, puis écrire deux équations de demi-réaction schématiques*[*]. MnO_4^- est *réduit* en Mn^{2+} (le nombre d'oxydation de Mn diminue), et $S_2O_3^{2-}$ est *oxydé* en SO_4^{2-} (le nombre d'oxydation de S augmente).

$$MnO_4^- \longrightarrow Mn^{2+} \quad (\text{équation de demi-réaction schématique de la } \textit{réduction})$$
$$S_2O_3^{2-} \longrightarrow SO_4^{2-} \quad (\text{équation de demi-réaction schématique de l'}\textit{oxydation})$$

2 *Équilibrer le nombre d'atomes dans chaque équation de demi-réaction.* À cette étape, il est avantageux d'adopter l'ordre suivant.

- Premièrement, équilibrer tous les atomes *excepté* H et O.

- Deuxièmement, équilibrer les atomes O en ajoutant le nombre nécessaire de molécules H_2O.

- Troisièmement, équilibrer les atomes H en ajoutant les ions H^+ nécessaires.

Les atomes Mn sont équilibrés dans l'équation de demi-réaction schématique de la réduction. Pour équilibrer les atomes S dans l'équation de demi-réaction schématique de l'oxydation, plaçons le coefficient 2 du côté droit.

$$MnO_4^- \longrightarrow Mn^{2+} \quad (\textit{1 atome Mn de chaque côté})$$
$$S_2O_3^{2-} \longrightarrow 2\,SO_4^{2-} \quad (\textit{2 atomes S de chaque côté})$$

Pour équilibrer les atomes O, ajoutons *quatre* H_2O du côté *droit* de l'équation de réduction et *cinq* H_2O du côté *gauche* de l'équation d'oxydation.

$$MnO_4^- \longrightarrow Mn^{2+} + 4\,H_2O \quad (\textit{4 atomes O de chaque côté})$$
$$S_2O_3^{2-} + 5\,H_2O \longrightarrow 2\,SO_4^{2-} \quad (\textit{8 atomes O de chaque côté})$$

Pour équilibrer les atomes H, ajoutons *huit* H^+ du côté *gauche* de l'équation de réduction et *dix* H^+ du côté *droit* de l'équation d'oxydation.

$$MnO_4^- + 8\,H^+ \longrightarrow Mn^{2+} + 4\,H_2O \quad (\textit{8 atomes H de chaque côté})$$
$$S_2O_3^{2-} + 5\,H_2O \longrightarrow 2\,SO_4^{2-} + 10\,H^+ \quad (\textit{10 atomes H de chaque côté})$$

3 *Équilibrer les charges électriques en ajoutant des électrons (e^-).* Lorsqu'on ajoute des électrons à une équation de demi-réaction, il faut répondre à deux questions : de quel côté les ajoute-t-on et combien en ajoute-t-on ? La première réponse est assez facile. Les électrons sont *gagnés* dans un processus de *réduction* et doivent apparaître du côté *gauche*. Concernant la deuxième réponse, il faut se rappeler que, de quelque côté que l'on ajoute les électrons, il faut atteindre le nombre requis pour que *la charge nette soit égale des deux côtés*.

Donc, ajoutons 5 électrons du côté *gauche* de l'équation de réduction, ce qui réduit la charge nette à gauche, en la faisant passer de 7+ à 2+, et la rend équivalente à la charge nette de 2+ à droite. Ajoutons 8 électrons du côté *droit* de l'équation d'oxydation, ce qui réduit la charge nette à droite, en la faisant passer de 6+ à 2−, et la rend équivalente à la charge nette à gauche.

---

[*] La méthode des demi-réactions n'exige pas qu'on sache à ce moment laquelle des équations est celle d'oxydation et laquelle est celle de réduction. Il existe des cas, par exemple dans certaines réactions mettant en jeu des composés organiques, où il est plus facile de faire cette distinction à l'étape **3**.

Charges	1−	8+	5−		2+		

Réduction $MnO_4^- + 8\,H^+ + 5\,e^- \longrightarrow Mn^{2+} + 4\,H_2O$

Charges nettes   gauche $-1 + 8 - 5 = 2+$ droite $2+$

Charges	2−		4−	10+	8−	

Oxydation $S_2O_3^{2-} + 5\,H_2O \longrightarrow 2\,SO_4^{2-} + 10\,H^+ + 8\,e^-$

Charges nettes   gauche $2-$ droite $-4 + 10\ -8 = 2-$

4 *Multiplier les coefficients par des facteurs qui rendent égal le nombre d'électrons dans les équations d'oxydation et de réduction.* L'équation de réduction a 5 e^-, et celle d'oxydation, 8 e^-. Le plus petit commun multiple de 5 et de 8 est 40. Nous devons multiplier l'équation de réduction par 8, et celle de l'oxydation par 5.

Réduction $8\,MnO_4^- + 64\,H^+ + 40\,e^- \longrightarrow 8\,Mn^{2-} + 32\,H_2O$

Oxydation $5\,S_2O_3^{2-} + 25\,H_2O \longrightarrow 10\,SO_4^{2-} + 50\,H^+ + 40\,e^-$

5 *Additionner les équations de demi-réaction équilibrées pour obtenir une équation globale.*

Réaction globale $8\,MnO_4^- + 5\,S_2O_3^{2-} + 64\,H^+ + 25\,H_2O \longrightarrow$
$$8\,Mn^{2-} + 10\,SO_4^{2-} + 50\,H^+ + 32\,H_2O$$

6 *Simplifier l'équation globale.* Il s'agit ici de réduire les coefficients des espèces qui apparaissent des deux côtés de l'équation. C'est ainsi que nous pouvons éliminer H^+ du côté *droit* de l'équation précédente en *soustrayant* 50 H^+ de chaque côté. De la même façon, nous pouvons éliminer H_2O du côté *gauche*, en *soustrayant* 25 H_2O de chaque côté.

$8\,MnO_4^- + 5\,S_2O_3^{2-} + 64\,H^+ + 25\,H_2O \longrightarrow 8\,Mn^{2+} + 10\,SO_4^{2-} + 50\,H^+ + 32\,H_2O$
$\quad\quad\quad\quad\quad\quad\quad -50\,H^+ - 25\,H_2O \quad\quad\quad\quad\quad\quad\quad\quad\quad\quad -50\,H^+ - 25\,H_2O$

À cette étape, l'équation est équilibrée.

$8\,MnO_4^-(aq) + 5\,S_2O_3^{2-}(aq) + 14\,H^+(aq) \longrightarrow 8\,Mn^{2+}(aq) + 10\,SO_4^{2-}(aq) + 7\,H_2O(l)$

➜ Évaluation

Vérifions si l'équation est équilibrée. Il faut veiller à ce que les atomes et les charges électriques soient équilibrés. Cette vérification est illustrée ci-dessous sous forme de tableau.

	Réactifs (gauche)	*Produits* (droite)
Mn	8	8
S	10	10
O	47	47
H	14	14
Charge	$(8 \times 1-) + (5 \times 2-) + (14 \times 1+)$	$(8 \times 2+) + (10 \times 2-)$
	$= 4-$	$= 4-$

Puisque les charges sont égales des deux côtés et que le même nombre d'atomes apparaît de chaque côté, l'équation est équilibrée.

EXERCICE 7.3 A

Écrivez une équation équilibrée de la réaction dans laquelle le zinc est oxydé en zinc(II) par une solution acide diluée contenant l'ion nitrate. Du monoxyde de diazote est également produit.

EXERCICE 7.3 B

On décrit l'oxydation du phosphore par l'acide nitrique de la façon suivante.

$$P_4(s) + H^+(aq) + NO_3^-(aq) \longrightarrow H_2PO_4^-(aq) + NO(g)$$

Écrivez une équation équilibrée de cette réaction.

Les réactions d'oxydoréduction en solution basique

Dans le cas d'une réaction en solution basique, $OH^-(aq)$ apparaît au lieu de $H^+(aq)$ dans l'équation équilibrée. Cela dit, on procède généralement *comme si* la réaction avait lieu en solution acide. Puis, on ajoute de *chaque* côté de l'équation globale autant d'ions OH^- qu'il y a d'ions H^+. En conséquence, un côté de l'équation a un nombre égal d'ions H^+ et OH^- ; on peut combiner ces derniers et les remplacer par des molécules H_2O. L'autre côté de l'équation comporte des ions OH^-. Cette méthode est illustrée dans l'exemple 7.4.

EXEMPLE 7.4

En solution *basique,* Br_2 subit une dismutation en ions bromate et bromure. Utilisez la méthode des demi-réactions pour équilibrer l'équation de cette réaction.

$$Br_2(l) \longrightarrow Br^-(aq) + BrO_3^-(aq)$$

➔ Stratégie

Dans cette réaction de dismutation, Br_2, la seule source d'atomes de Br, doit apparaître du côté gauche des deux demi-réactions. Br^- apparaît alors du côté droit d'une des demi-réactions et BrO_3^- du côté droit de l'autre. Ceci sert de base à la première étape. Les cinq étapes suivantes sont les mêmes que celles de l'exemple 7.3. À la fin, nous ajoutons une étape supplémentaire, dans laquelle nous apportons certaines modifications à l'équation pour tenir compte du fait que la solution est basique.

➔ Solution

Comme dans l'exemple 7.3, commençons par attribuer les nombres d'oxydation.

$$\overset{0}{Br_2} \longrightarrow \overset{-1}{Br^-} + \overset{+5}{BrO_3^-}$$

Utilisons ensuite la méthode en six étapes, suivie d'une septième étape pour rendre compte du caractère basique de la solution.

1 *Établir lesquelles des espèces subissent l'oxydation et lesquelles, la réduction, puis écrire les deux équations de demi-réaction.* Une partie de Br_2 est *réduite* en Br^- (le nombre d'oxydation de Br diminue). En même temps, une partie de Br_2 est *oxydée* en BrO_3^- (le nombre d'oxydation de Br augmente), ce qui signifie que Br_2 est un réactif dans les *deux* demi-réactions.

$$\text{Réduction} \quad Br_2 \longrightarrow Br^-$$
$$\text{Oxydation} \quad Br_2 \longrightarrow BrO_3^-$$

2 *Équilibrer le nombre d'atomes dans chacune des équations de demi-réaction.* Équilibrons d'abord les atomes Br.

$$Br_2 \longrightarrow 2\,Br^-$$
$$Br_2 \longrightarrow 2\,BrO_3^-$$

Puis, équilibrons les atomes O.

$$Br_2 \longrightarrow 2\,Br^-$$
$$Br_2 + 6\,H_2O \longrightarrow 2\,BrO_3^-$$

Enfin, équilibrons les atomes H.

$$Br_2 \longrightarrow 2\,Br^-$$
$$Br_2 + 6\,H_2O \longrightarrow 2\,BrO_3^- + 12\,H^+$$

3 *Équilibrer les charges électriques dans chacune des équations de demi-réaction en ajoutant des électrons (e⁻).*

$$\text{Réduction} \qquad Br_2 + 2\,e^- \longrightarrow 2\,Br^-$$

$$\text{Oxydation} \qquad Br_2 + 6\,H_2O \longrightarrow 2\,BrO_3^- + 12\,H^+ + 10\,e^-$$

4 *Multiplier les coefficients par des facteurs qui rendent égal le nombre d'électrons dans les équations d'oxydation et de réduction.* Ainsi, nous multiplions l'équation de réduction par *cinq* et nous laissons l'équation d'oxydation telle quelle.

$$\text{Réduction} \qquad 5\,(Br_2 + 2\,e^- \longrightarrow 2\,Br^-)$$

$$5\,Br_2 + \cancel{10\,e^-} \longrightarrow 10\,Br^-$$

$$\text{Oxydation} \qquad Br_2 + 6\,H_2O \longrightarrow 2\,BrO_3^- + 12\,H^+ + \cancel{10\,e^-}$$

5 *Additionner les équations de demi-réaction équilibrées pour obtenir une équation globale.*

$$\begin{array}{l}\text{Réaction}\\\text{globale}\end{array} \qquad 6\,Br_2 + 6\,H_2O \longrightarrow 10\,Br^- + 2\,BrO_3^- + 12\,H^+$$

6 *Simplifier l'équation globale.* Nous pouvons diviser tous les coefficients de l'équation du point **5** par *deux*.

$$3\,Br_2 + 3\,H_2O \longrightarrow 5\,Br^- + BrO_3^- + 6\,H^+$$

7 *Convertir la solution acide en solution basique.* Ajoutons *six* ions OH⁻ de chaque côté de l'équation en 6.

$$3\,Br_2 + 3\,H_2O + 6\,OH^- \longrightarrow 5\,Br^- + BrO_3^- + 6\,H^+ + 6\,OH^-$$

Du côté droit, nous pouvons combiner 6 H⁺ et 6 OH⁻ en 6 H₂O.

$$3\,Br_2 + 3\,H_2O + 6\,OH^- \longrightarrow 5\,Br^- + BrO_3^- + 6\,H_2O$$

Simplifions en enlevant *trois* molécules H₂O de chaque côté.

$$3\,Br_2(l) + 6\,OH^-(aq) \longrightarrow 5\,Br^-(aq) + BrO_3^-(aq) + 3\,H_2O(l)$$

➜ Évaluation

En nous fondant sur les variations des nombres d'oxydation, nous avons nommé les demi-réactions d'oxydation et de réduction dès l'étape 1. Cependant, il n'était pas nécessaire de le faire à ce moment-là. Nous aurions pu attendre d'avoir équilibré les deux équations quant au nombre d'atomes et aux charges électriques. Dans ce dernier cas, nous aurions établi la nature des demi-réactions en nous basant sur les électrons gagnés (réduction) ou perdus (oxydation).

Pour vérifier que l'équation finale est équilibrée, nous nous assurons qu'il y a six atomes de Br, de H et de O à gauche et à droite de l'équation, et que la charge nette de chaque côté est de 6–.

EXERCICE 7.4 A

On peut détruire l'ion cyanate dans les solutions résiduaires des opérations minières d'extraction de l'or en le traitant par l'ion hypochlorite en solution basique. Écrivez une équation d'oxydoréduction équilibrée de cette réaction.

$$OCN^-(aq) + OCl^-(aq) + OH^-(aq) \longrightarrow CO_3^{2-}(aq) + N_2(g) + Cl^-(aq) + H_2O(l)$$

(*Indice :* Notez que, dans la demi-réaction d'oxydation, OCN⁻ donne deux produits.)

EXERCICE 7.4 B

En solution basique, l'ion permanganate oxyde l'éthanol, CH_3CH_2OH, en ion acétate, CH_3COO^-, et est lui-même réduit en oxyde de manganèse(IV) solide. Écrivez une équation équilibrée de cette réaction d'oxydoréduction.

7.4 **Les agents oxydants et les agents réducteurs**

Dans les traités de chimie inorganique, on considère le tétroxyde de diazote, N_2O_4, comme un «agent oxydant relativement fort», et l'hydrazine, N_2H_4, comme «un agent réducteur puissant». Ces termes décrivent la participation de ces substances dans les réactions d'oxydoréduction, et les chimistes comprennent généralement leur signification.

Dans une réaction d'oxydoréduction, la substance qui est *oxydée* est appelée **agent réducteur**, puisqu'elle cause la réduction d'une autre. De même, celle qui est *réduite* est appelée **agent oxydant**, parce qu'elle provoque l'oxydation d'une autre substance. Par analogie, un prêteur prête à un emprunteur. L'emprunteur devient alors plus riche en électrons (il est réduit), et le prêteur, moins riche en électrons (il est oxydé). Le prêteur est comme l'agent réducteur, et l'emprunteur, comme l'agent oxydant. L'emprunteur ne peut pas emprunter de l'argent s'il n'y a pas de prêteur, et le prêteur ne peut pas en prêter s'il n'y a pas d'emprunteur. De la même façon, il faut à la fois un agent réducteur et un agent oxydant pour produire une réaction d'oxydoréduction.

Il est facile de prédire qu'on peut faire réagir ensemble le tétroxyde de diazote, un «agent oxydant relativement fort», et l'hydrazine, un «agent réducteur puissant». Et on ne se trompe pas. La réaction de ces deux composés, qui libère une grande quantité de chaleur, constitue la base d'un système de propulsion par fusée.

$$N_2O_4(l) \ + \ 2\,N_2H_4(l) \ \longrightarrow \ 3\,N_2(g) \ + \ 4\,H_2O(g)$$

Dans la réaction, N_2O_4 est *réduit* en N_2 (le nombre d'oxydation de N passant de $+4$ à 0); N_2O_4 est l'*agent oxydant*. N_2H_4 est *oxydé* en N_2 (le nombre d'oxydation de N passant de -2 à 0); N_2H_4 est l'*agent réducteur*. Il faut remarquer que, bien que les variations des nombres d'oxydation aient lieu dans les atomes N, on ne considère pas les *atomes* comme des agents oxydants ou réducteurs. Ce sont les *composés* dans lesquels ils se trouvent (N_2O_4 et N_2H_4) qui sont respectivement l'agent oxydant et l'agent réducteur.

Les nombres d'oxydation des non-métaux

Certains composés et ions qui contiennent des éléments non métalliques, tels l'azote, le soufre et le chlore sont représentés dans la **figure 7.4**. Ils sont classés par ordre décroissant du nombre d'oxydation des atomes de non-métaux et sont regroupés dans des colonnes qui correspondent à celles du tableau périodique. La figure nous permet d'illustrer quelques notions supplémentaires concernant les agents oxydants et les agents réducteurs.

- Le nombre d'oxydation *maximal* de l'atome d'un non-métal est égal au numéro du groupe où il se trouve dans le tableau périodique : $+5$ pour les atomes du groupe VB, $+6$ pour ceux du groupe VIB et $+7$ pour ceux du groupe VIIB. L'oxygène et le fluor constituent des exceptions (voir les conventions énoncées à la page 333).

- Le nombre d'oxydation *minimal* de l'atome d'un non-métal est égal au numéro du groupe moins huit : -3 pour les atomes du groupe VB, -2 pour ceux du groupe VIB et -1 pour ceux du groupe VIIB.

- Les espèces dans lesquelles un atome de non-métal a un nombre d'oxydation maximal sont invariablement des agents oxydants. Le nombre d'oxydation d'un atome de non-métal dans ces espèces ne peut que *diminuer* dans une réaction d'oxydoréduction. Donc, dans une telle réaction, NO_3^- ne peut être qu'un agent oxydant.

- Les espèces dans lesquelles un atome de non-métal a un nombre d'oxydation minimal sont des agents réducteurs. Donc, dans une telle réaction, H_2S ne peut être qu'un agent réducteur.

- En principe, les espèces dans lesquelles un atome de non-métal possède un nombre d'oxydation intermédiaire peuvent être soit des agents oxydants, soit des agents réducteurs,

Agent réducteur

Substance oxydée au cours d'une réaction d'oxydoréduction, et qui cause la réduction d'une autre substance.

Agent oxydant

Substance réduite au cours d'une réaction d'oxydoréduction, et qui cause l'oxydation d'une autre substance.

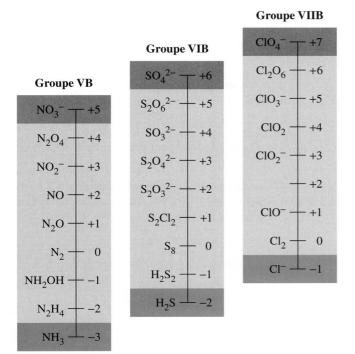

Groupe VB

Groupe VIB

Groupe VIIB

◄ **Figure 7.4**
Nombres d'oxydation de certaines espèces contenant de l'azote, du soufre et du chlore

Les espèces indiquées en rouge agissent seulement comme agents oxydants ; les espèces en bleu, seulement comme agents réducteurs. Les espèces entre les deux peuvent jouer l'un ou l'autre rôle, selon la réaction.

selon la réaction particulière. En pratique, chaque espèce affiche une préférence pour un des deux rôles. Par exemple, N_2O_4, avec un nombre d'oxydation de +4 pour N, est presque toujours un agent oxydant ; N_2H_4, avec un nombre d'oxydation de −2 pour N, est habituellement un agent réducteur. Bien qu'il soit situé très haut dans l'échelle des nombres d'oxydation du soufre, SO_3^{2-} agit comme un agent réducteur ; Cl_2, même s'il est au bas dans l'échelle des nombres d'oxydation du chlore, est généralement un agent oxydant.

• Une réaction de dismutation, rappelons-le, est une réaction d'oxydoréduction dans laquelle la même substance est à la fois agent oxydant et agent réducteur. Lorsque H_2O_2 participe à une telle réaction, la moitié du H_2O_2 est oxydée en $O_2(g)$ et la moitié est réduite en $H_2O(l)$.

$$2\ H_2O_2(aq) \longrightarrow 2\ H_2O(l) + O_2(g)$$

Les métaux en tant qu'agents réducteurs

Dans tous les composés courants contenant un métal, l'atome métallique possède un nombre d'oxydation positif. Un métal pur a évidemment des atomes dont le nombre d'oxydation est 0, leur état d'oxydation courant le plus bas. Les métaux sont des agents *réducteurs,* mais leur efficacité à cet égard varie énormément. Les atomes de certains métaux, tels que ceux des groupes IA et IIA, perdent des électrons facilement ; ils sont aisément oxydés en cations métalliques et sont donc de puissants agents réducteurs. D'autres métaux, comme l'argent et l'or, sont très difficilement oxydés. Ce sont des agents réducteurs exceptionnellement faibles. La **figure 7.5** fournit la liste de quelques métaux courants, disposés dans une forme appelée **série d'activité des métaux**.

> *Dans une solution, un métal déplace les ions métalliques qui sont au-dessous de lui dans la série d'activité.*

Par exemple, à l'aide de la série d'activité, nous aurions pu prédire la réaction représentée dans la figure 7.2 (page 335).

$$Mg(s) + Cu^{2+}(aq) \longrightarrow Mg^{2+}(aq) + Cu(s)$$

Force en tant qu'agent réducteur

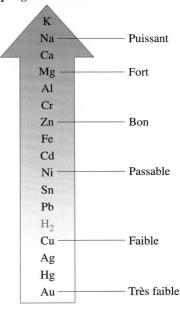

▲ **Figure 7.5**
Série d'activité de certains métaux

Série d'activité des métaux

Liste des métaux en fonction de leur capacité à se déplacer dans une solution de leurs ions ou à déplacer H^+, sous forme d'hydrogène gazeux, dans les solutions acides.

Mg est situé *au-dessus* de Cu dans la série d'activité. Par conséquent, Mg(s), un bon agent réducteur, réduit Cu^{2+} en Cu(s), et Mg(s) est lui-même oxydé en Mg^{2+}(aq). Puisque Mg^{2+} prend la place de Cu^{2+} dans la solution et que Cu remplace Mg comme solide, on dit que le magnésium *déplace* l'ion cuivre(II) de la solution.

À l'aide de la série d'activité, nous pouvons aussi prévoir avec certitude que, si l'on ajoute Ag(s) plutôt que Mg(s) à la solution de Cu^{2+}(aq), il n'y aura pas de réaction.

$$Ag(s) + Cu^{2+}(aq) \longrightarrow \text{Aucune réaction}$$

Ag est situé *au-dessous* de Cu dans la série d'activité; il ne peut pas réduire Cu^{2+}(aq) en Cu(s).

En incluant H_2 dans la série d'activité, le tableau devient encore plus utile; il nous permet alors de savoir qu'un métal situé *au-dessus* de l'hydrogène dans la série peut réagir avec un acide pour produire H_2(g). Par exemple,

$$2\,Al(s) + 6\,H^+(aq) \longrightarrow 2\,Al^{3+}(aq) + 3\,H_2(g)$$

Et un métal *au-dessous* de l'hydrogène *ne peut pas* réagir avec un acide pour produire H_2(g). Par exemple,

$$Ag(s) + H^+(aq) \longrightarrow \text{Aucune réaction}$$

Il existe cependant certaines circonstances dans lesquelles un métal situé au-dessous de l'hydrogène dans la série d'activité réagit en milieu acide. L'exemple 7.5 en décrit un cas.

▲ **Figure 7.6**
Réaction de HCl(aq) et de HNO₃(aq) avec le cuivre

Comme on peut le voir sur ces photos, une pièce de un cent en cuivre ne réagit pas avec l'acide chlorhydrique (photo du haut), mais réagit bien avec l'acide nitrique concentré pour donner des fumées orange et une solution turquoise (photo du bas).

EXEMPLE 7.5 — Un exemple conceptuel

Expliquez la différence de comportement d'une pièce de un cent en cuivre dans de l'acide chlorhydrique et dans de l'acide nitrique, tel que l'illustre la **figure 7.6**. Écrivez une équation ionique nette pour toute réaction qui pourrait avoir lieu.

➜ Analyse et conclusion

Cu(s) est situé au-dessous de l'hydrogène dans la série d'activité des métaux. Il n'a pas la capacité de réduire H^+(aq) en H_2(g) et d'être oxydé en Cu^{2+}(aq). Ou, si nous abordons la question sous un autre angle, H^+ n'est pas un agent oxydant assez puissant pour oxyder Cu(s) en Cu^{2+}(aq). L'ion chlorure dans HCl(aq) ne peut être qu'un agent *réducteur*. Comme ni H^+ ni Cl^- ne peuvent oxyder Cu, il ne devrait pas y avoir de réaction entre Cu(s) et HCl(aq).

Dans le cas de l'acide nitrique, il y a *deux* agents oxydants potentiels : H^+(aq) *et* NO_3^-(aq). Selon la figure 7.4 (page 347), nous voyons que NO_3^- est un agent oxydant, parce que le nombre d'oxydation de l'atome N prend sa valeur la plus élevée. La figure 7.4 indique également que la réduction de NO_3^- pourrait donner un produit parmi plusieurs. Le gaz orangé dans la figure 7.6 est du dioxyde d'azote.

Nous pouvons équilibrer l'équation de cette réaction sans employer complètement la méthode de la *variation des nombres d'oxydation*. Quand HNO_3 est réduit en NO_2, le nombre d'oxydation de N diminue de 1, c'est-à-dire qu'il passe de +5 à +4. Quand Cu est oxydé en Cu^{2+}, le nombre d'oxydation augmente de 2. Les termes « Cu », « Cu^{2+} », « $2\,NO_3^-$ » et « $2\,NO_2$ » doivent donc faire partie de l'équation. Le reste de l'équation est facilement équilibré par tâtonnement.

$$Cu(s) + 4\,H^+(aq) + 2\,NO_3^-(aq) \longrightarrow Cu^{2+}(aq) + 2\,NO_2(g) + 2\,H_2O(l)$$

EXERCICE 7.5 A

Sous l'action de la chaleur, le dichromate de potassium, $K_2Cr_2O_7$(s), montre également une différence de comportement vis-à-vis des acides chlorhydrique et nitrique. En présence de l'un de ces acides, il y a un dégagement gazeux et la couleur de la solution passe du rouge orangé au vert. Avec l'autre acide, la couleur rouge orangé persiste, ce qui signifie qu'aucune réaction n'a lieu. Expliquez cette différence de comportement.

(*Indices :* L'ion $Cr_2O_7^{2-}$ est un très bon oxydant, et l'ion Cr^{3+} est vert en solution aqueuse.)

EXERCICE 7.5 B

Les pièces de monnaie canadienne de un cent, émises entre les années 1997 et 2000, étaient faites de zinc plaqué de cuivre. Si on ébrèche la bordure de l'une de ces pièces avec un couteau et qu'on place la pièce toute une nuit dans l'acide chlorhydrique, on constate, le lendemain matin, que seulement l'enveloppe de cuivre demeure. Comment la solution résultante se différencie-t-elle des deux solutions de la figure 7.6 ?

7.5 Quelques applications de l'oxydoréduction

Considérons un certain nombre d'applications des réactions d'oxydoréduction dans quelques-uns des domaines où elles sont couramment mises à profit.

La chimie analytique

L'ion permanganate, provenant généralement de $KMnO_4$, est l'un des agents oxydants les plus courants dans les laboratoires de chimie. On peut l'utiliser, par exemple, pour oxyder Fe^{2+} en Fe^{3+} qui est en solution acide dans un titrage servant à déterminer la teneur en fer d'un minerai.

$$5\ Fe^{2+}(aq)\ +\ MnO_4^-(aq)\ +\ 8\ H^+(aq)\ \longrightarrow\ 5\ Fe^{3+}(aq)\ +\ Mn^{2+}(aq)\ +\ 4\ H_2O(l)$$

L'équivalence stœchiométrique entre les réactifs est la suivante.

$$5\ \text{mol de } Fe^{2+} \text{ réagissent avec 1 mol de } MnO_4^-$$

Le titrage est illustré dans la **figure 7.7**, et l'exemple 7.6 en présente une application.

La **chimie analytique** vise à déterminer la composition des substances et des mélanges. La figure 5.5 (page 260) illustre un exemple d'analyse qualitative : l'analyse d'un échantillon d'eau pour déterminer la présence de Cl⁻, tandis que l'exemple 5.8 (page 259) présente un cas d'analyse quantitative : la détermination de la quantité de NaCl dans un échantillon de soupe. Un titrage acidobasique constitue une analyse volumétrique : une analyse fondée sur la mesure de volumes de solutions. Les réactions d'oxydoréduction peuvent également servir de base à des titrages.

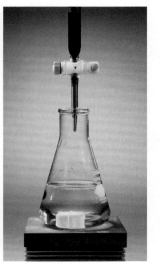

(a)   (b)   (c)

◀ Figure 7.7
Titrage d'oxydoréduction utilisant l'ion permanganate comme agent oxydant

(a) Dans la fiole, on verse une solution acide contenant une quantité inconnue de Fe^{2+} et, dans la burette, on place une solution de $KMnO_4(aq)$ de concentration connue. **(b)** La solution est instantanément décolorée lorsque MnO_4^- réagit avec Fe^{2+}. **(c)** Quand Fe^{2+} a été entièrement oxydé en Fe^{3+}, l'ajout d'une goutte supplémentaire de $KMnO_4(aq)$ produit une coloration rose permanente de la solution.

EXEMPLE 7.6

On dissout un échantillon de minerai de fer pesant 0,2865 g dans un acide et on obtient le fer sous forme de Fe^{2+}(aq). Il faut 0,026 45 L de $KMnO_4$(aq) 0,022 50 mol/L pour titrer la solution. Quel est le pourcentage massique de fer dans le minerai ?

➡ Stratégie

Nous allons résoudre ce problème en deux parties. Dans la première, il faut trouver le nombre de grammes de Fe dans 0,2865 g de l'échantillon de minerai à partir des données du titrage. Ce calcul est semblable à ceux que nous avons déjà vus dans les titrages acidobasiques. La seconde partie est un simple calcul de pourcentage.

➡ Solution

Établissons d'abord la masse de fer dans l'échantillon, à partir des données du titrage. Les bulles au-dessus de l'équation sont un rappel de l'origine et de la fonction des divers facteurs utilisés dans le calcul.

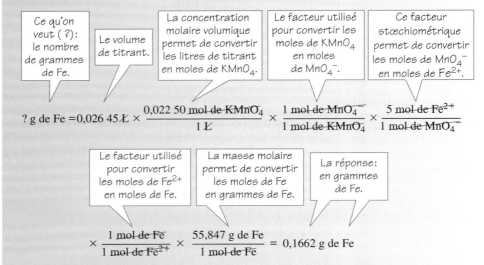

Calculons ensuite, le pourcentage massique du fer :

$$\% \, Fe = \frac{0,1662 \text{ g de Fe}}{0,2865 \text{ g de minerai de fer}} \times 100 \, \% = 58,01 \, \% \, Fe$$

EXERCICE 7.6 A

Supposons que le titrage dans l'exemple 7.6 est effectué avec $K_2Cr_2O_7$(aq) 0,022 50 mol/L plutôt que $KMnO_4$(aq). Quel est alors le volume nécessaire de $K_2Cr_2O_7$(aq) ?

$$6 \, Fe^{2+}(aq) + Cr_2O_7^{2-}(aq) + 14 \, H^+(aq) \longrightarrow 6 \, Fe^{3+}(aq) + 2 \, Cr^{3+}(aq) + 7 \, H_2O(l)$$

EXERCICE 7.6 B

Un échantillon de 20,00 mL de $KMnO_4$(aq) est nécessaire pour titrer 0,2378 g d'oxalate de sodium en solution acide. Combien de millilitres du même $KMnO_4$(aq) faut-il pour titrer un échantillon de 25,00 mL de $FeSO_4$(aq) 0,1010 mol/L en solution acide ?

$$2 \, MnO_4^-(aq) + 16 \, H^+(aq) + 5 \, C_2O_4^{2-}(aq) \longrightarrow 2 \, Mn^{2+}(aq) + 8 \, H_2O(l) + 10 \, CO_2(g)$$

L'industrie

L'oxygène est l'agent *oxydant* le plus utilisé dans les procédés industriels, et certainement le meilleur marché et le plus acceptable pour l'environnement. Dans la première étape de la conversion du fer en acier, de l'oxygène gazeux est insufflé, sous pression élevée, au-dessus du fer pur en fusion (fonte de première fusion). La combustion de carbone et de soufre en oxydes gazeux alimente ce procédé. L'oxygène convertit également les éléments Si, P et Mn en oxydes.

L'oxydation de l'hydrogène ou de l'acétylène par l'oxygène permet de souder ou de couper les métaux. La chaleur dégagée par ces réactions fournit les températures élevées nécessaires à la fusion de ces derniers. Dans le chalumeau oxyacétylénique, par exemple, la réaction est la suivante.

$$2\ C_2H_2(g)\ +\ 5\ O_2(g)\ \longrightarrow\ 4\ CO_2(g)\ +\ 2\ H_2O(g)$$

Ce chalumeau oxyacétylénique est utilisé pour souder un appareil de climatisation en Malaisie.

Le chlore gazeux et ses composés, dans lesquels les atomes de chlore ont des nombres d'oxydation positifs, forment un autre groupe d'agents *oxydants* industriels importants. Le chlore gazeux et les solutions contenant l'ion hypochlorite, OCl^-, sont utilisés dans les stations de traitement d'eau pour tuer les microorganismes pathogènes (qui causent des maladies) et dans les industries papetières et textiles comme agents de blanchiment.

Les principaux agents *réducteurs* industriels sont le carbone et l'hydrogène. L'utilisation du carbone sous forme de *coke* est très répandue. Le coke est obtenu en éliminant les matières volatiles du charbon. Dans les hauts fourneaux servant à fabriquer le fer à partir de minerai, l'agent réducteur est en fait le monoxyde de carbone produit à partir du coke.

$$C(s)\ +\ O_2(g)\ \longrightarrow\ CO_2(g)$$
$$C(s)\ +\ CO_2(g)\ \longrightarrow\ 2\ CO(g)$$

Le $CO(g)$ réduit alors le minerai de fer en métal.

$$Fe_2O_3(s)\ +\ 3\ CO(g)\ \longrightarrow\ 2\ Fe(l)\ +\ 3\ CO_2(g)$$

On utilise l'hydrogène comme agent réducteur dans les procédés à plus petite échelle et dans les cas où un métal pourrait réagir avec le carbone pour former un carbure métallique indésirable. En guise d'exemple, mentionnons que le tungstène métallique est produit en faisant passer un jet de $H_2(g)$ au-dessus de l'oxyde WO_3 à 1200 °C.

$$WO_3(s)\ +\ 3\ H_2(g)\ \longrightarrow\ W(s)\ +\ 3\ H_2O(g)$$

Le tungstène a une conductivité électrique élevée et possède le point de fusion le plus haut de tous les métaux (3410 °C). Ces propriétés en font un matériau idéal pour les filaments des ampoules électriques.

La vie quotidienne

L'oxygène est sans aucun doute l'agent oxydant le plus important dans tous les aspects de la vie quotidienne. Il sert à oxyder les combustibles pour chauffer les maisons et pour faire rouler les voitures. L'oxygène corrode les métaux, c'est-à-dire qu'il les oxyde à des nombres d'oxydation positifs, comme dans la rouille du fer. Il permet de métaboliser les aliments que l'on mange et de libérer ainsi l'énergie nécessaire à toute activité mentale ou physique.

Le peroxyde d'hydrogène, H_2O_2, est un agent oxydant domestique couramment utilisé sous forme de solution aqueuse à 3 %. Par rapport aux autres agents oxydants, il présente l'avantage d'être converti en eau, un produit inoffensif, dans la majorité des réactions. On utilise la solution de peroxyde d'hydrogène à 3 % en médecine comme *antiseptique* pour traiter les petites coupures et les éraflures. Une enzyme (la catalase) catalyse la décomposition du peroxyde dans le sang, une réaction de *dismutation*.

$$2 H_2O_2(aq) \longrightarrow 2 H_2O(l) + O_2(g)$$

Les bulles d'oxygène gazeux libérées contribuent également à éliminer la saleté et les germes des blessures.

Le peroxyde de benzoyle $(C_6H_5COO)_2$ est un agent oxydant puissant qui est utilisé depuis longtemps à des concentrations de 5 % et de 10 % pour traiter l'acné. En plus de son action antibactérienne, le peroxyde de benzoyle agit comme irritant cutané, causant la desquamation de la peau, laquelle est remplacée par une nouvelle couche d'épiderme, d'apparence plus fraîche. Quand on l'utilise sur des surfaces exposées au soleil cependant, le peroxyde de benzoyle est susceptible de provoquer le cancer de la peau ; une telle utilisation n'est donc pas recommandée.

Le chlore et ses composés sont couramment employés comme agents oxydants dans la vie quotidienne. On utilise Cl_2 pour tuer les microorganismes, aussi bien dans le traitement de l'eau potable que dans celui des eaux usées. Les piscines sont habituellement désinfectées par « chloration ». Dans les grandes piscines, le chlore est souvent introduit à l'aide de cylindres d'acier dans lesquels il est emmagasiné sous forme de liquide. Il subit une réaction de *dismutation* dans l'eau et forme l'acide hypochloreux, le véritable produit de désinfection, et HCl(aq).

$$Cl_2(g) + H_2O(l) \longrightarrow H^+(aq) + Cl^-(aq) + HOCl(aq)$$

HCl(aq) rend vite l'eau de la piscine trop acide : c'est pourquoi il faut le neutraliser en ajoutant une base, tel le carbonate de sodium.

Pour chlorer les petites piscines, on dissout souvent de l'hypochlorite de sodium, NaOCl, dans NaOH(aq). L'ajout de NaOH rend l'eau de ces piscines trop basique, et l'alcalinité en excès doit être neutralisée par l'addition d'acide chlorhydrique. Pour désinfecter les vêtements et la literie dans les hôpitaux et les foyers de personnes âgées, on a recours à l'hypochlorite de calcium, $Ca(OCl)_2$.

Presque tout oxydant peut être utilisé comme agent de blanchiment pour décolorer les tissus, les cheveux ou d'autres matériaux. Cependant, certains de ces produits sont trop chers, d'autres endommagent les tissus, produisent des substances indésirables ou sont simplement dangereux.

Le « chlore » utilisé pour entretenir les petites piscines à domicile est en fait une solution alcaline d'hypochlorite de sodium, formée par la réaction de chlore gazeux avec de l'hydroxyde de sodium aqueux.

$$Cl_2(g) + 2 NaOH(aq) \longrightarrow$$
$$NaOCl(aq) + NaCl(aq) + H_2O(l)$$

Les aliments et la nutrition

En chimie alimentaire, les substances appelées *antioxydants* sont des agents réducteurs, car ils s'oxydent eux-mêmes facilement à la place des composés qu'ils protègent. On croit que l'acide ascorbique (vitamine C), qui est hydrosoluble (soluble dans l'eau), réduit les dommages que l'oxydation cause aux cellules vivantes. Le tocophérol (vitamine E) est un antioxydant liposoluble (soluble dans les graisses). Il semble que, dans l'organisme, la vitamine E agit en piégeant les produits secondaires nocifs du métabolisme, tels les fragments moléculaires hautement réactifs appelés *radicaux libres*. Dans les aliments, l'action de la vitamine E consiste à empêcher l'oxydation des graisses qui deviendraient alors rances.

Quand elle agit comme antioxydant, la vitamine C, $C_6H_8O_6$, est oxydée en acide déshydroascorbique, $C_6H_6O_6$. Par exemple, elle s'attaque aux ions nitrite des aliments qui, s'ils pénètrent dans la circulation sanguine, oxydent le fer de l'hémoglobine, ce qui détruit la capacité de celle-ci à transporter l'oxygène. Dans l'estomac toutefois, l'acide ascorbique réduit l'ion nitrite en NO(g).

$$\underset{\substack{\text{Acide ascorbique} \\ \text{(vitamine C)}}}{C_6H_8O_6(aq)} + 2 H^+(aq) + 2 NO_2^-(aq) \longrightarrow \underset{\substack{\text{Acide} \\ \text{déshydroascorbique}}}{C_6H_6O_6(aq)} + 2 H_2O(l) + 2 NO(g)$$

Décolorer et enlever des taches par oxydoréduction

De nombreuses substances organiques colorées sont composées de grosses molécules où alternent des liaisons simples et doubles entre les atomes de carbone. Le lycopène, $C_{40}H_{56}$, en est un exemple; c'est le composé qui donne aux tomates leur couleur rouge vif.

$$\left[CH_3 \underset{\displaystyle \overset{|}{CH_3}}{-C} = CH-CH_2-CH_2 \underset{\displaystyle \overset{|}{CH_3}}{-C} = CH-CH=CH \underset{\displaystyle \overset{|}{CH_3}}{-C} = CH-CH=CH \underset{\displaystyle \overset{|}{CH_3}}{-C} = CH-CH= \right]_2$$

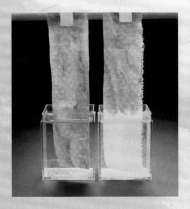

L'eau pure (à gauche) ne possède pas la capacité d'enlever une tache de sauce tomate séchée. L'hypochlorite de sodium, NaOCl(aq) ou eau de Javel (à droite), décolore facilement la tache en oxydant les pigments colorés de la sauce en produits incolores.

Les crochets et l'indice « 2 » signifient que la formule exprimée entre les crochets doit être « doublée ». Il s'agit d'imaginer que la formule complète a été pliée en deux, de sorte que la moitié de droite repose sur la moitié de gauche et la dissimule. Le crochet de droite ci-dessus agit alors comme charnière. Quand on « ouvre » la charnière, on obtient la formule complète. Pour économiser l'espace, les chimistes ont souvent recours à des moyens comme celui-ci pour représenter des formules complexes. La caractéristique intéressante de la molécule de lycopène est l'alternance des liaisons doubles et simples qui sont illustrées en couleur : on donne à cette formation le nom de *système conjugué*. Ce type de systèmes confère souvent une coloration aux composés organiques.

Les agents de blanchiment oxydent les molécules colorées, tel le lycopène, en détruisant le système conjugué. C'est ainsi que le lycopène est oxydé en composés organiques incolores par les ions hypochlorites qui sont en solution aqueuse, et l'ion hypochlorite est réduit en ion chlorure.

$$C_{40}H_{56} + OCl^-(aq) \longrightarrow Cl^-(aq) + \text{produits organiques incolores}$$

Les agents de blanchiment à base d'hypochlorite sont efficaces et non dommageables pour les tissus de coton et de lin, parce qu'ils n'oxydent pas la cellulose dont ces tissus sont constitués. Cependant, les hypochlorites oxydent les molécules protéiques ou semblables aux protéines qui forment la laine, la soie et le nylon, et ils ne devraient pas être utilisés sur ces tissus. Le dioxyde de chlore (ClO_2) et le chlorite de sodium ($NaClO_2$) sont également de bons agents oxydants qui endommagent moins les tissus que le chlore et les hypochlorites.

Les autres agents de blanchiment sont le peroxyde d'hydrogène, le perborate de sodium (souvent représenté sous forme de $NaBO_2 \cdot H_2O_2$ pour indiquer l'association entre $NaBO_2$ et H_2O_2), et divers composés organiques chlorés qui libèrent du chlore dans l'eau.

Enlever des taches est un procédé qui est loin d'être aussi simple que le blanchiment. Quelques détachants sont des agents oxydants ou des agents réducteurs; d'autres sont d'une nature chimique tout à fait différente. Presque chaque tache requiert un détachant spécifique.

Le peroxyde d'hydrogène dans l'eau froide enlève les taches de sang sur les tissus de coton ou de lin. Le permanganate de potassium peut être utilisé pour enlever la plupart des taches sur les tissus blancs (excepté la rayonne). La tache violette de permanganate peut alors être enlevée par une réaction d'oxydoréduction avec l'acide oxalique.

$$5\,H_2C_2O_4(aq) + 2\,MnO_4^-(aq) + 6\,H^+(aq) \longrightarrow 2\,Mn^{2+}(aq) + 8\,H_2O(l) + 10\,CO_2(g)$$

L'iode, utilisé comme désinfectant, tache souvent les vêtements qui sont en contact avec l'endroit traité. La tache d'iode est facilement enlevée par une réaction d'oxydoréduction avec le thiosulfate de sodium.

$$I_2 + 2\,S_2O_3^{2-}(aq) \longrightarrow 2\,I^-(aq) + S_4O_6^{2-}(aq)$$

Les nitrites sont surtout ajoutés aux produits de charcuterie afin d'intensifier leur odeur et leur couleur rosée caractéristiques. De plus, ils préviennent la prolifération de spores associées au botulisme, une maladie qui peut être mortelle. Toutefois, leur utilisation suscite encore un débat, puisque certaines études tendent à leur conférer un potentiel cancérogène.

Les plantes vertes effectuent une réaction d'oxydoréduction qui rend possible une grande part de la vie sur Terre. C'est grâce à un procédé appelé *photosynthèse* qu'elles convertissent le dioxyde de carbone et l'eau en glucose, un sucre simple. La synthèse du glucose exige la présence de diverses protéines, appelées enzymes, et d'un pigment vert, appelé chlorophylle, qui transforme la lumière solaire en énergie chimique. La transformation globale qui a lieu est représentée dans l'équation suivante.

$$6\ CO_2 + 6\ H_2O \longrightarrow C_6H_{12}O_6 + 6\ O_2$$

Dans cette réaction, les molécules CO_2 sont *réduites* en glucose, et H_2O est *oxydé* en oxygène gazeux. D'autres réactions convertissent le sucre simple en glucides plus complexes, en protéines et en huiles végétales.

EXEMPLE **SYNTHÈSE**

Le méthanol (CH_3OH) réagit avec l'ion chlorate, ClO_3^-, en solution acide, pour produire du dioxyde de chlore et du dioxyde de carbone. Quel volume de méthanol ($\rho = 0{,}791$ g/mL) en litres est nécessaire pour produire 125 kg de dioxyde de chlore gazeux ?

➜ Stratégie

Il nous faut d'abord écrire une équation chimique représentant les données fournies dans l'énoncé, puis il faut l'équilibrer. La méthode appropriée, ici, sera celle des demi-réactions puisque la réaction s'effectue en milieu acide. De l'équation équilibrée, nous utiliserons les rapports stœchiométriques nécessaires et les facteurs de conversion appropriés comme les masses molaires et la masse volumique pour calculer le volume de méthanol.

➜ Solution

Écrivons une équation chimique à l'aide des informations fournies.

$$CH_3OH + ClO_3^-(aq) + H^+ \longrightarrow ClO_2(aq) + CO_2(g)$$

Équilibrons cette équation chimique à l'aide de la méthode des demi-réactions.

1. Établissons, parmi les espèces, celles qui subissent l'oxydation et celles qui subissent la réduction.

   CH_3OH est oxydé en CO_2 (le nombre d'oxydation de C passe de −1 à +4) et
   ClO_3^- est réduit en ClO_2 (le nombre d'oxydation de Cl passe de +5 à +4).

   $CH_3OH \longrightarrow CO_2$ (équation de demi-réaction schématique d'oxydation)
   $ClO_3^- \longrightarrow ClO_2$ (équation de demi-réaction schématique de réduction)

2. Équilibrons le nombre d'atomes dans chaque équation de demi-réaction.

   $$CH_3OH + H_2O \longrightarrow CO_2 + 6\ H^+$$
   $$ClO_3^- + 2\ H^+ \longrightarrow ClO_2 + H_2O$$

3. Équilibrons les charges électriques en ajoutant des électrons.

   $$CH_3OH + H_2O \longrightarrow CO_2 + 6\ H^+ + 6\ e^-$$
   $$ClO_3^- + 2\ H^+ + 1\ e^- \longrightarrow ClO_2 + H_2O$$

4. Multiplions les coefficients par des facteurs qui rendent égal le nombre d'électrons dans les équations d'oxydation et de réduction.

Réduction $6\,ClO_3^- + 12\,H^+ + 6\,e^- \longrightarrow 6\,ClO_2 + 6\,H_2O$

Oxydation $CH_3OH + H_2O \longrightarrow CO_2 + 6\,H^+ + 6\,e^-$

Équation globale $CH_3OH + 6\,ClO_3^- + H_2O + 12\,H^+ \longrightarrow 6\,ClO_2 + CO_2 + 6\,H_2O + 6\,H^+$

5. Simplifions l'équation globale.

$$CH_3OH + 6\,ClO_3^- + 6\,H^+ \longrightarrow 6\,ClO_2 + CO_2 + 5\,H_2O$$

Pour déterminer le nombre de litres de méthanol, nous devons transformer la masse de ClO_2 en moles à l'aide de la masse molaire et calculer le nombre de moles de méthanol à l'aide du rapport stœchiométrique donné par l'équation équilibrée. La masse molaire et la masse volumique du méthanol permettent finalement d'obtenir le volume de méthanol nécessaire.

$$?\,L\ de\ CH_3OH = 125\ kg\ de\ ClO_2 \times \frac{10^3\ g}{kg} \times \frac{1\ mol}{67,45\ g} \times \frac{1\ mol\ CH_3OH}{6\ mol\ ClO_2} \times \frac{32,042\ g}{1\ mol}$$

$$\times \frac{mL}{0,791\ g} \times \frac{L}{10^3\ mL} = 12,5\ L$$

➤ Évaluation

Il faut évidemment s'assurer que l'équation est bien équilibrée et vérifier que le nombre d'atomes et les charges électriques sont les mêmes de part et d'autre de l'équation. C'est bien le cas dans cet exemple. D'autre part, l'ordre de grandeur de la réponse semble logique. En effet, 125 kg de ClO_2 nécessite environ 2 fois moins de kilogrammes de CH_3OH, puisque les masses molaires sont presque dans un rapport de 1 : 2, et 6 fois moins de moles, puisque le rapport à cet égard est de 1 : 6. Ce qui nous donne environ 10 kg. La masse volumique étant d'environ 0,8 g/mL, nous prévoyons un volume supérieur à 10 L. Nous obtenons en fait 12,5 L.

Résumé

 Les réactions d'oxydoréduction Le concept du nombre d'oxydation nous permet de reconnaître les réactions qui procèdent par oxydoréduction. Le **nombre d'oxydation** représente la charge réelle sur un ion monoatomique ou une charge hypothétique attribuée au moyen d'une série de conventions, à un atome dans une molécule ou dans un ion polyatomique. Les réactions d'**oxydation** impliquent une augmentation du nombre d'oxydation à la suite d'une perte d'électrons, alors que les réactions de **réduction** sont caractérisées par une diminution du nombre d'oxydation à la suite d'un gain d'électrons. L'oxydation et la réduction sont toujours présentes simultanément dans une réaction d'oxydoréduction.

Au cours d'une réaction d'oxydoréduction, le réactif qui subit une réduction est l'**agent oxydant**, et celui qui subit une oxydation est l'**agent réducteur**. Dans le cas d'une **réaction de dismutation**, la même substance joue le rôle d'agent oxydant et d'agent réducteur. Les réactions d'oxydoréduction peuvent être équilibrées par une méthode faisant appel aux nombres d'oxydation et à leur variation.

 Les demi-réactions Une réaction d'oxydoréduction peut être scindée en deux **demi-réactions**, l'une relative à l'oxydation, et l'autre, à la réduction.

Oxydation $Cu(s) \longrightarrow Cu^{2+}(aq) + 2\,e^-$

Réduction $2\,Ag^+(aq) + 2\,e^- \longrightarrow 2\,Ag(s)$

Équation globale $Cu(s) + 2\,Ag^+(aq) \longrightarrow Cu^{2+}(aq) + 2\,Ag(s)$

7.3 **La méthode des demi-réactions pour équilibrer les équations d'oxydoréduction** On peut équilibrer séparément les équations de demi-réaction, puis les recombiner pour donner une équation d'oxydoréduction équilibrée. Dans cette recombinaison, tous les électrons « perdus » dans la demi-réaction d'oxydation doivent être « gagnés » dans la demi-réaction de réduction.

7.4 **Les agents oxydants et les agents réducteurs**
Parmi les meilleurs agents réducteurs, notons les métaux actifs, certains ions polyatomiques et certains composés dont les atomes ont un faible nombre d'oxydation. La **série d'activité des métaux** présente un classement des métaux en fonction de leur pouvoir réducteur. Elle peut être utilisée afin de prédire les réactions entre un métal donné et d'autres ions métalliques en solution.

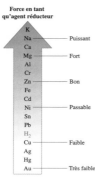

7.5 **Quelques applications de l'oxydoréduction**
En **chimie analytique**, plusieurs réactions d'oxydoréduction sont utilisées pour déterminer qualitativement ou quantitativement les ions ou composés présents dans des échantillons de toute nature. Les réactions d'oxydoréduction peuvent également servir de base à des titrages.

Dans l'industrie, l'oxygène gazeux, le chlore et des composés contenant du chlore sont utilisés comme agents oxydants. Dans la vie quotidienne, les peroxydes et les hypochlorites sont employés comme agents oxydants. Les antioxydants comme la vitamine C sont des agents réducteurs qui peuvent atténuer l'activité des radicaux libres. La photosynthèse est une importante réaction d'oxydoréduction.

Mots clés

Vous trouverez également la définition des mots clés dans le glossaire à la fin du livre.

Problèmes par sections

Les solutions présentées sous forme de clips sont indiquées par ▶

7.1 Les réactions d'oxydoréduction

1. Quel est habituellement le nombre d'oxydation de l'atome d'hydrogène dans les composés ? Quel est celui de l'oxygène dans les composés ? Donnez quelques exceptions.

2. Indiquez le nombre d'oxydation de l'atome souligné dans chacun des composés suivants.

    a) $\underline{Cr}$
    b) $\underline{Cl}O_2^-$
    c) $K_2\underline{Se}$
    d) $\underline{Te}F_6$
    e) $P\underline{H}_4^+$
    f) $Ca\underline{Ru}O_3$
    g) $Sr\underline{Ti}O_3$
    h) $\underline{P}_2O_7^{4-}$
    i) $\underline{S}_4O_6^{2-}$
    j) $\underline{N}H_2OH$

3. Utilisez les règles énoncées à la page 333 pour déterminer le nombre d'oxydation des atomes de carbone dans les composés organiques suivants.

    a) C_2H_6
    b) CH_2O_2
    c) $C_2H_2O_2$
    d) C_2H_6O
    e) $C_2H_2O_4$

4. Indiquez si la première substance nommée dans chacune des transformations subit une oxydation ou une réduction, ou encore ne subit ni l'une ni l'autre de ces réactions. Expliquez votre raisonnement.

    a) Le $CrCl_2$(aq) bleu se transforme en $CrCl_3$(aq) vert quand il est exposé à l'air.
    b) Le K_2CrO_4(aq) jaune se transforme en $K_2Cr_2O_7$(aq) orange quand il est acidifié.
    c) Le pentoxyde de diazote produit de l'acide nitrique en réagissant avec l'eau.

5. Indiquez si la première substance nommée dans chacune des transformations subit une oxydation ou une réduction, ou encore ne subit ni l'une ni l'autre de ces réactions. Expliquez votre raisonnement.

    a) Le trioxyde de soufre gazeux produit de l'acide sulfurique lorsqu'on le fait barboter dans l'eau.
    b) Le dioxyde d'azote se transforme en tétroxyde de diazote quand il est refroidi.
    c) Le monoxyde de carbone est converti en méthane en présence d'hydrogène.

Problèmes 6 à 13 : utilisez la méthode de la variation des nombres d'oxydation.

6. Équilibrez les équations d'oxydoréduction suivantes.

a) $HCl + O_2 \longrightarrow Cl_2 + H_2O$

b) $NO + H_2 \longrightarrow NH_3 + H_2O$

c) $CH_4 + NO \longrightarrow N_2 + CO_2 + H_2O$

7. Équilibrez les équations d'oxydoréduction suivantes.

a) $NH_3 + O_2 \longrightarrow NO + H_2O$

b) $CH_4 + NO_2 \longrightarrow N_2 + CO_2 + H_2O$

c) $Ca(ClO)_2 + HCl \longrightarrow CaCl_2 + H_2O + Cl_2$

8. Équilibrez les équations d'oxydoréduction qui suivent, sauf dans les cas où la réaction est impossible.

a) $Cu^{2+} + I_2 \longrightarrow Cu^+ + I^-$

b) $Ag + H^+ + NO_3^- \longrightarrow Ag^+ + H_2O + NO$

c) $H_2O_2 + MnO_4^- + H^+ \longrightarrow Mn^{2+} + H_2O + O_2$

d) $PbO + V^{3+} + H_2O \longrightarrow PbO_2 + VO^{2+} + H^+$

e) $IO_4^- + I^- + H^+ \longrightarrow I_2 + H_2O$

9. Équilibrez les équations d'oxydoréduction qui suivent, sauf dans les cas où la réaction est impossible.

a) $Mn^{2+} + ClO_3^- + H_2O \longrightarrow MnO_2(s) + Cl^- + H^+$

b) $O_2(g) + NO_3^- + H^+ \longrightarrow H_2O_2 + H_2O + NO(g)$

c) $S_8(s) + O_2(g) + H_2O \longrightarrow H_2SO_4 + H^+$

d) $I^- + MnO_4^- + H^+ \longrightarrow Mn^{2+} + I_2 + H_2O$

e) $Ce^{3+} + I^- + H_2O \longrightarrow CeO_2 + I_2 + H^+$

10. Équilibrez les équations d'oxydoréduction suivantes.

a) $Zn + Cr_2O_7^{2-} + H^+ \longrightarrow Zn^{2+} + Cr^{3+} + H_2O$

b) $SeO_3^{2-} + I^- + H^+ \longrightarrow Se + I_2 + H_2O$

c) $Mn^{2+} + S_2O_8^{2-} + H_2O \longrightarrow MnO_4^- + SO_4^{2-} + H^+$

d) $CaC_2O_4 + MnO_4^- + H^+ \longrightarrow Ca^{2+} + Mn^{2+} + H_2O + CO_2$

e) $CrO_4^{2-} + AsH_3 + H_2O \longrightarrow Cr(OH)_3 + As + OH^-$

f) $S_2O_4^{2-} + CrO_4^{2-} + H_2O + OH^- \longrightarrow Cr(OH)_3 + SO_3^{2-}$

g) $P_4 + H_2O + OH^- \longrightarrow H_2PO_2^- + PH_3$

11. Équilibrez les équations d'oxydoréduction suivantes.

a) $Fe^{2+} + NO_3^- + H^+ \longrightarrow Fe^{3+} + H_2O + NO$

b) $Mn^{2+} + MnO_4^- + H_2O \longrightarrow MnO_2 + H^+$

c) $BiO_3^- + Mn^{2+} + H^+ \longrightarrow Bi^{3+} + MnO_4^- + H_2O$

d) $BaCrO_4 + Fe^{2+} + H^+ \longrightarrow Ba^{2+} + Cr^{3+} + Fe^{3+} + H_2O$

e) $S_8 + OH^- \longrightarrow S_2O_3^{2-} + S^{2-} + H_2O$

f) $CH_3OH + MnO_4^- \longrightarrow HCOO^- + MnO_2 + OH^- + H_2O$

g) $Fe_2S_3 + O_2 + H_2O \longrightarrow Fe(OH)_3 + S_8$

12. Écrivez des équations d'oxydoréduction équilibrées pour les réactions suivantes.

a) La réaction du permanganate de potassium avec l'acide oxalique, HOOCCOOH, en solution acide. Les produits sont $Mn^{2+}(aq)$ et du dioxyde de carbone gazeux.

b) La réaction de l'ion permanganate avec l'acétaldéhyde, CH_3CHO, en solution basique. Les produits sont l'oxyde de manganèse(IV) et l'ion acétate, CH_3COO^-.

c) L'oxydation de l'ion thiosulfate, qui est en solution acide, en ion hydrogénosulfate, au moyen du chlore gazeux, qui est réduit en ion chlorure.

13. Écrivez des équations d'oxydoréduction équilibrées pour les réactions suivantes.

a) La réaction de l'acide nitrique concentré avec le zinc métallique. Les produits sont le nitrate de zinc(II) et le dioxyde d'azote gazeux.

b) La réaction de l'ion nitrate avec le zinc métallique en solution basique. Les produits sont $Zn^{2+}(aq)$ et $NH_3(g)$.

c) La dismutation du brome liquide en solution basique pour produire des ions bromate et bromure.

7.2   Les demi-réactions

Problèmes 16 et 17 : utilisez la méthode des demi-réactions.

14. Qu'arrive-t-il au nombre d'oxydation d'un des éléments d'un composé quand ce dernier est oxydé ? Et quand il est réduit ?

15. Qu'est-ce qu'une *demi-réaction* dans le cas d'une réaction d'oxydoréduction ? Comment les électrons prennent-ils part aux demi-réactions ?

16. Complétez et équilibrez les équations de demi-réaction suivantes, et indiquez s'il s'agit d'une oxydation ou d'une réduction.

a) $ClO_2(g) \longrightarrow ClO_3^-(aq)$ (solution acide)

b) $MnO_4^-(aq) \longrightarrow MnO_2(s)$ (solution acide)

c) $SbH_3(g) \longrightarrow Sb(s)$ (solution basique)

17. Complétez et équilibrez les équations de demi-réaction suivantes, et indiquez s'il s'agit d'une oxydation ou d'une réduction.

a) $P_4(s) \longrightarrow H_3PO_4(aq)$ (solution acide)

b) $MnO_2(s) \longrightarrow MnO_4^-(aq)$ (solution basique)

c) $CH_3CH_2OH(aq) \longrightarrow CO_2(g)$ (solution basique)

7.3   La méthode des demi-réactions pour équilibrer les équations d'oxydoréduction

18. Le magnésium et l'aluminium réagissent tous les deux avec une solution acide pour produire de l'hydrogène. Pourquoi une seule des équations suivantes décrit-elle la réaction correctement ?

$$Mg(s) + 2\,H^+(aq) \longrightarrow Mg^{2+}(aq) + H_2(g)$$

$$Al(s) + 2\,H^+(aq) \longrightarrow Al^{3+}(aq) + H_2(g)$$

19. À l'aide de la méthode des demi-réactions, équilibrez les équations suivantes, qui représentent des réactions d'oxydoréduction en solution acide.

a) $Ag(s) + NO_3^-(aq) + H^+(aq) \longrightarrow$
$$Ag^+(aq) + H_2O(l) + NO(g)$$

b) $H_2O_2(aq) + MnO_4^-(aq) + H^+(aq) \longrightarrow$
$$Mn^{2+}(aq) + H_2O(l) + O_2(g)$$

c) $Cl_2(g) + I^-(aq) + H_2O(l) \longrightarrow$
$$Cl^-(aq) + IO_3^-(aq) + H^+(aq)$$

20. À l'aide de la méthode des demi-réactions, équilibrez les équations suivantes, qui représentent des réactions d'oxydoréduction en solution acide.

a) $Fe^{2+}(aq) + Cr_2O_7^{2-}(aq) + H^+(aq) \longrightarrow$
$$Fe^{3+}(aq) + Cr^{3+}(aq) + H_2O(l)$$

b) $S_8(s) + O_2(g) + H_2O(l) \longrightarrow SO_4^{2-}(aq) + H^+(aq)$

c) $Fe^{3+}(aq) + (NH_2OH_2)^+(aq) \longrightarrow$
$$Fe^{2+}(aq) + N_2O(g) + H^+(aq) + H_2O(l)$$

21. À l'aide de la méthode des demi-réactions, équilibrez les équations suivantes, qui représentent des réactions d'oxydoréduction en solution basique.

a) $Fe(OH)_2(s) + O_2(g) + H_2O(l) \longrightarrow Fe(OH)_3(s)$

b) $S_8(s) + OH^-(aq) \longrightarrow S_2O_3^{2-}(aq) + S^{2-}(aq) + H_2O(l)$

c) $CrI_3(s) + H_2O_2(aq) + OH^-(aq) \longrightarrow$
$$CrO_4^{2-}(aq) + IO_4^-(aq) + H_2O(l)$$

22. À l'aide de la méthode des demi-réactions, équilibrez les équations suivantes, qui représentent des réactions d'oxydoréduction en solution basique.

a) $CrO_4^{2-}(aq) + AsH_3(g) + H_2O(l) \longrightarrow$
$$Cr(OH)_3(s) + As(s) + OH^-(aq)$$

b) $CH_3OH(aq) + MnO_4^-(aq) \longrightarrow$
$$HCOO^-(aq) + MnO_2(s) + H_2O(l) + OH^-(aq)$$

c) $[Fe(CN)_6]^{3-}(aq) + N_2H_4(aq) + OH^-(aq) \longrightarrow$
$$[Fe(CN)_6]^{4-}(aq) + N_2(g) + H_2O(l)$$

23. À l'aide de la méthode des demi-réactions, écrivez des équations équilibrées des réactions d'oxydoréduction suivantes.

a) La réaction de $Cr_2O_7^{2-}$ et de UO^{2+} pour produire UO_2^{2+} et Cr^{3+} dans une solution aqueuse acide.

b) La réaction de l'ion nitrate et du zinc dans une solution basique pour produire l'ion zinc(II) et l'ammoniac gazeux, NH_3.

24. À l'aide de la méthode des demi-réactions, écrivez des équations équilibrées des réactions d'oxydoréduction suivantes.

a) La réaction des ions thiosulfate et permanganate en solution acide pour former les ions sulfate et manganèse(II).

b) La dismutation de l'ion manganate (MnO_4^{2-}) en ion permanganate et en oxyde de manganèse(IV) solide, en solution basique.

7.4   Les agents oxydants et les agents réducteurs

25. Le même composé peut-il être à la fois un agent oxydant et un agent réducteur? Cela peut-il se produire dans la même réaction? Expliquez vos réponses.

26. Il se produit une réaction dans un seul des mélanges ci-dessous. Expliquez pourquoi, et écrivez une équation ionique nette de la réaction qui a lieu.

$Zn(s) + CH_3COOH(aq) \longrightarrow$

$Au(s) + HCl(aq) \longrightarrow$

27. Nommez les agents oxydants et les agents réducteurs dans le problème 12.

28. Nommez les agents oxydants et les agents réducteurs dans le problème 13.

29. À l'aide de la série d'activité des métaux (figure 7.5, page 347), prédisez les réactions chimiques dans les cas suivants. Écrivez une équation équilibrée plausible pour les réactions qui ont lieu, et indiquez «aucune réaction» pour celles qui n'ont pas lieu.

a) $Zn(s) + H^+(aq) \longrightarrow$

b) $Cu(s) + Zn^{2+}(aq) \longrightarrow$

c) $Fe(s) + Ag^+(aq) \longrightarrow$

d) $Au(s) + H^+(aq) \longrightarrow$

30. Un métal «inconnu» M donne les résultats ci-dessous dans certains tests de laboratoire. Utilisez ces données pour trouver l'emplacement approximatif de M dans la série d'activité (figure 7.5, page 347).

$$M(s) + 2\,H^+(aq) \longrightarrow M^{2+}(aq) + H_2(g)$$
$$M(s) + Cu^{2+}(aq) \longrightarrow M^{2+}(aq) + Cu(s)$$
$$M(s) + Fe^{2+}(aq) \longrightarrow M^{2+}(aq) + Fe(s)$$
$$2\,Al(s) + 3\,M^{2+}(aq) \longrightarrow 2\,Al^{3+}(aq) + 3\,M(s)$$
$$M(s) + Zn^{2+}(aq) \longrightarrow \text{Aucune réaction}$$

7.5 Quelques applications de l'oxydoréduction

31. Combien de millilitres de $KMnO_4$(aq) 0,1050 mol/L sont nécessaires pour titrer :

a) 20,00 mL de Fe^{2+}(aq) 0,3252 mol/L ?

$$5\ Fe^{2+} + MnO_4^- + 8\ H^+ \longrightarrow 5\ Fe^{3+} + Mn^{2+} + 4\ H_2O$$

b) un échantillon de KNO_2 pesant 1,065 g ?

$$5\ NO_2^- + 2\ MnO_4^- + 6\ H^+ \longrightarrow$$
$$2\ Mn^{2+} + 5\ NO_3^- + 3\ H_2O$$

32. Dans les réactions du problème 31, quelle est la concentration molaire volumique de $KMnO_4$(aq) :

a) si 22,55 mL de $KMnO_4$(aq) sont nécessaires pour titrer 10,00 mL de $FeSO_4$(aq) 0,2434 mol/L ?

b) s'il faut 31,61 mL de $KMnO_4$(aq) pour titrer un échantillon de KNO_2 pesant 567,4 mg ?

33. On peut déterminer la concentration de l'ion Mn^{2+}(aq) par titrage avec MnO_4^-(aq) en solution basique.

$$Mn^{2+} + MnO_4^- + OH^- \longrightarrow MnO_2(s) + H_2O$$
(*non équilibrée*)

Il faut 34,77 mL de $KMnO_4$(aq) 0,058 76 mol/L pour titrer un échantillon de 25,00 mL de Mn^{2+}(aq). Quelle est la concentration molaire volumique de Mn^{2+}(aq) ?

34. On doit déterminer la concentration de $KMnO_4$(aq) par titrage avec As_2O_3(s). Il faut 27,08 mL de $KMnO_4$(aq) pour titrer un échantillon de As_2O_3(s) pesant 0,1156 g. Quelle est la concentration molaire volumique de $KMnO_4$(aq) ?

$$As_2O_3 + MnO_4^- + H_2O + H^+ \longrightarrow H_3AsO_4 + Mn^{2+}$$
(*non équilibrée*)

Problèmes complémentaires

 Les solutions présentées sous forme de clips sont indiquées par ▶

★ Problème défi

↻ Problème synthèse

35. Dans la réaction

▶ $$Cu(s) + 2\ H_2SO_4(aq) \longrightarrow CuSO_4(aq) + 2\ H_2O(l) + SO_2(g)$$

H_2SO_4(aq) est-il oxydé, réduit ou ni l'un ni l'autre ? Expliquez votre réponse.

36. Montrez que, selon les définitions de l'oxydation et de la réduction données dans ce chapitre, la combustion d'un hydrocarbure est une réaction d'oxydoréduction. Quel est l'agent oxydant, et quel est l'agent réducteur dans cette réaction ?

37. Un échantillon de minerai de fer pesant 0,8765 g est dissous
▶ dans HCl(aq), et on obtient du fer sous forme de Fe^{2+} (aq). On titre ensuite cette solution avec 29,43 mL de $K_2Cr_2O_7$(aq) 0,04212 mol/L. Quel est le pourcentage massique de fer dans l'échantillon du minerai ?

$$Fe^{2+} + Cr_2O_7^{2-} + H^+ \longrightarrow Fe^{3+} + Cr^{3+} + H_2O$$
(*non équilibrée*)

38. Pour titrer un échantillon de 5,00 mL d'une solution aqueuse
★ saturée d'oxalate de sodium, $Na_2C_2O_4$, il faut 25,82 mL de $KMnO_4$(aq) 0,02140 mol/L. Combien de grammes de $Na_2C_2O_4$ sont présents dans 250,0 mL de la solution saturée ?

$$C_2O_4^{2-}(aq) + MnO_4^-(aq) + H^+(aq) \longrightarrow$$
$$Mn^{2+}(aq) + H_2O(l) + CO_2(g)\ \ (\textit{non équilibrée})$$

39. Équilibrez les équations d'oxydoréduction qui suivent à l'aide de la méthode de la variation des nombres d'oxydation.

a) $CrI_3 + H_2O_2 + OH^- \longrightarrow CrO_4^{2-} + IO_4^- + H_2O$

b) $As_2S_3 + H_2O_2 + OH^- \longrightarrow AsO_4^{3-} + SO_4^{2-} + H_2O$

c) $I_2 + H_5IO_6 \longrightarrow IO_3^- + H_2O + H^+$

d) $XeF_6 + OH^- \longrightarrow XeO_6^{4-} + Xe + O_2 + F^- + H_2O$

e) $As_2S_3 + H^+ + NO_3^- + H_2O \longrightarrow H_3AsO_4 + S_8 + NO$

40. Les biochimistes décrivent parfois la réduction comme un gain d'atomes H. À l'aide d'exemples tirés du chapitre, montrez que cette définition est conforme à celle qui est basée sur les nombres d'oxydation.

41. Les trois réactions qui suivent sont associées aux termites lignivores. Écrivez des équations équilibrées pour chacune et nommez les agents oxydants et réducteurs.

a) Certaines bactéries qui vivent dans l'intestin postérieur des termites convertissent le glucose, $C_6H_{12}O_6$, en acide acétique, CH_3COOH, en dioxyde de carbone et en hydrogène.

b) D'autres bactéries convertissent une partie du dioxyde de carbone et de l'hydrogène en une quantité plus grande d'acide acétique.

c) La réaction de l'acide acétique avec l'oxygène pour produire du dioxyde de carbone et de l'eau répond alors aux besoins en énergie respiratoire des termites.

42. L'incinération de déchets toxiques contenant du chlore, comme un biphényle polychloré (BPC), produit du CO_2 et du HCl.

$$C_{12}H_4Cl_6 + O_2 \longrightarrow CO_2 + HCl$$

À l'aide de la méthode de la variation des nombres d'oxydation, équilibrez l'équation de cette réaction de combustion. Commentez les avantages et les inconvénients de l'incinération comme méthode d'élimination de tels déchets.

43. On détermine par titrage acidobasique la concentration exacte d'une solution aqueuse d'acide oxalique, HOOCCOOH, c'est-à-dire $H_2C_2O_4$. Puis, la solution d'acide oxalique est utilisée pour déterminer la concentration d'une solution de $KMnO_4(aq)$ par un titrage d'oxydoréduction en solution acide. Il faut 32,15 mL de NaOH 0,1050 mol/L et 28,12 mL de $KMnO_4(aq)$ pour titrer des échantillons de 25,00 mL de la solution d'acide oxalique. Quelle est la concentration molaire volumique de $KMnO_4(aq)$? (*Indice:* L'acide oxalique est oxydé en dioxyde de carbone.)

44. On traite un échantillon de 10,00 mL d'une solution aqueuse de H_2O_2 avec un excès de KI(aq). Il faut 28,91 mL de $Na_2S_2O_3$ 0,1522 mol/L pour titrer I_2 libéré. $H_2O_2(aq)$ contient-il toujours sa concentration initiale de 3% de H_2O_2, en masse, comme solution antiseptique? Supposez que la masse volumique de $H_2O_2(aq)$ est de 1,00 g/mL.

$$H_2O_2(aq) + H^+(aq) + I^-(aq) \longrightarrow$$
$$H_2O(l) + I_2(s) \text{ (non équilibrée)}$$

$$I_2(s) + S_2O_3^{2-}(aq) \longrightarrow$$
$$S_4O_6^{2-}(aq) + I^-(aq) \text{ (non équilibrée)}$$

45. Équilibrez les équations d'oxydoréduction qui suivent par la méthode des demi-réactions.

a) $B_2Cl_4 + OH^- \longrightarrow BO_2^- + Cl^- + H_2O + H_2(g)$

b) $CH_3CH_2ONO_2 + Sn + H^+ \longrightarrow$
$$CH_3CH_2OH + NH_2OH + Sn^{2+} + H_2O$$

c) $SeOF_6 + OH^- \longrightarrow SeO_4^{2-} + F^- + H_2O + O_2(g)$

d) $As_2S_3 + OH^- + H_2O_2 \longrightarrow AsO_4^{3-} + SO_4^{2-} + H_2O$

e) $XeF_6 + OH^- \longrightarrow XeO_6^{4-} + F^- + H_2O + Xe(g) + O_2(g)$

46. Jusqu'ici, nous avons employé la méthode des demi-réactions uniquement pour équilibrer les équations d'oxydoréduction en solution aqueuse. En fait, nous pouvons nous en servir dans d'autres cas. Équilibrez l'équation suivante par la méthode des demi-réactions et expliquez pourquoi la méthode peut s'appliquer.

$$NO(g) + H_2(g) \longrightarrow NH_3(g) + H_2O(g)$$

47. À propos de la réaction

$$Cu(s) + 4\,H^+(aq) + SO_4^{2-}(aq) \longrightarrow$$
$$Cu^{2+}(aq) + 2\,H_2O(l) + SO_2(g)$$

quel énoncé est vrai?

a) Cu est l'agent oxydant. **b)** SO_2 est l'agent oxydant.

c) H^+ est l'agent oxydant. **d)** SO_4^{2-} est réduit.

48. Les réactions représentées par les équations suivantes ne peuvent pas se produire telles qu'elles sont écrites. Pourquoi?

a) $PbO + V^{3+} + H_2O \longrightarrow PbO_2 + VO^{2+} + H^+$

b) $Fe_2S_3(s) + H_2O(l) \longrightarrow Fe(OH)_3(s) + S(s)$

49. Les réactions représentées par les équations suivantes ne peuvent pas se produire telles qu'elles sont écrites. Pourquoi?

a) $O_3(g) + ClO_3^-(aq) + OH^-(aq) \longrightarrow H_2O(l) + Cl^-(aq)$

b) $NH_3(g) + H_2O(g) \longrightarrow N_2H_4(g) + NO_2(g)$

50. Dans le composé $NdCaMn_2O_6$, la moitié des atomes de Mn ont un nombre d'oxydation de +3 et la moitié un nombre d'oxydation de +4. Quel est le nombre d'oxydation du néodyme?

L'électrochimie

Le courant électrique, un flux d'électrons, peut être utilisé pour provoquer des transformations chimiques grâce à un procédé appelé *électrolyse*. À l'inverse, ces transformations chimiques, ou plus précisément les réactions d'oxydoréduction dont elles découlent, peuvent être utilisées pour produire de l'électricité dans des dispositifs appelés *piles voltaïques*. La corrosion, comme dans le cas de la rouille qui attaque cette épave, est également un processus électrochimique qui fait intervenir des réactions comme celles des piles voltaïques.

L'importance de l'électricité dans nos vies ne fait aucun doute. On l'utilise pour cuire les aliments, chauffer ou rafraîchir les maisons, faire fonctionner les appareils électroménagers, alimenter les téléviseurs et les ordinateurs, etc. On peut la produire à partir de la force hydroélectrique ou en transformant la chaleur d'un combustible en travail mécanique, puis en électricité. Cependant, la conversion de la chaleur en travail n'est pas très efficace et s'accompagne toujours d'une perte considérable. Dans une centrale thermique, moins de la moitié de la chaleur de combustion est convertie en électricité. Dans les moteurs à combustion interne des voitures, le rendement est encore moindre.

On peut produire de l'électricité d'une façon beaucoup plus avantageuse ; il faut pour cela éviter les conversions chaleur-travail et passer directement de l'énergie chimique à l'énergie électrique. L'**électrochimie** traite des relations entre les réactions chimiques et l'électricité. Cette dernière fait intervenir un flux d'électrons, de sorte que les réactions chimiques qui lui sont associées sont celles dans lesquelles ont lieu des transferts d'électrons. Il s'agit de réactions d'*oxydoréduction*.

Dans le précédent chapitre, nous avons examiné une méthode qui permet d'équilibrer les équations d'oxydoréduction sans passer par la méthode de la variation des nombres d'oxydation. Nous étudierons ici comment les réactions chimiques *spontanées* peuvent produire de l'électricité et comment, à partir de cette énergie, on peut obtenir des réactions, de prime abord, *non spontanées*. Nous insisterons sur les applications pratiques qui vont des accumulateurs et des piles à combustible comme sources d'énergie électrique à la prévention de la corrosion et à la fabrication de produits chimiques et de métaux importants.

Dans le présent chapitre, nous nous proposons de répondre, entre autres, aux questions suivantes :

- Comment produit-on de l'électricité à partir de réactions chimiques ?
- Comment fonctionne une pile ?
- Qu'est-ce qu'une cellule électrochimique ?
- Comment fonctionne l'électrodéposition ?

Électrochimie

Étude des relations entre les réactions chimiques et l'électricité.

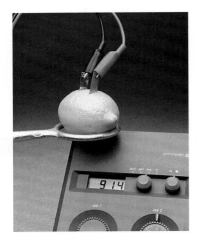

▲ **Figure 8.1**
Pile voltaïque simple

Les composants clés d'un dispositif qui convertit l'énergie chimique en énergie électrique — une pile *voltaïque* — sont deux lames de métaux différents (cuivre et zinc) et un électrolyte (jus de citron). Les électrons circulent en empruntant les fils et passent par un voltmètre. Les flux d'électrons et d'ions constituent ensemble un courant électrique.

Électrode

Lame de métal ou tige de carbone plongée dans une solution ou un électrolyte à l'état liquide, qui assure le transport de charges électriques vers le liquide ou à l'extérieur de celui-ci.

Les piles voltaïques

La « pile au citron » de la **figure 8.1** est formée de lames de zinc et de cuivre plantées dans un citron. Elle est un exemple de pile voltaïque. Comme nous le verrons dans cette section, c'est une réaction d'oxydoréduction spontanée qui produit l'électricité dans une pile voltaïque.

8.1 Une description qualitative des piles voltaïques

Quand on plonge une lame de zinc métallique dans une solution aqueuse de sulfate de zinc, certains atomes de zinc sont *oxydés* (**figure 8.2**). Chaque atome Zn oxydé cède deux électrons et passe en solution sous forme d'ion Zn^{2+}.

$$\textit{Oxydation} \quad Zn(s) \longrightarrow Zn^{2+}(aq) + 2\,e^-$$

En même temps, certains ions Zn^{2+} en solution gagnent deux électrons de la lame de zinc et se déposent sous forme d'atomes Zn. Ils sont *réduits* (figure 8.2).

$$\textit{Réduction} \quad Zn^{2+}(aq) + 2\,e^- \longrightarrow Zn(s)$$

Les processus opposés d'oxydation et de réduction atteignent rapidement un équilibre.

$$Zn(s) \underset{\text{Réduction}}{\overset{\text{Oxydation}}{\rightleftharpoons}} Zn^{2+}(aq) + 2\,e^-$$

Une lame de métal utilisée dans une expérience électrochimique est appelée **électrode**. L'équilibre qui s'établit à la surface de l'électrode quand elle est plongée dans une solution constituée de ses ions est appelé *équilibre d'électrode*. On en observe un autre exemple lorsqu'une électrode de cuivre est plongée dans une solution aqueuse de Cu^{2+}.

$$Cu(s) \underset{\text{Réduction}}{\overset{\text{Oxydation}}{\rightleftharpoons}} Cu^{2+}(aq) + 2\,e^-$$

▶ **Figure 8.2**
Équilibre d'électrode

La lame de zinc métallique, appelée *électrode,* est partiellement plongée dans une solution contenant des ions Zn^{2+}. L'oxydation du Zn en Zn^{2+} (au bas de la représentation du phénomène à l'échelle microscopique) et la réduction du Zn^{2+} en Zn (en haut) ont lieu jusqu'à ce qu'un état d'équilibre soit atteint. À des fins de clarté, nous ne montrons pas les anions, qui sont néanmoins présents et nécessaires pour produire une solution électriquement neutre.

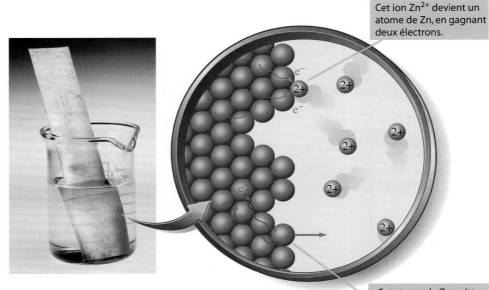

Cet ion Zn^{2+} devient un atome de Zn, en gagnant deux électrons.

Cet atome de Zn quitte la surface sous forme d'ion Zn^{2+}, en cédant deux électrons.

Au chapitre 7, nous avons utilisé la série d'activité des métaux (figure 7.5, page 347) pour montrer que le zinc est un bon agent réducteur et qu'il est, par conséquent, assez facilement oxydé. Par contre, le cuivre est un mauvais agent réducteur, car il n'est pas aussi facilement oxydé. Au moyen de la pile voltaïque illustrée dans la **figure 8.3**, on peut démontrer que l'oxydation dans l'équilibre d'électrode est plus favorisée à une électrode de zinc qu'à une électrode de cuivre.

Une **demi-pile** est constituée d'un métal plongé dans une solution formée de ses ions. La figure 8.3 représente deux demi-piles : l'une avec Zn(s) dans $ZnSO_4$(aq), et l'autre, Cu(s) dans $CuSO_4$(aq). Les solutions présentes dans les deux demi-piles sont reliées par un **pont salin**, un tube en U renversé contenant une solution saline, par exemple Na_2SO_4(aq). Des bouchons poreux placés aux extrémités du tube empêchent l'écoulement de la solution tout en permettant la migration des ions. Des fils métalliques relient les électrodes aux bornes d'un voltmètre. Ce dernier indique que les électrons circulent de façon continue de l'électrode de zinc à celle de cuivre. (Le voltmètre et la signification de sa lecture sont abordés à la page 367.) On peut expliquer le courant électrique observé comme suit.

L'oxydation se produit à l'électrode de zinc. Les atomes de ce dernier perdent des électrons et passent en solution sous forme d'ions Zn^{2+}.

$$\textit{Oxydation} \quad Zn(s) \longrightarrow Zn^{2+}(aq) + 2\,e^-$$

Demi-pile

Électrode métallique partiellement immergée dans une solution d'ions qui participent à l'oxydoréduction dans l'équilibre de l'électrode.

Pont salin

Tube en U renversé contenant une solution saline, qui est utilisé pour relier les deux solutions d'une pile voltaïque.

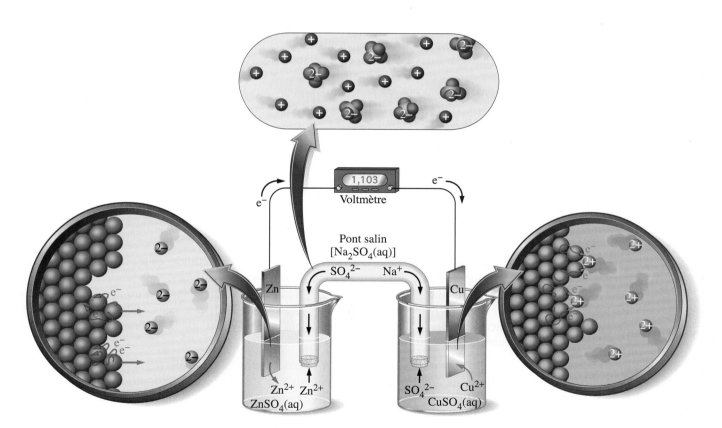

▲ **Figure 8.3**
Pile voltaïque zinc-cuivre

(À gauche) À l'électrode de zinc, les atomes de Zn perdent des électrons et passent en solution sous forme de Zn^{2+}. Les électrons circulent par l'intermédiaire du circuit externe, de l'électrode de zinc à celle du cuivre. (À droite) À l'électrode de cuivre, les ions Cu^{2+} en solution gagnent des électrons et se déposent sous forme d'atomes Cu. (En haut) Migration des ions Na^+ et SO_4^{2-}. Des bouchons poreux empêchent l'écoulement de la solution, mais permettent aux ions Zn^{2+} dans le bécher de gauche et aux ions SO_4^{2-} dans le bécher de droite de pénétrer dans le pont salin et de migrer avec les ions du pont. Aux débuts de la télégraphie, on utilisait des piles voltaïques semblables à celle-ci (piles de Daniell) pour alimenter les lignes télégraphiques.

Les électrons cédés par les ions Zn^{2+} ne s'accumulent pas sur l'électrode ; ils circulent par l'intermédiaire de fils et du voltmètre vers l'électrode de cuivre. À l'électrode de cuivre, le flux d'électrons qui arrivent empêche toute tendance du cuivre à s'oxyder. Les ions Cu^{2+} provenant de $CuSO_4(aq)$ gagnent plutôt des électrons à l'électrode de cuivre et sont ainsi réduits en atomes de cuivre.

Réduction $\quad Cu^{2+}(aq) + 2\,e^- \longrightarrow Cu(s)$

Les demi-réactions aux électrodes donnent lieu à la réaction d'oxydoréduction ci-dessous.

Réaction globale $\quad Zn(s) + Cu^{2+}(aq) \longrightarrow Zn^{2+}(aq) + Cu(s)$

Cependant, notre description est, jusqu'à ce point, incomplète. Il ne peut pas y avoir de courant électrique à moins que la charge électrique ne soit également transportée au sein des solutions dans les demi-piles, et cette charge électrique *ne peut pas être transportée par des électrons*. Ces derniers transportent le courant électrique par l'intermédiaire du circuit externe, mais ils ne peuvent pas aller plus loin que les électrodes. En effet, ils sont échangés à la surface des électrodes dans les demi-réactions d'oxydation et de réduction, et ce sont les *cations et les anions qui transportent la charge électrique au sein des solutions.*

À mesure que le zinc est oxydé, le nombre d'ions Zn^{2+} dans la demi-pile de zinc augmente, ce qui crée une accumulation de charges positives dans la solution. Simultanément, à mesure que Cu^{2+} est réduit, le nombre d'ions Cu^{2+} diminue dans la demi-pile de cuivre; il y a alors accumulation de charges négatives dans la solution. Ces accumulations de charges sont contrecarrées par le pont salin. Les ions SO_4^{2-} migrent hors du pont salin vers la demi-pile de zinc pour neutraliser la charge positive en excès associée aux ions Zn^{2+} produits par l'oxydation. En outre, certains ions SO_4^{2-} quittent la demi-pile de cuivre pour entrer dans le pont salin. En même temps, les cations migrent dans la direction opposée aux anions. Les ions Na^+ du pont salin migrent vers la demi-pile de cuivre pour remplacer les ions Cu^{2+} qui ont été réduits. De plus, certains ions Zn^{2+} migrent hors de la demi-pile de zinc vers le pont salin.

Quelques termes importants en électrochimie

Nous avons établi qu'une **pile voltaïque** est un dispositif électrochimique dans lequel un courant électrique est produit, alors qu'une réaction d'oxydoréduction spontanée a lieu à partir de demi-réactions d'oxydation et de réduction séparées physiquement. Considérons quelques autres termes importants utilisés pour décrire les piles voltaïques.

L'**anode** est l'électrode où a lieu l'oxydation, et la **cathode**, celle où a lieu la réduction. À la figure 8.3, le zinc est l'anode, et le cuivre, la cathode. Puisqu'elle est la source d'électrons dans la pile voltaïque, l'anode est aussi appelée « électrode *négative* ». Pour sa part, étant le récepteur d'électrons, la cathode est appelée « électrode *positive* ». En fait, l'accumulation d'électrons à l'anode est faible, si bien que la différence de charge nette entre les deux électrodes est minime.

On peut aussi considérer la différence entre les deux électrodes du point de vue de l'énergie potentielle des électrons, laquelle est plus grande à l'anode qu'à la cathode. De ce fait, quand les deux électrodes sont reliées dans une pile voltaïque, le flux d'électrons circule de l'anode vers la cathode. C'est un peu ce qui se passe dans une chute d'eau : le courant passe d'un niveau élevé d'énergie potentielle à un niveau plus bas. Autrement dit, la variation d'énergie potentielle dépend de la hauteur de la chute. Dans un circuit électrique, la propriété que l'on associe à la hauteur d'une chute est le potentiel électrique. Le *potentiel électrique* est l'énergie par unité de charge qui circule. Si l'on prend le *coulomb* comme unité de charge et le *joule* comme unité d'énergie, un potentiel électrique de 1 **volt (V)** équivaut à 1 J/C.

On accorde généralement la découverte du courant électrique à Luigi Galvani (1737-1798). Toutefois, c'est Alessandro Volta (1745-1827) qui, le premier, a construit des piles semblables à celle de la figure 8.3 pour produire de l'électricité, d'où le nom de pile voltaïque, *qui est appelée parfois pile* galvanique.

Pile voltaïque

Dispositif électrochimique dans lequel un courant électrique est produit tandis qu'une réaction d'oxydoréduction spontanée a lieu dans des demi-réactions d'oxydation et de réduction séparées physiquement.

Anode

Électrode négative d'une pile voltaïque et électrode positive d'une cellule électrolytique, où a lieu la demi-réaction d'oxydation.

Cathode

Électrode positive d'une pile voltaïque et électrode négative d'une cellule électrolytique, où a lieu la demi-réaction de réduction.

Volt (V)

Unité de mesure du potentiel électrique ; un volt est égal à un joule par coulomb.

Le moyen mnémotechnique suivant peut aider à se rappeler la différence entre la cathode et l'anode.

cathode   anode
consonnes   voyelles
réduction   oxydation

Les mots anode *et* oxydation *débutent par une voyelle, alors que les mots* cathode *et* réduction *débutent par une consonne.*

Potentiel électrique	$1\text{ V} = 1\text{ J/C}$	**(8.1)**

Pour mesurer une différence de potentiel électrique entre deux points dans un circuit électrique, on utilise un *voltmètre*. Si les deux points sont les électrodes dans une pile voltaïque, la *différence de potentiel* est la force motrice qui fait circuler les électrons de l'anode vers la cathode ; elle est également appelée **force électromotrice** (E_{pile}). Puisque les mesures sont en volts, la force électromotrice est également appelée **tension de la pile**. La tension de la pile Zn-Cu illustrée dans la figure 8.3 est de 1,103 V. Dans la figure 8.1, la tension de la pile voltaïque zinc/cuivre/citron est de 0,914 V, ou 914 *milli*volts. La réaction d'oxydoréduction globale qui a lieu dans une pile voltaïque s'appelle la **réaction de la pile**.

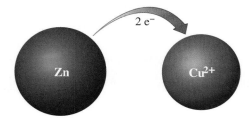

Le zinc perd des électrons. L'ion cuivre gagne des électrons.
Le zinc est oxydé. Le cuivre est réduit.
Le zinc est l'anode. Le cuivre est la cathode.

Force électromotrice (E_{pile})

Différence de potentiel entre les deux électrodes d'une pile voltaïque.

Tension de la pile

Voir **force électromotrice**.

Réaction de la pile

Réaction d'oxydoréduction globale dans une pile voltaïque.

◀ **Figure 8.4**
Les processus aux électrodes de la pile voltaïque de la figure 8.3

La représentation schématique d'une pile

Il est plus commode de décrire une pile électrochimique par une **représentation schématique**, ou *schéma*, que par un dessin comme celui de la figure 8.3. Un accord international a fixé les conventions suivantes pour la représentation schématique d'une pile.

- Placer l'*anode* du côté *gauche* du schéma.

- Placer la *cathode* du côté *droit* du schéma.

- Utiliser un trait vertical *simple* ($|$) pour indiquer les limites des différentes phases, comme entre une électrode solide et une solution aqueuse.

- Utiliser un *double* trait vertical ($\|$) pour représenter un pont salin ou une quelconque barrière poreuse qui sépare deux demi-piles.

La représentation schématique de la pile à la figure 8.3 est la suivante.

Représentation schématique

Représentation d'une pile électrochimique dans laquelle l'anode est figurée à gauche et la cathode à droite ; les limites des différentes phases sont indiquées par un trait vertical et le pont salin, ou une quelconque barrière poreuse, par un double trait vertical.

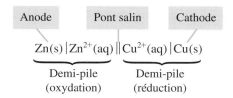

Anode   Pont salin   Cathode

$$\text{Zn(s)}\,|\,\text{Zn}^{2+}\text{(aq)}\,\|\,\text{Cu}^{2+}\text{(aq)}\,|\,\text{Cu(s)}$$

Demi-pile Demi-pile
(oxydation) (réduction)

Dans de nombreux cas, on utilise une électrode qui ne participe pas à l'équilibre d'oxydoréduction. L'électrode est inerte. Son rôle se limite à fournir une surface sur laquelle s'établit le potentiel électrique. Par exemple, pour établir un équilibre d'électrode entre le chlore gazeux et les ions chlorure, on peut plonger une lame de platine métallique dans une solution de Cl⁻(aq) et faire barboter du chlore gazeux près de la surface du métal, qui joue alors le rôle d'électrode inerte. L'équilibre d'oxydoréduction suivant s'établit à la surface du platine et transmet au métal un potentiel électrique caractéristique.

Comme le chlore est gazeux à température et à pression normales, on doit utiliser un métal qui jouera le rôle de l'électrode. Le platine est tout indiqué, étant donné sa faible réactivité.

$$2\,\text{Cl}^-\text{(aq)} \xrightleftharpoons{\text{sur Pt}} \text{Cl}_2\text{(aq)} + 2\,\text{e}^-$$

Pour des demi-piles dont l'électrode renferme le couple Cl_2/Cl^-, on pourrait utiliser la représentation schématique ci-dessous.

Comme anode (oxydation) $\text{Pt}\,|\,\text{Cl}_2\text{(g)}\,|\,\text{Cl}^-\text{(aq)}$

Comme cathode (réduction) $\text{Cl}^-\text{(aq)}\,|\,\text{Cl}_2\text{(g)}\,|\,\text{Pt}$

EXEMPLE 8.1

Décrivez les demi-réactions et la réaction globale qui ont lieu dans la pile voltaïque ci-dessous.

$$Pt(s) | Fe^{2+}(aq), Fe^{3+}(aq) \| Cl^-(aq) | Cl_2(g) | Pt(s)$$

➜ Solution

Les électrodes ne participent pas à la réaction, parce que le platine est inerte. Les demi-réactions ont lieu à la surface du platine, mais elles mettent en jeu les autres espèces dans la représentation schématique de la pile. Par convention, l'électrode située à *gauche* est l'*anode,* où a lieu l'*oxydation.* Fe^{2+} est oxydé en Fe^{3+}.

$$\textit{Oxydation} \quad Fe^{2+}(aq) \longrightarrow Fe^{3+}(aq) + e^-$$

L'électrode située à *droite* est la *cathode,* où a lieu la *réduction.* Le chlore gazeux est réduit en ion chlorure.

$$\textit{Réduction} \quad Cl_2(g) + 2\,e^- \longrightarrow 2\,Cl^-(aq)$$

Pour combiner ces équations de demi-réaction en une équation d'oxydoréduction, nous devons d'abord multiplier l'équation d'oxydation par 2, puis l'additionner à l'équation de réduction. Les électrons s'annulent.

Oxydation	$2\,Fe^{2+}(aq) \longrightarrow 2\,Fe^{3+}(aq) + 2\,e^-$
Réduction	$Cl_2(g) + 2\,e^- \longrightarrow 2\,Cl^-(aq)$
Réaction de la pile	$2\,Fe^{2+}(aq) + Cl_2(g) \longrightarrow 2\,Fe^{3+}(aq) + 2\,Cl^-(aq)$

EXERCICE 8.1 A

Écrivez l'équation chimique correspondant à la réaction qui a lieu dans la pile voltaïque ci-dessous.

$$Al(s) | Al^{3+}(aq) \| H^+(aq) | H_2(g) | Pt(s)$$

EXERCICE 8.1 B

Écrivez une représentation schématique pour une pile voltaïque dans laquelle la réaction est identique à celle qui est illustrée à la figure 7.3 (page 340).

Enfin, il faut se rappeler que la convention gauche/droite (anode/cathode) dans la représentation schématique d'une pile est *arbitraire.* Quand on assemble une pile voltaïque composée de demi-piles inconnues, celle qui est à gauche ne sera pas nécessairement l'anode. Pour en avoir la confirmation, on devra déterminer *expérimentalement* que l'oxydation a lieu à cette demi-pile. Et même si la demi-pile à gauche était l'anode, la personne qui serait de l'autre côté de la table de laboratoire verrait la même anode à droite. La gauche et la droite dans un monde tridimensionnel sont plus ambiguës qu'elles ne le sont sur une feuille de papier.

8.2 Les potentiels standard d'électrode

Nous avons décrit comment construire une pile voltaïque en assemblant deux demi-piles, et comment *mesurer* la force électromotrice d'une pile au moyen d'un voltmètre. Cependant, il est également possible de *calculer* les forces électromotrices sans avoir recours à des mesures précises. Pour ce faire, on assigne des potentiels caractéristiques à chaque demi-pile, puis on détermine les différences de potentiel (forces électromotrices des piles) quand les demi-piles sont assemblées pour former une pile voltaïque. Mais comment s'y prendre pour déterminer les potentiels d'électrode des demi-piles individuelles ? La difficulté vient du fait qu'on ne peut pas mesurer un potentiel d'électrode individuel ; on mesure toujours une différence de potentiel. La situation est semblable à la détermination de l'altitude d'un point sur la Terre. Il faut attribuer une élévation relative, c'est-à-dire par rapport à un point auquel on a arbitrairement donné la valeur zéro — le niveau moyen de la mer.

On assigne la valeur zéro au potentiel d'électrode de la demi-pile illustrée à la **figure 8.5** et qui est appelée *électrode standard d'hydrogène*. Les potentiels des autres électrodes ont été déterminés par rapport à cette valeur *arbitrairement* fixée à zéro. Dans l'**électrode standard d'hydrogène**, l'hydrogène gazeux, à une pression exacte de 101,3 kPa, barbote sur une électrode de platine inerte et dans une solution d'acide chlorhydrique. La concentration de l'acide est ajustée de façon que l'*activité* de H_3O^+ soit exactement de un ($a = 1$), ce qui signifie qu'elle est approximativement de 1 mol/L en HCl[*]. Et pour simplifier les choses, on utilise le symbole H^+ à la place de H_3O^+. L'équilibre entre les molécules H_2 et les ions H^+ s'établit à la surface du platine ; H_2 est oxydé en H^+, et H^+ est réduit en H_2. Enfin, on écrit l'équation de demi-réaction réversible sous la forme d'un processus de *réduction* qui se déroule dans le sens direct (de gauche à droite). Le processus d'oxydation a lieu dans le sens inverse (de droite à gauche).

$$2\,H^+(a = 1) + 2\,e^- \xrightleftharpoons{\text{sur Pt}} H_2(g, 101{,}3\,kPa) \quad E^\circ = 0\,V \text{ (exactement)}$$

Selon un accord international, le **potentiel standard d'électrode** (E°), est basé sur la tendance d'une substance à être *réduite* à l'électrode. Toutes les espèces présentes ont une activité de un ($a = 1$), ce qui correspond environ à 1 mol/L ; tous les gaz sont à une pression de 101,3 kPa, et la température est fixée à 25 °C. Quand aucun autre métal n'est indiqué comme matériau de l'électrode, le potentiel est celui de l'équilibre établi sur une surface inerte, comme le platine métallique. Comme on l'a vu, le potentiel de l'électrode standard d'hydrogène est fixé arbitrairement à *exactement* 0 V.

Comme les potentiels standard d'électrode sont basés sur la tendance des substances à être réduites, on les appelle également potentiels standard de *réduction*.

Électrode standard d'hydrogène

Électrode dans laquelle de l'hydrogène gazeux, à une pression d'exactement 101,3 kPa, barbotte sur une électrode de platine inerte et dans une solution d'acide chlorhydrique ayant une activité de H_3O^+ exactement égale à un ($a = 1$) ; le potentiel d'une électrode de ce type a une valeur nulle, assignée arbitrairement.

Potentiel standard d'électrode (E°)

Mesure de la tendance d'une substance à être réduite à l'électrode lorsque toutes les espèces présentes ont une activité de un ($a = 1$), que tous les gaz sont à une pression de 101,3 kPa et que la température est fixée à 25 °C ; la mesure est exprimée en volts, relativement à une valeur nulle assignée à l'électrode standard d'hydrogène.

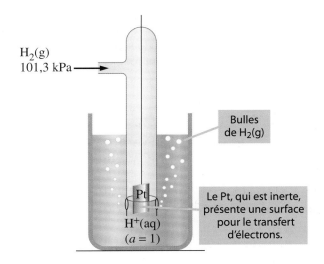

H₂(g)
101,3 kPa

Bulles de H₂(g)

Pt

H⁺(aq)
($a = 1$)

Le Pt, qui est inerte, présente une surface pour le transfert d'électrons.

◀ Figure 8.5
Électrode standard d'hydrogène

La lame de platine acquiert un potentiel déterminé par l'équilibre : $2\,H^+(a = 1) + 2\,e^- \rightleftharpoons H_2(g, 101{,}3\,kPa)$. On peut remplacer la condition de l'activité de H^+ ($a_{H^+} = 1$) par [H^+] = 1 mol/L, qui y correspond approximativement. La réaction a lieu à 25 °C.

---

[*] Comme nous l'avons indiqué précédemment, il faudrait utiliser les activités à la place des concentrations molaires volumiques pour des calculs précis portant sur les propriétés des solutions, les constantes d'équilibre et autres travaux du même genre. Nous continuerons à utiliser la concentration molaire volumique à la place de l'activité, mais nous donnerons les résultats *comme si* nous avions mesuré les activités.

Pour mesurer les potentiels standard d'électrode des autres demi-réactions, on peut construire une pile voltaïque semblable à celle de la **figure 8.6**. Dans cette pile, une électrode de référence à hydrogène est reliée à une électrode standard de cuivre. On trouve que les électrons se déplacent *de* l'électrode à hydrogène (anode) *vers* l'électrode de cuivre (cathode), avec un potentiel mesuré de 0,340 V.

$$Pt\,|\,H_2(g,\ 101,3\ kPa)\,|\,H^+(1\ mol/L)\,\|\,Cu^{2+}(1\ mol/L)\,|\,Cu(s)$$
(anode)   (cathode)

La tension de la pile, appelée **force électromotrice standard de la pile** (E°_{pile}), est la *différence* entre le potentiel standard de la *cathode* et celui de l'*anode*.

> **Force électromotrice standard de la pile**
>
> $$E^\circ_{pile} = E^\circ(\text{cathode}) - E^\circ(\text{anode}) \qquad\qquad \textbf{(8.2)}$$

Ou bien, si l'on installe la pile conformément à la notation conventionnelle des représentations schématiques, avec l'anode à gauche et la cathode à droite, on peut écrire :

$$E^\circ_{pile} = E^\circ(\text{droite}) - E^\circ(\text{gauche})$$

À la figure 8.6, la *mesure* nous donne E°_{pile} égale à $+0,340$ V. On représente le potentiel de l'électrode de droite — l'électrode standard Cu^{2+}/Cu — par le symbole :

$$E^\circ_{Cu^{2+}/Cu}$$

L'électrode de gauche est l'électrode standard d'hydrogène, pour laquelle le potentiel est, par définition :

$$E^\circ_{H^+/H_2} = 0,000\ V$$

Pour trouver le potentiel d'électrode standard dans la réduction de Cu^{2+} en $Cu(s)$, on peut écrire :

$$E^\circ_{pile} = E^\circ_{Cu^{2+}/Cu} - E^\circ_{H^+/H_2} \quad = +0,340\ V$$
$$E^\circ_{Cu^{2+}/Cu} - 0,000\ V \quad = +0,340\ V$$
$$E^\circ_{Cu^{2+}/Cu} \quad = +0,340\ V$$

La valeur *positive* du potentiel standard d'électrode signifie que les ions Cu^{2+} sont *plus facilement* réduits en $Cu(s)$ que les ions H^+ ne sont réduits en $H_2(g)$.

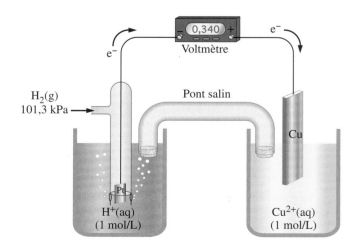

▶ **Figure 8.6**
Mesure du potentiel standard de l'électrode Cu^{2+}/Cu

L'électrode standard d'hydrogène est l'anode et l'électrode Cu^{2+}/Cu est la cathode. Le contact entre les solutions des deux demi-piles s'établit à travers une paroi poreuse, qui permet la migration des ions, mais empêche l'écoulement des solutions. La direction du déplacement des électrons et la lecture du voltmètre sont illustrées.

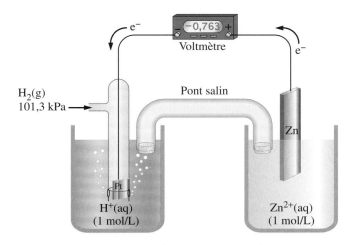

◄ **Figure 8.7**
Mesure du potentiel standard de l'électrode Zn^{2+}/Zn
Comme à la figure 8.6, l'électrode standard d'hydrogène est placée à gauche, et l'électrode métallique, à droite. Cependant, comme l'indiquent la direction du déplacement des électrons et le voltage *négatif*, l'électrode d'hydrogène est maintenant la *cathode* et l'électrode Zn^{2+}/Zn est l'*anode*. Quand on monte les piles voltaïques comme on le voit ici et comme on l'a vu à la figure 8.6, on peut établir correctement la grandeur et le signe de tous les potentiels standard d'électrode.

Considérons maintenant ce qui arrive dans la pile de la **figure 8.7**, où on remplace la demi-pile Cu^{2+}/Cu par une demi-pile Zn^{2+}/Zn. Le voltmètre du circuit enregistre $-0,763$ V, et la représentation schématique de la pile est :

$$Pt\,|\,H_2(g,\ 101,3\ kPa)\,|\,H^+(1\ mol/L)\,\|\,Zn^{2+}(1\ mol/L)\,|\,Zn(s) \qquad E^\circ_{pile} = -0,763\ V$$

Cette force électromotrice standard de la pile et les potentiels standard d'électrode sont toujours reliés de la façon suivante.

$$E^\circ_{pile} = E^\circ(droite) - E^\circ(gauche)$$

$$E^\circ_{pile} = E^\circ_{Zn^{2+}/Zn} - E^\circ_{H^+/H_2} = -0,763\ V$$

$$E^\circ_{Zn^{2+}/Zn} - 0,000\ V = -0,763\ V$$

$$E^\circ_{Zn^{2+}/Zn} = -0,763\ V$$

La valeur *négative* du potentiel standard d'électrode signifie que Zn^{2+}(aq) est *moins facilement* réduit en Zn(s) que H^+(aq) n'est réduit en H_2(g).

Quelle est la signification physique de la valeur négative de E°_{pile} dans la figure 8.7 ? La façon dont les électrodes sont branchées au voltmètre nous en donne l'explication. Pour obtenir une lecture *positive*, il faut brancher l'anode à la borne (−) du voltmètre et la cathode à la borne (+). Si nous faisons l'inverse, c'est-à-dire si nous plaçons l'anode à (+) et la cathode à (−), le voltmètre affiche une valeur *négative*. Dans la pile que nous venons de décrire, nous avons supposé que l'électrode de zinc était la cathode, *mais, en réalité, il s'agissait de l'anode.*

Les trois potentiels standard d'électrode que nous avons abordés sont représentés schématiquement à la **figure 8.8**. Nous les avons classés en fonction de la valeur *décroissante*

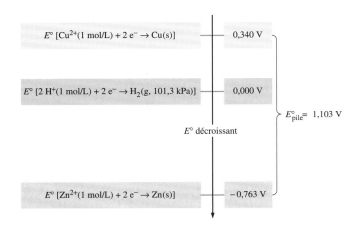

◄ **Figure 8.8**
Représentation des potentiels standard d'électrode
Les potentiels standard des électrodes de cuivre et de zinc sont illustrés par rapport au potentiel de l'électrode standard d'hydrogène. La *différence* de potentiel de 1,103 V entre les électrodes de cuivre et de zinc — la force électromotrice de la pile voltaïque de la figure 8.3 (page 365) — est indiquée.

Les tableaux des potentiels standard sont parfois présentés dans l'ordre inverse, c'est-à-dire que les meilleurs agents réducteurs — ceux qui sont le plus facilement oxydés — se trouvent en haut du tableau.

de $E°$. Le potentiel d'électrode de la réduction la plus facile, celle de Cu^{2+} en Cu, est indiqué en haut du schéma. Le potentiel d'électrode de la réduction la plus difficile, celle de Zn^{2+} en Zn, est au bas. Celui de la réduction de H^+ en H_2, figurant au centre du **tableau 8.1**, indique une réduction plus facile que celle de Zn^{2+} en Zn et plus difficile que celle de Cu^{2+} en Cu.

Le tableau 8.1 répertorie quelques potentiels standard d'électrode et les demi-réactions de réduction auxquelles ils correspondent. Les valeurs de $E°$ sont classées en ordre décroissant. L'annexe C.3 en donne une liste plus complète.

Dans le tableau 8.1, le côté gauche des équations de demi-réaction représente les agents oxydants. Ceux-ci sont énumérés du plus facile à réduire (F_2, O_3, etc.) au plus difficile à réduire (Li^+, K^+, etc.). Le côté droit des équations représente, pour sa part, les agents réducteurs. Ceux-ci sont énumérés du plus faible (F^-, O_2, etc.) au plus fort (Li, K, etc.).

TABLEAU **8.1** Quelques potentiels standard d'électrode à 25 °C	
Demi-réactions de réduction	$E°$ (V)
Solution acide	
$F_2(g) + 2\,e^- \longrightarrow 2\,F^-(aq)$	+2,866
$O_3(g) + 2\,H^+(aq) + 2\,e^- \longrightarrow O_2(g) + H_2O(l)$	+2,075
$S_2O_8^{2-}(aq) + 2\,e^- \longrightarrow 2\,SO_4^{2-}(aq)$	+2,01
$H_2O_2(aq) + 2\,H^+(aq) + 2\,e^- \longrightarrow 2\,H_2O(l)$	+1,763
$MnO_4^-(aq) + 8\,H^+(aq) + 5\,e^- \longrightarrow Mn^{2+}(aq) + 4\,H_2O(l)$	+1,51
$PbO_2(s) + 4\,H^+(aq) + 2\,e^- \longrightarrow Pb^{2+}(aq) + 2\,H_2O(l)$	+1,455
$Cl_2(g) + 2\,e^- \longrightarrow 2\,Cl^-(aq)$	+1,358
$Cr_2O_7^{2-}(aq) + 14\,H^+(aq) + 6\,e^- \longrightarrow 2\,Cr^{3+}(aq) + 7\,H_2O(l)$	+1,33
$MnO_2(s) + 4\,H^+(aq) + 2\,e^- \longrightarrow Mn^{2+}(aq) + 2\,H_2O(l)$	+1,23
$O_2(g) + 4\,H^+(aq) + 4\,e^- \longrightarrow 2\,H_2O(l)$	+1,229
$2\,IO_3^-(aq) + 12\,H^+(aq) + 10\,e^- \longrightarrow I_2(s) + 6\,H_2O(l)$	+1,20
$Br_2(l) + 2\,e^- \longrightarrow 2\,Br^-(aq)$	+1,065
$NO_3^-(aq) + 4\,H^+(aq) + 3\,e^- \longrightarrow NO(g) + 2\,H_2O(l)$	+0,956
$Ag^+(aq) + e^- \longrightarrow Ag(s)$	+0,800
$Fe^{3+}(aq) + e^- \longrightarrow Fe^{2+}(aq)$	+0,771
$O_2(g) + 2\,H^+(aq) + 2\,e^- \longrightarrow H_2O_2(aq)$	+0,695
$I_2(s) + 2\,e^- \longrightarrow 2\,I^-(aq)$	+0,535
$Cu^{2+}(aq) + 2\,e^- \longrightarrow Cu(s)$	+0,340
$SO_4^{2-}(aq) + 4\,H^+(aq) + 2\,e^- \longrightarrow 2\,H_2O(l) + SO_2(g)$	+0,17
$Sn^{4+}(aq) + 2\,e^- \longrightarrow Sn^{2+}(aq)$	+0,154
$S(s) + 2\,H^+(aq) + 2\,e^- \longrightarrow H_2S(g)$	+0,14
$2\,H^+(aq) + 2\,e^- \longrightarrow H_2(g)$	0,000
$Pb^{2+}(aq) + 2\,e^- \longrightarrow Pb(s)$	−0,125
$Sn^{2+}(aq) + 2\,e^- \longrightarrow Sn(s)$	−0,137
$Co^{2+}(aq) + 2\,e^- \longrightarrow Co(s)$	−0,277
$Fe^{2+}(aq) + 2\,e^- \longrightarrow Fe(s)$	−0,440
$Zn^{2+}(aq) + 2\,e^- \longrightarrow Zn(s)$	−0,763
$Al^{3+}(aq) + 3\,e^- \longrightarrow Al(s)$	−1,676
$Mg^{2+}(aq) + 2\,e^- \longrightarrow Mg(s)$	−2,356
$Na^+(aq) + e^- \longrightarrow Na(s)$	−2,713
$Ca^{2+}(aq) + 2\,e^- \longrightarrow Ca(s)$	−2,84
$K^+(aq) + e^- \longrightarrow K(s)$	−2,924
$Li^+(aq) + e^- \longrightarrow Li(s)$	−3,040
Solution basique	
$O_3(g) + H_2O(l) + 2\,e^- \longrightarrow O_2(g) + 2\,OH^-(aq)$	+1,246
$OCl^-(aq) + H_2O(l) + 2\,e^- \longrightarrow Cl^-(aq) + 2\,OH^-(aq)$	+0,890
$O_2(g) + 2\,H_2O(l) + 4\,e^- \longrightarrow 4\,OH^-(aq)$	+0,401
$2\,H_2O(l) + 2\,e^- \longrightarrow H_2(g) + 2\,OH^-(aq)$	−0,828

Le tableau 8.1, comme nous le constaterons, est très utile. Nous l'appliquerons d'abord à la tâche plutôt simple consistant à déterminer une force électromotrice standard, $E°_{\text{pile}}$, à partir des potentiels standard d'électrode, $E°$. Voyons comment calculer $E°_{\text{pile}}$ pour la pile voltaïque de la figure 8.3.

$$\text{Zn(s)} \, | \, \text{Zn}^{2+}\text{(aq)} \, \| \, \text{Cu}^{2+}\text{(aq)} \, | \, \text{Cu(s)}$$

Il suffit de substituer les potentiels standard d'électrode du tableau 8.1 dans les expressions suivantes.

$$\begin{aligned}
E°_{\text{pile}} &= E°(\text{droite}) - E°(\text{gauche}) \\
&= E°(\text{cathode}) - E°(\text{anode}) \\
&= E°_{\text{Cu}^{2+}/\text{Cu}} - E°_{\text{Zn}^{2+}/\text{Zn}} \\
&= 0,340 \text{ V} - (-0,763 \text{ V}) = 1,103 \text{ V}
\end{aligned}$$

Dans ce type de calcul, il y aura toujours trois quantités en jeu : $E°_{\text{pile}}$, $E°(\text{cathode})$ et $E°(\text{anode})$. Si nous possédons deux de ces valeurs, nous pouvons calculer la troisième. À l'exemple 8.2, nous utilisons ce concept pour déterminer la valeur d'un potentiel standard d'électrode.

EXEMPLE **8.2**

Calculez $E°$ de la demi-réaction de réduction, $\text{Ce}^{4+}\text{(aq)} + \text{e}^- \longrightarrow \text{Ce}^{3+}\text{(aq)}$, sachant que la force électromotrice de la pile voltaïque est :

$$\text{Co(s)} \, | \, \text{Co}^{2+}\text{(1 mol/L)} \, \| \, \text{Ce}^{4+}\text{(1 mol/L)}, \text{Ce}^{3+}\text{(1 mol/L)} \, | \, \text{Pt(s)} \qquad E°_{\text{pile}} = 1,887 \text{ V}$$

➜ Stratégie

La demi-réaction de réduction a lieu dans la demi-pile cathodique, représentée à droite dans le schéma de la pile ci-dessus. Nous cherchons $E°(\text{cathode})$, c'est-à-dire $E°_{\text{Ce}^{4+}/\text{Ce}^{3+}}$. La demi-réaction d'oxydation : $\text{Co(s)} \longrightarrow \text{Co}^{2+} + 2 \text{ e}^-$ a lieu dans la demi-pile anodique, à gauche. D'après le tableau 8.1, nous trouvons que $E°_{\text{Co}^{2+}/\text{Co}} = -0,277 \text{ V}$.

➜ Solution

De la même façon que pour la pile voltaïque Zn-Cu, nous pouvons écrire les équations ci-dessous.

$$\begin{aligned}
E°_{\text{pile}} &= E°(\text{droite}) - E°(\text{gauche}) \qquad (8.2) \\
&= E°_{\text{cathode}} - E°_{\text{anode}} \\
&= E°_{\text{Ce}^{4+}/\text{Ce}^{3+}} - E°_{\text{Co}^{2+}/\text{Co}} \\
1,887 \text{ V} &= E°_{\text{Ce}^{4+}/\text{Ce}^{3+}} - (-0,277 \text{ V}) \\
1,887 \text{ V} - 0,277 \text{ V} &= E°_{\text{Ce}^{4+}/\text{Ce}^{3+}} = 1,610 \text{ V}
\end{aligned}$$

➜ Évaluation

Lors de l'utilisation de l'équation 8.2, l'erreur la plus commune consiste à écrire incorrectement les signes. En conséquence, il faut toujours vérifier ces derniers. La différence entre le potentiel calculé de $\text{Ce}^{4+}/\text{Ce}^{3+}$ et le potentiel de Co^{2+}/Co est la force électromotrice mesurée de 1,887 V. Puisque la valeur de $E°$ pour la demi-pile Co^{2+}/Co ($-0,277$ V) est plus faible que celle de l'électrode standard d'hydrogène (0,000 V), la valeur du potentiel de $\text{Ce}^{4+}/\text{Ce}^{3+}$ doit être positive ; mais elle doit aussi être inférieure à 1,887 V. C'est précisément ce que nous avons trouvé.

Dans le cas où nous utilisons l'électrode de platine avec une substance solide, nous séparons les deux composantes par une virgule et non par un trait vertical, puisqu'elles sont toutes deux dans le même état (par exemple $I_2(s)$, $Pt(s)$, comme nous le voyons dans l'exercice 8.2A).

EXERCICE 8.2 A

À l'aide des informations suivantes et des données du tableau 8.1, calculez $E°_{\text{Sm}^{2+}/\text{Sm}}$.

$$\text{Sm(s)} \, | \, \text{Sm}^{2+}\text{(1 mol/L)} \, \| \, \text{I}^-\text{(1 mol/L)} \, | \, \text{I}_2\text{(s), Pt(s)} \qquad E°_{\text{pile}} = 3,21 \text{ V}$$

À l'aide des informations suivantes et des données du tableau 8.1, calculez $E°_{ClO_4^-/Cl_2}$

$$Pt(s)\,|\,Cl_2(g)\,|\,ClO_4^-(1\text{ mol/L})\,\|\,Cl^-(1\text{ mol/L})\,|\,Cl_2(g)\,|\,Pt(s) \quad E°_{pile} = -0,034\text{ V}$$

▲ Figure 8.9
$E°_{pile}$ **est une propriété intensive**

Les piles sèches, qui fournissent une tension très stable, qu'il s'agisse de grosses piles de format D ou de petites piles de format AA, illustrent bien le fait que $E°_{pile}$ est une propriété intensive. La tension n'est pas fonction des quantités de substances impliquées dans la réaction de la pile. Chaque pile fournit ici une tension de 1,5 volt.

Deux autres points importants sont à retenir au sujet des potentiels d'électrode et des forces électromotrices.

- Les potentiels d'électrode et les forces électromotrices sont des propriétés *intensives*. Leur grandeur est fixée une fois que les espèces particulières et leurs concentrations sont spécifiées. Les grandeurs ne dépendent pas des quantités totales des espèces présentes ; par exemple, elles ne sont pas fonction des dimensions d'une demi-pile ou d'une pile voltaïque. La **figure 8.9** illustre ce fait au moyen d'un exemple familier.

- On peut attribuer des forces électromotrices à des réactions d'oxydoréduction même en l'absence de piles voltaïques. Plus particulièrement, on peut calculer $E°_{pile}$ à partir de l'équation de la réaction comme si celle-ci avait lieu dans une pile et ce, sans avoir à écrire le schéma représentatif. Cette idée est illustrée par l'exemple 8.3.

EXEMPLE 8.3

Équilibrez l'équation d'oxydoréduction suivante et calculez $E°_{pile}$ de la réaction.

$$O_2(g) + H^+(aq) + I^-(aq) \longrightarrow H_2O(l) + I_2(s)$$

✦ Stratégie

Il faut d'abord scinder l'équation d'oxydoréduction en équations d'oxydation et de réduction. Nous pouvons alors obtenir une équation équilibrée par la méthode des demi-réactions expliquée à la section 7.2 (page 339). Nous complétons la réponse en obtenant les valeurs de $E°$ pour les deux demi-réactions à partir du tableau 8.1 et en les utilisant dans l'équation 8.2.

✦ Solution

Les équations de demi-réaction équilibrées et leur combinaison en une équation d'oxydo-réduction équilibrée sont les suivantes.

Réduction	$O_2 + 4\,H^+ + 4\,e^- \longrightarrow 2\,H_2O$
Oxydation	$2\,\{2\,I^- \longrightarrow I_2 + 2\,e^-\}$

Réaction globale $O_2(g) + 4\,H^+(aq) + 4\,I^-(aq) \longrightarrow 2\,H_2O(l) + 2\,I_2(s)$

Nous pouvons étoffer la réponse en obtenant les valeurs de $E°$ pour les deux demi-réactions à partir du tableau 8.1 et les assortir à l'expression suivante :

$$E°_{pile} = E°(\text{cathode}) - E°(\text{anode})$$

Si la réaction était effectuée dans une pile voltaïque, la demi-réaction consisterait en une *réduction* à la cathode et en une *oxydation* à l'anode, c'est-à-dire que nous pourrions écrire l'expression suivante :

$$E°_{pile} = E°(\text{réduction}) - E°(\text{oxydation})$$

Il suffirait alors de substituer les valeurs de $E°$ tirées du tableau 8.1.

$$E°_{pile} = E°_{O_2/H_2O} - E°_{I_2/I^-} = +1,229\text{ V} - 0,535\text{ V} = +0,694\text{ V}$$

→ Évaluation

Notez que, même si nous avons doublé l'équation d'oxydation avant de la combiner avec l'équation de réduction, nous n'avons aucunement modifié la valeur de $E^\circ_{I_2/I^-}$, ce qui est conforme au caractère intensif des potentiels d'électrode. Pour nous assurer que nous avons utilisé les bons signes dans le calcul de E°_{pile}, nous vérifions si les valeurs de E° sont des quantités positives et si la différence entre la plus grande (pour le processus de réduction) et la plus petite (pour le processus d'oxydation) est aussi une quantité positive.

EXERCICE 8.3

Calculez les valeurs de E°_{pile} de chacune des réactions d'oxydoréduction suivantes.

a) $2\,Al(s) + 3\,Cu^{2+}(aq) \longrightarrow 2\,Al^{3+}(aq) + 3\,Cu(s)$

b) $S_2O_8^{2-}(aq) + Mn^{2+}(aq) + H_2O(l) \longrightarrow SO_4^{2-}(aq) + MnO_4^-(aq) + H^+(aq)$ (*non équilibrée*)

8.3 Les potentiels d'électrode, la transformation spontanée et l'équilibre

Quand une réaction a lieu dans une pile voltaïque, elle accomplit un travail, que l'on peut assimiler à celui que produisent des charges en mouvement. Le travail total obtenu, $\omega_{élec}$, est le produit (1) de la force électromotrice, E_{pile}, (2) du nombre de moles d'électrons, n, transférés entre les électrodes et (3) de la charge électrique par mole d'électrons — une quantité appelée **constante de Faraday (F)** et égale à 96 485 coulombs par mole d'électrons.

Constante de Faraday (F)

Charge électrique, en coulombs, par mole d'électrons : $F = 96\,485$ C/mole d'électrons.

Travail	
$\omega_{élec} = n \times F \times E_{pile}$	**(8.3)**

Les unités du produit $n \times F \times E_{pile}$ sont égales au produit volt $\times$ coulomb. Selon la définition du volt, $1\,V = 1\,J/C$ (page 366), on voit que l'unité de travail électrique est le joule : $1\,J = 1\,V \cdot C$.

Le travail électrique est relié à la variation d'énergie libre de la façon suivante : la quantité maximale de travail utile qu'un système peut accomplir est $-\Delta G$, et cette quantité maximale de travail peut être effectuée sous forme de travail électrique. En conséquence, le travail électrique produit par une pile voltaïque correspond à :

$$-\Delta G = \omega_{élec} = n \times F \times E_{pile}$$

Donc, pour une réaction d'oxydoréduction, on peut écrire :

Variation d'énergie libre dans des conditions non standard
$$\Delta G = - n \times F \times E_{pile} \qquad \textbf{(8.4)}$$

Il faut remarquer que, dans cette équation, nous n'avons pas écrit l'exposant « ° ». Le terme E_{pile} signifie que les conditions observées aux électrodes *ne* sont *pas* des conditions standard : les concentrations de solutés peuvent être *différentes* de 1 mol/L et les pressions de gaz peuvent être *différentes* de 101,3 kPa. Le terme ΔG implique également des conditions *non standard*. L'équation est tout à fait générale, cependant, et on peut l'appliquer à une pile dans laquelle toutes les substances sont à l'état standard. Dans ce cas, on devra utiliser l'exposant « ° » et écrire l'équation suivante.

> **Variation d'énergie libre dans des conditions standard**
>
> $$\Delta G^\circ = -\,n \times F \times E^\circ_{\text{pile}}$$
>
> **(8.5)**

Les critères d'une transformation spontanée dans les réactions d'oxydoréduction

Pour qu'une réaction se produise spontanément, ΔG doit être *négative,* auquel cas E_{pile} doit être *positive,* ce qui introduit quelques nouvelles notions importantes concernant les transformations spontanées.

- E_{pile} est *positive,* la réaction qui se produit dans le sens direct (de gauche à droite) est *spontanée.*

- Si E_{pile} est *négative,* la réaction qui se produit dans le sens direct est *non spontanée.*

- Si E_{pile} est *nulle,* le système est à l'équilibre.

- Quand une réaction est *inversée,* E_{pile} et ΔG changent de signe.

Quand on trouve une valeur de E_{pile} en combinant les potentiels standard d'électrode du tableau 8.1, on obtient la force électromotrice *standard,* E°_{pile}. Les prédictions qu'on peut faire à partir de cette valeur se rapportent donc aux réactions dont les réactifs et les produits sont dans leur état standard. Habituellement, toutefois, des prédictions *qualitatives* basées sur des conditions standard s'appliquent tout aussi bien à une gamme étendue de conditions non standard. Mettons en pratique ces nouveaux critères concernant les transformations spontanées.

EXEMPLE 8.4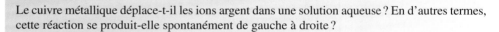

Le cuivre métallique déplace-t-il les ions argent dans une solution aqueuse ? En d'autres termes, cette réaction se produit-elle spontanément de gauche à droite ?

$$Cu(s) + 2\,Ag^+(1\ mol/L) \longrightarrow Cu^{2+}(1\ mol/L) + 2\,Ag(s)$$

➜ Stratégie

Il faut scinder l'équation globale en deux équations de demi-réaction, assigner les valeurs appropriées de E°, puis recombiner les équations de demi-réaction pour obtenir E°_{pile}. Si E°_{pile} résultante est positive, alors la réaction est spontanée dans le sens direct.

➜ Solution

Réduction	$2\ \{Ag^+(1\ mol/L) + e^- \longrightarrow Ag(s)\}$
Oxydation	$Cu(s) \longrightarrow Cu^{2+}(1\ mol/L) + 2\,e^-$
Réaction globale	$Cu(s) + 2\,Ag^+(1\ mol/L) \longrightarrow Cu^{2+}(1\ mol/L) + 2\,Ag(s)$

$$
\begin{aligned}
E^\circ_{\text{pile}} &= E^\circ(\text{cathode}) - E^\circ(\text{anode}) \\
&= E^\circ(\text{réduction}) - E^\circ(\text{oxydation}) \\
&= E^\circ_{Ag^+/Ag} - E^\circ_{Cu^{2+}/Cu} \\
&= 0{,}800\ V - 0{,}340\ V = 0{,}460\ V
\end{aligned}
$$

Puisque E°_{pile} est positive, le sens direct est celui d'une transformation spontanée. Le cuivre métallique déplace les ions argent de la solution.

EXERCICE 8.4 A

La réaction suivante, qui est écrite pour des conditions standard, se produit-elle spontanément ?

$$Cu^{2+}(aq) \; + \; 2 \, Fe^{2+}(aq) \; \longrightarrow \; 2 \, Fe^{3+}(aq) \; + \; Cu(s)$$

EXERCICE 8.4 B

Dans quelle direction aura lieu une transformation spontanée dans la réaction suivante, où tous les réactifs sont dans leur état standard ? Expliquez votre réponse.

$$2 \, Mn^{2+}(aq) + 2 \, IO_3^-(aq) + 2 \, H_2O(l) \rightleftharpoons 2 \, MnO_4^-(aq) + I_2(s) + 4 \, H^+(aq)$$

Il faut remarquer que la réaction spontanée prédite dans l'exemple 8.4 est la même que celle qui est illustrée à la figure 7.3 (page 340), où l'on a vu qu'il suffisait de plonger un fil de cuivre dans une solution aqueuse de nitrate d'argent pour produire une réaction. Il est important de comprendre que, même si l'on fait appel à la terminologie des piles pour faire des prédictions sur la direction des transformations spontanées dans des réactions d'oxydoréduction, ces prédictions s'appliquent *même si les réactions ne sont pas effectuées dans des cellules voltaïques.*

Retour sur la série d'activité des métaux

Nous sommes maintenant en mesure de donner une explication théorique de la série d'activité des métaux présentée dans la section 7.4 (page 347). Selon la relation entre E_{pile} et le sens d'une transformation spontanée, un métal A dans une solution contenant des ions d'un métal B déplace ces ions si le métal B se situe au-dessus de lui dans une liste des potentiels d'électrode classés par ordre de valeur *décroissante,* comme dans le tableau 8.1. Et si l'on considère que l'hydrogène fait partie du tableau au même titre que les autres éléments, un métal situé *au-dessous* de l'électrode standard d'hydrogène (par exemple, Fe, Zn et Al) réagit avec un acide minéral (une solution dans laquelle H^+ est le seul agent oxydant) pour produire $H_2(g)$. Un métal situé *au-dessus* de l'électrode standard d'hydrogène (par exemple, Cu et Ag) ne pourra pas réduire les ions $H^+(aq)$ en $H_2(g)$. Cette analyse nous amène aux conclusions déjà énoncées sur la série d'activité des métaux (voir la figure 7.5, page 347).

EXEMPLE 8.5 ▸ Un exemple conceptuel

La photo de la **figure 8.10** représente des lames de cuivre et de zinc reliées et plongées dans HCl(aq). Expliquez ce qui se passe. Quelle est la nature des bulles de gaz observées sur le zinc et sur le cuivre, et comment se sont-elles formées sur ces métaux ?

➔ Analyse et conclusion

Un métal réagit avec HCl(aq), en déplaçant $H_2(g)$ de la solution, s'il est situé au-dessus de $H_2(g)$ dans la série d'activité des métaux (voir la figure 7.5, page 347) ou au-dessous de $H_2(g)$ dans la liste des potentiels standard d'électrode du tableau 8.1. Le zinc est un de ces métaux, comme nous pouvons nous en rendre compte en examinant les données relatives à $E°$.

| Réduction | $2\,H^+(1\,mol/L) + 2\,e^- \longrightarrow H_2(g, 101,3\,kPa)$ |
| Oxydation | $Zn(s) \longrightarrow Zn^{2+}(1\,mol/L) + 2\,e^-$ |

| Réaction globale | $Zn(s) + 2\,H^+(1\,mol/L) \longrightarrow Zn^{2+}(1\,mol/L) + H_2(g, 101,3\,kPa)$ |

$$E°_{pile} = E°(\text{réduction}) - E°(\text{oxydation})$$
$$= E°_{H^+/H_2} - E°_{Zn^{2+}/Zn}$$
$$= 0,000\,V - (-0,763\,V) = 0,763\,V$$

Le gaz apparaissant à la surface du zinc, H_2, est formé par la réaction dans le sens direct de Zn avec HCl(aq). Mais comment un gaz peut-il se former sur le cuivre ? Cu(s) est situé *au-dessous* de $H_2(g)$ dans la série d'activité des métaux et *au-dessus* de $H_2(g)$ dans la liste des potentiels standard d'électrode du tableau 8.1. Il ne devrait pas pouvoir réduire les ions $H^+(aq)$ provenant de HCl(aq) en $H_2(g)$.

| Réduction | $2\,H^+(1\,mol/L) + 2\,e^- \longrightarrow H_2(g, 101,3\,kPa)$ |
| Oxydation | $Cu(s) \longrightarrow Cu^{2+}(1\,mol/L) + 2\,e^-$ |

| Réaction globale | $Cu(s) + 2\,H^+(1\,mol/L) \longrightarrow Cu^{2+}(1\,mol/L) + H_2(g, 101,3\,kPa)$ |

$$E°_{pile} = E°(\text{réduction}) - E°(\text{oxydation})$$
$$= E°_{H^+/H_2} - E°_{Cu^{2+}/Cu}$$
$$= 0,000\,V - (0,340\,V) = -0,340\,V$$

La réaction de Cu(s) avec HCl(aq) est *non spontanée*.

Voici une explication plausible de l'apparition de gaz sur le cuivre. Le gaz *est* bien H_2, mais il *n'est pas* produit par une réaction qui fait intervenir Cu(s). Les électrons nécessaires à la réduction de H^+ en H_2 sur le cuivre proviennent de l'oxydation du *zinc*. Le cuivre, un excellent conducteur électrique, agit seulement comme prolongement inerte de l'électrode de zinc. Autrement dit, H_2 se forme sur le cuivre *à condition* que celui-ci soit connecté à un métal plus actif que l'hydrogène, tel que le zinc.

L'assemblage illustré à la figure 8.10 est en fait une pile voltaïque. La portion de demi-réaction de réduction qui se produit sur le cuivre est physiquement séparée de la demi-réaction d'oxydation qui se produit seulement sur le zinc. Les électrons se déplacent du zinc vers le cuivre.

EXERCICE 8.5

Donnez une explication plausible de ce qui se produit dans la « pile au citron », illustrée à la figure 8.1 (page 364).

▲ Figure 8.10
Assemblage cuivre-zinc dans HCl(aq)

Les constantes d'équilibre des réactions d'oxydoréduction

Au chapitre 6, nous avons établi une relation importante entre $\Delta G°$ et la constante d'équilibre ($K_{éq}$) d'une réaction. Il en existe une semblable entre $K_{éq}$ et $E°_{pile}$.

$$\Delta G° = -RT \ln K_{éq} = -n \times F \times E°_{pile}$$

Cette relation nous permet d'écrire l'équation suivante.

Relation entre $E°_{pile}$ et $K_{éq}$

$$E°_{pile} = \frac{RT \ln K_{éq}}{nF} \qquad (8.6)$$

Dans cette équation, $E°_{pile}$ est la force électromotrice standard ; R, la constante des gaz ($8{,}3145$ J·mol^{-1}·K^{-1}) ; T, la température en kelvins ; n, le nombre de moles d'électrons transférés dans la réaction ; F, la constante de Faraday. On obtient généralement les valeurs de $E°_{pile}$ à partir des tables de $E°$ à 25 °C, et l'équation est presque toujours utilisée à 25 °C. En conséquence, la quantité RT/F a la même valeur, quel que soit le calcul. Il est plus facile de la remplacer par son équivalent numérique, $0{,}025\ 693$ V. Le rapport joule/coulomb (J/C) est exprimé en volts (V).

Force électromotrice standard et constante d'équilibre

$$E°_{pile} = \frac{RT}{nF} \ln K_{éq} = \frac{8{,}3145\ \text{J·mol}^{-1}\text{·K}^{-1} \times 298{,}15\ \text{K}}{n \times 96\ 485\ \text{C·mol}^{-1}} \ln K_{éq} = \frac{0{,}025\ 693\ \text{V}}{n} \ln K_{éq}\ \textbf{(8.7)}$$

On peut trouver n à partir des demi-réactions : c'est le nombre d'électrons dans l'équation de demi-réaction, soit de réduction, soit d'oxydation, *après* que les coefficients ont été corrigés pour qu'elle soit équilibrée. Autrement dit, n est le nombre d'électrons qui s'annulent de chaque côté quand les équations de demi-réaction sont combinées pour donner l'équation d'oxydoréduction équilibrée.

L'expression équivalente exprimée avec les logarithmes à base 10 est $E°_{pile} = (0{,}059\ 160\ \text{V}/n) \log K_{éq}$

EXEMPLE 8.6

Calculez les valeurs de $\Delta G°$ et de $K_{éq}$ à 25 °C pour la réaction suivante.

$$\text{Cu(s)} + 2\ \text{Ag}^+(1\ \text{mol/L}) \rightleftharpoons \text{Cu}^{2+}(1\ \text{mol/L}) + 2\ \text{Ag(s)}$$

➜ Solution

Reportez-vous aux équations de demi-réaction et à l'équation globale que nous avons écrites pour cette réaction à l'exemple 8.4. Il y avait deux électrons dans chaque équation de demi-réaction, de sorte que, dans ce cas, $n = 2$. Nous avons trouvé que $E°_{pile}$ de cette réaction est de $+0{,}460$ V.

Nous pouvons obtenir $\Delta G°$ en substituant $n = 2$ et les valeurs connues de F et de $E°_{pile}$ dans l'expression : $\Delta G° = -n \times F \times E°_{pile}$ (8.5). Notez également que 1 J = 1 V·C.

$$\Delta G° = -2 \times 96\ 485\ \text{C} \times 0{,}460\ \text{V} = -8{,}88 \times 10^4\ \text{J (ou} -88{,}8\ \text{kJ)}$$

Pour obtenir $K_{éq}$, nous effectuons les substitutions dans l'expression :

$$E°_{pile} = \frac{0{,}025\ 693\ \text{V}}{n} \ln K_{éq}$$

$$0{,}460\ \text{V} = \frac{0{,}025\ 693\ \text{V}}{2} \ln K_{éq}$$

$$\ln K_{éq} = \frac{2 \times 0{,}460\ \text{V}}{0{,}025\ 693\ \text{V}} = 35{,}8$$

$$K_{éq} = e^{35{,}8} = 4 \times 10^{15}$$

➜ Évaluation

Dans ce type de problème, nous devons nous assurer que les valeurs de $\Delta G°$ et de $K_{éq}$ sont compatibles. Si nous omettons par mégarde les signes négatifs dans l'équation 8.5, nous obtenons une grande valeur positive pour $\Delta G°$, impliquant presque que la réaction n'a pas lieu. À l'inverse, une grande puissance de 10 positive pour la valeur de $K_{éq}$ indique que la réaction est pour ainsi dire complète. Comme ces conclusions se contredisent, un des calculs est à coup sûr erroné.

EXERCICE 8.6 A

Calculez les valeurs de $\Delta G°$ et de $K_{\text{éq}}$ à 25 °C pour la réaction suivante.

$$3\ Mg(s)\ +\ 2\ Al^{3+}(1\ mol/L) \rightleftharpoons 3\ Mg^{2+}(1\ mol/L)\ +\ 2\ Al(s)$$

EXERCICE 8.6 B

Déterminez $K_{\text{éq}}$ de la réaction de l'argent métallique avec l'acide nitrique. L'argent est oxydé en $Ag^+(aq)$ et l'ion nitrate est réduit en $NO(g)$.

Thermodynamique, équilibre et électrochimie : un résumé

Faisons le point sur quelques relations importantes à l'aide de la **figure 8.11**. Au centre de la figure, nous avons placé les trois propriétés, $\Delta G°$, $K_{\text{éq}}$ et $E°_{\text{pile}}$, que nous avons reliées par des doubles flèches pour montrer que les relations quantitatives peuvent s'appliquer dans les deux sens. Autour de la figure, nous avons indiqué les principales méthodes expérimentales utilisées pour obtenir les valeurs de ces trois propriétés.

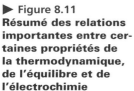

▶ **Figure 8.11**
Résumé des relations importantes entre certaines propriétés de la thermodynamique, de l'équilibre et de l'électrochimie

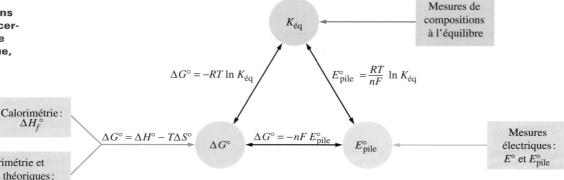

Les mesures calorimétriques peuvent être très précises et elles sont essentielles pour établir les valeurs de $\Delta G°$. Les mesures électriques comptent parmi les plus précises qu'on puisse effectuer dans un laboratoire de chimie et elles sont une source précieuse de valeurs de $\Delta G°$ et de $K_{\text{éq}}$, de même que de $E°_{\text{pile}}$. Par contre, les mesures de compositions à l'équilibre servent à établir quelques valeurs de $K_{\text{éq}}$, mais elles sont moins souvent utilisées dans le cas de $\Delta G°$ et de $E°_{\text{pile}}$.

Le **tableau 8.2** apporte des renseignements supplémentaires permettant de comparer $\Delta G°$, $K_{\text{éq}}$ et $E°_{\text{pile}}$.

TABLEAU **8.2** Comparaison entre $\Delta G°$, $K_{\text{éq}}$ et $E°_{\text{pile}}$			
	$\Delta G°$	$K_{\text{éq}}$	$E°_{\text{pile}}$
Équilibre entre les réactifs et les produits dans des conditions standard	0	1	0
Réaction spontanée dans des conditions standard	<0	>1	>0
Réaction inverse dans des conditions standard	>0	<1	<0
Limites approximatives des valeurs trouvées	± quelques centaines de kilojoules	$10^{\pm 100}$	± quelques volts

8.4 L'influence de la concentration sur la force électromotrice d'une pile

Les forces électromotrices *standard,* $E°_{pile}$, sont utiles dans bien des cas, mais la plupart des mesures prises à l'aide de piles — et de nombreux calculs — font intervenir des conditions *non standard.* Examinons d'abord *qualitativement* la relation entre $E°_{pile}$ et E_{pile}. Pour cela, reportons-nous de nouveau à la pile voltaïque de la figure 8.3 (page 365).

Selon le principe de Le Chatelier, on peut favoriser la réaction *directe* par une augmentation de $[Cu^{2+}]$ ou par une diminution de $[Zn^{2+}]$. (Ces conditions sont représentées en rouge ci-dessous.) Quand il y a réaction directe, $-\Delta G$ et E_{pile} *augmentent.* On obtient la réaction *inverse* si l'on diminue $[Cu^{2+}]$ ou si l'on augmente $[Zn^{2+}]$ (conditions représentées en bleu ci-dessous). Quand il y a une réaction inverse, $-\Delta G$ et E_{pile} *diminuent.* On représente de la façon suivante les réactions et les potentiels des piles dans des conditions standard et dans deux conditions non standard.

augmentation de $[Cu^{2+}]\longrightarrow$

$\longrightarrow$ diminution de $[Zn^{2+}]$

Non standard $\quad Zn(s) + Cu^{2+}(1,5\ mol/L) \rightleftharpoons Zn^{2+}(0,075\ mol/L) + Cu(s) \quad E_{pile} = 1,142\ V$

Standard $\qquad Zn(s) + Cu^{2+}(1,0\ mol/L) \rightleftharpoons Zn^{2+}(1,0\ mol/L) + Cu(s) \qquad E°_{pile} = 1,103\ V$

Non standard $\quad Zn(s) + Cu^{2+}(0,075\ mol/L) \rightleftharpoons Zn^{2+}(1,5\ mol/L) + Cu(s) \qquad E_{pile} = 1,064\ V$

diminution de $[Cu^{2+}] \longleftarrow$

$\longleftarrow$ augmentation de $[Zn^{2+}]$

Passons maintenant à l'aspect *quantitatif* en combinant plusieurs expressions familières. Commençons par l'équation qui relie ΔG, $\Delta G°$ et le quotient réactionnel Q.

$$\Delta G = \Delta G° + RT \ln Q$$

Dans cette équation, nous pouvons substituer les expressions

$$\Delta G = -nFE_{pile} \quad \text{et} \quad \Delta G° = -nFE°_{pile}$$

ce qui donne l'équation

$$-nFE_{pile} = -nFE°_{pile} + RT \ln Q$$

Puis, en changeant les signes

$$nFE_{pile} = nFE°_{pile} - RT \ln Q$$

et en réarrangeant l'équation, nous trouvons E_{pile}.

$$\frac{nFE_{pile}}{nF} = \frac{nFE°_{pile}}{nF} - \frac{RT}{nF} \ln Q$$

$$E_{pile} = E°_{pile} - \frac{RT}{nF} \ln Q$$

Si nous supposons une température de 25 °C, nous pouvons remplacer le terme RT/F par 0,025 693 V, comme nous l'avons fait dans la relation entre $E°_{pile}$ et $\ln K_{éq}$.

$$E_{pile} = E°_{pile} - \frac{0,025\ 693\ V}{n} \ln Q$$

Habituellement, cette équation s'écrit en fonction des logarithmes à base 10. Pour ce faire à partir des logarithmes naturels, il faut multiplier 0,025 693 V par ln 10, c'est-à-dire 0,025 693 V × 2,3026 = 0,059 161 V, ordinairement arrondi à 0,0592 V. En conséquence, nous utilisons l'équation dans la forme ci-après.

Walther Nernst (1864-1941) est bien connu pour ses nombreuses réalisations importantes en chimie. Il a formulé l'équation de Nernst, en 1889, alors qu'il n'avait que 25 ans. La même année, il proposa le concept de produit de solubilité. En 1906, il avança une hypothèse qu'on appelle aujourd'hui la troisième loi de la thermodynamique.

Équation de Nernst

$$E_{\text{pile}} = E^{\circ}_{\text{pile}} - \frac{0{,}0592\,\text{V}}{n} \log Q \qquad\qquad (8.8)$$

Équation de Nernst

Équation reliant la force électromotrice d'une pile à des conditions non standard, E_{pile}, à sa force électromotrice standard, E°_{pile}, et aux concentrations des réactifs et des produits exprimées par le quotient réactionnel, Q. À 25 °C, $E_{\text{pile}} = E^{\circ}_{\text{pile}} - (0{,}0592\,\text{V}/n) \log Q$ où n est le nombre de moles d'électrons transférés dans la réaction de la pile.

L'**équation de Nernst**, que nous venons d'écrire, associe la force électromotrice d'une pile dans des conditions *non standard*, E_{pile}, à sa force électromotrice standard, E°_{pile}, et aux concentrations des réactifs et des produits exprimées par le quotient réactionnel, Q. Dans l'équation, n est le nombre de moles d'électrons qui sont transférés dans la réaction de la pile.

L'équation de Nernst est particulièrement utile pour déterminer la concentration des espèces dans une pile voltaïque au moyen d'une mesure de E_{pile}. Par ailleurs, l'équation permet de comprendre pourquoi une force électromotrice ne demeure pas constante quand une pile voltaïque débite un courant électrique. À mesure que la réaction de la pile s'effectue, la concentration des produits augmente, et celle des réactifs diminue. La valeur de Q augmente continuellement, et la force électromotrice chute proportionnellement. La force électromotrice diminue jusqu'à zéro quand la réaction atteint l'équilibre ($Q = K_{\text{éq}}$).

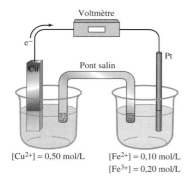

$[Cu^{2+}] = 0{,}50$ mol/L $[Fe^{2+}] = 0{,}10$ mol/L
$[Fe^{3+}] = 0{,}20$ mol/L

▲ **Figure 8.12**
Illustration de l'exemple 8.7

EXEMPLE **8.7**

Calculez la lecture prévue du voltmètre pour la pile voltaïque illustrée à la **figure 8.12**.

➜ Stratégie

La lecture prévue du voltmètre est E_{pile}, qui sera déterminée à l'aide de l'équation de Nernst. Utilisons d'abord les données du tableau 8.1 pour déterminer E°_{pile} de la réaction. Formulons ensuite le quotient réactionnel Q et calculons E_{pile}.

➜ Solution

Détermination de E°_{pile} :

Le sens du déplacement des électrons illustré à la figure 8.12 nous permet de situer l'anode et la cathode.

Cathode (réduction) $2 \{Fe^{3+}(1\text{ mol/L}) + e^{-} \longrightarrow Fe^{2+}(1\text{ mol/L})\}$

Anode (oxydation) $Cu(s) \longrightarrow Cu^{2+}(1\text{ mol/L}) + 2\,e^{-}$

Réaction globale $Cu(s) + 2\,Fe^{3+}(1\text{ mol/L}) \longrightarrow Cu^{2+}(1\text{ mol/L}) + 2\,Fe^{2+}(1\text{ mol/L})$

$$E^{\circ}_{\text{cell}} = E^{\circ}(\text{cathode}) - E^{\circ}(\text{anode})$$

$$= E^{\circ}_{\text{Fe}^{3+}/\text{Fe}^{4+}} - E^{\circ}_{\text{Cu}^{2+}/\text{Cu}}$$

$$= 0{,}771\,\text{V} - 0{,}340\,\text{V} = 0{,}431\,\text{V}$$

Détermination de E_{pile} :

Nous cherchons E_{pile} pour une pile voltaïque dans laquelle la réaction est la suivante :

$$Cu(s) + 2\,Fe^{3+}(0{,}20\text{ mol/L}) \longrightarrow Cu^{2+}(0{,}50\text{ mol/L}) + 2\,Fe^{2+}(0{,}10\text{ mol/L})$$

Pour y arriver, il faut faire les substitutions suivantes dans l'équation de Nernst.

$E°_{pile} = +0,431 \text{ V}$; $n = 2$; $[Fe^{3+}] = 0,20 \text{ mol/L}$; $[Fe^{2+}] = 0,10 \text{ mol/L}$; $[Cu^{2+}] = 0,50 \text{ mol/L}$.

$$E_{pile} = E°_{pile} - \frac{0,0592 \text{ V}}{n} \log Q$$

$$E_{pile} = 0,431 \text{ V} - \frac{0,0592 \text{ V}}{2} \log \left(\frac{[Cu^{2+}][Fe^{2+}]^2}{[Fe^{3+}]^2} \right)$$

$$E_{pile} = 0,431 \text{ V} - \frac{0,0592 \text{ V}}{2} \log \left(\frac{0,50(0,10)^2}{(0,20)^2} \right)$$

$$E_{pile} = 0,431 \text{ V} - (0,0296 \text{ V} \times \log 0,125) = 0,431 \text{ V} - (-0,027) \text{ V} = +0,458 \text{ V}$$

➜ Évaluation

Dans la réaction de la pile, $[Fe^{2+}] = 0,10 \text{ mol/L}$ et $[Cu^{2+}] = 0,50 \text{ mol/L}$ correspondent respectivement à 1/10 et à 1/2 des concentrations dans les conditions standard. En vertu du principe de Le Chatelier, ces deux concentrations réduites favorisent la réaction directe. À l'opposé, la réaction inverse est favorisée par le fait que $[Fe^{3+}] = 0,20 \text{ mol/L}$, ce qui représente 1/5 de la concentration dans les conditions standard. Toutefois, en fin de compte, les facteurs favorisant la réaction directe l'emportent sur le facteur favorisant la réaction inverse, ce qui donne à penser que $E_{pile} > E°_{pile}$. C'est ce que nous avons obtenu, soit 0,458 V comparativement à 0,431 V.

EXERCICE 8.7

À l'aide de l'équation de Nernst, déterminez E_{pile} à 25 °C pour les piles voltaïques suivantes.

a) $Zn(s) | Zn^{2+}(2,0 \text{ mol/L}) \| Cu^{2+}(0,050 \text{ mol/L}) | Cu(s)$

b) $Zn(s) | Zn^{2+}(0,050 \text{ mol/L}) \| Cu^{2+}(2,0 \text{ mol/L}) | Cu(s)$

c) $Cu(s) | Cu^{2+}(1,0 \text{ mol/L}) \| Cl^-(0,25 \text{ mol/L}) | Cl_2(g, 50,7 \text{ kPa}) | Pt$

Les piles de concentration

La pile voltaïque représentée dans la **figure 8.13** diffère de celles que nous avons étudiées jusqu'ici, parce que ses deux électrodes sont *identiques*. Les solutions dans les demi-piles sont toutefois de concentrations différentes, ce qui crée une différence de potentiel entre les électrodes. Déterminons la source de ce potentiel et la nature de la réaction de la pile. D'abord, pour des conditions standard,

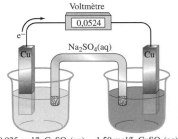

▲ **Figure 8.13**
Pile de concentration

Les électrodes sont identiques, mais les concentrations des solutions diffèrent. La force motrice de la réaction de la pile provient de la tendance des solutions à rendre égales leurs concentrations : $Cu^{2+}(1,50 \text{ mol/L}) \longrightarrow Cu^{2+}(0,025 \text{ mol/L})$

Cathode (réduction) $Cu^{2+}(1 \text{ mol/L}) + 2e^- \longrightarrow Cu(s)$

Anode (oxydation) $Cu(s) \longrightarrow Cu^{2+}(1 \text{ mol/L}) + 2e^-$

Réaction globale $Cu^{2+}(1 \text{ mol/L}) \longrightarrow Cu^{2+}(1 \text{ mol/L})$

$$E°_{pile} = E°(cathode) - E°(anode)$$
$$= E°_{Cu^{2+}/Cu} - E°_{Cu^{2+}/Cu}$$
$$= 0,340 \text{ V} - 0,340 \text{ V} = 0,000 \text{ V}$$

La force électromotrice *standard* est *nulle*, ce à quoi nous nous attendons. Une réaction d'électrode est simplement l'inverse de l'autre, et il ne se passe rien. À l'aide de l'équation de Nernst, nous pouvons calculer la force électromotrice dans des conditions *non standard*.

$$Cu^{2+}(1,50 \text{ mol/L}) \longrightarrow Cu^{2+}(0,025 \text{ mol/L}) \qquad E_{pile} = ?$$

$$E_{pile} = E°_{pile} - \frac{0,0592 \text{ V}}{n} \log Q$$

Dans ce cas, $E°_{pile} = 0$, $n = 2$ et $Q = 0,025/1,50$.

Force électromotrice d'une pile dans des conditions non standard

$$E_{pile} = - \frac{0,0592 \text{ V}}{n} \log Q \qquad \qquad \textbf{(8.9)}$$

$$E_{pile} = - \frac{0,0592 \text{ V}}{2} \log \frac{0,025}{1,50} = -0,0296 \text{ V} \times \log 0,017$$

$$= -0,0296 \text{ V} \times (-1,77) = 0,0524 \text{ V}$$

Pile de concentration

Pile voltaïque dont la force électromotrice est entièrement déterminée par la différence entre les concentrations des solutés qui sont en équilibre avec des électrodes identiques.

On appelle **pile de concentration** une pile dont la force électromotrice n'est déterminée que par la différence entre les concentrations des solutés qui sont en équilibre avec des électrodes identiques. La réaction de la pile n'est pas une réaction chimique. Elle représente plutôt la migration d'un soluté d'une solution plus concentrée vers une solution moins concentrée. La solution plus concentrée s'en trouve diluée, et la plus diluée devient plus concentrée : le résultat serait le même si l'on mettait en contact deux solutions de différentes concentrations. Le désordre et l'entropie augmentent, et le processus est spontané. C'est le fait qu'elle produit de l'électricité en utilisant la tendance naturelle des solutions à se mélanger qui démarque la pile de concentration des autres piles.

Les mesures de pH

Supposons qu'on construise une pile de concentration constituée de deux électrodes à hydrogène. L'une est l'électrode standard d'hydrogène et l'autre est placée dans une solution de pH inconnu, c'est-à-dire dont $[H^+] = x$. Si $x < 1,0$ mol/L (ce qui est généralement le cas), la réduction se produit à l'électrode standard d'hydrogène (la cathode), et l'oxydation, à l'électrode non standard (l'anode).

Réduction	$2 H^+(1 \text{ mol/L}) + 2e^- \longrightarrow H_2(g, 101,3 \text{ kPa})$
Oxydation	$H_2(g, 101,3 \text{ kPa}) \longrightarrow 2 H^+(x \text{ mol/L}) + 2e^-$
Réaction globale	$2 H^+(x \text{ mol/L}) \longrightarrow 2 H^+(x \text{ mol/L})$

La force électromotrice de cette pile de concentration est donnée par l'équation de Nernst, qui prend la forme suivante.

$$E_{pile} = - \frac{0,0592 \text{ V}}{2} \log \frac{x^2}{1^2}$$

$$= -0,0296 \text{ V} \log x^2$$

$$= -0,0296 \text{ V} (2 \log x) = -(0,0592 \log x) \text{ V}$$

Comme on représente souvent l'acidité d'une solution par l'expression $pH = -\log [H^+] = -\log x$, on peut également écrire, pour la pile de concentration :

$$E_{pile} = (0,0592 \text{ pH}) \text{ V}$$

Si l'on mesure une valeur de E_{pile} de 0,225 V dans cette pile de concentration, à 25 °C, la solution inconnue doit donc avoir un pH de $0,225/0,0592 = 3,80$.

L'électrochimie d'un battement de cœur

Le cœur est une pompe constituée surtout de muscles et, comme c'est le cas de tous les muscles, un signal électrique déclenche sa contraction. Dans les muscles, c'est la diffusion des ions à travers les membranes cellulaires qui crée le courant électrique. Les concentrations d'ions sodium sont élevées à l'extérieur de la cellule et faibles à l'intérieur, le phénomène inverse étant observé pour les ions potassium. Ces gradients de concentration engendrent une différence de potentiel appelée *potentiel de membrane*.

Contrairement aux autres muscles, le cœur possède son propre stimulateur et son circuit intégré — même détaché de ses connexions nerveuses externes, il continue de battre, comme on peut l'observer lors des greffes de cœur. À l'inverse, si l'on coupe les connexions nerveuses des muscles pectoraux, les bras sont définitivement paralysés.

Les cellules cardionectrices, qui régissent le rythme cardiaque, ont un potentiel naturel qui dépend surtout des concentrations des ions sodium et potassium. Elles sont pourvues, comme toutes les cellules, de mécanismes qui leur permettent de faire passer les ions à travers leur membrane. C'est ainsi qu'elles peuvent retenir les ions K^+ à l'intérieur et expulser les ions Na^+. Toutefois, une partie des ions K^+ s'échappent et l'intérieur de la cellule acquiert alors un potentiel négatif par rapport à l'extérieur. Quand la différence de potentiel atteint une valeur critique, des canaux s'ouvrent dans les membranes des cellules cardionectrices pour permettre aux ions Na^+ d'entrer. Il en résulte une irruption d'ions qui provoque une décharge électrique, un influx se propageant presque instantanément aux cellules musculaires du cœur. Ces dernières agissent de façon concertée, et le cœur bat.

Les ions calcium jouent également un rôle vital dans le battement du cœur. À la suite de la décharge électrique, les ions Ca^{2+} diffusent vers l'intérieur des cellules pendant une fraction de seconde. Lorsque cesse la diffusion des ions Ca^{2+}, la membrane redevient perméable aux ions K^+, qui recommencent à sortir de la cellule, rétablissant la différence de potentiel à travers la membrane.

La concentration appropriée d'ions K^+ est cruciale. Les taux sanguins normaux sont de 3,5 à 5,0 mmol de K^+ par litre de sang. Le rapport normal de $[K^+]$ entre l'intérieur et l'extérieur des cellules cardionectrices est d'environ 30 : 1. Si $[K^+]$ dans le sang est trop *basse,* le déséquilibre ionique dépasse le stade critique, et les cellules cardionectrices deviennent surchargées; elles ne se dépolarisent pas. Le cœur s'arrête de battre. Si $[K^+]$ dans le sang est trop *élevée,* la différence de potentiel ne devient jamais assez grande pour produire un signal approprié. Le battement cardiaque diminue alors jusqu'à l'arrêt. L'atrophie des tissus causée par la maladie ou la famine, la perte de liquide due à une diarrhée persistante ou à des vomissements excessifs et l'utilisation à long terme de diurétiques occasionnent des taux d'ions K^+ dangereusement bas. L'abus de suppléments alimentaires et les maladies du rein dans lesquelles l'organisme n'excrète pas suffisamment de potassium engendrent des taux d'ions K^+ trop élevés. Les deux cas extrêmes — $[K^+]$ trop basse ou trop élevée — provoquent un arrêt cardiaque.

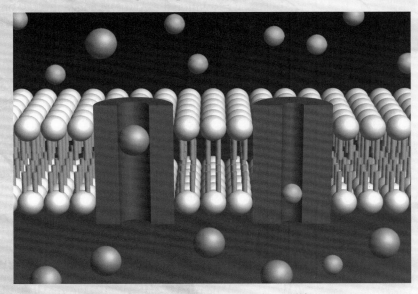

Cette modélisation informatique d'une portion de membrane cellulaire illustre un canal d'ions K^+ (bleu) et un canal d'ions Na^+ (rouge). La zone à l'extérieur de la cellule (en haut) est riche en Na^+ et pauvre en K^+. À l'intérieur de la cellule, les liquides sont relativement riches en K^+ et pauvres en Na^+.

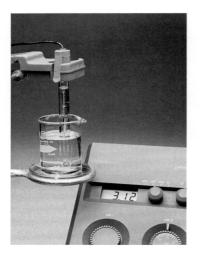

▲ Figure 8.14
**Électrode de verre
et pH-mètre**
Une électrode de référence et une électrode de verre sont toutes les deux contenues dans l'électrode combinée qui est représentée ici. La différence de potentiel entre les deux est convertie par l'appareil en valeur de pH de la solution (3,12).

Pile ou accumulateur

Dispositif servant à emmagasiner de l'énergie chimique qui sera restituée plus tard sous forme d'électricité.

Batterie

Accumulateur constitué de deux ou de plusieurs piles voltaïques branchées en série.

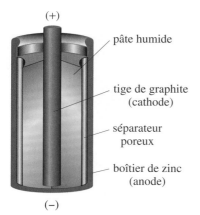

▲ Figure 8.15
**Section d'une pile Leclanché
(ou pile sèche)**
La pâte humide est composée de $NH_4Cl(aq)$ et de $ZnCl_2(aq)$; elle contient également du noir de carbone (forme de carbone en fine poudre) et du $MnO_2(s)$.

Le pH-mètre

La fabrication d'une électrode standard d'hydrogène est difficile, et son maniement, délicat. En pratique, pour mesurer le pH d'une solution, on remplace généralement l'électrode standard d'hydrogène par une autre électrode de référence dont $E°$ est connu avec précision. On remplace également la seconde électrode d'hydrogène par une électrode spéciale, appelée *électrode de verre,* qui est contenue dans une fine membrane de verre; elle renferme HCl(aq), dans lequel est plongé un fil d'argent recouvert de AgCl(s). Quand l'électrode est plongée dans une solution de pH inconnu, les ions H^+ sont échangés à travers la membrane. Le potentiel qui se crée sur le fil d'argent est fonction de $[H^+]$ dans la solution inconnue. La différence de potentiel entre l'électrode de verre et l'électrode de référence dépend de la même façon de $[H^+]$ dans la solution inconnue (**figure 8.14**).

8.5 Les piles et les accumulateurs: l'utilisation de réactions chimiques pour produire de l'électricité

Dans la vie quotidienne, on appelle **pile** ou **accumulateur** un dispositif qui emmagasine de l'énergie chimique pour la restituer plus tard sous forme d'électricité. Une pile de lampe de poche est constituée d'une seule pile voltaïque composée de deux électrodes qui sont en contact avec un ou plusieurs électrolytes. Une **batterie** est un accumulateur constitué de deux ou plusieurs piles voltaïques branchées en série. Selon cette définition, un accumulateur d'automobile est une batterie, tandis qu'une pile de lampe de poche n'en est pas une. Dans la présente section, nous considérons différents types de piles ou accumulateurs.

La pile sèche

Dans la plupart des lampes de poche ou des appareils électroniques portatifs, on utilise des piles *primaires*. Les réactions qui se produisent dans les piles primaires sont irréversibles. Pendant l'utilisation, les réactifs sont convertis en produits et, quand les réactifs sont épuisés, la pile est déchargée. La *pile Leclanché* — mieux connue sous le terme de *pile sèche* — est un exemple typique illustré à la **figure 8.15**.

L'anode est un boîtier en zinc, et la cathode, une tige de carbone (graphite) qui est en contact avec du $MnO_2(s)$. L'électrolyte est une pâte humide de NH_4Cl et de $ZnCl_2$. On l'appelle *pile sèche* parce qu'il n'y a pas de liquide qui peut s'en écouler librement. La solution d'électrolyte concentrée est épaissie au moyen d'un agent comme l'amidon, qui forme une pâte gélifiée. La représentation schématique d'une pile Leclanché est la suivante.

$$Zn(s)\,|\,ZnCl_2(aq),\ NH_4Cl(aq)\,|\,MnO(OH)(s)\,|\,MnO_2(s)\,|\,C(graphite)$$

Les réactions qui ont lieu quand la pile sèche débite du courant électrique sont très complexes et, à ce jour, mal comprises. Nous en donnons une description simplifiée. Comme le laisse voir le schéma, le zinc métallique est oxydé en Zn^{2+} à l'anode.

Anode $\qquad\qquad\qquad Zn(s) \longrightarrow Zn^{2+}(aq)\ +\ 2\,e^-$

La réaction de réduction à la cathode serait

Cathode $\qquad\quad MnO_2(s)\ +\ H^+(aq)\ +\ e^- \longrightarrow MnO(OH)(s)$

suivie de

$$2\,MnO(OH)(s) \longrightarrow Mn_2O_3(s)\ +\ H_2O(l)$$

La pile Leclanché ne coûte pas cher à fabriquer et possède une force électromotrice maximale de 1,55 V. Par contre, elle a deux inconvénients: (1) la force électromotrice chute rapidement à l'usage en raison de l'accumulation de Zn^{2+} près de l'anode et de la variation de pH à la cathode et (2) le zinc métallique réagit, bien que lentement, avec l'électrolyte, même quand la pile est débranchée.

Les piles *alcalines* coûtent plus cher, mais elles durent plus longtemps que les piles sèches ordinaires. Comme leur durée de conservation est plus longue, elles peuvent demeurer en service plus longtemps. Elles ont pour électrolyte NaOH ou KOH plutôt que NH_4Cl. Elles utilisent à peu près la même demi-réaction de réduction que la pile sèche ordinaire, mais dans un milieu alcalin. L'ion zinc produit dans la demi-réaction d'oxydation se combine avec $OH^-(aq)$ pour former $Zn(OH)_2(s)$.

Cathode $\qquad 2\,MnO_2(s) + H_2O(l) + 2\,\cancel{e^-} \longrightarrow Mn_2O_3(s) + 2\,\cancel{HO^-}\,(aq)$

Anode $\qquad\qquad Zn(s) + 2\,\cancel{HO^-}\,(aq) \longrightarrow Zn(OH)_2(s) + 2\,\cancel{e^-}$

Réaction
de la pile $\qquad Zn(s) + 2\,MnO_2(s) + H_2O(l) \longrightarrow Zn(OH)_2(s) + Mn_2O_3(s)$

$$E^\circ_{pile} = E^\circ(cathode) - E^\circ(anode)$$

$$= E^\circ_{MnO_2/Mn_2O_3} - E^\circ_{Zn(OH)_2/Zn}$$

$$= 0,118\,V - (-1,246\,V) = 1,364\,V$$

En pratique, parce que les conditions existant dans la pile *ne* sont *pas standard,* la force électromotrice n'est pas égale à 1,364 V ; elle est en fait un peu plus élevée, étant d'environ 1,5 V.

Le fait que la tension ne chute pas aussi rapidement quand elle débite un courant, et ce parce que l'ion zinc ne s'accumule pas à l'anode et que le pH demeure un peu plus constant à la cathode, est un autre avantage important de la pile alcaline sur la pile sèche ordinaire.

L'accumulateur au plomb

L'accumulateur au plomb utilisé dans les voitures est une pile *secondaire*, c'est-à-dire une pile qui est rechargeable. On peut inverser la réaction de la pile et restaurer l'accumulateur dans son état initial. L'accumulateur peut être utilisé à plusieurs reprises dans des cycles de décharge et de recharge. La **figure 8.16** illustre une portion de la pile dans l'accumulateur au plomb. Plusieurs anodes et cathodes sont connectées dans

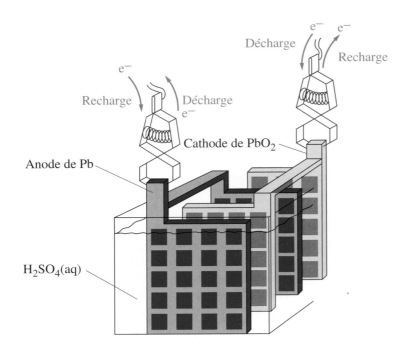

◀ Figure 8.16
**Batterie (accumulateur)
au plomb**

La composition des électrodes, la réaction et la force électromotrice sont décrites à la page 388. La figure illustre deux plaques anodiques et deux plaques cathodiques disposées en parallèle. Ce type de connexion augmente la surface de l'électrode et la capacité de la batterie à débiter du courant.

chaque pile pour augmenter sa capacité à débiter du courant. Chaque pile produit 2 V, et six piles sont raccordées, + à −, pour constituer un accumulateur de 12 V.

Les anodes dans l'accumulateur au plomb sont composées d'un alliage de plomb, et les cathodes, d'un alliage de plomb imprégné de dioxyde de plomb rouge. L'électrolyte est de l'acide sulfurique dilué. Les demi-réactions et la réaction de la pile sont les suivantes.

Cathode $\quad PbO_2(s) + 4\,H^+(aq) + SO_4^{2-}(aq) + 2\,e^- \longrightarrow PbSO_4(s) + 2\,H_2O(l)$

Anode $\quad\quad\quad\quad\quad\quad\quad\quad\quad Pb(s) + SO_4^{2-}(aq) \longrightarrow PbSO_4(s) + 2\,e^-$

Réaction de la pile $\quad Pb(s) + PbO_2(s) + 4\,H^+(aq) + 2\,SO_4^{2-}(aq) \longrightarrow 2\,PbSO_4(s) + 2\,H_2O(l)$

$$E^\circ_{pile} = E^\circ(\text{cathode}) - E^\circ(\text{anode})$$
$$= E^\circ_{PbO_2/PbSO_4} - E^\circ_{PbSO_4/Pb}$$
$$= 1{,}690\text{ V} - (-0{,}356\text{ V}) = 2{,}046\text{ V}$$

Bien que les conditions dans l'accumulateur au plomb ne soient pas standard, la batterie peut fournir un potentiel à peu près égal à la valeur de E°_{pile}.

Au cours de la réaction, $PbSO_4(s)$ précipite et recouvre partiellement les deux électrodes; l'eau formée dilue la solution de $H_2SO_4(aq)$. La pile se *décharge*. En reliant la batterie à une source externe d'énergie électrique, on peut forcer les électrons à se déplacer dans la direction opposée. Les demi-réactions et la réaction de la pile sont inversées, et la batterie se recharge.

Réaction de recharge

$2\,PbSO_4(s) + 2\,H_2O(l) \longrightarrow Pb(s) + PbO_2(s) + 4\,H^+(aq) + 2\,SO_4^{2-}(aq)\ E^\circ_{pile} = -2{,}046\text{ V}$

La valeur négative de E°_{pile} signifie que la réaction de recharge est *non spontanée*. La source externe doit fournir une tension supérieure à 2,046 V pour chaque élément de la batterie, donc excédant $6 \times 2{,}046$ V pour un accumulateur typique de 12 V.

Dans une voiture, la batterie se décharge quand le moteur démarre. Pendant qu'il tourne, le moteur actionne l'alternateur, qui produit l'énergie électrique nécessaire pour recharger la batterie. Pendant tout le temps que la voiture roule, la batterie est rechargée. On peut faire démarrer un moteur quand une batterie est à plat en la connectant à une autre qui est à pleine charge. Cette dernière fait démarrer le moteur et commence aussitôt à recharger celle qui est à plat. Lorsqu'une batterie se décharge, la solution de $H_2SO_4(aq)$ se dilue; elle est concentrée à nouveau durant la recharge. Pour déterminer l'état de la charge d'un accumulateur au plomb, il suffit de mesurer la masse volumique de l'acide. Plus l'acide est concentré, plus sa masse volumique est élevée.

En principe, un accumulateur au plomb devrait durer indéfiniment, mais ce n'est pas le cas. Durant la décharge, $PbSO_4(s)$ se dépose sur les électrodes sous une forme finement divisée. Si une batterie est laissée trop longtemps déchargée, les petits grains de $PbSO_4(s)$ peuvent former de gros cristaux qui se détachent des électrodes. Quand le $PbSO_4(s)$ est sous cette forme, on ne peut plus recharger la batterie. La sulfatation est une cause importante de défaillance de ces appareils.

Autres piles secondaires

Nous ne pouvons pas décrire tous les types de piles qui existent. Néanmoins, mentionnons-en quelques-uns qui sont très utilisés de nos jours. La *pile nickel-cadmium* (NiCd) comprend une cathode de cadmium et une anode de $Ni(OH)_2$; elle peut être rechargée une centaine de fois. Contrairement à la pile Leclanché ou à la pile alcaline qui produisent 1,5 V, la pile NiCd fournit 1,2 V. Ce potentiel plus faible n'est pas suffisant dans certains appareils électroniques. Par exemple, un dispositif censé être alimenté par quatre piles alcalines (6,0 V) peut ne pas fonctionner correctement avec quatre piles NiCd (4,8 V). Des batteries nickel-cadmium sont utilisées dans de nombreux outils sans fils.

La *pile nickel-métal hybride* (NiMH) est faite d'un alliage métallique à l'anode qui contient de l'hydrogène sous la forme d'un hybride métallique non stœchiométrique tel que $LaNi_5H_x$. Durant l'utilisation, l'anode libère de l'hydrogène et il y a formation d'eau. Parce que l'hydrogène a une très faible masse moléculaire, une pile NiMH est plus légère qu'une pile NiCd de même grosseur. De plus, elle est moins nocive pour l'environnement, puisqu'elle ne contient pas de cadmium. Comme la pile NiCd, une pile NiMH produit un potentiel de 1,2 V.

Les *piles lithium-ion* mettent à profit deux propriétés du lithium : sa faible masse volumique et son haut potentiel de réduction négatif. La plupart produisent un potentiel de 3,0 à 4,0 V, selon leur conception, et pèsent bien moins qu'une pile alcaline de même taille. En général de nos jours, les piles lithium-ion ne contiennent pas de lithium métallique, mais un oxyde de lithium-cobalt ou un oxyde de lithium-manganèse à l'anode. L'électrolyte est un solvant organique renfermant un sel de lithium dissous. Beaucoup d'ordinateurs portables et de téléphones cellulaires sont alimentés par des piles lithium-ion parce que, comparativement aux piles NiCd, elles sont légères et produisent plus d'énergie en regard de leur masse. Certaines piles au lithium non rechargeables sont maintenant fabriquées avec du fer comme additif. Le fer réduit le potentiel de la pile à 1,5 V, ce qui permet d'utiliser cette pile à la place des piles alcalines ou des piles Leclanché.

Les piles à combustible

L'énergie requise pour soutenir notre train de vie moderne provient principalement des combustibles fossiles, mais, comme nous l'avons indiqué, la combustion de ces substances et la conversion de la chaleur en électricité ont une efficacité très limitée. Une pile voltaïque, au contraire, peut convertir l'énergie chimique en électricité avec un rendement d'au moins 90 %. Puisque les réactions de combustion et les réactions des piles voltaïques font toutes les deux intervenir l'oxydation et la réduction, pourquoi ne pas concevoir une pile voltaïque dans laquelle la réaction serait équivalente à une réaction de combustion ? Cette pile existe déjà, et les scientifiques s'emploient à la perfectionner depuis plus de 50 ans. On l'appelle *pile à combustible*. La réaction qui s'y déroule est la suivante :

$$\text{Combustible} + \text{oxygène} \longrightarrow \text{produits d'oxydation}$$

Dans la pile hydrogène-oxygène, l'hydrogène et l'oxygène gazeux circulent sur des électrodes inertes séparées, qui sont en contact avec un électrolyte comme KOH(aq) (**figure 8.17**).

Les réactions sont représentées ci-dessous.

Cathode	$O_2(g) + 2\,H_2O + 4\,e^- \longrightarrow 4\,OH^-$
Anode	$2\{H_2(g) + 2\,OH^-(aq) \longrightarrow 2\,H_2O + 2\,e^-\}$

Réaction globale $2\,H_2(g) + O_2(g) \longrightarrow 2\,H_2O(l)$

$$E°_{pile} = E°(\text{cathode}) - E°(\text{anode})$$
$$= E°_{O_2/OH^-} - E°_{H_2O/H_2}$$
$$= 0{,}401\ V - (-0{,}828\ V) = 1{,}229\ V$$

Cette valeur de $E°_{pile}$ est à 25 °C. Les piles à combustible de ce type fonctionnent généralement dans des conditions non standard et à une température souvent beaucoup plus élevée que 25 °C. Leur tension de fonctionnement est de 1,0 à 1,1 V environ. Les piles à combustible hydrogène-oxygène ont été largement utilisées dans les véhicules spatiaux où, en plus de l'électricité, l'eau formée s'avère un produit intéressant.

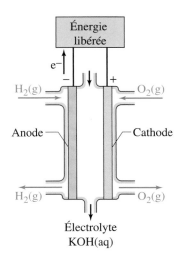

▲ **Figure 8.17**
Une pile à combustible hydrogène-oxygène
Les électrodes sont poreuses pour permettre un accès facile des réactifs gazeux à l'électrolyte. Le matériau des électrodes catalyse également les réactions d'électrode.

Une pile à combustible est comme une batterie dont le contenu est à l'extérieur plutôt qu'à l'intérieur du boîtier. C'est une batterie à circulation. En principe, la pile à combustible continue à fonctionner tant que l'apport des réactifs demeure constant.

Le prototype NECAR 3 de Daimler-Benz est le premier véhicule du monde à produire de l'hydrogène à son bord. L'hydrogène et le dioxyde de carbone gazeux sont produits à partir de l'essence et de l'oxygène. Puis, l'hydrogène et l'oxygène servent dans une pile à combustible qui produit de l'électricité grâce à la migration de protons (H$^+$) d'un côté à l'autre d'une membrane. Cette technologie pourrait utiliser le raffinage du pétrole et les systèmes de distribution d'essence existants.

En principe, une pile à combustible peut fonctionner directement à partir d'un combustible hydrocarboné tel que le méthane.

Cathode		$2\{O_2(g) + 4H^+ + 4e^- \longrightarrow 2H_2O\}$
Anode		$CH_4(g) + 2H_2O \longrightarrow CO_2(g) + 8H^+ + 8e^-$
Réaction globale		$CH_4(g) + 2O_2(g) \longrightarrow CO_2(g) + 2H_2O(l)$

Il existe une méthode indirecte, qui atteint le même objectif. Elle nécessite le reformage à la vapeur du combustible pour produire H$_2$(g)

$$CH_4(g) + H_2O(g) \longrightarrow CO(g) + 3H_2(g)$$

On peut ensuite utiliser l'hydrogène produit dans une pile hydrogène-oxygène.

Pour ce qui est du fonctionnement des voitures, les piles à combustible hydrogène-oxygène sont prometteuses, parce qu'elles produisent peu de produits indésirables (à part de l'air humide). Les organismes gouvernementaux classent ces véhicules parmi les non-polluants.

Les batteries à air

Une batterie à air utilise O$_2$(g) de l'air comme agent oxydant. Généralement, l'agent réducteur est un métal, comme le zinc ou l'aluminium. Dans une batterie aluminium-air, l'oxydation a lieu sur une anode d'aluminium, et la réduction, sur une cathode de carbone. L'électrolyte qui circule dans la batterie est NaOH(aq). L'aluminium est oxydé en Al^{3+} mais, en raison de la concentration élevée de OH$^-$, l'anion complexe [Al(OH)$_4$]$^-$ se forme (page 279).

Cathode	$3\{O_2(g) + 2H_2O(l) + 4e^- \longrightarrow 4OH^-(aq)\}$
Anode	$4\{Al(s) + 4OH^-(aq) \longrightarrow [Al(OH)_4]^-(aq) + 3e^-\}$
Réaction globale	$4Al(s) + 3O_2(g) + 6H_2O(l) + 4OH^-(aq) \longrightarrow 4[Al(OH)_4]^-(aq)$

$$E°_{pile} = E°(cathode) - E°(anode)$$
$$= E°_{O_2/OH^-} - E°_{Al(OH)_4^-/Al}$$
$$= 0,401\ V - (-2,310\ V) = 2,711\ V$$

Durant son fonctionnement, on alimente la batterie en morceaux d'aluminium métallique et en eau. L'électrolyte circule à l'extérieur de la batterie, où [Al(OH)$_4$]$^-$(aq) précipite sous forme de Al(OH)$_3$(s). Par la suite, on récupère l'aluminium de Al(OH)$_3$(s) dans une unité de production de ce métal. Une batterie aluminium-air peut faire rouler un véhicule sur plusieurs centaines de kilomètres avant de nécessiter un ravitaillement en combustible et le retrait de Al(OH)$_3$(s).

Les batteries aluminium-air utilisent l'oxygène gazeux de l'air comme agent oxydant et l'aluminium métallique comme agent réducteur. La batterie consomme de l'aluminium métallique et de l'eau, et produit de l'hydroxyde d'aluminium.

8.6 La corrosion : la détérioration des métaux par l'action de piles voltaïques

Quand elles ont lieu dans des piles voltaïques, les réactions d'oxydoréduction sont très utiles en tant que sources d'électricité. Mais ces réactions n'ont pas que des conséquences souhaitables. En effet, l'électricité qu'elles produisent est à l'origine de la détérioration causée par la corrosion. L'impact économique de ce phénomène est considérable. On estime que, aux États-Unis seulement, la corrosion coûte 70 milliards de dollars par année. Probablement 20 % du fer et de l'acier produits annuellement dans le monde sont destinés à remplacer les matériaux corrodés.

Examinons d'abord la corrosion du fer. Dans l'air humide, le fer peut être *oxydé* en Fe^{2+}, surtout s'il y a des éraflures, des entailles et des bosses. Ces régions, appelées zones *anodiques,* sont particulièrement vulnérables, et l'oxydation a lieu à ces endroits un peu plus facilement qu'ailleurs sur la surface. Les zones anodiques deviennent piquées. Les électrons perdus lors de l'oxydation circulent dans le fer vers les autres régions, appelées zones *cathodiques,* où $O_2(g)$ de l'air est réduit en OH^-.

La corrosion cause des pertes économiques énormes, comme l'illustrent ces chaînes rouillées.

$$\text{Cathode} \qquad O_2(g) + 2\,H_2O(l) + 4\,e^- \longrightarrow 4\,OH^-(aq)$$

$$\text{Anode} \qquad 2\,\{Fe(s) \longrightarrow Fe^{2+}(aq) + 2\,e^-\}$$

$$\begin{array}{l}\text{Réaction} \\ \text{globale}\end{array} \qquad 2\,Fe(s) + O_2(g) + 2\,H_2O(l) \longrightarrow 2\,Fe^{2+}(aq) + 4\,OH^-(aq)$$

$$E^\circ_{\text{pile}} = E^\circ(\text{cathode}) - E^\circ(\text{anode})$$
$$= E^\circ_{O_2/OH^-} - E^\circ_{Fe^{2+}/Fe}$$
$$= 0{,}401\ V - (-0{,}440\ V) = 0{,}841\ V$$

La corrosion du fer est en tout point conforme à une réaction d'oxydoréduction spontanée se produisant dans une pile voltaïque. L'oxydation et la réduction peuvent se produire en des points différents sur le métal. Les électrons circulent dans le métal, et le circuit est complété par un électrolyte en solution aqueuse. Dans les régions froides, cette solution prend souvent la forme du mélange de sel de voirie et de neige fondante ; dans les régions côtières, elle est constituée par les embruns.

Les ions fer(II) migrent vers les zones cathodiques, où ils se combinent avec les ions OH^- pour former de l'hydroxyde de fer(II), qui est insoluble.

$$Fe^{2+}(aq) + 2\,OH^-(aq) \longrightarrow Fe(OH)_2(s)$$

Généralement, l'hydroxyde de fer(II) s'oxyde davantage en hydroxyde de fer(III).

$$4\,Fe(OH)_2(s) + O_2(g) + 2\,H_2O(l) \longrightarrow 4\,Fe(OH)_3(s)$$

On représente habituellement l'hydroxyde de fer(III) sous forme d'oxyde de fer(III) hydraté de composition variable : $Fe_2O_3 \cdot xH_2O$, la *rouille* qui nous est familière. La **figure 8.18** illustre le processus global que nous venons de décrire.

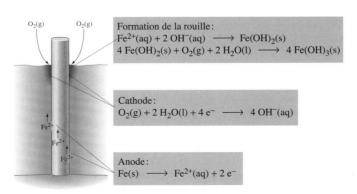

◀ **Figure 8.18**
La corrosion d'un pilier en fer : un processus électrochimique

Ce schéma représente les zones anodique et cathodique, leurs demi-réactions et la formation finale de rouille. La zone cathodique est près de l'interface air-eau, où la disponibilité de $O_2(g)$ est la plus grande. La zone anodique est plus profonde sous la surface de l'eau. Les ions $Fe^{2+}(aq)$ issus de la zone anodique migrent vers la zone cathodique, où se forme la rouille.

Les anodes sacrificielles de magnésium fixées à la structure d'acier d'un navire fournissent une protection cathodique contre la corrosion.

Afin de mettre en évidence la ressemblance existant entre la corrosion et une pile voltaïque, nous avons choisi une situation où les zones anodiques et cathodiques sont quelque peu éloignées les unes des autres, et où les étapes intermédiaires de la corrosion sont faciles à reconnaître. Souvent, toutefois, toutes les réactions ont lieu simultanément sur la partie corrodée du fer. Tout ce qu'on peut remarquer, alors, c'est l'accumulation de rouille qui s'est formée avec le temps.

L'aluminium est plus facilement oxydé que le fer. On pourrait s'attendre à ce qu'il se corrode plus rapidement que celui-ci, mais les cannettes de bière et de boissons gazeuses que l'on trouve parfois jonchant le sol démontrent le contraire. Comment expliquer cela ? Quand il est exposé à l'air, l'aluminium nouvellement préparé forme très rapidement une couche d'oxyde à sa surface. Cependant, cette mince pellicule résistante d'oxyde d'aluminium est étanche à l'air et protège le métal sous-jacent d'une oxydation ultérieure. Ce phénomène porte le nom de *passivation* des métaux. L'oxyde de fer (rouille), au contraire, s'écaille facilement et expose constamment à la corrosion une surface de fer mise à nu. Cette différence de comportement de leurs produits de corrosion explique pourquoi les contenants en acier peuvent finir par se désagréger dans l'environnement, alors que les cannettes en aluminium semblent durer éternellement.

Pour protéger le fer contre la corrosion, il suffit de le peindre ; on empêche ainsi l'oxygène d'atteindre sa surface. On peut aussi recouvrir le fer d'un autre métal moins actif, par exemple appliquer une couche d'étain sur un contenant en acier. Dans les deux cas, cependant, la surface est protégée aussi longtemps que la couche ne craque pas ni ne s'écaille. Une boîte en fer-blanc peut commencer à rouiller rapidement si elle est bosselée, et une carrosserie rouille habituellement d'abord aux endroits où la peinture est éraflée ou écaillée.

On a aussi recours à une méthode totalement différente qui consiste à protéger le fer au moyen d'un métal *plus* actif ; c'est le cas du *fer galvanisé*, le fer recouvert d'une couche de zinc. La couche d'oxyde qui se forme sur le zinc est comme celle qui apparaît sur l'aluminium ; elle est mince, résistante et étanche à l'air. Et peu importe si une craquelure du revêtement de zinc se produit. Le zinc se corrodera plutôt que le fer parce qu'il est plus facilement oxydé.

La *protection cathodique* est une autre méthode de protection contre la rouille. Elle est fondée sur le même principe général que la méthode du fer galvanisé. L'objet en fer ou en acier à protéger — un navire, une canalisation, un réservoir, un chauffe-eau ou la plomberie d'une piscine — est relié à une pièce d'un métal actif comme le magnésium, l'aluminium ou le zinc, soit directement, soit par l'intermédiaire d'un fil. L'oxydation se produit dans le métal actif, qui se dissout lentement. La surface de fer acquiert des électrons provenant du métal actif et est le site de la demi-réaction *cathodique* ou de réduction. Tant qu'il reste du métal actif, qu'on appelle *anode sacrificielle,* le fer est protégé. La fabrication d'anodes sacrificielles (soit environ 12 millions de tonnes annuellement aux États-Unis) constitue l'une des principales utilisations du magnésium métallique.

On trouve un autre exemple de régulation électrochimique de la corrosion dans la méthode utilisée pour nettoyer l'argent terni. L'argent se ternit au contact des composés du soufre provenant soit de l'atmosphère, soit d'aliments comme les œufs. Il forme généralement un sulfure d'argent insoluble noir. On peut utiliser un produit à polir l'argenterie pour enlever la ternissure mais, ce faisant, on perd également une partie de l'argent.

La concentration de Ag^+ d'une solution aqueuse de $Ag_2S(s)$ est extrêmement faible. Pourtant l'aluminium peut réduire cet Ag^+ de nouveau en argent métallique. On préserve un métal précieux aux dépens d'un métal de moindre valeur.

$$3\,Ag^+(aq) + Al(s) \longrightarrow 3\,Ag(s) + Al^{3+}(aq)$$

L'hydrogénocarbonate de sodium ($NaHCO_3$) fonctionne bien comme électrolyte pour favoriser cette réaction de pile voltaïque. On place l'argent terni en contact avec une feuille d'aluminium, puis on le couvre de $NaHCO_3(aq)$ et on le chauffe.

EXEMPLE 8.8 — Un exemple conceptuel

À la **figure 8.19**, des clous en fer sont placés dans une dispersion colloïdale chaude d'agar dans l'eau. Un indicateur à la phénolphtaléine et du ferricyanure de potassium, $K_3[Fe(CN)_6]$, sont également présents dans la dispersion. Quand la dispersion d'une couleur jaune pâle refroidit et repose quelques heures, elle se solidifie pour former un gel, et des zones colorées apparaissent alors. Expliquez ce qui se passe dans la figure 8.19*a*.

→ Analyse et conclusion

La phénolphtaléine, un indicateur de pH, est incolore en solution acide et neutre ; elle vire au rose à partir de pH 10. La source des ions OH^- responsables de la coloration rose est la demi-réaction cathodique qui accompagne la corrosion du fer.

$$\text{Cathode} \quad O_2(g) + 2\,H_2O(l) + 4\,e^- \longrightarrow 4\,OH^-(aq)$$

Il ne peut pas y avoir de demi-réaction cathodique sans demi-réaction anodique, si bien que lors de la corrosion du fer, la demi-réaction suivante a aussi lieu.

$$\text{Anode} \quad Fe(s) \longrightarrow Fe^{2+}(aq) + 2\,e^-$$

$Fe^{2+}(aq)$ réagit avec $[Fe(CN)_6]^{3-}(aq)$ pour former un précipité complexe de couleur bleue (ce complexe est aussi appelé *bleu de Turnbull*).

La tête et la pointe du clou forment les zones *anodiques* et sont oxydées de façon préférentielle, parce que le métal est plus déformé (et par conséquent plus énergétique) dans ces zones. Le corps du clou forme la zone *cathodique*.

EXERCICE 8.8

Expliquez ce qui se passe dans la figure 8.19*b*, et pourquoi elle diffère sur un point par rapport à ce qu'on voit dans la figure 8.19*a*.

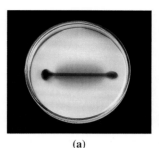

(a)

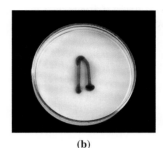

(b)

▲ Figure 8.19
Démonstration de la corrosion du fer

Les cellules électrolytiques

On attribue le nom général de **cellule électrochimique** à l'assemblage de deux demi-piles, munies des connexions appropriées entre les électrodes et les solutions. Si la cellule produit un courant électrique grâce à une réaction *spontanée,* c'est une pile *voltaïque.* Quand on fait passer un courant électrique fourni par une source externe dans une cellule électrochimique, il se produit une réaction *non spontanée* appelée **électrolyse** ; la cellule s'appelle alors **cellule électrolytique**. Dans le reste de ce chapitre, nous étudierons certaines réactions d'électrolyse et les cellules électrolytiques dans lesquelles elles se produisent.

Si l'on utilise une batterie ou une autre source de courant direct pour faire passer de l'électricité dans du chlorure de sodium fondu, on observe la production de chlore, un gaz jaune-vert, à une électrode ; à l'autre électrode, il se forme un liquide argenté, du sodium métallique, qui flotte sur le sel fondu (**figure 8.20**). La source externe d'électricité agit comme une « pompe à électrons ». Elle éloigne les électrons de l'*anode* où a lieu l'*oxydation* de Cl^-.

$$2\,Cl^- \longrightarrow Cl_2(g) + 2\,e^-$$

Par ailleurs, elle pousse les électrons vers la *cathode* où a lieu la *réduction*.

$$Na^+ + e^- \longrightarrow Na(l)$$

La réaction globale est :

$$2\,NaCl(l) \xrightarrow{\text{électrolyse}} 2\,Na(l) + Cl_2(g)$$

Cellule électrochimique

Assemblage quelconque de deux demi-piles munies des connexions appropriées entre les électrodes et les solutions.

Électrolyse

Réaction non spontanée de décomposition d'une substance, qui est provoquée par le passage d'un courant électrique, fourni par une source externe, dans une cellule électrochimique.

Cellule électrolytique

Cellule électrochimique dans laquelle un courant électrique provoque une réaction non spontanée en passant dans une solution ou un sel à l'état liquide.

D'après cette description, on voit que, dans une cellule électrolytique, tout comme dans une pile voltaïque, l'oxydation a lieu à l'anode, et la réduction, à la cathode. Cependant, les polarités des électrodes sont inversées par rapport à celles de la pile voltaïque parce que, maintenant, c'est la source externe qui régit le courant d'électrons. Puisque les électrons sont retirés de l'anode d'une cellule électrolytique, l'anode a une charge *positive* relativement à la cathode. Puisque les électrons sont poussés vers la cathode, celle-ci a une charge *négative,* comme le résume le tableau 8.3.

TABLEAU **8.3**	Caractéristique des électrodes dans une pile voltaïque et dans une électrolyse			
	Anode		**Cathode**	
	Réaction	**Signe de l'électrode**	**Réaction**	**Signe de l'électrode**
Pile voltaïque	oxydation	−	réduction	+
Électrolyse	oxydation	+	réduction	−

8.7 La prédiction des réactions d'électrolyse

Pourvu que la différence de potentiel appliquée aux électrodes de la figure 8.20 soit suffisamment grande (supérieure à environ 4 V), l'électrolyse du NaCl(l) a lieu et donne Na(l) et $Cl_2(g)$ comme seuls produits. Si l'on applique la même tension dans une cellule électrolytique contenant une solution *aqueuse* de NaCl, on n'obtient pas les mêmes produits, comme nous le verrons sous peu.

Pour prédire les produits d'une électrolyse, on peut aussi considérer diverses demi-réactions d'oxydation et de réduction qui pourraient avoir lieu, puis choisir l'oxydation et la réduction qui peuvent s'accomplir à la tension la *plus faible*.

L'électrolyse de NaCl(aq)

Imaginons une cellule électrolytique dans laquelle deux électrodes de platine sont plongées dans une même solution aqueuse de NaCl et reliées à une batterie. Celle-ci va rendre une des électrodes anodique, et l'autre, cathodique. Quatre demi-réactions sont possibles : deux d'entre elles peuvent être observées à la figure 8.20. Les deux autres sont l'oxydation et la réduction des molécules d'eau. Ces quatre demi-réactions sont classées ci-dessous par ordre décroissant de valeur de potentiel de réduction standard, $E°$.

Anode
(oxydation)

$$2\ Cl^-(aq) \longrightarrow Cl_2(g)\ +\ 2\ e^- \qquad E°_{Cl_2/Cl^-} = 1{,}358\ V$$

$$2\ H_2O(l) \longrightarrow 4\ H^+(aq)\ +\ O_2(g)\ +\ 4\ e^- \qquad E°_{O_2/H_2O} = 1{,}229\ V$$

Cathode
(réduction)

$$2\ H_2O(l)\ +\ 2\ e^- \longrightarrow 2\ OH^-(aq)\ +\ H_2(g) \qquad E°_{H_2O/H_2} = -0{,}828\ V$$

$$Na^+(aq)\ +\ e^- \longrightarrow Na(s) \qquad E°_{Na^+/Na} = -2{,}713\ V$$

Supposons qu'on veuille déterminer $E°_{pile}$ de la façon habituelle, en utilisant l'équation suivante.

$$E°_{pile}\ =\ E°(\text{cathode})\ -\ E°(\text{anode})$$

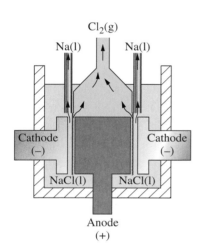

▲ **Figure 8.20**
Électrolyse du chlorure de sodium fondu

La cellule d'électrolyse représentée ici est appelée *cellule Downs*. L'électrolyte est du NaCl fondu contenant une petite quantité de $CaCl_2$, ajouté pour abaisser son point de fusion. Il se forme du sodium liquide à la cathode d'acier et du chlore gazeux à l'anode de graphite. Une toile d'acier forme un diaphragme qui empêche le sodium et le chlore de se recombiner pour former du chlorure de sodium.

Peu importe la combinaison de demi-réactions de cathode et d'anode considérées, elles donnent toutes une valeur *négative* de $E°_{\text{pile}}$. Cela signifie simplement que la réaction d'électrolyse ne se produit pas spontanément. Toutefois, il est raisonnable de penser que la réaction la plus probable est celle dont la valeur de $E°_{\text{pile}}$ est la moins *négative*. Elle nécessite la tension appliquée la plus faible qui est fournie par la source externe d'électricité. La réaction d'électrolyse favorisée doit comporter la réduction de H_2O ($E° = -0,828$ V) plutôt que celle de Na^+ ($E° = -2,713$ V). Il semble également qu'elle doit mettre en jeu l'oxydation de H_2O ($E° = 1,229$ V) plutôt que celle de Cl^- ($E° = 1,358$ V) à l'anode.

Cependant, d'autres facteurs interviennent, notamment le fait que les réactifs et les produits ne sont peut-être pas dans leur état standard. Par exemple, dans l'électrolyse industrielle de NaCl(aq), le pH est ajusté autour de 4. Ce n'est pas le pH de 0 correspondant à $[H^+] \approx 1$ mol/L. Si on tient compte de cette différence de pH, le potentiel de réduction *non standard* de la demi-réaction

$$2\,H_2O(l) \longrightarrow 4\,H^+(aq) + O_2(g) + 4\,e-$$

devient $E = 0,99$ V. La diminution du potentiel, qui passe de $1,229$ V à $0,99$ V, favorise encore davantage l'oxydation de H_2O en O_2 au détriment de celle de Cl^- en Cl_2.

Toutefois, un deuxième facteur s'impose en sens contraire. Dans de nombreuses demi-réactions, notamment celles qui mettent en jeu des gaz, différentes interactions à la surface des électrodes élèvent la tension requise pour l'électrolyse à des valeurs supérieures à celles qui sont calculées à partir des données de $E°$. La **surtension** est le supplément de tension, au-dessus de celle qui est calculée à partir des valeurs de $E°$, requis pour provoquer l'électrolyse. La surtension pour la formation de $H_2(g)$ à la cathode est presque nulle, mais celle qui se produit pour la formation de $O_2(g)$ à l'anode est élevée et de beaucoup supérieure à celle qui est observée pour la formation de $Cl_2(g)$.

Les deux facteurs que nous avons décrits entraînent la conséquence suivante : dans l'électrolyse d'une solution de NaCl(aq) très diluée, c'est $O_2(g)$ qui est produit tandis que, dans une solution plus concentrée de NaCl(aq), c'est presque exclusivement $Cl_2(g)$ qui l'est. Dans l'électrolyse commerciale de NaCl(aq), que nous décrivons plus en détail à la page 401, la réaction globale est la suivante.

$$2\,Cl^-(aq) + 2\,H_2O(l) \xrightarrow{\text{électrolyse}} 2\,OH^-(aq) + H_2(g) + Cl_2(g)$$

Les électrodes inertes et les électrodes actives

Dans l'électrolyse de NaCl(l) et de NaCl(aq), les électrodes utilisées sont *inertes*. Elles fournissent une surface sur laquelle l'échange d'électrons et, par conséquent, les demi-réactions d'oxydation et de réduction peuvent se produire. Autrement, elles ne participent pas à la réaction d'électrolyse. À l'opposé, certaines électrodes sont *actives*; elles participent directement à une demi-réaction. Donc, pour prédire les réactions d'électrolyse, on doit toujours prendre en considération la nature des électrodes, comme l'illustre l'exemple 8.9.

Surtension

Supplément de tension, au-dessus de la quantité calculée à partir des valeurs de $E°$, qui est requis pour provoquer l'électrolyse.

Quand H_2O est oxydée à l'anode et réduite aussi à la cathode, la réaction globale est simplement l'électrolyse de l'eau.

$$2\,H_2O(l) \xrightarrow{\text{électrolyse}} 2\,H_2(g) + O_2(g)$$

Cependant, l'eau doit également contenir des ions qui la rendent conductrice de l'électricité, même si ces ions ne participent pas aux réactions d'électrode.

EXEMPLE **8.9**

Prédisez la réaction qui aura lieu si on procède à l'électrolyse d'une solution de $AgNO_3$(aq) **a)** à l'aide d'électrodes de platine et **b)** à l'aide d'une anode d'argent et d'une cathode de platine.

➜ Stratégie

Dans la partie *a*, les électrodes de platine sont inertes, de sorte que nous devons considérer seulement les espèces présentes dans la solution, à savoir les ions Ag^+ et NO_3^-, et les molécules

H_2O. Dans la partie *b*, nous devons considérer les mêmes espèces en solution que dans la partie *a*, mais aussi considérer que l'anode d'argent est une électrode *active*. Dans la prédiction des réactions d'électrolyse en solution, ayez toujours à l'esprit que, si aucune autre demi-réaction n'est possible, l'oxydation de H_2O peut se produire à l'anode et la réduction de H_2O à la cathode, ce qui provoquera l'électrolyse de l'eau.

$$2\ H_2O(l) \xrightarrow{\text{électrolyse}} 2\ H_2(g) + O_2(g)$$

✦ Solution

a) L'ion argent est facilement réduit, comme nous pouvons le constater en examinant la demi-réaction au tableau 8.1 (page 372).

$$Ag^+(aq) + e^- \longrightarrow Ag(s) \qquad E^\circ_{Ag^+/Ag} = 0,800\ V$$

Cette réduction doit se produire avant celle des molécules d'eau.

$$2\ H_2O(l) + 2\ e^- \longrightarrow H_2(g) + 2\ OH^-(aq) \qquad E^\circ_{H_2O/H_2} = -0,828\ V$$

L'atome N dans NO_3^- étant dans son état d'oxydation le plus élevé (+5), il ne peut pas être oxydé. La seule oxydation possible est celle des molécules H_2O.

$$2\ H_2O(l) \longrightarrow O_2(g) + 4\ H^+(aq) + 4\ e^- \qquad E^\circ_{O_2/H_2O} = 1,229\ V$$

La tension calculée requise pour provoquer l'électrolyse est

$$E^\circ_{\text{pile}} = E^\circ(\text{cathode}) - E^\circ(\text{anode})$$
$$= 0,800\ V - 1,229\ V = -0,429\ V$$

La réaction d'électrolyse est la suivante.

$$4\ Ag^+(aq) + 2\ H_2O(l) \xrightarrow{\text{électrolyse}} 4\ Ag(s) + 4\ H^+(g) + O_2(g)$$

b) La demi-réaction de réduction à la cathode est la même que dans la partie *a*.

$$Ag^+(aq) + e^- \longrightarrow Ag(s) \qquad E^\circ_{Ag^+/Ag} = 0,800\ V$$

Mais, contrairement à l'électrode de platine, l'anode d'argent est une électrode *active* ; l'argent subit une oxydation.

$$Ag(s) \longrightarrow Ag^+(aq) + e^- \qquad E^\circ_{Ag^+/Ag} = 0,800\ V$$

La tension calculée requise pour provoquer l'électrolyse est

$$E^\circ_{\text{pile}} = E^\circ(\text{cathode}) - E^\circ(\text{anode})$$
$$= 0,800\ V - 0,800\ V = 0\ V$$

✦ Évaluation

Dans la partie *b,* ce n'est pas parce que la tension requise est de zéro que nous pouvons effectuer l'électrolyse simplement en plaçant les électrodes dans la solution et que nous sommes dispensés de recourir à une batterie ou à une autre source d'électricité. Une faible tension est nécessaire pour que les électrons pénètrent dans le circuit externe et que les ions traversent la solution. Dans l'ensemble, l'électrolyse ne met en jeu que le transport d'argent, sous forme de Ag^+, de l'anode vers la cathode, au sein de la solution.

$$Ag(s)_{\text{anode}} \xrightarrow{\text{électrolyse}} Ag(s)_{\text{cathode}}$$

EXERCICE 8.9 A

Prédisez la réaction qui aura lieu si une solution de KBr(aq) est électrolysée à l'aide d'électrodes de platine.

EXERCICE 8.9 B

Prédisez la réaction qui aura lieu si on procède à l'électrolyse d'une solution de $AgNO_3(aq)$ à l'aide d'une anode d'argent et d'une cathode de cuivre. Quelle est approximativement la tension externe minimale requise pour provoquer l'électrolyse ?

EXEMPLE 8.10 Un exemple conceptuel

Deux cellules électrochimiques sont connectées comme dans la **figure 8.21** ci-dessous. Plus particulièrement, les électrodes de zinc des deux cellules sont reliées, de même que celles de cuivre. Observera-t-on : **a)** un courant nul, **b)** un flux d'électrons dans la direction des flèches rouges ou **c)** un flux d'électrons dans la direction des flèches bleues ?

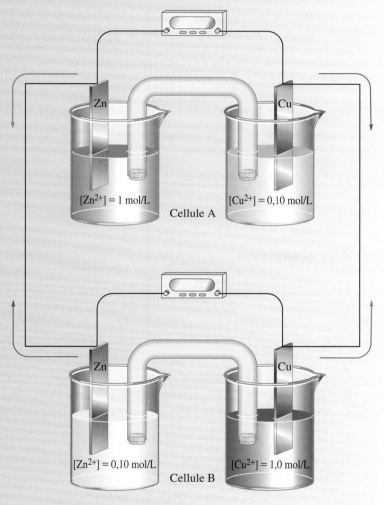

▲ Figure 8.21 **Illustration des cellules de l'exemple 8.10**

➜ **Analyse et conclusion**

Notez qu'il s'agit de piles voltaïques, comme dans la figure 8.3 (page 365), assemblées en opposition, c'est-à-dire qu'un flux d'électrons sortant de l'électrode de zinc d'une des cellules rencontre un flux d'électrons sortant de l'électrode de zinc de l'autre cellule. Le flux net des électrons ira dans la direction de celui qui reçoit la plus grande «poussée» (tension).

Si les deux cellules sont *identiques*, leurs valeurs de E_{pile} sont les mêmes et il n'y a aucun courant. Puisque les cellules *ne* sont *pas* identiques, on peut éliminer la possibilité *a*.

Quand les cellules agissent comme piles voltaïques, la réaction de la pile, comme nous l'avons vu précédemment, est la suivante.

$$Zn(s) + Cu^{2+}(aq) \longrightarrow Zn^{2+}(aq) + Cu(s)$$

Dans la cellule A, $[Zn^{2+}] = 1,0$ mol/L (état standard) et $[Cu^{2+}] = 0,10$ mol/L (plus diluée que dans l'état standard). D'après le principe de Le Chatelier, la réaction est *moins* favorisée que dans des conditions standard. Dans la cellule A : $E_{pile} < E_{pile}^{\circ}$.

Dans la cellule B, $[Zn^{2+}] = 0,10$ mol/L (plus diluée que dans l'état standard) et $[Cu^{2+}] = 1,0$ mol/L (état standard). D'après le principe de Le Chatelier, la réaction directe est *plus* favorisée que dans des conditions standard. Dans la cellule B : $E_{pile} > E_{pile}^{\circ}$.

En conclusion, il y a un flux net d'électrons de l'électrode de Zn de la cellule B vers l'électrode de Zn de la cellule A. Autrement dit, la cellule B est une pile voltaïque qui force les électrons à entrer dans l'électrode de Zn de la cellule A, une cellule électrolytique. Par ailleurs, des électrons sortent de l'anode de Cu de la cellule A. La direction du flux des électrons est indiquée par les flèches rouges.

EXERCICE 8.10

Écrivez des équations ioniques nettes pour les réactions de piles dans la cellule A et la cellule B quand elles sont branchées comme dans la figure 8.21. Expliquez pourquoi le courant électrique ne peut pas continuer indéfiniment.

Michael Faraday (1791-1867) est connu pour ses découvertes en électricité et en magnétisme, de même qu'en électrochimie. Faraday n'avait pas eu de formation en mathématique, mais il possédait une intuition sans égale touchant la représentation des phénomènes physiques.

8.8 L'électrolyse quantitative

C'est à Michael Faraday qu'on doit en grande partie l'élaboration des fondements quantitatifs de l'électrolyse. La quantité de réactif consommé ou de produit formé durant l'électrolyse est proportionnelle (1) à la masse molaire de la substance, (2) à la quantité de charge électrique utilisée et (3) au nombre d'électrons transférés dans la réaction d'électrode.

L'unité de charge électrique est le **coulomb (C)**, et la charge portée par un électron est de $-1,6022 \times 10^{-19}$ C. Le *courant* électrique, exprimé en **ampères (A)**, est la vitesse du flux de la charge électrique. Un courant de un ampère est un flux de un coulomb par seconde.

$$1\,A = 1\,C/s$$

La charge électrique totale qui circule dans une réaction d'électrolyse est alors le produit du courant par le temps pendant lequel il passe.

Charge électrique (C) = courant (C/s) × temps (s)

Il nous faut cette expression et la constante de Faraday (96 485 C/mol e⁻) pour déterminer les quantités de réactifs et de produits au terme des réactions d'électrolyse. La stratégie habituelle est exposée ci-dessous.

1 *Déterminer la quantité de charge, c'est-à-dire le produit du courant par le temps.*

2 *Convertir la quantité de charge (C) en moles d'électrons : 1 mol d'e⁻ = 96 485 C.*

Coulomb (C)

Unité SI de mesure de la charge électrique ; la charge portée par un électron est de $-1,6022 \times 10^{-19}$ C.

Ampère (A)

Unité SI de base du courant électrique ; un courant de un ampère est un flux de un coulomb par seconde : $1\,A = 1\,C/s$.

3 *Utiliser une équation de demi-réaction pour relier les moles d'électrons aux moles de réactif ou de produit.* Par exemple, l'équation de demi-réaction

$$Cu^{2+}(aq) + 2\ e^- \longrightarrow Cu(s)$$

donne le facteur

$$\frac{1\ mol\ Cu}{2\ mol\ e^-}$$

4 *Convertir les moles de réactif ou de produit de façon à obtenir les quantités recherchées* (masse, volume de gaz, etc.).

Pour certains problèmes, on doit adapter la stratégie à la situation. Par exemple, dans l'exercice 8.11A, il faut effectuer les étapes de la stratégie dans l'ordre inverse : 4, 3, 2, 1.

EXEMPLE **8.11**

L'électrolyse peut servir à déterminer la teneur en or d'un échantillon. On dissout l'échantillon, et tout l'or est converti en $Au^{3+}(aq)$. La demi-réaction de réduction est

$$Au^{3+}(aq) + 3\ e^- \longrightarrow Au(s)$$

Quelle masse aura le dépôt d'or formé à la cathode par le passage d'un courant de 1,50 A pendant 1,00 heure ?

➜ Stratégie

Appliquons la méthode en quatre étapes que nous venons de décrire.

➜ Solution

1 *Déterminer la quantité de charge.* La charge électrique totale dans cette expérience est

$$\frac{1,50\ C}{s} \times 1\ h \times \frac{60\ min}{1\ h} \times \frac{60\ s}{1\ min} = 5,40 \times 10^3\ C$$

2 *Convertir la quantité de charge (C) en moles d'électrons.* Le nombre de moles d'électrons est

$$5,40 \times 10^3\ C \times \frac{1\ mol\ e^-}{96\ 485\ C} = 0,0560\ mol\ e^-$$

3 *Utiliser une équation de demi-réaction pour relier les moles d'électrons aux moles de produit.* Selon l'équation de réduction, 3 mol d'électrons sont nécessaires pour former le dépôt de chaque mole de Au.

$$0,0560\ mol\ e^- \times \frac{1\ mol\ Au}{3\ mol\ e^-} = 0,0187\ mol\ Au$$

4 *Convertir les moles en grammes de produit.* La masse de Au, en grammes, est simplement le produit de la quantité en moles par la masse molaire.

$$0,0187\ mol\ Au \times \frac{197,0\ g\ Au}{1\ mol\ Au} = 3,68\ g\ Au$$

➜ Évaluation

Notez qu'on pourrait facilement faire ce calcul en combinant les quatre étapes en une seule. Cette approche a l'avantage d'éliminer tous les résultats intermédiaires, et le résultat final est le même que celui obtenu par la méthode des étapes.

$$?\ g\ de\ Ag = 1,50\ \frac{C}{s} \times 1\ h \times \frac{3600\ s}{h} \times \frac{1\ mol\ e^-}{96\ 485\ C} \times \frac{1\ mol\ de\ Au}{3\ mol\ e^-} \times \frac{197,0\ g\ de\ Au}{1\ mol\ de\ Au}$$

$$= 3,68\ g\ de\ Au$$

EXERCICE 8.11 A

Pendant combien de minutes doit-on effectuer l'électrolyse d'une solution de $CuSO_4(aq)$, en faisant passer un courant de 2,25 A, pour qu'il se forme un dépôt de 1,00 g de $Cu(s)$ à la cathode ?

EXERCICE 8.11 B

Un coulomètre est un appareil servant à mesurer la quantité de charge électrique. Prenons le type de coulomètre constitué d'une cellule électrolytique à électrodes de platine plongées dans $AgNO_3(aq)$. S'il se forme un dépôt de $Ag(s)$ de 2,175 g à la cathode au cours d'une électrolyse qui dure 21 minutes et 12 secondes, **a)** quelle est la quantité de charge, en coulombs, qui passe au sein de la cellule et **b)** quelle est l'intensité du courant en ampères ?

EXEMPLE 8.12   Un exemple de calcul approximatif

Sans faire de calculs détaillés, déterminez laquelle des solutions suivantes donne la masse de métal la plus grande à une cathode de platine durant son électrolyse par un courant électrique de 1,50 A pendant 30,2 min : $CuSO_4(aq)$, $AgNO_3(aq)$ ou $AuCl_3(aq)$?

➡ Analyse et conclusion

Commençons par comparer les demi-réactions cathodiques :

$$Cu^{2+}(aq) + 2\,e^- \longrightarrow Cu(s)$$
$$Ag^+(aq) + e^- \longrightarrow Ag(s)$$
$$Au^{3+}(aq) + 3\,e^- \longrightarrow Au(s)$$

D'après ces équations de demi-réaction, nous constatons que, pour chaque mole d'électrons, nous obtenons

1/2 mol de $Cu(s)$ ou 1 mol de $Ag(s)$ ou 1/3 mol de $Au(s)$

Un simple coup d'œil au tableau des masses atomiques (Cu = 63,5 u ; Ag = 108 u ; Au = 197 u) permet de conclure que

masse de 1/2 mol de Cu < masse de 1/3 mol de Au < masse de 1 mol de Ag.

Nous voyons que la solution de $AgNO_3(aq)$ donne la masse de métal la plus grande. Notons que les données sur le courant et le temps n'ont pas servi, puisqu'il n'a pas été nécessaire de calculer les masses réelles des trois métaux.

EXERCICE 8.12

Sans faire de calculs détaillés, déterminez laquelle des solutions suivantes donnera le plus grand volume de gaz (à TPN) à une anode de platine quand on fait passer la même quantité de charge électrique au sein de chacune d'entre elles : $Mg(NO_3)_2(aq)$, $NaCl(aq)$ ou $KI(aq)$?

8.9 Les applications de l'électrolyse

En terminant ce chapitre, examinons quelques-unes des très nombreuses applications pratiques de l'électrolyse.

La production de substances chimiques par électrolyse

L'électrolyse joue un rôle important dans la fabrication et la purification d'une foule de substances : sodium, calcium, magnésium, aluminium, cuivre, zinc, argent, hydrogène, chlore, fluor, peroxyde d'hydrogène, hydroxyde de sodium, dichromate de potassium et permanganate de potassium, entre autres.

L'une des électrolyses les plus importantes sur le plan commercial est celle de NaCl(aq). À la page 393, nous avons écrit une équation ionique nette pour cette électrolyse, mais nous pouvons aussi inclure l'ion spectateur, Na^+.

$$2\,Na^+(aq)\;+\;2\,Cl^-(aq)\;+\;2\,H_2O(l)\longrightarrow 2\,Na^+(aq)\;+\;2\,OH^-(aq)\;+\;H_2(g)\;+\;Cl_2(g)$$
$$\text{Hydroxyde de sodium}\qquad\text{Hydrogène}\quad\text{Chlore}$$

Les produits les plus recherchés sont le chlore gazeux et la solution d'hydroxyde de sodium. C'est pourquoi l'électrolyse de NaCl(aq) est appelée procédé *chlore-alcali*.

La **figure 8.22** illustre un type courant de cellule électrolytique pour le procédé chlore-alcali, appelée *cellule à diaphragme*. La principale difficulté que présente un procédé chlore-alcali consiste à empêcher le $Cl_2(g)$ de venir en contact avec le NaOH(aq), car dans la solution alcaline, Cl_2 effectue une réaction de dismutation et produit ClO^- et Cl^-. Le diaphragme empêche ce contact. Une cellule employée pour le procédé chlore-alcali doit également empêcher le mélange de Cl_2 et de H_2. Les mélanges de ces gaz peuvent être explosifs.

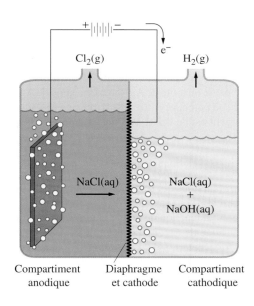

Compartiment anodique　Diaphragme et cathode　Compartiment cathodique

◀ Figure 8.22
Cellule à diaphragme pour le procédé chlore-alcali

L'anode est faite de titane spécialement traité. Le diaphragme et la cathode sont une unité composite formée d'un mélange amiante-polymère monté sur une toile métallique. Les niveaux des solutions sont maintenus différents, de sorte que NaCl(aq) traverse le diaphragme durant l'électrolyse.

L'électrodéposition

On peut utiliser l'électrolyse pour déposer une couche métallique sur un autre métal, un procédé appelé *électrodéposition*. Habituellement, l'objet à recouvrir, comme une cuillère, est moulé à partir d'un métal bon marché. Il est ensuite recouvert d'une mince couche d'un métal plus attrayant, plus résistant à la corrosion et plus coûteux, comme l'argent ou l'or. Le produit fini coûte beaucoup moins cher que si l'objet était entièrement fabriqué du métal précieux.

La **figure 8.23** montre une cellule servant à l'électrodéposition d'argent. Une tige d'argent pur forme l'anode, la cuillère est la cathode, et une solution de nitrate d'argent joue le rôle de l'électrolyte. Si l'on considère que la cuillère remplace la cathode inerte de platine, on se rend compte que l'électrolyse est la même que celle décrite dans l'exemple 8.9 (page 395).

$$\text{Ag(s, anode)}\longrightarrow\text{Ag(s, cathode)}$$

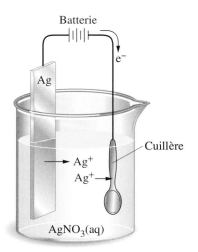

▲ Figure 8.23
Cellule électrochimique servant à l'électrodéposition d'argent

L'anode est une tige d'argent, et la cathode, une cuillère en fer.

Le cuivre est raffiné par électrodéposition du métal d'une anode de cuivre impur sur une cathode de cuivre pur.

Dans l'industrie, on utilise à une grande échelle un procédé d'électrodéposition semblable pour le raffinage du cuivre. Certaines applications qui dépendent de la conductivité électrique élevée du cuivre nécessitent du métal ultra-pur. Une énorme anode de cuivre impur et une mince cathode de cuivre pur sont suspendues dans un électrolyte, par exemple $CuSO_4(aq)$. Tout comme dans le cas de l'électrodéposition d'argent, le processus consiste globalement à transférer des atomes de cuivre de l'anode à la cathode.

Cathode	$Cu(s, impur) \longrightarrow Cu^{2+}(aq) + 2e^-$
Anode	$Cu^{2+}(aq) + 2e^- \longrightarrow Cu(s, pur)$
Réaction globale	$Cu(s, impur) \longrightarrow Cu(s, pur)$

L'électrolyse se poursuit jusqu'à ce que la majeure partie de l'anode ait été consommée et que la cathode soit devenue une feuille épaisse.

Puisque le cuivre est oxydé plus facilement que l'argent et l'or, ces métaux, qui peuvent être présents dans le cuivre impur, s'accumulent au fond de la cuve électrolytique sous l'anode. À elle seule, la valeur des métaux précieux récupérés dans ce qu'on appelle la *boue anodique* compense souvent le coût du raffinage électrolytique.

EXEMPLE **SYNTHÈSE**

Le procédé que l'on utilise pour extraire le plomb du minerai qui le contient est en même temps une importante source d'argent. Le pourcentage d'argent dans un échantillon de minerai de 1,050 g est déterminé comme suit. L'échantillon est dissous dans l'acide nitrique pour produire 500 mL d'une solution de $Pb^{2+}(aq)$ contenant une petite quantité de $Ag^+(aq)$. Une lame de $Ag(s)$ pur est immergée dans la solution, et la différence de potentiel entre cette demi-pile servant de cathode et l'anode standard argent-chlorure d'argent est de 0,281 V. Quel est le pourcentage d'argent dans l'échantillon de minerai de plomb ?

➜ Stratégie

Nous devons commencer par écrire les deux demi-réactions qui se produisent dans la réaction de la pile, puis déterminer leurs potentiels standard ainsi que la valeur de E°_{pile}. À partir de ces résultats, nous pourrons formuler une équation pour la réaction de la pile et utiliser l'équation de Nernst (8.8) afin de relier E°_{pile} et la valeur mesurée de E_{pile} à la concentration $[Ag^+]$ de la solution inconnue. Une fois la concentration $[Ag^+]$ déterminée, nous pourrons calculer le nombre de moles, et ensuite de grammes, de Ag dans l'échantillon. Finalement, nous pourrons évaluer le pourcentage d'argent de la façon habituelle.

➜ Solution

Nous obtenons les deux demi-réactions et leurs potentiels standard d'électrode dans l'annexe C.

$$Ag^+(aq) + e^- \longrightarrow Ag(s) \qquad\qquad E^{\circ} = 0,800 \text{ V}$$
$$AgCl(s) + e^- \longrightarrow Ag(s) + Cl^-(aq) \qquad E^{\circ} = 0,2223 \text{ V}$$

Dans la réaction de la pile, la réduction a lieu à la cathode argent-ion d'argent, et l'oxydation à l'anode argent-chlorure d'argent.

Réduction	$Ag^+(aq) + e^- \longrightarrow Ag(s)$
Oxydation	$Ag(s) + Cl^-(aq) \longrightarrow AgCl(s) + e^-$
Équation globale	$Ag^+(aq) + Cl^-(aq) \longrightarrow AgCl(s)$

Ensuite, nous déterminons la valeur de E°_{pile} à partir de l'équation globale de la pile.

$$E^\circ_{\text{pile}} = E^\circ(\text{cathode}) - E^\circ(\text{anode})$$
$$= E^\circ(\text{réduction}) - E^\circ(\text{oxydation})$$
$$= 0{,}800 \text{ V} - 0{,}2223 \text{ V} = 0{,}578 \text{ V}$$

Maintenant, nous écrivons l'équation de la pile basée sur la valeur mesurée de E_{pile} avec les concentrations ioniques appropriées, incluant $[Ag^+] = x$. Notons que $[Cl^-] = 1$ mol/L parce que l'électrode argent-chlorure d'argent est une électrode standard.

$$Ag^+(x \text{ mol/L}) + Cl^-(1 \text{ mol/L}) \longrightarrow AgCl(s) \qquad E_{\text{pile}} = 0{,}281 \text{ V}$$

Nous écrivons par la suite l'équation de Nernst basée sur cette équation de la pile.

$$E_{\text{pile}} = E^\circ_{\text{pile}} - \frac{0{,}0592 \text{ V}}{n} \log Q$$

$$0{,}281 \text{ V} = 0{,}578 \text{ V} - \frac{0{,}0592 \text{ V}}{1} \log \frac{1}{[Ag^+][Cl^-]}$$

$$0{,}281 = 0{,}578 - 0{,}0592 \log \frac{1}{x \cdot 1}$$

Après avoir réarrangé l'équation, nous déterminons l'inconnue x.

$$\log \frac{1}{x} = \frac{-0{,}297}{-0{,}0592} = 5{,}02$$

$$\frac{1}{x} = 10^{5{,}02} = 1{,}0 \times 10^5$$

$$x = 1{,}0 \times 10^{-5} \text{ mol/L}$$

Nous utilisons cette valeur de x comme $[Ag^+]$ et déterminons la masse d'ions argent dans 500,0 mL de solution.

$$? \text{ g de Ag} = 0{,}500 \text{ L} \times \frac{1{,}0 \times 10^{-5} \text{ mol de Ag}^+}{1 \text{ L}} \times \frac{107{,}87 \text{ g de Ag}^+}{1 \text{ mol de Ag}^+} = 5{,}4 \times 10^{-4} \text{ g de Ag}^+$$

Finalement, dans le calcul du pourcentage massique d'argent dans l'échantillon de plomb, nous notons que tout l'argent dans l'échantillon correspond aux ions Ag^+ en solution.

$$\% \text{ de Ag} = \frac{5{,}4 \times 10^{-4} \text{ g de Ag}^+ \times \dfrac{1 \text{ g de Ag}}{1 \text{ g de Ag}^+}}{1{,}050 \text{ g d'échantillon}} \times 100\% = 0{,}051\% \text{ de Ag}$$

→ Évaluation

L'argent étant présent sous forme d'impureté dans le plomb, nous nous attendons à ce qu'il représente un pourcentage relativement petit de l'échantillon. Notre réponse semble acceptable à cet égard. Les erreurs les plus communes dans ce genre de calcul sont reliées aux signes des diverses quantités : potentiels standard d'électrode, E_{pile} et E°_{pile}, et les termes logarithmiques. Pour s'assurer que les signes sont corrects tout au long du calcul, il faut soigneusement les vérifier à chaque étape.

Résumé

L'**électrochimie** est l'étude des relations entre les réactions chimiques et l'électricité.

8.1 **Une description qualitative des piles voltaïques**
Dans une **pile voltaïque**, une réaction d'oxydoréduction spontanée permet de produire de l'électricité. Les demi-réactions peuvent s'effectuer dans des **demi-piles**. Les **électrodes** de ces demi-piles sont reliées par un fil, et les solutions d'électrolytes, par un **pont salin**.

La combinaison appropriée des deux demi-piles produit une **force électromotrice** ou **tension de la pile**. L'oxydation a lieu dans la demi-pile anodique, et la réduction, dans la demi-pile cathodique. La force provenant de la **réaction de la pile** est appelée **potentiel de la pile**, E_{pile}. Les potentiels des piles sont mesurés en **volts (V)**, une mesure de l'énergie (J) par unité de charge, cette dernière étant le **coulomb (C)**.

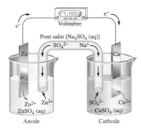

On écrit une **représentation schématique d'une pile voltaïque** dans laquelle l'**anode** est à gauche, et la **cathode**, à droite. Les frontières des phases sont représentées par une ligne verticale ($|$), et un pont salin ou une paroi poreuse, par une double ligne verticale ($\|$). Les concentrations des solutions peuvent être également indiquées, comme dans la pile voltaïque ci-dessous.

$$Zn(s)\,|\,Zn^{2+}(0,10\ mol/L)\,\|\,Cu^{2+}(0,50\ mol/L)\,|\,Cu(s)$$

8.2 **Les potentiels standard d'électrode** Une **électrode standard d'hydrogène** possède une activité de l'ion H^+ approximativement égale à un 1 mol/L, en équilibre avec $H_2(g, 101,3\ kPa)$ sur une électrode de platine inerte. Les **potentiels standard d'électrode**, $E°$, sont présentés pour les demi-réactions de réduction et évalués à 25 °C. On les obtient par comparaison avec l'électrode standard d'hydrogène, à laquelle on a assigné un potentiel de zéro. Dans une réaction, la **force électromotrice standard de la pile**, $E°_{pile}$, est la différence entre les potentiels standard de la cathode et de l'anode.

$$E°_{pile} = E°(\text{cathode}) - E°(\text{anode}) \qquad (8.2)$$

$$Pt\,|\,H_2(g, 101,3\ kPa)\,|\,H^+(1\ mol/L)\,\|\,Cu^{2+}(1\ mol/L)\,|\,Cu(s)$$
$$\text{(anode)} \qquad\qquad \text{(cathode)}$$

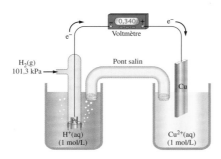

8.3 **Les potentiels d'électrode, la transformation spontanée et l'équilibre** Une réaction d'oxydoréduction pour laquelle $E_{pile} > 0$ a lieu spontanément. Si $E_{pile} < 0$, la réaction est non spontanée. Habituellement, ces critères s'appliquent aux conditions standard, et on obtient les valeurs de $E°_{pile}$ à partir des tables de potentiels standard d'électrode. Une autre utilisation importante de $E°_{pile}$ est la détermination des valeurs de $\Delta G°$ et de $K_{éq}$.

$$\Delta G° = -nFE°_{pile} = -RT \ln K_{éq}$$

Ici, la variation d'énergie libre ($\Delta G°$) est reliée au nombre de moles d'électrons (n) transférés dans la réaction globale, à la **constante de Faraday (F)** et au potentiel standard de la pile ($E°_{pile}$).

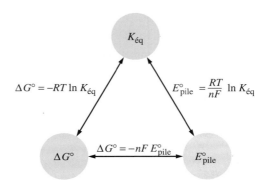

8.4 **L'influence de la concentration sur la force électromotrice d'une pile** L'équation de **Nernst** relie une force électromotrice, dans des conditions non standard, à $E°_{pile}$, au nombre d'électrons transférés dans la réaction de la pile (n) et au quotient réactionnel (Q). À 25 °C,

$$E_{pile} = E°_{pile} - \frac{0,0592}{n} \log Q \qquad (8.8)$$

Dans les **piles de concentration**, les demi-piles ont des électrodes identiques et des solutions composées des mêmes électrolytes, mais à des concentrations différentes. La force électromotrice de la pile ne dépend que de ces concentrations, c'est-à-dire que l'équation de Nernst se résume à :

$$E_{pile} = \frac{-0,0592}{n} \log Q \quad \text{(à 25 °C)}$$

8.5 **Les piles et les accumulateurs : l'utilisation de réactions chimiques pour produire de l'électricité**
Les **piles** et les **accumulateurs** sont des éléments de piles voltaïques, pris isolément ou réunis en **batterie** pour générer des potentiels ou des courants plus élevés. Dans les piles primaires, les réactions d'électrode sont irréversibles ; dans les piles secondaires, elles sont réversibles. Donc, contrairement aux piles primaires, les piles secondaires

peuvent être rechargées. Dans une cellule à combustible, un combustible et l'oxygène (de l'air) se combinent pour donner des produits d'oxydation, et l'énergie chimique est libérée sous forme d'électricité.

8.6 **La corrosion : la détérioration des métaux par l'action de piles voltaïques**   Un métal corrodé est constitué de zones anodiques où se produit sa dissolution, et de zones cathodiques où l'oxygène atmosphérique est réduit en ion hydroxyde. L'électrodéposition peut protéger un métal contre la corrosion en le recouvrant d'un autre métal qui se corrode moins facilement. Selon une autre méthode, la protection cathodique, un métal actif est sacrifié pour en protéger un autre, moins actif, auquel il est relié.

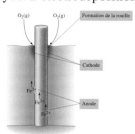

8.7 **La prédiction des réactions d'électrolyse**   On attribue le nom général de **cellule électrochimique** à l'assemblage de deux demi-piles. Dans une **cellule électrolytique**, le courant électrique direct fourni par une source externe produit des transformations non spontanées. Les potentiels d'électrode peuvent servir à prédire les produits probables d'une réaction d'**électrolyse**, bien que d'autres facteurs doivent aussi être pris en considération.

Dans plusieurs cas, pour que l'électrolyse ait lieu, il faut une tension plus grande que celle calculée à partir des données de $E°$, et cette tension supérieure est appelée **surtension**.

8.8 **L'électrolyse quantitative**   La quantité de transformation chimique produite dans une électrolyse dépend de la quantité de charge transférée aux électrodes, laquelle dépend à son tour de l'intensité du courant électrique utilisé, mesuré en **ampères (A)**, et du temps requis pour l'électrolyse. Par définition, l'ampère est égal à un coulomb par seconde.

$$1\ A = 1\ C/s$$

8.9 **Les applications de l'électrolyse**   L'électrolyse est une méthode importante employée dans la fabrication des produits chimiques et l'affinage des métaux. On s'en sert aussi pour appliquer une couche métallique sur un autre métal, procédé appelé électrodéposition.

Mots clés

Vous trouverez également la définition des mots clés dans le glossaire à la fin du livre.

accumulateur **386**	électrochimie **364**	pile voltaïque **366**
ampère (A) **398**	électrode **364**	pont salin **365**
anode **366**	électrode standard d'hydrogène **369**	potentiel standard d'électrode ($E°$) **369**
batterie **386**	électrolyse **393**	réaction de la pile **367**
cathode **366**	équation de Nernst **382**	représentation schématique **367**
cellule électrochimique **393**	force électromotrice (E_{pile}) **367**	surtension **395**
cellule électrolytique **393**	force électromotrice standard	tension de la pile **367**
constante de Faraday (F) **375**	de la pile ($E°_{pile}$) **370**	volt (V) **366**
coulomb (C) **398**	pile **386**	
demi-pile **365**	pile de concentration **384**	

Problèmes par sections

 Les solutions présentées sous forme de clips sont indiquées par ▶

8.1 et **8.2**   **Une description qualitative des piles voltaïques et les potentiels standard d'électrode**

Utilisez les données du tableau 8.1 (page 372) et celles de l'annexe C.3, au besoin.

1. Écrivez une équation de la réaction qui a lieu dans la pile voltaïque illustrée ci-contre et déterminez la lecture du voltmètre si le métal, M, est :

   a) Sn

   b) Zn

   c) Cu

Notez que le voltmètre peut afficher aussi bien des tensions positives que négatives.

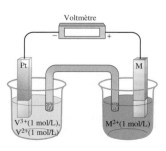

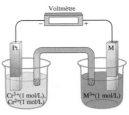

2. D'après les tensions indiquées pour la pile voltaïque illustrée ci-contre, déterminez le potentiel standard d'électrode, $E^\circ_{M^{3+}/M}$, si le métal, M, est :

   a) In, et la force électromotrice standard de la pile $E^\circ_{pile} = 0{,}086$ V ;

   b) La, et la force électromotrice standard de la pile $E^\circ_{pile} = -1{,}96$ V ;

   c) Tl, et la force électromotrice standard de la pile $E^\circ_{pile} = 1{,}14$ V.

3. Soit la réaction

$$2\,CuI(s) + Cd(s) \longrightarrow Cd^{2+}(aq) + 2\,I^-(aq) + 2\,Cu(s)$$
$$E^\circ_{pile} = +0{,}23\ V$$

Sachant que $E^\circ_{Cd^{2+}/Cd} = -0{,}403$ V, déterminez la valeur de E° de la demi-réaction

$$2\,CuI(s) + 2\,e^- \longrightarrow 2\,Cu(s) + 2\,I^-(aq)$$

4. Soit la réaction

$$3\,V(s) + 2\,SbO^+(aq) + 4\,H^+(aq) \longrightarrow$$
$$3\,V^{2+}(aq) + 2\,Sb(s) + 2\,H_2O(l) \quad E^\circ_{pile} = 1{,}387\ V$$

Sachant que $E^\circ_{V^{2+}/V} = -1{,}175$ V, déterminez la valeur de E° de la demi-réaction

$$SbO^+(aq) + 2\,H^+(aq) + 3\,e^- \longrightarrow Sb(s) + H_2O(l)$$

5. $E^\circ_{pile} = 3{,}73$ V pour la pile voltaïque

$$Y(s)\,|\,Y^{3+}(1\ mol/L)\,\|\,Cl^-(1\ mol/L)\,|\,Cl_2(g,\ 101{,}3\ kPa)\,|\,Pt$$

Déterminez la valeur de $E^\circ_{Y^{3+}/Y}$.

6. Écrivez les équations des demi-réactions et de la réaction globale de la pile, et calculez E°_{pile} pour chacune des piles voltaïques représentées par les schémas ci-dessous.

   a) $Pt,\ I_2(s)\,|\,I^-(aq)\,\|\,Cl^-(aq)\,|\,Cl_2(g)\,|\,Pt$

   b) $Pt,\ PbO_2(s)\,|\,Pb^{2+}(aq),\ H^+(aq)$
$$\|\,S_2O_8^{\,2-}(aq),\ SO_4^{\,2-}(aq)\,|\,Pt$$

7. Écrivez les équations des demi-réactions et de la réaction globale de la pile, et calculez E°_{pile} de chacune des piles voltaïques représentées par les schémas ci-dessous.

   a) $Pt\,|\,Fe^{2+}(aq),\ Fe^{3+}(aq)\,\|\,Cr_2O_7^{\,2-}(aq),\ Cr^{3+}(aq)\,|\,Pt$

   b) $Pt\,|\,NO(g)\,|\,NO_3^-(aq),\ H^+(aq)$
$$\|\,H^+(aq),\ H_2O_2(aq)\,|\,Pt$$

8. On effectue chacune des réactions suivantes dans une pile voltaïque. Écrivez les équations des demi-réactions et de la réaction globale de la pile. Écrivez une représentation schématique de la pile voltaïque et calculez la valeur de E°_{pile}.

   a) $Zn(s) + Ag^+(aq) \longrightarrow Ag(s) + Zn^{2+}(aq)$

   b) $Fe^{2+}(aq) + O_2(g) + H^+(aq) \longrightarrow Fe^{3+}(aq) + H_2O(l)$

(8.3)   ### Les potentiels d'électrode, la transformation spontanée et l'équilibre

Utilisez les données du tableau 8.1 (page 372) et celles de l'annexe C.3, au besoin.

9. Prédisez si une réaction spontanée se produira dans le sens direct pour chacune des équations suivantes. Supposez que tous les réactifs et produits sont dans leur état standard.

   a) $Sn(s) + Co^{2+}(aq) \longrightarrow Sn^{2+}(aq) + Co(s)$

   b) $6\,Br^-(aq) + Cr_2O_7^{\,2-}(aq) + 14\,H^+(aq) \longrightarrow$
$$2\,Cr^{3+}(aq) + 7\,H_2O(l) + 3\,Br_2(l)$$

10. Prédisez si chacun des processus suivants se produira spontanément.

   a) La réduction de $Sn^{4+}(aq)$ en $Sn^{2+}(aq)$ par $Cu(s)$

   b) L'oxydation de $I_2(s)$ en $IO_3^-(aq)$ par $O_3(g)$ en milieu acide

   c) L'oxydation de $Cr(OH)_3(s)$ en $CrO_4^{\,2-}(aq)$ par H_2O_2 en milieu basique

11. L'argent ne réagit pas avec HCl(aq), mais il réagit avec $HNO_3(aq)$.

   a) Expliquez la différence de comportement de l'argent vis-à-vis de ces deux acides.

   b) Écrivez une équation ionique nette plausible de la réaction de l'argent avec $HNO_3(aq)$.

12. Peut-on utiliser le sodium métallique pour déplacer $Mg^{2+}(aq)$ d'une solution aqueuse ? Si la réaction a lieu, écrivez les équations des demi-réactions et de l'équation globale. Si la réaction de déplacement *n'a pas* lieu, écrivez l'équation de la réaction qui a bien lieu.

13. Le rhodium est un métal rare utilisé comme catalyseur. Le métal ne réagit pas avec HCl(aq), mais il réagit avec $HNO_3(aq)$ pour donner $Rh^{3+}(aq)$ et NO(g). Le cuivre déplace Rh^{3+} d'une solution aqueuse, mais l'argent ne le fait pas. Estimez la valeur de $E^\circ_{Rh^{3+}/Rh}$.

14. Déterminez les valeurs de E°_{pile} et de ΔG° des réactions suivantes.

   a) $Al(s) + 3\,Ag^+(aq) \longrightarrow Al^{3+}(aq) + 3\,Ag(s)$

   b) $4\,IO_3^-(aq) + 4\,H^+(aq) \longrightarrow$
$$2\,I_2(s) + 2\,H_2O(l) + 5\,O_2(g)$$

15. Écrivez l'expression de la constante d'équilibre de chacune des réactions suivantes et déterminez la valeur numérique de $K_{\text{éq}}$ à 25 °C.

   a) $Ag^+(aq) + Fe^{2+}(aq) \rightleftharpoons Fe^{3+}(aq) + Ag(s)$

   b) $MnO_2(s) + 4\,H^+(aq) + 2\,Cl^-(aq) \rightleftharpoons$
$$Mn^{2+}(aq) + 2\,H_2O(l) + Cl_2(g)$$

   c) $2\,OCl^-(aq) \rightleftharpoons 2\,Cl^-(aq) + O_2(g)$

   (en solution basique)

16. Une lame d'étain métallique est plongée dans une solution de $Pb^{2+}(aq)$ 1,00 mol/L à 25 °C. Quelle réaction a lieu ? Quelles sont les concentrations des cations en solution quand l'équilibre est atteint ?

8.4   L'influence de la concentration sur la force électromotrice d'une pile

Utilisez les données du tableau 8.1 (page 372) et celles de l'annexe C.3, au besoin.

17. Quelle est la valeur de E_{pile} de chacune des réactions suivantes lorsqu'elles sont effectuées dans une pile voltaïque ?

   a) $Fe(s) + 2\,Ag^+(0,0015\ mol/L) \longrightarrow$
   $$Fe^{2+}(1,33\ mol/L) + 2\,Ag(s)$$

   b) $4\,VO^{2+}(0,050\ mol/L) + O_2(g,\ 25,3\ kPa) + 2\,H_2O(l) \longrightarrow$
   $$4\,VO_2^+(0,75\ mol/L) + 4\,H^+(0,30\ mol/L)$$

18. Quelle est la valeur de E_{pile} de chacune des réactions suivantes lorsqu'elles sont effectuées dans une pile voltaïque ?

   a) $Pb(s) + 2\,H^+(0,0025\ mol/L) \longrightarrow$
   $$Pb^{2+}(0,85\ mol/L) + H_2(g,\ 96,2\ kPa)$$

   b) $ClO_3^-(0,65\ mol/L) + 3\,Mn^{2+}(0,25\ mol/L) +$
   $3\,H_2O(l) \longrightarrow Cl^-(1,50\ mol/L) + 3\,MnO_2(s) +$
   $$6\,H^+(1,25\ mol/L)$$

19. Quelle est la valeur de E_{pile} de la pile voltaïque correspondant au schéma ci-dessous ?

   $Pt\,|\,H_2(g,\ 101,3\ kPa)\,|\,0,0025\ mol/L\ HCl$

   $$\|\,H^+(1\ mol/L)\,|\,H_2(g,\ 101,3\ kPa)\,|\,Pt$$

20. Quelle est la valeur de E_{pile} de la pile voltaïque correspondant au schéma ci-dessous ?

   $Pt\,|\,H_2(g,\ 101,3\ kPa)\,|\,0,0675\ mol/L\ HCl$

   $$\|\,0,0250\ mol/L\ KOH\,|\,H_2(g,\ 101,3\ kPa)\,|\,Pt$$

21. La pile voltaïque schématisée ci-dessous donne la lecture suivante : $E_{pile} = 0,108\ V$

   $Pt\,|\,H_2(g,\ 101,3\ kPa)\,|\,H^+(x\ mol/L)$

   $$\|\,H^+(1\ mol/L)\,|\,H_2(g,\ 101,3\ kPa)\,|\,Pt$$

   Quel est le pH de la solution inconnue ?

22. Dans la pile voltaïque représentée par le schéma suivant, $E_{pile} = -0,015\ V$. Calculez $[Ag^+]$ dans la pile.

   $Pt\,|\,Fe^{2+}(0,125\ mol/L),\ Fe^{3+}(0,068\ mol/L)$

   $$\|\,Ag^+(x\ mol/L)\,|\,Ag(s)$$

23. *Sans faire de calculs détaillés,* déterminez laquelle des piles voltaïques suivantes a la force électromotrice la plus élevée. Expliquez votre raisonnement.

   a) $Cu(s)\,|\,Cu^{2+}(1,25\ mol/L)\,\|\,Ag^+(0,55\ mol/L)\,|\,Ag(s)$

   b) $Cu(s)\,|\,Cu^{2+}(0,12\ mol/L)\,\|\,Ag^+(0,60\ mol/L)\,|\,Ag(s)$

24. *Sans faire de calculs détaillés,* déterminez laquelle des piles voltaïques suivantes a la concentration molaire volumique de $Cu^{2+}(?\ mol/L)$ la plus élevée. Expliquez votre raisonnement.

   a) $Zn(s)\,|\,Zn^{2+}(1,00\ mol/L)\,\|\,Cu^{2+}(?\ mol/L)\,|\,Cu(s)$

   $$E_{pile} = 1,06\ V$$

   b) $Zn(s)\,|\,Zn^{2+}(0,10\ mol/L)\,\|\,Cu^{2+}(?\ mol/L)\,|\,Cu(s)$

   $$E_{pile} = 1,15\ V$$

   c) $Zn(s)\,|\,Zn^{2+}(1,0 \times 10^{-3}\ mol/L)\,\|\,Cu^{2+}(?\ mol/L)\,|\,Cu(s)$

   $$E_{pile} = 1,16\ V$$

8.5   Les piles et les accumulateurs : l'utilisation de réactions chimiques pour produire de l'électricité

25. Décrivez les réactions d'électrode et la réaction plausible dans le cas d'une pile dont l'anode est Zn, et la cathode, Cl_2. Déterminez sa E°_{pile}.

26. Décrivez les réactions d'électrode et la réaction plausible dans le cas d'une pile dont l'anode est Mg, et la cathode, O_2. Déterminez sa E°_{pile}.

27. Une pile argent-zinc est une minuscule pile utilisée dans les montres, les calculatrices électroniques, les appareils de correction auditive et les appareils photos.

Elle est représentée par le schéma suivant.

   $Zn(s),\ ZnO(s)\,|\,KOH(aq\ saturée)\,|\,Ag_2O(s),\ Ag(s)$

Sa capacité est d'environ six fois celle d'un accumulateur au plomb de même format. Écrivez les équations des demi-réactions et de la réaction globale qui ont lieu quand la pile se décharge.

28. La pile au mercure, dont l'usage a déjà été très répandu, est maintenant retirée du marché en raison des problèmes engendrés par l'élimination du mercure, qui est toxique. Voici une représentation schématique simplifiée de la pile.

   $Zn(s),\ ZnO(s)\,|\,KOH(aq\ saturée)\,|\,HgO(s)\,|\,Hg(l)$

Écrivez les équations des demi-réactions et de la réaction globale qui ont lieu quand la pile se décharge.

8.6 La corrosion : la détérioration des métaux par l'action de piles voltaïques

29. Pourquoi la corrosion du fer nécessite-t-elle de l'eau, un électrolyte et de l'oxygène ?

30. On peut protéger le fer contre la corrosion en le recouvrant de cuivre ou de zinc. Les deux méthodes sont efficaces tant que le recouvrement demeure intact. S'il se forme une craquelure, cependant, le zinc protégera beaucoup mieux le fer sous-jacent que le cuivre. Expliquez pourquoi il en est ainsi.

31. ▶ Expliquez pourquoi le terme *anode sacrificielle* décrit judicieusement une méthode de protection du fer contre la corrosion.

32. L'exemple et l'exercice 8.8 (page 393) portaient sur l'interprétation des photos (**a**) et (**b**) de la figure 8.19 (page 393). Dans la photo (**c**) ci-contre, le clou en fer est en

contact avec du zinc. Expliquez comment et pourquoi cette photo est différente de la photo (**a**) de la figure 8.19.

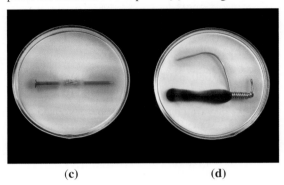

(**c**)   (**d**)

33. Expliquez comment et pourquoi la photo (**d**) ci-dessus est différente de la photo (**a**) de la figure 8.19 (page 393). Ici, le clou en fer est en contact avec du cuivre.

8.7 et 8.8 La prédiction des réactions d'électrolyse et l'électrolyse quantitative

34. Écrivez une équation ionique nette de la réaction qui devrait avoir lieu quand on effectue l'électrolyse de $NiSO_4(aq)$ en se servant :

a) d'une anode de nickel et d'une cathode de fer ;

b) d'une anode de nickel et d'une cathode de platine inerte ;

c) d'une anode de platine inerte et d'une cathode de nickel.

35. À l'aide des données de potentiels d'électrode, prédisez les produits probables et la tension minimale requise dans l'électrolyse au moyen d'électrodes de platine inertes de chacune des solutions suivantes.

a) $BaCl_2(l)$ **c)** $NaNO_3(aq)$

b) $HBr(aq)$

36. ▶ Combien de grammes d'argent se déposent à une cathode de platine lors de l'électrolyse de $AgNO_3(aq)$ par un courant électrique de 1,73 A pendant 2,05 heures ?

37. ▶ Combien de millilitres de $H_2(g)$, mesurés à 23,5 °C et à 99,8 kPa, sont produits à une cathode de platine lors de l'électrolyse de $H_2SO_4(aq)$ par un courant électrique de 2,45 A pendant 5,00 minutes ?

38. ▶ Quelle charge électrique en coulombs faut-il pour former un dépôt de 25,0 g de Cu(s) à la cathode lors de l'électrolyse de $CuSO_4(aq)$?

39. *Sans faire de calculs détaillés*, déterminez laquelle des solutions suivantes donnera la plus grande masse de métal déposé à une cathode de platine quand la solution est électrolysée pendant exactement une heure avec un courant de 1,00 A. Expliquez votre choix.

a) $Cu(NO_3)_2(aq)$ **c)** $AgNO_3(aq)$

b) $Zn(NO_3)_2(aq)$ **d)** $NaNO_3(aq)$

40. ▶ *Sans faire de calculs détaillés*, déterminez laquelle des solutions ci-dessous prendra le plus de temps pour être électrolysée dans les conditions suivantes : des volumes égaux de solution sont utilisés, et l'électrolyse est effectuée avec des électrodes de platine inertes et un courant de 1,00 A ; l'électrolyse est arrêtée quand la concentration des solutions chute à la moitié de sa valeur initiale. Expliquez votre choix.

a) 0,50 mol/L $Cu(NO_3)_2$ **c)** 0,80 mol/L $AgNO_3$

b) 0,75 mol/L HNO_3 **d)** 0,30 mol/L $Zn(NO_3)_2$

Problèmes complémentaires   ⭐ Problème défi   🔄 Problème synthèse

41. $P_4(s)$ chauffé dans l'eau subit une réaction de dismutation pour donner de la phosphine, $PH_3(g)$, et de l'acide phosphorique. Écrivez une équation équilibrée de cette réaction.

42. L'ajout de chlore gazeux à une solution basique de résidus de cyanure permet la détoxication de ceux-ci. L'ion cyanure est converti en ion cyanate (OCN^-), et le chlore est réduit en ion chlorure. Après l'ajout d'acide pour que la solution ne soit pas trop basique, la réaction se poursuit avec le chlore gazeux, et

il y a conversion de l'ion cyanate en ion hydrogénocarbonate (bicarbonate) et en azote gazeux. Écrivez des équations équilibrées pour les deux réactions décrites.

43. La figure 8.2 (page 364) décrit ce qui se passe quand une électrode de zinc est partiellement plongée dans une solution de $ZnSO_4(aq)$. Une description semblable pourrait-elle s'appliquer à une électrode de sodium partiellement plongée dans NaCl(aq) ? Expliquez votre réponse.

44. On veut recouvrir d'argent une cuillère en fer. Montrez qu'il suffit de plonger la cuillère dans $AgNO_3(aq)$ pour que Ag^+, en principe, soit réduit en $Ag(s)$. Donnez une raison pour laquelle on préfère l'électrodéposition au déplacement de Ag^+ dans la solution.

45. Combien de millilitres de $O_2(g)$, recueillis au-dessus de l'eau et mesurés à 20,0 °C et sous une pression barométrique de 101,5 kPa, devraient être libérés à une électrode de platine en même temps qu'un dépôt de 1,02 g de $Ag(s)$ se forme à une cathode de platine lors de l'électrolyse de $AgNO_3(aq)$?

46. On effectue l'électrolyse de 0,100 L de $AgNO_3(aq)$ 0,785 mol/L au moyen d'électrodes de platine en faisant passer un courant de 1,75 A. Quelle est la concentration molaire volumique de $AgNO_3(aq)$ 25,0 minutes après le début de l'électrolyse ?

47. En vous fondant sur les potentiels standard d'électrode, montrez que $MnO_2(s)$ ne doit pas réagir avec $HCl(aq)$ pour libérer $Cl_2(g)$. Pourtant, quand on chauffe ensemble $MnO_2(s)$ et $HCl(aq)$ concentré, il se forme bien du $Cl_2(g)$. En fait, il s'agit d'une méthode courante de laboratoire servant à produire de petites quantités de $Cl_2(g)$. Expliquez pourquoi cette réaction a lieu.

48. Quelle tension minimale est nécessaire pour recharger un accumulateur au plomb ? Si l'on utilise une tension beaucoup plus élevée que cette valeur minimale, il existe un danger qu'un mélange de gaz potentiellement explosif s'accumule dans la batterie. Expliquez pourquoi il en est ainsi.

49. Calculez E_{pile} de la pile voltaïque suivante.

$Pt\,|\,H_2(g,\ 101,3\ kPa)\,|\,CH_3COOH(0,45\ mol/L)$
$\|\,H^+(0,010\ mol/L)\,|\,H_2(g,\ 101,3\ kPa)\,|\,Pt$

50. Calculez E_{pile} de la pile voltaïque suivante.

$Pt\,|\,H_2(g,\ 101,3\ kPa)\,|\,NH_3(0,45\ mol/L),\ NH_4^+(0,15\ mol/L)$
$\|\,H^+(0,010\ mol/L)\,|\,H_2(g,\ 101,3\ kPa)\,|\,Pt$

51. Quelle est E_{pile} de la pile voltaïque suivante ?

$Cu(s)\,|\,Cu^{2+}(0,10\ mol/L)\,\|\,Ag_2CrO_4(aq\ saturé)\,|\,Ag(s)$

(*Indice* : Quelle est la valeur de $[Ag^+]$ dans une solution saturée de $Ag_2CrO_4(aq)$?)

52. Quelle valeur de $[Cl^-]$ doit être maintenue dans la demi-pile anodique pour que la pile voltaïque suivante ait une $E_{pile} = 0,100\ V$?

$Ag(s),\ AgCl(s)\,|\,Cl^-(x\ mol/L)\,\|\,Cu^{2+}(0,25\ mol/L)\,|\,Cu(s)$

53. Qu'arrive-t-il à la force électromotrice de la pile de concentration de la figure 8.13 (page 383) quand elle fonctionne pendant un certain temps ? Est-ce qu'elle augmente, diminue ou demeure constante ? Si la pile fonctionne de façon continue, s'arrête-t-elle de produire de l'électricité à un certain moment ? Si oui, quelle est la condition dans chacun des compartiments de demi-pile à ce moment ?

54. La *valeur du rendement,* ϵ, de la réaction d'une pile à combustible est donnée par $\epsilon = \Delta G°/\Delta H°$. Quelle est la valeur du rendement de la pile à combustible méthane-oxygène décrite à la page 390 ? Quelle est la force électromotrice théorique, $E°_{pile}$, de cette pile à combustible ?

55. De nombreux produits de solubilité répertoriés dans les tables ont été obtenus à partir de mesures électrochimiques. La force électromotrice de la pile de concentration suivante est $E_{pile} = 0,417\ V$.

$Ag(s)\,|\,Ag^+(AgI\ aq\ saturée)\,\|\,Ag^+(0,100\ mol/L)\,|\,Ag(s)$

À l'aide de ces données, obtenez une valeur de K_{ps} de AgI.

56. Reportez-vous à l'explication de la batterie aluminium-air de la page 390.

a) Combien de grammes d'aluminium sont consommés si la batterie débite un courant de 10,0 A pendant 4,00 heures ?

b) À l'aide des données de la page 390 et de l'annexe C.1, obtenez une valeur de $\Delta G°_f\{[Al(OH)_4]^-\}$.

57. On électrolyse un échantillon de 250,0 mL de $CuSO_4(aq)$ 0,1000 mol/L en faisant passer un courant de 3,512 A pendant 1368 secondes. On ajoute suffisamment de NH_3 pour former un complexe avec tout Cu^{2+} restant et pour maintenir une concentration d'ammoniac libre (NH_3) de 0,10 mol/L. S'il est possible de détecter la coloration bleue de $[Cu(NH_3)_4]^{2+}$ à des concentrations de seulement 1×10^{-5} mol/L, le pourra-t-on dans ce cas ?

58. Reportez-vous à l'exemple 8.10 (page 397) et aux cellules électrochimiques qui y sont illustrées. Quelle est la concentration des ions dans chacune des demi-piles de chaque cellule électrochimique quand le courant électrique cesse de circuler entre elles ?

59. Considérez la réaction réversible dont les concentrations initiales sont indiquées ci-dessous. Quelles seront les concentrations des ions quand l'équilibre sera atteint ?

$Hg^{2+}(0,250\ mol/L) + 2\ Fe^{2+}(0,180\ mol/L) \rightleftharpoons$
$2\ Fe^{3+}(0,210\ mol/L) + Hg(l)$

60. Quand on ajoute $AgCl(s)$ à une solution de $Br^-(aq)$, la réaction réversible suivante a lieu.

$AgCl(s) + Br^-(aq) \rightleftharpoons AgBr(s) + Cl^-(aq)$

Si $[Br^-]$ initiale égale 0,4000 mol/L, quelle sera la concentration de Br^- à l'équilibre ?

61. On effectue un titrage acide-base dans une cellule électrochimique dans laquelle 100,00 mL de $NaOH(aq)$ 0,0350 mol/L et une électrode à hydrogène forment la demi-pile anodique, et une électrode standard d'hydrogène forme la demi-pile cathodique. Déterminez le pH dans la demi-pile anodique, et E_{pile} après l'addition des volumes suivants de $HCl(aq)$ 0,150 mol/L : 0,00 mL ; 5,00 mL ; 10,00 mL ; 15,00 mL ; 22,00 mL ; 23,00 mL ; 24,00 mL ; 25,00 mL. Tracez deux courbes de titrage, une en fonction du pH, et l'autre, de E_{pile}. Comment se comparent-elles ?

La chimie de l'environnement

La planète Terre est en majeure partie solide, mais de l'eau liquide recouvre sa surface, et une atmosphère gazeuse permet aux formes de vie supérieures d'exister. Dans le présent chapitre, nous étudierons les eaux de la Terre, ainsi que quelques-uns des effets des activités humaines sur l'environnement. Nous mettrons en application quelques concepts de chimie abordés dans les chapitres précédents. Nous verrons aussi qu'il est essentiel d'acquérir des connaissances en chimie et dans d'autres disciplines scientifiques pour comprendre les problèmes de l'environnement et pour les résoudre.

Par sa nature, la vie dépend de l'eau ; sans eau, elle n'existerait pas. La présence de grandes quantités d'eau à l'état liquide confère donc à notre planète une caractéristique singulière dans le système solaire : la capacité d'accueillir des formes de vie supérieures. Les scientifiques qui sont à la recherche de vie extraterrestre nourrissent l'espoir de trouver de l'eau sous la surface aride de Mars ou sous les mers gelées d'Europe, un des satellites de Jupiter. Si un jour on découvrait des formes de vie supérieures sur des astres éloignés, dans d'autres galaxies, ce serait sans doute sur une planète pourvue d'eau, semblable à la nôtre.

Cependant pour que la vie continue sur Terre, il faut connaître l'environnement dans lequel elle s'épanouit et ce, afin de le protéger contre, entre autres, les agressions provoquées par l'activité humaine. L'environnement est un domaine très vaste, et tous ne s'entendent pas sur les limites exactes de son étendue. Quoi qu'il en soit, il s'agit d'un système complexe dans lequel le sol, l'eau, l'air, les domaines du vivant et le climat sont les composants majeurs. Dans le chapitre 9 de *Chimie générale,* nous avons abordé la première partie de la chimie de l'environnement. Nous nous sommes alors penchés sur l'atmosphère : sa composition, ses cycles naturels, la pollution, la couche d'ozone et le réchauffement planétaire. Dans le présent ouvrage, nous examinons la deuxième partie de la chimie de l'environnement, c'est-à-dire que nous traitons de l'hydrosphère : les eaux naturelles, la pollution, les pluies et les eaux acides, et les substances toxiques dans la biosphère : les poisons, les substances cancérogènes et anticancérogènes, et les matières dangereuses. Dans ce chapitre, comme dans celui de *Chimie générale*, nous utilisons le sujet de l'environnement en toile de fond pour favoriser l'intégration des apprentissages. En effet, l'environnement est un vaste laboratoire qui permet une application concrète des connaissances acquises dans plusieurs domaines, dont la chimie. Ainsi, vous apprendrez de nouvelles notions et vous serez appelés à utiliser les connaissances que vous possédez déjà pour bien les intégrer. Qui dit intégration dit mise à profit des acquis antérieurs pour qu'ils servent à la compréhension de nouveaux concepts et à la résolution de problèmes. C'est dans cet esprit que nous vous proposons, à la fin du chapitre, des problèmes de synthèse à saveur environnementale.

Dans le présent chapitre, nous tenterons de répondre, entre autres, aux questions suivantes :

- Quels sont les principaux polluants de l'eau et comment les élimine-t-on afin d'obtenir de l'eau potable ?

- Comment les pluies acides se forment-elles et quels impacts ont-elles sur les plans d'eau ?

- Comment les poisons, comme le cyanure et les métaux lourds, agissent-ils sur notre organisme ?

- Comment la fumée de cigarette cause-t-elle le cancer ?

- Comment classe-t-on les matières dangereuses ?

L'hydrosphère

La terre est une planète d'eau. La majeure partie de sa surface est recouverte par les océans, les mers, les lacs et les rivières ; l'ensemble de ces plans d'eau est appelé *hydrosphère*. Le corps humain est également presque entièrement composé d'eau — celle-ci représente environ les deux tiers de sa masse. L'eau contenue dans le sang est analogue à celle des océans quant à sa teneur en sel. En fait, nous sommes tout à fait semblables à des sacs d'eau de mer ambulants. Bien que des formes de vie primitive se retrouvent sur Terre dans des endroits en apparence inhospitaliers et qu'elles soient susceptibles d'exister ailleurs dans le système solaire, seule notre planète possède assez d'eau liquide pour soutenir les formes de vie supérieures telles que nous les connaissons.

Toutefois, certaines de ses propriétés, en l'occurrence celles qui lui confèrent la capacité de maintenir la vie, rendent du même coup l'eau vulnérable à la pollution. De nombreux composés sont solubles dans l'eau (c'est pourquoi nous avons consacré tout le présent manuel à la chimie des solutions aqueuses). Les substances solubles sont facilement dispersées et, tôt ou tard, elles se retrouvent dans nos sources d'eau. Les éliminer, une fois qu'elles y sont, peut s'avérer très difficile. Or, un approvisionnement quotidien en eau potable est essentiel à la vie et à une bonne santé. L'eau contaminée peut causer des maladies et, dans quelques cas graves, la mort.

9.1 Les eaux naturelles de la Terre

L'eau possède un certain nombre de propriétés qui en font une substance unique. Rappelons les principales.

- L'eau se présente généralement à l'état liquide. Elle est le seul composé qu'on trouve dans cet état de façon aussi répandue sur terre.

- La glace (la forme solide de l'eau) est moins dense que l'eau liquide. Contrairement à la grande majorité des liquides, qui se contractent en passant à l'état solide, l'eau se dilate quand elle gèle.

- L'eau possède une masse volumique supérieure à celle de la plupart des liquides courants ; les hydrocarbures et les autres composés organiques insolubles dans l'eau et moins denses que cette dernière flottent à sa surface.

Mécanique, p. 516-520.

- L'eau a une capacité thermique et une chaleur de vaporisation élevées  . En conséquence, une quantité donnée de chaleur produit une plus grande augmentation de température dans une masse continentale que dans un plan d'eau de même surface. Les plans d'eau ont tendance à modérer les variations de température quotidiennes et saisonnières le long des rivages  *.

Biologie, p. 47-56.

Les trois quarts de la surface terrestre sont recouverts d'eau ; cependant, il s'agit à presque 98 % d'eau de mer, c'est-à-dire d'une eau salée, impropre à la consommation et ne convenant pas, dans la plupart des cas, à l'utilisation industrielle. Plus de 1 % de l'eau sur Terre se trouve dans les calottes polaires où elle est gelée. Ce qui laisse moins de 1 % d'eau douce. Cette dernière tombe sur la Terre en quantités énormes sous forme de pluie et de neige, mais la majeure partie des précipitations surviennent au-dessus des mers ou dans des régions inaccessibles. L'eau disponible ne se trouve donc pas toujours là où sont les gens. Certaines régions où les précipitations sont suffisantes ne peuvent être habitées par les humains en raison des très grands froids qui y règnent ou de la présence de hautes montagnes. D'autres régions jouissent de pluviosités *moyennes* adéquates, mais connaissent des périodes de sécheresse et des épisodes d'inondation. Enfin, dans certains

---

* Vous trouverez dans ce chapitre des références aux ouvrages suivants : la quatrième édition de *Physique*  de Benson (*Mécanique, Électricité et magnétisme, Ondes, optique et physique moderne*) et la troisième édition de *Biologie*  de Campbell.

endroits pourvus d'eau douce en quantités suffisantes, cette dernière est trop polluée pour être consommée directement.

Les eaux naturelles, telles que l'eau de pluie et l'eau au sol, ne sont pas pures. L'eau de pluie transporte des particules de poussière suspendues dans l'air et dissout un peu d'oxygène, d'azote et de dioxyde de carbone en traversant l'atmosphère. Durant les orages, elle acquiert des traces d'acide nitrique. Quant à l'eau de surface et aux eaux souterraines, elles dissolvent les minéraux des roches en se déplaçant. Elles véhiculent également de la matière animale et végétale en décomposition. Les principaux cations contenus dans l'eau naturelle sont Na^+, K^+, Ca^{2+}, Mg^{2+} et quelquefois Fe^{2+} ou Fe^{3+}. Les anions les plus communs sont SO_4^{2-}, HCO_3^- et Cl^-. Le **tableau 9.1** répertorie quelques substances présentes dans les eaux naturelles.

TABLEAU **9.1** Substances présentes dans les eaux naturelles		
Substance	**Formule**	**Source**
Dioxyde de carbone	CO_2	Atmosphère
Poussière	—	Atmosphère
Azote	N_2	Atmosphère
Oxygène	O_2	Atmosphère
Acide nitrique	HNO_3	Atmosphère (orages)
Particules de sable et de sol	—	Sol et roches
Ion sodium	Na^+	Sol et roches
Ion potassium	K^+	Sol et roches
Ion calcium	Ca^{2+}	Roches calcaires
Ion magnésium	Mg^{2+}	Dolomite
Ion fer(II)	Fe^{2+}	Sol et roches
Ion chlorure	Cl^-	Sol et roches
Ion sulfate	SO_4^{2-}	Sol et roches
Ion bicarbonate	HCO_3^-	Sol et roches

9.2 La pollution de l'eau

Les premiers habitants de la Terre ont peu pollué l'eau et l'air, ne serait-ce qu'en raison de leur petit nombre. La révolution industrielle et l'importante augmentation de la population qui l'a accompagnée ont conduit à une pollution considérable de l'environnement. À cette époque, la pollution était surtout localisée et en grande partie biologique. Les déchets des humains étaient jetés sur le sol ou dans les ruisseaux les plus proches. Des germes de maladies étaient transmis par les aliments, l'eau et les contacts directs.

Les méthodes de traitement modernes permettent d'obtenir de l'eau propre et libre de microorganismes pathogènes.

Jusqu'à il y a environ 100 ans, la contamination de l'eau potable par les micro-organismes provenant des déchets des humains constituait un grave problème pour tous les habitants de la Terre, car les effets néfastes de la pollution prenaient de l'ampleur avec l'accroissement de la population. Durant les années 1830, de graves épidémies de choléra ont balayé l'Occident. La fièvre typhoïde et la dysenterie étaient courantes. En 1900, par exemple, il y eut aux États-Unis plus de 35 000 morts causées par la fièvre typhoïde. C'est vers cette époque que les scientifiques ont commencé à faire le lien entre la maladie et les eaux contaminées. De nos jours, dans les pays développés, l'eau des villes est soumise à des traitements chimiques, si bien qu'elle ne pose généralement aucun danger. Cependant, les maladies transmises par de l'eau contaminée sont encore très courantes dans une bonne partie de l'Asie, de l'Afrique et de l'Amérique latine. On estime que 80 % des maladies dans le monde sont causées par de l'eau polluée. Les personnes affectées occupent la moitié des lits d'hôpitaux, et 25 000 d'entre elles meurent chaque jour. Moins de 10 % des gens sur Terre ont accès à une eau propre en quantité suffisante, si bien que de nombreuses régions sont encore aux prises avec des épidémies de choléra, de fièvre typhoïde et de dysenterie.

Quelle est la quantité d'eau dont nous avons réellement besoin ? Pour se désaltérer, l'humain a seulement besoin de 1,5 L par jour. Or, les Canadiens et les Américains utilisent quelque 7 L d'eau pour boire et cuisiner et, pour l'ensemble de leurs activités, ils en consomment en moyenne respectivement 350 L et 400 L ; au Québec, la consommation est de 375 L d'eau par jour par personne et elle passe à 660 L en été (**tableau 9.2**). En faisant la somme des quantités d'eau utilisées à des fins personnelle, industrielle, commerciale et agricole, on atteint une moyenne de près de 7 000 L par personne par jour ; et le taux de consommation augmente rapidement. La majeure partie est utilisée indirectement dans l'agriculture et l'industrie pour produire des aliments et d'autres substances. Par exemple, il faut 800 L d'eau pour obtenir 1 kg de légumes et 13 000 L d'eau pour produire une tranche de bifteck lorsque les bovins sont nourris de farines provenant de terres irriguées. On utilise également l'eau pour les loisirs, par exemple la natation, la navigation de plaisance et la pêche. Pour un grand nombre de ces besoins, il nous faut de l'eau exempte de bactéries, de virus et d'organismes parasites.

Le danger d'une contamination biologique n'a pas été totalement éliminé dans les pays développés. Au Canada, depuis les tragédies de North Battleford en Saskatchewan et de Walkerton en Ontario, la pollution de l'eau destinée à la consommation humaine inquiète de plus en plus. Aux États-Unis, on évalue à 30 millions les personnes risquant d'être intoxiquées par des bactéries se trouvant dans l'eau potable. L'hépatite A, une infection virale disséminée par l'eau et les aliments contaminés, risque parfois de prendre des proportions épidémiques, même dans les pays les plus développés. L'altération biologique diminue également la valeur de l'eau sur le plan récréatif : elle conduit à l'interdiction de se baigner dans de nombreuses régions.

TABLEAU **9.2**	Utilisation quotidienne moyenne de l'eau par personne au Québec en été	
Utilisation	**Quantité** (L)	**Pourcentage** (%)
Consommation directe		
Pour boire et cuisiner	20	3
Chasses d'eau des toilettes	165	25
Piscines, arrosage des pelouses, du jardin, des entrées de maisons	284	43
Lessive, lavage de la vaisselle, entretien ménager	66	10
Bains et douches	125	19
Total de la consommation directe	**660**	**100**

La contamination chimique : par les fermes, les usines et les foyers

Autrefois, on construisait souvent les usines au bord des ruisseaux et des rivières et on déversait les déchets dans l'eau pour qu'ils soient emportés par le courant. Aujourd'hui, les fertilisants et les pesticides utilisés pour l'agriculture ou sur les pelouses et les aires de loisirs telles que les terrains de golf finissent par s'infiltrer dans le réseau d'alimentation en eau et contribuent à sa contamination. Le pétrole que nous transportons n'arrive pas toujours à destination, avec pour conséquence de fâcheux déversements dans les océans, les estuaires et les rivières. Des acides provenant des mines et des usines ou retombant au sol avec les précipitations aboutissent dans les cours d'eau. Les produits chimiques utilisés dans les foyers contribuent aussi à la pollution de l'eau : c'est le cas des détergents, des solvants et d'autres substances que nous jetons dans les égouts.

Plus des deux tiers de la population du Québec s'approvisionne à même les eaux de surface (fleuve, lacs et rivières). L'autre tiers puise ce dont elle a besoin dans les eaux souterraines. On trouve des substances toxiques de diverses origines dans ces deux sources

La plupart des maisons du quartier de Love Canal, à Niagara Falls (État de New York), ont été abandonnées parce que le sol sur lequel elles sont construites est contaminé par des déchets industriels.

d'eau. Par exemple, au Québec, à Saint-Arsène dans le Bas-Saint-Laurent, des puits privés ont été contaminés par les herbicides et les insecticides utilisés pour l'agriculture. Aux États-Unis, les personnes établies à proximité de la Rocky Mountain Arsenal, près de Denver, ont découvert dans leurs puits des contaminants provenant de la production de pesticides. Les puits près de Minneapolis contiennent de la créosote, un produit chimique utilisé pour protéger le bois. Au Wisconsin et sur Long Island, New York, l'eau a été contaminée à l'aldicarb, un pesticide employé dans la culture de la pomme de terre. Au New Jersey, il a fallu fermer les aqueducs parce qu'on y a trouvé des résidus industriels.

Les citernes des stations-service attaquées par la rouille laissent parfois échapper de l'essence dans laquelle se trouvent des additifs tels que le 2-méthoxy-2-méthylpropane (couramment appelé méthyl-tertiobutyl éther ou MTBE). Ce composé est considéré aujourd'hui comme nocif s'il se répand dans l'environnement.

Les substances chimiques enfouies — depuis parfois des années, avant qu'on ne s'inquiète de leur impact sur l'environnement — se sont maintenant infiltrées dans les eaux souterraines. Dans bien des cas, comme dans le quartier de Love Canal, à Niagara Falls (État de New York), on a construit des maisons et des écoles sur d'anciens sites d'enfouissement ou à proximité. Les contaminants sont souvent des hydrocarbures, tels que le benzène ou le toluène, qui ont servi de solvants, et des hydrocarbures chlorés, tels que le tétrachlorure de carbone (CCl_4), le chloroforme ($CHCl_3$) et le dichlorométhane (CH_2Cl_2). On découvre très fréquemment du trichloroéthylène (CCl_2CHCl), dont l'usage comme solvant de dégraissage et de nettoyage à sec est répandu. Ces composés organiques se dissolvent dans l'eau en quantités infimes, de l'ordre des parties par million (ppm) ou des parties par milliard (ppb). Bien qu'ils ne se retrouvent dans les eaux souterraines qu'à l'état de traces, ils sont indésirables, car la plupart sont soupçonnés d'être cancérogènes. Malheureusement, leur réactivité est faible, c'est-à-dire qu'ils se décomposent très lentement et sont susceptibles, de ce fait, d'être avec nous encore longtemps.

Les fuites des réservoirs enfouis dans le sol sont aussi une importante source de contamination des eaux souterraines. Dans les stations-service, on stocke habituellement l'essence sous terre dans des citernes d'acier. On estime à quelque 2,5 millions le nombre de ces dispositifs aux États-Unis. Ceux-ci ont une durée de vie moyenne d'environ 15 ans, après quoi la corrosion finit par transpercer leurs parois et ils se mettent à fuir. On estime à près de 200 000 le nombre de citernes actuellement dans cet état, beaucoup d'entre elles étant dans des stations-service qui ont fermé au cours de la crise du pétrole des années 1970. Dans bien des régions du pays, on trouve maintenant de l'essence dans les puits d'eau potable à proximité de ces réservoirs. La loi exige aujourd'hui le remplacement des vieilles citernes d'essence et un nettoyage approprié des sols contaminés. La pollution des eaux souterraines pose un grave problème à long terme, car la nappe aquifère peut être rendue inutilisable pour des décennies. Il n'existe aucun moyen simple d'éliminer les contaminants. Pomper l'eau et la purifier peut être un processus extrêmement long et coûter des milliards de dollars. Il faut toujours avoir en tête qu'une goutte d'huile peut rendre impropre à la consommation jusqu'à 25 litres d'eau.

S'il est vrai qu'elle constitue un problème important, la pollution des eaux souterraines fait parfois l'objet de sensationnalisme dans les médias. En réalité, les quantités de contaminants sont souvent infimes. Par exemple, l'Environmental Protection Agency (EPA) des États-Unis a établi à 10 ppb la limite permise d'aldicarb — cela représente 10 mg d'aldicarb par 1000 L d'eau. Il faudrait boire 32 000 L d'eau pour absorber autant d'aldicarb qu'il y a d'aspirine dans un comprimé. L'aldicarb est moyennement toxique pour les mammifères, mais il se décompose assez rapidement dans l'environnement. Par ailleurs, la contamination de l'eau par les microorganismes est beaucoup plus répandue et plus souvent mortelle que la contamination par les produits chimiques. Au Canada et aux États-Unis, l'industrie a éliminé une proportion considérable des polluants qu'elle déversait autrefois dans l'eau. Examinons un cas de contrôle de la pollution.

Le placage du chrome sur l'acier produit deux résidus sous la forme d'ions chromate (CrO_4^{2-}) et d'ions cyanure (CN^-). Dans le passé, on jetait souvent ces substances toxiques dans les cours d'eau. Aujourd'hui, on peut les éliminer en grande partie grâce à un traitement chimique. C'est ainsi qu'on fait réagir les ions cyanure avec du chlore dans une solution alcaline pour produire de l'azote gazeux, des ions hydrogénocarbonate et des ions chlorure :

$$10\ OH^-(aq) + 2\ CN^-(aq) + 5\ Cl_2(g) \longrightarrow N_2(g) + 2\ HCO_3^-(aq) + 10\ Cl^-(aq) + 4\ H_2O(l)$$

En règle générale, les quantités d'ions hydrogénocarbonate et d'ions chlorure formées dans cette réaction ne sont pas considérées comme toxiques.

On élimine les ions chromate en les réduisant à l'aide de dioxyde de soufre, ce qui donne des ions Cr^{3+} et des ions sulfate :

$$2\,CrO_4^{2-}(aq) + 3\,SO_2(g) + 2\,H_2O(l) \longrightarrow 2\,Cr^{3+}(aq) + 3\,SO_4^{2-}(aq) + 4\,OH^-(aq)$$

On peut retirer les ions Cr^{3+} en les précipitant sous forme de $Cr(OH)_3(s)$. Il est toutefois essentiel de bien contrôler le pH parce que $Cr(OH)_3$ est amphotère ; il se redissout si la solution est trop acide ou trop basique. En général, les ions sulfate ne constituent pas un polluant inquiétant.

Beaucoup d'industries ont contribué à la pollution de l'eau. Les déchets des usines textiles comprennent des apprêts, des teintures, des décolorants, des huiles, des poussières et d'autres débris organiques. On peut éliminer la plupart d'entre eux par les techniques habituelles de traitement des égouts. Les déchets des usines de transformation de la viande comprennent du sang et des restes d'animaux. Ces rebuts et ceux des autres industries de l'alimentation passent habituellement par les usines de traitement des eaux usées.

La chimie et la biologie des eaux usées

Lorsqu'on déverse les eaux usées dans les cours d'eau, on favorise la dissémination de microorganismes *pathogènes* (causes de maladies). Mais la maladie n'est pas le seul problème. Les matières organiques contenues dans les égouts sont décomposées par les bactéries, ce qui fait diminuer la quantité d'oxygène dissous [$O_2(aq)$] dans l'eau et produit une surabondance de nutriments pour les plantes aquatiques. Un cours d'eau rapide peut emporter une petite quantité de déchets sans difficulté mais, en grande quantité, les eaux usées non traitées sont la cause d'altérations indésirables.

La plupart des matières organiques sont dégradées par les microorganismes. On parle alors de biodégradation, laquelle peut être *aérobie* ou *anaérobie*. L'**oxydation aérobie** a lieu en présence d'oxygène dissous. La **demande biochimique d'oxygène (DBO)** représente la quantité d'oxygène, en milligrammes, nécessaire à l'oxydation aérobie des composés organiques contenus dans 1 L d'eau. Si la DBO est assez élevée, tout l'oxygène est consommé, et les formes vivantes supérieures, telles que les poissons, périssent. En revanche, les cours d'eau rapides peuvent se régénérer en aval en absorbant l'oxygène de l'air qui se mélange à l'eau en mouvement.

S'il y a assez d'oxygène dissous, les bactéries aérobies (c'est-à-dire celles qui ont besoin d'oxygène) transforment la matière organique par oxydation en dioxyde de carbone, en eau et en divers ions inorganiques (**tableau 9.3**) . L'eau est relativement propre, mais les ions, plus particulièrement les nitrates et les phosphates, peuvent devenir des nutriments pour les algues et favoriser leur croissance, ce qui cause d'autres problèmes. Quand elles meurent, les algues se décomposent et leurs débris organiques font augmenter la DBO par un processus appelé **eutrophisation**. Les fleurs d'eau et les détritus qu'elles laissent derrière elles sont aussi provoqués par les engrais utilisés sur les terres de culture et les pelouses et emportés par le ruissellement, ainsi que par le purin qui atteint l'eau par infiltration. Tous ces facteurs se combinent pour asphyxier les cours d'eau et les lacs et ce, à un rythme qui dépasse les capacités de purification de la nature. Pensons au problème des cyanobactéries (algues bleues) que le Québec vit depuis quelques années.

Quand les réserves d'oxygène dissoutes dans un plan d'eau sont épuisées par une surabondance de matière organique, que celle-ci provienne d'eaux usées, d'algues en décomposition ou d'autres sources, ce sont alors les mécanismes de **dégradation anaérobie** qui prennent la relève. Dans ce cas, la matière organique n'est pas oxydée par

Par leur prolifération accélérée, les algues vont finir par asphyxier cet étang en consommant tout l'oxygène dans l'eau.

Oxydation aérobie

Oxydation qui a lieu en présence d'oxygène.

Demande biochimique d'oxygène (DBO)

Quantité d'oxygène, en milligrammes, nécessaire à l'oxydation aérobie des composés organiques contenus dans 1 L d'eau.

Biologie, p. 1299-1300.

Eutrophisation

Processus par lequel une surabondance de nutriments favorise la croissance des algues, qui finissent par asphyxier les plans d'eau qu'elles envahissent. Quand elles meurent, les algues se décomposent et leurs débris organiques font augmenter la DBO.

Dégradation anaérobie

Processus de décomposition en l'absence d'oxygène.

Conversion des polluants

Lorsqu'elles s'échappent d'un site d'enfouissement, les eaux contaminées se fraient souvent un chemin souterrain jusqu'à un lac ou à un cours d'eau à proximité. Y a-t-il un moyen sûr d'intercepter les contaminants qui circulent ainsi sous terre ? Il existe une méthode relativement peu coûteuse et assez efficace pour éliminer les composés chlorés. On creuse en travers du passage des eaux polluées une tranchée dans laquelle on déverse de la limaille de fer (**figure 9.1**).

Rappelons que le fer rouille par oxydoréduction dans une réaction où l'oxygène dissous est l'oxydant et le fer le réducteur :

Demi-réaction d'oxydation $\qquad 2\{Fe \longrightarrow Fe^{2+} + 2e^-\}$

Demi-réaction de réduction $\qquad O_2 + 4\,H^+ + 4\,e^- \longrightarrow 2\,H_2O$

Réaction complète $\qquad 2\,Fe + O_2 + 4\,H^+ \longrightarrow 2\,Fe^{2+} + 2\,H_2O(l)$

Quand ils réagissent avec des composés chlorés, les atomes de Fe donnent des électrons aux atomes de chlore, les convertissant en ions chlorure. Dans la demi-réaction de réduction, le composé chloré, représenté par la formule RCl, est transformé en hydrocarbure, RH :

Demi-réaction de réduction $\qquad RCl + H^+ + 2\,e^- \longrightarrow RH + Cl^-$

La réaction complète devient :

$$Fe + RCl + H^+ \longrightarrow Fe^{2+} + RH + Cl^-$$

Les hydrocarbures formés lors de cette réaction sont généralement moins toxiques et sont dégradés plus facilement par les microorganismes que les composés qui contiennent du chlore.

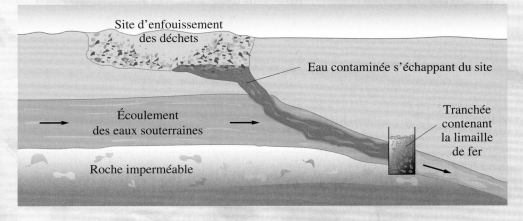

◀ Figure 9.1
Utilisation de la limaille de fer pour retirer les hydrocarbures chlorés des eaux souterraines contaminées.

L'eau souterraine contaminée qui s'échappe d'un site d'enfouissement et qui se dirige vers un cours d'eau ou un lac traverse un écran de limaille de fer. Les composés chlorés sont convertis par le fer en hydrocarbures et en ions chlorure.

les bactéries anaérobies ; elle est plutôt réduite, ce qui aboutit à la formation de méthane (CH_4). Le soufre est converti en sulfure d'hydrogène (H_2S) ou en d'autres composés organiques nauséabonds. L'azote est réduit en ammoniac et en amines odorants. Les mauvaises odeurs indiquent que l'eau est surchargée de déchets organiques. Aucun être vivant, sauf quelques organismes anaérobies, ne peut survivre dans de telles eaux.

TABLEAU **9.3**	Quelques substances ajoutées à l'eau par la décomposition de la matière organique

Substance	Formule
Conditions aérobies	
Dioxyde de carbone	CO_2
Ions nitrate	NO_3^-
Ions phosphate	PO_4^{3-}
Ions sulfate	SO_4^{2-}
Ions hydrogénocarbonate	HCO_3^-
Conditions anaérobies	
Méthane	CH_4
Ammoniac	NH_3
Amines	RNH_2
Sulfure d'hydrogène	H_2S
Méthanethiol	CH_3SH

Le méthane, parfois appelé « gaz des marais », est formé par la décomposition anaérobie de la matière organique. La peinture ci-contre, *Dalton recueillant du gaz des marais,* montre John Dalton, père de la théorie atomique. SOURCE : Ford Madox Brown (1821-1893), *Dalton recueillant du gaz des marais.* © Manchester Art Gallery. Photo de John Ingram.

Le traitement de l'eau : une goutte à boire

Beaucoup de villes consomment de l'eau qui a déjà été utilisée par d'autres villes situées en amont. Cette eau peut être polluée par des produits chimiques et des microorganismes pathogènes. Pour la rendre potable, il faut la soumettre à un traitement physique et chimique en plusieurs étapes (**figure 9.2**). On commence habituellement par la retenir un certain temps dans un bassin de décantation, où on y ajoute de la chaux éteinte $[Ca(OH)_2(aq)]$ et un floculant, tel que le sulfate d'aluminium. Ces substances réagissent pour former une masse gélatineuse (appelée *floc*) d'hydroxyde d'aluminium qui entraîne au fond les saletés et les bactéries :

$$3\ Ca(OH)_2(aq) + Al_2(SO_4)_3(aq) \longrightarrow 2\ Al(OH)_3(s) + 3\ CaSO_4(s)$$
chaux éteinte

On filtre ensuite l'eau en la faisant passer à travers du sable et du gravier.

L'étape suivante est habituellement l'*aération.* L'eau est projetée de façon à ce qu'elle se mélange à l'air, ce qui élimine les composés odorants et améliore son goût (l'eau qui ne contient pas d'air en solution est plate au goût). On la fait parfois passer à travers un filtre de charbon de bois dans lequel les substances colorées et odorantes sont retenues par adsorption. Au cours de la dernière étape, l'eau est *chlorée,* c'est-à-dire qu'on y ajoute du chlore pour tuer les bactéries qui restent. Dans les endroits où on s'approvisionne à même un lac ou une rivière, il faut utiliser beaucoup de chlore pour détruire toutes les bactéries ; l'eau prend alors un goût désagréable.

Certains polluants sont difficiles à extraire de l'eau. Par exemple, les nitrates qui s'infiltrent dans les réserves souterraines proviennent des engrais utilisés dans les fermes et sur les pelouses, de la décomposition des déchets organiques laissés par le traitement des eaux usées, et du ruissellement du purin produit par l'élevage. Les composés contenant du nitrate sont très solubles, et les traitements requis pour les éliminer de l'eau sont onéreux.

Beaucoup de gens boivent de l'eau embouteillée pour éviter les problèmes réels ou appréhendés qui seraient attribuables à l'eau des réseaux publics. L'embouteillage de l'eau a échappé pendant longtemps à toute réglementation. Santé Canada a adopté des normes pour assurer que la qualité minimale de ce qui est mis en bouteille soit égale à ce qui est fourni par le système public. Fait intéressant, une bonne part de cette eau est de même origine que celle qui provient des municipalités.

À bien des endroits, en plus du chlore pour tuer les bactéries, on ajoute à l'eau du fluor pour combattre la carie dentaire. À une époque, cette dernière était considérée comme la principale affection chronique chez les enfants. Son incidence a diminué considérablement, grâce en partie à la fluoration de l'eau potable. Aux États-Unis, en 1971, seulement 29 % des enfants de neuf ans ne présentaient aucune carie ; aujourd'hui, ce sont plus des deux tiers du même groupe d'âge qui sont épargnés. Rappelons que l'émail des dents est un phosphate de calcium complexe appelé *hydroxyapatite* (chapitre 5, page 271). Les ions fluorure remplacent certains des ions hydroxyde, formant un composé inorganique plus résistant appelé *fluoroapatite* :

$$Ca_5(PO_4)_3OH + F^- \longrightarrow Ca_5(PO_4)_3F + OH^-$$

On ajoute une quantité suffisante de fluorure (habituellement sous forme de H_2SiF_6 ou de Na_2SiF_6) pour que sa concentration (massique) se situe entre 0,7 et 1,1 ppm. Les études indiquent qu'il en résulte une diminution de l'incidence de la carie dentaire. Cette diminution peut être des deux tiers dans certaines régions.

Certains s'inquiètent des effets cumulatifs de la consommation de fluorures dans l'eau potable, les aliments, la pâte dentifrice et ailleurs. Chez les jeunes enfants, un apport

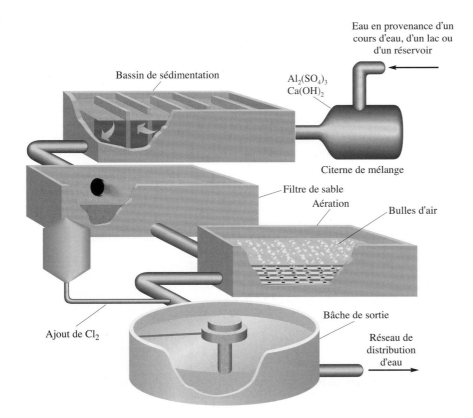

◀ **Figure 9.2**
Usine municipale de purification de l'eau

excessif de fluorure peut se manifester par l'apparition de taches sur les dents. L'émail devient cassant par endroits et se décolore progressivement. À des concentrations supérieures à celles de l'eau potable, les fluorures peuvent perturber le métabolisme du calcium et le fonctionnement des reins, de la glande thyroïde et d'autres glandes et organes. À des concentrations moyennes ou élevées, ce sont des poisons aigus. C'est ainsi qu'on utilise le fluorure de sodium pour exterminer les blattes et les rats. Toutefois, il existe très peu de résultats de recherche, sinon aucun, qui permettent d'attribuer des problèmes de santé à la fluoration telle qu'on la pratique aujourd'hui.

Les usines de traitement des eaux usées

Les méthodes utilisées pour épurer les eaux usées varient d'une usine à l'autre. Toutefois, on considère habituellement qu'il y a trois niveaux de traitement : primaire, secondaire et tertiaire ou avancé. Toutes les usines n'utilisent pas nécessairement les trois niveaux.

Le **traitement primaire** consiste à faire passer les eaux usées à travers des grilles afin d'éliminer les éléments solides de gros diamètre, puis à les acheminer vers des décanteurs dans lesquels se déposent les sédiments et la matière organique appelés *boues primaires*. Ces boues entrent ensuite dans le **traitement secondaire**. En 2006, au Québec, plus de 70 % des sites de traitement des eaux usées des villes et des villages utilisaient la **méthode des étangs aérés** et 7 % la **méthode des boues activées** pour le traitement secondaire, selon les données du ministère du Développement durable, de l'Environnement et des Parcs. D'autres procédés sont également utilisés, comme les étangs non aérés, les réacteurs biologiques séquentiels (RBS) et la biofiltration.

La méthode des étangs aérés consiste à recueillir les boues dans des bassins où l'oxydation est réalisée au moyen de diffuseurs d'air installés en profondeur ou d'aérateurs de surface. Ces étangs sont en condition de mélange partiel, c'est-à-dire que l'énergie de brassage est insuffisante pour éviter les dépôts. Seule une partie des matières solides est maintenue en suspension. Le reste se dépose au fond des bassins, où il constitue des boues qui entrent en digestion anaérobie. Les charges organiques appliquées et les matières organiques solubles provenant de la digestion des boues sont oxydées dans les zones supérieures aérobies. Pour obtenir un effluent clarifié, il est nécessaire de prévoir une zone sans apport d'air à la fin du dernier étang ou un dernier étang non aéré.

Le procédé de traitement des eaux usées par boues activées (**figure 9.3**) est utilisé dans plus d'une quarantaine de villes au Québec. Il s'agit d'un procédé de traitement biologique à culture en suspension. Il est constitué d'un réacteur biologique dans lequel les liquides à épurer sont mélangés avec une biomasse aérée et maintenue en suspension. Le substrat contenu dans les eaux usées sert de nourriture pour la multiplication et le développement des microorganismes contenus dans la biomasse. Cette dernière est ensuite séparée par

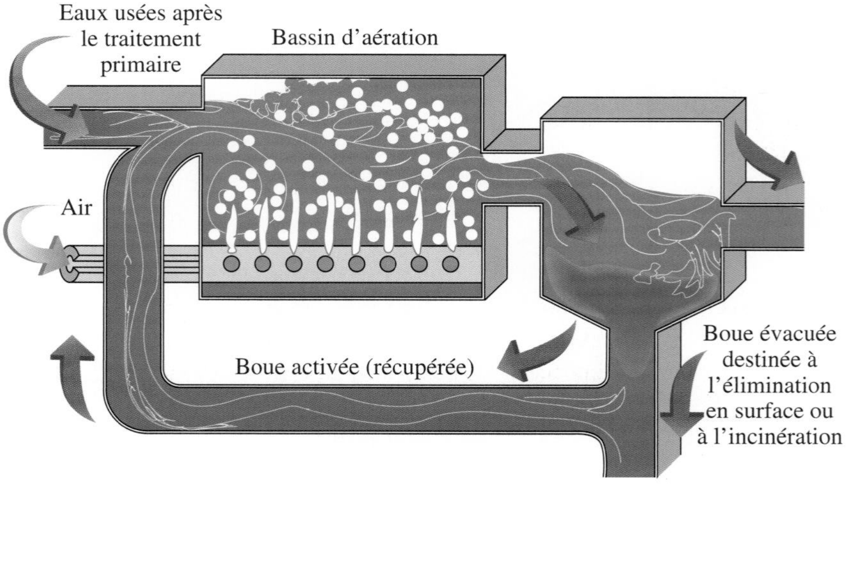

Traitement primaire des eaux usées

Procédé par lequel les eaux usées passent à travers des grilles (filtres) qui éliminent les éléments solides de gros diamètre, puis traversent des décanteurs dans lesquels se déposent les sédiments.

Traitement secondaire des eaux usées

Procédé par lequel les eaux usées sont biodégradées à l'aide de bactéries et d'autres organismes par la méthode des étangs aérés, des boues activées ou de lits bactériens.

Méthode des étangs aérés

Procédé par lequel les eaux usées sont oxydées dans des bassins munis de diffuseurs d'air ou d'aérateurs de surface. Les matières en suspension se déposent pour former des boues qui entrent en digestion anaérobie. Les matières organiques solubles sont oxydées dans les zones supérieures aérobies.

Méthode des boues activées

Procédé par lequel les eaux usées sont mélangées à une biomasse aérée et maintenue en suspension. Le substrat contenu dans les eaux usées sert de nourriture pour la multiplication et le développement des microorganismes contenus dans la biomasse.

▶ Figure 9.3
Schéma d'un système de traitement secondaire des eaux usées faisant appel à la méthode des boues activées

Eaux usées après le traitement primaire

Bassin d'aération

Air

Boue activée (récupérée)

Boue évacuée destinée à l'élimination en surface ou à l'incinération décantation et une partie est recyclée dans le réacteur. La biomasse excédentaire est extraite du système et constitue les *boues secondaires*.

Tous ces procédés génèrent des boues. Certaines peuvent être utilisées comme engrais dans les domaines agricole ou sylvicole après avoir subi des analyses physicochimiques comme la siccité et le pH, des évaluations de paramètres liés à la valorisation, ainsi que des analyses des métaux et des paramètres bactériologiques. Si les boues ne sont pas valorisables, elles doivent être déshydratées et envoyées à l'enfouissement sanitaire. Cette dernière solution est beaucoup plus onéreuse que la valorisation.

À bien des endroits, le traitement secondaire est insuffisant. On a alors recours à un **traitement avancé**, aussi appelé **traitement tertiaire**, pour lequel il existe plusieurs méthodes. Les plus utilisées sont la dénitrification et la déphosphatation. La dénitrification s'effectue dans un réacteur anoxique qui possède une aération contrôlée pour favoriser la croissance des microorganismes. Dans ce réacteur, les nitrates sont réduits en azote qui s'échappe dans l'air. La déphosphatation se fait principalement par précipitation à l'aide de produits chimiques, mais de plus en plus elle s'effectue par voie biologique, dans des RBS par exemple. Des procédés encore plus coûteux comme la filtration sur charbon de bois, lequel absorbe les molécules organiques difficiles à éliminer par les autres procédés, et l'osmose inverse (page 47) peuvent s'avérer nécessaires dans certains cas. Le **tableau 9.4** donne un aperçu des principales méthodes de traitement des eaux usées.

On ajoute habituellement du chlore aux effluents des usines de traitement avant de les déverser dans les cours d'eau, afin d'éliminer les microorganismes pathogènes qui résistent encore. Cette précaution s'est avérée assez efficace pour empêcher la propagation de maladies infectieuses transmises par l'eau, telles que la fièvre typhoïde. De plus, il reste une certaine quantité de chlore dans l'eau, qui sert à protéger contre les bactéries nocives. En revanche, la chloration ne peut rien contre les virus comme ceux de l'hépatite.

Traitement avancé (traitement tertiaire)

Procédé qui comprend diverses méthodes et qui consiste à enlever de l'effluent du traitement secondaire les nitrates, les phosphates et quelquefois des substances organiques dissoutes.

TABLEAU **9.4** Méthodes de traitement des eaux usées			
Méthode	**Coûts**	**Matières éliminées**	**Pourcentage éliminé**
Primaire			
Sédimentation	Faibles	Matière organique en solution	25 à 40
		Solides en suspension	40 à 70
Secondaire			
Lit bactérien	Moyens	Matière organique en solution	80 à 95
		Solides en suspension	70 à 92
Boue activée	Moyens	Matière organique en solution	85 à 95
		Solides en suspension	85 à 95
Avancée (tertiaire)			
Lit de carbone avec régénération	Moyens	Matière organique en solution	90 à 98
Échange d'ions	Élevés	Nitrates et phosphates	80 à 92
Précipitation chimique	Moyens	Phosphates	88 à 95
Filtration	Faibles	Solides en suspension	50 à 90
Osmose inverse	Très élevés	Solides en solution	65 à 95
Électrodialyse	Très élevés	Solides en solution	10 à 40
Distillation	Extrêmement élevés	Solides en solution	90 à 98

Biologie, p. 1300-1302.

9.3 Les pluies acides et les eaux acides

Nous avons vu comment, dans l'atmosphère, les oxydes de soufre sont convertis en acide sulfurique, et les oxydes d'azote, en acide nitrique. Ces acides retombent à la surface de la Terre sous forme de pluie ou de neige acides, se déposent avec le brouillard acide ou sont adsorbés par les matières particulaires. Une pluie dite normale a un pH d'environ 5,6; c'est-à-dire qu'elle est légèrement acide en raison de la présence de CO_2 qui, une fois dissous dans l'eau, forme de l'acide carbonique, H_2CO_3. On parle de **pluies acides** lorsque les pluies présentent un pH inférieur à cette valeur. On a signalé des précipitations plus acides que le vinaigre ou le jus de citron (pH < 2,4), soit environ 1500 fois plus acides que la normale.

Les pluies acides corrodent les métaux, le calcaire et le marbre, et attaquent même le revêtement des véhicules. Elles proviennent surtout des oxydes de soufre émis par les centrales thermiques et les fonderies, ainsi que des oxydes d'azote émis par les automobiles. Ces acides sont transportés sur des centaines de kilomètres avant de tomber sous forme de pluie ou de neige (**figure 9.4**). Des acides provenant de mines abandonnées coulent également dans certains ruisseaux.

Pluie acide

Pluie dont le pH est inférieur à 5,6, c'est-à-dire qui est plus acide que l'eau en équilibre avec le dioxyde de carbone atmosphérique.

▶ **Figure 9.4 Pluies acides**

Les acides formés à partir des oxydes de soufre, SO_x (provenant principalement des centrales thermiques au charbon), et des oxydes d'azote, NO_x (générés par les centrales thermiques et les automobiles), peuvent tomber sous forme de pluie à des centaines de kilomètres de leurs points d'origine. Ils traversent les océans et les frontières internationales, causant des problèmes tant politiques qu'environnementaux. Cette carte montre que les dépôts acides les plus importants se trouvent dans les régions du Nord-Est des États-Unis et de l'Est du Canada. Les valeurs indiquées correspondent aux moyennes de pH des précipitations.

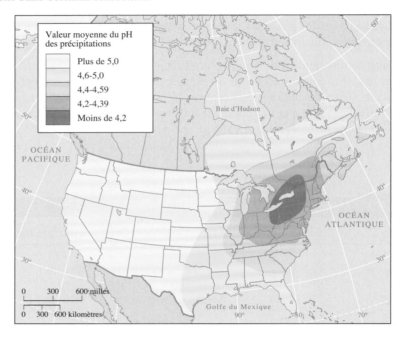

Valeur moyenne du pH des précipitations

Plus de 5,0
4,6-5,0
4,4-4,59
4,2-4,39
Moins de 4,2

À première vue, un lac acide peut passer pour un lac comme les autres. Il peut même être très beau. Toutefois, on n'y trouve aucun poisson. Le lac est sans vie. Les pluies acides peuvent exterminer les poissons et toute autre forme de vie aquatique dans les lacs dont le bassin versant ne contient pas de calcaire pour neutraliser l'eau.

Les eaux acides entraînent la mort des lacs

Les eaux acides ont un effet nocif sur la vie dans les lacs et les cours d'eau. Dans l'Est des États-Unis, plus de 1000 plans d'eau sont acidifiés, et 11 000 autres ont à peine la capacité de neutraliser les acides qui y sont introduits. En Ontario, 48 000 lacs sont menacés, et plus de 100 lacs dans les Adirondacks de l'État de New York sont tellement acides qu'ils sont dépourvus de vie. Les nuages qui déversent leurs pluies acides sur ces secteurs se forment principalement au-dessus de la vallée de l'Ohio et du bassin des Grands Lacs.

On a établi un lien entre les pluies acides, la réduction du rendement des cultures et le dépérissement des forêts. Il est difficile d'établir avec précision les effets des eaux acides sur les organismes vivants. La libération d'ions toxiques des roches et du sol est probablement l'effet le plus marqué de l'acidité. Par exemple, les ions aluminium, qui sont fermement liés dans les argiles et autres substances minérales, sont libérés en solution acide:

$$Al_2Si_2O_5(OH)_4(s) + 6 H_3O^+(aq) \longrightarrow 2 Al^{3+}(aq) + 2 SiO_2(s) + 11 H_2O(l)$$

Une argile $\qquad\qquad\qquad\qquad\qquad\qquad$ Sable

Les ions aluminium sont peu toxiques pour les humains, mais ils semblent mortels pour les jeunes poissons. De nombreux lacs en dépérissement ne renferment que de vieux poissons ; aucun des jeunes ne survit. Ironiquement, les lacs détruits par un excès d'acidité sont souvent très beaux ; l'eau y est limpide, ce qui contraste vivement avec les eaux dans lesquelles les poissons meurent à la suite de la raréfaction de l'oxygène causée par la prolifération des algues.

Les pluies acides ne représentent pas une menace pour les cours d'eau qui drainent les sols calcaires, car ceux-ci peuvent neutraliser un excès d'acide. Mais dans les endroits où la roche est principalement constituée de granite, une telle neutralisation n'a pas lieu. C'est le phénomène observé dans le Bouclier canadien, particulièrement dans l'Est du Canada. Au Québec, les lacs acides se concentrent principalement à l'Est et au Sud-Est de Rouyn-Noranda, en Abitibi-Témiscamingue, en Mauricie, près de la Réserve faunique des Laurentides, et sur la moyenne Côte-Nord (**figure 9.5**). La majorité des précipitations acides au Québec prennent naissance à l'Est de l'Ontario et au centre des États-Unis, les vents dominants entraînant les polluants vers l'Est du pays. Toutefois, l'origine de l'acidité des lacs du Québec n'est pas toujours la même. Ainsi, dans les régions de l'Outaouais, de la Mauricie et de l'Abitibi, les lacs ont subi une acidification récente en raison de l'activité humaine (dépôts miniers et déforestation), alors que l'acidité des lacs de la Côte-Nord est essentiellement naturelle (lacs aux eaux brunes).

On peut neutraliser les eaux acides en y ajoutant de la chaux ou de la pierre à chaux pulvérisée. Quelques tentatives du genre ont été effectuées, mais le processus est laborieux et très coûteux, et les résultats ne durent que quelques années. Pour atténuer le problème, on peut bien sûr extraire le soufre du charbon avant la combustion ou épurer les gaz de cheminées d'usine en éliminant les oxydes de soufre. Des progrès considérables ont été réalisés dans ce domaine, mais ces solutions sont dispendieuses, et elles augmentent le coût de la production d'électricité.

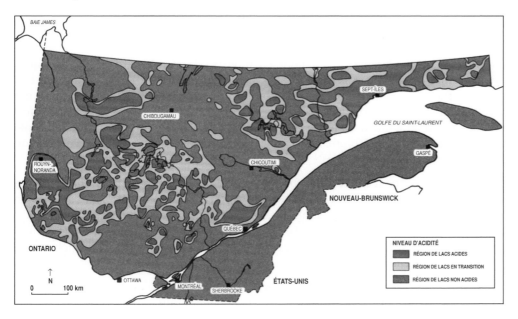

◀ **Figure 9.5 Acidité des lacs du Québec méridional**

Le nombre et le pourcentage de lacs acides ou en voie d'acidification (en transition) varient grandement d'une région hydrographique à l'autre. Ces différences s'expliquent par une exposition plus ou moins marquée aux retombées acides ou par des différences de sensibilité du milieu.

SOURCE : Ministère de l'Environnement du Québec, 1999.

Les substances toxiques dans la biosphère

Nous allons consacrer la conclusion de ce manuel à la « sphère » la plus importante de la Terre, c'est-à-dire à la **biosphère**, cette couche relativement mince d'air, d'eau et de sol où s'épanouit la presque totalité de la vie. La vaste majorité des processus qui se déroulent

Biosphère

Partie de la Terre occupée par les organismes vivants.

Toxicologie

Champ d'étude ayant pour objet l'identification et la détection des poisons, l'établissement de leurs effets sur le corps et l'élaboration de moyens de les contrer.

Beaucoup de plantes communes produisent des toxines, lesquelles peuvent se trouver dans certaines parties du plant seulement. L'hortensia (en haut), les baies de houx (au milieu) et le philodendron (en bas) en sont des exemples. Les plantes qui contiennent des substances toxiques ont évolué par le processus de la sélection naturelle. C'est pour repousser les animaux qui seraient tentés de les manger qu'elles élaborent ces poisons.

dans la biosphère sont mus par l'énergie solaire qui atteint la Terre. Environ 23 % de cette énergie passe dans le cycle de l'eau. Une toute petite partie est absorbée par les plantes vertes, qui l'emploient pour la photosynthèse et fournissent ainsi directement l'énergie nécessaire au maintien de la vie. Examinons maintenant certaines des substances toxiques qui semblent parfois mettre en péril la survie des êtres vivants.

Concernant certains polluants, l'un des principaux sujets de préoccupation est leur toxicité. La présence parmi nous de substances toxiques, souvent appelées *poisons*, n'a rien de nouveau. Aujourd'hui, nos connaissances sur ces poisons sont plus étendues que par le passé. De surcroît, il y en a plus maintenant qu'il n'y en a jamais eu. Les accidents industriels, comme celui de 1984 à Bhopal en Inde, qui a tué 2500 personnes et en a blessé quelque 100 000 autres, ont rendu le public très sensible au problème des substances toxiques. On s'inquiète aussi des effets de l'exposition à long terme aux poisons dans l'air, l'eau potable et les aliments. Les chimistes sont en mesure de détecter des quantités infimes de ces substances. Toutefois, il est assez difficile encore aujourd'hui de déterminer si de telles doses nuisent à la santé humaine. La **toxicologie** a pour objet d'étude les poisons, leurs effets, leur identification et leur détection, ainsi que l'élaboration et l'utilisation des antidotes.

9.4 Les poisons

Qu'est-ce qu'un poison ? Il faudrait peut-être plutôt demander : En quelle quantité une substance est-elle un poison ? Une substance peut être inoffensive, voire nécessaire à la vie, à une certaine dose, mais nocive ou mortelle à une autre. Une dose correspond à la quantité de matière que reçoit l'organisme vivant par unité de temps. Même un aliment commun, tel que le sel de table, peut devenir poison si on en consomme d'énormes quantités ; prendre trop de sel d'un coup peut provoquer des vomissements. On rapporte même des cas d'empoisonnements fatals résultant de la substitution accidentelle du sel au lactose (un glucide) dans le lait maternisé. Quoi qu'il en soit, il est clair que certaines matières sont plus toxiques que d'autres. Il faudrait qu'un adulte en bonne santé absorbe une quantité considérable de sel pour en mourir, alors qu'il suffirait de quelques microgrammes de certaines neurotoxines pour provoquer la mort. La toxicité dépend en grande partie de la nature chimique de la substance. Les organismes gouvernementaux ont identifié les substances toxiques, et les appellations DL50 et CL50 ont été introduites. DL50 correspond à une dose létale où 50 % de la population animale décède à la suite d'une intoxication, et CL50 correspond à une concentration létale où 50 % de la population animale ne peut survivre.

Les personnes ne réagissent pas toutes de la même façon aux corps chimiques. Bien qu'il s'agisse d'un cas extrême, on peut dire que la plupart des gens sont capables de consommer entre 10 et 20 g de sucre sans éprouver de malaise aigu, mais qu'un individu atteint de diabète se met en danger s'il en fait autant. Pris à l'excès, le chlorure de sodium peut avoir des conséquences graves pour quiconque souffre d'œdème (tuméfaction causée par un surcroît de liquide dans les tissus).

Pour compliquer les choses un peu plus, il s'avère que les corps chimiques se comportent de différentes façons selon la méthode qu'on utilise pour les administrer. La nicotine est au moins 50 fois plus toxique si elle est prise par voie intraveineuse plutôt que par voie orale. L'eau fraîche est très agréable à boire, mais elle peut nous tuer si nous en aspirons assez dans nos poumons. Il y a aussi le fait que différentes espèces animales, même proches les unes des autres dans l'arbre phylogénétique, n'ont pas les mêmes réactions à une substance donnée. Pis encore, au sein d'une espèce, les individus diffèrent quant à l'intensité des effets qu'ils éprouvent.

Les poisons dans la maison et dans le jardin

Un grand nombre de produits ménagers sont poisons. Les déboucheurs, les nettoyants pour le four et pour les cuvettes sont très corrosifs pour les tissus vivants. Certains pesticides sont passablement toxiques. L'eau de Javel et l'ammoniac sont tous les deux toxiques et leur combinaison peut être mortelle. L'hypochlorite de sodium dans l'eau de Javel réagit avec NH_3 pour donner des chloramines (NH_2Cl, $NHCl_2$ et NCl_3) et de l'oxychlorure d'azote ($NOCl$).

Même les produits ménagers jugés inoffensifs peuvent être dangereux pour les jeunes enfants. Une bouteille de sirop contre la toux peut donner lieu à une visite d'urgence à l'hôpital. Nous utilisons aussi des substances toxiques dans nos jardins, et il ne s'agit pas seulement des herbicides et des insecticides. Il arrive que les plantes elles-mêmes soient toxiques. L'iris, l'azalée, l'hortensia et le laurier-rose sont magnifiques, mais ces vivaces populaires sont poisons. Les baies du houx, les graines de la glycine, les feuilles et les fruits des haies du troène font aussi partie des éléments les plus toxiques de nos jardins. Certaines plantes intérieures, telles que le philodendron, contiennent également des poisons.

Les poisons corrosifs

Les bases et les acides forts, ainsi que les agents oxydants puissants, sont très corrosifs pour les tissus du corps humain. Ces substances n'épargnent aucun type de cellules vivantes. Les acides comme les bases, même en solution diluée, catalysent l'hydrolyse des protéines dans les cellules. Il s'agit de réactions qui entraînent la rupture des liaisons amides (peptidiques) des molécules protéiques. Dans les cas d'exposition grave à ces substances, la fragmentation se poursuit jusqu'à ce que le tissu soit complètement détruit.

Les polluants acides de l'air, tels que les aérosols d'acide sulfurique et les acides formés par l'incinération des plastiques ou d'autres déchets, ont des effets particulièrement destructeurs sur les tissus des poumons. D'autres polluants de l'air s'attaquent aussi aux cellules vivantes. On croit que l'ozone, le nitrate de peroxyacétyle (PAN) et les autres oxydants dans le smog photochimique ont pour principale conséquence nocive la désactivation des enzymes. Les sites actifs de celles-ci contiennent souvent des groupements thiol, $-SH$, que l'ozone peut transformer par oxydation en groupements sulfonés ($-SO_3H$). Cette modification empêche les enzymes de fonctionner, ce qui paralyse les processus vitaux dans les cellules. Il y a fort à parier que les agents oxydants peuvent aussi briser les liaisons dans beaucoup d'autres molécules des organismes vivants. Les substances très puissantes, comme l'ozone, sèment probablement le désordre sur une grande échelle plutôt que de causer des dégâts très précis.

Les agents qui bloquent le transport et l'utilisation de l'oxygène

 Biologie, p. 965-969.

Certaines substances chimiques bloquent le transport de l'oxygène dans le sang et empêchent l'oxydation des métabolites par l'oxygène dans les cellules. Elles agissent toutes sur les atomes de fer présents dans les molécules de protéines complexes. C'est ainsi que le monoxyde de carbone se lie fortement à l'atome de fer de l'hémoglobine, faisant obstacle au transport de l'oxygène (voir la section 9.2 de *Chimie générale*). Les nitrates diminuent aussi la capacité de l'hémoglobine à transporter l'oxygène. Sous l'action des microorganismes du tube digestif, ils sont réduits en nitrites, alors que les atomes de fer de l'hémoglobine sont oxydés de Fe^{2+} à Fe^{3+}. La *méthémoglobine* ainsi produite est incapable de transporter l'oxygène.

Les cyanures comptent parmi les poisons les plus célèbres, aussi bien dans la réalité que dans la littérature et les arts. Le cyanure de sodium est utilisé pour l'extraction de l'or et de l'argent ainsi que pour la galvanoplastie. Ces procédés en laissent échapper à l'occasion dans l'environnement. L'acide cyanhydrique est employé (avec beaucoup de précautions par des techniciens spécialisés) pour l'extermination des insectes et des rongeurs dans les cales des navires, les entrepôts, les wagons, les vergers d'agrumes et sur certains autres arbres fruitiers. On obtient l'acide cyanhydrique assez facilement en traitant un cyanure à l'acide :

$$CN^-(aq) + H_3O^+(aq) \longrightarrow HCN(g) + H_2O(l)$$

On peut ingérer accidentellement ou délibérément le NaCN et on peut inhaler le HCN. Dans les deux cas, le cyanure agit presque instantanément, et est mortel en très petite quantité. La dose létale moyenne pour un adulte est de seulement 50 à 200 mg.

Le cyanure empêche l'oxydation du glucose dans la cellule en formant un complexe stable avec les *cytochromes oxydases,* des enzymes qui contiennent du fer ou du cuivre. Normalement, ces enzymes fournissent des électrons qui servent à la réduction de l'oxygène dans les cellules. Le cyanure capte ces électrons mobiles, ce qui prive le processus de réduction d'un de ses composants essentiels et provoque l'arrêt brutal de la respiration cellulaire.

 *Biologie*, p. 178-180.

Le thiosulfate de sodium ($Na_2S_2O_3$) est l'antidote du cyanure, mais il doit être administré rapidement. Un atome de soufre est transféré de l'ion thiosulfate à l'ion cyanure et convertit ce dernier en ion thiocyanate (SCN^-), lequel est relativement inoffensif :

$$S_2O_3^{2-} + CN^- \longrightarrow SCN^- + SO_3^{2-}$$

Malheureusement, il est rare qu'une personne intoxiquée au cyanure vive assez longtemps pour recevoir le contrepoison.

Les métaux lourds

Pour la plupart, les métaux et leurs composés sont toxiques jusqu'à un certain point quand ils sont absorbés en grande quantité. Même les minéraux essentiels à la vie peuvent être toxiques lorsqu'on en consomme trop. Dans bien des cas, une quantité excessive (dose toxique) d'un métal peut s'avérer aussi dangereuse qu'un apport trop faible (carence). La **figure 9.6** illustre ce concept. En moyenne, un adulte a besoin de 10 à 18 mg de fer par jour. S'il en prend moins, il souffre d'anémie. À l'inverse, s'il en prend trop, il peut être atteint de vomissements ou de diarrhée, tomber en état de choc, sombrer dans le coma, voire mourir. Des enfants ayant consommé de 10 à 15 comprimés ne contenant pas plus de 325 mg de fer chacun (sous forme de $FeSO_4$) en sont morts.

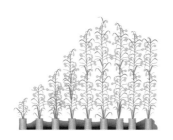

▲ **Figure 9.6 Effet des ions de cuivre sur la hauteur des semis d'avoine.**

De gauche à droite, les concentrations de Cu^{2+} sont les suivantes : 0, 3, 6, 10, 20, 100, 500, 2000 et 3000 mg/L. Les plantes situées à gauche sont carencées à divers degrés ; celles qui sont situées à droite montrent des signes d'intoxication au cuivre. En conséquence, la concentration optimale d'ions Cu^{2+} pour les semis d'avoine est d'environ 100 mg/L.

Le mécanisme par lequel s'effectue l'empoisonnement au fer n'est pas évident. Les métaux lourds — situés vers le bas du tableau périodique — produisent leur effet principalement en inactivant les enzymes (voir la section 2.11). Le mercure (sous forme d'ion Hg^{2+}) et le plomb (sous forme d'ion Pb^{2+}) agissent de cette façon. Les symptômes de l'empoisonnement au mercure, dont la perte de l'équilibre, de la vision, du toucher et de l'audition, ne se manifestent souvent qu'au bout de quelques semaines. Quand enfin on reconnaît les signes, d'importantes lésions au cerveau et aux autres parties du système nerveux ont déjà eu lieu. Ces lésions sont pour la plupart irréversibles.

L'intoxication au plomb est traitable si on la découvre à temps. Le contrepoison consiste habituellement à administrer un sel calcique d'EDTA (acide éthylène-diaminetétraacétique) par voie intraveineuse. Les ions Pb^{2+} sont échangés contre des ions Ca^{2+} et le complexe plomb-EDTA est excrété. Comme dans le cas de l'empoisonnement au mercure, les lésions du système nerveux dues aux composés du plomb sont pour l'essentiel irréversibles. Il faut intervenir rapidement pour que le traitement soit efficace.

Le cadmium (sous forme d'ion Cd^{2+}) est également toxique. Son mode d'action est différent de celui du mercure et du plomb. Il cause la perte d'ions calcium par les os, rendant ceux-ci fragiles et les exposant aux fractures. Il provoque aussi de graves douleurs abdominales, des vomissements, de la diarrhée et une sensation de suffocation.

Les neurotoxiques

Pour comprendre l'action des neurotoxiques, nous pouvons examiner comment l'acétylcholine accomplit sa tâche de neurotransmetteur, à l'aide de l'équation suivante :

$$\underset{\text{Acétylcholine}}{CH_3COOCH_2CH_2N^+(CH_3)_3} + H_2O \underset{\text{Acétylase}}{\overset{\text{Cholinestérase}}{\rightleftharpoons}} \underset{\text{Acide acétique}}{CH_3COOH} + \underset{\text{Choline}}{HOCH_2CH_2N^+(CH_3)_3}$$

Biologie, p. 1101-1115.

L'acétylcholine est un messager qui permet aux neurones de communiquer entre eux et avec les muscles. Après avoir transmis son « message », elle est hydrolysée en acide acétique et en choline par une enzyme, la cholinestérase. Par l'action d'une autre enzyme, l'acétylase, elle est reconstituée à partir de l'acide acétique et de la choline, ce qui lui permet de participer à nouveau à un influx nerveux.

Les neurotoxiques peuvent perturber le cycle de l'acétylcholine de trois manières :

- La toxine botulinique est une substance mortelle élaborée par la bactérie anaérobie *Clostridium botulinum.* On la trouve dans les aliments mis en conserve sans les précautions nécessaires. Elle inhibe la synthèse de l'acétylcholine. Sans messager, les influx nerveux ne passent pas d'un neurone à l'autre. La paralysie s'installe et la mort s'ensuit, généralement causée par une insuffisance respiratoire. Cependant, une des formes de la toxine botulinique, administrée en quantité infime, s'est avérée utile pour traiter certains spasmes musculaires. On injecte la toxine dans le muscle où elle empêche la synthèse de l'acétylcholine, supprimant les spasmes pendant trois mois dans certains cas. Le principe actif dans le traitement esthétique Botox est aussi une forme de toxine botulinique.

- Le curare, l'atropine et certains anesthésiques locaux bloquent les sites des récepteurs de l'acétylcholine. Dans ce cas, le message est envoyé mais il n'est pas reçu. En ce qui concerne les anesthésiques locaux, l'effet peut être bénéfique, puisqu'il permet de soulager la douleur dans une région circonscrite. Toutefois, si on les prend en quantité suffisante, même les anesthésiques peuvent entraîner la mort.

- Les *poisons anticholinestérasiques* inhibent la cholinestérase. L'acétylcholine n'étant pas dégradée, sa concentration demeure élevée et les cellules réceptrices se trouvent stimulées à l'excès. Les poisons anticholinestérasiques comprennent les insecticides organophosphorés et des armes chimiques telles que le tabun, le sarin et le soman.

Les neurotoxiques figurent parmi les produits de synthèse les plus nocifs qui soient. Quand ils sont inhalés ou absorbés par la peau, ils provoquent la perte totale de la coordination musculaire et entraînent la mort en inhibant la respiration. L'antidote habituel est l'atropine administrée par injection. On peut également pratiquer la respiration artificielle. Sans contrepoison, la mort survient au bout de 2 à 10 minutes.

Les pesticides aux hydrocarbures chlorés, tels que le DDT, sont relativement inoffensifs pour les mammifères. Ce sont néanmoins des neurotoxiques. L'empoisonnement aigu au DDT cause des tremblements et des convulsions, et aboutit à l'insuffisance cardiaque ou respiratoire. L'exposition chronique entraîne la dégénérescence du système nerveux central. D'autres substances organochlorées, telles que les BPC, ont un mode d'action similaire .

Biologie, p. 1302.

Malgré leur énorme potentiel de destruction et de mort, les neurotoxiques nous aident à mieux comprendre la chimie du système nerveux. Les connaissances acquises permettent aux scientifiques de mettre au point des antidotes. De plus, elles ouvrent la voie à des progrès sur d'autres fronts, plus positifs ceux-là — par exemple, celui de la lutte contre la douleur.

La détoxication et la potentialisation des poisons

Le corps humain peut résister à certains poisons absorbés en quantité moyenne. Le foie est capable de détoxiquer certains composés par oxydation, réduction ou combinaison à des acides aminés ou à d'autres molécules présentes normalement dans l'organisme. La voie la plus fréquente est probablement l'oxydation. L'éthanol est détoxiqué par oxydation en acétaldéhyde, lequel est oxydé à son tour en acide acétique, un composant normal des cellules. L'acide acétique est ensuite oxydé en dioxyde de carbone et en eau.

La nicotine est une substance très toxique contenue dans le tabac qui est détoxiquée par oxydation en cotinine :

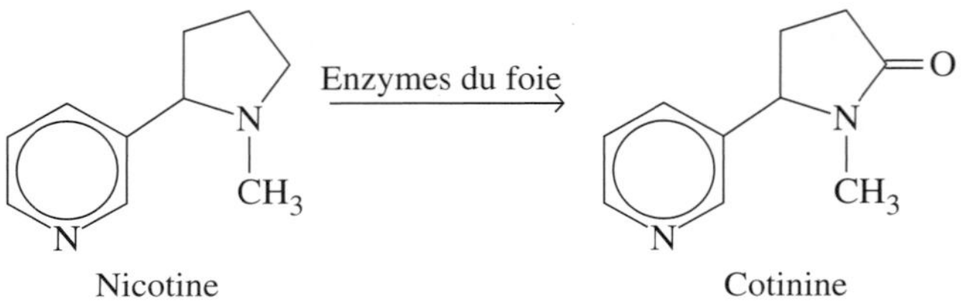

Nicotine   Cotinine

La cotinine est moins toxique que la nicotine. Elle est aussi plus soluble dans l'eau, en raison de l'atome d'oxygène supplémentaire ; en conséquence, elle est mieux excrétée dans l'urine.

Le foie possède un système d'enzymes, appelé P-450, qui effectue l'oxydation des composés liposolubles. Le système convertit ces derniers, qui sont susceptibles d'être retenus par l'organisme, en substances hydrosolubles faciles à excréter. Il peut aussi lier des molécules à des acides aminés. Par exemple, le toluène est essentiellement insoluble dans l'eau. Les enzymes P-450 le transforment par oxydation en acide benzoïque, qui se dissout mieux. Ce dernier est ensuite combiné à la glycine, un acide aminé, pour former de l'acide hippurique, qui est encore plus soluble et peut être excrété sans difficulté :

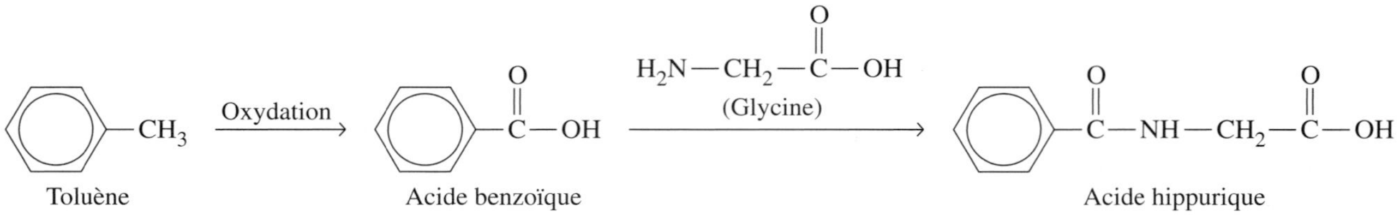

Toluène   Acide benzoïque   Acide hippurique

Les enzymes du foie peuvent seulement oxyder, réduire ou combiner des molécules. Le produit final n'est pas nécessairement moins toxique. Par exemple, le méthanol est oxydé en formaldéhyde, substance dont la toxicité est plus élevée. C'est probablement en réagissant avec les protéines des cellules que la formaldéhyde cause la cécité, les convulsions, l'insuffisance respiratoire et la mort, signes caractéristiques de l'intoxication au méthanol. De plus, les enzymes qui catalysent l'oxydation des alcools peuvent aussi désactiver la testostérone, principale hormone mâle. Chez les personnes dont l'alcoolisme est chronique, ces enzymes s'accumulent et entraînent une destruction plus rapide de l'hormone. C'est ce mécanisme qui serait à l'origine de l'impuissance alcoolique, conséquence bien connue de l'éthylisme.

Étant généralement inerte dans l'organisme, le benzène ne subit aucune transformation avant d'atteindre le foie. Là, il est lentement oxydé en époxyde, un éther cyclique contenant un noyau aromatique à trois atomes :

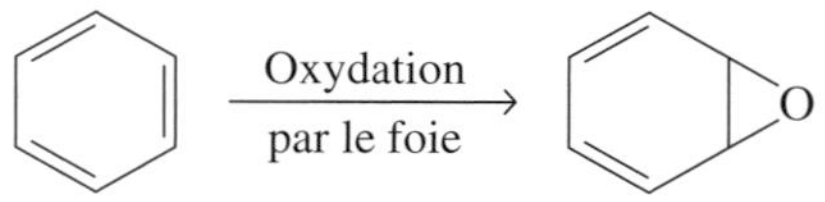

Ce type de réaction, appelée *potentialisation,* convertit une molécule relativement inoffensive en une substance beaucoup plus toxique. Dans le cas de la potentialisation du benzène, l'époxyde produit est une molécule très réactive qui s'attaque à certaines protéines clés et peut causer des dommages qui sont parfois à l'origine de la leucémie.

Le tétrachlorure de carbone, CCl_4, est aussi plutôt inerte dans l'organisme. Cependant, quand il passe dans le foie, il est converti en radical libre trichlorométhyle, $Cl_3C\cdot$. Ce dernier, qui est réactif, s'attaque aux acides gras insaturés de l'organisme et peut provoquer le cancer.

9.5 Les cancérogènes et les anticancérogènes

Une *tumeur,* résultat de la croissance anormale de nouveau tissu, peut être bénigne ou maligne. Les tumeurs bénignes se développent lentement, se résorbent souvent spontanément et n'envahissent pas les tissus environnants. Les tumeurs malignes, souvent appelées *cancers,* peuvent croître lentement ou rapidement, mais leur progression est généralement irréversible. Elles envahissent et détruisent les tissus autour d'elles. Le mot cancer ne s'applique pas à une maladie unique, mais désigne en réalité plus de 200 affections, dont beaucoup ne sont même pas étroitement apparentées.

Qu'est-ce qui cause le cancer ? Les réponses à cette question à première vue élémentaire sont assez diverses et loin d'être simples. Certaines substances modifient l'ADN, rendant le code illisible pour la réplication et la synthèse des protéines. Par exemple, on sait que l'aflatoxine B se lie aux guanines dans l'ADN. Toutefois, on ne sait pas exactement comment cela donne naissance au cancer .

 Biologie, p. 1302.

Beaucoup de formes de cancer sont attribuables, au moins en partie, à des facteurs génétiques. Il semble que certains gènes, appelés *oncogènes,* déclenchent ou favorisent les processus qui transforment les cellules normales en cellules cancéreuses. Les oncogènes sont, à l'origine, des gènes ordinaires qui régissent la croissance et la division cellulaire, et qui s'activent tout à coup lorsqu'ils sont exposés à un agent cancérogène, à des rayonnements ionisants, voire à certains virus. On croit qu'il faut la participation de plus d'un oncogène, peut-être à différentes étapes du processus, pour qu'un cancer survienne.

Notre corps possède aussi des gènes suppresseurs qui préviennent habituellement la formation de cancers. Pour qu'un néoplasme se développe, il faut que ces gènes soient inactivés, c'est-à-dire qu'ils aient muté, aient été altérés ou encore aient été perdus. De 10 à 15 mutations peuvent être nécessaires dans une cellule pour que celle-ci devienne cancéreuse. En conséquence, l'organisme jouit d'une certaine protection naturelle contre ce type de transformation.

Un agent **cancérogène** est une matière qui provoque le cancer. Bien des gens croient que les produits chimiques figurent parmi les principales causes de cancers, mais la plupart de ces derniers sont la conséquence d'habitudes de vie malsaines. Aux États-Unis, près des deux tiers des morts attribuables au cancer sont associées au tabagisme ainsi qu'aux régimes alimentaires mal équilibrés et au manque d'exercice qui engendrent l'obésité. Beaucoup de produits chimiques dont l'innocuité a été mise en doute, tels que les pesticides, ne se sont pas révélés cancérogènes après étude. On ne connaît qu'environ 30 composés chimiques capables de produire des néoplasmes chez l'humain. Quelque 300 autres peuvent provoquer des tumeurs malignes chez les animaux de laboratoire, mais il est souvent difficile de conclure à partir de résultats d'expériences sur des animaux qu'il existe un risque pour les êtres humains. Quoi qu'il en soit, certains de ces 300 produits sont d'usage courant et soulèvent par conséquent des inquiétudes.

Cancérogène

Qui provoque le cancer.

Il existe une forte corrélation entre le pouvoir cancérogène et certaines molécules de taille et de forme particulières. C'est ainsi que les hydrocarbures aromatiques polycycliques figurent parmi les agents tumorigènes les plus redoutés. De ceux-là, le mieux connu est le 3,4-benzopyrène :

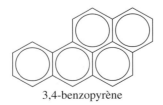

3,4-benzopyrène

CH₂—CH—CH—CH₂
  \O/   \O/
Bis(époxy)butane

H₂C
   \
    N—(CH₂)₁₁CH₃
   /
H₂C
N-lauryléthylèneimine

H₂C—CH₂
 | |
 O — C
       \\
        O
β-propiolactone

Trois composés hétérocycliques à petit noyau ayant des propriétés cancérogènes. La molécule du haut est un époxyde.

Il y a formation d'hydrocarbures polycycliques cancérogènes lors de la combustion incomplète de presque toute matière organique. On trouve ces substances dans les viandes grillées au charbon de bois, la fumée de cigarette, les gaz d'échappement des véhicules, le café, le sucre brûlé et dans beaucoup d'autres produits.

Les amines aromatiques constituent une autre classe importante de composés cancérogènes. Elles comprennent notamment la β-naphtylamine et la benzidine, qui étaient beaucoup utilisées autrefois en teinturerie et ont fait augmenter considérablement l'incidence des cancers de la vessie chez les travailleurs de cette industrie.

Les agents cancérogènes ne sont pas tous des composés aromatiques. Parmi les substances aliphatiques, on compte dans les premiers rangs la diméthylnitrosamine [$(CH_3)_2NNO$] et le chlorure de vinyle, que l'on polymérise pour obtenir le chlorure de polyvinyle. Certains époxydes, tels que le bis(époxy)butane, et certains noyaux hétérocycliques à trois ou quatre atomes contenant de l'oxygène ou de l'azote appartiennent également à cette classe de substances.

Les substances cancérogènes connues comprennent seulement quelques produits de synthèse. La plupart sont naturelles, comme le safrole du sassafras et les aflatoxines produites par les moisissures qui se trouvent sur les aliments. Selon certains chercheurs, 99,99 % des produits tumorigènes que nous consommons sont d'origine naturelle. Les plantes produisent des composés pour se protéger contre les champignons, les insectes et les animaux supérieurs, dont les humains. Il y a des molécules cancérogènes dans les champignons, le basilic, le céleri, la figue, la moutarde, le poivre, le fenouil, le panais et les huiles d'agrumes — presque partout où se pose le regard d'un chimiste curieux. Des cancérogènes sont aussi produits lors de la cuisson des aliments et par le métabolisme normal.

Compte tenu des multiples cancérogènes dans les aliments, comment se fait-il que nous n'ayons pas tous le cancer ? C'est en partie parce que certaines substances dans la nourriture jouent le rôle d'**anticancérogènes**. Par exemple, on croit que les fibres nous protègent contre le cancer du côlon et que le BHT (butyl-hydroxytoluène), un additif alimentaire, peut prévenir le cancer de l'estomac. Certaines vitamines ont des effets antitumorigènes.

Anticancérogène

Substance qui s'oppose à l'action d'un cancérogène ; prévient ou retarde le développement du cancer.

                    OH
                    |
(CH₃)₃C   C(CH₃)₃
         \   /
          [benzene ring]
              |
             CH₃
             BHT

Comment la fumée de cigarette cause le cancer

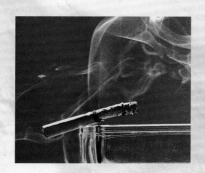

La fumée de cigarette contient au moins 40 substances cancérogènes, dont le 3,4-benzopyrène.

Le lien entre la fumée de cigarette et le cancer est connu depuis des décennies, mais ce n'est qu'en 1996 qu'on a mis au jour le mécanisme précis à l'origine de la maladie. Les scientifiques qui ont fait la découverte se sont penchés sur un gène suppresseur de tumeur appelé *P53,* lequel contient des mutations dans environ 60 % des cancers du poumon. Ils ont aussi étudié un métabolite du benzopyrène, une substance qui se trouve dans la fumée du tabac.

Dans l'organisme, le benzopyrène est oxydé en époxyde, un agent cancérogène actif qui se lie à des nucléotides particuliers du gène *P53*. Ces nucléotides font partie de sites appelés *points chauds,* où des mutations sont souvent observées. Il est très probable que le métabolite du benzopyrène cause un grand nombre de mutations dans ce gène.

La recherche a montré qu'un régime riche en crucifères (chou, brocoli, chou de Bruxelles, chou frisé et chou-fleur) réduit l'incidence du cancer chez les animaux et les humains. La nature exacte des composants de ces aliments qui protègent contre le cancer n'est pas connue. Il est possible qu'il s'agisse de plusieurs substances exerçant leur action en synergie. Ce sont apparemment les vitamines aux propriétés antioxydantes (les vitamines C et E, et le β-carotène, un précurseur de la vitamine A) qui ont le plus grand pouvoir anticancérogène. Certaines études sur l'utilisation séparée ou combinée des vitamines A, C et E ont confirmé que chacune de ces substances peut, dans une certaine mesure, faire diminuer l'incidence du cancer. Il existe probablement beaucoup d'autres anticancérogènes dans la nourriture : il ne nous reste qu'à les identifier.

Les études ont montré que les crucifères, dont le brocoli, le chou-fleur et le chou de Bruxelles, peuvent réduire l'incidence du cancer chez les humains.

9.6 Les matières dangereuses

Les reportages sur les substances toxiques ont fait naître beaucoup d'inquiétudes à propos des matières dangereuses dans l'environnement. Pour la protection de celui-ci, différentes règles doivent être respectées concernant la gestion de ces matières. Par définition, une matière dangereuse présente un risque pour la santé ou l'environnement. Au sens de la loi et des règlements s'y rapportant, elle peut être explosive, inflammable, toxique, radioactive, corrosive ou comburante, ou encore constituer un objet qui est assimilé à une matière dangereuse. Bien qu'on en exagère souvent la portée dans les médias, il existe à coup sûr des problèmes sérieux.

On classe généralement les **matières dangereuses** selon leurs propriétés :

- Les **matières inflammables** sont des substances qui peuvent s'enflammer ou brûler facilement, telles que l'essence, d'autres hydrocarbures, l'hydrogène, l'acétone, le magnésium.

- Les **matières toxiques** sont des substances qui causent des lésions lorsqu'elles sont inhalées ou ingérées. Le chlore, l'ammoniac, le formaldéhyde et les pesticides en sont des exemples.

- Les **matières corrosives** sont des substances qui corrodent les contenants et l'équipement. Ce sont, par exemple, les acides forts.

- Les **matières comburantes** sont des substances qui peuvent causer ou favoriser la combustion d'une autre matière, qu'elles soient elles-mêmes combustibles ou non, comme le peroxyde d'hydrogène et l'acide nitrique.

- Les **matières réactives** sont des substances qui réagissent ou se décomposent avec facilité, formant parfois des sous-produits dangereux. Elles comprennent les explosifs et les matières qui, en réagissant avec l'eau, dégagent des gaz toxiques, telles que les décolorants en poudre (hypochlorite de calcium).

Matière dangereuse

Substance qui, en raison de ses propriétés, présente un risque pour la santé ou l'environnement.

Matière inflammable

Substance qui s'enflamme ou brûler facilement.

Matière toxique

Substance ayant des effets néfastes sur la santé des humains et des animaux et sur l'environnement en général.

Matière corrosive

Substance qui corrode les surfaces métalliques et qui doit être entreposée dans un contenant spécial.

Matière comburante

Substance pouvant causer ou favoriser la combustion d'une autre matière.

Matière réactive

Substance qui réagit ou se décompose avec facilité, formant parfois des sous-produits dangereux.

(a) En 1970, le dépotoir de Malkins Bank, dans le Cheshire (Angleterre), était rempli de bidons d'où s'échappaient des déchets chimiques.
(b) Aujourd'hui, le site est décontaminé et a été transformé en terrain de golf municipal.

(a)   (b)

On constate, en examinant cette liste, que les matières dangereuses peuvent provoquer des incendies ou des explosions, contaminer les aliments et l'eau, polluer l'air et, à l'occasion, nous intoxiquer par contact direct. Toutefois, à moins de renoncer aux produits de l'industrie, nous sommes contraints de faire face aux problèmes que peuvent entraîner les déchets dangereux (**tableau 9.5**).

TABLEAU 9.5	**Produits industriels et sous-produits dangereux**
Produits	**Déchets**
Plastiques	Composés organochlorés
Pesticides	Composés organochlorés ou organophosphorés
Médicaments	Solvants organiques et résidus, métaux lourds (par exemple, mercure et zinc)
Peinture	Métaux lourds, pigments, solvants, résidus organiques
Huiles, essence	Huiles, phénols et autres composés organiques, métaux lourds, sels d'ammonium, acides, caustiques
Métaux	Métaux lourds, fluorures, cyanures, nettoyants acides et alcalins, solvants, pigments, abrasifs, sels d'électrodéposition, huiles, phénols
Cuir	Métaux lourds, solvants organiques
Textiles	Métaux lourds, teintures, composés organochlorés, solvants

Beaucoup de matières dangereuses peuvent être rendues moins nocives par des traitements chimiques. Par exemple, on peut neutraliser les déchets acides avec des bases bon marché, telles que la chaux. Cependant, le traitement le plus efficace des substances dangereuses, c'est de ne pas en produire du tout. Beaucoup d'industries ont modifié leurs méthodes de travail pour réduire au minimum les rebuts. Dans certains cas, elles récupèrent ceux-ci pour en tirer de l'énergie ou des matières utilisables. Les solvants aux hydrocarbures peuvent être purifiés et remis en service, ou encore être employés pour chauffer les fourneaux. Les déchets d'une industrie sont parfois la matière première d'une autre. Par exemple, on peut convertir en engrais l'acide nitrique qui a servi en métallurgie. Si, à la fin, elle ne peut pas être utilisée, incinérée ou traitée pour la rendre moins nocive, la matière dangereuse doit être entreposée dans un site d'enfouissement sûr. Malheureusement, les fuites sont fréquentes dans ces sites et les eaux souterraines se retrouvent contaminées. Dans ces cas-là, on déplace les matières toxiques pour nettoyer le dépotoir, transportant ainsi le problème ailleurs, dans une sorte de jeu sordide de chaises musicales.

À ce jour, il semble que l'incinération soit la meilleure technologie pour le traitement des déchets organiques, y compris celui des composés chlorés. Par exemple, la combustion à 1260 °C élimine 99,9999 % des composés chlorés tels que les BPC.

Il est possible que la *biodégradation* des déchets soit la voie de l'avenir. Par exemple, certains microorganismes peuvent dégrader les hydrocarbures dans l'essence. Il existe aussi des bactéries qui s'attaquent aux hydrocarbures chlorés quand on leur donne les nutriments appropriés.

Peser le pour et le contre

De plus en plus, il nous faut décider si les avantages que nous offrent les substances dangereuses valent les risques auxquels nous nous exposons en les utilisant. Dans les débats, les émotions tiennent autant de place que les faits, et les enjeux politiques et économiques déterminent la plupart des décisions. Néanmoins, les solutions possibles aux problèmes

La phytoremédiation

Beaucoup d'éléments du bloc *d* et certains éléments situés au bas des blocs *s* et *p*, tels que le plomb et le baryum, sont toxiques. La dépollution des sols lourdement contaminés par des métaux toxiques constitue un casse-tête majeur. Une des méthodes directes de nettoyage consiste à enlever le sol altéré et à le transporter ailleurs, mais il s'agit d'une solution très coûteuse qui ne fait que déplacer le problème.

La *phytoremédiation* est une technique prometteuse grâce à laquelle on pourrait débarrasser les sols des métaux lourds de même que des produits pétroliers ou d'autres composés organiques. Certaines espèces de plantes sont *hyperaccumulatrices,* c'est-à-dire qu'elles ont une grande affinité pour divers ions métalliques et d'autres corps chimiques bien précis. On cultive ces plantes sur les terrains à assainir. Après les avoir cueillies, on peut les traiter par déshydratation ou les réduire en cendres, ou les deux. Les résidus des plantes ont une masse beaucoup plus faible que celle du sol contaminé et leur mise au rebut s'en trouve grandement facilitée.

Dans certains cas, on a amélioré l'efficacité du procédé en arrosant les plantes avec une solution contenant un agent chélateur tel que l'EDTA. Les métaux liés par chélation s'accumulent mieux dans les végétaux. C'est ainsi que, dans le cas du plomb, on a pu multiplier la phytoremédiation par 100, et même plus.

Sebertia accuminata est une plante originaire de la Nouvelle-Calédonie qui peut accumuler les ions nickel(II) en grande quantité, à tel point que sa sève est verte! On croit que la capacité de stocker les métaux lourds est liée aux effets toxiques de ces éléments sur les insectes qui seraient tentés de se nourrir de la plante.

posés par ces substances se trouvent souvent dans le champ de compétence des chimistes. Nous espérons que les notions que vous avez acquises grâce au présent manuel vous aideront à prendre des décisions éclairées. Par-dessus tout, nous espérons que vous continuerez à vous intéresser à la chimie, car celle-ci influe sur presque tout ce que vous faites.

EXEMPLE **SYNTHÈSE**

La pluie normale est légèrement acide à cause de la dissolution du CO_2 atmosphérique dans l'eau de pluie et de l'ionisation de l'acide carbonique (H_2CO_3) qui se forme alors. À une pression partielle de $CO_2(g)$ de 101,325 kPa et à une température de 25 °C, la solubilité du $CO_2(g)$ dans l'eau équivaut à la solubilité à TPN, soit 0,759 mL de CO_2 par millilitre d'eau. Si l'air contient 0,037 % de CO_2 en volume, estimez le pH de l'eau de pluie lorsqu'elle est saturée de $CO_2(g)$.

→ Stratégie

Pour calculer le pH de l'eau de pluie, nous devons connaître la concentration molaire volumique du CO_2 dissous dans l'eau sous forme de H_2CO_3. Nous pouvons obtenir cette concentration en calculant, à l'aide de la loi de Henry, la solubilité du CO_2 à partir de son pourcentage dans l'air. De la concentration molaire volumique de H_2CO_3, nous pouvons estimer le pH de la solution à l'équilibre par la méthode habituelle.

→ Solution

Nous connaissons le volume de CO_2 dissous en millilitres de CO_2 à TPN par millilitre d'eau, qui est égal à la valeur en litres de CO_2 par litre de H_2O. Nous calculons alors la solubilité (S) en milligrammes de CO_2 par gramme de H_2O à l'aide du volume molaire d'un gaz (22,4 L/mol).

$$\frac{0,759 \text{ mL de } CO_2}{1 \text{ mL de } H_2O} = \frac{0,759 \text{ L de } CO_2}{1 \text{ L de } H_2O}$$

$$? \frac{\text{mg de } CO_2}{\text{g de } H_2O} = \frac{0,759 \text{ L de } CO_2}{1 \text{ L de } H_2O} \times \frac{1 \text{ mol de } CO_2}{22,4 \text{ L de } CO_2} \times \frac{44,01 \text{ g de } CO_2}{1 \text{ mol de } CO_2} \times \frac{10^3 \text{ mg de } CO_2}{1 \text{ g de } CO_2}$$

$$\times \frac{1 \text{ L de } H_2O}{10^3 \text{ mL de } H_2O} \times \frac{1 \text{ mL de } H_2O}{1 \text{ g de } H_2O} = 1,491 \text{ mg de } CO_2/\text{g de } H_2O$$

En utilisant la loi de Henry, équation 1.5, nous calculons la solubilité du CO_2 à l'aide du pourcentage de CO_2 dans l'air.

$$k = \frac{S}{P_{CO_2}} = \frac{1,491 \text{ mg de } CO_2/\text{g de } H_2O}{101,325 \text{ kPa}} = \frac{S \text{ de } CO_2}{0,037 \% \times 101,325 \text{ kPa}}$$

$$S = 5,518 \times 10^{-4} \text{ mg de } CO_2/\text{g de } H_2O$$

De la solubilité, nous calculons la concentration molaire volumique du CO_2 dans l'eau, en supposant que le volume d'eau correspond au volume de la solution.

$$? \text{ mol de } CO_2/\text{L} = \frac{5,518 \times 10^{-4} \text{ mg de } CO_2}{1 \text{ g de } H_2O} \times \frac{1 \text{ g de } CO_2}{10^3 \text{ mg de } CO_2} \times \frac{1 \text{ mol de } CO_2}{44,01 \text{ g de } CO_2}$$

$$\times \frac{1 \text{ g de } H_2O}{1 \text{ mL de } H_2O} \times \frac{1 \text{ mL de } H_2O}{1 \text{ mL de solution}} \times \frac{10^3 \text{ mL de solution}}{1 \text{ L de solution}}$$

$$= 1,25 \times 10^{-5} \text{ mol/L}$$

Le CO_2 forme de l'acide carbonique avec l'eau. Ainsi :

$$[CO_2] = [H_2CO_3] = 1,25 \times 10^{-5} \text{ mol/L}$$

Calculons maintenant la concentration molaire volumique des ions $H_3O^+ = x$, à l'équilibre, et ensuite le pH.

$$H_2CO_3 + H_2O \rightleftharpoons HCO_3^- + H_3O^+$$

$$K_a = \frac{[HCO_3^-][H_3O^+]}{[H_2CO_3]} = 4,4 \times 10^{-7}, \text{ selon l'annexe C}$$

La réaction	H_2CO_3	$+$	H_2O	$\rightleftharpoons$	$H_2CO_3^-$	$+$	H_3O^+
Concentrations initiales (mol/L)	$1,25 \times 10^{-5}$						
Modifications (mol/L)	$-x$				$+x$		$+x$
À l'équilibre (mol/L)	$1,25 \times 10^{-5} - x$				x		x

$$K_a = 4,4 \times 10^{-7} = \frac{x^2}{(1,25 \times 10^{-5} - x)}$$

$$5,5 \times 10^{-12} - 4,4 \times 10^{-7}x = x^2$$

La résolution de cette équation nous donne :

$$x = 2,1 \times 10^{-6} \text{ mol/L et } -2,58 \times 10^{-6} \text{ mol/L}$$

La valeur positive étant la seule possible, nous obtenons :

$$[H_3O^+] = 2,1 \times 10^{-6} \text{ mol/L}$$

$$pH = 5,68$$

→ Évaluation

Notre résultat semble correct, car une valeur de 5,68 pour le pH est plausible. En effet, nous avons mentionné à la section 9.3 qu'une pluie dite normale a un pH d'environ 5,6 en raison de la présence de CO_2 qui, une fois dissous dans l'eau, forme de l'acide carbonique, H_2CO_3. Néanmoins, nous aurions pu abréger notre calcul en utilisant la concentration molaire volumique (mol/L) au lieu de la solubilité (S) dans l'équation de Henry. Le calcul aurait été le suivant.

$$? \frac{mol}{L} = \frac{0,759 \text{ L de } CO_2}{1 \text{ L de } H_2O} \times \frac{1 \text{ mol de } CO_2}{22,4 \text{ L de } CO_2} = 0,0339 \text{ mol/L}$$

$$k = \frac{mol/L}{P} = \frac{0,0339 \text{ mol/L}}{101,325 \text{ kPa}} = \frac{[CO_2]}{0,000\,37 \times 101,325 \text{ kPa}}$$

$$[CO_2] = [H_2CO_3] = 1,25 \times 10^{-5} \text{ mol/L}$$

Le reste du calcul est le même.

Résumé

9.1 **Les eaux naturelles de la Terre**   L'eau couvre les trois quarts de la surface terrestre. Environ 1 % de cette eau est douce. L'eau possède une masse volumique, une capacité thermique et une chaleur de vaporisation plus élevées que la plupart des autres liquides. Contrairement à la majorité des autres liquides, l'eau se dilate lorsqu'elle gèle.

9.2 **La pollution de l'eau**   L'eau est facilement contaminée par plusieurs composés chimiques et par les microorganismes. Certains contaminants proviennent de sources naturelles et d'autres des activités humaines. Le déversement des eaux d'égouts dans les lacs et les cours d'eau augmente la quantité de matières organiques dans ceux-ci. La décomposition de ces matières par l'oxygène dissous s'appelle l'**oxydation aérobie**. À un niveau élevé de matière organique, l'oxydation aérobie peut entraîner une augmentation de la **demande biochimique d'oxygène (DBO)** et causer la disparition des formes vivantes supérieures. Lorsqu'ils servent de nutriments pour les algues, les polluants de l'eau favorisent l'**eutrophisation** des lacs et des cours d'eau. Quand les réserves d'oxygène dissous dans un plan d'eau sont épuisées, ce sont alors les mécanismes de **dégradation anaérobie** qui prennent la relève. Dans ce cas, la matière organique est réduite en CH_4, en H_2S et en NH_3, ce qui provoque la disparition de nombreuses formes de vie aquatique.

Beaucoup de villes et de villages consomment de l'eau provenant de lacs ou de rivières. Souvent, cette eau a déjà été utilisée par d'autres en amont. Elle peut être polluée par des produits chimiques ou des microorganismes pathogènes. Pour la rendre potable, il faut la soumettre à des traitements physiques et chimiques comme la décantation, la filtration, l'aération et la chloration. La fluoration semble avoir grandement réduit l'incidence de la carie dentaire chez les enfants.

Le traitement des eaux usées nécessite habituellement plusieurs procédés. Le **traitement primaire des eaux usées** consiste à éliminer les éléments solides de gros diamètre et à laisser déposer les sédiments. Il permet d'éliminer les matières solides sous forme de boue. Dans le **traitement secondaire**, les eaux usées sont biodégradées par la méthode des **étangs aérés** ou des **boues activées**. Le **traitement avancé**, aussi appelé **traitement tertiaire**, fait appel à plusieurs méthodes, comme la dénitrification, la déphosphatation et d'autres méthodes plus coûteuses telles que la filtration sur charbon de bois, les échanges d'ions ou l'osmose inverse.

9.3 **Les pluies acides et les eaux acides**   Les oxydes de soufre et d'azote peuvent réagir avec l'eau contenue dans l'atmosphère pour produire des **pluies acides**. Ces pluies peuvent rendre les lacs et les ruisseaux tellement acides que les populations de poissons et les autres formes de vie aquatique sont menacées.

9.4 **Les poisons** Certaines activités mettent en péril diverses formes de vie dans la **biosphère** de la Terre. La **toxicologie** est l'étude des effets des poisons sur les organismes vivants. Les substances toxiques exercent leur action de différentes façons. Les acides forts et les bases fortes sont des poisons corrosifs. Certaines espèces chimiques, comme l'ozone, sont des agents oxydants puissants. Le monoxyde de carbone et les nitrites font obstacle au transport de l'oxygène dans le sang. Les cyanures bloquent la respiration cellulaire. Des métaux lourds, comme le plomb et le mercure, inhibent certaines enzymes en se liant à leurs groupements SH.

Les neurotoxiques, tels que les organophosphates, perturbent le cycle de l'acétylcholine.

9.5 **Les cancérogènes et les anticancérogènes** Les **cancérogènes** sont des poisons lents qui déclenchent la croissance de tumeurs malignes. Nombre d'aliments naturels inhibent la croissance cancéreuse et sont appelés **anticancérogènes**.

9.6 **Les matières dangereuses** Les **matières dangereuses** sont des produits et des sous-produits industriels qui peuvent causer des maladies ou la mort. Les cinq classes de matières dangereuses sont les **matières inflammables**, les **matières toxiques**, les **substances corrosives**, les **substances comburantes** et les **matières réactives**.

Mots clés

Vous trouverez également la définition des mots clés dans le glossaire à la fin du livre.

anticancérogène **430**
biosphère **423**
cancérogène **429**
dégradation anaérobie **416**
demande biochimique d'oxygène
   (DBO) **416**
eutrophisation **416**
matière comburante **431**

matière corrosive **431**
matière dangereuse **431**
matière inflammable **431**
matière réactive **431**
matière toxique **431**
méthode des boues activées **420**
méthode des étangs aérés **420**
oxydation aérobie **416**

pluie acide **422**
toxicologie **424**
traitement avancé
   (traitement tertiaire) **421**
traitement primaire des eaux usées **420**
traitement secondaire
   des eaux usées **420**

Problèmes par sections

9.1 Les eaux naturelles de la Terre

1. Quelle est la proportion d'eau de mer à la surface de la planète ? Pourquoi les mers sont-elles salées ?

2. Quelles impuretés sont présentes dans l'eau de pluie ?

3. Énumérez quatre cations et trois anions présents dans les eaux souterraines.

9.2 La pollution de l'eau

4. Nommez quelques maladies transmises par l'eau contaminée. Pourquoi ces maladies sont-elles rares dans les pays développés ?

5. Que signifie DBO ? Pourquoi un taux élevé de DBO est-il indésirable ?

6. Quels sont les produits de la décomposition des matières organiques dans l'eau par

   a) les bactéries aérobies ?

   b) les bactéries anaérobies ?

7. Énumérez quelques cas dans lesquels les eaux souterraines sont contaminées. Quels sont les contaminants industriels habituels de ces eaux ?

8. Pourquoi les hydrocarbures chlorés restent-ils si longtemps dans l'eau souterraine ?

9. Nommez deux composés toxiques trouvés dans les eaux usées du procédé de placage au chrome.

10. Décrivez les procédés suivants et dites quelles impuretés ils laissent derrière eux dans l'eau.

   a) Traitement primaire des eaux usées

   b) Traitement secondaire des eaux usées

11. Décrivez le procédé de traitement des eaux usées par la boue activée. Pourquoi chlore-t-on l'eau usée avant de la retourner au réseau de distribution ?

12. Que comprend le traitement avancé des eaux usées ? Quelles substances sont enlevées des eaux usées par la filtration au charbon de bois ? Pourquoi est-il difficile d'enlever les ions nitrate des eaux usées ?

13. Pourquoi les approvisionnements en eau des municipalités sont-ils

   a) traités au sulfate d'aluminium ?

   b) aérés ?

   c) chlorés ?

9.3 Les pluies acides et les eaux acides

14. Décrivez les étapes par lesquelles la combustion de charbon à haute teneur en soufre donne lieu à la formation de pluies acides.

15. Donnez deux raisons expliquant l'acidification des lacs et des cours d'eau. Pourquoi l'eau acide est-elle particulièrement nocive pour les jeunes poissons ?

16. Citez plusieurs moyens de réduire l'acidité des pluies. Quel type de roches a tendance à neutraliser les eaux acides ?

Comment peut-on remettre en état (du moins, temporairement) les lacs trop acides ?

17. Donnez l'équation de la neutralisation de l'eau acide par la pierre à chaux.

18. Donnez deux raisons pour lesquelles l'Est du Canada est particulièrement sensible aux précipitations acides ?

9.4 Les poisons

19. Illustrez par un exemple le fait que la toxicité d'une substance dépend de la voie par laquelle celle-ci pénètre dans l'organisme.

20. Nommez trois poisons corrosifs. Comment les acides et les bases en solution diluée endommagent-ils les cellules vivantes ? Comment l'ozone attaque-t-il les cellules vivantes ?

21. Comment les cyanures exercent-ils leur effet toxique ? Comment le thiosulfate de sodium agit-il comme antidote à un empoisonnement au cyanure ?

22. Le fer, sous forme de Fe^{2+}, est un nutriment nécessaire. Quels sont les effets sur l'organisme d'une carence en Fe^{2+} ? d'un taux trop élevé de Fe^{2+} ?

23. Qu'est-ce que l'acétylcholine ? Décrivez son action.

24. Comment le cycle de l'acétylcholine est-il perturbé par

   a) la toxine botulinique ?

   b) le sarin ?

   c) les composés organophosphorés ?

25. Qu'est-ce que le système d'enzymes P-450 ? Quel est son rôle ? Ce système permet-il toujours de détoxiquer les substances étrangères qui pénètrent dans l'organisme ?

26. Donnez deux raisons pour lesquelles la transformation de la nicotine en cotinine dans le foie diminue le danger d'empoisonnement à la nicotine ?

27. Nommez deux étapes dans la détoxication du toluène ingurgité. Quel est l'effet de chacune de ces étapes ?

9.5 Les cancérogènes et les anticancérogènes

28. Qu'est-ce qu'une tumeur ? Quelle est la différence entre une tumeur bénigne et une tumeur maligne ?

29. Définissez les termes ci-dessous. Comment agissent-ils dans le développement du cancer ?

   a) Oncogènes

   b) Gènes suppresseurs

30. Énumérez quelques situations dans lesquelles les hydrocarbures polycycliques sont formés.

9.6 **Les matières dangereuses**

31. Qu'entend-on par matière dangereuse?

32. Définissez les termes suivants et donnez un exemple de chacun d'eux.

a) Matière comburante

b) Matière inflammable

c) Matière corrosive

Problèmes complémentaires

 Les solutions présentées sous forme de clips sont indiquées par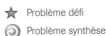

★ Problème défi

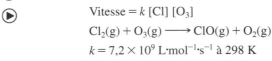 Problème synthèse

33. Les eaux usées désinfectées au chlore doivent être déchlorées lorsque des organismes vivants sensibles au chlore risquent d'y être exposés. L'agent utilisé pour enlever le chlore est souvent le dioxyde de soufre. Écrivez l'équation de cette réaction. Le chlore est-il oxydé ou réduit? Nommez l'agent oxydant et l'agent réducteur dans la réaction.

34. Combien de kilogrammes de chaux éteinte, $Ca(OH)_2$, sont-ils nécessaires pour neutraliser l'eau d'un lac acidifiée par les pluies acides. L'eau équivaut à une solution d'acide sulfurique $2{,}0 \times 10^{-4}$ mol/L? Le lac mesure 300 m × 200 m et possède une profondeur moyenne de 5,0 m.

35. Suggérez une raison pour expliquer le coût extrêmement élevé de la distillation comparativement aux autres méthodes employées dans le traitement tertiaire des eaux usées. (Voir le tableau 9.4.)

36. Pour prévenir la carie dentaire, on ajoute habituellement des ions F^- à l'eau potable de façon à obtenir une concentration de 1,00 ppm. Un réservoir cylindrique, rempli d'eau, a un diamètre de 5,00 m et une profondeur de 12,0 m. Quelle masse de NaF(s) est nécessaire pour obtenir 1,00 ppm d'ions F^- dans le réservoir? Quel volume d'une solution aqueuse de NaF, 0,150 mol/L, serait nécessaire pour obtenir la concentration voulue de F^- (1,00 ppm)?

37. La concentration du trichloroéthane, CH_3CCl_3, dans un échantillon d'eau souterraine est de 34 ppb. Quelle en est la concentration en nanomoles par litre?

38. Un réservoir perforé déverse 875 kg de propan-2-ol, C_3H_8O, dans un lac ayant un volume de $1{,}8 \times 10^8$ L. De combien la DBO (mg/L) augmentera-t-elle à la suite de ce déversement? Supposez que le propan-2-ol est oxydé en CO_2.

39. Le chlore, même à très basse concentration, peut être toxique pour les organismes aquatiques. De plus, il réagit avec les substances organiques dans l'eau pour former des composés organochlorés, également toxiques, comme le chloroforme et les phénols chlorés. Les eaux usées qui contiennent encore du chlore sont par conséquent souvent déchlorées avant d'être déversées dans l'environnement. À faible pH (pH < 1), le chlore existe principalement sous forme de Cl_2(aq). À pH élevé (pH > 8,5), il est en grande partie transformé en OCl^- et en Cl^-. Deux réactifs principaux sont utilisés pour la déchloration des eaux usées:

le dioxyde de soufre (ou des sels qui libèrent du SO_2, tels que $NaHSO_3$) et le peroxyde d'hydrogène. Écrivez l'équation de la réaction des ions OCl^- dans l'eau usée ayant un pH de 12,3 avec

a) $NaHSO_3$

b) H_2O_2

40. Plusieurs règlements sur le traitement des eaux usées exigent qu'on réduise les niveaux de phosphate dans les effluents qui retournent à l'environnement. Cela peut être effectué par divers agents qui forment des précipités, comme

a) le chlorure de fer(III)

b) le sulfate d'aluminium

c) CaO

Écrivez l'équation de la précipitation qui se produit avec chacun de ces réactifs. Dans chaque cas, calculez la concentration du cation nécessaire pour que la concentration de PO_4^{3-} soit réduite à 10 ppm.

41. Lors d'une investigation sur un ancien site d'enfouissement, un étudiant trouve une cannette de métal contenant 12 onces de liquide. L'étiquette indique qu'elle contient une substance que le manuel de données classe comme cancérogène. Elle indique également que la substance est à une concentration de 8,2 mg par once liquide. De retour au laboratoire, l'étudiant se renseigne sur ce liquide et découvre que 2,0 milliards de cannettes semblables étaient autrefois remplies et distribuées chaque année au pays.

a) Combien de milligrammes de substance cancérogène contenait chaque cannette?

b) Combien de tonnes métriques de cette substance cancérogène a-t-on distribuées chaque année?

42. La décomposition de l'ozone par les atomes de chlore peut être décrite par la loi de vitesse.

$$\text{Vitesse} = k\,[Cl]\,[O_3]$$
$$Cl_2(g) + O_3(g) \longrightarrow ClO(g) + O_2(g)$$
$$k = 7{,}2 \times 10^9 \; L\cdot mol^{-1}\cdot s^{-1} \text{ à } 298 \text{ K}$$

De quelle façon la vitesse de destruction de l'ozone serait-elle modifiée si la concentration d'atomes de chlore venait à doubler?

43. Si la moyenne de l'humidité relative à la surface de la Terre est de 70 % à la température moyenne du globe, soit 14 °C, estimez la masse de vapeur d'eau dans une couche d'atmosphère de 1,0 km d'épaisseur mesurée à partir du niveau de la mer. La Terre a une surface solide de $1,5 \times 10^6$ km² et une surface liquide de $3,6 \times 10^6$ km². L'eau de mer a des concentrations de NaCl et de MgCl₂ d'environ 0,44 mol/L et 0,051 mol/L, respectivement.

44. Une quantité d'eau d'égout est séchée à 28 % de matières solides. Dans la boue, l'eau restante a un pH de 6,0. On traite cette boue afin de la rendre assez basique pour éliminer les microorganismes pathogènes et afin d'obtenir un engrais acceptable pour l'épandage sur les terres agricoles. Quelle quantité de chaux vive (CaO) est nécessaire pour faire passer à 12,0 le pH de 1,0 tonne métrique de cette boue ?

$$CaO(s) + H_2O(l) \longrightarrow Ca(OH)_2(aq)$$

45. Le marbre, qui est principalement composé de carbonate de calcium, est un matériau qu'on a beaucoup employé pour des statues et des ornements d'édifices. Toutefois, il est facilement attaqué par les acides. Supposez que l'équation globale suivante représente l'action de l'acide sur le marbre.

$$CaCO_3(s) + H_3O^+(aq) \rightleftharpoons Ca^{2+}(aq) + HCO_3^-(aq) + H_2O(l)$$

Déterminez la constante d'équilibre pour cette réaction. Calculez la solubilité du marbre (concentration de Ca^{2+} en solution saturée) dans

a) l'eau de pluie normale, dont le pH est de 5,6 ;

b) l'eau de pluie acide, ayant un pH de 4,22.

(*Indice :* Quelles réactions a-t-on combinées pour écrire l'équation globale ?)

46. La combustion d'un hydrocarbure, notamment en présence d'une quantité limitée d'oxygène, produit un mélange de dioxyde de carbone et de monoxyde de carbone. La décomposition d'un carbonate de métal par un acide produit seulement du dioxyde de carbone, même si la quantité d'acide est limitée. Expliquez cette différence.

Annexe A

Opérations mathématiques

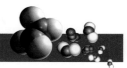

A.1 La notation exponentielle

Pour exprimer un nombre en notation exponentielle, on l'écrit sous la forme du produit d'un coefficient — habituellement une valeur comprise entre 1 et 10 — et d'une puissance de 10. Voici deux exemples de *notation exponentielle,* parfois appelée *notation scientifique,* utilisée en science.

$$4,18 \times 10^3 \text{ et } 6,57 \times 10^{-4}$$

On choisit généralement la forme exponentielle pour deux raisons : (1) elle permet d'écrire des nombres très grands ou très petits dans un minimum d'espace et réduit le risque d'erreurs d'écriture ; (2) elle contient des informations explicites sur la précision des mesures : le nombre de chiffres significatifs dans une quantité mesurée est indiqué sans ambiguïté.

Dans l'expression 10^n, n est l'exposant de 10, et on dit que le nombre 10 est élevé à la puissance n. Si n est une quantité *positive*, 10^n a une valeur *supérieure à 1*. Si n est une quantité *négative,* 10^n a une valeur *inférieure à 1*. On s'intéresse particulièrement aux cas où n est un entier, comme dans les exemples suivants :

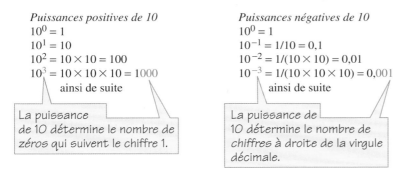

On exprime 612 000 et 0,000 505 sous la forme exponentielle de la manière suivante :

$$612\ 000 = 6,12 \times 100\ 000 = 6,12 \times 10^5$$
$$0,000\ 505 = 5,05 \times 0,0001 = 5,05 \times 10^{-4}$$

Les étapes suivantes permettent d'écrire plus directement des nombres sous la forme exponentielle :

- On établit de combien de chiffres il faut déplacer la virgule décimale pour obtenir un coefficient d'une valeur comprise entre 1 et 10.
- Le nombre de chiffres obtenu devient la puissance de 10.
- La puissance de 10 est *positive* si la virgule décimale est déplacée vers la *gauche*.

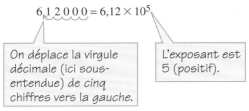

• La puissance de 10 est *négative* quand la virgule décimale est déplacée vers la *droite*.

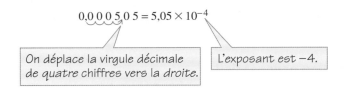

$$0{,}0\,0\,0\,5{,}0\,5 = 5{,}05 \times 10^{-4}$$

On déplace la virgule décimale de quatre chiffres vers la *droite*.

L'exposant est −4.

Pour convertir un nombre de la forme exponentielle à la forme courante, on déplace la virgule décimale dans le sens opposé.

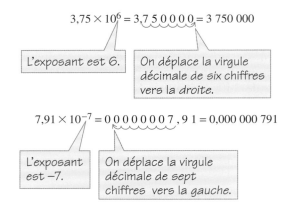

$$3{,}75 \times 10^6 = 3{,}7\,5\,0\,0\,0\,0 = 3\,750\,000$$

L'exposant est 6.

On déplace la virgule décimale de six chiffres vers la *droite*.

$$7{,}91 \times 10^{-7} = 0\,0\,0\,0\,0\,0\,0\,7{,}9\,1 = 0{,}000\,000\,791$$

L'exposant est −7.

On déplace la virgule décimale de sept chiffres vers la *gauche*.

Il est facile de manipuler les nombres exponentiels sur la plupart des calculatrices électroniques. En général, il suffit d'entrer le nombre décimal, puis d'appuyer sur la touche EXP et d'entrer l'exposant. Pour entrer le nombre $2{,}85 \times 10^7$, il faut appuyer sur les touches [2] [.] [8] [5] [EXP] [7], et le résultat s'affiche sous la forme [2,85^{07}].

Pour le nombre $1{,}67 \times 10^{-5}$, les touches sont [1] [.] [6] [7] [EXP] [5] [±], et le résultat affiché est [1,67^{-05}].

Les touches de votre calculatrice peuvent différer de celles qui sont illustrées ici. Vérifiez les instructions données dans le manuel qui l'accompagne.

De nombreuses calculatrices peuvent être réglées pour convertir tous les nombres sous la forme exponentielle, quelle que soit la forme sous laquelle ils sont entrés. Généralement, une calculatrice peut aussi être réglée pour afficher un nombre déterminé de chiffres significatifs dans les résultats.

L'addition et la soustraction

Pour additionner ou soustraire un nombre en notation exponentielle sans recourir à une calculatrice, il faut que chaque quantité ait la même puissance de 10. La puissance de 10 est alors traitée comme une unité, c'est-à-dire qu'elle est simplement « transportée » dans le calcul. Dans l'exemple qui suit, chaque quantité est exprimée comme une puissance de 10^{-3}.

$$\left(3{,}22 \times 10^{-3}\right) + \left(7{,}3 \times 10^{-4}\right) - \left(4{,}8 \times 10^{-4}\right)$$

$$= \left(3{,}22 \times 10^{-3}\right) + \left(0{,}73 \times 10^{-3}\right) - \left(0{,}48 \times 10^{-3}\right)$$

$$= \left(3{,}22 + 0{,}73 - 0{,}48\right) \times 10^{-3}$$

$$= 3{,}47 \times 10^{-3}$$

En revanche, la plupart des calculatrices exécutent ces opérations automatiquement, de sorte que vous n'aurez généralement pas besoin de convertir les nombres à la puissance de 10.

La multiplication et la division

Pour multiplier des nombres exprimés sous la forme exponentielle, on *multiplie* tous les coefficients, ce qui donnera celui du résultat final, et on *additionne* tous les exposants, ce qui donnera la puissance de 10 du résultat final.

$$0,0803 \times 0,0077 \times 455 = \left(8,03 \times 10^{-2}\right) \times \left(7,7 \times 10^{-3}\right) \times \left(4,55 \times 10^{2}\right)$$
$$= (8,03 \times 7,7 \times 4,55) \times 10^{(-2-3+2)}$$
$$= \left(2,8 \times 10^{2}\right) \times 10^{-3} = 2,8 \times 10^{-1}$$

Pour diviser deux nombres sous la forme exponentielle, on *divise* les coefficients pour obtenir le résultat, et on *soustrait* l'exposant du dénominateur de celui du numérateur pour obtenir la puissance de 10. L'exemple ci-dessous combine multiplication et division. On applique d'abord la règle pour la multiplication au numérateur et au dénominateur séparément, puis on utilise la règle pour la division.

$$\frac{0,015 \times 0,0088 \times 822}{0,092 \times 0,48} = \frac{\left(1,5 \times 10^{-2}\right)\left(8,8 \times 10^{-3}\right)\left(8,22 \times 10^{2}\right)}{\left(9,2 \times 10^{-2}\right)\left(4,8 \times 10^{-1}\right)}$$

$$\frac{1,1 \times 10^{-1}}{4,4 \times 10^{-2}} = 0,25 \times 10^{-1-(-2)} = 0,25 \times 10^{1}$$

$$= 2,5 \times 10^{-1} \times 10^{1} = 2,5$$

Comme dans le cas de l'addition et de la soustraction, la plupart des calculatrices électroniques exécutent la multiplication, la division et les combinaisons des deux sans qu'il soit nécessaire d'enregistrer les résultats intermédiaires.

L'élévation d'un nombre à une puissance et l'extraction de la racine d'un nombre exponentiel

Pour élever un nombre exponentiel à une puissance donnée, on élève le coefficient à cette puissance, et on multiplie l'exposant par cette puissance. Par exemple, on peut élever un nombre au *cube* (c'est-à-dire l'élever à la puissance *trois*) de la manière suivante :

$$(0,0066)^{3} = (6,6 \times 10^{-3})^{3} = (6,6)^{3} \times (10^{-3})^{3}$$

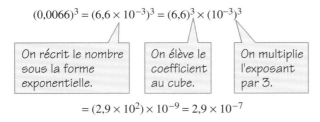

On récrit le nombre sous la forme exponentielle.

On élève le coefficient au cube.

On multiplie l'exposant par 3.

$$= (2,9 \times 10^{2}) \times 10^{-9} = 2,9 \times 10^{-7}$$

Pour extraire la racine d'un nombre exponentiel, on élève le nombre à une puissance *fractionnaire* : la puissance *une demie* pour une racine carrée, la puissance *un tiers* pour une racine cubique, et ainsi de suite. La plupart des calculatrices ont des touches servant à l'extraction de racines carrées et de racines cubiques. Par conséquent, pour extraire la racine carrée de $1,57 \times 10^{-5}$, on entre le nombre $1,57 \times 10^{-5}$ et on appuie sur la touche $\left[\sqrt{}\right]$.

$$\sqrt{1,57 \times 10^{-5}} = 3,96 \times 10^{-3}$$

Pour extraire la racine cubique de $3,18 \times 10^{10}$, on entre le nombre $3,18 \times 10^{10}$ et on appuie sur la touche $\left[\sqrt[3]{}\right]$.

$$\sqrt[3]{3,18 \times 10^{10}} = 3,17 \times 10^{3}$$

Avec certaines calculatrices, on peut extraire les racines en entrant l'exposant sous forme fractionnaire à l'aide d'une touche.

$$(2,75 \times 10^{-9})^{1/5} = 1,94 \times 10^{-2}$$

On peut aussi extraire les racines d'un nombre en utilisant les logarithmes.

A.2 Les logarithmes

Le logarithme décimal (log) d'un nombre (N) est la puissance (x) à laquelle il faut élever la base 10 pour obtenir ce nombre.

$$\log N = x \quad \overset{signifie\ que}{\longrightarrow} \quad N = 10^x \quad \overset{ou\ que}{\longrightarrow} \quad N = 10^{\log N}$$

Dans l'expression ci-dessous, les nombres N sont imprimés en bleu, et leurs logarithmes (log N), en rouge.

$$\log 1 = \log 10^0 = 0 \qquad\qquad \log 1 = \log 10^0 = 0$$
$$\log 10 = \log 10^1 = 1 \qquad\qquad \log 0,1 = \log 10^{-1} = -1$$
$$\log 100 = \log 10^2 = 2 \qquad\qquad \log 0,01 = \log 10^{-2} = -2$$
$$\log 1000 = \log 10^3 = 3 \qquad\qquad \log 0,001 = \log 10^{-3} = -3$$

La plupart des nombres avec lesquels on doit travailler ne sont évidemment pas des puissances de 10 faisant partie des nombres entiers, et leurs logarithmes ne sont pas des entiers. Le modèle ci-dessus donne une idée générale de ce que pourraient être leurs logarithmes. Considérons, par exemple, les nombres 655 et 0,0078.

$$100 < 655 < 1000 \qquad\qquad 0,001 < 0,0078 < 0,01$$
$$2 < \log 655 < 3 \qquad\qquad -3 < \log 0,0078 < -2$$

On peut constater que log 655 se situe entre 2 et 3, et que log 0,0078 est entre -3 et -2. Pour obtenir une valeur plus exacte, cependant, on doit se servir de tables de logarithmes ou de la touche [LOG] sur une calculatrice.

$$\log 655 = 2,816 \qquad\qquad \log 0,0078 = -2,11$$

En travaillant avec les logarithmes, on a souvent besoin de trouver un nombre dont on connaît le logarithme. Ce nombre est quelquefois appelé *antilogarithme,* et on peut le comprendre dans ces termes :

$$\text{Si } \log N = 3,076, \text{ alors } N = 10^{3,076} = 1,19 \times 10^3.$$
$$\text{Si } \log N = -4,57, \text{ alors } N = 10^{-4,57} = 2,7 \times 10^{-5}.$$

Sur une calculatrice, on entre simplement la valeur du logarithme (c'est-à-dire 3,076 ou $-4,57$), puis on appuie sur la touche $\left[10^x\right]$.

Les chiffres significatifs dans les logarithmes

À première vue, $\log N = 3,076$ semble avoir quatre chiffres significatifs, et $N = 1,19 \times 10^3$ semble n'en avoir que trois mais, en réalité, les deux valeurs en ont seulement *trois*. Les chiffres situés à *gauche* de la virgule décimale dans un logarithme ne correspondent qu'à la puissance de 10 de la forme exponentielle du nombre. Les seuls chiffres significatifs sont ceux qui se trouvent à *droite* de la virgule décimale. Quant au coefficient de la forme exponentielle, il doit avoir le même nombre de chiffres que de décimales dans le logarithme. Par conséquent, pour exprimer le logarithme de $2,5 \times 10^{-12}$ avec deux chiffres significatifs, on écrit :

$$\log 2,5 \times 10^{-12} = -11,60$$

Quelques relations comportant des logarithmes

On peut utiliser la définition des logarithmes pour poser : $M = 10^{\log M}$ et $N = 10^{\log N}$. Le produit $(M \times N)$ peut être écrit selon l'une ou l'autre des formes suivantes :

$$(M \times N) = 10^{\log M} \times 10^{\log N} = 10^{(\log M + \log N)}$$
$$(M \times N) = 10^{\log(M \times N)}$$

Cela signifie que le logarithme du produit de plusieurs termes est égal à la somme des logarithmes des termes individuels. Donc :

$$(1) \qquad \log(M \times N) = (\log M + \log N)$$

De la même manière, on peut établir deux autres relations :

$$(2) \quad \log \frac{M}{N} = (\log M - \log N)$$

$$(3) \quad \log N^a = a \log N$$

Dans les calculs, on peut facilement avoir recours à la relation (3), parce qu'elle fournit une méthode simple pour extraire la racine d'un nombre. Par exemple, pour déterminer $(2,75 \times 10^{-9})^{1/5}$, on écrit :

$$\log (2,75 \times 10^{-9})^{1/5} = 1/5 \times \log (2,75 \times 10^{-9})$$
$$= 1/5 \times (-8,561) = -1,712$$
$$(2,75 \times 10^{-9})^{1/5} = 10^{-1,712} = 0,0194$$

Les logarithmes naturels

L'utilisation de *10* comme base des logarithmes décimaux est arbitraire. On peut aussi bien faire d'autres choix. Par exemple, si la base est 2, $\log_2 8 = 3$ signifie simplement que $2^3 = 8$. Et $\log_2 10 = 3,32$ signifie que $2^{3,322} = 10$.

Plusieurs relations utilisées dans ce manuel comportent des *logarithmes naturels*. La base des logarithmes naturels (ln) est la quantité *e,* qui a pour valeur $e = 2,718\,28\ldots$ On rencontre la fonction ln dans les cas où la vitesse de variation d'une variable est proportionnelle à la valeur de cette variable au temps où la vitesse est mesurée. Ces circonstances sont courantes en science physique, entre autres choses, par exemple dans le cas de la vitesse de désintégration radioactive d'une substance.

On peut en général travailler entièrement dans le système des logarithmes naturels en utilisant les touches [ln] et [e^x] de la calculatrice plutôt que [LOG] et [10^x]. Cependant, s'il faut convertir les logarithmes naturels en logarithmes décimaux ou faire l'inverse, on peut utiliser le facteur de conversion ci-dessous, basé sur la relation $\log_e 10 = 2,303$.

$$\ln N = 2,303 \log N$$

A.3 Les opérations algébriques

Pour résoudre une équation algébrique, on doit isoler une quantité — l'inconnue — d'un côté de l'équation, et les quantités connues, de l'autre côté. Pour ce faire, il faut généralement réarranger les termes de l'équation en respectant le principe directeur selon lequel *toute opération effectuée dans un membre de l'équation doit aussi l'être dans l'autre*. Considérons l'équation :

$$\frac{(5x^2 - 12)}{(x^2 + 4)} = 3$$

1. On multiplie les deux membres de l'équation par $(x^2 + 4)$.

$$(x^2 + 4)\frac{(5x^2 - 12)}{(x^2 + 4)} = 3 \times (x^2 + 4)$$
$$5x^2 - 12 = 3x^2 + 12$$

2. On soustrait $3x^2$ de chaque membre de l'équation.

$$5x^2 - 3x^2 - 12 = 3x^2 - 3x^2 + 12$$
$$2x^2 - 12 = 12$$

3. On ajoute 12 à chaque membre de l'équation.

$$2x^2 - 12 + 12 = 12 + 12 = 24$$

4. On divise chaque membre de l'équation par 2.

$$\frac{2x^2}{2} = \frac{24}{2} = 12$$

5. On extrait la racine carrée de chaque membre de l'équation.

$$\sqrt{x^2} = \pm\sqrt{12} = \pm\sqrt{4} \times \sqrt{3}$$
$$x = \pm 2\sqrt{3}$$
$$x = \pm 3,464$$

Les équations quadratiques

Une équation quadratique est une équation dont l'inconnue x peut être élevée au maximum à la puissance 2. Parfois, les équations quadratiques se présentent sous cette forme :

$$(x + n)^2 = m^2$$

Pour résoudre l'équation et trouver x, on extrait la racine carrée de chaque membre.

$$(x + n) = \sqrt{m^2} = \pm m$$

et

$$x = m - n \quad \text{ou} \quad x = -m - n$$

Le plus souvent, cependant, l'équation quadratique a la forme suivante :

$$ax^2 + bx + c = 0$$

où a, b et c sont des constantes. Pour résoudre cette équation et trouver x, on peut utiliser la *formule quadratique* :

$$x = \frac{-b \pm \sqrt{b^2 - 4ac}}{2a}$$

Considérons la solution de l'équation quadratique suivante :

$$50,3x^2 = 13,4x + 0,787 = 0$$

$$x = \frac{-(-13,4) \pm \sqrt{(-13,4)^2 - (4 \times 50,3 \times 0,787)}}{2 \times 50,3}$$

$$x = \frac{13,4 \pm \sqrt{21,22}}{100,6} = \frac{13,4 \pm 4,61}{100,6}$$

$$x = \frac{13,4 + 4,61}{100,6} = 0,179 \quad \text{et} \quad x = \frac{13,4 - 4,61}{100,6} = 0,0874$$

Selon l'énoncé de la question, une seule réponse sera possible.

La résolution d'équations par approximations successives

Si une équation est d'un degré plus élevé que le deuxième degré, on a souvent intérêt à appliquer la méthode des approximations successives. On regroupe les termes comprenant l'inconnue dans un membre de l'équation, et le terme constant dans l'autre membre. Par exemple, considérons l'équation suivante :

$$\frac{4x^3}{(0,492 - 2x)^2} = 0,023$$

Supposons que x est positif et inférieur à 0,246. On essaie alors de deviner une de ses valeurs possibles et on vérifie si le résultat est près de 0,023 quand on remplace x par cette valeur dans l'équation.

Soit $x = 0,100$: $\quad \dfrac{4x^3}{(0,492 - 2x)^2} = \dfrac{4 \times (0,100)^3}{\left[0,492 - (2 \times 0,100)\right]^2} = \dfrac{4 \times 10^{-3}}{[0,492 - 0,200]^2} = 0,0469$

Puisque $0,0469 > 0,023$, notre supposition n'est pas bonne. On tente alors une deuxième approximation, avec une valeur de x inférieure à 0,100.

Soit $x = 0,050$: $\quad \dfrac{4x^3}{(0,492 - 2x)^2} = \dfrac{4 \times (0,050)^3}{\left[0,492 - (2 \times 0,050)\right]^2} = \dfrac{5,0 \times 10^{-4}}{[0,492 - 0,100]^2} = 0,0033$

Or, $0,0033 < 0,023$. Il semble donc qu'on soit passé à l'autre extrémité de la réponse voulue. Il faut essayer une autre valeur telle que $0,050 < x < 0,100$ en faisant une troisième approximation.

Soit $x = 0,080$: $\quad \dfrac{4x^3}{(0,492 - 2x)^2} = \dfrac{4 \times (0,080)^3}{\left[0,492 - (2 \times 0,080)\right]^2} = \dfrac{2,0 \times 10^{-3}}{[0,492 - 0,160]^2} = 0,018$

Dans cette troisième approximation, on obtient $0,018 < 0,023$. Cette valeur est acceptable et elle est beaucoup plus près de la valeur de x. Dans certains cas, on peut tomber vite sur une valeur suffisamment proche pour ne plus avoir à faire d'autres tentatives, mais supposons qu'on essaie une autre approximation, où $0,080 < x < 0,100$.

Soit $x = 0,085$: $\quad \dfrac{4x^3}{(0,492 - 2x)^2} = \dfrac{4 \times (0,085)^3}{\left[0,492 - (2 \times 0,085)\right]^2} = \dfrac{2,5 \times 10^{-3}}{[0,492 - 0,170]^2} = 0,024$

Nous sommes maintenant très près de la valeur correcte, puisque $0,024 \approx 0,023$. (Une autre approximation montrerait que $0,084 < x < 0,085$.)

Cette méthode peut sembler laborieuse mais, habituellement, elle ne l'est pas. Une fois la présentation des approximations établie, les calculs peuvent être faits rapidement à l'aide d'une calculatrice.

A.4 Les graphiques

Supposons qu'on obtient les résultats de mesures de laboratoire suivants pour les quantités x et y :

$$x = 0, y = 2 \quad x = 2, y = 6 \quad x = 4, y = 10$$
$$x = 1, y = 4 \quad x = 3, y = 8$$

Un simple examen de ces données nous permet de constater qu'elles vérifient l'équation suivante :

$$y = 2x + 2$$

Il arrive qu'on ne puisse pas poser une équation exacte à partir des données expérimentales ou que la forme de l'équation ne se présente pas d'emblée à partir des données elles-mêmes. Dans ces cas, il semble utile de tracer un graphique. Les points correspondant aux données énumérées précédemment sont reportés sur le graphique ci-dessous. Les valeurs de x sont placées le long de l'axe horizontal (abscisse), et les valeurs de y, le long de l'axe vertical (ordonnée). Pour chaque point de la figure, les valeurs de x et de y sont données dans l'ordre (x, y).

On constate que les données se retrouvent sur une ligne droite. Or l'équation d'une droite est :

$$y = mx + b$$

Pour obtenir la valeur de l'*ordonnée à l'origine,* soit b, on pose $x = 0$ et on obtient la valeur de y. D'après le graphique, on voit que $y = 2$ quand $x = 0$. Pour obtenir la pente de la droite, soit $m,$ on peut utiliser deux points, indiqués par les indices 1 et 2 ci-dessous.

$$y_2 = mx_2 + b \quad \text{et} \quad y_1 = mx_1 + b$$

La *différence* entre ces deux équations est :

$$y_2 - y_1 = m(x_2 - x_1) + b - b$$

La valeur de m est

$$m = \frac{y_2 - y_1}{x_2 - x_1} = \frac{\Delta y}{\Delta x}$$

La pente est évaluée sur la figure ; sa valeur est 2. Donc, l'équation de la droite est

$$y = mx + b = 2x + 2$$

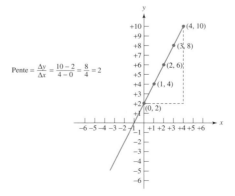

Pente $= \dfrac{\Delta y}{\Delta x} = \dfrac{10 - 2}{4 - 0} = \dfrac{8}{4} = 2$

▶ **Graphique d'une droite :**
$y = mx + b$

A.5 Quelques équations importantes

À plusieurs reprises dans le manuel, lorsque des détails sur la démonstration d'équations importantes ou sur leur transformation en une forme plus pratique sont nécessaires, nous vous renvoyons à la présente annexe. Nous présentons ci-dessous un résumé de la façon de résoudre trois équations. Les deux premières exigent au préalable une certaine connaissance du calcul différentiel et du calcul intégral.

Équation de la vitesse intégrée pour une réaction d'ordre un (page 79)

Soit la réaction

$$A \longrightarrow \text{produits}$$

Connaissant la loi de vitesse

$$\text{Vitesse de réaction} = -(\text{vitesse de disparition de A}) = k[A]$$

1. On remplace la vitesse de disparition de A par la dérivée $d[A] > dt$.

$$-\frac{d[A]}{dt} = k[A]$$

2. On réarrange cette expression sous la forme

$$\frac{d[A]}{[A]} = -kdt$$

3. On calcule l'intégrale entre les limites A_0, au temps $t = 0$, et A_t, au temps t.

$$\int_{[A]_0}^{[A]_t} \frac{d[A]}{[A]} = -k \int_0^t dt$$

4. On obtient le résultat suivant:

$$\ln \frac{[A]_t}{[A]_0} = -kt$$

L'équation de vitesse intégrée pour une réaction d'ordre deux (page 86)

Soit la réaction

$$A \longrightarrow \text{produits}$$

Connaissant la loi de vitesse

$$\text{Vitesse de réaction} = -(\text{vitesse de disparition de A}) = k[A]^2$$

1. On remplace la vitesse de disparition de A par la dérivée $d[A] > dt$.

$$-\frac{d[A]}{dt} = k[A]^2$$

2. On réarrange cette expression sous la forme

$$\frac{d[A]}{[A]^2} = -kdt$$

3. On calcule l'intégrale entre les limites A_0, au temps $t = 0$, et A_t, au temps t.

$$\int_{[A]_0}^{[A]_t} \frac{d[A]}{[A]^2} = -k \int_0^t dt$$

4. On obtient le résultat suivant :

$$-\frac{1}{[A]_t} + \frac{1}{[A]_0} = -kt \quad \text{ou} \quad \frac{1}{[A]_t} = kt + \frac{1}{[A]_0}$$

L'équation d'Arrhenius (page 93)

Le but consiste à convertir l'équation d'une droite de la figure 2.15, page 93

$$\ln k = \frac{-E_a}{RT} + \ln A$$

en une équation dans laquelle on élimine le terme constant, $\ln A$.

1. On écrit l'équation pour deux températures, T_1 et T_2, les constantes de vitesse étant k_1 et k_2. (E_a et R sont des constantes.)

$$\ln k_2 = \frac{-E_a}{RT_2} + \ln A \qquad \ln k_1 = \frac{-E_a}{RT_1} + \ln A$$

2. On soustrait $\ln k_1$ de $\ln k_2$.

$$\ln k_2 - \ln k_1 = \frac{-E_a}{RT_2} + \ln A - \left(\frac{-E_a}{RT_1} + \ln A \right)$$

3. On remplace $\ln k_2 - \ln k_1$ par $\ln \dfrac{k_2}{k_1}$, et on élimine $\ln A$.

$$\ln \frac{k_2}{k_1} = \frac{E_a}{RT_1} - \frac{E_a}{RT_2} + \cancel{\ln A} - \cancel{\ln A}$$

4. On récrit l'équation sous sa forme finale.

$$\ln \frac{k_2}{k_1} = \frac{E_a}{R} \left(\frac{1}{T_1} - \frac{1}{T_2} \right)$$

L'équation de van't Hoff (page 317)

Le but consiste à convertir l'équation d'une droite de la figure 6.14

$$\ln K_{eq} = \frac{-\Delta H°}{RT} + \text{constante}$$

en une équation qui élimine le terme « constante », représenté ci-dessous par A.

1. On écrit l'équation pour deux températures différentes, T_1 et T_2, les constantes d'équilibre étant K_1 et K_2. ($\Delta H°$ et R sont des constantes.)

$$\ln K_2 = \frac{-\Delta H°}{RT_2} + \ln A \qquad \ln K_1 = \frac{-\Delta H°}{RT_1} + \ln A$$

2. On soustrait $\ln K_1$ de $\ln K_2$.

$$\ln K_2 - \ln K_1 = \frac{-\Delta H°}{RT_2} + \ln A - \left(\frac{-\Delta H°}{RT_1} + \ln A \right)$$

3. On remplace $\ln K_2 - \ln K_1$ par $\ln \dfrac{K_2}{K_1}$, et on élimine $\ln A$.

$$\ln \frac{K_2}{K_1} = \frac{\Delta H°}{RT_1} - \frac{\Delta H°}{RT_2} + \cancel{\ln A} - \cancel{\ln A}$$

4. On récrit l'équation sous sa forme finale.

$$\ln \frac{K_2}{K_1} = \frac{\Delta H°}{R} \left(\frac{1}{T_1} - \frac{1}{T_2} \right)$$

Le tableau ci-dessous permet de comparer les nomenclatures classique et systématique des composés ioniques.

Composés ioniques *	Nomenclature classique	Nomenclature systématique
Règles des sels binaires simples : Dans les deux cas, on nomme l'anion et ensuite le cation. La proportion entre les deux est déterminée de façon différente.	On détermine le rapport entre les éléments pour que les charges des ions s'annulent dans l'entité formulaire. Lorsqu'un cation métallique peut posséder plusieurs charges, il faut indiquer la charge du métal entre parenthèses.	On doit indiquer le nombre relatif d'anions et de cations de l'entité formulaire.
$NaCl$	Chlorure de sodium	Chlorure de sodium
$CaCl_2$	Chlorure de calcium	Dichlorure de calcium
Ag_2S	Sulfure d'argent	Sulfure de diargent
$FeCl_3$	Chlorure de fer(III)	Trichlorure de fer
SnO_2	Oxyde d'étain(IV)	Dioxyde d'étain
Règles des sels polyatomiques :	On doit connaître la composition et la charge de l'ion polyatomique afin de déterminer les proportions entre les ions afin que les charges s'annulent.	On doit indiquer à l'aide de préfixes grecs le nombre relatif d'éléments de l'ion polyatomique. Pour designer l'anion, on nomme le dernier élément en ajoutant le suffixe *o* ; le premier élément de l'anion suit avec le suffixe *ate*. On nomme le cation à la toute fin, en indiquant sa proportion relative.
$CaSO_4$	Sulfate de calcium	Tétraoxosulfate de calcium
$CuSO_4$	Sulfate de cuivre(II)	Tétraoxosulfate de cuivre
Na_2SO_4	Sulfate de sodium	Tétraoxosulfate de disodium
Na_2SO_3	Sulfite de sodium	Trioxosulfate de disodium
$NaNO_3$	Nitrate de sodium	Trioxonitrate de sodium
$NaNO_2$	Nitrite de sodium	Dioxonitrate de sodium
Na_3PO_4	Phosphate de sodium	Tétraoxophosphate de trisodium
Règle particulière pour la nomenclature systématique :		Lorsqu'un ion polyatomique se répète plusieurs fois pour une entité formulaire, les préfixes *bis-, tris-,* et *tétrakis-* indiquent qu'ils se répètent 2, 3 et 4 fois.
$Ca_3(PO_4)_2$	Phosphate de calcium	Bis(tétraoxophosphate) de tricalcium
$Pb(NO_3)_4$	Nitrate de plomb(IV)	Tétrakis(trioxonitrate) de plomb
$Fe_2(SO_4)_3$	Sulfate de fer(III)	Tris(tétraoxosulfate) de difer

* Nous considérons ici également toutes les substances constituées de métaux et de non-métaux.

Quelques concepts de base en physique

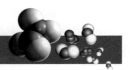

B.1 La vitesse et l'accélération

La vitesse d'un objet est la distance qu'il parcourt par unité de temps. Quand le compteur de vitesse d'une voiture indique 105 km/h, cela signifie que, si celle-ci se déplace à une vitesse constante pendant exactement une heure, elle parcourra une distance de 105 km. Pour les besoins des travaux scientifiques, on divise la *vitesse* en deux composantes : une *grandeur* (vitesse) et une *direction* (haut, bas, est, sud, ouest, etc.). La vitesse est le rapport distance/temps et elle s'exprime en mètres par seconde (m/s).

Le mouvement d'un objet change en même temps que sa vitesse ou sa direction. La variation de la vitesse d'un objet est appelée *accélération* ; ses unités sont celles du rapport vitesse/temps, c'est-à-dire (m/s)/s = m/s^2. L'équation ci-dessous décrit la vitesse (v) d'un objet soumis à une accélération constante (a), en fonction du temps (t).

$$v = at \tag{1}$$

La distance (d) parcourue est donnée par l'équation ci-dessous, qu'on peut établir par les méthodes de calculs différentiel et intégral.

$$d = \tfrac{1}{2}at^2 \tag{2}$$

L'*accélération gravitationnelle constante* (g) que subit un corps en chute libre est de 9,8066 m/s^2.

B.2 La force et le travail

D'après la *première loi* de Newton, un objet possède une tendance naturelle, appelée *inertie,* à demeurer en mouvement à une vitesse constante s'il se déplace ou à demeurer au repos s'il ne se déplace pas. Pour vaincre l'inertie d'un objet, il faut faire agir une *force,* c'est-à-dire imprimer un mouvement à un objet au repos ou modifier la vitesse d'un objet en mouvement. Puisqu'une variation de la vitesse est une accélération, on peut dire qu'*une force est nécessaire pour communiquer une accélération à un objet.*

La *deuxième loi* de Newton décrit la force (F) requise pour communiquer une accélération (a) à un objet de masse (m).

$$F = ma \tag{3}$$

L'unité SI de la force est le *newton* (N). C'est la force requise pour communiquer une accélération de 1 m/s^2 à une masse de 1 kg.

$$1\ \text{N} = 1\ \text{kg} \times 1\ \text{m/s}^2 = 1\ \text{kg m/s}^2 \tag{4}$$

Le poids W d'un objet est la force de gravité exercée sur l'objet. C'est la masse de l'objet multipliée par l'accélération due à l'attraction gravitationnelle.

$$W = F = mg$$

Un travail est accompli quand une force agit sur une distance donnée.

$$\text{Travail } (w) = \text{force } (F) \times \text{distance } (d)$$

Un joule (J) est le travail accompli quand une force de un newton (1 N) agit sur une distance de un mètre (1 m). Quand on combine cette définition et les unités SI du newton dans l'équation 4 ci-dessus, on obtient les unités SI du joule.

$$1\ \text{J} = 1\ \text{N} \times 1\ \text{m} = 1\ \text{N m}$$

$$1\ \text{J} = 1\ \text{kg} \times \text{m/s}^2 \times 1\ \text{m} = 1\ \text{kg m}^2/\text{s}^2$$

B.3 L'énergie

L'énergie est la capacité à effectuer un travail. Un objet en mouvement possède une *énergie cinétique* due à son déplacement. Le travail associé à l'objet en mouvement est donné par les expressions précédentes :

$$w = F \times d = ma \times d$$

En se fondant sur l'équation 2 (page précédente), on peut remplacer l'expression illustrée en couleur par la distance, d.

$$w = ma \times \tfrac{1}{2}at^2 = \tfrac{1}{2} \times m(at)^2$$

Puis, en se fondant sur l'équation 1, on peut remplacer la vitesse (v) par le terme at.

$$w = \tfrac{1}{2} \times m \times v^2$$

C'est le travail requis pour communiquer une vitesse v à un objet de masse m. Cette quantité de travail constitue l'énergie cinétique (E_k) d'un objet en mouvement.

$$E_k = \tfrac{1}{2}mv^2$$

En plus de l'énergie cinétique associée à son mouvement, un objet peut posséder de l'*énergie potentielle*. Il s'agit de l'énergie qu'il a emmagasinée et qui peut être libérée dans des circonstances appropriées. On peut la concevoir comme l'énergie qui provient de la condition, de la position ou de la composition d'un objet. En principe, on peut écrire des équations représentant les différentes façons dont est emmagasinée l'énergie potentielle dans un objet, mais nous n'utilisons pas de telles équations dans ce manuel.

B.4 Le magnétisme

Les forces d'attraction et de répulsion associées au magnétisme sont centrées dans les zones des aimants appelées *pôles*. Un aimant possède un pôle nord et un pôle sud. Si on place deux aimants de façon que le pôle nord de l'un soit près du pôle sud de l'autre, il en résulte une force d'attraction entre les deux. Si on rapproche deux pôles identiques — soit deux pôles nord, soit deux pôles sud —, il se crée une force de répulsion. *Les pôles opposés s'attirent, et les pôles identiques se repoussent.*

Il existe un champ magnétique autour d'un aimant, dans la zone d'influence de celui-ci. On peut le détecter notamment en regardant l'orientation de l'aiguille d'une boussole ou le représenter en matérialisant les forces d'attraction de l'aimant grâce à l'alignement caractéristique de la limaille de fer.

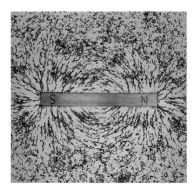

◄ **Représentation du champ magnétique d'une barre aimantée**

On matérialise le champ magnétique d'une barre aimantée en la saupoudrant de limaille de fer.

B.5 L'électricité

L'électricité est un phénomène étroitement lié au magnétisme. À la limite, tout échantillon de matière contient des particules chargées électriquement : les protons et les électrons. Cependant, un objet ne porte une charge électrique nette — positive ou négative — que lorsque les nombres d'électrons et de protons sont inégaux. L'expression de base qui s'applique aux particules stationnaires chargées électriquement — l'électricité statique — est la loi de Coulomb : la grandeur de la force (F) qui s'établit entre les objets chargés électriquement est directement proportionnelle à la grandeur des charges (Q) et inversement proportionnelle au carré de la distance (r) entre celles-ci.

$$F \propto \frac{Q_1 \times Q_2}{r^2}$$

Des charges identiques se repoussent. Que les deux charges soient positives ou négatives, leur produit est une quantité positive. Une force de signe *positif* est une *force de répulsion.* *Des charges différentes s'attirent.* Le produit d'une charge positive par une charge négative donne une quantité négative. Une force de signe *négatif* est une *force d'attraction.*

Il existe un *champ électrique* autour d'un objet chargé électriquement dans la région où l'influence de sa charge se fait sentir. Si l'on met un objet non chargé dans le champ d'un objet chargé, une charge électrique de signe opposé peut être *induite* dans l'objet qui n'était pas chargé, ce qui donne naissance à une force d'attraction entre les deux.

Le courant électrique est un flux de particules chargées — des électrons dans les conducteurs métalliques, et des ions positifs et négatifs dans les sels fondus et dans les solutions aqueuses. L'unité de charge électrique est le *coulomb* (C). L'unité de courant électrique est l'*ampère* (A). Un courant de un ampère est le flux de un coulomb de charge électrique par seconde.

$$1 \text{ A} = 1 \text{ C}/1 \text{ s} = 1 \text{ C/s}$$

Le potentiel électrique, ou tension, est l'énergie par unité de charge dans un courant électrique. Le coulomb étant l'unité de charge, et le joule, l'unité d'énergie, l'unité de potentiel électrique, 1 *volt* (V), est

$$1 \text{ V} = \frac{1 \text{ J}}{1 \text{ C}}$$

La *puissance* électrique est le taux de production (ou consommation) d'énergie électrique. L'unité de puissance électrique, le *watt* (W), désigne la production (ou consommation) d'un joule d'énergie par seconde.

$$1 \text{ W} = 1 \text{ J/s}$$

Puisque l'énergie électrique en joules est un produit (volts × coulombs) et que le rapport coulombs par seconde (C/s) représente un courant en ampères (A), on peut également écrire les expressions suivantes.

$$1 \text{ W} = 1 \text{ V} \times \text{C/s}$$
$$= 1 \text{ V} \times 1 \text{ A}$$

Par exemple, la puissance électrique associée au passage de 10,0 ampères dans un circuit électrique de 110 volts est

$$110 \text{ V} \times 10,0 \text{ A} = 1100 \text{ W}$$

B.6 L'électromagnétisme

D'importantes applications pratiques reposent sur l'*électromagnétisme,* un ensemble de relations entre électricité et magnétisme : (1) des champs magnétiques sont associés au flux d'électrons, comme dans les *électro-aimants* (voir la photographie ci-contre); (2) les conducteurs dans un champ magnétique subissent l'action de forces, comme dans les *moteurs électriques* ; (3) des courants électriques sont induits quand des conducteurs électriques se déplacent dans un champ magnétique, comme dans les *générateurs d'électricité*. Plusieurs phénomènes décrits dans ce manuel sont des effets électromagnétiques.

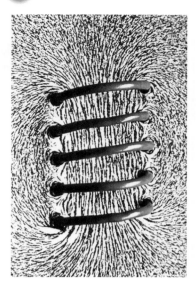

▲ **Matérialisation du champ magnétique d'un électro-aimant**

Un courant électrique qui passe à travers une bobine de fils produit un champ magnétique, phénomène que l'on peut mettre en évidence en saupoudrant de la limaille de fer autour de la bobine.

▲ **Un électro-aimant**

Un courant électrique produit par la pile passe à travers la bobine de fils enroulée autour d'une barre métallique. Le courant électrique induit un champ magnétique et aimante la barre métallique, qui attire de petits objets en fer. Lorsque le courant électrique est interrompu, le champ magnétique diminue et la barre perd son magnétisme.

 C.1 Les propriétés thermodynamiques de diverses substances à 298,15 K

Les substances sont sous une pression de 101,325 kPa[*]. En ce qui concerne les solutions aqueuses, les solutés ont une activité de un ($\approx$1 mol/L).

Substances inorganiques			
	ΔH_f° (kJ·mol^{-1})	ΔG_f° (kJ·mol^{-1})	S° (J·mol^{-1}·K^{-1})
Aluminium			
Al(s)	0	0	28,3
Al^{3+} (aq)	− 531	− 485	− 321,7
AlCl$_3$(s)	− 705,6	− 630,1	109,3
Al$_2$Cl$_6$(g)	− 1291	− 1221	490
AlF$_3$(s)	− 1504	− 1425	66,48
Al$_2$O$_3$(α, solide)	− 1676	− 1582	50,92
Al(OH)$_3$(s)	− 1276	—	—
Al$_2$(SO$_4$)$_3$(s)	− 3441	− 3100	239
Argent			
Ag(s)	0	0	42,55
Ag$^+$ (aq)	105,6	77,11	72,68
AgBr(s)	− 100,4	− 96,90	107
AgCl(s)	− 127,1	− 109,8	96,2
AgI(s)	− 61,84	− 66,19	115
AgNO$_3$(s)	− 124,4	− 33,5	140,9
Ag$_2$O(s)	− 31,0	− 11,2	121
Ag$_2$SO$_4$(s)	− 715,9	− 618,5	200,4
Azote			
N(g)	472,7	455,6	153,2
N$_2$(g)	0	0	191,5
NF$_3$(g)	− 124,7	− 83,2	260,7
NH$_3$(g)	− 46,11	− 16,48	192,3
NH$_3$(aq)	− 80,29	− 26,57	111,3
NH$_4^+$ (aq)	− 132,5	− 79,31	113,4
NH$_4$Br(s)	− 270,8	− 175	113,0
NH$_4$Cl(s)	− 314,4	− 203,0	94,56
NH$_4$F(s)	− 464,0	− 348,8	71,96
NH$_4$HCO$_3$(s)	− 849,4	− 666,1	121
NH$_4$I(s)	− 201,4	− 113	117
NH$_4$NO$_3$(s)	−365,6	−184,0	151,1

[*] L'UICPA a adopté la pression standard de 1 bar (10^5 Pa). Les valeurs données ici sont pour 101,325 kPa, mais elles ne diffèrent pas de façon significative de celles données pour 1 bar. Par exemple, pour CO$_2$(g), les valeurs de ΔH_f° et de ΔG_f° sont les mêmes à 101,325 kPa et à 1 bar ; la valeur de S° = 213,6 J·mol^{-1}·K^{-1} à 101,325 kPa, et 213,8 J·mol^{-1}·K^{-1} à 1 bar.

Substances inorganiques (suite)			
	ΔH_f° (kJ·mol^{-1})	ΔG_f° (kJ·mol^{-1})	S° (J·mol^{-1}·K^{-1})
$NH_4NO_3(aq)$	$-339,9$	$-190,7$	259,8
$(NH_4)_2SO_4(s)$	-1181	$-901,9$	220,1
$N_2H_4(g)$	95,40	159,3	238,4
$N_2H_4(l)$	50,63	149,2	121,2
$NO(g)$	90,25	86,57	210,6
$N_2O(g)$	82,05	104,2	219,7
$NO_2(g)$	33,18	51,30	240,0
$N_2O_4(g)$	9,16	97,82	304,2
$N_2O_4(l)$	$-19,6$	97,40	209,2
$N_2O_5(g)$	11,3	115,1	355,7
$NO_3^-(aq)$	$-205,0$	$-108,7$	146,4
$NOBr(g)$	82,17	82,4	273,5
$NOCl(g)$	51,71	66,07	261,6
Baryum			
$Ba(s)$	0	0	62,3
$Ba^{2+}(aq)$	$-537,6$	$-560,8$	9,6
$BaCO_3(s)$	-1216	-1138	112
$BaCl_2(s)$	$-858,1$	$-810,4$	123,7
$BaF_2(s)$	-1209	-1159	96,40
$BaO(s)$	$-548,1$	$-520,4$	72,09
$Ba(OH)_2(s)$	$-946,0$	$-859,4$	107
$Ba(OH)_2 \cdot 8H_2O(s)$	-3342	-2793	427
$BaSO_4(s)$	-1473	-1362	132
Béryllium			
$Be(s)$	0	0	9,54
$BeCl_2(s)$	$-496,2$	$-449,5$	75,81
$BeF_2(s)$	-1027	$-979,5$	53,35
$BeO(s)$	$-608,4$	$-579,1$	13,77
Bismuth			
$Bi(s)$	0	0	56,74
$BiCl_3(s)$	-379	-315	177
$Bi_2O_3(s)$	$-573,9$	$-493,7$	151
Bore			
$B(s)$	0	0	5,86
$BCl_3(l)$	$-427,2$	-387	206
$BF_3(g)$	-1137	$-1120,3$	254,0
$B_2H_6(g)$	36	86,6	232,0
$B_2O_3(s)$	-1273	-1194	53,97
Brome			
$Br(g)$	111,9	82,43	174,9
$Br^-(aq)$	$-121,6$	$-104,0$	82,4
$Br_2(g)$	30,91	3,14	245,4
$Br_2(l)$	0	0	152,2
$BrCl(g)$	14,6	$-0,96$	240,0
$BrF_3(g)$	$-255,6$	$-229,5$	292,4
$BrF_3(l)$	$-300,8$	$-240,6$	178,2
Cadmium			
$Cd(s)$	0	0	51,76
$Cd^{2+}(aq)$	$-75,90$	$-77,61$	$-73,2$
$CdCl_2(s)$	$-391,5$	$-344,0$	115,3
$CdO(s)$	-258	-228	54,8

Substances inorganiques (suite)			
	ΔH_f° (kJ·mol^{-1})	ΔG_f° (kJ·mol^{-1})	S° (J·mol^{-1}·K^{-1})
Calcium			
Ca(s)	0	0	41,4
Ca^{2+}(aq)	− 542,8	− 553,6	− 53,1
CaBr$_2$(s)	− 682,8	− 663,6	130
CaCO$_3$(s)	− 1207	− 1128	88,70
CaCl$_2$(s)	− 795,8	− 748,1	105
CaF$_2$(s)	− 1220	− 1167	68,87
CaH$_2$(s)	− 186	− 147	42
Ca(NO$_3$)$_2$(s)	− 938,4	− 743,2	193
CaO(s)	− 635,1	− 604,0	39,75
Ca(OH)$_2$(s)	− 986,1	− 898,6	83,39
Ca$_3$(PO$_4$)$_2$(s)	− 4121	− 3885	236
CaSO$_4$(s)	− 1434	− 1322	106,7
Carbone (voir aussi le tableau des substances organiques)			
C(g)	716,7	671,3	158,0
C (diamant)	1,90	2,90	2,38
C (graphite)	0	0	5,74
CCl$_4$(g)	− 102,9	− 60,63	309,7
CCl$_4$(l)	− 135,4	− 65,27	216,2
C$_2$N$_2$(g)	308,9	297,2	242,3
CO(g)	− 110,5	− 137,2	197,6
CO$_2$(g)	− 393,5	− 394,4	213,6
CO$_3^{2-}$(aq)	− 677,1	− 527,8	− 56,9
C$_3$O$_2$(g)	− 93,72	− 109,8	276,4
C$_3$O$_2$(l)	− 117,3	− 105,0	181,1
COCl$_2$(g)	− 220,9	− 206,8	283,8
COS(g)	− 138,4	− 165,6	231,5
CS$_2$(l)	89,70	65,27	151,3
Chlore			
Cl(g)	121,7	105,7	165,1
Cl$^-$(aq)	− 167,2	− 131,2	56,5
Cl$_2$(g)	0	0	223,0
ClF$_3$(g)	− 163,2	− 123,0	281,5
ClO$_2$(g)	102,5	120,5	256,7
Cl$_2$O(g)	80,33	97,49	267,9
Chrome			
Cr(s)	0	0	23,66
Cr$_2$O$_3$(s)	− 1135	− 1053	81,17
CrO$_4^{2-}$(aq)	− 881,2	− 727,8	50,21
Cr$_2$O$_7^{2-}$(aq)	− 1490	− 1301	261,9
Cobalt			
Co(s)	0	0	30,0
CoO(s)	− 237,9	− 214,2	52,97
Co(OH)$_2$ (solide rose)	− 539,7	− 454,4	79
Cuivre			
Cu(s)	0	0	33,15
Cu^{2+}(aq)	64,77	65,49	− 99,6
CuCO$_3$·Cu(OH)$_2$(s)	− 1051	− 893,7	186
Cu$_2$O(s)	− 168,6	− 146,0	93,14
CuO(s)	− 157,3	− 129,7	42,63
Cu(OH)$_2$(s)	− 450,2	− 373	108
CuSO$_4$·5H$_2$O(s)	− 2279,6	− 1880,1	300,4

Substances inorganiques (suite)

	ΔH_f° (kJ·mol^{-1})	ΔG_f° (kJ·mol^{-1})	S° (J·mol^{-1}·K^{-1})
Étain			
Sn (blanc)	0	0	51,55
Sn (gris)	− 2,1	0,1	44,14
SnCl$_4$(l)	− 511,3	− 440,2	259
SnO(s)	− 286	− 257	56,5
SnO$_2$(s)	− 580,7	− 519,7	52,3
Fer			
Fe(s)	0	0	27,28
Fe^{2+}(aq)	− 89,1	− 78,90	− 137,7
Fe^{3+}(aq)	− 48,5	− 4,7	− 315,9
FeCO$_3$(s)	− 740,6	− 666,7	92,88
FeCl$_3$(s)	− 399,5	− 334,1	142,3
FeO(s)	− 272	− 251,5	60,75
Fe$_2$O$_3$(s)	− 824,2	− 742,2	87,40
Fe$_3$O$_4$(s)	− 1118	− 1015	146
Fe(OH)$_3$(s)	− 823,0	− 696,6	107
Fluor			
F(g)	78,99	61,92	158,7
F$^-$(aq)	− 332,6	− 278,8	− 13,8
F$_2$(g)	0	0	202,7
Hélium			
He(g)	0	0	126,0
Hydrogène			
H(g)	218,0	203,3	114,6
H$^+$(aq)	0	0	0
H$_2$(g)	0	0	130,6
HBr(g)	− 36,40	− 53,43	198,6
HCl(g)	− 92,31	− 95,30	186,8
HCl(aq)	− 167,2	− 131,3	56,48
HCN(g)	135	125	201,7
HF(g)	− 271,1	− 273,2	173,7
HI(g)	26,48	1,72	206,5
HNO$_3$(l)	− 173,2	− 79,91	155,6
HNO$_3$(aq)	− 207,4	− 113,3	146,4
H$_2$O(g)	− 241,8	− 228,6	188,7
H$_2$O(l)	− 285,8	− 237,2	69,91
H$_2$O$_2$(g)	− 136,1	− 105,5	232,9
H$_2$O$_2$(l)	− 187,8	− 120,4	110
H$_2$S(g)	− 20,63	− 33,56	205,7
H$_2$SO$_4$(l)	− 814,0	− 690,1	156,9
H$_2$SO$_4$(aq)	− 909,3	− 744,6	20,08
Iode			
I(g)	106,8	70,28	180,7
I$^-$(aq)	− 55,19	− 51,57	111,3
I$_2$(g)	62,44	19,36	260,6
I$_2$(s)	0	0	116,1
IBr(g)	40,84	3,72	258,7
ICl(g)	17,78	− 5,44	247,4
ICl(l)	− 23,89	− 13,60	135,1
Lithium			
Li(s)	0	0	29,12
Li$^+$(aq)	− 278,5	− 293,3	13,4
LiCl(s)	− 408,6	− 384,4	59,33
Li$_2$O(s)	− 597,94	− 561,18	37,57
LiOH(s)	− 484,9	− 439,0	42,80
LiNO$_3$(s)	− 483,1	− 381,1	90,0

Substances inorganiques (suite)

	ΔH_f° (kJ·mol^{-1})	ΔG_f° (kJ·mol^{-1})	S° (J·mol^{-1}·K^{-1})
Magnésium			
Mg(s)	0	0	32,69
Mg^{2+}(aq)	− 466,9	− 454,8	− 138,1
MgCl$_2$(s)	− 641,3	− 591,8	89,62
MgCO$_3$(s)	− 1096	− 1012	65,7
MgF$_2$(s)	− 1124	− 1071	57,24
MgO(s)	− 601,7	− 569,4	26,94
Mg(OH)$_2$(s)	− 924,7	− 833,9	63,18
MgSO$_4$(s)	− 1285	− 1171	91,6
Manganèse			
Mn(s)	0	0	32,0
Mn^{2+}(aq)	− 220,8	− 228,1	− 73,6
MnO$_2$(s)	− 520	− 465,2	53,05
MnO$_4^-$(aq)	− 541,4	− 447,2	191,2
Mercure			
Hg(g)	61,32	31,85	174,9
Hg(l)	0	0	76,02
HgO(s)	− 90,83	− 58,56	70,29
Oxygène			
O(g)	249,2	231,7	160,9
O$_2$(g)	0	0	205,0
O$_3$(g)	142,7	163,2	238,8
OH$^-$(aq)	− 230,0	− 157,2	− 10,75
OF$_2$(g)	24,5	41,8	247,3
Phosphore			
P (α blanc)	0	0	41,1
P (rouge)	− 17,6	− 12,1	22,8
P$_4$(g)	58,9	24,5	279,9
PCl$_3$(g)	− 287,0	− 267,8	311,7
PCl$_3$(l)	− 319,7	− 272,3	217,1
PCl$_5$(g)	− 374,9	− 305,0	364,5
PCl$_5$(s)	− 443,5	—	—
PH$_3$(g)	5,4	13,4	210,1
P$_4$O$_{10}$(s)	− 2984	− 2698	228,9
PO$_4^{3-}$(aq)	− 1277	− 1019	− 222
Plomb			
Pb(s)	0	0	64,81
Pb^{2+}(aq)	− 1,7	− 24,43	10,5
PbI$_2$(s)	− 175,5	− 173,6	174,8
PbO$_2$(s)	− 277	− 217,4	68,6
PbSO$_4$(s)	− 919,9	− 813,2	148,6
Potassium			
K(g)	89,24	60,63	160,2
K(l)	2,28	0,26	71,46
K(s)	0	0	64,18
K$^+$(aq)	− 252,4	− 283,3	102,5
KBr(s)	− 393,8	− 380,7	95,90
KCN(s)	− 113	− 101,9	128,5
KCl(s)	− 436,7	− 409,2	82,59
KClO$_3$(s)	− 397,7	− 296,3	143
KClO$_4$(s)	− 432,8	− 303,2	151,0
KF(s)	− 567,3	− 537,8	66,57
KI(s)	− 327,9	− 324,9	106,3
KNO$_3$(s)	− 494,6	− 394,9	133,1
KOH(s)	− 424,8	− 379,1	78,87
KOH(aq)	− 482,4	− 440,5	91,63
K$_2$SO$_4$(s)	− 1438	− 1321	175,6

Substances inorganiques (suite)

	ΔH_f° (kJ·mol^{-1})	ΔG_f° (kJ·mol^{-1})	S° (J·mol^{-1}·K^{-1})
Silicium			
Si(s)	0	0	18,8
SiH$_4$(g)	34	56,9	204,5
Si$_2$H$_6$(g)	80,3	127	272,5
SiO$_2$(quartz)	−910,9	−856,7	41,84
Sodium			
Na(g)	107,3	76,78	153,6
Na(l)	2,41	0,50	57,86
Na(s)	0	0	51,21
Na$^+$(aq)	−240,1	−261,9	59,0
Na$_2$(g)	142,0	104,0	230,1
NaBr(s)	−361,1	−349,0	86,82
Na$_2$CO$_3$(s)	−1131	−1044	135,0
NaHCO$_3$(s)	−950,8	−851,0	102
NaCl(s)	−411,1	−384,0	72,13
NaCl(aq)	−407,3	−393,1	115,5
NaClO$_3$(s)	−365,8	−262,3	123
NaClO$_4$(s)	−383,3	−254,9	142,3
NaF(s)	−573,7	−543,5	51,46
NaH(s)	−56,27	−33,5	40,02
NaI(s)	−287,8	−286,1	98,53
NaNO$_3$(s)	−467,9	−367,1	116,5
NaNO$_3$(aq)	−447,4	−373,2	205,4
Na$_2$O$_2$(s)	−510,9	−447,7	94,98
NaOH(s)	−425,6	−379,5	64,48
NaOH(aq)	−469,2	−419,2	48,1
NaH$_2$PO$_4$(s)	−1537	−1386	127,5
Na$_2$HPO$_4$(s)	−1748	−1608	150,5
Na$_3$PO$_4$(s)	−1917	−1789	173,8
NaHSO$_4$(s)	−1125	−992,9	113
Na$_2$SO$_4$(s)	−1387	−1270	149,6
Na$_2$SO$_4$(aq)	−1390	−1268	138,1
Na$_2$SO$_4$·10H$_2$O(s)	−4327	−3647	592,0
Na$_2$S$_2$O$_3$(s)	−1123	−1028	155
Soufre			
S (orthorhombique)	0	0	31,8
S$_8$(g)	102,3	49,16	430,2
S$_2$Cl$_2$(g)	−18,4	−31,8	331,5
SF$_6$(g)	−1209	−1105	291,7
SO$_2$(g)	−296,8	−300,2	248,1
SO$_3$(g)	−395,7	−371,1	256,6
SO$_4^{2-}$(aq)	−909,3	−744,5	20,1
S$_2$O$_3^{2-}$(aq)	−648,5	−522,5	67
SO$_2$Cl$_2$(g)	−364,0	−320,0	311,8
SO$_2$Cl$_2$(l)	−394,1	−314	207
Titane			
Ti(s)	0	0	30,6
TiCl$_4$(g)	−763,2	−726,8	355
TiCl$_4$(l)	−804,2	−737,2	252,3
TiO$_2$(s)	−944,7	−889,5	50,33
Uranium			
U(s)	0	0	50,21
UF$_6$(g)	−2147	−2064	378
UF$_6$(s)	−2197	−2069	228
UO$_2$(s)	−1085	−1032	77,03

Substances inorganiques (suite)

	ΔH_f° (kJ·mol^{-1})	ΔG_f° (kJ·mol^{-1})	S° (J·mol^{-1}·K^{-1})
Zinc			
Zn(s)	0	0	41,6
Zn^{2+}(aq)	− 153,9	− 147,1	− 112,1
ZnCl$_2$(s)	− 415,1	− 369,4	111,5
ZnO(s)	− 348,3	− 318,3	43,64

Substances organiques

Formule	Nom	ΔH_f° (kJ/mol)	ΔG_f° (kJ/mol)	S° (J/mol·K)
CH$_4$(g)	Méthane(g)	− 74,81	− 50,75	186,2
C$_2$H$_2$(g)	Acétylène(g)	226,7	209,2	200,8
C$_2$H$_4$(g)	Éthylène(g)	52,26	68,12	219,4
C$_2$H$_6$(g)	Éthane(g)	− 84,68	− 32,89	229,5
C$_3$H$_8$(g)	Propane(g)	− 103,8	− 23,56	270,2
C$_4$H$_{10}$(g)	Butane(g)	− 125,7	− 17,15	310,1
C$_6$H$_6$(g)	Benzène(g)	82,93	129,7	269,2
C$_6$H$_6$(l)	Benzène(l)	48,99	124,4	173,3
C$_6$H$_{12}$(g)	Cyclohexane(g)	− 123,1	31,8	298,2
C$_6$H$_{12}$(l)	Cyclohexane(l)	− 156,2	26,7	204,3
C$_{10}$H$_8$(g)	Naphthalène(g)	149	223,6	335,6
C$_{10}$H$_8$(s)	Naphthalène(s)	75,3	201,0	166,9
CH$_2$O(g)	Formaldéhyde(g)	− 117,0	− 110,0	218,7
CH$_3$OH(g)	Méthanol(g)	− 200,7	− 162,0	239,7
CH$_3$OH(l)	Méthanol(l)	− 238,7	− 166,4	126,8
CH$_3$CHO(g)	Acétaldéhyde(g)	− 166,1	− 133,4	246,4
CH$_3$CHO(l)	Acétaldéhyde(l)	− 191,8	− 128,3	160,4
CH$_3$CH$_2$OH(g)	Éthanol(g)	− 234,4	− 167,9	282,6
CH$_3$CH$_2$OH(l)	Éthanol(l)	− 277,7	− 174,9	160,7
C$_6$H$_5$OH(s)	Phénol(s)	− 165,0	− 50,42	144,0
(CH$_3$)$_2$CO(g)	Acétone(g)	− 216,6	− 153,1	294,9
(CH$_3$)$_2$CO(l)	Acétone(l)	− 247,6	− 155,7	200,4
CH$_3$COOH(g)	Acide acétique(g)	− 432,3	− 374,0	282,5
CH$_3$COOH(l)	Acide acétique(l)	− 484,1	− 389,9	159,8
CH$_3$COOH(aq)	Acide acétique(aq)	− 488,3	− 396,6	178,7
C$_6$H$_5$COOH(s)	Acide benzoïque(s)	− 385,1	− 245,3	167,6
CH$_3$NH$_2$(g)	Méthylamine(g)	− 23,0	32,3	242,6
C$_6$H$_5$NH$_2$(g)	Aniline(g)	86,86	166,7	319,2
C$_6$H$_5$NH$_2$(l)	Aniline(l)	31,6	149,1	191,3
C$_6$H$_{12}$O$_6$(s)	Glucose(s)	− 1273,3	− 910,4	212,1

C.2 Les constantes d'équilibre

A. Constantes d'ionisation d'acides faibles à 25 °C

Nom de l'acide	Formule	K_a	pK_a
Acide acétique	CH$_3$CO$_2$H	$1,8 \times 10^{-5}$	4,74
Acide acrylique	CH$_2$CHCO$_2$H	$5,5 \times 10^{-5}$	4,26
Acide arsénique	H$_3$AsO$_4$	$6,0 \times 10^{-3}$	2,22
	H$_2$AsO$_4^-$	$1,0 \times 10^{-7}$	7,00
	HAsO$_4^{2-}$	$3,2 \times 10^{-12}$	11,49
Acide arsénieux	H$_3$AsO$_3$	$6,6 \times 10^{-10}$	9,18
Acide benzoïque	C$_6$H$_5$CO$_2$H	$6,3 \times 10^{-5}$	4,20
Acide bromoacétique	CH$_2$BrCO$_2$H	$1,3 \times 10^{-3}$	2,89

A.	Constantes d'ionisation d'acides faibles à 25 °C

Nom de l'acide	Formule	K_a	pK_a
Acide butanoïque	$CH_3CH_2CH_2CO_2H$	$1,5 \times 10^{-5}$	4,82
Acide carbonique	H_2CO_3	$4,4 \times 10^{-7}$	6,36
	HCO_3^-	$4,7 \times 10^{-11}$	10,33
Acide chloreux	$HClO_2$	$1,1 \times 10^{-2}$	1,96
Acide chloroacétique	CH_2ClCO_2H	$1,4 \times 10^{-3}$	2,85
Acide citrique	$HO_2CCH_2COH(CO_2H)CH_2CO_2H$	$7,4 \times 10^{-4}$	3,13
	$HO_2CCH_2COH(CO_2H)CH_2CO_2^-$	$1,7 \times 10^{-5}$	4,77
	$HO_2CCH_2COH(CO_2^-)CH_2CO_2^-$	$4,0 \times 10^{-7}$	6,40
Acide cyanhydrique	HCN	$6,2 \times 10^{-10}$	9,21
Acide cyanique	$HOCN$	$3,5 \times 10^{-4}$	3,46
Acide dichloroacétique	$CHCl_2CO_2H$	$5,5 \times 10^{-2}$	1,26
Acide fluorhydrique	HF	$6,6 \times 10^{-4}$	3,18
Acide fluoroacétique	CH_2FCO_2H	$2,6 \times 10^{-3}$	2,59
Acide formique	HCO_2H	$1,8 \times 10^{-4}$	3,74
Acide hydrazoïque	HN_3	$1,9 \times 10^{-5}$	4,72
Acide hypobromeux	$HOBr$	$2,5 \times 10^{-9}$	8,60
Acide hypochloreux	$HOCl$	$2,9 \times 10^{-8}$	7,54
Acide hypoiodeux	HOI	$2,3 \times 10^{-11}$	10,64
Acide hyponitreux	$HON=NOH$	$8,9 \times 10^{-8}$	7,05
	$HON=NO^-$	$4,10 \times 10^{-12}$	11,40
Acide iodique	HIO_3	$1,6 \times 10^{-1}$	0,80
Acide iodoacétique	CH_2ICO_2H	$6,7 \times 10^{-4}$	3,17
Acide malonique	$HO_2CCH_2CO_2H$	$1,5 \times 10^{-3}$	2,82
	$HO_2CCH_2CO_2^-$	$2,0 \times 10^{-6}$	5,70
Acide nitreux	HNO_2	$7,2 \times 10^{-4}$	3,14
Acide oxalique	HO_2CCO_2H	$5,4 \times 10^{-2}$	1,27
	$HO_2CCO_2^-H$	$5,3 \times 10^{-5}$	4,28
Acide phénylacétique	$C_6H_5CH_2CO_2H$	$4,9 \times 10^{-5}$	4,31
Acide phosphorique	H_3PO_4	$7,1 \times 10^{-3}$	2,15
	$H_2PO_4^-$	$6,3 \times 10^{-8}$	7,20
	HPO_4^{2-}	$4,2 \times 10^{-13}$	12,38
Acide phosphoreux	H_3PO_3	$3,7 \times 10^{-2}$	1,43
	$H_2PO_3^-$	$2,1 \times 10^{-7}$	6,68
Acide propanoïque	$CH_3CH_2CO_2H$	$1,3 \times 10^{-5}$	4,89
Acide pyrophosphorique	$H_4P_2O_7$	$3,0 \times 10^{-2}$	1,52
	$H_3P_2O_7^-$	$4,4 \times 10^{-3}$	2,36
	$H_2P_2O_7^{2-}$	$2,5 \times 10^{-7}$	6,60
	$HP_2O_7^{3-}$	$5,6 \times 10^{-10}$	9,25
Acide sélénhydrique	H_2Se	$1,3 \times 10^{-4}$	3,89
	HSe^-	$1,0 \times 10^{-11}$	11,0
Acide sélénieux	H_2SeO_3	$2,3 \times 10^{-3}$	2,64
	$HSeO_3^-$	$5,4 \times 10^{-9}$	8,27
Acide sélénique	H_2SeO_4	acide fort	
	$HSeO_4^-$	$2,2 \times 10^{-2}$	1,66
Acide succinique	$HO_2CCH_2CH_2CO_2H$	$6,2 \times 10^{-5}$	4,21
	$HO_2CCH_2CH_2CO_2^-$	$2,3 \times 10^{-6}$	5,64
Acide sulfhydrique	H_2S	$1,0 \times 10^{-7}$	7,00
	HS^-	$1,0 \times 10^{-19}$	19,0
Acide sulfureux	H_2SO_3	$1,3 \times 10^{-2}$	1,89
	HSO_3^-	$6,2 \times 10^{-8}$	7,21
Acide sulfurique	H_2SO_4	acide fort	
	HSO_4^-	$1,1 \times 10^{-2}$	1,96
Acide tellurhydrique	H_2Te	$2,3 \times 10^{-3}$	2,64
	HTe^-	$1,6 \times 10^{-11}$	10,80
Acide trichloroacétique	CCl_3CO_2H	$3,0 \times 10^{-1}$	0,52
Peroxyde d'hydrogène	H_2O_2	$2,2 \times 10^{-12}$	11,66
Phénol	C_6H_5OH	$1,0 \times 10^{-10}$	10,00
Thiophénol	C_6H_5SH	$3,2 \times 10^{-7}$	6,49

B. Constantes d'ionisation de bases faibles à 25 °C

Nom de la base	Formule	K_b	pK_b
Ammoniac	NH_3	$1,8 \times 10^{-5}$	4,74
Aniline	$C_6H_5NH_2$	$7,4 \times 10^{-10}$	9,13
Codéine	$C_{18}H_{21}O_3N$	$8,9 \times 10^{-7}$	6,05
Diéthylamine	$(CH_3CH_2)_2NH$	$6,9 \times 10^{-4}$	3,16
Diméthylamine	$(CH_3)_2NH$	$5,9 \times 10^{-4}$	3,23
Éthylamine	$CH_3CH_2NH_2$	$4,3 \times 10^{-4}$	3,37
Hydrazine	NH_2NH_2	$8,5 \times 10^{-7}$	6,07
	$NH_2NH_3^+$	$8,9 \times 10^{-16}$	15,05
Hydroxylamine	NH_2OH	$9,1 \times 10^{-9}$	8,04
Isoquinoléine	C_9H_7N	$2,5 \times 10^{-9}$	8,60
Méthylamine	CH_3NH_2	$4,2 \times 10^{-4}$	3,38
Morphine	$C_{17}H_{19}O_3N$	$7,4 \times 10^{-7}$	6,13
Pipéridine	$C_5H_{10}NH$	$1,3 \times 10^{-3}$	2,89
Pyridine	C_5H_5N	$1,5 \times 10^{-9}$	8,82
Quinoléine	C_9H_7N	$6,3 \times 10^{-10}$	9,20
Triéthanolamine	$(HOCH_2CH_2)_3N$	$5,8 \times 10^{-7}$	6,24
Triéthylamine	$(CH_3CH_2)_3N$	$5,2 \times 10^{-4}$	3,28
Triméthylamine	$(CH_3)_3N$	$6,3 \times 10^{-5}$	4,20

C. Constantes du produit de solubilité*

Nom de l'acide	Formule	K_{ps}
Aluminium		
Hydroxyde d'aluminium	$Al(OH)_3$	$1,3 \times 10^{-33}$
Phosphate d'aluminium	$AlPO_4$	$6,3 \times 10^{-19}$
Argent		
Acétate d'argent	CH_3COOAg	$2,0 \times 10^{-3}$
Arséniate d'argent	Ag_3AsO_4	$1,0 \times 10^{-22}$
Azoture d'argent	AgN_3	$2,8 \times 10^{-9}$
Bromure d'argent	$AgBr$	$5,0 \times 10^{-13}$
Chlorure d'argent	$AgCl$	$1,8 \times 10^{-10}$
Chromate d'argent	Ag_2CrO_4	$1,1 \times 10^{-12}$
Cyanure d'argent	$AgCN$	$1,2 \times 10^{-16}$
Iodate d'argent	$AgIO_3$	$3,0 \times 10^{-8}$
Iodure d'argent	AgI	$8,5 \times 10^{-17}$
Nitrite d'argent	$AgNO_2$	$6,0 \times 10^{-4}$
Sulfate d'argent	Ag_2SO_4	$1,4 \times 10^{-5}$
Sulfure d'argent**	Ag_2S	$6,0 \times 10^{-51}$
Sulfite d'argent	Ag_2SO_3	$1,5 \times 10^{-14}$
Thiocyanate d'argent	$AgSCN$	$1,0 \times 10^{-12}$
Baryum		
Carbonate de baryum	$BaCO_3$	$5,1 \times 10^{-9}$
Chromate de baryum	$BaCrO_4$	$1,2 \times 10^{-10}$
Fluorure de baryum	BaF_2	$1,0 \times 10^{-6}$
Hydroxyde de baryum	$Ba(OH)_2$	$5,0 \times 10^{-3}$
Sulfate de baryum	$BaSO_4$	$1,1 \times 10^{-10}$
Sulfite de baryum	$BaSO_3$	$8,0 \times 10^{-7}$
Thiosulfate de baryum	BaS_2O_3	$1,6 \times 10^{-5}$
Bismuthyle		
Chlorure de bismuthyle	$BiOCl$	$1,8 \times 10^{-31}$
Hydroxyde de bismuthyle	$BiOOH$	$4,0 \times 10^{-10}$
Cadmium		
Carbonate de cadmium	$CdCO_3$	$5,2 \times 10^{-12}$
Hydroxyde de cadmium	$Cd(OH)_2$	$2,5 \times 10^{-14}$
Sulfure de cadmium**	CdS	$8,0 \times 10^{-28}$

* Les données ont été mesurées à diverses températures se situant autour de la température ambiante, de 18 à 25 °C.

** Pour un équilibre de solubilité du type $MS(s) + H_2O \rightleftharpoons M^{2+}(aq) + HS^-(aq) + OH^-(aq)$.

C. Constantes du produit de solubilité* (suite)

Nom de l'acide	Formule	K_{ps}
Calcium		
Carbonate de calcium	$CaCO_3$	$2,8 \times 10^{-9}$
Chromate de calcium	$CaCrO_4$	$7,1 \times 10^{-4}$
Fluorure de calcium	CaF_2	$5,3 \times 10^{-9}$
Hydrogénophosphate de calcium	$CaHPO_4$	$1,0 \times 10^{-7}$
Hydroxyde de calcium	$Ca(OH)_2$	$5,5 \times 10^{-6}$
Oxalate de calcium	CaC_2O_4	$2,7 \times 10^{-9}$
Phosphate de calcium	$Ca_3(PO_4)_2$	$2,0 \times 10^{-29}$
Sulfate de calcium	$CaSO_4$	$9,1 \times 10^{-6}$
Sulfite de calcium	$CaSO_3$	$6,8 \times 10^{-8}$
Chrome		
Hydroxyde de chrome(II)	$Cr(OH)_2$	$2,0 \times 10^{-16}$
Hydroxyde de chrome(III)	$Cr(OH)_3$	$6,3 \times 10^{-31}$
Cobalt		
Carbonate de cobalt(II)	$CoCO_3$	$1,4 \times 10^{-13}$
Hydroxyde de cobalt(II)	$Co(OH)_2$	$1,6 \times 10^{-15}$
Hydroxyde de cobalt(III)	$Co(OH)_3$	$1,6 \times 10^{-44}$
Cuivre		
Chlorure de cuivre(I)	$CuCl$	$1,2 \times 10^{-6}$
Cyanure de cuivre(I)	$CuCN$	$3,2 \times 10^{-20}$
Iodure de cuivre(I)	CuI	$1,1 \times 10^{-12}$
Arséniate de cuivre(II)	$Cu_3(AsO_4)_2$	$7,6 \times 10^{-36}$
Carbonate de cuivre(II)	$CuCO_3$	$1,4 \times 10^{-10}$
Chromate de cuivre(II)	$CuCrO_4$	$3,6 \times 10^{-6}$
Ferrocyanure de cuivre(II)	$Cu_2[Fe(CN)_6]$	$1,3 \times 10^{-16}$
Hydroxyde de cuivre(II)	$Cu(OH)_2$	$2,2 \times 10^{-20}$
Sulfure de cuivre(II)**	CuS	$6,0 \times 10^{-37}$
Étain		
Hydroxyde d'étain(II)	$Sn(OH)_2$	$1,4 \times 10^{-28}$
Sulfure d'étain(II)**	SnS	$1,0 \times 10^{-26}$
Fer		
Carbonate de fer(II)	$FeCO_3$	$3,2 \times 10^{-11}$
Hydroxyde de fer(II)	$Fe(OH)_2$	$8,0 \times 10^{-16}$
Sulfure de fer(II)**	FeS	$6,0 \times 10^{-19}$
Arséniate de fer(III)	$FeAsO_4$	$5,7 \times 10^{-21}$
Ferrocyanure de fer(III)	$Fe_4[Fe(CN)_6]_3$	$3,3 \times 10^{-41}$
Hydroxyde de fer(III)	$Fe(OH)_3$	$4,0 \times 10^{-38}$
Phosphate de fer(III)	$FePO_4$	$1,3 \times 10^{-22}$
Lithium		
Carbonate de lithium	Li_2CO_3	$2,5 \times 10^{-2}$
Fluorure de lithium	LiF	$3,8 \times 10^{-3}$
Phosphate de lithium	Li_3PO_4	$3,2 \times 10^{-9}$
Magnésium		
Phosphate d'ammonium et de magnésium	$MgNH_4PO_4$	$2,5 \times 10^{-13}$
Carbonate de magnésium	$MgCO_3$	$3,5 \times 10^{-8}$
Fluorure de magnésium	MgF_2	$3,7 \times 10^{-8}$
Hydroxyde de magnésium	$Mg(OH)_2$	$1,8 \times 10^{-11}$
Phosphate de magnésium	$Mg_3(PO_4)_2$	$1,0 \times 10^{-25}$
Manganèse		
Carbonate de manganèse(II)	$MnCO_3$	$1,8 \times 10^{-11}$
Hydroxyde de manganèse(II)	$Mn(OH)_2$	$1,9 \times 10^{-13}$
Sulfure de manganèse(II)**	MnS	$3,0 \times 10^{-14}$

* Les données ont été mesurées à diverses températures se situant autour de la température ambiante, de 18 à 25 °C.

** Pour un équilibre de solubilité du type $MS(s) + H_2O \rightleftharpoons M^{2+}(aq) + HS^-(aq) + OH^-(aq)$.

C. Constantes du produit de solubilité* (suite)

Nom de l'acide	Formule	K_{ps}
Mercure		
Bromure de mercure(I)	Hg_2Br_2	$5,6 \times 10^{-23}$
Chlorure de mercure(I)	Hg_2Cl_2	$1,3 \times 10^{-18}$
Iodure de mercure(I)	Hg_2I_2	$4,5 \times 10^{-29}$
Sulfure de mercure(II)**	HgS	$2,0 \times 10^{-53}$
Nickel		
Carbonate de nickel(II)	$NiCO_3$	$6,6 \times 10^{-9}$
Hydroxyde de nickel(II)	$Ni(OH)_2$	$2,0 \times 10^{-15}$
Plomb		
Arséniate de plomb(II)	$Pb_3(AsO_4)_2$	$4,0 \times 10^{-36}$
Azoture de plomb(II)	$Pb(N_3)_2$	$2,5 \times 10^{-9}$
Bromure de plomb(II)	$PbBr_2$	$4,0 \times 10^{-5}$
Carbonate de plomb(II)	$PbCO_3$	$7,4 \times 10^{-14}$
Chlorure de plomb(II)	$PbCl_2$	$1,6 \times 10^{-5}$
Chromate de plomb(II)	$PbCrO_4$	$2,8 \times 10^{-13}$
Fluorure de plomb(II)	PbF_2	$2,7 \times 10^{-8}$
Hydroxyde de plomb(II)	$Pb(OH)_2$	$1,2 \times 10^{-15}$
Iodure de plomb(II)	PbI_2	$7,1 \times 10^{-9}$
Sulfate de plomb(II)	$PbSO_4$	$1,6 \times 10^{-8}$
Sulfure de plomb(II)**	PbS	$3,0 \times 10^{-28}$
Scandium		
Fluorure de scandium	ScF_3	$4,2 \times 10^{-18}$
Hydroxyde de scandium	$Sc(OH)_3$	$8,0 \times 10^{-31}$
Strontium		
Carbonate de strontium	$SrCO_3$	$1,1 \times 10^{-10}$
Chromate de strontium	$SrCrO_4$	$2,2 \times 10^{-5}$
Fluorure de strontium	SrF_2	$2,5 \times 10^{-9}$
Sulfate de strontium	$SrSO_4$	$3,2 \times 10^{-7}$
Thallium		
Bromure de thallium(I)	$TlBr$	$3,4 \times 10^{-6}$
Chlorure de thallium(I)	$TlCl$	$1,7 \times 10^{-4}$
Iodure de thallium(I)	TlI	$6,5 \times 10^{-8}$
Hydroxyde de thallium(III)	$Tl(OH)_3$	$6,3 \times 10^{-46}$
Zinc		
Carbonate de zinc	$ZnCO_3$	$1,4 \times 10^{-11}$
Hydroxyde de zinc	$Zn(OH)_2$	$1,2 \times 10^{-17}$
Oxalate de zinc	ZnC_2O_4	$2,7 \times 10^{-8}$
Phosphate de zinc	$Zn_3(PO_4)_2$	$9,0 \times 10^{-33}$
Sulfure de zinc*	ZnS	$2,0 \times 10^{-25}$

D. Constantes de formation d'ions complexes

Formule	K_f
$[Ag(CN)_2]^-$	$5,6 \times 10^{18}$
$[Ag(EDTA)]^{3-}$	$2,1 \times 10^{7}$
$[Ag(en)_2]^+$	$5,0 \times 10^{7}$
$[Ag(NH_3)_2]^+$	$1,6 \times 10^{7}$
$[Ag(SCN)_4]^{3-}$	$1,2 \times 10^{10}$
$[Ag(S_2O_3)_2]^{3-}$	$1,7 \times 10^{13}$
$[Al(EDTA)]^-$	$1,3 \times 10^{16}$
$[Al(OH)_4]^-$	$1,1 \times 10^{33}$
$[Al(ox)_3]^{3-}$	$2,0 \times 10^{16}$
$[Cd(CN)_4]^{2-}$	$6,0 \times 10^{18}$
$[Cd(en)_3]^{2+}$	$1,2 \times 10^{12}$

* Les données ont été mesurées à diverses températures se situant autour de la température ambiante, de 18 à 25 °C.
** Pour un équilibre de solubilité du type $MS(s) + H_2O \rightleftharpoons M^{2+}(aq) + HS^-(aq) + OH^-(aq)$.

D. Constantes de formation d'ions complexes

Formule	K_f
$[Cd(NH_3)_4]^{2+}$	$1,3 \times 10^7$
$[Co(EDTA)]^{2-}$	$2,0 \times 10^{16}$
$[Co(en)_3]^{2+}$	$8,7 \times 10^{13}$
$[Co(NH_3)_6]^{2+}$	$1,3 \times 10^5$
$[Co(ox)_3]^{4-}$	$5,0 \times 10^9$
$[Co(SCN)_4]^{2-}$	$1,0 \times 10^3$
$[Co(EDTA)]^-$	10^{36}
$[Co(en)_3]^{3+}$	$4,9 \times 10^{48}$
$[Co(NH_3)_6]^{3+}$	$4,5 \times 10^{33}$
$[Co(ox)_3]^{3-}$	10^{20}
$[Cr(EDTA)]^-$	10^{23}
$[Cr(OH)_4]^-$	$8,0 \times 10^{29}$
$[CuCl_3]^{2-}$	$5,0 \times 10^5$
$[Cu(CN)_4]^{3-}$	$2,0 \times 10^{30}$
$[Cu(EDTA)]^{2-}$	$5,0 \times 10^{18}$
$[Cu(en)_2]^{2+}$	$1,0 \times 10^{20}$
$[Cu(NH_3)_4]^{2+}$	$1,1 \times 10^{13}$
$[Cu(ox)_2]^{2-}$	$3,0 \times 10^8$
$[Fe(CN)_6]^{4-}$	10^{37}
$[Fe(EDTA)]^{2-}$	$2,1 \times 10^{14}$
$[Fe(en)_3]^{2+}$	$5,0 \times 10^9$
$[Fe(ox)_3]^{4-}$	$1,7 \times 10^5$
$[Fe(CN)_6]^{3-}$	10^{42}
$[Fe(EDTA)]^-$	$1,7 \times 10^{24}$
$[Fe(ox)_3]^{3-}$	$2,0 \times 10^{20}$
$[Fe(SCN)]^{2+}$	$8,9 \times 10^2$
$[HgCl_4]^{2-}$	$1,2 \times 10^{15}$
$[Hg(CN)_4]^{2-}$	$3,0 \times 10^{41}$
$[Hg(EDTA)]^{2-}$	$6,3 \times 10^{21}$
$[Hg(en)_2]^{2+}$	$2,0 \times 10^{23}$
$[HgI_4]^{2-}$	$6,8 \times 10^{29}$
$[Hg(ox)_2]^{2-}$	$9,5 \times 10^6$
$[Ni(CN)_4]^{2-}$	$2,0 \times 10^{31}$
$[Ni(EDTA)]^{2-}$	$3,6 \times 10^{18}$
$[Ni(en)_3]^{2+}$	$2,1 \times 10^{18}$
$[Ni(NH_3)_6]^{2+}$	$5,5 \times 10^8$
$[Ni(ox)_3]^{4-}$	$3,0 \times 10^8$
$[PbCl_3]^-$	$2,4 \times 10^1$
$[Pb(EDTA)]^{2-}$	$2,0 \times 10^{18}$
$[PbI_4]^{2-}$	$3,0 \times 10^4$
$[Pb(OH)_3]^-$	$3,8 \times 10^{14}$
$[Pb(ox)_2]^{2-}$	$3,5 \times 10^6$
$[Pb(S_2O_3)_3]^{4-}$	$2,2 \times 10^6$
$[PtCl_4]^{2-}$	$1,0 \times 10^{16}$
$[Pt(NH_3)_6]^{2+}$	$2,0 \times 10^{35}$
$[Zn(CN)_4]^{2-}$	$1,0 \times 10^{18}$
$[Zn(EDTA)]^{2-}$	$3,0 \times 10^{16}$
$[Zn(en)_3]^{2+}$	$1,3 \times 10^{14}$
$[Zn(NH_3)_4]^{2+}$	$4,1 \times 10^8$
$[Zn(OH)_4]^{2-}$	$4,6 \times 10^{17}$
$[Zn(ox)_3]^{4-}$	$1,4 \times 10^8$

C.3 Les potentiels standard d'électrodes (réduction) à 25 °C

Potentiels standard d'électrode (réduction) à 25 °C	
Demi-réaction de réduction	$E°$ (V)
$F_2(g) + 2\,e^- \rightarrow 2\,F^-(aq)$	+ 2,866
$OF_2(g) + 2\,H^+(aq) + 4\,e^- \rightarrow H_2O(l) + 2\,F^-(aq)$	+ 2,1
$O_3(g) + 2\,H^+(aq) + 2\,e^- \rightarrow O_2(g) + H_2O(l)$	+ 2,075
$S_2O_8^{2-}(aq) + 2\,e^- \rightarrow 2\,SO_4^{2-}(aq)$	+ 2,01
$Ag^{2+}(aq) + e^- \rightarrow Ag^+(aq)$	+ 1,98
$H_2O_2(aq) + 2\,H^+(aq) + 2\,e^- \rightarrow 2\,H_2O(l)$	+ 1,763
$MnO_4^-(aq) + 4\,H^+(aq) + 3\,e^- \rightarrow MnO_2(s) + 2\,H_2O(l)$	+ 1,70
$PbO_2(s) + SO_4^{2-}(aq) + 4\,H^+(aq) + 2\,e^- \rightarrow PbSO_4(s) + 2\,H_2O(l)$	+ 1,69
$Au^{3+}(aq) + 3\,e^- \rightarrow Au(s)$	+ 1,52
$MnO_4^-(aq) + 8\,H^+(aq) + 5\,e^- \rightarrow Mn^{2+}(aq) + 4\,H_2O(l)$	+ 1,51
$2\,BrO_3^-(aq) + 12\,H^+(aq) + 10\,e^- \rightarrow Br_2(l) + 6\,H_2O(l)$	+ 1,478
$PbO_2(s) + 4\,H^+(aq) + 2\,e^- \rightarrow Pb^{2+}(aq) + 2\,H_2O(l)$	+ 1,455
$ClO_3^-(aq) + 6\,H^+(aq) + 6\,e^- \rightarrow Cl^-(aq) + 3\,H_2O(l)$	+ 1,450
$Au^{3+}(aq) + 2\,e^- \rightarrow Au^+(aq)$	+ 1,36
$Cl_2(g) + 2\,e^- \rightarrow 2\,Cl^-(aq)$	+ 1,358
$Cr_2O_7^{2-}(aq) + 14\,H^+(aq) + 6\,e^- \rightarrow 2\,Cr^{3+}(aq) + 7\,H_2O(l)$	+ 1,33
$MnO_2(s) + 4\,H^+(aq) + 2\,e^- \rightarrow Mn^{2+}(aq) + 2\,H_2O(l)$	+ 1,23
$O_2(g) + 4\,H^+(aq) + 4\,e^- \rightarrow 2\,H_2O(l)$	+ 1,229
$2\,IO_3^-(aq) + 12\,H^+(aq) + 10\,e^- \rightarrow I_2(s) + 6\,H_2O(l)$	+ 1,20
$ClO_4^-(aq) + 2\,H^+(aq) + 2\,e^- \rightarrow ClO_3^-(aq) + H_2O(l)$	+ 1,19
$ClO_3^-(aq) + 2\,H^+(aq) + e^- \rightarrow ClO_2(g) + H_2O(l)$	+ 1,175
$NO_2(g) + H^+(aq) + e^- \rightarrow HNO_2(aq)$	+ 1,07
$Br_2(l) + 2\,e^- \rightarrow 2\,Br^-(aq)$	+ 1,065
$NO_2(g) + 2\,H^+(aq) + 2\,e^- \rightarrow NO(g) + H_2O(l)$	+ 1,03
$[AuCl_4]^-(aq) + 3\,e^- \rightarrow Au(s) + 4\,Cl^-(aq)$	+ 1,002
$VO_2^+(aq) + 2\,H^+(aq) + e^- \rightarrow VO^{2+}(aq) + H_2O(l)$	+ 1,000
$NO_3^-(aq) + 4\,H^+(aq) + 3\,e^- \rightarrow NO(g) + 2\,H_2O(l)$	+ 0,956
$Cu^{2+}(aq) + I^-(aq) + e^- \rightarrow CuI(s)$	+ 0,86
$Hg^{2+}(aq) + 2\,e^- \rightarrow Hg(l)$	+ 0,854
$Ag^+(aq) + e^- \rightarrow Ag(s)$	+ 0,800
$Fe^{3+}(aq) + e^- \rightarrow Fe^{2+}(aq)$	+ 0,771
$O_2(g) + 2\,H^+(aq) + 2\,e^- \rightarrow H_2O_2(aq)$	+ 0,695
$2\,HgCl_2(aq) + 2\,e^- \rightarrow Hg_2Cl_2(s) + 2\,Cl^-(aq)$	+ 0,63
$MnO_4^-(aq) + e^- \rightarrow MnO_4^{2-}(aq)$	+ 0,56
$I_2(s) + 2\,e^- \rightarrow 2\,I^-(aq)$	+ 0,535
$Cu^+(aq) + e^- \rightarrow Cu(s)$	+ 0,520
$H_2SO_3(aq) + 4\,H^+(aq) + 4\,e^- \rightarrow S(s) + 3\,H_2O(l)$	+ 0,449
$Cu^{2+}(aq) + 2\,e^- \rightarrow Cu(s)$	+ 0,340
$C_2N_2(g) + 2\,H^+(aq) + 2\,e^- \rightarrow 2\,HCN(aq)$	+ 0,37
$[Fe(CN)_6]^{3-}(aq) + e^- \rightarrow [Fe(CN)_6]^{4-}(aq)$	+ 0,361
$VO^{2+}(aq) + 2\,H^+(aq) + e^- \rightarrow V^{3+}(aq) + H_2O(l)$	+ 0,337
$PbO_2(s) + 2\,H^+(aq) + 2\,e^- \rightarrow PbO(s) + H_2O(l)$	+ 0,28
$Hg_2Cl_2(s) + 2\,e^- \rightarrow 2\,Hg(l) + 2\,Cl^-(aq)$	+ 0,2676
$HAsO_2(aq) + 3\,H^+(aq) + 3\,e^- \rightarrow As(s) + 2\,H_2O(l)$	+ 0,240
$AgCl(s) + e^- \rightarrow Ag(s) + Cl^-(aq)$	+ 0,2223
$SO_4^{2-}(aq) + 4\,H^+(aq) + 2\,e^- \rightarrow 2\,H_2O(l) + SO_2(g)$	+ 0,17
$Cu^{2+}(aq) + e^- \rightarrow Cu^+(aq)$	+ 0,159
$Sn^{4+}(aq) + 2\,e^- \rightarrow Sn^{2+}(aq)$	+ 0,154
$S(s) + 2\,H^+(aq) + 2\,e^- \rightarrow H_2S(g)$	+ 0,14
$AgBr(s) + e^- \rightarrow Ag(s) + Br^-(aq)$	+ 0,071
$2\,H^+(aq) + 2\,e^- \rightarrow H_2(g)$	0
$Pb^{2+}(aq) + 2\,e^- \rightarrow Pb(s)$	− 0,125
$Sn^{2+}(aq) + 2\,e^- \rightarrow Sn(s)$	− 0,137
$AgI(s) + e^- \rightarrow Ag(s) + I^-(aq)$	− 0,152
$V^{3+}(aq) + e^- \rightarrow V^{2+}(aq)$	− 0,255
$Ni^{2+}(aq) + 2\,e^- \rightarrow Ni(s)$	− 0,257
$H_3PO_4(aq) + 2\,H^+(aq) + 2\,e^- \rightarrow H_3PO_3(aq) + H_2O(l)$	− 0,276
$Co^{2+}(aq) + 2\,e^- \rightarrow Co(s)$	− 0,277
$PbSO_4(s) + 2\,e^- \rightarrow Pb(s) + SO_4^{2-}(aq)$	− 0,356
$Cd^{2+}(aq) + 2\,e^- \rightarrow Cd(s)$	− 0,403
$Cr^{3+}(aq) + e^- \rightarrow Cr^{2+}(aq)$	− 0,424
$Fe^{2+}(aq) + 2\,e^- \rightarrow Fe(s)$	− 0,440

Potentiels standard d'électrode (réduction) à 25 °C (suite)

Demi-réaction de réduction	$E°$ (V)
$2\,CO_2(g) + 2\,H^+(aq) + 2\,e^- \rightarrow H_2C_2O_4(aq)$	$-0,49$
$Zn^{2+}(aq) + 2\,e^- \rightarrow Zn(s)$	$-0,763$
$Cr^{2+}(aq) + 2\,e^- \rightarrow Cr(s)$	$-0,90$
$Mn^{2+}(aq) + 2\,e^- \rightarrow Mn(s)$	$-1,18$
$Ti^{2+}(aq) + 2\,e^- \rightarrow Ti(s)$	$-1,63$
$U^{3+}(aq) + 3\,e^- \rightarrow U(s)$	$-1,66$
$Al^{3+}(aq) + 3\,e^- \rightarrow Al(s)$	$-1,676$
$Mg^{2+}(aq) + 2\,e^- \rightarrow Mg(s)$	$-2,356$
$Na^+(aq) + e^- \rightarrow Na(s)$	$-2,713$
$Ca^{2+}(aq) + 2\,e^- \rightarrow Ca(s)$	$-2,84$
$Sr^{2+}(aq) + 2\,e^- \rightarrow Sr(s)$	$-2,89$
$Ba^{2+}(aq) + 2\,e^- \rightarrow Ba(s)$	$-2,92$
$Cs^+(aq) + e^- \rightarrow Cs(s)$	$-2,923$
$K^+(aq) + e^- \rightarrow K(s)$	$-2,924$
$Rb^+(aq) + e^- \rightarrow Rb(s)$	$-2,924$
$Li^+(aq) + e^- \rightarrow Li(s)$	$-3,040$

Solution basique

$O_3(g) + H_2O(l) + 2\,e^- \rightarrow O_2(g) + 2\,OH^-(aq)$	$+1,246$
$ClO^-(aq) + H_2O(l) + 2\,e^- \rightarrow Cl^-(aq) + 2\,OH^-(aq)$	$+0,890$
$HO_2^-(aq) + H_2O(l) + 2\,e^- \rightarrow 3\,OH^-(aq)$	$+0,88$
$BrO^-(aq) + H_2O(l) + 2\,e^- \rightarrow Br^-(aq) + 2\,OH^-(aq)$	$+0,766$
$ClO_3^-(aq) + 3\,H_2O(l) + 6\,e^- \rightarrow Cl^-(aq) + 6\,OH^-(aq)$	$+0,622$
$2\,AgO(s) + H_2O(l) + 2\,e^- \rightarrow Ag_2O(s) + 2\,OH^-(aq)$	$+0,604$
$MnO_4^-(aq) + 2\,H_2O(l) + 3\,e^- \rightarrow MnO_2(s) + 4\,OH^-(aq)$	$+0,60$
$BrO_3^-(aq) + 3\,H_2O(l) + 6\,e^- \rightarrow Br^-(aq) + 6\,OH^-(aq)$	$+0,584$
$Ni(OH)_3(s) + e^- \rightarrow Ni(OH)_2(s) + OH^-(aq)$	$+0,48$
$2\,BrO^-(aq) + 2\,H_2O(l) + 2\,e^- \rightarrow Br_2(l) + 4\,OH^-(aq)$	$+0,455$
$2\,IO^-(aq) + 2\,H_2O(l) + 2\,e^- \rightarrow I_2(s) + 4\,OH^-(aq)$	$+0,42$
$O_2(g) + 2\,H_2O(l) + 4\,e^- \rightarrow 4\,OH^-(aq)$	$+0,401$
$Ag_2O(s) + H_2O(l) + 2\,e^- \rightarrow 2\,Ag(s) + 2\,OH^-(aq)$	$+0,342$
$Co(OH)_3(s) + e^- \rightarrow Co(OH)_2(s) + OH^-(aq)$	$+0,17$
$NO_3^-(aq) + H_2O(l) + 2\,e^- \rightarrow NO_2^-(aq) + 2\,OH^-(aq)$	$+0,01$
$CrO_4^{2-}(aq) + 4\,H_2O(l) + 3\,e^- \rightarrow [Cr(OH)_3](aq) + 5\,OH^-(aq)$	$-0,13$
$HPbO_2^-(aq) + H_2O(l) + 2\,e^- \rightarrow Pb(s) + 3\,OH^-(aq)$	$-0,54$
$HCHO(aq) + 2\,H_2O(l) + 2\,e^- \rightarrow CH_3OH(aq) + 2\,OH^-(aq)$	$-0,59$
$SO_3^{2-}(aq) + 3\,H_2O(l) + 4\,e^- \rightarrow S(s) + 6\,OH^-(aq)$	$-0,66$
$AsO_4^{3-}(aq) + 2\,H_2O(l) + 2\,e^- \rightarrow AsO_2^-(aq) + 4\,OH^-(aq)$	$-0,67$
$AsO_2^-(aq) + 2\,H_2O(l) + 3\,e^- \rightarrow As(s) + 4\,OH^-(aq)$	$-0,68$
$2\,H_2O(l) + 2\,e^- \rightarrow H_2(g) + 2\,OH^-(aq)$	$-0,828$
$OCN^-(aq) + H_2O(l) + 2\,e^- \rightarrow CN^-(aq) + 2\,OH^-(aq)$	$-0,97$
$As(s) + 3\,H_2O(l) + 3\,e^- \rightarrow AsH_3(g) + 3\,OH^-(aq)$	$-1,21$
$[Zn(OH)_4]^{2-}(aq) + 2\,e^- \rightarrow Zn(s) + 4\,OH^-(aq)$	$-1,285$
$Sb(s) + 3\,H_2O(l) + 3\,e^- \rightarrow SbH_3(g) + 3\,OH^-(aq)$	$-1,338$
$Al(OH)_4^-(aq) + 3\,e^- \rightarrow Al(s) + 4\,OH^-(aq)$	$-2,310$
$Mg(OH)_2(s) + 2\,e^- \rightarrow Mg(s) + 2\,OH^-(aq)$	$-2,687$

Accepteur de protons Dans la théorie de Brønsted-Lowry, synonyme de base. **162**

Acide conjugué Dans la théorie de Brønsted-Lowry, acide résultant de l'ajout à une base d'un proton, H^+; chaque base possède un acide conjugué. **163**

Acide de Lewis Accepteur de doublets d'électrons. **231**

Acide monoprotique Acide ayant un seul atome H ionisable par molécule. **189**

Acide polyprotique (ou polyacide) Acide ayant plus d'un atome H ionisable par molécule, de sorte que l'ionisation d'un acide de ce type s'effectue en plusieurs étapes distinctes. **189**

Agent oxydant Substance réduite au cours d'une réaction d'oxydoréduction, et qui cause l'oxydation d'une autre substance. **346**

Agent réducteur Substance oxydée au cours d'une réaction d'oxydoréduction, et qui cause la réduction d'une autre substance. **346**

Ampère (A) Unité SI de base du courant électrique; un courant de un ampère est un flux de un coulomb par seconde: 1 A = 1 C/s. **398**

Amphotère Dans la théorie de Brønsted-Lowry, se dit d'une substance, telle l'eau, qui agit tantôt comme un acide, tantôt comme une base. **164**

Anode Électrode négative d'une pile voltaïque et électrode positive d'une cellule électrolytique, où a lieu la demi-réaction d'oxydation. **24, 366**

Anticancérogène Substance qui s'oppose à l'action d'un cancérogène; prévient ou retarde le développement du cancer. **430**

Base conjuguée Dans la théorie de Brønsted-Lowry, base résultant de la cession par un acide d'un proton, H^+; chaque acide possède une base conjuguée. **163**

Base de Lewis Donneur de doublets d'électrons. **231**

Batterie Accumulateur constitué de deux ou de plusieurs piles voltaïques branchées en série. **386**

Biosphère Partie de la Terre occupée par les organismes vivants. **423**

Burette Long tube gradué en verre muni d'un robinet d'arrêt, utilisé pour le titrage et servant à débiter des volumes précis de solution. **219**

Cancérogène Qui provoque le cancer. **429**

Catalyseur Substance qui augmente la vitesse d'une réaction sans subir de modification, et qui transforme le mécanisme réactionnel en un mécanisme dont l'énergie d'activation est moindre. **66**

Cathode Électrode positive d'une pile voltaïque et électrode négative d'une cellule électrolytique, où a lieu la demi-réaction de réduction. **24, 366**

Cellule électrochimique Assemblage quelconque de deux demi-piles munies des connexions appropriées entre les électrodes et les solutions. **393**

Cellule électrolytique Cellule électrochimique dans laquelle un courant électrique provoque une réaction non spontanée en passant dans une solution ou un sel à l'état liquide. **393**

Chaleur (q) Énergie absorbée ou émise par un système et causée par une différence de température entre le système et son environnement. **298**

Cinétique chimique Étude des vitesses de réaction, des facteurs influant sur celles-ci et de la séquence des événements moléculaires selon laquelle les réactions se produisent (mécanisme réactionnel). **66**

Coefficient de van't Hoff (i) Facteur de correction intégré à une équation relative à une propriété colligative, qui permet d'appliquer cette équation aux solutions d'un électrolyte fort ou faible, c'est-à-dire de tenir compte de la présence potentielle d'ions dans une solution. **49**

Colloïde Dispersion, dans un milieu approprié, de particules dont au moins l'une des dimensions (longueur, largeur ou épaisseur) est de l'ordre de 1 nm à 1000 nm. **51**

Complexe activé Agrégat transitoire d'atomes, associé à une réaction, résultant d'une collision favorable. **90**

Concentration molaire volumique (c) Dans le cas d'une solution, quotient de la quantité de soluté (en moles) par le volume de solution (en litres). **4**

Constante d'acidité (Ka) Dans la théorie de Brønsted-Lowry, constante qui décrit l'équilibre du processus réversible d'ionisation d'un acide faible. Aussi appelée constante d'ionisation d'un acide faible. **164**

Constante d'équilibre (Kéq) Constante utilisée dans les relations thermodynamiques, telle $\Delta G° = -RT \ln K_{éq}$; dans l'expression de $K_{éq}$, les espèces en solution sont représentées par leurs concentrations molaires volumiques, et les gaz par leurs pressions partielles en atmosphères. **312**

Constante d'équilibre en fonction des concentrations (Kc) Valeur de l'expression de la constante d'équilibre lorsque les termes du rapport sont exprimés en concentrations molaires volumiques. **120**

Constante d'équilibre en fonction des pressions partielles (Kp) Valeur de l'expression de la constante d'équilibre lorsque les termes du rapport sont exprimés à l'aide des pressions partielles des produits et des réactifs gazeux. **125**

Constante de basicité (Kb) Dans la théorie de Brønsted-Lowry, constante qui décrit l'équilibre du processus réversible d'ionisation d'une base faible. Aussi appelée constante d'ionisation d'une base. **164**

Constante de dissociation de l'eau (Keau) Constante d'équilibre qui décrit l'auto-ionisation de l'eau. **176**

Constante de Faraday (F) Charge électrique, en coulombs, par mole d'électrons: $F = 96\ 485$ C/mole d'électrons. **375, 423**

Constante de formation (Kf) Constante servant à décrire l'état d'équilibre entre, d'une part, un ion complexe et, d'autre part, le cation et les ligands à partir desquels cet ion est produit. **270**

Constante de vitesse (k) Constante de proportionnalité (de la loi de vitesse), dépendant de la température, qui relie la vitesse d'une réaction chimique aux concentrations des réactifs. **74**

Coulomb (C) Unité SI de mesure de la charge électrique; la charge portée par un électron est de $-1,6022 \times 10^{-19}$ C. **398**

Couple acide-base Dans la théorie de Brønsted-Lowry, couple acide/base (conjuguée) ou acide (conjugué)/base. **163**

Courbe de solubilité Graphique de la solubilité d'un soluté en fonction de la température. **29**

Courbe de titrage Graphique du pH d'une solution titrée en fonction du volume de titrant, qui est ajouté au moyen d'une burette. **222**

Dégradation anaérobie Processus de décomposition en l'absence d'oxygène. **416**

Demande biochimique d'oxygène (DBO) Quantité d'oxygène, en milligrammes, nécessaire à l'oxydation aérobie des composés organiques contenus dans 1 L d'eau. **416**

Demi-pile Électrode métallique partiellement immergée dans une solution d'ions qui participent à l'oxydoréduction dans l'équilibre de l'électrode. **365**

Demi-réaction Partie d'une réaction d'oxydoréduction qui constitue soit un processus d'oxydation, soit un processus de réduction. **340**

Demi-vie ($t_{1/2}$) Temps requis pour que la moitié de la quantité initiale d'un réactif soit consommée au cours d'une réaction chimique. **82**

Deuxième loi de la thermodynamique Tous les processus spontanés ou naturels augmentent l'entropie de l'Univers : $\Delta S = \Delta S_{totale} = \Delta S_{univers} = \Delta S_{système} + \Delta S_{extérieur}$ **302**

Dilution Processus consistant à ajouter à une solution une quantité appropriée de solvant de manière à obtenir une solution de concentration plus faible. **7**

Distillation fractionnée Méthode de séparation des composants volatils d'une solution ayant des pressions de vapeur et des points d'ébullition distincts, qui repose sur un grand nombre d'opérations d'évaporation et de condensation effectuées de façon continue dans une colonne de fractionnement. **38**

Donneur de protons Dans la théorie de Brønsted-Lowry, synonyme d'acide. **162**

Effet d'ion commun Capacité d'ions provenant d'un électrolyte fort (1) de limiter l'ionisation d'un acide ou d'une base faible ou (2) de réduire la solubilité d'un composé ionique peu soluble. **200, 252**

Effet Tyndall Dispersion de la lumière par les particules d'un colloïde ; ce phénomène permet de distinguer un colloïde d'une vraie solution. **51**

Électrochimie Étude des relations entre les réactions chimiques et l'électricité. **364**

Électrode Lame de métal ou tige de carbone plongée dans une solution ou un électrolyte à l'état liquide, qui assure le transport de charges électriques vers le liquide ou à l'extérieur de celui-ci. **24, 364**

Électrode standard d'hydrogène Électrode dans laquelle de l'hydrogène gazeux, à une pression d'exactement 101,3 kPa, barbotte sur une électrode de platine inerte et dans une solution d'acide chlorhydrique ayant une activité de H_3O^+ exactement égale à un ($a = 1$) ; le potentiel d'une électrode de ce type a une valeur nulle, assignée arbitrairement. **369**

Électrolyse Réaction non spontanée de décomposition d'une substance, qui est provoquée par le passage d'un courant électrique, fourni par une source externe, dans une cellule électrochimique. **393**

Électrolyte faible Substance présente en partie sous forme d'ions et en partie sous forme de molécules dans une solution. **25**

Électrolyte fort Substance présente exclusivement ou presque exclusivement sous forme d'ions dans une solution. **24**

Énergie d'activation (E_a) Énergie cinétique totale minimale que doivent fournir les collisions intermoléculaires pour qu'une réaction chimique ait lieu. **89**

Énergie libre de Gibbs (G) Fonction thermodynamique servant à fixer des critères d'équilibre et de variation spontanée : $G = H - TS$ où H est l'enthalpie d'un système, T sa température en kelvins, et S son entropie. **304**

Énergie libre standard de formation (ΔG_f°) Variation d'énergie libre ayant lieu lors de la formation d'une mole d'une substance dans son état standard, à partir des formes de référence de ses éléments dans leur état standard ; les formes de référence des éléments sont généralement leur forme la plus stable à la pression normale et à une température donnée. **307**

Entropie (S) Mesure du caractère aléatoire, ou du degré de désordre, d'un système : plus le désordre est grand, plus l'entropie est élevée. **296**

Entropie molaire standard (S°) Entropie d'une mole d'une substance à la pression normale et à une température donnée. **301**

Enzyme Protéine catalysant une réaction dans un organisme vivant. **102**

Équation de Henderson-Hasselbalch Équation reliant le pH d'une solution d'un acide faible et de sa base conjuguée (ou d'une base faible et de son acide conjugué) au pK_a et aux concentrations stœchiométriques de l'acide (ou de la base) et de sa base (ou de son acide) : pH $= pK_a + \log$ ([base conjuguée]/[acide faible]) ou pH $= pK_a + \log$ ([base faible]/[acide conjugué]). **207**

Équation de Nernst Équation reliant la force électromotrice d'une pile à des conditions non standard, E_{pile}, à sa force électromotrice standard, E_{pile}°, et aux concentrations des réactifs et des produits exprimées par le quotient réactionnel, Q. À 25 °C, $E_{pile} = E_{pile}^\circ - (0,0592 \text{ V}/n) \log Q$ où n est le nombre de moles d'électrons transférés dans la réaction de la pile. **382**

Équation ionique nette Équation qui représente les molécules et les ions prenant réellement part à une réaction, et qu'on obtient en éliminant les ions qui apparaissent inchangés des deux côtés de l'équation (les ions « spectateurs »). **218**

Équilibre État prévalant lorsque les vitesses des réactions directe et inverse sont égales, et que les concentrations (ou pressions partielles) des réactifs et des produits demeurent constantes. **119**

Étape déterminante de la vitesse de réaction Étape (généralement la plus lente) du mécanisme réactionnel qui permet d'établir la vitesse de la réaction globale. **96**

État de transition Configuration que prennent les atomes se situant entre les réactifs et les produits au cours d'une réaction chimique ; cet état résulte des collisions qui se produisent entre les molécules les plus énergétiques. **90**

Eutrophisation Processus par lequel une surabondance de nutriments favorise la croissance des algues, qui finissent par asphyxier les plans d'eau qu'elles envahissent. Quand elles meurent, les algues se décomposent et leurs débris organiques font augmenter la DBO. **416**

Expression de la constante d'équilibre Rapport entre les concentrations (ou pressions partielles), élevées à une puissance donnée par le coefficient stœchiométrique, des produits et des réactifs à l'état d'équilibre d'une réaction, ce rapport étant égal à une constante indépendante des concentrations initiales et de la façon dont l'équilibre est atteint. **120**

Force électromotrice (E_{pile}) Différence de potentiel entre les deux électrodes d'une pile voltaïque. **367**

Force électromotrice standard de la pile (E_{pile}°) Différence, en volts, entre le potentiel standard de la cathode et celui de l'anode lorsque toutes les espèces présentes sont dans leur état standard. **370**

Fraction molaire (χ_i) Mesure de la concentration d'un composant i dans une solution, qui indique la fraction des moles du composant dans cette solution. **15**

Hydrolyse Au sens général, réaction d'une substance avec l'eau au cours de laquelle à la fois les molécules de la substance et de l'eau se dissocient ; dans un sens plus restreint, réaction acidobasique entre un ion et l'eau, qui a généralement comme résultat de rendre la solution légèrement acide ou basique. **194**

Indicateur acidobasique Acide faible dont la couleur varie selon qu'il est sous la forme d'un acide faible ou sous la forme de sa base conjuguée. **211**

Ion complexe Ion formé d'un cation métallique central auquel sont liés des atomes ou des groupes d'atomes neutres ou anioniques, appelés ligands. **270**

Ligand Espèce (atome, molécule, anion) liée au cation central métallique d'un ion complexe. **270**

Loi de Henry À température constante, la solubilité d'un gaz, en équilibre avec la solution, est directement proportionnelle à la pression du gaz. **32**

Loi de Raoult La pression de vapeur au-dessus d'une solution est égale au produit de la pression de vapeur du solvant pur et de la fraction molaire du solvant dans la solution ; autrement dit, l'ajout d'un soluté diminue la pression de vapeur du solvant. **35**

Loi de Trouton L'entropie de vaporisation d'un liquide non polaire est approximativement de 87 $\text{J}\cdot\text{mol}^{-1}\cdot\text{K}^{-1}$, c'est-à-dire que $S_{vap}^\circ = \Delta H_{vap}^\circ/T_{éb} \approx 87 \text{ J}\cdot\text{mol}^{-1}\cdot\text{K}^{-1}$. **309**

Loi de vitesse Équation exprimant la vitesse d'une réaction chimique en fonction des concentrations des réactifs. **74**

Loi de vitesse intégrée Équation dérivée de la loi de vitesse d'une réaction exprimant la concentration d'un réactif en fonction du temps. **79**

Matière comburante Substance pouvant causer ou favoriser la combustion d'une autre matière. **431**

Matière corrosive Substance qui corrode les surfaces métalliques et qui doit être entreposée dans un contenant spécial. **431**

Matière dangereuse Substance qui, en raison de ses propriétés, présente un risque pour la santé ou l'environnement. **431**

Matière inflammable Substance qui peut s'enflammer ou brûler facilement. **431**

Matière réactive Substance qui réagit ou se décompose avec facilité, formant parfois des sous-produits dangereux. **431**

Matière toxique Substance ayant des effets néfastes sur la santé des humains et des animaux et sur l'environnement en général. **431**

Mécanisme réactionnel Représentation détaillée d'une réaction comportant une suite d'étapes simples au cours desquelles les réactifs se transforment en produits. Pour être plausible, un tel mécanisme doit être conforme à la stœchiométrie de la réaction globale et à la loi de vitesse. **95**

Membrane semi-perméable Mince feuille ou pellicule qui permet le passage des molécules de solvant d'une solution, mais retient les molécules de soluté. **44**

Méthode des boues activées Procédé par lequel les eaux usées sont mélangées à une biomasse aérée et maintenue en suspension. Le substrat contenu dans les eaux usées sert de nourriture pour la multiplication et le développement des microorganismes contenus dans la biomasse. **420**

Méthode des étangs aérés Procédé par lequel les eaux usées sont oxydées dans des bassins munis de diffuseurs d'air ou d'aérateurs de surface. Les matières en suspension se déposent pour former des boues qui entrent en digestion anaérobie. Les matières organiques solubles sont oxydées dans les zones supérieures aérobies. **420**

Méthode des vitesses initiales Méthode expérimentale de détermination de la vitesse d'une réaction : on calcule l'ordre de la réaction relativement à l'un des réactifs en comparant les vitesses initiales pour deux concentrations différentes de ce réactif, les concentrations de tous les autres réactifs étant maintenues constantes. **76**

Molalité (m) Nombre de moles de soluté par kilogramme de solvant (et non de solution). **12**

Molécularité Nombre d'atomes libres, d'ions ou de molécules participant à une réaction élémentaire. **95**

Neutralisation Réaction entre un acide et une base au cours de laquelle les caractéristiques des deux substances s'annulent réciproquement : l'acide et la base sont convertis en une solution aqueuse d'un composé ionique, appelé sel. **217**

Nombre d'oxydation Paramètre indiquant la charge réelle d'un ion monoatomique ou la charge hypothétique attribuée, au moyen d'une série de conventions, à un atome d'une molécule ou d'un ion polyatomique. **332**

Non-électrolyte Substance qui existe exclusivement ou presque exclusivement sous forme moléculaire, à l'état pur ou en solution. **25**

Ordre d'une réaction Grandeur déterminée à l'aide des exposants des concentrations dans la loi de vitesse. Si la vitesse d'une réaction = $k[A]^m[B]^n...$, alors l'ordre de la réaction par rapport à A est m ; l'ordre de la réaction par rapport à B est n ; etc. L'ordre global de la réaction est égal à $m + n + ...$ **74**

Osmose Transfert net de molécules d'un solvant à travers une membrane semi-perméable, soit d'un solvant pur vers une solution, soit d'une solution d'une concentration donnée vers une solution plus concentrée. **45**

Osmose inverse Transfert net à travers une membrane semi-perméable d'un solvant, dans le sens opposé à celui du transfert lors de l'osmose, qui résulte de l'application à la solution d'une pression supérieure à la pression osmotique. **47**

Oxydation Processus qui a comme effet d'augmenter le nombre d'oxydation d'un ou de plusieurs éléments, et qui constitue la demi-réaction d'oxydoréduction au cours de laquelle des électrons sont perdus. **335**

Oxydation aérobie Oxydation qui a lieu en présence d'oxygène. **416**

Parties par billion (ppt) Unité de mesure de concentration des solutions très diluées qui exprime le nombre de parties de soluté dans un billion de parties de solution ; le nombre de parties est généralement déterminé en fonction de la masse pour les liquides, et en fonction du nombre de molécules ou du volume pour les gaz. **11**

Parties par milliard (ppb) Unité de mesure de concentration des solutions très diluées qui exprime le nombre de parties de soluté dans un milliard de parties de solution ; le nombre de parties est généralement déterminé en fonction de la masse pour les liquides, et en fonction du nombre de molécules ou du volume pour les gaz. **11**

Parties par million (ppm) Unité de mesure de concentration des solutions très diluées qui exprime le nombre de parties de soluté dans un million de parties de solution ; le nombre de parties est généralement déterminé en fonction de la masse pour les liquides, et en fonction du nombre de molécules ou du volume pour les gaz. **11**

pH Puissance de l'ion hydrogène ; dans le cas d'une solution, opposé du logarithme de la concentration de l'ion hydronium : pH = $-\log [H_3O^+]$. **177**

pK_a Opposé du logarithme de K_a : pK_a = $-\log K_a$. **180**

pK_b Opposé du logarithme de K_b : pK_b = $-\log K_b$. **180**

pK_{eau} Opposé du logarithme de K_{eau} : pK_{eau} = $-\log K_{eau}$. **177**

pOH Dans le cas d'une solution aqueuse, opposé du logarithme de la concentration de l'ion hydroxyde : pOH = $-\log [OH^-]$. **177**

Pile (ou accumulateur) Dispositif servant à emmagasiner de l'énergie chimique qui sera restituée plus tard sous forme d'électricité. **386**

Pile de concentration Pile voltaïque dont la force électromotrice est entièrement déterminée par la différence entre les concentrations des solutés qui sont en équilibre avec des électrodes identiques. **384**

Pile voltaïque Dispositif électrochimique dans lequel un courant électrique est produit tandis qu'une réaction d'oxydoréduction spontanée a lieu dans des demi-réactions d'oxydation et de réduction séparées physiquement. **366**

Pluie acide Pluie dont le pH est inférieur à 5,6, c'est-à-dire qui est plus acide que l'eau en équilibre avec le dioxyde de carbone atmosphérique. **421**

Point d'équivalence Dans un titrage, point auquel les deux réactifs ont été introduits dans un mélange réactionnel selon leurs proportions stœchiométriques, c'est-à-dire point auquel l'acide et la base sont tout juste neutralisés. **220**

Point de virage Dans un titrage, point auquel un indicateur change de couleur. **222**

Pont salin Tube en U renversé contenant une solution saline, qui est utilisé pour relier les deux solutions d'une pile voltaïque. **365, 413**

Potentiel standard d'électrode ($E°$) Mesure de la tendance d'une substance à être réduite à l'électrode lorsque toutes les espèces présentes ont une activité de un ($a = 1$), que tous les gaz sont à une pression de 101,3 kPa et que la température est fixée à 25 °C ; la mesure est exprimée en volts, relativement à une valeur nulle assignée à l'électrode standard d'hydrogène. **369**

Pourcentage de dissociation (ou pourcentage d'ionisation) Dans le cas d'un acide, rapport, exprimé en pourcentage, de $[H_3O^+]$ et de la concentration molaire volumique nominale de l'acide. **184**

Pourcentage molaire Mesure de la concentration d'un composant dans une solution, qui indique le pourcentage des moles de ce composant dans la solution ; cette mesure est égale à la fraction molaire multipliée par 100 %. **15, 67**

Précipité Composé ionique solide non soluble, produit par la combinaison de cations et d'anions dans une solution. **255**

Pression osmotique (π) Pression qu'on doit appliquer sur une solution pour mettre fin à l'osmose. **45**

Principe de Le Chatelier Règle qui permet d'effectuer des prédictions qualitatives et qui s'énonce comme suit : Si on apporte une modification (de la concentration, de la température, de la pression ou du volume) à un système à l'équilibre, celui-ci réagit de manière à atteindre un nouvel état d'équilibre qui réduit au minimum la contrainte imposée par la modification. **133**

Processus non spontané Processus qui ne peut pas avoir lieu dans un système thermodynamique laissé à lui-même : il nécessite une intervention extérieure. **292**

Processus spontané Processus qui a lieu dans un système laissé à lui-même : il ne nécessite aucune intervention extérieure après avoir été déclenché. **292**

Produit de solubilité (K_{ps}) (ou constante du produit de solubilité) Produit des concentrations des ions qui interviennent dans un équilibre de solubilité, chacune étant élevée à une puissance égale au coefficient stœchiométrique de cet ion dans l'équation chimique de l'équilibre ; cette constante dépend de la température. **248, 332, 364**

Produit ionique (Q) Quotient réactionnel ayant le même format qu'une constante d'équilibre, mais défini à l'aide des concentrations initiales plutôt que des concentrations à l'équilibre. **260**

Profil réactionnel Représentation schématique de l'énergie potentielle en fonction de la progression d'une réaction : réactifs, énergie d'activation, état de transition et produits. **91**

Propriété colligative Propriété physique d'une solution qui dépend de la concentration du soluté, et non de sa nature ; par exemple, abaissement de la pression de vapeur ou du point de congélation, ou élévation du point d'ébullition ou de la pression osmotique. **34**

Quotient réactionnel (Q_c ou Q_p) Expression ayant la même forme que la constante d'équilibre en fonction des concentrations ou des pressions partielles (K_c ou K_p), mais dans laquelle les termes des rapports sont exprimés en concentrations initiales et non en concentrations à l'état d'équilibre. **131**

Réaction acidobasique Dans la théorie de Brønsted-Lowry, réaction entre un acide et une base. **162**

Réaction bimoléculaire Réaction élémentaire dans laquelle se produit une collision efficace entre deux molécules. **95**

Réaction couplée Toute combinaison de deux ou plusieurs réactions simples. Dans la majorité des cas, une réaction spontanée

est associée à une réaction non spontanée, ce qui donne une réaction globale spontanée. **316**

Réaction d'ordre deux Réaction dont la somme des exposants dans la loi de vitesse est égale à 2, c'est-à-dire que $m + n + \ldots = 2$. **85**

Réaction d'ordre un Réaction dont la somme des exposants dans la loi de vitesse est égale à 1, c'est-à-dire que $m + n + \ldots = 1$. **78**

Réaction d'ordre zéro Réaction dont la vitesse est indépendante des concentrations des réactifs ; la somme des exposants de la loi de vitesse d'une réaction d'ordre zéro est nulle. **84**

Réaction de dismutation Réaction d'oxydoréduction au cours de laquelle un même réactif subit à la fois une oxydation et une réduction. **338**

Réaction de la pile Réaction d'oxydoréduction globale dans une pile voltaïque. **367**

Réaction de précipitation Réaction chimique entre des ions en solution, qui produit un précipité. **255**

Réaction élémentaire À l'échelle moléculaire, étape unique du mécanisme réactionnel d'une réaction globale. **95**

Réaction trimoléculaire Réaction élémentaire dans laquelle se produit une collision simultanée entre trois molécules. **95**

Réaction unimoléculaire Réaction élémentaire dans laquelle une seule molécule se dissocie. **95**

Réduction Processus qui a comme effet de diminuer le nombre d'oxydation d'un ou de plusieurs éléments, et qui constitue la demi-réaction d'oxydoréduction au cours de laquelle des électrons sont gagnés. **335**

Règles de solubilité Ensemble d'énoncés généraux servant à décrire des classes de substances selon leur solubilité dans l'eau. **256**

Représentation schématique Représentation d'une pile électrochimique dans laquelle l'anode est figurée à gauche et la cathode à droite ; les limites des différentes phases sont indiquées par un trait vertical et le pont salin, ou une quelconque barrière poreuse, par un double trait vertical. **367**

Série d'activité des métaux Liste des métaux en fonction de leur capacité à se déplacer dans une solution de leurs ions ou à déplacer H^+, sous forme d'hydrogène gazeux, dans les solutions acides. **347**

Site actif Partie d'une molécule d'enzyme où se fixe un substrat pour former un complexe enzyme-substrat qui participe à la réaction chimique. **102**

Solubilité Propriété d'un soluté et d'un solvant donnés qui indique la concentration du soluté dans une solution saturée. **28**

Soluté Composante d'une solution dissoute dans le solvant, dont la quantité est généralement inférieure à celle du solvant. **4**

Solution hypertonique Solution dont la pression osmotique est supérieure à celle des liquides organiques (le sang, les larmes, etc.). **47**

Solution hypotonique Solution dont la pression osmotique est inférieure à celle des liquides organiques (le sang, les larmes, etc.). **47**

Solution idéale Solution dont la chaleur de dissolution est nulle et dont le volume est égal à la somme des volumes du solvant et du soluté ; en général, on peut prédire les propriétés physiques d'une solution idéale à l'aide des propriétés physiques du solvant et du soluté. **19**

Solution insaturée Solution contenant une concentration de soluté inférieure à la solubilité de celui-ci. **29**

Solution isotonique Solution dont la pression osmotique est égale à celle des liquides organiques (le sang, les larmes, etc.). **47**

Solution saturée Solution dans laquelle il existe un équilibre dynamique entre le soluté non dissous et la solution : celle-ci contient la quantité maximale de soluté qu'on peut dissoudre dans une quantité donnée du solvant, à une température donnée. **28, 31**

Solution sursaturée Solution instable contenant une plus grande concentration de soluté que celle exprimée par la solubilité de ce soluté dans le solvant. **30**

Solution tampon Solution contenant un acide faible et sa base conjuguée, ou une base faible et son acide conjugué ; le pH d'une solution de ce type varie très peu si on y ajoute de faibles quantités d'un acide fort — celles-ci sont alors neutralisées par le composant basique du tampon — ou de faibles quantités d'une base forte — celles-ci sont alors neutralisées par le composant acide du tampon. **204**

Solvant Composante d'une solution dans laquelle le ou les solutés sont dissous et dont la quantité est généralement supérieure à celle du soluté ou des solutés. **4**

Substrat Réactif qui se lie à une molécule d'enzyme, au site actif, pour former un complexe qui se dissocie par la suite pour donner les produits, l'enzyme étant régénérée. **102**

Surtension Supplément de tension, au-dessus de la quantité calculée à partir des valeurs de $E°$, qui est requis pour provoquer l'électrolyse. **395**

Tension de la pile *Voir* **Force électromotrice**. **367**

Thermodynamique Science qui étudie la relation entre la chaleur et le mouvement (ou le travail), de même que la conversion d'une forme d'énergie en une autre. **292**

Titrage Technique de laboratoire consistant à combiner deux réactifs en solution dans des proportions stœchiométriques. **219**

Titrage potentiométrique Titrage d'un acide par une base (ou d'une base par un acide), consistant à déterminer le pH au point d'équivalence au moyen d'une courbe de titrage, tracée à l'aide des valeurs du pH en fonction du volume de la base (ou de l'acide). **223**

Titrant Solution d'un réactif, de concentration et de composition connues, utilisée lors d'un titrage. **219**

Toxicologie Champ d'étude ayant pour objet l'identification et la détection des poisons, l'établissement de leurs effets sur le corps et l'élaboration de moyens de les contrer. **424**

Traitement avancé (traitement tertiaire) Procédé qui comprend diverses méthodes et qui consiste à enlever de l'effluent du traitement secondaire les nitrates, les phosphates et quelquefois des substances organiques dissoutes. **420**

Traitement primaire des eaux usées Procédé par lequel les eaux usées passent à travers des grilles (filtres) qui éliminent les éléments solides de gros diamètre, puis traversent des décanteurs dans lesquels se déposent les sédiments. **420**

Traitement secondaire des eaux usées Procédé par lequel les eaux usées sont biodégradées à l'aide de bactéries et d'autres organismes par la méthode des étangs aérés, des boues activées ou de lits bactériens. **420**

Travail (ω) Énergie absorbée ou émise par un système thermodynamique. S'exprime sous forme de produit d'une force par une distance. **298**

Troisième loi de la thermodynamique L'entropie d'une substance pure, parfaitement cristalline, est nulle à 0 K. **299**

Variation d'énergie libre (ΔG) À température constante, différence entre les valeurs de l'énergie libre associées à deux états d'un système (par exemple les valeurs associées à l'énergie libre des produits et des réactifs d'une réaction chimique) ; cette différence est donnée par l'équation de Gibbs : $\Delta G = \Delta H - T\Delta S$ où H est l'enthalpie du système, T sa température en kelvins, et S son entropie. **304**

Variation d'énergie libre standard ($\Delta G°$) Variation d'énergie libre au point d'une réaction chimique où les réactifs et les produits sont dans leur état standard. **307**

Variation d'entropie (ΔS) Différence d'entropie entre deux états d'un même système : par exemple entre les produits et les réactifs d'une réaction chimique. **296**

Vitesse d'une réaction Variation de la concentration d'un produit par unité de temps (vitesse de formation du produit) ou variation négative de la concentration d'un réactif par unité de temps (vitesse de disparition du réactif). **68**

Vitesse de réaction initiale Vitesse instantanée d'une réaction immédiatement après que les réactifs ont été mis en présence l'un de l'autre ; cette vitesse initiale s'exprime généralement à l'aide du taux de variation, en fonction du temps, de la concentration de l'un des réactifs ou de l'un des produits. **72**

Vitesse de réaction instantanée Vitesse d'une réaction à un instant donné, déterminée à l'aide de la tangente à une courbe de la concentration en fonction du temps, au point correspondant à cet instant. **71**

Vitesse générale de réaction Vitesse de disparition d'un réactif ou vitesse de formation d'un produit divisée par le coefficient stœchiométrique de ce réactif ou produit dans l'équation chimique équilibrée. **68**

Volt (V) Unité de mesure du potentiel électrique ; un volt est égal à un joule par coulomb. **366**

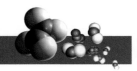

Réponses

Vous trouverez ci-dessous les réponses à tous les exercices et à tous les problèmes du manuel.

Chapitre 1

Exercices **1.1A (a)** 0,500 mol/L ; **(b)** 5,71 mol/L ; **(c)** 6,324 mol/L. **1.1B (a)** 0,0364 mol/L ; **(b)** 0,07770 mol/L ; **(c)** 0,783 mol/L. **1.2A (a)** 948 g ; **(b)** 79,0 g ; **(c)** 15,8 g. **1.2B** 15,4 mL. **1.3A** 466 mL. **1.3B** 17,0 mL. **1.4A** 17,8 %. **1.4B** 7,00 %. **1.5A** 34,8 %. **1.5B (a)** 34,4 % ; **(b)** 0,874 g/mL. **1.6A (a)** 7 ppb ; **(b)** 7×10^3 ppt. **1.6B** 69,9 ppm de Na^+. **1.7A** 0,317 mol/kg. **1.7B** 3,56 mol/kg. **1.8A** 0,418 mL. **1.8B** 253 mL de H_2O. **1.9A (a)** 2,53 mol/kg ; **(b)** 1,86 %. **1.9B (a)** 8,50 % ; **(b)** 2,61 mol/L ; **(c)** 4,97 %. **1.10A** Les solutions sont toutes plutôt diluées et ont des masses volumiques d'environ 1,0 g/mL. Les pourcentages en moles de CH_3CH_2OH ne sont pas élevés, et on s'attend à ce que les plus élevés se retrouvent dans la solution qui a la plus grande quantité de CH_3CH_2OH par litre ou kilogramme. La solution (a) a 0,5 mole de CH_3CH_2OH par litre ; (b) a légèrement plus de 1 mole de CH_3CH_2OH par kilogramme de solution ; (c) a légèrement moins de 0,5 mole de CH_3CH_2OH par kilogramme de solution ; (d) a un peu moins de 1 mole de CH_3CH_2OH par litre. Le calcul réel donne : **(a)** 0,94 % ; **(b)** 2,0 % ; **(c)** 0,9 % ; **(d)** 1,6 %. **1.10B (a)** $2,3 \times 10^2$ ppm ; **(b)** $4,6 \times 10^2$ ppm ; **(c)** $2,7 \times 10^2$ ppm ; **(d)** $1,3 \times 10^4$ ppm. **1.11A** Puisque le benzène constitue la caractéristique structurale la plus importante de la molécule, le nitrobenzène devrait être plus soluble dans le benzène. **1.11B** Ordre croissant de solubilité en milieu aqueux : c < b < d < a. **1.12A** $[Na^+] = 0,438$ mol/L ; $[Mg^{2+}] = 0,0512$ mol/L ; $[Cl^-] = 0,540$ mol/L. **1.12B** [glucose] = 0,111 mol/L ; $[C_6H_5O_7^{3-}] = 0,0112$ mol/L ; $[K^+] = 0,0201$ mol/L ; $[Na^+] = 0,0599$ mol/L ; $[Cl^-] = 0,0800$ mol/L ; $[Na^+] = 0,0935$ mol/L. **1.13A** $5,4 \times 10^{-2}$ mg CO_2/100 g H_2O. **1.13B** $2,1 \times 10^2$ mg. **1.14A** 12,5 kPa. **1.14B** 11 g. **1.15A** 8,61 kPa. **1.15B** $\chi_{\text{toluène}} = 0,770$ et $\chi_{\text{benzène}} = 0,230$. **1.16A** La vapeur a une plus grande fraction molaire de benzène au-dessus de la solution qui a la plus grande fraction molaire de benzène. Puisque le toluène a une masse molaire plus grande, il s'ensuit que, pour des masses égales de toluène et de benzène, la fraction molaire de benzène est plus grande et la fraction molaire du benzène dans la vapeur est plus grande. **1.16B** $P_{\text{toluène}} = 2,91$ kPa ; $P_{\text{benzène}} = 2,92$ kPa. **1.17A** Non. Le processus se poursuivra jusqu'à ce que la fraction molaire de l'eau dans le contenant B augmente pour devenir égale à la fraction molaire de A. Autrement dit, la vapeur d'eau s'évaporera de la solution la plus diluée (B) pour se condenser dans la plus concentrée (A) jusqu'à ce que les deux solutions atteignent la même concentration. Par la suite, l'évaporation et la condensation se poursuivront, mais à des vitesses égales dans les deux contenants ; il n'y aura plus de transfert net d'eau et les niveaux demeureront constants. **1.17B** Si le liquide B est plus volatil que l'eau, il s'évaporera plus rapidement que l'eau. Le mélange de gaz redeviendra liquide et donnera une solution. Au bout du compte, les deux contenants contiendront des solutions de même composition, mais A en contiendra plus et B se videra plus rapidement. **1.18A** –2,46 °C. **1.18B** 18 g. **1.19A** $C_6H_6O_4$. **1.19B** Non, ce n'est

pas possible. Même si les 10,0 g étaient du glucose pur, cela ne représenterait que 0,055 49 mol de soluté, donc une fraction seulement des 0,0672 mol qui seraient nécessaires pour abaisser le point de congélation de –1,25 °C. **1.20A** $6,86 \times 10^4$ g/mol. **1.20B** 9,32 mm H_2O. **1.21A** Point de congélation le plus bas : HCl 0,0080 mol/L. Le plus haut : $C_6H_{12}O_6$ 0,010 mol/kg. **1.21B** HCl ne se dissocie pas dans le benzène. Le facteur de van't Hoff est d'environ 1 pour HCl dans le benzène.

$$\Delta T_{\text{cong}} = 1 \times \frac{-5,12 \text{ °C kg}}{\text{mol}} \times 0,01 \text{ mol/kg} \approx -0,05 \text{ °C}.$$ Par contre, HCl s'ionise dans l'eau pour donner un facteur de van't Hoff d'environ 2 : $\Delta T_{\text{cong}} = 2 \times \frac{-1,86 \text{ °C kg}}{\text{mol}} \times 0,01 \text{ mol/kg} \approx -0,04 \text{ °C}.$

Problèmes par sections **1.** **(a)** 0,788 mol ; **(b)** 0,0316 g ; **(c)** 20,17 mL ; **(d)** 0,462 mL. **2.** 13,5 mol/L. **3.** 0,478 mol/L. **4. (a)** 96,03 mL ; **(b)** 21,0 mL. **5. (a)** Pesez 500 g de NaCl dans un récipient, ajoutez 4,50 kg d'eau et mélangez bien ; **(b)** Pipettez 40,0 mL d'acide acétique dans une fiole jaugée de 2,00 L. Complétez avec de l'eau et mélangez bien. **6. (a)** 3,96 % en masse ; **(b)** 7,31 % en masse ; **(c)** 8,21 % en masse. **7. (a)** 17,5 % en masse ; **(b)** 17,9 % en masse ; **(c)** 43 % en masse. **8. (a)** 4,83 % en volume ; **(b)** 0,818 % en volume ; **(c)** 1,02 % en volume. **9. (a)** 9,28 % en volume ; **(b)** 11,7 % en volume ; **(c)** 29,2 % en volume. **10.** 29,7 g d'acide acétique. **11.** 1 ppt < 1 ppb < 1 ppm < 1 mg/dL < 1 %. **12. (a)** 1 ppb ; **(b)** 35 ppm ; **(c)** $1,3 \times 10^{-4}$ mol/L. **13. (a)** 5 ppb ; **(b)** 2,5 ppm ; **(c)** $3,9 \times 10^{-4}$ mol/L. **14.** 1,25 mol/kg. **15.** 11,2 mol/kg. **16.** $c = 12$ mol/L ; $m = 31$ mol/kg. **17.** $c = 0,598$ mol/L ; $m = 0,623$ mol/kg. **18.** 1,13 mol. **19.** 10,7 mol. **20. (a)** 10,6 mol/kg ; **(b)** 1,174 mol/kg ; **(c)** 16,0 mol/kg. **21. (a)** 13,2 mol/L ; **(b)** 0,846 mol/L ; **(c)** 5,36 mol/L. **22.** 0,0434. **23.** 0,0571. **24.** 0,0192. **25.** 0,101. **26.** Sans faire de calculs, il est évident que $\chi = 0,010$ correspond à un plus grand pourcentage massique d'urée, car 1000 g de H_2O est de beaucoup supérieur à 0,99 mol de H_2O ($\approx$18 g de H_2O). **27. (a)** $CHCl_3$ est insoluble dans l'eau. Bien que $CHCl_3$ soit un peu polaire, les principales forces intermoléculaires dans l'eau sont des liaisons hydrogène qui sont inexistantes dans le chloroforme ($CHCl_3$) ; **(b)** L'acide benzoïque est légèrement soluble dans l'eau. Le groupement acide carboxylique forme des liaisons hydrogène, mais le cycle de benzène est très différent de l'eau ; **(c)** Le propylèneglycol est très soluble dans l'eau ; les deux ont des liaisons hydrogène importantes. **28.** (c). Le phénol forme des liaisons hydrogène avec les molécules d'eau, mais il comporte également un cycle de benzène qui lui permet de se dissoudre dans le benzène. **29. (a)** $[Li^+] = 0,0385$ mol/L ; **(b)** $[Cl^-] = 0,070$ mol/L ; **(c)** $[Al^{3+}] = 0,0224$ mol/L ; **(d)** $[Na^+] = 0,24$ mol/L. **30. (a)** $[I^-] = 0,0185$ mol/L ; **(b)** $[CH_3COO^-] = 2,08$ mol/L ; **(c)** $[Li^+] = 0,106$ mol/L ; **(d)** $[NO_3^-] = 0,0615$ mol/L. **31.** $[Na^+] = 0,0844$ mol/L, $[Cl^-] = 0,0554$ mol/L, $[SO_4^{2-}] = 0,0145$ mol/L. **32.** $[Li^+] = 0,045$ mol/L, $[Cl^-] = 0,060$ mol/L, $[Mg^{2+}] = 0,015$ mol/L, $[I^-] = 0,030$ mol/L, $[SO_4^{2-}] = 0,015$ mol/L, $[Al^{3+}] = 0,015$ mol/L. **33.** $6,99 \times 10^{-3}$ mol/L. **34.** 0,287 mol/L. **35.** $8,63 \times 10^{-4}$ mol/L. **36.** 67,5 mL. **37.** $[Na^+] = 0,0973$ mol/L, $[Mg^{2+}] = 0,0114$ mol/L,

$[Cl^-] = 0,120$ mol/L.   **38.** La solution (c) contient la masse la plus élevée.   **39.** La solution est insaturée.   **40. (a)** 21 g de H_2O; **(b)** Au-dessus de 44 °C, tout le KNO_3 doit se dissoudre.   **41. (a)** 3,0 mol Li_2SO_4/kg;

(b) $\dfrac{0,062 \text{ g Pb(NO}_3)_2}{\text{g solution}}$ additionnels

42. On peut laisser la solution à l'air libre pour qu'une partie du solvant s'évapore. Le soluté commence à cristalliser quand suffisamment de solvant s'est évaporé.   **43. (a)** $1,38 \times 10^{-3}$ mol/L; **(b)** $7,3 \times 10^2$ kPa.   **44. (a)** 2,55 mg d'air; **(b)** 1,97 mL.   **45. (a)** $P_{\text{pentane}} = 11,8$ kPa; $P_{\text{hexane}} = 12,9$ kPa; **(b)** $\chi_{\text{hexane}} = 0,522$; $\chi_{\text{pentane}} = 0,478$.   **46. (a)** $P_{\text{toluène}} = 1,37$ kPa; $P_{\text{benzène}} = 8,11$ kPa; **(b)** $\chi_{\text{toluène}} = 0,145$; $\chi_{\text{benzène}} = 0,855$.   **47.** 2,32 kPa.   **48.** 2,15 kPa.   **49. (a)** –0,47 °C; **(b)** 3,70 °C.   **50. (a)** 81,2 °C; **(b)** 101,5 °C.   **51.** 1,28 mol/kg.   **52.** 6,92 g.   **53.** 4,27 °C kg/mol.   **54.** 265 g/mol.   **55.** La solution saline a la pression osmotique la plus élevée. En se ratatinant pour former un cornichon, le concombre perd de l'eau qui va dans le $NaCl(aq)$.   **56.** La solution de CH_3CH_2OH est hypertonique.   **57.** Le transfert s'effectue vers la droite, de A à B, vers la solution la plus concentrée.   **58.** 743 mm Hg du côté droit.   **59.** La réponse (a) est la plus exacte. Le soluté est moléculaire. Les composés ioniques ne se dissocient pas complètement sauf si la solution est très diluée.   **60.** NaCl donne deux ions par entité formulaire tandis que le glucose est une substance moléculaire. La concentration molaire volumique totale des particules est la même dans les deux solutions.   **61. (a)** Les cellules se contracteraient. À cette concentration, $NaCl(aq)$ est hypertonique; **(b)** Les cellules gonfleraient. L'osmose dépend du nombre total de particules, et le glucose à 0,92 % en produit moins que NaCl à 0,92 %. Le glucose a une masse molaire supérieure à celle du NaCl; de plus, NaCl donne deux particules (ions) par entité formulaire et le glucose n'en donne qu'une.   **62.** La solution (e) a la $\Delta T_{\text{éb}}$ la plus élevée.   **63.** 1×10^2 g.   **64.** 25 % en masse de NaCl. La réponse est approximative, car les composés ioniques ne se dissocient pas complètement dans des solutions concentrées, et l'expression pour l'abaissement du point de congélation ne s'applique qu'aux solutions diluées.   **65.** L'ion Al^{3+} porte la charge la plus élevée. Il annule de façon plus efficace la charge négative sur la silice pour entraîner la floculation.   **66.** À cause de la charge plus élevée qu'ils portent, les ions aluminium, Al^{3+}, et sulfate, SO_4^{2-}, neutralisent les charges sur les particules colloïdales, qu'elles soient positives ou négatives, de façon plus efficace que les ions sodium, Na^+, et chlorure, Cl^-.   **Problèmes complémentaires 67. (a)** 165,2 mL; **(b)** 16,20 mL.   **68. (c)** NH_3 0,17 mol/L : la concentration molaire volumique se situe nécessairement entre 0,100 mol/L et 0,200 mol/L, mais sa valeur est plus proche de 0,200 mol/L, puisqu'on utilise un plus grand volume de la solution de concentration molaire volumique de 0,200 mol/L que de la solution de 0,100 mol/L.   **69.** La bouteille de solution semble plus petite que le bécher de 100 mL, et plus grande que le cylindre de 10 mL (peut-être environ 50 mL). Elle devrait donc contenir la solution (b), HCl 2,0 mol/L.   **70.** 0,899 g.   **71. (a)** 15,1 % en volume; **(b)** 12,2 % en masse; **(c)** 11,9 % en masse/volume; **(d)** 7,25 %.   **72.** 27,0 %.   **73.** La solution de 25,00 mL de H_2O dans 25,00 mL de CH_3OH a la molalité la plus élevée. Le nombre de moles de H_2O (24,95 g × mol/18,02 g = 1,385 mol) est supérieur à celui de CH_3OH (19,78 g × mol/32,04 g = 0,6172 mol), et la masse de solvant est plus petite dans 25,00 mL de CH_3OH (0,01978 kg) que dans 25,00 mL de H_2O (0,02495 kg).   **74.** 486 g.   **75.** Toutes les solutions éthanol-eau ont un pourcentage massique inférieur à leur pourcentage volumique parce que la masse volumique de l'éthanol est inférieure à celle de l'eau. Pour les autres

solutés dont les masses volumiques sont supérieures à celle de l'eau, le pourcentage volumique est plus faible que le pourcentage massique.   **76.** 1,90 mL d'air/100 g d'eau.   **77. (a)** (c). La solution d'acétone a la pression de vapeur la plus élevée parce que l'eau et l'acétone contribuent toutes les deux à la pression de vapeur; **(b)** (a). La solution saturée de NaCl contient le plus d'ions en solution. Elle a donc le point de congélation le plus bas; **(c)** Les pressions de vapeur de (b) et de (c) varient avec le temps, car une partie de la vapeur s'échappe complètement. La pression de vapeur de (a) demeure constante parce que sa concentration ne change pas en perdant l'eau qui s'évapore. En effet, une partie du $NaCl(aq)$ devient solide, ce qui laisse la même concentration de particules de solutés par rapport au solvant.   **78.** Plus de 5,7 L de Prestone forment une solution d'eau dans le Prestone et non de Prestone dans l'eau. Le point de congélation le plus bas ne correspond pas à ce point à moins que les deux composants aient la même masse molaire et la même K_{cong}.   **79.** $\chi_{\text{benzène}} = 0,257$; $\chi_{\text{toluène}} = 0,743$.   **80.** Le liquide est du $CaCl_2(aq)$. $H_2O(g)$ de l'air se condense sur le solide pour donner une solution saturée de $CaCl_2$. Un solide ne présente pas ce phénomène si la pression de vapeur de sa solution saturée est supérieure à celle de $H_2O(g)$ dans l'atmosphère. Ce phénomène est appelé déliquescence.   **81.** $\Delta T = -0,58$ °C si $i = 2$. Si on connaissait la masse volumique et le facteur de van't Hoff avec précision, l'accord serait meilleur.   **82.** $3,6 \times 10^5$ g/mol.   **83.** $C_6H_3N_3O_6$.   **84.** $C_{16}H_{22}O_8$.   **85.** La solution contient 0,120 mol d'ions provenant de NaCl, 0,0403 mol d'ions provenant de NaCl, 0,0450 mol d'ions provenant de $Na_3C_6H_5O_7$ et 0,111 mol de molécules $C_6H_{12}O_6$. Nombre de moles total = 0,316 mol. $\Delta T = -K_{\text{cong}}$, $m = -1,86$ °C kg/mol × 0,316 mol/kg = –0,59 °C. Cette valeur est près de –0,52 °C.

86. $\dfrac{0,027 \text{ mL de CO}_2}{100 \text{ g de H}_2O}$ (à TPN)

87. $C_6H_{12}O_3$.   **88.** À l'équilibre, les solutions finales ont la même fraction molaire (0,0822) et la même fraction massique (0,230) d'urée.   **89. (a)** 14 divisions; **(b)** Volume total des cubes = 1 cm^3; Aire totale = $9,82 \times 10^4$ cm^2.

Rapport aire/volume; cube au départ : $\dfrac{6 \text{ cm}^2}{\text{cm}^3}$

Rapport aire/volume; après 14 subdivisions : $\dfrac{9,82 \times 10^4 \text{ cm}^2}{\text{cm}^3}$

Les particules colloïdales ont un rapport de l'aire au volume beaucoup plus grand que la matière non divisée.   **90.** HCl : $c = 12,15$ mol/L, $m = 16,26$ mol/kg, $\chi = 0,2264$; H_2SO_4 : $c = 5,827$ mol/L, % massique = 43,00 %, $\chi = 0,1217$; $C_{12}H_{22}O_{11}$: $c = 4,03$ mol/L, $\chi = 0,0677$, $\rho = 2,38$ g/mL; K_2CrO_4 : $m = 0,908$ mol/kg, % massique = 15,0 %, $\chi = 0,0161$; NaOH : $c = 2,773$ mol/L, $m = 2,778$ mol/kg, $\chi = 0,04767$.

Chapitre 2

Exercices 2.1A (a) 0,0259 mol·L^{-1}·min^{-1}; **(b)** $8,63 \times 10^{-4}$ mol·L^{-1}·s^{-1}.   **2.1B (a)** $1,05 \times 10^{-5}$ mol·L^{-1}·s^{-1}; **(b)** $3,15 \times 10^{-5}$ mol·L^{-1}·s^{-1}.   **2.2A (a)** $1,11 \times 10^{-3}$ mol·L^{-1}·s^{-1}; **(b)** 0,287 mol·L^{-1}.   **2.2B** À environ 270 s.   **2.3A** 0,0912 mol·L^{-1}·s^{-1}.   **2.3B** $m = 1,5$.   **2.4A (a)** 255 min; **(b)** 0,0139 mol·L^{-1}.   **2.4B** $3,46 \times 10^{-4}$ mol·L^{-1}·min^{-1}.   **2.5A (a)** 480 s; **(b)** 0,150 g.   **2.5B** $P_{\text{totale}} = P_{N_2O_5} + P_{NO_2} + P_{O_2} = 1850$ mm Hg.   **2.6A** La pression de N_2O_5 devrait être légèrement inférieure à 100 mm Hg, peut-être environ 95 mm Hg.   **2.6B** La pression de 320 mm Hg est observée à la fin d'une demi-vie. La pression initiale est alors de 640 mm Hg.

2.7A 0,023 L·mol^{-1}·s^{-1}.   **2.7B** 380 s. La demi-vie double pour chaque période parce que la concentration diminue de moitié.

2.8A Première méthode :

$$\frac{\text{vitesse}_2}{\text{vitesse}_1} = \frac{k[A]_2^n}{k[A]_1^n} = \frac{-3{,}20\times10^{-3}\ \text{mol}\cdot\text{L}^{-1}\cdot\text{s}^{-1}}{-8{,}0\times10^{-4}\ \text{mol}\cdot\text{L}^{-1}\cdot\text{s}^{-1}} = \frac{k}{k}\times\left(\frac{2{,}00\ \text{mol}\cdot\text{L}^{-1}}{1{,}00\ \text{mol}\cdot\text{L}^{-1}}\right)^n$$

$$4 = 2^n$$
$$n = 2$$

Deuxième méthode :

La variation de $\frac{1}{[A]}$ est constante, de sorte que le graphique de $\frac{1}{[A]}$ en fonction du temps donne une droite, et la réaction est donc d'ordre deux.

2.8B Ordre 1 : $t_{1/2} = \dfrac{0{,}693}{1{,}00\times10^{-3}\ \text{s}^{-1}} = 6{,}93\times10^2$ s

Ordre 2 : première $t_{1/2} = \dfrac{1}{1{,}00\times10^{-3}\ \text{s}^{-1}\times1{,}00\ \text{mol/ L}} = 1000$ s

deuxième $t_{1/2} = \dfrac{1}{1{,}00\times10^{-3}\ \text{s}^{-1}\times0{,}500\ \text{mol/L}} = 2000$ s

Parce que la demi-vie de la réaction d'ordre 2 augmente avec la diminution de la concentration et commence avec une demi-vie plus longue, la concentration de la réaction d'ordre 1 diminuera beaucoup plus rapidement. Les deux concentrations seront identiques à environ 1750 s.   **2.9A** 288 K (15 °C).   **2.9B** 163 kJ.

2.10A Ce mécanisme est plausible puisque la loi de vitesse est conforme à l'étape lente et que la somme des deux étapes correspond à l'équation équilibrée de la réaction.

2.10B

(a) $\qquad$ $NO + O_2 \underset{k_{-1}}{\overset{k_1}{\rightleftharpoons}} NO_3$ étape rapide

$\qquad\dfrac{NO_3 + NO \longrightarrow 2\,NO_2\ \text{étape lente}}{2\,NO + O_2 \longrightarrow 2\,NO_2}$

(b) Vitesse = $k\,[NO]^2[O_2]$, déterminée expérimentalement à partir de la réaction lente : vitesse = $k_2\,[NO_3][NO]$

à partir de la réaction rapide : $\dfrac{k_1}{k_{-1}} = \dfrac{[NO_3]}{[O_2][NO]}$

$[NO_3] = \dfrac{k_1}{k_{-1}}\,[O_2][NO]$

vitesse = $k_2\,\dfrac{k_1}{k_{-1}}\,[NO]^2[O_2] = k[NO]^2[O_2]$

Problèmes par sections   **1.** La vitesse de formation de N_2 est 1/2 celle de la disparition de NO.   **2.** La vitesse générale de réaction est égale à la vitesse de disparition de N_2, à 1/3 de la vitesse de disparition de H_2 et à 1/2 de la vitesse de formation de NH_3.   **3.** La vitesse moyenne est la vitesse de réaction évaluée pendant un intervalle de temps, et la vitesse instantanée est exprimée en fonction d'un instant particulier. Les vitesses moyenne et instantanée sont les mêmes pour une réaction d'ordre zéro, et pour les réactions des autres ordres, elles sont presque les mêmes au tout début de la réaction.   **4.** La vitesse initiale est la vitesse au tout début de la réaction. La vitesse instantanée est la vitesse à un certain temps, pas nécessairement au début de la réaction. La vitesse initiale et la vitesse instantanée sont les mêmes si la période de temps choisie est au début de la réaction. Dans le cas d'une réaction d'ordre zéro, la vitesse initiale est égale à la vitesse instantanée mesurée à n'importe quel temps.   **5. (a)** $4{,}0\times10^{-4}$ mol·L^{-1}·s^{-1} ; **(b)** $2{,}4\times10^{-2}$ mol·L^{-1}·min^{-1}.   **6.** 0,222 mol·L^{-1}.   **7. (a)** $-2{,}2\times10^{-4}$ mol·L^{-1}·s^{-1} ; **(b)** $1{,}1\times10^{-4}$ mol·L^{-1}·s^{-1} ; **(c)** $1{,}1\times$

10^{-4} mol·L^{-1}·s^{-1}.   **8. (a)** $3{,}1\times10^{-4}$ mol·L^{-1}·s^{-1} ; **(b)** $9{,}3\times10^{-4}$ mol·L^{-1}·s^{-1} ; **(c)** $3{,}1\times10^{-4}$ mol·L^{-1}·s^{-1}.   **9.** Ordre zéro $[A]_t = -kt + [A]_0$.   **10.** Vitesse = k. Cet énoncé est vrai pour les réactions d'ordre zéro.   **11. (a)** L'énoncé est vrai. La loi de vitesse est déterminée par les valeurs de k et des exposants m, n, ..., et ne dépend pas des concentrations ; **(b)** L'énoncé est faux. Pour la vitesse, les unités sont mol·L^{-1}·s^{-1} ou mol·L^{-1}·min^{-1}, ce qui signifie que les unités pour k doivent être L·mol^{-1}·s^{-1} ou L·mol^{-1}·min^{-1}.   **12. (a)** Faux. Cet énoncé est vrai seulement si la réaction est d'ordre deux et elle ne l'est pas nécessairement ; **(b)** Vrai. A est consommé deux fois plus vite que B est produit.   **13. (a)** Ordre un par rapport à $HgCl_2$; ordre deux par rapport à $C_2O_4^{2-}$; ordre global trois $(n+m)$; **(b)** $7{,}6\times10^{-3}$ L^2·mol^{-2}·min^{-1} ; **(c)** $7{,}4\times10^{-6}$ mol·L^{-1}·min^{-1}.   **14. (a)** Ordre un par rapport à $S_2O_8^{2-}$; ordre 1 par rapport à I$^-$; ordre global deux ; **(b)** $6{,}1\times10^{-3}$ L·mol^{-1}·s^{-1} ; **(c)** $6{,}9\times10^{-6}$ mol·L^{-1}·s^{-1}.   **15.** Ordre deux.   **16.** Ordre zéro.   **17.** $7{,}50\times10^{-3}$ mol·L^{-1}·s^{-1}.   **18.** 3×10^{-3} mol·L^{-1}·s^{-1}.   **19.** La loi de vitesse met en relation la vitesse, la concentration et la constante de vitesse. La loi de vitesse intégrée met en relation le temps, la concentration initiale, la concentration au temps t et la constante de vitesse.

20. $5{,}17\times10^{-3}$ s^{-1}.   **21.** $0{,}325$ mol·L^{-1}.   **22.** $t_{3/4} = \dfrac{\ln\frac{1}{4}}{-k} = $ constante.

23. 84 min.

24. (a) $4{,}69\times10^{-3}$ s^{-1} ; **(b)** $t_{1/2} = \dfrac{0{,}693}{k} = \dfrac{0{,}693}{4{,}69\times10^{-3}\ \text{s}^{-1}} = 148$ s ; **(c)** 0,61 g.

25. (a) $2{,}20\times10^{-5}$ s^{-1} ; **(b)** 75,8 kPa ; **(c)** 22,1 h.   **26.** $7{,}1\times10^{13}$ molécules de PAN/L.   **27. (a)** 17,9 kPa ; **(b)** 214,4 kPa.   **28.** 0,0441 mol·L^{-1}.   **29.** 1,85 h.   **30.** 0,096 mol·L^{-1}.   **31.** 25 min.   **32.** $9{,}77\times10^{-4}$ L·mol^{-1}·s^{-1}.   **33.** vitesse = $kP_{H_2}P_{NO}$; $k = 9{,}78\times10^{-7}$ s·kPa^{-2}.   **34.** Les calculs font intervenir non seulement la fréquence des collisions moléculaires, mais également la proportion de molécules qui ont l'énergie suffisante pour réagir et la bonne orientation. Ces deux quantités sont beaucoup plus difficiles à évaluer que la simple fréquence des collisions.   **35.** Une augmentation de température entraîne non seulement une augmentation des énergies cinétiques des molécules, provoquant un accroissement des collisions, mais elle permet également à un nombre beaucoup plus grand de collisions d'avoir l'énergie nécessaire pour surmonter l'énergie d'activation.   **36.** E_a est très élevée. Très peu de molécules peuvent réagir à température ambiante. Dans la zone de l'étincelle (température élevée), le nombre de molécules énergétiques augmente beaucoup. La réaction commence ici ; la chaleur libérée augmente la température et le mélange complet réagit à la vitesse de l'explosion.   **37.** En examinant la figure 2.14, qui représente le profil évolutif d'une réaction endothermique, il est évident que l'énergie d'activation doit être supérieure à l'enthalpie, sinon il n'y aurait pas d'énergie d'activation. À la figure 2.13, on voit facilement que l'enthalpie est la différence entre les états final et initial et que la hauteur de l'énergie d'activation par rapport à l'état initial n'a aucune importance.   **38.** 90,7 kJ/mol.   **39.** 165 kJ/mol.   **40.** $7{,}14\times10^{-7}$ min^{-1}.   **41.** Les étapes d'un mécanisme doivent s'additionner ou se combiner pour donner l'équation de la réaction globale, et la loi de vitesse déduite à partir du mécanisme de réaction doit être la même que celle observée expérimentalement. Pour décrire un mécanisme de réaction, on utilise le terme plausible, car on ne peut jamais prouver qu'un mécanisme est correct. On peut seulement affirmer qu'il est conforme à toutes les données.   **42.** Dans un complexe activé, les réactifs sont faiblement liés entre eux. Un intermédiaire est un composé complètement lié qui réagit et est alors consommé au cours de la réaction. Un complexe activé ne peut être isolé alors qu'un intermédiaire peut l'être. **43.** 649 K. **44.** Dans un processus unimoléculaire, une molécule acquiert l'énergie nécessaire pour se dissocier grâce aux collisions moléculaires. La dissociation peut avoir lieu sans nécessiter une autre collision. **45.** Il est peu probable que les équations de vitesse pour une étape élémentaire et pour une réaction globale soient les mêmes sauf (a) si la réaction se produit en une seule étape, ou (b) si le mécanisme consiste en une première étape lente et une seconde étape rapide. Si l'étape déterminante de la vitesse n'est pas la première étape, l'équation de vitesse pour la réaction globale n'est pas nécessairement la même que celle d'une étape élémentaire. De plus, les équations de vitesse de certaines réactions élémentaires comportent des termes représentant des intermédiaires de réaction qui ne peuvent pas apparaître dans la loi de vitesse de la réaction globale. **46. (a)** $A + 2B \longrightarrow C + D$; **(b)** vitesse = k [A][B]. **47. (a)** $I + B \longrightarrow C + D$; **(b)** Rapide. Si la deuxième étape n'était pas rapide, les équations de vitesse de la réaction globale et de la première étape lente ne seraient pas les mêmes. **48.** Mécanisme plausible : une étape lente, $2 NO_2 \longrightarrow NO_3 + NO$, suivie de l'étape rapide, $NO_3 + CO \longrightarrow NO_2 + CO_2$. L'équation globale est $NO_2 + CO \longrightarrow NO + CO_2$. **49.** Ce mécanisme donne une loi de vitesse globale d'ordre deux par rapport à NO_2 et par rapport à CO_2 alors que la loi de vitesse réelle est d'ordre deux seulement par rapport à NO_2.

50. Vitesse = $k_2 \dfrac{k_1}{k_{-1}} = \dfrac{[NO]^2 [Cl_2]}{[NOCl]}$

La loi de vitesse pour le mécanisme n'est pas conforme à la loi de vitesse présentée.

51. Voici une solution possible :

$2 NO \rightleftharpoons N_2O_2$ rapide

$N_2O_2 + Cl_2 \longrightarrow 2 NOCl$ lente

vitesse = $k_2 \dfrac{k_1}{k_{-1}} [NO]^2 [Cl_2]$

52. Vitesse = $k_2 [Hg][Tl^{3+}]$

$$\frac{k_1}{k_{-1}} = \frac{[Hg][Hg^{2+}]}{[Hg_2^{2+}]}$$

$$[Hg] = \frac{k_1}{k_{-1}} \frac{[Hg_2^{2+}]}{[Hg^{2+}]}$$

$$\text{vitesse} = k_2 \frac{k_1}{k_{-1}} \frac{[Hg_2^{2+}][Tl^{3+}]}{[Hg^{2+}]}$$

53. La deuxième étape, $N_2O_2 + H_2 \longrightarrow N_2O + H_2O$, doit être l'étape déterminante de la vitesse parce qu'elle est conforme à la loi de vitesse.

$$\text{Vitesse} = k_2 [N_2O_2][H_2]$$

$$\frac{k_1}{k_{-1}} = \frac{[N_2O_2]}{[NO]^2}$$

$$\text{vitesse} = k_2 \frac{k_1}{k_{-1}} [NO]^2 [H_2]$$

54. Un catalyseur doit accélérer la réaction au cours de laquelle il ne doit pas être consommé. (Le catalyseur doit être consommé dans une réaction élémentaire et régénéré dans une autre.) **55.** I^- est un

catalyseur. Sa concentration demeure donc constante au cours de la réaction, de sorte que la loi de vitesse, vitesse = k [I^-][H_2O_2], se simplifie en vitesse = k' [H_2O_2]. **56.** Le profil évolutif de la réaction à catalyse de surface est plutôt complexe, mais le point représentant la plus haute valeur d'énergie est encore considérablement plus bas que l'énergie de l'état de transition dans le profil d'une réaction homogène, non catalysée, ce qui signifie que la réaction à catalyse de surface a l'énergie d'activation la plus faible. **57.** La température corporelle normale est de 37 °C. L'enzyme sera moins active à 37 °C et encore moins à 40 °C. **58.** Un inhibiteur peut bloquer le site actif de l'enzyme ou réagir avec l'enzyme pour modifier la conformation du site actif. **59.** Dans les deux cas, les molécules doivent se lier aux sites actifs pour réagir. La cinétique de chacun des types de réaction est alors régie par la disponibilité de ces sites actifs. **60. (a)** Doubler la concentration du substrat X, quand elle est faible, double la vitesse parce que la réaction est d'ordre un par rapport au substrat ; **(b)** Doubler la concentration du substrat X, quand elle est élevée, n'a aucun effet sur la vitesse parce que la réaction est d'ordre zéro par rapport au substrat. **Problèmes complémentaires 61.** Pour les réactions d'ordre zéro, la demi-vie s'allonge à mesure que la concentration initiale augmente parce que la vitesse est constante et qu'il y a plus de molécules présentes. Pour les réactions d'ordre deux, la demi-vie varie en fonction de l'inverse de la concentration. La demi-vie raccourcit avec l'augmentation de la concentration initiale. **62. (a)** 1,39 $mol \cdot L^{-1}$; **(b)** 1,41 $mol \cdot L^{-1}$; **(c)** 1,44 $mol \cdot L^{-1}$. **63.** $2,6 \times 10^{-3}$ $mol \cdot L^{-1} \cdot s^{-1}$. **64.** 0 s, 35,3 mL ; 60 s, 27,9 mL ; 120 s, 22,6 mL ; 180 s, 18,3 mL ; 240 s, 14,9 mL ; 300 s, 11,9 mL ; 360 s, 9,44 mL ; 420 s, 7,52 mL ; 480 s, 6,08 mL ; 540 s, 4,80 mL ; 600 s, 3,76 mL. **65.** Porter en graphique ln(mL de $KMnO_4$) en fonction du temps avec les données du problème 64 et déterminer k à partir de la pente du graphique. $k = -$ pente $= 3,63 \times 10^{-3}$ s^{-1}. **66. (b)** 4 mL/min ; **(c)** $1,3 \times 10^{-3}$ $mol \cdot L^{-1} \cdot min^{-1}$; **(d)** $k = 0,068$ min^{-1} ; $t_{1/2} = 10$ min ; **(e)** Vitesse = 0,068 min^{-1} [$C_6H_5N_2Cl$]. **67. (a)** 107 kPa ; **(b)** 214 kPa ; **(c)** 248 kPa. **68. (a)** 7,29 min ; **(b)** $5,7 \times 10^{13}$ molécules/min. **69.** 465 °C. **70.** 35,8 min. **71.** 53 kJ/mol. **72.** À la même température, une énergie d'activation élevée entraîne une plus grande augmentation de la vitesse qu'une énergie faible. Une barrière d'énergie élevée signifie que plus de molécules peuvent la surmonter avec une augmentation de la température. Une barrière d'énergie faible n'arrête pas beaucoup de molécules, par conséquent, il n'y a qu'une faible augmentation.

73. (a) 51,3 $kJ \cdot mol^{-1}$; **(b)** $\dfrac{126 \text{ grésillements}}{min}$

(c) 71,5 °F (règle empirique) ; 68 °F (valeur réelle). La règle empirique donne un résultat approximatif ; elle n'est pas exacte.

74. $O_3 \rightleftharpoons O_2 + O$ rapide

$O + O_3 \longrightarrow 2 O_2$ lente

vitesse = $k_2 \dfrac{k_1}{k_{-1}} \dfrac{[O_3]^2}{[O_2]}$

75. (a) Ordre un par rapport à OCl^- ; ordre un par rapport à I^- ; ordre moins un par rapport à OH^- ; ordre global un ;

(b) Vitesse = $k \dfrac{[OCl^-][I^-]}{[OH^-]}$; $k = 60$ s^{-1}

(c) La deuxième étape est déterminante de la vitesse :

vitesse = $k_2 \dfrac{k_1}{k_{-1}} \dfrac{[I^-][OCl^-][H_2O]}{[OH^-]}$

(d) Un catalyseur accélère la réaction. Augmenter la quantité de catalyseur augmenterait la vitesse de réaction ou bien n'aurait aucun effet. Dans cette réaction, OH^- agit comme un inhibiteur. **76. (a)** $0,013$ mol·L^{-1}·s^{-1}; **(b)** $0,0072$ mol·L^{-1}·s^{-1}; **(c)** $0,0074$ mol·L^{-1}·s^{-1}; **(d)** Réaction d'ordre deux; **(e)** $0,014$ L·mol^{-1}·s^{-1}; **(f)** Vitesse = $0,014$ L·mol^{-1}·s^{-1} $[CH_3CHO]^2$; **(g)** 71 s. **77.** En milieu acide, les groupements NH_2 deviennent des groupements NH_3^+, et les COOH retiennent leur proton. Puisque l'enzyme est active en milieu basique, les groupements doivent exister sous forme NH_2 et COO^-. **78. (a)** Le premier graphique ne donnant pas une droite, la réaction n'est donc pas d'ordre zéro. Cependant, le deuxième graphique donne une droite, ce qui indique que la réaction est d'ordre un; **(b)** $0,034$ min^{-1}; **(c)** $Vitesse_A = -0,013$ mol·L^{-1}·min^{-1}; $Vitesse_B = 0,026$ mol·L^{-1}·min^{-1}. **79.** 84 ms. **80.** $0,0403$ mol·L^{-1}. **81.** La vitesse de réaction à 100 °C est $5,44 \times 10^3$ fois plus élevée qu'à 25 °C. **82.** La mise en graphique, en fonction du *temps,* de la *masse de l'eau,* de ln *(masse)* et de 1/*masse* montre que seul le dernier graphique donne une droite. La réaction est donc d'ordre deux.

$$k = \text{pente} = \frac{(3,57 - 0,870)\ g^{-1}}{(44,58 - 3,58)\ h} = 0,66\ g^{-1}\cdot h^{-1}$$

Chapitre 3

Exercices **3.1A** Il n'y a pas qu'une seule valeur possible pour $[COCl_2]$, mais une valeur différente pour chaque valeur de CO. **3.1B** $[SO_2]$ et $[SO_3]$ n'ont pas des valeurs uniques, mais les rapports suivants en ont : $[SO_2]/[SO_3]$, $[SO_2]^2/[SO_3]^2$ ainsi que leur réciproque.

Pour $[O_2] = 1,00$ mol/L, $\dfrac{[SO_3]}{[SO_2]} = 10,0$

3.2A $2,5 \times 10^{-3}$. **3.2B** $6,64 \times 10^{78}$. **3.3A** $4,6 \times 10^4$. **3.3B** $2,1 \times 10^{29}$.

3.4A $K_p = \dfrac{P_{CO} P_{H_2}}{P_{H_2O}}$

3.4B $K_c = \dfrac{[CH_3CH_2CH_2COOCH_2CH_3]\,[H_2O]}{[CH_3CH_2OH]\,[CH_3CH_2CH_2COOH]}$

3.5A Une valeur de K supérieure à 1 $(1,2 \times 10^3)$ signifie que la réaction directe est favorisée. Puisque K n'a pas une valeur particulièrement grande, la réaction ne se produira pas jusqu'à ce que les concentrations des réactifs soient à peu près nulles, donc cette réaction n'est pas considérée comme complète. **3.5B** Une quantité significative à la fois des produits et des réactifs signifie que K_p est près de 1. La réponse est 10,0. **3.6A** La réaction se déplace vers la droite. **3.6B** À l'équilibre, P_{H_2S} augmente, P_{HI} diminue; la quantité de $I_2(s)$ augmente et celle de S(s) diminue. **3.7A (a)** La réaction se déplace vers la droite en consommant N_2 et en produisant plus de NH_3. La quantité de H_2 sera cependant plus grande et la quantité de N_2 sera plus petite que dans l'équilibre initial; **(b)** La réaction se déplace vers la gauche en consommant NH_3 et en produisant plus de H_2; **(c)** La réaction se déplace vers la droite en consommant N_2 et H_2. La quantité de NH_3 sera plus petite que dans l'équilibre initial. **3.7B** La direction de la réaction dépend de la concentration du soluté, puisque l'addition d'une solution aqueuse d'acide acétique est faite à la fois aux réactifs et au produit. S'il s'agit d'acide acétique presque pur, la réaction se déplacera vers la droite. Une solution diluée, comportant plus d'eau que d'acide acétique, favorisera la réaction inverse, donc vers la gauche. Pour l'addition de solutions intermédiaires d'acide

acétique, le sens de la réaction dépendra de leur concentration. **3.8A** Il n'y a pas de modification de la quantité de HI à l'équilibre quand on varie la pression ou le volume, parce que le nombre de moles de gaz dans les deux membres de l'équation est le même. **3.8B** L'addition de NO_2 déplace l'équilibre vers la gauche et la réaction consomme l'excès de NO_2. L'augmentation de volume entraîne une diminution de pression; le système réagit vers la gauche pour produire plus de moles de gaz et, par conséquent, augmenter la pression. La modification du volume et l'addition de NO_2 déplacent toutes les deux la réaction vers la gauche. **3.9A** La réaction est plus complète à basse température. Elle se déplace vers la droite pour produire plus de chaleur parce que la réaction directe est exothermique. Elle sera donc plus complète à basse température. **3.9B** $\Delta H°_{réaction} = -39,71$ kJ. Puisque la réaction est exothermique, un abaissement de la température favorisera la réaction directe, produisant plus de N_2O_3. La pression partielle sera plus élevée au point de congélation de l'eau. **3.10A (a)** La réaction inverse a lieu en consommant CO_2 et en produisant CO et H_2O. Il y aura plus de CO et de H_2O et moins de CO_2. Il y aura plus de H_2 parce que tout l'excès ne sera pas consommé; **(b)** La prédiction est impossible. L'ajout à la fois d'un réactif (H_2O) et d'un produit (H_2) au mélange à l'équilibre déplace la réaction vers la gauche ou vers la droite; **(c)** L'ajout de H_2O favorise la réaction directe, tout comme la diminution de la température (la réaction directe est exothermique). Au nouvel équilibre, il y aura plus de CO_2 et de H_2, et moins de CO qu'à l'équilibre initial. On ne peut pas connaître la quantité de H_2O, parce qu'on ne sait pas si les effets combinés des deux modifications consommeront plus ou moins que la quantité de 1,00 mol de H_2O ajoutée. **3.10B (a)** Puisque la réaction est endothermique, les produits seront favorisés à plus haute température; **(b)** Puisqu'il y a cinq moles de gaz à droite et trois moles de gaz à gauche, les produits seront favorisés à basse pression : $CH_4(g) + 2\ H_2O(g) \rightleftharpoons CO_2(g) + 4\ H_2(g)$. **3.11A** $K_c = 25$. **3.11B** $K_p = 0,426$. **3.12A (a)** $0,0827$ mol de H_2; **(b)** 82,5 kPa. **3.12B** Les volumes s'annulent seulement dans le cas des réactions qui ont le même nombre de moles dans les deux membres de l'équation. **3.13A** $8,5 \times 10^{-2}$ mol. **3.13B** $\chi_{NO} = 0,018$. **3.14A** $0,085$ mol de HI. **3.14B** $0,0128$ mol de H_2; $0,0128$ mol de I_2; $0,094$ mol de HI. **3.15A** $P_{COCl_2} = 82,2$ kPa; $P_{CO} = P_{Cl_2} = 19,1$ kPa; $P_{totale} = 120$ kPa. **3.15B** $P_T = 6,60$ kPa.

Problèmes par sections

1. (a) $K_c = \dfrac{[CO]^2}{[CO_2]}$ **(b)** $K_c = \dfrac{[HI]^2}{[H_2S]}$ **(c)** $K_c = [O_2]$

2.

(a) $K_c = \dfrac{[S_2]\,[H_2]^2}{[H_2S]^2}$ **(b)** $K_c = \dfrac{[CH_4]\,[H_2S]^2}{[CS_2]\,[H_2]^4}$ **(c)** $K_c = \dfrac{[CH_4]\,[H_2O]}{[CO]\,[H_2]^3}$

3. (a) $K_c = \dfrac{[N_2]\,[CO_2]^2}{[CO]^2\,[NO]^2}$ **(b)** $K_c = \dfrac{[NO]^4\,[H_2O]^6}{[NH_3]^4\,[O_2]^5}$

(c) $K_c = [H_2O][CO_2]$

4. $5,4 \times 10^2$. **5.** $2,3 \times 10^3$. **6.** $6,7 \times 10^{-3}$ mol/L. **7.** $0,0126$ mol/L. **8.** 186. **9.** $6,84 \times 10^{-3}$. **10.** $1,12 \times 10^3$. **11.** 681. **12.** $1,49 \times 10^{-3}$. **13.** $1,5 \times 10^2$.

14. (a) $K_p = \dfrac{P_{CO_2} P_{H_2}}{P_{CO} P_{H_2O}}$ **(b)** $K_p = \dfrac{P_{NH_3}^2}{P_{N_2} P_{H_2}^3}$ **(c)** $K_p = P_{NH_3} P_{H_2S}$

15. (a) $K_p = \dfrac{P_{NO}}{\left(P_{N_2}\right)^{1/2} \left(P_{O_2}\right)^{1/2}}$ **(b)** $K_p = \dfrac{P_{NH_3}}{\left(P_{N_2}\right)^{1/2} \left(P_{H_2}\right)^{3/2}}$

(c) $K_p = \dfrac{P_{NOCl}}{\left(P_{N_2}\right)^{1/2}\left(P_{O_2}\right)^{1/2}\left(P_{Cl_2}\right)^{1/2}}$

16. (a) $0,22$; **(b)** $1,59 \times 10^{-6}$; **(c)** $2,00$.   **17. (a)** $1,2 \times 10^{-3}$; **(b)** $4,79 \times 10^{-3}$; **(c)** $1,23 \times 10^{3}$.   **18.** $49,5$.   **19.** $3,59 \times 10^{-3}$.   **20.** $1,89 \times 10^{-2}$.   **21.** $0,158$.   **22.** $1,14 \times 10^{-8}$.   **23.** $7,1 \times 10^{-22}$.   **24.** $1,3 \times 10^{-11}$.   **25.** $2,9 \times 10^{62}$.   **26.** K_p pour la réaction $1/2\ N_2O_4 \rightleftharpoons$ NO_2 est inférieure à celle de la réaction $N_2O_4 \rightleftharpoons 2\ NO_2$ parce que $\sqrt{14,7} = 3,83$, $K_p < 14,7$.   **27.** $K_c = (K_c')^2$. K_c est plus grande seulement si K_c' est supérieure à 1. Quand K_c' est inférieure à un, K_c est plus petite que K_c'.   **28.** $7,0 \times 10^2$ kPa.   **29.** $13,6$ kPa.   **30.** 9. **31. (a)** Non, il faudrait K_p égale à 1; **(b)** Oui, c'est possible; **(c)** Non, il faudrait K_p égale à 1; **(d)** Oui, c'est possible.   **32. (a)** Faux. La pression doit diminuer parce que 3 moles de réactif deviennent 2 moles de produit; **(b)** Faux. Il y a un nombre égal de moles de SO_2 et de O_2 présentes dans le mélange initial. Puisque le rapport des moles de SO_2 aux moles de SO_3 est de 2 pour 2, on ne peut pas produire le double de la quantité de O_2 présente initialement; **(c)** Vrai; **(d)** Vrai. Deux moles de SO_2 sont consommées pour chaque mole de O_2; **(e)** Faux. K_c est plus grande que K_p.   **33. (a)** Faux. Comprimer le volume pour modifier la pression n'influe pas sur K_c parce que le nombre de moles de réactifs gazeux est égal au nombre de moles de produits gazeux; **(b)** Vrai. $Q_c = 1 > K_c$. La réaction se déplace donc vers la gauche; **(c)** Faux. $Q_c = 1 > K_c$. La réaction se déplace donc vers la gauche et produit du graphite; **(d)** Faux. Elles auront la même valeur car Δn des gaz est égal à zéro. $K_p = K_c\ (RT)^{\Delta n} = K_c \times (8,3145 \times 2025\ K)^{2-2}$; **(e)** Vrai. La modification de la pression partielle de HCN est deux fois plus grande que les modifications des pressions partielles de H_2 et de N_2, parce que le rapport entre les moles de HCN et celles de H_2 et de N_2 est $2 : 1 : 1$.   **34.** La réaction a lieu vers la gauche.   **35.** La réaction a lieu vers la droite de façon à augmenter la quantité de CO_2 et de H_2.   **36.** Une légère réaction se produit vers la droite pour augmenter la quantité de CH_4 et de H_2O parce que Q_p ($9,49 \times 10^{-3}$) est légèrement inférieur à K_p ($9,94 \times 10^{-3}$).   **37.** $Q_p < K_p$ ($9,94 \times 10^{-3}$ kPa). La réaction se produit vers la droite pour augmenter les quantités de CH_4 et de H_2O.   **38.** Si deux réactions intermédiaires s'additionnent pour donner une réaction globale, les constantes d'équilibre sont multipliées ensemble pour produire une nouvelle constante d'équilibre.   **39. (a)** Oui, il y a un plus petit nombre de moles de gaz à droite; **(b)** Non, il y a le même nombre de moles de gaz dans les deux membres de l'équation, de sorte qu'une modification de la pression n'aura aucun effet; **(c)** Oui, il y a un plus petit nombre de moles de gaz à droite.   **40. (a)** Le volume n'a aucune influence parce qu'il y a le même nombre de moles de gaz dans les deux membres de l'équation; **(b)** Un plus grand volume déplace la réaction vers la droite pour produire un plus grand nombre de moles de gaz.   **41.** La réaction (a) est exothermique. $NO(g)$ ne se dissocie pas autant à température élevée. La réaction (b) est endothermique et se déplace vers la droite en augmentant la température. Le degré de dissociation de $SO_3(g)$ augmente avec une élévation de température.   **42. (a)** Augmenter le volume réactionnel favorise le sens qui produit le plus grand nombre de moles de gaz, la réaction directe. Le pourcentage de dissociation sera plus grand que $12,5\,\%$; **(b)** Élever la température favorise la réaction endothermique, la réaction directe. Le pourcentage de dissociation sera plus grand que $12,5\,\%$; **(c)** Aucune modification du pourcentage de dissociation. Un catalyseur ne modifie pas l'état d'équilibre; **(d)** Le néon gazeux est un gaz inerte qui ne modifie pas les conditions d'équilibre; les pressions partielles de N_2O_4 et de NO_2 sont inchangées.   **43. (a)** La quantité de H_2 produite augmente à mesure que la réaction a lieu vers la droite pour consommer H_2O; **(b)** Le catalyseur n'a aucune

influence sur la quantité de H_2 à l'équilibre; **(c)** La quantité de H_2 à l'équilibre augmente à mesure que la réaction a lieu vers la droite pour augmenter la pression; **(d)** La concentration de H_2 diminue à mesure que la réaction a lieu dans le sens qui consomme CO; **(e)** La pression de chacun des gaz ne varie pas. Il n'y a donc pas de modification de la quantité de H_2 à l'équilibre; **(f)** La concentration de H_2 augmente à mesure que la réaction a lieu dans le sens qui absorbe de la chaleur; **(g)** Retirer une petite quantité de C solide ne modifie pas la concentration de H_2, car l'équilibre n'est pas perturbé.   **44.** Ces réactions de dissociation sont endothermiques parce qu'elles nécessitent la rupture de liaisons sans qu'il ne s'en forme de nouvelles. Élever la température favorise la réaction directe; le degré de dissociation augmente quand l'équilibre est atteint.   **45.** Non, l'affirmation n'est pas valable. La dissociation de molécules en leurs éléments est l'inverse de la réaction de formation. Puisque la plupart des chaleurs de formation sont exothermiques, la majorité des dissociations sont endothermiques et l'affirmation est vraie. Mais certains composés ont des chaleurs de formation positives et l'affirmation selon laquelle une élévation de température augmente le degré de dissociation est fausse.   **46. (a)** La réaction n'est pas touchée parce qu'il y a le même nombre de moles de gaz dans chaque membre de l'équation; **(b)** Une élévation de pression favorise cette réaction parce que le nombre de molécules de produits gazeux est inférieur au nombre de molécules de réactifs gazeux; **(c)** La réaction n'est pas touchée parce qu'il y a le même nombre de moles de gaz dans chaque membre de l'équation; **(d)** Cette réaction est favorisée à pression élevée parce que moins de molécules de gaz sont produites.   **47.** La masse volumique de la glace est inférieure à celle de l'eau liquide. Une élévation de pression au-dessus de la glace favorise le processus dans lequel les molécules d'eau occupent un volume réduit, l'état liquide. La glace fond.   **48.** $4,44$ g.   **49.** $12,5$ g.   **50.** $0,207$ mol de CO_2 et $0,207$ mol de H_2.   **51.** $0,0436$ mol de CO.   **52.** $48,2$ g de $COCl_2$.   **53.** $0,131$ mol de COF_2.   **54.** $0,0824$ mol de PCl_3 et de Cl_2; $0,0275$ mol de PCl_5.   **55.** $7,68 \times 10^{-2}$ mol de SO_2Cl_2; $0,323$ mol de SO_2; $0,223$ mol de Cl_2.   **56.** $28\,\%$ non dissocié.   **57.** $46\,\%$ non dissocié.   **58. (a)** $2,75$ kPa; **(b)** $18,2$ kPa.   **59. (a)** $26,9$ kPa; **(b)** $47,2$ kPa.   **60.** 369 kPa.   **61.** 162 kPa. **Problèmes complémentaires   62. (a)** Ajouter HCl; **(b)** Ajouter O_2; **(c)** Diminuer la température; **(d)** Augmenter la pression totale sur le mélange.   **63.** $1,5 \times 10^{-9}$.   **64.** $K_p = K_c(RT)^{\Delta n}$ $\Delta n = 2 - 3 = -1$. **65.** La bonne réponse est (c).   **66.** La bonne réponse est (d).   **67. (a)** Faux. Le rapport du produit des concentrations des produits (chacune étant élevée à sa puissance appropriée) et du produit des concentrations des réactifs (aussi élevées à leurs puissances appropriées) est égal à la constante d'équilibre; **(b)** Faux, voir (a); **(c)** Faux, voir (a); **(d)** Vrai; **(e)** Faux, plusieurs combinaisons possibles de valeurs de concentrations peuvent correspondre à la valeur de K.   **68.** La bonne réponse est (c).   **69.** La bonne réponse est (b).   **70.** $3,11$.   **71.** $P_{CH_3OH} = 1,00$ kPa.   **72.** $P_{SO_3} = 1,94$ kPa. **73.** $K_c = 5,6$. **(a)** $Q_c > K_c$, donc une réaction nette se produit vers la gauche. On arrive à la même conclusion en considérant le principe de Le Chatelier. L'addition de H_2; au mélange à l'équilibre entraîne le déplacement de la réaction vers la gauche, dans le sens qui élimine H_2; **(b)** $0,164$ mol de CO_2; $0,036$ mol de CO; $0,136$ mol de H_2O.   **74.** Isobutane $= 6,11 \times 10^{-3}$ mol/L, butane $= 0,77 \times 10^{-3}$ mol/L.   **75.** $5,57$.   **76.** $3,9$.   **77.** $4,1 \times 10^2$.   **78.** $2,49 \times 10^{-2}$ mol de S_2; $4,98 \times 10^{-2}$ mol de H_2.   **79.** $0,844$ kPa.   **80.** $2,51 \times 10^{-4}$ mol $Na_2HPO_4 \cdot 2H_2O$.   **81. (a)** 6×10^{-2} mg de I_2; **(b)** Le rapport des concentrations sera le même, mais parce que le volume de CCl_4 est plus grand que dans (a), la masse de I_2 qui restera dans la phase aqueuse sera moindre que dans (a); **(c)** Si on laisse la phase aqueuse atteindre un nouvel équilibre en ajoutant un second échantillon de 25,0 mL de CCl_4, cela signifie que le rapport de 85,5 doit être satisfait deux fois. Utiliser 50,0 mL revient à doubler le rapport. Après deux équilibres, il restera beaucoup moins d'iode dans la solution aqueuse.

82. $K_{éq} = k_2 k_1 = \dfrac{[HI]^2}{[H_2][I_2]}$

83. 775 K (502 °C).   **84.** % molaire = 78,3 %.

85. (a) $K_p = \dfrac{\alpha^2 P}{1 - \alpha^2}$; **(b)** $\alpha = 0,645$; **(c)** $P = 1,78 \times 10^4$ kPa.

86. (a) Au sommet de l'Everest, la pression de l'oxygène sera assez basse pour forcer la réaction à se diriger vers la gauche et ainsi priver l'hémoglobine d'oxygène. En effet, si on diminue la pression, on favorise la réaction inverse ; **(b)** Dans une chambre hyperbare, la pression de l'oxygène est assez élevée pour forcer l'oxygène à se lier à plus de molécules d'hémoglobine et augmenter ainsi l'apport en oxygène aux cellules. Si on augmente la pression, on favorise la réaction directe.   **87.** $Q > K$, donc la réaction se déplace vers la gauche.

$[H_2] = 6,66 \times 10^{-3}$ mol/L

$[CS_2] = 0,073$ mol/L

$[CH_4] = 0,123$ mol/L

$[H_2S] = 0,147$ mol/L

Chapitre 4

Exercices   4.1A

(a) NH_3 + HCO_3^- ⇌ NH_4^+ + CO_3^{2-}
       base   acide   acide conjugué   base conjuguée
                    de NH_3 de HCO_3^-

(b) H_3PO_4 + H_2O ⇌ H_3O^+ + $H_2PO_4^-$
       acide   base   acide conjugué   base conjuguée
                    de H_2O de H_3PO_4

4.1B HCO_3^- agit comme un acide

HCO_3^- + H_3O^+ ⟶ H_2CO_3 + H_2O
  base   acide

H_2O agit comme une base

H_2O + NH_3 ⇌ NH_4^+ + OH^-
acide   base

$H_2PO_4^-$ agit comme une base du côté droit de l'équation dans l'exercice 4.1A.

NH_3 + $H_2PO_4^-$ ⇌ NH_4^+ + HPO_4^{2-}

4.2A (a) H_2Te est l'acide le plus fort. L'atome de Te est plus gros que celui de S, et on s'attend à ce que l'énergie de liaison de H—Te soit inférieure à celle de H—S ; **(b)** $CH_3CH_2CH_2CHBrCOOH$ est l'acide le plus fort. Cl est plus électronégatif que Br (deuxième carbone), mais il est situé beaucoup plus loin (cinquième carbone) du groupement —COOH.   **4.2B (a)** < (d) < (b) < (c) ; (a) n'a pas d'atomes attracteurs d'électrons supplémentaires. L'acide (d) porte un Br sur le benzène en face du groupement —COOH ; il est donc plus fort que (a). L'acide (b) porte un Cl qui est plus attracteur d'électrons que Br et qui est adjacent au groupement —COOH. L'acide (c) est le plus fort parce qu'il porte deux atomes attracteurs d'électrons adjacents.   **4.3A** (d) < (a) < (c) < (b) ; (d) est la base la plus faible en raison de la présence du cycle benzénique et des deux atomes électronégatifs de chlore. (a) possède un cycle benzénique et un atome de chlore électronégatif. (c) possède un atome de chlore électronégatif, ce qui en

fait une base plus faible que (b), qui est la base la plus forte.   **4.3B** Du plus faiblement basique au plus fortement basique. —$C_6H_3Br_2$, —C_6H_4Cl, —C_6H_5, —$CH_2CHClCH_3$, —$CH_2CH_2CH_3$.   **4.4A** 4,331.   **4.4B** 12,624.   **4.5A** La solution est basique. La concentration de OH^- provient de la dissociation de NaOH et de l'auto-ionisation de l'eau.   **4.5B** Le NaOH et le HCl réagissent ensemble en se neutralisant, la solution résultante est donc neutre.   **4.6A** 2,74.   **4.6B** 4,52.   **4.7A** 2,20.   **4.7B** 0,56 mol/L.   **4.8A** 11,96.   **4.8B** 9,34.   **4.9A** 4,21.   **4.9B** 6,56 mol/L.   **4.10A** Une K_b plus grande et une concentration molaire volumique plus élevée font que $[OH^-]$ et le pH de la méthylamine sont plus élevés que ceux de NH_3(aq). La méthylamine est plus basique.   **4.10B** HCl est un acide fort, alors $[H_3O^+] = 0,0010$ mol/L et pH = 3. Pour l'acide acétique 0,10 mol/L, $[H_3O^+] = \sqrt{0,10 K_a} = \sqrt{0,10 \times 1,8 \times 10^{-5}} > 1,0 \times 10^{-3}$ ou pH > 3.   **4.11A** 1,48. Puisque $K_{a_1} \gg K_{a_2}$, presque tous les ions H_3O^+ proviennent de la réaction K_{a_1}.   **4.11B** Pour $[H_3PO_4] = 6,4 \times 10^{-3}$ mol/L, pH = 2,52 ; pour $[H_3PO_4] = 6,4 \times 10^{-3}$ mol/L, pH = 2,39.   **4.12A** 2,77.   **4.12B** L'ionisation de H_2SO_4 0,020 mol/L est complète à la première étape et partielle à la seconde : 0,020 mol/L < $[H_3O^+]$ < 0,040 mol/L. Seule la réponse de (b) correspond à cette exigence : $[H_3O^+] = 0,025$ mol/L.   **4.13A (a)** $NaNO_3$ est neutre. Na^+ provient de la base forte NaOH et NO_3^-, de l'acide fort HNO_3 ; **(b)** $CH_3CH_2CH_2COOK$ est basique. K^+ provient de la base forte KOH. $CH_3CH_2CH_2COO^-$ provient de l'acide faible $CH_3CH_2CH_2COOH$.   **4.13B** HCl(aq) < NH_4I(aq) < NaCl(aq) < KNO_2(aq) < NaOH(aq).   **4.14A** 5,27.   **4.14B** 8,84.   **4.15A** 0,28 mol/L.   **4.15B** Si l'on compare les valeurs de K_b pour les ions conjugués, celle de CN^- est plus grande que celle de NO_2^-, ce qui explique que NH_4CN(aq) soit beaucoup plus basique que NH_4NO_2(aq).   **4.16A** 8,89.   **4.16B** $[H_3O^+]$ = 0,10 mol/L. $[CH_3COO^-] = 0,10$ mol/L.   **4.17A** 13,477.   **4.17B (a)** pH = 1,69 % de dissociation de HNO_2 = 3,03 % ; **(b)** pH = 13,699 % de dissociation de NH_3 = 0,0036 % ; **(c)** pH = 12,25. L'apport de OH^- provenant de la base forte KOH est ici négligeable, car elle est très diluée par rapport à la base faible CH_3NH_2. % de dissociation de CH_3NH_2 = 2,35 %.   **4.18A** 9,10.   **4.18B** 0,020 mol de NaOH.   **4.19A** 0,43 mol/L.   **4.19B** 3,2 g de NH_4Cl.   **4.20A** La couleur de l'indicateur signale que la valeur du pH se situe dans l'intervalle d'environ 4 à 5,5. Les solutions (b) et (c) ont des valeurs à l'extérieur de cet intervalle. La solution de NH_4Cl 1,00 mol/L aurait un pH situé dans cet intervalle, à cause de l'hydrolyse de NH_4^+. La solution de CH_3COOH—CH_3COONa 1,00 mol/L est un tampon de pH = 4,74 (pK_a de l'acide acétique). Pour distinguer entre (a) et (d), on ajoute une petite quantité soit de base, soit d'acide. Le pH de la solution tampon (d) ne varierait pas, tandis que celui de la solution de NH_4Cl 1,00 mol/L (solution b) varierait.   **4.20B** 2,00 × 10^{-2} mol de NaOH.   **4.21A (a)** $Ca(OH)_2$(s) + 2 Cl(aq) ⟶ $CaCl_2$(aq) + $2H_2O$(l) ; **(b)** Ca^{2+}(aq) + 2 OH^-(aq) + 2 H_3O^+(aq) + 2 Cl^-(aq) ⟶ Ca^{2+}(aq) + 2 Cl^-(aq) + 4 H_2O(l) ; **(c)** OH^-(aq) + H_3O^+(aq) ⟶ 2 H_2O(l).   **4.21B (a)** 2 $KHSO_4$(aq) + 2 NaOH(aq) ⟶ Na_2SO_4(aq) + K_2SO_4(aq) + 2 H_2O(l) ; **(b)** K^+(aq) + HSO_4^-(aq) + Na^+(aq) + OH^-(aq) ⟶ K^+(aq) + Na^+(aq) + SO_4^{2-}(aq) + H_2O(l) ; **(c)** HSO_4^-(aq) + OH^-(aq) ⟶ SO_4^{2-}(aq) + H_2O(l).   **4.22A** 37,26 mL de HBr.   **4.22B** 17,7 mL de KOH.   **4.23A** 0,050 40 mol/L de H_2SO_4.   **4.23B** 12,6 mL de NaOH.   **4.24A (a)** 2,90 ; **(b)** 3,90 ; **(c)** 10,10 ; **(d)** 11,10.   **4.24B** 13,02.   **4.25A (a)** 4,97 ; **(b)** 11,10.   **4.25B (a)** 13,22 ; **(b)** 9,07 ; **(c)** 5,04 ;

(d) pH = 4,74.

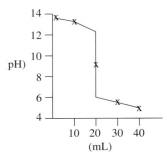

4.26A (a) $K_b \approx 1 \times 10^{-5}$; **(b)** 4,7.

4.26B

La variation de pH de la partie verticale de cette courbe de titrage vaut environ 4. Pour qu'une variation de pH soit facilement observable, elle devrait s'étendre sur 6 unités de pH ou plus.

Problèmes par sections

1.

(a)

$$HClO_3 + H_2O \longrightarrow H_3O^+ + ClO_3^-$$
acide · · · · · · · base · · · · · · · acide conjugué · · · · · · · base conjuguée

(b)

$$HSeO_4^- + NH_3 \rightleftharpoons NH_4^+ + SeO_4^{2-}$$
acide · · · · · · · base · · · · · · · acide conjugué · · · · · · · base conjuguée

(c)

$$HCO_3^- + OH^- \longrightarrow CO_3^{2-} + H_2O$$
acide · · · · · · · base · · · · · · · base · · · · · · · acide
· · · · · · · · · · · · · · · · · conjuguée · · · · conjuguée

(d)

$$C_5H_5NH^+ + H_2O \rightleftharpoons C_5H_5N + H_3O^+$$
acide · · · · · · · base · · · · · · · base · · · · · · · acide
conjugué · conjugué

2.

(a)

$$HSO_4^- + F^- \rightleftharpoons HF + SO_4^{2-}$$
acide · · · · · · · base · · · · · · · acide · · · · · · · base
· · · · · · · · · · · conjuguée · · · · · · · · · · · conjuguée

(b)

$$NH_4^+ + Cl^- \rightleftharpoons NH_3 + HCl$$
acide · · · · · · · base · · · · · · · base · · · · · · · acide
conjugué · · · conjuguée

(c)

$$HCl + CH_3COO^- \longrightarrow CH_3COOH + Cl^-$$
acide · · · · · · · base · · · · · · · acide · · · · · · · base
· · · · · · · · · · · conjuguée · · · · · · · · · · · conjuguée

(d)

$$CH_3OH + Br^- \rightleftharpoons HBr + CH_3O^-$$
acide · · · · · · · base · · · · · · · acide · · · · · · · base
· · · · · · · · · · · conjuguée · · · · · · · · · · · conjuguée

(d) < (b) < (a) < (c)

3. (a) $HI(g) + H_2O \longrightarrow H_3O^+(aq) + I^-(aq)$; **(b)** $KOH(s) + H_2O \longrightarrow K^+(aq) + OH^-(aq)$; **(c)** $HNO_2(aq) + H_2O \rightleftharpoons H_3O^+(aq) + NO_2^-(aq)$; **(d)** $H_2PO_4^-(aq) + H_2O \rightleftharpoons H_3O^+(aq) + HPO_4^{2-}(aq)$; **(e)** $CH_3NH_2(aq) + H_2O \rightleftharpoons CH_3NH_3^+(aq) + OH^-(aq)$; **(f)** $CH_3CH_2COOH(aq) + H_2O \rightleftharpoons CH_3CH_2COO^-(aq) + H_3O^+(aq)$. **4. (a)** $HNO_3(l) + H_2O \longrightarrow H_3O^+(aq) + NO_3^-(aq)$; **(b)** $CH_3(CH_2)_2COOH(aq) + H_2O \rightleftharpoons H_3O^+(aq) + H_3(CH_2)_2COO^-(aq)$; **(c)** $Ba(OH)_2(s) + H_2O \longrightarrow Ba^{2+}(aq) + 2\ OH^-(aq)$; **(d)** $HClO_2(aq) + H_2O \rightleftharpoons H_3O^+(aq) + ClO_2^-(aq)$; **(e)** $HC_2O_4^-(aq) + H_2O \rightleftharpoons H_3O^+(aq) + C_2O_4^{2-}(aq)$; **(f)** $(CH_3)_2NH(aq) + H_2O \rightleftharpoons (CH_3)_2NH_2^+(aq) + OH^-(aq)$. **5.** $HSO_3^- + OH^- \longrightarrow H_2O + SO_3^{2-}$; $HSO_3^- + HBr \longrightarrow H_2SO_3 + Br^-$. **6.** $H_2PO_4^- + H_2O$

$\rightleftharpoons H_3O^+ + HPO_4^{2-}$; $H_2PO_4^- + H_2O \rightleftharpoons OH^- + H_3PO_4$. **7.** $Cl^- < NO_3^- < F^- < CO_3^{2-}$. La réaction est la plus complète avec CO_3^{2-}, le plus basique de ces anions. **8.** $HClO_4$ porte trois groupes O attracteurs qui diminuent la densité électronique autour de la liaison O—H. Le proton est enlevé plus facilement que dans $HClO_2$, qui ne comporte qu'un groupe O attracteur. **9. (a)** H_2Se est le plus fort à cause de son rayon plus grand et de son énergie de dissociation plus faible de sorte que le proton est plus facile à enlever; **(b)** $HClO_3$ est le plus fort parce que Cl, qui est plus électronégatif que I, diminue plus la densité électronique autour de la liaison —OH, dans $HClO_3$; **(c)** H_3AsO_4 est le plus fort parce que H⁺ n'est pas arraché à un ion −2 mais seulement à un ion −1. **10. (a)** HBr est le plus fort parce qu'il se situe à la droite de Se dans le tableau périodique, de sorte que ΔÉN entre H et Br est plus élevée qu'entre H et Se; **(b)** HN_3 est le plus fort parce que ΔÉN est plus élevée entre N et H qu'entre C et H; **(c)** HNO_3 est le plus fort. Le proton est arraché à un ion −1 et non −2 comme dans HSO_4^-. **11.** (a) < (d) < (b) < (c). Le phénol est un acide plus faible que (a). Ce classement est déterminé par le nombre d'atomes de Cl dans les molécules et la proximité du groupement —OH. **12.** $4,8 \times 10^{-5}$ mol/L. **13. (a)** 2,60; **(b)** 12,74; **(c)** 12,48; **(d)** 2,80. **14.** Le vinaigre (pH = 2,42) est plus acide. Le pH de H_2SO_4(aq) ne peut pas être inférieur à 3,02 même si ses deux H⁺ s'ionisent. **15.** La solution de $Ba(OH)_2$ est plus basique. **16.** Diluer à 2,00 L avec de l'eau 5,0 mL de HCl 0,100 mol/L. **17.** pH = 1,77; % de dissociation = 1,0 %. **18.** pH = 9,14; % de dissociation = 0,011 %. **19.** $3,3 \times 10^{-2}$ mol/L. **20.** $3,6 \times 10^{-4}$. **21.** $1,4 \times 10^{-7}$. **22.** 1,08. **23.** 11,11. **24.** [HCOOH] = 0,017 mol/L. **25.** $[CH_3NH_2]$ = $4,6 \times 10^{-3}$ mol/L. **26.** H_2SO_4 0,0045 mol/L a le pH le plus faible, H_2SO_4 est un acide fort à la première étape de l'ionisation; de plus, même la K_{a_2} de H_2SO_4 est plus élevée que la K_{a_1} de H_3PO_4. **27.** Dans la solution de H_2SO_4 0,010 mol/L, l'ionisation du premier atome H est complète et celle du second n'est que partielle.

Donc, 0,010 mol/L < $[H_3O^+]$ < 0,020 mol/L.

$$2,0 > pH > 1,7$$

Le seul pH qui se situe dans cet intervalle est (b): 1,85. **28.** $[H_3O^+]$ = 0,198 mol/L, pH = 0,70, $[^-OOCCOO^-]$ = $5,3 \times 10^{-5}$ mol/L. **29.** pH = 1,53, $[H_3PO_4]$ = 0,12 mol/L, $[H_2PO_4^-]$ = 0,029 mol/L, $[HPO_4^{2-}]$ = $6,3 \times 10^{-8}$ mol/L, $[PO_4^{3-}]$ = $9,3 \times 10^{-19}$ mol/L. **30.** pH = 1,09, $[H_3PO_3S]$ = 0,42 mol/L, $[H_2PO_3S^-]$ = $8,2 \times 10^{-2}$ mol/L, $[HPO_3S^{2-}]$ = $3,7 \times 10^{-6}$ mol/L, $[PO_3S^{3-}]$ = $3,7 \times 10^{-15}$ mol/L. **31. (a)** $CH_3CH_2COO^- + H_2O \rightleftharpoons CH_3CH_2COOH + OH^-$ basique; **(b)** La solution de $Mg(NO_3)_2$ doit être neutre puisque Mg^{2+} provient d'une base forte et NO_3^-, d'un acide fort; **(c)** Puisque la $K_a(NH_4^+)$ est plus faible que la $K_b(CN^-)$, l'hydrolyse de CN⁻ a lieu de façon plus complète que celle de NH_4^+, et la solution est basique. **32.** (c) NH_4I. **33.** (d) Na_3PO_4. **34.** 10,22. **35.** 0,23 mol/L. **36.** $5,7 \times 10^{-3}$ mol/L. **37. (a)** C_6H_5COOH est un acide. pH < 7; **(b)** NH_3 est une base faible. pH > 7; **(c)** $CH_3NH_3^+$ est l'acide conjugué d'une base. pH < 7; **(d)** KH_2PO_4 a plus de chance de perdre un H⁺ que d'en accepter un. La solution est acide. pH < 7; **(e)** $Ba(OH)_2$(aq) est basique; **(f)** NO_2^- est la base conjuguée d'un acide faible. La solution est basique. **38.** $H_2SO_4 < HCl < H_3PO_4 < NH_4NO_3 < KCl < CH_3COONa < NH_3 < KOH$. **39.** Basique, parce que l'hydrolyse de HPO_4^{2-} a lieu de façon plus complète que l'ionisation en tant qu'acide. **40. (a)** $HI + CH_3COO^- \rightleftharpoons CH_3COOH + I^-$; **(b)** $NO_2^- + H_2O \longrightarrow HNO_2 + OH^-$, mais il n'y a pas de réaction entre KNO_3 et KNO_2; **(c)** $Ca(OH)_2 + 2 HNO_3 \longrightarrow 2 H_2O + Ca^{2+} + 2 NO_3^-$; **(d)** $NH_4^+ + OH^- \longrightarrow NH_3 + H_2O$. **41.** (c) ou (d). L'ion H_3O^+ provenant de HNO_3 ou l'ion $HCOO^-$ provenant de $(HCOO)_2Ca$ empêchent la réaction. **42.** (b) ou (e). OH⁻ provenant de NaOH et CN⁻ de NaCN réagissent avec H_3O^+ et déplacent l'équilibre d'ionisation vers la droite. L'acide HNO_3 (c) et la base conjuguée, HCOONa (d), empêchent l'ionisation de HCOOH(aq). Le sel KI (a) n'a aucun effet sur la concentration. **43.** $1,8 \times 10^{-4}$ mol/L. **44.** $1,9 \times 10^{-5}$ mol/L. **45.** 10,80. **46. (a)** 12,70; **(b)** 0,900. **47.** 3,65. **48.** 10,74. **49.** 0,37 g de $(NH_4)_2SO_4$. **50.** 4,55. **51.** 3,64. **52.** 10,75. **53.** Non, les composants doivent être une base et son acide *conjugué* ou un acide et sa base *conjuguée*. HCl et NaOH se neutraliseraient, ne laissant que du NaCl(aq) accompagné soit de HCl, soit de NaOH en excès. La solution ne serait pas un tampon. **54. (a)** 1,60; **(b)** 9,51; **(c)** 8,91; **(d)** 1,60. **55. (a)** 8,91; **(b)** 12,40; **(c)** 9,51; **(d)** 12,40. **56.** Pour maximiser le pouvoir tampon, il faut que les concentrations d'acide et de base soient élevées et égales, donc le pH = $pK_a \cdot pK_a(CH_3COOH)$ (4,74) est le plus près de 5,00. C'est donc la solution de CH_3COOH—CH_3COONa qui aura le plus grand pouvoir tampon à pH = 5,00. **57.** L'étendue du pH juste avant et juste après le point d'équivalence est beaucoup plus grande dans le cas du titrage d'un acide fort que dans le cas du titrage d'un acide faible. Un plus grand nombre d'indicateurs changent de couleur dans cette zone de pH plus étendue. **58.** Dans un titrage, c'est une importante variation brusque de pH provoquant un changement de couleur qui indique le point d'équivalence. Il suffit d'un seul indicateur dont la zone de virage se superpose à la même étendue de pH que celle du point d'équivalence du titrage. Dans le cas de la détermination du pH d'une solution, il faut au moins deux indicateurs. Chaque indicateur indique simplement si le pH mesuré est supérieur ou inférieur à une valeur donnée. **59. (a)** pH = 5,13 (jaune); **(b)** pH = 8,87 (bleu); **(c)** pH = 11,66 (rouge); **(d)** pH = 2,89 (violet). **60.** Un essai avec le bleu de thymol devrait donner une couleur bleue, et avec le jaune d'alizarine R, une couleur jaune. Le pH se situe alors entre 9,6 et 10,0. **61.** La nouvelle solution aura un pH = 7. La nouvelle couleur sera jaune parce que la phénolphtaléine sera incolore et le bleu de thymol sera jaune. **62.** Le pH doit se situer dans la zone où le vert de bromocrésol et le bleu de thymol virent tous les deux au jaune, c'est-à-dire entre 3 et 4. **63.** Le titrage d'une base forte par un acide fort possède les caractéristiques suivantes : (1) le pH initial est élevé parce que la base s'ionise complètement; (2) au point de demi-neutralisation, le pH dépend de la concentration de la base qui reste (la moitié a été neutralisée); (3) au point d'équivalence, le pH est de 7,00 puisque le sel formé de l'acide conjugué d'une base forte et de la base conjuguée d'un acide fort ne s'hydrolyse pas; (4) la partie abrupte de la courbe de titrage est étendue; (5) le choix des indicateurs est vaste. On peut utiliser tout indicateur dont la couleur change dans l'intervalle de pH entre 4 et 10. **64.** Contrairement au titrage d'une base forte par un acide fort, le titrage d'une base faible par un acide fort possède les caractéristiques suivantes : (1) le pH initial est plus faible parce que la base faible n'est que partiellement ionisée; (2) au point de demi-neutralisation, pH = pK_b. À ce point, la solution est un tampon dans lequel les concentrations de l'acide faible et de sa base conjuguée sont égales; (3) le pH < 7 au point d'équivalence parce que le cation de la base faible s'hydrolyse; (4) la partie abrupte de la courbe de titrage au point d'équivalence est restreinte à un intervalle de pH plus petit; (5) le choix des indicateurs est plus limité. On ne peut utiliser que les indicateurs dont la couleur change dans l'intervalle de pH entre 3 et 6 (voir la figure 4.18). **65.** Non. Le pH au point d'équivalence du titrage d'une base faible par un acide fort est très inférieur à 7, alors que celui d'un acide faible par une base forte est très supérieur à 7.

66. $RbOH(aq) + HCl(aq) \longrightarrow RbCl(aq) + H_2O(l)$

$Rb^+(aq) + OH^-(aq) + H_3O^+(aq) + Cl^-(aq) \longrightarrow Rb^+(aq) + Cl^-(aq) + 2\,H_2O(l)$

$OH^-(aq) + H_3O^+(aq) \longrightarrow 2\,H_2O(l).$

67. $SrCO_3(s) + 2\,HI(aq) \longrightarrow SrI_2(aq) + H_2CO_3$

$SrCO_3(s) + 2\,H_3O^+(aq) + 2\,I^-(aq) \longrightarrow Sr^{2+}(aq) + 2\,I^-(aq) + 3\,H_2O(l) + CO_2(g)$

$SrCO_3(s) + 2\,H_3O^+(aq) \longrightarrow Sr^{2+}(aq) + 3\,H_2O(l) + CO_2(g).$

68. $CaCO_3(s) + 2\,CH_3COOH(aq) \Longleftrightarrow Ca^{2+}(aq) + 2\,CH_3COO^-(aq) + H_2O(l) + CO_2(g).$ **69.** $HCO_3^-(aq) + HCOOH(aq) \Longleftrightarrow HCOO^-(aq) + H_2O(l) + CO_2(g).$ **70. (a)** 46,8 mL; **(b)** 11,9 mL; **(c)** 23,1 mL. **71. (a)** 49,1 mL; **(b)** 24,7 mL; **(c)** 40,2 mL. **72.** 0,8051 mol/L. **73.** 4,027 mol/L. **74.** 0,132 mol/L. **75.** $CaCO_3$ neutralise plus d'acide. **76.** NaOH est plus efficace pour réduire l'acidité. **77.** 4,52. **78.** 19 mL. **79.** 31,7 mL. **80. (a)** 16,00 mL; **(b)** 11,28; **(c)** 9,60; **(d)** 9,26; **(e)** 9,03; **(f)** 5,05; **(g)** 1,48; **(h)** Le vert de bromocrésol. **81. (a)** $K_b = 6,3 \times 10^{-5}$, donc A = $(CH_3)_3N$. B doit être un monoacide fort, par exemple HNO_3, HCl, $HClO_4$; **(b)** 0,050 mol/L; **(c)** rouge de chlorophénol. **82.** L'acide hypochloreux, HOCl. **83.** Acides de Lewis : $Al(OH)_3$, Cu^{2+}, CO_2; Bases de Lewis : OH^-, NH_3. **84.** Acides de Lewis : CO_2, Ag^+, $B(OH)_3$; Bases de Lewis : CaO, CN^-, OH^-. **Problèmes complémentaires 85.** HCl est l'acide le plus fort, il perdra son H^+ plus facilement que les autres. Tous les autres sont des acides faibles. **86.** $1,3 \times 10^{-3}$ mol/L. **87. (a)** 2,60; **(b)** 11,51; **(c)** 3,14; **(d)** 10,34. **88.** 1,6 mol/L. **89.** 1,85. **90.**

(a) La solution de $RbClO_4$ doit être neutre puisque Rb^+ provient d'une base forte et ClO_4^-, d'un acide fort;

(b) $CH_3CH_2NH_3^+ + H_2O \Longleftrightarrow CH_3CH_2NH_2 + H_3O^+$

Br^- provient d'un acide fort. La solution est acide;

(c) $F^- + H_2O \Longleftrightarrow HF + OH^-$

$C_6H_5NH_3^+ + H_2O \Longleftrightarrow C_6H_5NH_2 + H_3O^+$

Puisque la $K_b(F^-)$ est plus faible que la $K_a(C_6H_5NH_3^+)$, l'hydrolyse de $C_6H_5NH_3^+$ a lieu de façon plus complète que celle de F^-, et la solution est acide. **91.** 4,74. **92.** 4,24. **93.** 4,86 mL. **94. (a)** 18,9 mL; **(b)** 2,74; **(c)** 3,96; **(d)** 4,89; **(e)** 5,12; **(f)** 9,00; **(g)** 11,89; **(h)** La phénolphtaléine ou le bleu de thymol. **95.** La figure montre que tout CH_3COOH a été neutralisé et que l'excès d'ions OH^- est un dixième de la quantité de CH_3COO^-. Donc (d) correspondrait à la figure (22,00 mL). **96. (a)** 4,61 mol/L; **(b)** 35,7 % de H_2SO_4. **97.** $2,0 \times 10^2$ g. **98.** 0,20 mL. **99.** 7,09. **100.** Oui, une solution peut avoir $[H_3O^+]$ égal à $2 \times [OH^-]$, pourvu que $[H_3O^+][OH^-] = K_{eau}$. Oui, une solution peut avoir un pH égal à $2 \times pOH$, pourvu que pH + pOH = 14,00. Les solutions ont $[H_3O^+] = 2 \times [OH^-]$ et pH = $2 \times$ pOH; elles ne sont pas identiques. La première a un pH presque neutre, alors que la seconde est plus basique. **101.** $2,00 \times 10^{-2}$ mol de NaOH. **102.** $[H_3O^+]_{totale} = 0,026$ mol/L. Les valeurs sont proches. **103.** La réaction de neutralisation est exothermique et la réaction inverse est endothermique. À température élevée, l'équilibre se déplace dans le sens de la réaction endothermique. Donc, la valeur numérique de K_{eau} augmente avec la température. **104.** Le second proton de l'acide maléique est plus difficile à arracher que celui de l'acide fumarique parce que les groupements acides carboxyliques sont du même côté de la molécule. L'ion carboxylate qui porte une charge négative contribue à retenir H^+ sur la molécule. Le premier proton de l'acide maléique est plus facile à arracher que celui de l'acide fumarique parce que, dans le cas de l'acide maléique, les deux protons se repoussent mutuellement. L'écart entre les valeurs de pK_a de l'acide maléique est plus important parce qu'il y a une interaction entre les groupements acides carboxyliques de cet acide qui n'existe pas dans le cas de l'acide fumarique. **105.** 10,56. **106.** 13,11. **107. (a)** Le pH est élevé au départ et il diminue au cours du titrage. La solution titrée est une base et le titrant est un acide. La base doit être forte, car le pH initial est près de 14. Le point d'équivalence se situe à pH $\approx$ 8,8, ce qui signifie que l'acide est faible. De plus, le pH final demeure assez élevé (environ 4), ce qui indique que le titrant est un acide faible; **(b)** Au point correspondant au double du point d'équivalence, les concentrations d'un acide faible et de sa base conjuguée sont égales et pH = $pK_a \approx 3,8$. $K_a \approx 1,6 \times 10^{-4}$; **(c)** pH = 8,75.

108. $pH = pK_{HIn} + \log \dfrac{[\text{acide}]}{[\text{base conj.}]}$

pour la «couleur acide». $[\text{acide}] = 10[\text{base conj.}]$ et $pH = pK_{HIn} + 1$ pour la «couleur basique» $[\text{base conj.}] = 10[\text{acide}]$ et $pH = pK_{HIn} - 1$. On conclut que la zone de virage est donnée par $pH = pK_{HIn} \pm 1$.

109.

(a) $H_2PO_4^- + H_2O \rightleftharpoons HPO_4^{2-} + H_3O^+$ [1]
$H_2PO_4^- + H_2O \rightleftharpoons H_3PO_4 + OH^-$ [2]

(b) $pH = \dfrac{1}{2}(pK_{a_1} + pK_{a_2})$

110. $pK_{a_1} = 3,22$, $pK_{a_2} = 5,18$. **111.** 5,68. **112.** $1,5 \times 10^3$ kg. **113.** Na_2CO_3 est le réactif limitant. On obtient une masse de 15,3 g de NaCl. **114.** 0,0136 mol/L. **115.** % massique de $H_2SO_4 = 31,7\%$.

116.

(a) $H_3PO_4 + OH^- \longrightarrow H_2PO_4^- + H_2O$
$H_2PO_4^-$ est présent au premier point d'équivalence;
(b) $H_2PO_4^- + OH^- \longrightarrow HPO_4^{2-} + H_2O$
HPO_4^{2-} est présent au deuxième point d'équivalence;

(c) Le méthylorange et le vert de bromocrésol sont des indicateurs adéquats pour le titrage du premier point d'équivalence, et la phénolphtaléine et le bleu de thymol, pour le titrage du deuxième point d'équivalence; **(d)** Le troisième proton est lié trop fortement pour s'ioniser de façon importante lors du titrage en solution aqueuse. Ou en d'autres mots, le pH de $Na_3PO_4(aq)$, la solution qui est présente au troisième point d'équivalence, est lui-même aussi élevé que celui du titrant (NaOH 0,100 mol/L). Il est impossible d'atteindre un pH aussi élevé lors du titrage; **(e)** Tout le HCl est neutralisé avant d'atteindre le premier point de virage de H_3PO_4. (En observant la figure 4.15, notez qu'environ 90 % du HCl est neutralisé avant que le pH n'atteigne 2.) Le large plateau qui précède le premier point d'équivalence est allongé, mais sinon la forme est semblable à la courbe de titrage de H_3PO_4 seul. La partie de la courbe de titrage qui se situe après le premier point d'équivalence est identique à celle de H_3PO_4 seul, parce que la solution titrée après ce point est simplement $NaH_2PO_4(aq)$ et NaCl(aq). **117.** La solution au premier point d'équivalence dans le titrage de $H_3PO_4(aq)$ par NaOH(aq) est $NaH_2PO_4(aq)$. Son pH est représenté par le point milieu de la première portion verticale abrupte de la courbe de titrage. Un ajout de petites quantités d'acide ou de base à cette solution entraîne une variation importante du pH; ce n'est pas une solution tampon. Une solution qui contient à la fois les ions $H_2PO_4^-$ et HPO_4^{2-} est une solution tampon efficace. Elle se situe vers le centre de la deuxième portion de la courbe qui s'élève très lentement. **118.** $K_a = 4,6 \times 10^{-5}$. **119.** $pH_2 = 0,30 - \log[H_3O^+] = 0,30 + pH_1$. D'autres solutions ne se comportent pas de la même façon. Le pourcentage de dissociation des acides et des bases faibles varie avec la concentration. Le pH des solutions neutres de sels et celui des solutions tampons ne varient pas quand elles sont diluées. **120.** 2,25.

Chapitre 5

Exercices **5.1A (a)** $K_{ps} = [Mg^{2+}][F^-]^2$; **(b)** $K_{ps} = [Li^+]^2[CO]$; **(c)** $K_{ps} = [Cu^{2+}]^3[AsO_4^{3-}]^2$. **5.1B (a)** $K_{ps} = [Mg^{2+}][OH^-]^2$; **(b)** $K_{ps} = [Sc^{3+}][F^-]^3$; **(c)** $K_{ps} = [Zn^{2+}]^3[PO]^2$. **5.2A** $K_{ps} = 2,0 \times 10^{-11}$. **5.2B** $K_{ps} = 1,1 \times 10^{-12}$. **5.3A** $s = 1,4 \times 10^{-6}$ mol/L. **5.3B** $3,1 \times 10^2$ ppm. **5.4A** Tous les solutés sont du même type, MX_2. L'ordre croissant de solubilité est le même que l'ordre croissant des valeurs de K_{ps}: $CaF_2 < PbI_2 < MgF_2 < PbCl_2$. **5.4B** Même si $PbCl_2$ et BaS_2O_3 ont des K_{ps} identiques, leurs solubilités sont différentes. Ordre croissant de solubilité: $Mg_3(PO_4)_2 < CaCO_3 < BaS_2O_3 < PbCl_2$.

5.5A

$$Ag_2SO_4(s) \rightleftharpoons 2\,Ag^+ + SO_4^{2-}$$
$$ s \qquad 1,00 + 2s \qquad s$$
$$K_{ps} = 1,4 \times 10^{-5} = (1,00 + 2s)^2\,s$$

On suppose que $1,00 \gg 2s$
$$1,4 \times 10^{-5} = 1,00\,s$$
$$s = 1,4 \times 10^{-5} \text{ mol/L}$$

5.5B 5,1 g. **5.6 (a)** $Mg^{2+}(aq) + 2\,OH^-(aq) \longrightarrow Mg(OH)_2(s)$; **(b)** $2\,Fe^{3+}(aq) + 3\,S^{2-}(aq) \longrightarrow Fe_2S_3(s)$; **(c)** $CaCl_2$ et Na_2CO_3 sont solubles, et $CaCO_3(s)$ est insoluble; aucune réaction n'a lieu. **5.7** L'ajout de l'acide provoque la dissolution de $Fe(OH)_3$ parce que H_3O^+ réagit avec OH^- pour former H_2O.

$$Fe(OH)_3(s) + 3\,H_3O^+(aq) \longrightarrow Fe^{3+}(aq) + 6\,H_2O(l)$$

5.8A 42,20 %. **5.8B (a)** 17,4 g de AgCl; **(b)** 14,9 g de $Mg(OH)_2$. **5.9A** $Q > K_{ps}$. Il y aura formation d'un précipité. **5.9B** $Q < K_{ps}$. Il n'y aura pas formation de précipité. **5.10** À l'aide d'une burette, ajouter KI(aq) goutte à goutte à un volume connu d'une solution de Pb^{2+} de concentration connue. Mélanger après l'ajout de chaque goutte, et observer d'abord l'apparition, puis la disparition de $PbI_2(s)$. Continuer jusqu'à ce qu'une seule goutte produise un précipité qui persiste. Alors, $Q = K_{ps}$. On calcule K_{ps} avec $[Pb^{2+}]$ et $[I^-]$. **5.11A** $Q > K_{ps}$. Oui, il y aura précipitation. **5.11B** 3,3 g. **5.12** La précipitation sera complète, la masse en solution de CaC_2O_4 est négligeable. **5.13A (a)** Br^- est le premier ion à précipiter lorsque $[Ag^+] = 5 \times 10^{-11}$ mol/L; **(b)** Cl^- commence à précipiter quand $[Ag^+] = 1,8 \times 10^{-8}$ mol/L et $[Br^-] = 2,8 \times 10^{-5}$ mol/L; **(c)** Pourcentage de Br^- résiduel en solution = 0,28 %. Puisque 0,28 % est supérieur à 0,1 %, la précipitation n'est pas tout à fait complète. **5.13B** Puisque la différence entre les valeurs de K_{ps} pour AgBr et AgI est beaucoup plus grande qu'entre celles de AgCl et de AgBr du problème précédent, la séparation par précipitation sélective est alors possible. **5.14A** 0,80 mol/L. **5.14B** $Q > K_{ps}$. Non, les deux ne peuvent coexister sans qu'aucun précipité ne se forme. **5.15** $Mg(OH)_2(s) + 2\,NH_4^+(aq) \longrightarrow Mg^{2+}(aq) + 2\,H_2O(l) + 2\,NH_3(aq)$. **5.16A** $9,2 \times 10^{-15}$ mol/L. **5.16B** $[NH_3]_{\text{totale}} = [NH_3]_{\text{libre}} + [NH_3]_{\text{complexe}} = 0,66$ mol/L. **5.17A** $Q < K_{ps}$. Non, il n'y aura pas formation d'un précipité. **5.17B** $4,8 \times 10^{-3}$ g. **5.18A** 0,22 mol/L. **5.18B** Puisque K_f de $[Ag(CN)_2]^-$ est plus élevée que celle de $[Ag(S_2O_3)_2]^{3-}$ ou de $[Ag(NH_3)_2]^+$, AgI est le plus soluble dans NaCN 0,100 mol/L. **5.19** Non. NH_4^+ ne réagit pas avec NO_3^-. L'ion complexe $[Ag(NH_3)_2]^+$ n'est pas décomposé, et la concentration de Ag^+ libre reste trop faible pour que AgCl(s) précipite. **Problèmes par sections** **1. (a)** $K_{ps} = [Hg^{2+}][CN^-]^2$; **(b)** $K_{ps} = [Ag^+]^3[AsO_4^{3-}]$. **2. (a)** $K_{ps} = [Y^{3+}][F^-]^3$; **(b)** $K_{ps} = [Fe^{3+}]^4[[Fe(CN)_6]^{4-}]^3$. **3.** Non, les valeurs numériques de la solubilité et du produit de solubilité, K_{ps}, ne peuvent pas être identiques. Pour obtenir la valeur de K_{ps}, on doit élever la solubilité à une puissance et généralement la multiplier par un facteur. Les solubilités sont plus élevées que les K_{ps} parce qu'elles sont beaucoup plus faibles que 1 mol/L, et élever un tel nombre à une puissance (2, 3, 4,...) donne un résultat encore plus petit. **4.** Non, la solubilité de $CuCO_3$ est plus élevée que celle de $ZnCO_3$, mais pas dix fois plus grande parce que la solubilité de ces solutés est égale à la racine carrée de la valeur de K_{ps}, et $\sqrt{10} = 3,16$. **5.** $K_{ps} = 1,6 \times 10^{-9}$. **6.** Ag_2CrO_4 est plus soluble que AgCl. **7.** $K_{ps} = 2,4 \times 10^{-21}$. **8.** 7,1 ppb. **9.** Oui, la quantité (22 mg) est suffisante pour être visible. **10.** Ag_2CrO_4 est le moins soluble dans $AgNO_3$

0,10 mol/L. Puisque Ag_2CrO_4 comporte deux Ag^+, la solution de $AgNO_3$ aura un effet plus important que celle de K_2CrO_4 pour diminuer la solubilité. **11.** $6,7 \times 10^{-6}$ mol/L. **12.** $2,9 \times 10^{-10}$ mol/L. **13.** $[Li^+] = 0,198$ mol/L. **14. (a)** $[Ag^+] = 3,0 \times 10^{-2}$ mol/L, $[SO_4{}^{2-}] = 1,5 \times 10^{-2}$ mol/L; **(b)** 61 g. **15. (a)** $8,4 \times 10^{-5}$ mol/L; **(b)** 1,7 g. **16. (a)** $2\,I^- + Pb^{2+} \longrightarrow PbI_2(s)$; **(b)** Aucune réaction; **(c)** $Cr^{3+} + 3\,OH^- \longrightarrow Cr(OH)_3(s)$; **(d)** Aucune réaction; **(e)** $OH^- + H^+ \longrightarrow H_2O(l)$; **(f)** $HSO_4{}^- + OH^- \longrightarrow H_2O(l) + SO_4{}^{2-}$. **17. (a)** $MgO(s) + 2\,H_3O^+(aq) \longrightarrow Mg^{2+}(aq) + 3\,H_2O(l)$; **(b)** $HCOOH(aq) + NH_3(aq) \longrightarrow NH_4{}^+(aq) + HCOO^-(aq)$; **(c)** Aucune réaction; **(d)** $Cu^{2+}(aq) + CO_3{}^{2-}(aq) \longrightarrow CuCO_3(s)$; **(e)** Aucune réaction. **18. (a)** $Ba^{2+}(aq) + S^{2-}(aq) + Cu^{2+}(aq) + SO_4{}^{2-}(aq) \longrightarrow BaSO_4(s) + CuS(s)$; **(b)** $Cr(OH)_3(s) + 3\,H^+(aq) \longrightarrow Cr^{3+}(aq) + 3\,H_2O(l)$; **(c)** $NH_3(aq) + H^+(aq) \longrightarrow NH_4{}^+(aq)$; **(d)** Aucune réaction; **(e)** $2\,OH^-(aq) + Mg^{2+} \longrightarrow Mg(OH)_2(s)$. **19.** Non, le test n'indique pas ce qu'est la poudre parce que $MgSO_4$ se dissout dans HCl(aq), car il est soluble dans l'eau, et que $Mg(OH)_2$ se dissout à la suite d'une réaction acidobasique. Pour obtenir des résultats, il faudrait mesurer le pH ($Mg(OH)_2$ est plus basique) ou ajouter Ba^{2+} pour précipiter $BaSO_4$. Le test le plus simple consiste à ajouter de l'eau à la poudre. $MgSO_4$ est soluble, mais pas $Mg(OH)_2$. **20.** $Cu^{2+}(aq) + CO_3{}^{2-}(aq) \longrightarrow CuCO_3(s)$. **21.** $1,0 \times 10^{-6}$ mol/L. **22.** $Q > K_{ps}$. Il y aura précipitation. **23. (a)** CaF_2 précipite le premier, car son K_{ps} est plus petit et les deux sont de la forme MX_2; **(b)** $1,9 \times 10^{-3}$ mol/L; **(c)** Non, les valeurs de K_{ps} sont trop près l'une de l'autre. % de Ca^{2+} qui reste = 15 %.

24. (a) $PbCrO_4$ précipitera le premier parce que son K_{ps} est beaucoup plus petit; **(b)** $PbCrO_4(s)$ précipite quand $[Pb^{2+}] = 1,9 \times 10^{-11}$ mol/L; $PbSO_4(s)$ précipite quand $[Pb^{2+}] = 1,1 \times 10^{-6}$ mol/L; **(c)** Oui, la séparation est possible. **25. (a)** AgCl et AgBr peuvent précipiter et laisser suffisamment d'ions en solution pour satisfaire aux conditions d'une solution saturée; **(b)** $1,0 \times 10^{-3}$ mol de AgBr précipite. **26.** $4,1 \times 10^{-5}$ mol/L. **27.** $NaHSO_4$ est acide. H_3O^+ réagit pour former HCO_3^- et augmenter la solubilité. La réaction $HSO_4^- + CO_3^{2-} \longrightarrow HCO_3^- + SO_4^{2-}$ remplace le $CaCO_3$ insoluble par $Ca(HCO_3)_2$ plus soluble. **28. (a)** C_6H_5COOH est acide et il réagit donc avec une base. Il est plus soluble en solution basique; **(b)** $BaCO_3$ est plus soluble en solution acide. L'ion CO_3^{2-} réagit avec H_3O^+ pour former HCO_3^-. HCO_3^- réagit avec plus de H_3O^+ pour former H_2CO_3, qui se décompose en H_2O et en CO_2; **(c)** CaC_2O_4 est plus soluble en solution acide. L'ion $C_2O_4^{2-}$ réagit avec H_3O^+ pour former un acide faible, l'acide oxalique; **(d)** La solubilité de $LiNO_3$ est indépendante du pH. $LiNO_3$ ne réagit ni avec un acide ni avec une base; **(e)** La solubilité de $CaCl_2$ est indépendante du pH à moins qu'il ne devienne trop élevé; dans ce cas, le $CaCl_2$ précipite sous forme de $Ca(OH)_2(s)$; **(f)** $Sr(OH)_2$ est plus soluble en solution acide parce que OH^- réagit avec H_3O^+. **29.** $[CrCl_2(NH_3)_4]^+$. **30.** $[Ag(CN)_2]^-$ a la K_f la plus élevée; sa formation sera la plus complète et il laissera la plus faible concentration en ions Ag^+ dans la solution. **31.** $SO + 2\,Ag^+ \longrightarrow Ag_2SO_4(s)$

$Ag_2SO_4(s) + 4\,NH_3(aq) \rightleftharpoons 2[Ag(NH_3)_2]^+(aq) + SO(aq)$
$4\,HNO_3 + 2\,[Ag(NH_3)_2]^+ + SO_4{}^{2-} \longrightarrow Ag_2SO_4(s) + 4\,NH^+ + 4\,NO_3{}^-$

32.
(a) $Zn^{2+} + 4\,OH^- \longrightarrow [Zn(OH)_4]^{2-}$
(b) $Al_2O_3(s) + 3\,H_2O(l) + 6\,H_3O^+(aq) \longrightarrow 2\,[Al(H_2O)_6]^{3+}(aq)$
(c) Aucune réaction.
33. $1,2 \times 10^{-10}$ mol/L. **34.** $Q > K_{ps}$. Oui, il y aura précipitation. **35.** 4,0 mg. **36.** $4,3 \times 10^{-2}$ mol/L. **37.** $PbCl_2$ est suffisamment soluble pour que la concentration de Pb^{2+} qui reste dans la solution après la précipitation des cations du groupe 1 permette la précipitation de PbS dans le groupe 2. AgCl est si peu soluble qu'il

reste une concentration de Ag^+ insuffisante en solution après la précipitation des cations du groupe 1 pour donner un précipité détectable de Ag_2S dans le groupe 2.
38.
(a) $NH_4{}^+ + OH^- \longrightarrow H_2O + NH_3 \uparrow$
$NH_3 + H_2O \longrightarrow NH_4{}^+ + OH^-$
$OH^- + \text{tournesol rouge} \longrightarrow \text{bleu}$
(b) Certains tests présenteront un résultat positif pour des ions des autres groupes; les ions doivent être séparés pour éviter la confusion. **39.** Seule la présence de $Hg_2{}^{2+}$ est certaine à cause de la couleur grise du précipité quand on ajoute $NH_3(aq)$. La présence de Pb^{2+} et de Ag^+ demeure incertaine. Le traitement du précipité des cations du groupe 1 à l'eau chaude suivi d'un test pour Pb^{2+} n'a pas été effectué, ni le test avec $NH_3(aq)$ pour déterminer la présence de Ag^+. **40.** Fe^{3+}, Ni^{2+}, Co^{2+} et Mn^{2+} sont absents parce qu'il n'y a pas de précipité. Ces hydroxydes sont insolubles et ne sont pas amphotères. La présence de Al^{3+} et de Zn^{2+} est probable mais incertaine; ils seraient en solution sous forme de $[Al(OH)_4]^-$ et de $[Zn(OH)_4]^{2-}$. La présence de Cr^{3+} est certaine; dans $H_2O_2(aq)$ alcalin, Cr^{3+} est oxydé en $CrO4^{2-}$ jaune. **Problèmes complémentaires 41. (a)** $BaSO_4$ est si peu soluble qu'il est sans danger; **(b)** 1,4 mg/L; **(c)** Il réduit la solubilité de $BaSO_4$ au moyen de l'effet d'ion commun.
42.
$Zn(OH)_2(s) + 2\,HCl(aq) \longrightarrow Zn^{2+}(aq) + 2\,H_2O(l) + 2\,Cl^-(aq)$
$Zn(OH)_2(s) + 2\,CH_3COOH(aq) \longrightarrow Zn^{2+}(aq) + 2\,CH_3COO^-(aq) + 2\,H_2O(l)$
$Zn(OH)_2(s) + 4\,NH_3(aq) \longrightarrow [Zn(NH_3)_4]^{2+}(aq) + 2\,OH^-(aq)$
$Zn(OH)_2(s) + 2\,NaOH(aq) \longrightarrow [Zn(OH)_4]^{2-}(aq) + 2\,Na^+(aq)$
43. 2,3 g de palmitate de calcium. **44.** 80 ppm F^-. Oui, il est suffisamment soluble.
45.
$CaCO_3(s) + 2\,H_3O^+(aq) \longrightarrow Ca^{2+}(aq) + 3\,H_2O(l) + CO_2(g)$
$CaCO_3(s) + 2\,CH_3COOH(\text{vinaigre}) \longrightarrow Ca^{2+}(aq) + 2\,CH_3COO^-(aq) + H_2O(l) + CO_2(g)$
46. $Q > K_{ps}$. Oui, il y aura formation d'un précipité. **47.** 50,3 g. **48. (a)** L'ajout de $H_2SO_4(aq)$ fera précipiter le sulfate de baryum alors que l'ion sodium restera en solution; **(b)** L'eau dissoudra le carbonate de sodium, et le carbonate de magnésium restera solide; **(c)** HCl(aq) précipitera le chlorure d'argent et l'ion potassium restera en solution; **(d)** HCl(aq) dilué dissoudra $CuCO_3$ et laissera le $PbSO_4(s)$ insoluble; **(e)** HCl(aq) dilué neutralisera l'hydroxyde de magnésium basique. $Mg^{2+}(aq)$ reste en solution et $BaSO_4(s)$ demeure non dissous. **49.** Le solide est $MgSO_4$. Le précipité blanc est $BaSO_4$. $BaCl_2$ est soluble dans l'eau. $MgCO_3$ n'est pas soluble et ne formera pas une solution de concentration en $CO_3{}^{2-}$ suffisamment élevée pour que $BaCO_3$ précipite. **50.** Nombre total de moles de NH_3 nécessaires = 0,98 mol. **51.** $K_{ps} = 1,62 \times 10^{-7}$. **52. (a)** $1,2 \times 10^{-2}$ mol/L; **(b)** $6,0 \times 10^{-2}$ mol/L. **53.** 0,015 mol/L. **54.** 0,11 mol/L. **55.** $K_c = 2 \times 10^{-3}$. **56.** 0,3 mol/L. **57.** 0,10 mL. **58. (a)** Certains composés de Mg^{2+} sont solubles dans l'eau et $Mg(OH)_2$ précipiterait dans $NH_3(aq)$, donc Mg^{2+} est probablement présent; **(b)** Certains composés de Cu^{2+} sont solubles dans l'eau et $Cu(OH)_2$ précipiterait à pH élevé, mais $Cu(OH)_2(s)$ n'est pas blanc. Puisque les composés du cuivre(II) sont colorés, et que $Cu^{2+}(aq)$ est bleu, Cu^{2+} est absent (solides blancs et solutions incolores); **(c)** Certains composés de Ba^{2+} insolubles dans l'eau se dissoudraient dans HCl (p. ex., $BaCO_3$) et précipiteraient sous forme de $BaSO_4$. L'ion Ba^{2+} est probablement présent; **(d)** Les composés de Na^+ seraient solubles dans l'eau mais n'auraient pas précipité avec NH_3; donc Na^+ est absent; **(e)** Les composés de $NH_4{}^+$ se seraient dissous dans l'eau mais n'auraient pas précipité avec NH_3; donc, $NH_4{}^+$ est absent.

Chapitre 6

Exercices   6.1 (a) Spontané. Les molécules qui composent le bois (surtout la cellulose, un glucide) s'oxydent en CO_2 et en H_2O, grâce à l'action de micro-organismes ; **(b)** Non spontané. Agiter NaCl(aq) ne peut pas fournir l'énergie nécessaire pour dissocier NaCl en ses éléments ; **(c)** Incertain. $CaCO_3$(s) peut se décomposer par chauffage, mais il n'est pas certain que cette décomposition produira du CO_2(g) à 101,3 kPa, à 600 °C ; **(d)** Spontané. HCl(g) en solution dans l'eau est un acide fort et se dissocie complètement. **6.2A (a)** Une diminution de l'entropie. Deux moles de gaz sont transformées en une mole de solide ; **(b)** Une augmentation de l'entropie. Deux moles de solide sont transformées en deux moles de solide et en trois moles de gaz (deux moles donnent cinq moles) ; **(c)** Incertain. Tous les composés sont gazeux. Il y a le même nombre de moles de réactifs et de produits et les molécules comportent le même nombre total d'atomes. **6.2B** Le contenant d'eau est fermé. Quand un nombre suffisant de molécules d'eau se sont évaporées, il s'établit un équilibre entre les molécules gazeuses et les molécules liquides. Les molécules dans la phase vapeur seront assez nombreuses pour former la pression de vapeur. À l'équilibre, la vaporisation et la condensation ont lieu à vitesses égales. Si le récipient n'était pas fermé, l'eau disparaîtrait. **6.3A** –42,1 J/K. **6.3B** 131,0 J/K. **6.4A (a)** $\Delta S < 0$, $\Delta H < 0$, cas 2 ; **(b)** $\Delta S > 0$, $\Delta H > 0$, cas 3. **6.4B** $\Delta H° $–56,9 kJ. Puisque 3 moles de produits gazeux remplacent 2 moles de réactifs gazeux, on prévoit que $\Delta S > 0$. Puisque $\Delta H < 0$ et $\Delta S > 0$, cette réaction sera spontanée quelle que soit la température. **6.5** Le diagramme de phases (figure 6.10) montre que CO_2(s) et CO_2(g) sont en équilibre à 101,3 kPa, à –78,5 °C. C'est la température à laquelle la droite, $P = 101,3$ kPa, coupe la courbe de sublimation de CO_2(s). Au-dessus de cette température, la vaporisation est complète. Au-dessous de cette température, la vaporisation n'a pas lieu à la pression de 101,3 kPa. **6.6A (a)** –70,5 kJ ; **(b)** 447,5 kJ. **6.6B (a)** –66,9 kJ ; **(b)** –1305,7 kJ. **6.7A** 36 kJ/mol. **6.7B** Les molécules de méthanol sont maintenues à l'état liquide grâce à des liaisons hydrogène. La vaporisation implique donc la rupture de liaisons hydrogène et la création d'une vapeur de structure désordonnée à partir d'un liquide de structure ordonnée. La $\Delta S°_{vap}$ devrait être très supérieure à 87 J·mol^{-1}·K^{-1} (valeur calculée $=112,5$ J·mol^{-1}·K^{-1}).

6.8A $K_{éq} = \dfrac{P_{H_2}^3 \left[Al^{3+}\right]^2}{\left[H_3O^+\right]^6}$

6.8B $K_{éq} = \dfrac{\left[Mg^{2+}\right]}{\left[H_3O^+\right]^2}$

6.9A $K_{éq} = 3,02 \times 10^{-21}$. **6.9B** $K_{éq} = e^{3,3} = 27$, $P_{NOBr} = 0,84$ atm, $P_{NO} = 0,16$ atm. **6.10A** $K_2 = 0,45$. **6.10B** $P_2 = 0,0732$ atm. La valeur calculée est près de la valeur expérimentale 0,0728 atm. **6.11** $\Delta S° = 0,201$ kJ/K. Ce résultat est à peu près identique à celui obtenu dans l'exemple 6.11, ce qui est normal puisque c'est la même valeur mais calculée à l'aide d'une autre méthode qui est plus exacte parce qu'elle nécessite moins d'approximations. **Problèmes par sections   1. (a)** Augmentation. Le gaz est moins ordonné qu'un liquide ; **(b)** Augmentation. Le processus produit une augmentation du nombre de molécules de gaz ; **(c)** Indéterminé, parce qu'il y a le même nombre de moles de gaz de chaque côté de l'équation et la complexité des molécules est à peu près la même ; **(d)** Augmentation. Une grande quantité de gaz (phase désordonnée) est produite à partir d'un solide (phase plus ordonnée). **2. (a)** Diminution. Une phase solide est plus ordonnée qu'une phase liquide ; **(b)** Indéterminé. Les gaz sont tous diatomiques et il y a le même nombre de moles de gaz de chaque côté de l'équation ; **(c)** Augmentation. Un liquide se décompose pour produire une grande quantité de gaz ; **(d)** Diminution. La transformation d'un gaz en solution aqueuse devrait produire un état plus ordonné. **3. (b)**. La valeur de ΔS est la plus élevée pour (b). La sublimation d'un solide produit beaucoup plus de désordre que la conversion d'une forme polymorphe d'un solide en une autre. **4.** L'eau possède un réseau étendu de liaisons hydrogène. Rompre toutes les liaisons hydrogène nécessite une enthalpie assez élevée de sorte que l'augmentation d'entropie ne serait pas suffisante pour vaincre cette ΔH élevée. Il reste deux liquides séparés et il se produit peu de mélange. **5. (a)** Un liquide est moins ordonné et les molécules ont plus de facilité à se déplacer, donc augmentation d'entropie. **(b)**. Le liquide est plus ordonné et les molécules sont moins en mouvement, donc entropie beaucoup plus faible. **6.** L'énoncé correct serait : Pour qu'un processus se produise spontanément, l'entropie totale ou l'entropie de l'Univers doit augmenter ; en d'autres mots, la somme de l'entropie d'un système et du milieu extérieur doit augmenter. Les erreurs dans les autres énoncés sont : **(a)** l'entropie du système peut augmenter dans certains cas et diminuer dans d'autres ; **(b)** l'entropie du milieu extérieur peut également augmenter ou diminuer ; **(c)** l'entropie du système et du milieu extérieur n'ont pas besoin d'augmenter toutes les deux, pourvu que l'augmentation de l'une excède la diminution de l'autre, c'est-à-dire que l'entropie totale augmente. **7. (a)** Faux. La variation d'enthalpie indique si une réaction est endothermique ou exothermique ; **(b)** Faux. La variation d'entropie indique si la réaction s'accompagne d'une augmentation ou d'une diminution du désordre moléculaire ; **(c)** Faux. La variation d'énergie libre d'une réaction indique si les réactifs dans des conditions non standard vont former spontanément des produits dans ces mêmes conditions. **8.** Dans la pollution, les molécules se décomposent et deviennent très dispersées, ce qui augmente le désordre. $\Delta S°_{univers} > 0$. Pour dépolluer, on doit rassembler les matières dispersées et les transformer en d'autres substances. $\Delta S°_{système} < 0$. Ces opérations demandent des actions extérieures, et $\Delta S°_{extérieur} > 0$. La pollution est un processus spontané et la dépollution, un processus non spontané. **9.** La désintégration de l'aluminium (oxydation) est un processus spontané, mais parce que Al_2O_3 forme une couche protectrice sur la surface exposée, l'action de O_2(g) et de H_2O est ralentie et la destruction complète prend beaucoup de temps. La spontanéité ne signifie rien quant à la vitesse d'une réaction. **10.** L'utilisation de la variation d'entropie seule comme critère de transformation spontanée nécessite l'évaluation des variations d'entropie dans un système *et* dans le milieu extérieur. La variation d'énergie libre ne nécessite que des mesures dans un système : $\Delta G = \Delta H - T\Delta S$. **11.** Dans le tableau 6.1, les cas 2 et 3 représentent des situations dans lesquelles la réaction directe est spontanée à certaines températures et non spontanée à d'autres. Quand la réaction directe est spontanée, la réaction inverse est non spontanée, et vice versa. **12.** La fusion d'un solide est non spontanée au-dessous de son point de fusion et spontanée au-dessus de son point de fusion, 0 °C pour l'eau. **13.** La condensation d'une vapeur à une pression de 101,3 kPa pour devenir un liquide est spontanée au-dessous de son point d'ébullition normal et non spontanée au-dessus de son point d'ébullition normal, 100 °C pour l'eau. **14. (a)** $\Delta S < 0$, $\Delta H < 0$. La réaction est spontanée à basse température ; **(b)** $\Delta S°$ est positive parce que le nombre de molécules de gaz augmente, et $\Delta H > 0$. La réaction est spontanée à température élevée ; **(c)** $\Delta S°$ est positive parce que le nombre de molécules de gaz augmente, et $\Delta H < 0$. ΔG est toujours négative et la réaction est spontanée, quelle que soit la température. **15. (a)** Non spontanée à toutes températures parce que $\Delta S < 0$ et $\Delta H > 0$; **(b)** Spontanée à basse température parce que ΔH a une valeur négative importante. Il n'est pas sûr que la réaction soit spontanée à température très élevée parce que le signe de ΔS est difficile à prédire ;

trois moles de réactifs gazeux donnent trois moles de produits gazeux (on trouve la valeur de ΔS dans les tableaux de l'annexe); **(c)** Spontanée à basse température mais non spontanée à température élevée parce que $\Delta S < 0$ et $\Delta H < 0$. **16.** $\Delta S > 0$ parce que deux moles de produit gazeux sont formées à partir d'une mole de réactif gazeux. Puisque la réaction est non spontanée à température ambiante, $\Delta H > 0$. Elle correspond au cas 3 du tableau 6.1. La réaction devient spontanée en élevant la température. **17.** La réaction est non spontanée à toutes températures parce que $\Delta S < 0$ et $\Delta H > 0$. **18. (a)** –101,01 kJ; **(b)** –346,9 kJ. **19. (a)** 22,9 kJ; **(b)** –163 kJ. **20.** $\Delta H° = 131,3$ kJ, $\Delta S° = 133,8$ J/K, $\Delta G° = 91,4$ kJ. Les résultats obtenus par les deux méthodes sont les mêmes. **21.** $\Delta H° = -1076,8$ kJ, $\Delta S° = -56,5$ J/K, $\Delta G° = -1060,0$ kJ. **22.** 364 K. **23.** 337 K. **24.** $\Delta H°_{vap} = 29$ kJ/mol (Trouton) et 30,91 kJ (annexe C.1). Les valeurs obtenues se comparent assez bien compte tenu que la loi de Trouton n'est pas exacte. **25. (a)** $\Delta G = 0$; **(b)** $\Delta G° = -24,4$ kJ/mol. **26. (a)** $\Delta G = 0$ à l'équilibre; **(b)** $K_p = 171$.
27.

(a) $K_{éq} = \dfrac{P_{NO_2}^2}{P_{NO}^2 P_{O_2}} = K_p$

(b) $K_{éq} = P_{SO_2} = K_p$

(c) $K_{éq} = \dfrac{\left[H_3O^+\right]\left[CN^-\right]}{[HCN]} = K_a$

28. (a) $K_p = 6,5 \times 10^{-25}$; **(b)** $K_p = 1 \times 10^{96}$. **29. (a)** $K_p = 7,2 \times 10^{24}$; **(b)** $K_p = 1,3 \times 10^{-20}$. **30.** $K_{éq} = P_{C_6H_5CH_3} = 0,035$ atm. **31.** $K_{éq} = P_{C_{10}H_8} = 8,3 \times 10^{-5}$ atm. **32. (a)** –15,9 kJ/mol; **(b)** Q_p (3,44) $< K_p$ (22,2). La réaction a lieu vers la droite; **(c)** 0,037 mol de CO, 0,064 mol de H_2O, 0,193 mol de CO_2 et 0,274 mol de H_2. **33. (a)** $K_p = 232$; **(b)** $Q_p < K_p$. La réaction a lieu vers la droite; **(c)** $P_{C_2} = 0,24$ atm, $P_{H_2} = 0,61$ atm, $P_{CH_4} = 1,13$ atm et $P_{H_2O} = 2,54$ atm. **34. (a)** Non; **(b)** Non; **(c)** Oui, car la valeur de sa $\Delta G° < -237,9$ kJ. **35.** 269 K. **36.** $K_{éq} = 2,6 \times 10^{10}$. **37.** 390,4 K. **38.** 0,93 atm. **39.** $K_{éq} = 2,07 \times 10^{-3}$. **40.** 348 K. **41.** 424 K. **Problèmes complémentaires 42.** L'arrangement «toutes des faces» est trop ordonné pour être probable. On a plus de chance d'observer un arrangement «mixte» où environ la moitié des pièces tombent du côté «face» et la moitié, du côté «pile». C'est l'arrangement d'entropie la plus élevée. **43.** L'expansion dans la figure 6.6 n'est pas réversible parce que le processus ne peut pas être inversé par une variation infinitésimale. Les masses sont trop grandes et l'inversion a lieu trop rapidement. **44.** $CH_3(CH_2)_6CH_3$, (c), est non polaire et devrait le mieux suivre la loi de Trouton. CH_3CH_2OH, (b), possède le réseau de liaisons hydrogène le plus étendu et devrait dévier le plus de la loi. **45.** La loi de la conservation de l'énergie (première loi) stipule que l'énergie ne peut être ni créée, ni détruite, mais qu'elle ne peut être que transformée. En d'autres mots, l'énergie de l'Univers est constante. La deuxième loi de la thermodynamique affirme que toute transformation spontanée (y compris les processus naturels) exige que $\Delta S > 0$. Donc, l'entropie augmente constamment. **46.** Au chapitre 3, nous avons appris qu'une augmentation de température déplace une réaction endothermique vers la droite. Le déplacement de l'équilibre vers la droite augmente $K_{éq}$. Selon l'équation de van't Hoff, pour une ΔH positive (endothermique), une augmentation de température augmente $K_{éq}$. **47.** 9,34 kJ/mol. **48.** 392 K. **49.** $\Delta G° = 9,8$ kJ/mol (Clausius-Clapeyron) et $\Delta G° = 10,1$ kJ/mol (selon les données de l'annexe C.1). **50.** Pourcentage molaire de $H_2 = 17\%$. **51.** La pente est d'environ $2,3 \times 10^4$ et $\Delta H \approx -190$ kJ/mol. **52.** Non, il est impossible de réduire la pression à $1,3 \times 10^{-12}$ atm aux conditions standard. Cela ne devient possible qu'à –35 °C. **53.** $K = P_{Hg} = 4,05 \times 10^{-12}$ atm. **54.** $P_{totale} = 3,50$ atm. **55.** 631 K. **56.** 617 K. L'électrolyse de l'eau nécessitera beaucoup d'énergie pour produire H_2 et O_2. Des piles solaires pourraient servir à générer l'électricité nécessaire. La combustion du méthane est une source d'énergie qui pourrait fonctionner. Ce projet semble possible si l'énergie solaire est utilisée. **57.** $K_{ps} = 1,1 \times 10^{-5}$. Cette valeur est proche de celle du tableau des constantes de l'annexe C.2 ($K_{ps} = 1,4 \times 10^{-5}$). **58.** $K = 1,82 \times 10^{-2}$ et $K = 5,6 \times 10^{-2}$ (annexe C.2). **59.** $K = 3,24$, $[Ag^+] = 0,138$ mol/L, $[Fe^{2+}] = 0,138$ mol/L et $[Fe^{3+}] = 0,062$ mol/L.

Chapitre 7

Exercices 7.1A (a) Al: +3, O: –2; **(b)** P: 0; **(c)** C: –2, H: +1, F: –1; **(d)** H: +1, As: +5, O: –2; **(e)** Na: +1, Mn: +7, O: –2; **(f)** Cl: +3, O: –2; **(g)** Cs: +1, O: –2. **7.1B** Sb: +5, C: +2, P: +5, S: +2 1/2, C: +4/3, N: +5, C: +3. **7.2A** $2 MnO_4^- + 5 + 16 H^+ \longrightarrow 2 Mn^{2+} + 10 CO_2 + 8 H_2O$. **7.2B** $3 Cl_2 + 6 OH^- \longrightarrow ClO_3^- + 5 Cl^- + 3 H_2O$. **7.3A** $4 Zn + 2 NO_3^- + 10 H^+ \longrightarrow 4 Zn^{2+} + N_2O + 5 H_2O$. **7.3B** $3 P_4 + 20 NO_3^- + 8 H_2O + 8 H^+ \longrightarrow 12 H_2PO_4^- + 20 NO$. **7.4A** $2 OCN^- + 3 OCl^- + 2 OH^- \longrightarrow 2 CO_3^{2-} + N_2 + H_2O + 3 Cl^-$. **7.4B** $4 MnO_4^- + 3 CH_3CH_2OH \longrightarrow 4 MnO_2 + 3 CH_3COO^- + 4 H_2O + OH^-$. **7.5A** $Cr_2O_7^{2-}$(aq) est un agent oxydant qui réagit avec un agent réducteur. HNO_3(aq) est également un agent oxydant. Il n'y a pas de réaction entre $Cr_2O_7^{2-}$(aq) et HNO_3(aq). HCl est l'agent réducteur (le nombre d'oxydation de Cl est –1) qui est oxydé par $Cr_2O_7^{2-}$(aq), probablement en Cl_2(g). **7.5B** La solution en (a) devrait être Zn^{2+}(aq) dans le HCl(aq) au lieu du HCl(aq) qui n'a pas réagi. La solution en (b) devrait être du Zn^{2+}(aq) et Cu^{2+}(aq) dans HNO_3(aq) au lieu de seulement du Cu^{2+}(aq) dans HNO_3(aq). **7.6A** 22,04 mL. **7.6B** $3,549 \times 10^{-2}$ mol/L; 14,23 mL. **Problèmes par sections 1.** Habituellement, H a un nombre d'oxydation de +1 et O, de –2. Dans les hydrures, le nombre d'oxydation de H est de –1. Dans les peroxydes, celui de O est de –1, et dans les superoxydes, de –1/2. **2. (a)** Cr: 0; **(b)** Cl: +3; **(c)** Se: –2; **(d)** Te: +6; **(e)** P: –3; **(f)** Ru: +4; **(g)** Ti: +4; **(h)** P: +5; **(i)** S: +2,5; **(j)** N: –1. **3. (a)** –3; **(b)** +2; **(c)** +1; **(d)** –2; **(e)** +3. **4. (a)** Oxydation. Le nombre d'oxydation du chrome augmente de 2 à 3; **(b)** Ni l'une, ni l'autre. Le nombre d'oxydation ne varie pas; **(c)** Ni l'une, ni l'autre. Le nombre d'oxydation de l'azote ne varie pas. **5. (a)** Ni l'une, ni l'autre. Les nombres d'oxydation ne varient pas; **(b)** Ni l'une, ni l'autre. Les nombres d'oxydation ne varient pas; **(c)** Réduction. Le nombre d'oxydation du carbone diminue de 2 à –4. **6. (a)** $4 HCl + O_2 \longrightarrow 2 Cl_2 + 2 H_2O$; **(b)** $2 NO + 5 H_2 \longrightarrow 2 NH_3 + 2 H_2O$; **(c)** $CH_4 + 4 NO \longrightarrow 2 N_2 + CO_2 + 2 H_2O$. **7. (a)** $4 NH_3 + 5 O_2 \longrightarrow 4 NO + 6 H_2O$; **(b)** $CH_4 + 2 NO_2 \longrightarrow N_2 + CO_2 + 2 H_2O$; **(c)** $Ca(ClO)_2 + 4 HCl \longrightarrow CaCl_2 + 2 H_2O + 2 Cl_2$. **8. (a)** Impossible; **(b)** $3 Ag + 4 H^+ + NO_3^- \longrightarrow 3 Ag^+ + 2 H_2O + NO$; **(c)** $5 H_2O_2 + 2 MnO_4^- + 6 H^+ \longrightarrow 2 Mn^{2+} + 8 H_2O + 5 O_2$; **(d)** Impossible; **(e)** $IO_4^- + 7 I^- + 8 H^+ \longrightarrow 4 I_2 + 4 H_2O$. **9. (a)** $3 Mn^{2+} + ClO_3^- + 3 H_2O \longrightarrow 3 MnO_2 + Cl^- + 6 H^+$; **(b)** Impossible; **(c)** $S_8 + 12 O_2 + 8 H_2O \longrightarrow 8 H_2SO_4$; **(d)** $10 I^- + 2 MnO_4^- + 16 H^+ \longrightarrow 2 Mn^{2+} + 5 I_2 + 8 H_2O$; **(e)** Impossible. **10. (a)** $3 Zn + Cr_2O_7^{2-} + 14 H^+ \longrightarrow 3 Zn^{2+} + 2 Cr^{3+} + 7 H_2O$; **(b)** $SeO_3^{2-} + 4 I^- + 6 H^+ \longrightarrow Se + 2 I_2 + 3 H_2O$; **(c)** $2 Mn^{2+} + 5 S_2O_8^{2-} + 8 H_2O \longrightarrow 2 MnO_4^- + 10 SO_4^{-2} + 16 H^+$; **(d)** $5 CaC_2O_4 + 2 MnO_4^- + 16 H^+ \longrightarrow 5 Ca^{2+} + 2 Mn^{2+} + 8 H_2O + 10 CO_2$; **(e)** $CrO_4^{2-} + AsH_3 + H_2O \longrightarrow Cr(OH)_3 + As + 2 OH^-$; **(f)** $3 S_2O_4^{2-} + 2 CrO_4^{2-} + 2 H_2O + 2 OH^- \longrightarrow 2 Cr(OH)_3 + 6 SO_3^{2-}$; **(g)** $P_4 + 3 H_2O + 3 OH^- \longrightarrow 3 H_2PO_2^- + PH_3$. **11. (a)** $3 Fe^{2+} + NO_3^- + 4 H^+ \longrightarrow 3 Fe^{3+} + 2 H_2O + NO$; **(b)** $3 Mn^{2+} + 2 MnO_4^- + 2 H_2O \longrightarrow 5 MnO_2 + 4 H^+$; **(c)** $5 BiO_3^- + 2 Mn^{2+} + 14 H^+ \longrightarrow 5 Bi^{3+} + 2 MnO_4^- + 7 H_2O$; **(d)** $BaCrO_4 + 3 Fe^{2+} + 8 H^+ \longrightarrow Ba^{2+} + Cr^{3+} + 3 Fe^{3+} + 4 H_2O$; **(e)** $S_8 + 12 OH^- \longrightarrow 2 + S_2O_3^{2-} + 4 S^{2-} + 6 H_2O$; **(f)** $3 CH_3OH + 4 MnO_4^- + OH^- \longrightarrow 3 HCOO^- + 4 MnO_2 + OH^- + 4 H_2O$; **(g)** $8 Fe_2S_3 + 12 O_2 + 24 H_2O \longrightarrow$

16 Fe(OH)$_3$ + 3 S$_8$. **12. (a)** 2 MnO$_4^-$ + 5 HOOCCOOH + 6 H$^+$ $\longrightarrow$ 2 Mn^{2+} + 10 CO$_2$ + 8 H$_2$O ; **(b)** 2 MnO$_4^-$ + 3 CH$_3$CHO + OH$^-$ $\longrightarrow$ 2 MnO$_2$ + 3 CH$_3$COO$^-$ + 2 H$_2$O ; **(c)** S$_4$O$_3^{2-}$ + 4 Cl$_2$ + 5 H$_2$O $\longrightarrow$ 2 HSO$_4^-$ + 8 Cl$^-$ + 8 H$^+$. **13. (a)** Zn + 4 H$^+$ + 4 NO$_3^-$ $\longrightarrow$ Zn(NO$_3$)$_2$ + 2 NO$_2$ + 2 H$_2$O ; **(b)** 4 Zn + NO$_3^-$ + 6 H$_2$O $\longrightarrow$ 4 Zn^{2+} + NH$_3$ + 9 OH$^-$; **(c)** 3 Br$_2$ + 6 OH$^-$ $\longrightarrow$ BrO$_3^-$ + 5 Br$^-$ + 3 H$_2$O. **14.** Quand un composé est oxydé, le nombre d'oxydation d'au moins un de ses éléments augmente. Dans une réaction de réduction, le nombre d'oxydation d'au moins un des éléments diminue. **15.** Dans le cas d'une réaction d'oxydoréduction, une demi-réaction est soit l'oxydation, soit la réduction. Les électrons sont des réactifs dans les demi-réactions de réduction et des produits dans des demi-réactions d'oxydation. **16. (a)** ClO$_2$ + H$_2$O $\longrightarrow$ ClO$_3^-$ + 2 H$^+$ + e$^-$ (oxydation) ; **(b)** MnO$_4^-$ + 4 H$^+$ + 3 e$^-$ $\longrightarrow$ MnO$_2$ + 2 H$_2$O (réduction) ; **(c)** SbH$_3$ + 3 OH$^-$ $\longrightarrow$ Sb + 3 H$_2$O + 3 e$^-$ (oxydation). **17. (a)** P$_4$ + 16 H$_2$O $\longrightarrow$ 4 H$_3$PO$_4$ + 20 H$^+$ + 20 e$^-$ (oxydation) ; **(b)** MnO$_2$ + 4 OH$^-$ $\longrightarrow$ MnO$_4^-$ + 2 H$_2$O + 3 e$^-$ (oxydation) ; **(c)** CH$_3$CH$_2$OH + 12 OH$^-$ $\longrightarrow$ 2 CO$_2$ + 9 H$_2$O + 12 e$^-$ (oxydation). **18.** Pour la réaction de l'aluminium, les électrons ne sont pas équilibrés. Al perd 3 électrons mais seulement deux sont requis pour transformer 2 H$^+$ en H$_2$(g). **19. (a)** 3 Ag + NO$_3^-$ + 4 H$^+$ $\longrightarrow$ 3 Ag$^+$ + NO(g) + 2 H$_2$O ; **(b)** 2 MnO$_4^-$ + 5 H$_2$O$_2$ + 6 H$^+$ $\longrightarrow$ 5 O$_2$ + 2 Mn^{2+} + 8 H$_2$O ; **(c)** I$^-$ + 3 Cl$_2$ + 3 H$_2$O $\longrightarrow$ 6 Cl$^-$ + IO$_3^-$ + 6 H$^+$. **20. (a)** Cr$_2$O$_7^{2-}$ + 6 Fe^{2+} + 14 H$^+$ $\longrightarrow$ 2 Cr^{3+} + 6 Fe^{3+} + 7 H$_2$O ; **(b)** S$_8$ + 12 O$_2$ + 8 H$_2$O $\longrightarrow$ 8 SO$_4^{2-}$ + 16 H$^+$; **(c)** 4 Fe^{3+}(aq) + 2 (NH$_2$OH$_2$)$^+$ (aq) $\longrightarrow$ 4 Fe^{2+}(aq) + N$_2$O (g) + H$_2$O (l) + 6 H$^+$(aq). **21. (a)** 4 Fe(OH)$_2$ + 2 H$_2$O + O$_2$ $\longrightarrow$ 4 Fe(OH)$_3$; **(b)** S$_8$ + 12 OH$^-$ $\longrightarrow$ 2 S$_2$O$_3^{2-}$ + 4 S^{2-} + 6 H$_2$O ; **(c)** 2 CrI$_3$ + 27 H$_2$O$_2$ + 10 OH$^-$ $\longrightarrow$ 2 CrO$_4^{2-}$ + 6 IO$_4^-$ + 32 H$_2$O. **22. (a)** AsH$_3$ + CrO$_4^{2-}$ + H$_2$O $\longrightarrow$ Cr(OH)$_3$ + As + 2 OH$^-$; **(b)** 3 CH$_3$OH + 4 MnO$_4^-$ $\longrightarrow$ 3 HCOO$^-$ + 4 MnO$_2$ + OH$^-$ + 4 H$_2$O ; **(c)** 4 [Fe(CN)$_6$]$^{3-}$ + N$_2$H$_4$ + 4 OH$^-$ $\longrightarrow$ 4 [Fe(CN)$_6$]$^{4-}$ + N$_2$ + 4 H$_2$O. **23. (a)** Cr$_2$O$_7^{2-}$ + 3 UO^{2+} + 8 H$^+$ $\longrightarrow$ 2 Cr^{3+} + 3 UO$_2^{2+}$ + 4 H$_2$O ; **(b)** 4 Zn + NO$_3^-$ + 6 H$_2$O $\longrightarrow$ 4 Zn^{2+} + NH$_3$(g) + 9 OH$^-$. **24. (a)** 5 S$_2$O$_3^{2-}$ + 8 MnO$_4^-$ + 14 H$^+$ $\longrightarrow$ 10 SO$_4^{2-}$ + 8 Mn^{2+} + 7 H$_2$O ; **(b)** 3 MnO$_4^{2-}$ + 2 H$_2$O $\longrightarrow$ 2 MnO$_4^-$ + MnO$_2$ + 4 OH$^-$. **25.** Oui, un composé comportant un élément de nombre d'oxydation intermédiaire peut être un agent oxydant dans certaines réactions et un agent réducteur dans d'autres. **26.** L'or n'est pas attaqué par l'acide chlorhydrique. Le zinc réagit avec un acide. Zn(s) + 2 CH$_3$COOH(aq) $\longrightarrow$ Zn^{2+}(aq) + H$_2$(g) + 2 CH$_3$COO$^-$(aq). **27.** Agents oxydants : **(a)** MnO$_4^-$; **(b)** MnO$_4^-$; **(c)** Cl$_2$. Agents réducteurs : **(a)** C$_2$H$_2$O$_4$; **(b)** C$_2$H$_4$O ; **(c)** S$_2$O$_3^{2-}$. **28.** Agents oxydants : **(a)** NO$_3^-$; **(b)** NO$_3^-$; **(c)** Br$_2$. Agents réducteurs : **(a)** Zn ; **(b)** Zn ; **(c)** Br$_2$. **29. (a)** Zn + 2H$^+$ $\longrightarrow$ Zn^{2+} + H$_2$; **(b)** Cu + Zn^{2+} $\longrightarrow$ aucune réaction ; **(c)** Fe + 2 Ag$^+$ $\longrightarrow$ Fe^{2+} + 2 Ag ; **(d)** Au + H$^+$ $\longrightarrow$ aucune réaction. **30.** La première et la deuxième réaction indiquent que M n'est pas Cu, Ag, Hg ou Au, et qu'il forme un ion 2+. La réaction avec Fe^{2+} signifie que M peut être K, Na, Ca, Mg, Al, Cr ou Zn. La réaction de Al métallique avec M signifie que le métal inconnu n'est pas K, Na, Mg, Al. Il reste Cr ou Zn et, puisqu'il ne réagit pas avec l'ion Zn^{2+}, M est Zn. **31. (a)** 12,39 mL ; **(b)** 47,67 mL. **32. (a)** 0,021 59 mol/L ; **(b)** 0,084 37 mol/L. **33.** 3 Mn^{2+} + 2 MnO$_4^-$ + 4 OH$^-$ $\longrightarrow$ 5 MnO$_2$ + 2 H$_2$O ; [Mn^{2+}] = 0,1226 mol/L. **34.** 4 MnO$_4^-$ + 5 As$_2$O$_3$ + 9 H$_2$O + 12 H$^+$ $\longrightarrow$ 10 H$_3$AsO$_4$ + 4 Mn^{2+} ; [Mn^{2+}] = 0,017 26 mol/L. **35.** Les atomes H et O n'ont pas changé de nombre d'oxydation. Une partie des atomes S sont réduits. **36.** O$_2$ est l'agent oxydant et l'éthane, l'agent réducteur. **37.** 47,39 % de Fe. **38.** 2 MnO$_4^-$ + 5 C$_2$O$_4^{2-}$ + 16 H$^+$ $\longrightarrow$ 10 CO$_2$ + 2 Mn^{2+} + 8 H$_2$O ; 9,26 g de Na$_2$C$_2$O$_4$. **39. (a)** 2 CrI$_3$ + 27 H$_2$O$_2$ + 10 OH$^-$ $\longrightarrow$ 2 CrO$_4^{2-}$ + 6 IO$_4^-$ + 32 H$_2$O ; **(b)** As$_2$S$_3$ + 14 H$_2$O$_2$ + 12 OH$^-$ $\longrightarrow$ 2 AsO$_4^{3-}$ + 3 SO$_4^{2-}$ + 20 H$_2$O ; **(c)** I$_2$ + 5 H$_5$IO$_6$ $\longrightarrow$ 7 IO$_3^-$ + 9 H$_2$O + 7 H$^+$; **(d)** 2 XeF$_6$ + 16 OH$^-$ $\longrightarrow$ XeO$_6^{4-}$ + Xe + O$_2$ + 12 F$^-$ + 8 H$_2$O ; **(e)** 24 As$_2$S$_3$ + 80 H$^+$ + 80 NO$_3^-$ + 32 H$_2$O $\longrightarrow$ 48 H$_3$AsO$_4$ + 9 S$_8$ + 80 NO. **40.** N$_2$ $\longrightarrow$ NH$_3$; l'ajout de H à N$_2$ entraîne la diminution du nombre d'oxydation de N : réduction. S $\longrightarrow$ H$_2$S ; réduction en ajoutant H. Acide pyruvique $\longrightarrow$ acide lactique ; réduction en ajoutant H. **41. (a)** agent oxydant (A.O.) : C$_6$H$_{12}$O$_6$, agent réducteur (A.R.) : H$_2$O ; **(b)** A.O. : CO$_2$, A.R. : H$_2$; **(c)** A.R. : C$_2$H$_4$O$_2$, A.O. : O$_2$. **Problèmes complémentaires** **42.** 2 C$_{12}$H$_4$C$_{16}$ + 23 O$_2$ + 2 H$_2$O $\longrightarrow$ 24 CO$_2$ + 12 HCl. Éliminer les déchets toxiques au lieu de les laisser contaminer l'environnement dans leur forme moléculaire constitue un grand avantage. L'incinération est l'une des meilleures méthodes. Parfois, les substances incinérées peuvent même produire assez de chaleur pour générer de l'électricité. Le principal désavantage de l'incinération est la possibilité de production de gaz ou de résidus toxiques. **43.** 0,024 01 mol/L. **44.** H$_2$O$_2$ + 2 I$^-$ + 2 H$^+$ $\longrightarrow$ 2 H$_2$O + I$_2$; I$_2$ + 2 S$_2$O$_3^{2-}$ $\longrightarrow$ 2 I$^-$ + S$_4$O$_6^{2-}$; 0,748 % de H$_2$O$_2$. La solution de H$_2$O$_2$ n'est pas à pleine force. **45. (a)** B$_2$Cl$_4$ + 6 OH$^-$ $\longrightarrow$ 2 BO$_2^-$ + 4 Cl$^-$ + 2 H$_2$O + H$_2$; **(b)** CH$_3$CH$_2$ONO$_2$ + 3 Sn + 6 H$^+$ $\longrightarrow$ CH$_3$CH$_2$OH + NH$_2$OH + 3 Sn^{2+} + H$_2$O ; **(c)** 2 SeOF$_6$ + 16 OH$^-$ $\longrightarrow$ 2 AsO$_4^{3-}$ + 12 F$^-$ + 8 H$_2$O + O$_2$; **(d)** As$_2$S$_3$ + 14 H$_2$O$_2$ + 12 OH$^-$ $\longrightarrow$ 2 AsO$_4^{3-}$ + 3 SO$_4^{2-}$ + 20 H$_2$O ; **(e)** 2 XeF$_6$ + 16 OH$^-$ $\longrightarrow$ Xe + XeO$_6^{4-}$ + 12 F$^-$ + O$_2$ + 8 H$_2$O. **46.** 2 NO + 5 H$_2$ $\longrightarrow$ 2 NH$_3$ + 2 H$_2$O. La méthode peut s'appliquer parce que la réaction comporte des demi-réactions qui n'ont pas à être en solution aqueuse. Les électrons perdus doivent égaler les électrons gagnés, qu'ils soient en solution ou non. **47.** SO$_4^{2-}$ est réduit. **48. (a)** PbO et V^{3+} sont tous les deux oxydés, ainsi aucun n'est réduit ; **(b)** Le soufre est oxydé, mais aucun n'est réduit. **49. (a)** O$_3$ et ClO$_3^-$ sont tous les deux réduits, aucun n'est oxydé ; **(b)** NH$_3$ est oxydé dans les deux demi-réactions. Aucun n'est réduit. **50.** État d'oxydation de Nd = +3.

Chapitre 8

Exercices **8.1A** 2 Al(s) + 6 H$^+$(aq) $\longrightarrow$ 3 H$_2$(g) + 2 Al^{3+}(aq). **8.1B** Cu(s) | Cu^{2+}(aq) ‖ Ag$^+$(aq) | Ag(s). **8.2A** –2,68 V. **8.2B** 1,392 V. **8.3 (a)** 2,016 V ; **(b)** 0,50 V ; **(c)** –0,499 V. **8.4A** –0,431 V. Puisque E_{pile}° est négative, la réaction en sens direct n'est pas spontanée. **8.4B** –0,31 V. Puisque E_{pile}° est négative, la réaction en sens inverse est spontanée. **8.5** Là où la lame de zinc est en contact avec l'acide citrique du citron, les atomes de zinc métallique cèdent des électrons (l'oxydation du Zn en Zn^{2+} a lieu à l'électrode de zinc). Les électrons passent par le zinc métallique, le voltmètre et le cuivre métallique, où ils viennent en contact avec le jus de citron. À cet endroit, H$^+$ est transformé en H$_2$(g) (dans la demi-réaction de réduction). **8.6A** ΔG° = –394 kJ, $K_{éq}$ = 8 × 10^{68}. **8.6B** E_{pile}° = 0,156 V, $K_{éq}$ = 8,0 × 10^7. **8.7 (a)** 1,056 V ; **(b)** 1,150 V ; **(c)** 1,045 V. **8.8** À l'endroit de la courbure, comme à la tête et au bout du clou, le métal est déformé et plus énergétique que dans le corps du clou, donc préférentiellement oxydé. Le reste du corps du clou est réduit. **8.9A** L'oxydation de Br$^-$(aq) se produit prioritairement et la réaction d'électrolyse est la suivante : 2 Br$^-$(aq) + 2 H$_2$O $\xrightarrow{\text{électrolyse}}$ Br$_2$(l) + H$_2$(g) + 2 OH$^-$(aq) ; E_{pile}° = –1,893 V. **8.9B** Une tension externe > 0,460 V est requise pour provoquer l'électrolyse.
Ag(s, anode) $\xrightarrow{\text{électrolyse}}$ Ag(s, cathode).
8.10

Cellule A	Zn^{2+} + Cu(s) $\longrightarrow$ Zn(s) + Cu^{2+}
Cellule B	Zn(s) + Cu^{2+} $\longrightarrow$ Zn^{2+} + Cu(s)

Le courant continue à passer tant que les concentrations dans les deux cellules sont inégales, c'est-à-dire tant que les électrons reçoivent une poussée. **8.11A** 22,5 min. **8.11B (a)** 1,945 × 10^3 C ; **(b)** 1,529 A. **8.12** La solution de chlorure de sodium donne le plus grand volume de gaz quand on fait passer la même quantité de charge électrique. **Problèmes par sections** **1. (a)** 0,118 V ; **(b)** –0,508 V ; **(c)** 0,595 V. **2. (a)** –0,338 V ; **(b)** –2,38 V ; **(c)** 0,72 V. **3.** –0,17 V. **4.** 0,212 V. **5.** –2,37 V.

6.

(a) Anode (oxydation) : $2\ I^-\ (aq) \longrightarrow I_2\ (s) + 2\ e^-$

$\quad\quad\quad E°$ (réduction) = +0,535 V

Cathode (réduction) : $Cl_2\ (g) + 2\ e^- \longrightarrow 2\ Cl^-\ (aq)$

$\quad\quad\quad E°$ (réduction) = +1,358 V

Réaction globale : $2\ I^-\ (aq) + Cl_2\ (g) \longrightarrow I_2\ (s) + 2\ Cl^-\ (aq)$

$\quad\quad\quad E°_{pile} = 0,823$ V

(b) Anode (oxydation) : $Pb^{2+}\ (aq) + 2\ H_2O\ (l) \longrightarrow PbO_2\ (s) + 4\ H^+\ (aq) + 2\ e^-$

$\quad\quad\quad E°$ (réduction) = +1,455 V

Cathode (réduction) : $S_2O_8^{2-}\ (aq) + 2\ e^- \longrightarrow 2\ SO_4^{2-}\ (aq)$

$\quad\quad\quad E°$ (réduction) = +2,01 V

Réaction globale :

$Pb^{2+}(aq) + 2\ H_2O(l) + S_2O_8^{2-}(aq) \longrightarrow PbO_2(s) + 4\ H^+(aq) + 2\ SO_4^{2-}\ (aq)$

$\quad\quad\quad E°_{pile} = 0,56$ V

7.

(a) Anode (oxydation) : $6\ Fe^{2+}(aq) \longrightarrow 6\ Fe^{3+}(aq) + 6\ e^-$

$\quad\quad\quad E°$ (réduction) = +0,771 V

Cathode (réduction) : $Cr_2O_7^{2-}(aq) + 14\ H^+(aq) + 6\ e^- \longrightarrow 2\ Cr^{3+}(aq) + 7\ H_2O(l)$

$\quad\quad\quad E°$ (réduction) = +1,33 V

Réaction globale :

$6\ Fe^{2+}(aq) + Cr_2O_7^{2-}(aq) + 14\ H^+(aq) \longrightarrow 6\ Fe^{3+}(aq) + 2\ Cr^{3+}(aq) + 7\ H_2O(l)$

$\quad\quad\quad E°_{pile} = 0,56$ V

(b) Anode (oxydation) : $2\ NO\ (g) + 4\ H_2O\ (l) \longrightarrow 2\ NO_3^-\ (aq) + 8\ H^+\ (aq) + 6\ e^-$

$\quad\quad\quad E°$ (réduction) = +0,956 V

Cathode (réduction) : $3\ H_2O_2\ (aq) + 6\ H^+(aq) + 6\ e^- \longrightarrow 6\ H_2O\ (l)$

$\quad\quad\quad E°$ (réduction) = +1,763 V

Réaction globale :

$2\ NO\ (g) + 3\ H_2O_2\ (aq) \longrightarrow 2\ H^+\ (aq) + 2\ NO_3^-\ (aq) + 2\ H_2O\ (l)$

$\quad\quad\quad E°_{pile} = 0,807$ V

8. (a) $Zn\ (s) + 2\ Ag^+ \longrightarrow 2\ Ag\ (s) + Zn^{2+}$; $E°_{pile} = 1,563$ V ; $Zn(s)\ |\ Zn^{2+}\ (aq)\ \|\ Ag^+(aq)\ |\ Ag(s)$; **(b)** $4\ Fe^{2+} + O_2(g) + 4\ H^+(aq) \longrightarrow 4\ Fe^{3+} + 2\ H_2O(l)$; $E°_{pile} = 0,458$ V ; $Pt\ |\ Fe^{2+}(aq),\ Fe^{3+}(aq)\ \|\ H_2O(l),\ H^+(aq)\ |\ O_2(g),\ Pt$. **9. (a)** Non spontanée, $E°_{pile} = -0,140$ V ; **(b)** Spontanée, $E°_{pile} = 0,27$ V. **10. (a)** Non spontanée, $E°_{pile} = -0,186$ V ; **(b)** Spontanée, $E°_{pile} = 0,88$ V ; **(c)** Spontanée, $E°_{pile} = 1,01$ V. **11. (a)** L'argent ne réagit pas avec HCl(aq) parce que $H^+(aq)$ n'est pas un agent oxydant assez puissant pour oxyder Ag(s) en $Ag^+(aq)$. $E°_{pile}$ pour la réaction est de –0,800 V ; **(b)** L'ion nitrate en solution acide est un agent oxydant assez puissant pour oxyder Ag(s) en $Ag^+(aq)$. $E°_{pile}$ pour la réaction est de 0,156 V. $3\ Ag(s) + 4\ H^+ + NO_3^- \longrightarrow 3\ Ag^+ + NO(g) + 2\ H_2O$. **12.** $2\ Na(s) + 2\ H_2O \longrightarrow Na^+(aq) + 2\ OH^-(aq) + H_2(g)$; $E°_{pile} = 1,885$ V. **13.** 0,340 V $< E°_{Rh^{3+}/Rh} < 0,800$ V. **14. (a)** $E°_{pile} = 2,476$ V, $\Delta G° = -716,7$ kJ ; **(b)** $E°_{pile} = -0,03$ V, $\Delta G° = 58$ kJ.

15.

(a) $K_{éq} = \dfrac{[Fe^{3+}]}{[Fe^{2+}][Ag^+]} = 3,1$

(b) $K_{éq} = \dfrac{[Mn^{2+}]P_{Cl_2}}{[H^+]^4[Cl^-]^2} = 4 \times 10^{-5}$

(c) $K_{éq} = \dfrac{P_{O_2}[Cl^-]^2}{[OCl^-]^2} = 1 \times 10^{33}$

16. $K_{éq} = 2,5$. $[Sn^{2+}] = 0,71$ mol/L, $[Pb^{2+}] = 0,29$ mol/L. **17. (a)** 1,069 V ; **(b)** 0,181 V. **18. (a)** 0,033 V ; **(b)** 0,19 V. **19.** 0,15 V. **20.** 0,665 V. **21.** pH = 1,82. **22.** 0,0177 mol/L.

23. $E_{pile} = E°_{pile} - \dfrac{0,0592}{n}\ \log\ \dfrac{[Cu^{2+}]}{[Ag^+]^2}$

La pile (b), dont le rapport $[Cu^{2+}]/[Ag^+]^2$ est le plus petit, a la force électromotrice la plus élevée.

24. $[Cu^{2+}] = [Zn^{2+}] \times 10^{\dfrac{\left(E_{pile} - E°_{pile}\right) \times n}{0,0592}}$

La pile (b) aura la concentration en $[Cu^{2+}]$ la plus élevée. **25.** $Zn(s) + Cl_2(g) \longrightarrow Zn^{2+} + 2\ Cl^-$; $E°_{pile} = 2,121$ V. **26.** $2\ Mg(s) + O_2(g) + 2\ H_2O \longrightarrow 2\ Mg(OH)_2(s)$; $E°_{pile} = 2,757$ V.

27.

Anode : $\quad\quad\quad Zn(s) + 2\ OH^- \longrightarrow ZnO(s) + H_2O + 2\ e^-$

Cathode : $\quad\quad\quad Ag_2O + H_2O + 2\ e^- \longrightarrow 2\ Ag(s) + 2\ OH^-$

$\quad\quad\quad Zn(s) + Ag_2O(s) \longrightarrow ZnO(s) + 2\ Ag(s)$

28.

Anode : $\quad\quad\quad Zn(s) + 2\ OH^- \longrightarrow ZnO(s) + H_2O + 2\ e^-$

Cathode : $\quad\quad\quad HgO + H_2O + 2\ e^- \longrightarrow Hg(l) + 2\ OH^-$

$\quad\quad\quad Zn(s) + HgO(s) \rightleftharpoons ZnO(s) + Hg(l)$

29. L'oxygène est l'agent oxydant requis pour oxyder Fe(s) en Fe^{2+} puis en Fe^{3+}. L'eau est un réactif dans la demi-réaction de réduction, dans laquelle $O_2(g)$ est réduit en $OH^-(aq)$. L'eau est également un réactif dans la conversion de $Fe(OH)_2$ en $Fe_2O_3 \cdot xH_2O$ (rouille). L'électrolyte complète le circuit électrique entre les zones cathodiques et les zones anodiques. **30.** Le zinc joue le rôle d'anode sacrificielle même après que le placage aura été craquelé, et le fer sous-jacent est une zone cathodique. Le zinc se corrode, mais forme une couche de ZnO(s) imperméable ; le fer ne se corrode pas. Dans le placage au cuivre, si une craquelure se forme, le fer sous-jacent devient une zone anodique parce qu'il est un métal plus actif que le cuivre. Le fer est oxydé et la réaction cathodique se produit sur le cuivre. **31.** L'anode sacrificielle est oxydée, c'est-à-dire que le métal de l'anode est oxydé en ions métalliques en même temps que se produit une demi-réaction cathodique sur le métal protégé. **32.** Le zinc protège le fer de la corrosion. Le zinc est oxydé à la place du fer. Le léger précipité blanc est du ferricyanure de zinc. **33.** Le cuivre ne protège pas le fer contre la corrosion. La couleur bleue indique que le fer est oxydé. La couleur rose le long du cuivre est due aux électrons de la demi-réaction d'oxydation qui sont distribués le long du fil de cuivre.

34.

(a) $Ni(s,\ anode) \longrightarrow Ni(s,\ cathode)$

(b) $Ni(s,\ anode) \longrightarrow Ni(s,\ cathode)$

(c) $2\ H_2O + 2\ Ni^{2+} \longrightarrow 2\ Ni(s) + 4\ H^+ + O_2(g)$

35. (a) Produits probables : Ba(l) et $Cl_2(g)$. Tension requise > 4,28 V ; **(b)** Produits probables : $Br_2(l)$ et $H_2(g)$. Tension requise > 1,065 V ; **(c)** Produits probables : $O_2(g)$ et $2\ H_2(g)$. Tension requise > 2,057 V ; **36.** 14,3 g. **37.** 94,2 mL. **38.** $7,59 \times 10^4$ C. **39.** $NaNO_3(aq)$ ne donne pas un dépôt de Na(s). Parmi les autres solutions, $AgNO_3(aq)$ donne le plus grand nombre de moles déposées. Chaque mole d'électrons donne une mole d'argent ($Ag^+ + e^- \longrightarrow Ag$), mais seulement une demi-mole de cuivre et de zinc ($M^{2+} + 2\ e^- \longrightarrow M$). **40.** L'électrolyse qui nécessite le plus grand nombre de moles d'électrons pour produire la variation de concentration requise prendra le plus de temps. La solution (a), $AgNO_3$ 0,50 mol/L, prend le plus de temps. **Problèmes complémentaires** **41.** $2 P_4 + 12 H_2O \longrightarrow 5 PH_3 + 3 H_3PO_4$. **42.**

$$NaCN + 2 NaOH + Cl_2 \longrightarrow NaOCN + 2 NaCl + H_2O$$
$$2 NaOCN + 6 NaOH + 3 Cl_2 \longrightarrow 2 NaHCO_3 + N_2 + 2 H_2O + 6 NaCl.$$

43. Le sodium métallique est très réactif avec l'eau. Le sodium devient Na^+ alors que l'eau est réduite en OH^- et en $H_2(g)$. À la place d'un équilibre d'électrode, un morceau de sodium effectue une réaction d'oxydoréduction avec l'eau. **44.** Par déplacement, Ag remplace Fe. Bien que l'argent solide soit formé, l'intégrité de la cuillère est diminuée parce que les atomes de fer passent en solution. De plus, les atomes d'argent ne peuvent se déposer sous forme d'une pellicule adhérente uniforme. Dans l'électro-déposition, la cuillère en fer est recouverte d'une couche uniforme d'argent. La demi-réaction d'oxydation a lieu à l'anode d'argent, et non à la surface de la cuillère. **45.** 58,1 mL. **46.** 0,513 mol/L. **47.**

$$MnO_2(s) + 4 H^+ + 2 Cl^- \longrightarrow Cl_2(g) + Mn^{2+} + 2 H_2O; E°_{pile} = -0,13 V.$$

$$E_{pile} = -0,13V - \frac{0,0592}{2} \log \frac{[Mn^{2+}] P_{Cl_2}}{[H^+]^4 [Cl^-]^2}$$

L'équation de Nernst montre que, si la concentration de Mn^{2+} est faible et que celles de Cl^- et de H^+ sont élevées, le terme logarithmique peut devenir supérieur à la valeur négative de $E°_{pile}$. De plus, en laissant s'échapper $Cl_2(g)$, la réaction se produit dans le sens direct. **48.** La tension minimale pour recharger un accumulateur au plomb est de 2,05 V par pile, égale à la valeur de la force électromotrice ($E°_{pile} = 2,05$ V) de la pile quand elle se décharge. Si l'on utilise une tension plus élevée, l'eau peut alors être électrolysée pour former $O_2(g)$ et $H_2(g)$ aux électrodes. Le mélange de $O_2(g)$ et de $H_2(g)$ peut être explosif. **49.** 0,032 V. **50.** 0,458 V. **51.** 0,260 V. **52.** 1,0 mol/L. **53.** À mesure que la pile fonctionne, la concentration de la solution à 1,50 mol/L diminue et celle de la solution à 0,025 mol/L augmente, ce qui fait diminuer la force électromotrice. Quand les concentrations des solutions deviennent égales (0,76 mol/L dans chaque demi-pile), E_{pile} devient nulle. **54.** $\varepsilon = 1,088$, $E° = 1,060$ V. **55.** $8,2 \times 10^{-17}$. **56.** (a) 13,4 g; (b) 40 kJ/mol. **57.** $[Cu(NH_3)_4]^{2+} = 4,0 \times 10^{-4}$ mol/L. Oui, la coloration bleue sera perçue. **58.** $[Zn^{2+}]_A = [Zn^{2+}]_B = [Cu^{2+}]_A = [Cu^{2+}]_B = 0,55$ mol/L. **59.** $[Hg^{2+}] = 0,177$ mol/L, $[Fe^{2+}] = 0,034$ mol/L, $[Fe^{3+}] = 0,356$ mol/L. **60.** 0,0011 mol/L. **61.** (a) pH = 12,54; $E_{pile} = -0,742$ V; (b) pH = 12,42; $E_{pile} = -0,735$ V; (c) pH = 12,26; $E_{pile} = -0,726$ V; (d) pH = 12,04; $E_{pile} = -0,713$ V; (e) pH = 11,21; $E_{pile} = -0,664$ V; (f) pH = 10,61; $E_{pile} = -0,628$ V; (g) pH = 3,09; $E_{pile} = -0,183$ V; (h) pH = 2,70; $E_{pile} = -0,160$ V.

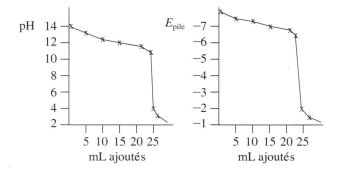

Chapitre 9

Problèmes par sections **1.** Les eaux naturelles sont à 98 % de l'eau de mer. La pluie dissout les sels et transporte les ions dans la mer. Quand l'eau s'évapore, elle laisse les sels dans la mer. Les principaux sels dans la mer sont des sels de sodium et de potassium qui sont très solubles. **2.** L'eau de pluie contient des particules de poussières, de l'oxygène, de l'azote, du dioxyde de carbone et d'autres matières provenant de l'atmosphère. **3.** Na^+, K^+, Ca^{2+}, Mg^{2+}, Fe^{2+}, Cl^-, SO_4^{2-}, HCO_3^-. **4.** Le choléra, la fièvre typhoïde et la dysenterie. Les pays industrialisés traitent leurs approvisionnements en eau. **5.** DBO est la demande biochimique en oxygène ou la quantité d'oxygène nécessaire à l'oxydation aérobie de la matière organique contenue dans l'eau. **6.** (a) CO_2, H_2O, NO_3^-, PO_4^{3-}, SO_4^{2-}, HCO_3^-; (b) CH_4, NH_3, H_2S, CH_3SH et les amines. **7.** L'eau souterraine peut être contaminée par les engrais provenant des eaux d'écoulement, par le déversement d'eaux d'égouts, par les fuites des réservoirs souterrains de stockage, par les fuites des dépôts de produits chimiques, par les produits chimiques répandus sur le sol et qui s'infiltrent, par les déversements d'huiles, etc. **8.** Les hydrocarbures chlorés sont stables; ils ne réagissent donc pas facilement avec les autres composés. **9.** CrO_4^{2-} et CN^-. CN^- est éliminé par une réaction avec Cl_2 en solution basique. CrO_4^{2-} est réduit en Cr^{3+} par SO_2 et précipité sous forme de $Cr(OH)_3$. **10.** Une usine de traitement primaire des eaux usées utilise des méthodes physiques comme des tamis et des bassins de sédimentation. Ce traitement élimine de 25 à 40 % des matières organiques dissoutes et de 40 à 70 % des solides en suspension. Les petites particules, les nitrates et les phosphates ne sont pas retenus. Le traitement secondaire utilise des méthodes biologiques pour éliminer de 80 à 95 % des matières organiques et de 85 à 95 % des matières en suspension. Les nitrates et les phosphates ne sont pas éliminés. **11.** La méthode des boues activées consiste à mettre les eaux d'égouts dans des bassins et à les aérer à l'aide de grands ventilateurs. Il en résulte la formation de grands flocs poreux qui filtrent et absorbent les contaminants. Les bactéries aérobies convertissent ensuite la matière organique en CO_2 et H_2O. Le chlore est ajouté pour éliminer les bactéries pathogènes. **12.** Le traitement avancé est celui utilisé lorsque le traitement secondaire n'est pas suffisant. Il existe plusieurs méthodes de traitement avancé: la dénitrification, le déphosphatage, la filtration sur charbon de bois, l'osmose inverse, les échanges d'ions, l'électrodialyse, etc. La filtration sur charbon de bois enlève les matières organiques que les autres procédés ont de la difficulté à éliminer. Les nitrates sont difficiles à éliminer parce qu'ils sont très solubles dans l'eau et peu réactifs. **13.** (a) Le sulfate d'aluminium et la chaux éteinte produisent un précipité gélatineux de $Al(OH)_3$ qui emprisonne les contaminants de l'eau; (b) L'aération élimine les gaz dissous, comme les hydrocarbures chlorés, de l'eau. Aussi, les gaz CO_2 et O_2 de l'air sont dissous dans l'eau et en améliorent le goût; (c) Le chlore est ajouté pour éliminer les microorganismes pathogènes. **14.**

$$S(\text{dans le charbon}) + O_2(\text{dans l'air}) \longrightarrow SO_2$$
$$2 SO_2 + O_2(\text{air}) \longrightarrow 2 SO_3$$
$$SO_3 + H_2O \longrightarrow H_2SO_4$$
$$H_2SO_4 + \text{pluies} \longrightarrow \text{pluies acides}$$

15. Les pluies acides et le ruissellement à travers les sols acides. L'acidité libère l'aluminium des argiles. L'aluminium est toxique pour les jeunes poissons. **16.** On peut réduire l'acidité des pluies en diminuant l'apport en oxydes de soufre des centrales thermiques et des fonderies, et les oxydes d'azote émis par les automobiles. La pierre à chaux neutralise les eaux acides. L'ajout de pierre à chaux pulvérisée réduit l'acidité des lacs. **17.** $CaCO_3 + 2 H_3O^+ \longrightarrow$ $Ca^{2+} + 3 H_2O + CO_2$. **18.** L'Est du Canada reçoit une grande quantité de pluies acides dont les matières polluantes proviennent de l'Ontario et du centre des États-Unis. De plus, les sols de cette région sont plutôt granitiques, donc peu calcaires, ce qui leur confère un faible pouvoir tampon. **19.** L'eau liquide est inoffensive si ingérée, mais mortelle si inhalée. Plusieurs solutions de sels sont inoffensives au contact de la peau, ou même, à l'occasion, si elles sont ingérées, mais deviennent mortelles si elles sont injectées par intraveineuse. **20.** Les acides forts, les bases fortes et les agents oxydants sont des poisons corrosifs. Les acides et les bases brisent les protéines du corps. L'ozone inhibe les enzymes et oxyde des composés en de nouveaux composés possiblement dommageables pour le corps. **21.** L'ion cyanure bloque les électrons dans les enzymes contenant du fer et du cuivre. Ceci empêche la réduction de l'oxygène et arrête la respiration cellulaire. L'ion thiosulfate transfère un atome de soufre à l'ion cyanure pour produire l'ion SCN^-, qui est inoffensif. **22.** L'anémie résulte d'un trop faible taux de fer. Un taux trop élevé de fer provoque des vomissements, la diarrhée, la commotion, le coma et même la mort. **23.** L'acétylcholine est un messager qui permet aux neurones de communiquer entre eux. **24. (a)** La toxine botulinique inhibe la synthèse de l'acétylcholine. Sans messager, les influx nerveux ne passent pas d'un neurone à l'autre. La paralysie s'installe et la mort s'ensuit, généralement causée par une insuffisance respiratoire; **(b)** Le sarin inhibe l'enzyme cholinestérase, ce qui interrompt la dégradation de l'acétylcholine. La concentration de cette dernière demeurant élevée, les cellules réceptrices se trouvent stimulées à l'excès; **(c)** Les composés organophosphorés inhibent aussi l'enzyme cholinestérase qui dégrade l'acétylcholine. Les cellules réceptrices sont stimulées à l'excès. **25.** Le système P-450 est un système qui oxyde les composés liposolubles en composés solubles dans l'eau, qui sont faciles à excréter. L'oxydation d'un composé ne permet pas toujours de le détoxiquer; le produit formé peut lui aussi être toxique. **26.** La cotinine est moins toxique que la nicotine; elle est aussi plus soluble dans l'eau, ce qui lui permet d'être excrétée plus facilement. **27.** Le toluène est oxydé en acide benzoïque. L'acide benzoïque est alors combiné à la glycine pour former l'acide hippurique, qui est soluble dans l'eau et rapidement excrété. **28.** Une tumeur résulte de la croissance anormale de nouveau tissu. Les tumeurs bénignes se développent lentement, se résorbent souvent spontanément et n'envahissent pas les tissus environnants. Les tumeurs malignes peuvent croître lentement ou rapidement, mais leur progression est généralement irréversible. Elles envahissent et détruisent les tissus autour d'elles. **29. (a)** Les oncogènes déclenchent et favorisent les processus qui transforment les cellules normales en cellules cancéreuses. Les oncogènes sont, à l'origine, des gènes ordinaires qui régissent la croissance et la division cellulaire; **(b)** Les gènes suppresseurs préviennent habituellement la formation de cancers. Pour qu'un néoplasme se développe, il faut que ces gènes soient inactivés, c'est-à-dire qu'il leur faut subir une mutation, être altérés ou encore perdus. **30.** Des hydrocarbures polycycliques sont formés durant la combustion incomplète de matière organique. On en retrouve dans les aliments cuits au charbon de bois, la fumée de cigarette et les gaz d'échappement des automobiles. **31.** Les matières dangereuses incluent toute une variété de produits industriels et sous-produits qui peuvent causer

des maladies ou la mort. **Problèmes complémentaires** **32. (a)** Une matière comburante est une substance qui dégage de l'oxygène, provoquant ainsi la combustion d'autres matières ou contribuant à celle-ci. Le peroxyde d'hydrogène et l'acide nitrique en sont des exemples; **(b)** Une matière inflammable prend feu facilement. L'essence et l'acétone en sont des exemples; **(c)** Une matière corrosive attaque les réservoirs d'entreposage et d'autres sortes d'équipement. Habituellement, elle est dommageable pour les tissus humains. Les acides forts et les bases fortes en sont des exemples. **33.** Puisque le chlore est un agent oxydant fort, il sera probablement réduit. S'il est réduit, il deviendra ion chlorure. Le trioxyde de soufre devrait être oxydé, probablement en SO_4^{2-}.

$$Cl_2 + SO_2 \longrightarrow Cl^- + SO_4^{2-}$$
$$Cl_2 + 2 e^- \longrightarrow 2 Cl^-$$
$$Cl_2 + SO_2 + 2 H_2O \longrightarrow 2 Cl^- + SO_4^{2-} + 4 H^+$$
$$SO_2 + H_2O \longrightarrow SO_4^{2-} + 4 H^+ + 2 e^-$$

Le chlore est réduit. Cl_2 est un agent oxydant. SO_2 est un agent réducteur. **34.** $H_2SO_4(aq) + Ca(OH)_2(aq) \longrightarrow CaSO_4(aq) + 2 H_2O(l)$; $4,4 \times 10^3$ kg de $Ca(OH)_2$. **35.** La grande quantité d'énergie requise pour vaporiser l'eau fait de la distillation un processus très coûteux. **36.** 521 g de NaF; 82,7 L de la solution de NaF. **37.** $2,5 \times 10^2$ nmol/L. **38.** $C_3H_8O + 9/2 O_2 \longrightarrow 3 CO_2 + H_2O$; 12 mg O_2/L (augmentation de la DBO). **39. (a)** $OCl^-(aq) + HSO_3^-(aq) + OH^-(aq) \longrightarrow Cl^-(aq) + SO_4^{2-}(aq) + H_2O(l)$; **(b)** $OCl^-(aq) + H_2O_2(aq) \longrightarrow Cl^-(aq) + O_2(g) + H_2O(l)$. **40.** $[PO_4^{3-}] = 1,1 \times 10^{-4}$ mol/L; **(a)** $[Fe^{3+}] = 1,2 \times 10^{-18}$ mol/L; **(b)** $[Al^{3+}] = 5,7 \times 10^{-15}$ mol/L; **(c)** $[Ca^{2+}] = 1,2 \times 10^{-7}$ mol/L; CaO est insoluble dans l'eau; $Ca(OH)_2$ est moyennement soluble. $CaO + H_2O(l) \longrightarrow Ca(OH)_2(s)$; $Ca(OH)_2(s) \rightleftharpoons Ca^{2+}(aq) + 2 OH^-(aq)$. **41. (a)** 98 mg /cannette; **(b)** $2,0 \times 10^2$ tonnes métriques. **42.** La vitesse = k $[Cl][O_3]$. Si on double $[Cl]$, la vitesse de destruction devrait doubler. **43.** Volume de l'atmosphère à considérer = $5,1 \times 10^6$ km³ = $5,1 \times 10^{18}$ L; $m_{H_2O} = 4,5 \times 10^{16}$ g de H_2O. La concentration molaire volumique totale des ions dans l'eau de mer est environ 1 mol/L. La fraction molaire des ions dans l'eau de mer est environ $1/(55,5 + 1)$ ou 0,018, et celle de l'eau environ 0,98. En utilisant la loi de Raoult, la pression de vapeur d'eau au-dessus de la mer devrait être réduite de 1 à 2 %. Si cette information est retenue, la masse de l'eau dans l'atmosphère devrait être aussi plus basse de 1 à 2 % que la valeur calculée ci-dessus. **44.** $CaO + H_2O(l) \longrightarrow Ca(OH)_2(s) \longrightarrow Ca^{2+}(aq) + 2 OH^-(aq)$; $V_{solution} = 720$ L de solution. Pour relever le pH de l'eau de 7,0 à 12,0, il faut ajouter $2,0 \times 10^2$ g de CaO.

45.
$$CaCO_3(s) + H_3O^+(aq) \rightleftharpoons Ca^{2+}(aq) + HCO_3^-(aq) + H_2O(aq)$$

$$K_c = \frac{K_{ps}}{K_{a1}} = 60$$

(a) $s = 1,2 \times 10^{-2}$ mol/L; **(b)** $s = 6,0 \times 10^{-2}$ mol/L. **46.** La combustion d'un hydrocarbure est une réaction d'oxydoréduction dans laquelle le nombre d'oxydation des atomes de carbone augmente soit à +2 (CO), soit à +4 (CO_2) pendant que celui de l'oxygène diminue à –2. La réaction entre un acide et un carbonate de métal est une réaction acidobasique dans laquelle peut se former du CO_2, mais pas de CO. Le nombre d'oxydation du C, lequel est de +4 dans le carbonate, demeure inchangé dans CO_2. Cela prendrait une réduction pour produire CO, mais cette réaction ne comporte ni réduction, ni oxydation.

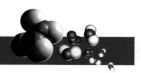

Dessins

Les dessins de molécules ont été réalisés par Artworks sauf : Info GL : Page 273. Kenneth Eward/BioGrafx : Page 25 (tous). Page 91, fig. 2.12 (les deux). Page 385.

Photographies

CHAPITRE 1

Ouverture de chapitre : © Chris Newbert/Minden Pictures. Page 4 : National Library of Medicine. Page 5 (toutes) : Carey Van Loon. Page 8 (toutes) : © Richard Megna/Fundamental Photographs, NYC. Page 9 : Jim Varney/SPL/Publiphoto. Page 11 : Richard Megna/Fundamental Photographs, NYC. Page 13 (les deux) : © Richard Megna/Fundamental Photographs, NYC. Page 20, fig. 1.9 : © Richard Megna/Fundamental Photographs, NYC. Page 20 (en bas) : Michael Baytoff/Black Star. Page 21 : © Richard Megna/Fundamental Photographs, NYC. Page 25 (toutes) : © Richard Megna/Fundamental Photographs, NYC. Page 29 : © Richard Megna/Fundamental Photographs, NYC. Page 30 (en haut) : Martin Dion. Page 30 (toutes) : © Richard Megna/Fundamental Photographs, NYC. Page 33 : Charles D. Winters/Photo Researchers, Inc. Page 34 : F. Stuart Westmorland/Photo Researchers, Inc. Page 44 : James Lester/Photo Researchers, Inc. Page 46 : Dorling Kindersley Images. Page 48 : Veronika Burmeister/Visuals Unlimited. Page 49 : SPL/Photo Researchers, Inc.Page 51 : Omikron/Science Source/Photo Researchers, Inc. Page 52, fig. 1.28 : Stephen Frisch/Stock Boston. Page 52, fig. 1.29 : © Richard Megna/Fundamental Photographs, NYC. Page 54 (les deux) : Carey Van Loon. Page 56 : Stephen Frisch/Stock Boston. Page 60, prob. 69 : © Richard Megna/Fundamental Photographs, NYC. Page 61, prob. 80 : © Richard Megna/Fundamental Photographs, NYC. Page 61, prob. 84 : Michal Koziarski/iStock.

CHAPITRE 2

Ouverture de chapitre : Courtesy of Dr. James E. Lloyd, University of California. Page 66, fig. 2.1 : James Prince/Photo Researchers, Inc. Page 66 (en bas) : © Richard Megna/Fundamental Photographs, NYC.Page 67 : Science VU/Visuals Unlimited. Pages 92 et 99 : Dorling Kindersley Images. Page 101 : © Richard Megna/Fundamental Photographs, NYC. Page 109, prob. 5 : N. Bouchard/ERPI. Page 111, prob. 26 : Daniel Stein/iStock. Page 114, prob. 73 : iStock.

CHAPITRE 3

Ouverture de chapitre : © Richard Megna/Fundamental Photographs, NYC. Page 130 : Accademia, Florence, Italie/Scala/Art Resource, N.Y. Page 133 : Photographie de Gary J. Shulfer. Collection privée du professeur C. M. Lang, University of Wisconsin, Stevens Point. Page 134 : Wendell Metzen/Bruce Coleman, Inc. Page 152, prob. 1 : Kutay Tanir/iStock. Page 154, prob. 42 : © Richard Megna/Fundamental Photographs, NYC. Page 155, prob. 47 : Sebastian Duda/iStock. Page 156, prob. 61 : Russ Lappa/Photo Researchers, Inc./Publiphoto. Page 157, prob. 71 : Wouter van Caspel/iStock. Page 158, prob. 81 : Carey Van Loon. Page 158, prob. 86 : Alfred Pasieka/SPL/Publiphoto.

CHAPITRE 4

Ouverture de chapitre : © Richard Megna/Fundamental Photographs, NYC. Page 162 : Carey Van Loon. Page 179 : © Richard Megna/Fundamental Photographs, NYC. Page 182 : © Richard Megna/Fundamental Photographs, NYC. Page 191 : Carey Van Loon. Page 194 : Carey Van Loon. Page 195 (toutes) : © Richard Megna/Fundamental Photographs, NYC. Page 200 (les deux) : Carey Van Loon. Page 212 : Carey Van Loon. Page 213 : © Richard Megna/Fundamental Photographs, NYC. Page 215 : Dan McCoy/Rainbow. Page 216 (toutes) : © Richard Megna/Fundamental Photographs, NYC. Page 219 (les trois) : © Richard Megna/Fundamental Photographs, NYC. Page 237, prob.12 : Joan Vicent Canto Roig/iStock. Page 237, prob. 15 : Monika Adamczyk/iStock. Page 237, prob. 18 : iStock. Page 237, prob. 19 : Victor Emond Cote/iStock. Page 237, prob. 21 : Nathan Maxfield/iStock. Page 238, prob. 28 : Matt Jeacock/iStock.Page 239, prob. 50 : iStock. Page 240, prob. 68 : Djordje Korovljevic/iStock. Page 240, prob. 73 : Dana Bartekoske/iStock. Page 241, prob. 86 : Dan Tero/iStock. Page 241, prob. 88 : Yang Yu/iStock. Page 241, prob. 89 : Ina Peters/iStock. Page 242, prob. 96 : iStock. Page 242, prob. 97 : Jonathan A. Meyers/Photo Researchers, Inc./Publiphoto. Page 242, prob. 102 : David Nigel Owens/iStock.

CHAPITRE 5

Ouverture de chapitre : AP/Wide World Photos. Page 248 : Science Source/Photo Researchers, Inc. Page 253 (les deux) : © Richard Megna/Fundamental Photographs, NYC. Page 256 : © Richard Megna/Fundamental Photographs, NYC. Page 258, fig. 5.3 : Cary Van Loon. Page 258, fig. 5.4 (à gauche) : CLO Research ; (à droite) : Ed Degginger/Color-Pic, Inc. Page 260 : © Richard Megna/Fundamental Photographs, NYC. Page 262 (les deux) : Carey Van Loon. Page 264 : Manfred Kage/Peter Arnold, Inc. Page 266 (les deux) : © Richard Megna/Fundamental Photographs, NYC. Page 268 : Carey Van Loon. Page 269 (en haut) : NYC Parks Photo Archive/Fundamental Photographs ; (en bas) : Kristen Brochmann/Fundamental Photographs, NYC. Page 270 : Max Listgarten/Visuals Unlimited. Page 271 : © Richard Megna/Fundamental Photographs, NYC. Page 272 : © Richard Megna/Fundamental Photographs, NYC. Page 277 : © Richard Megna/Fundamental Photographs, NYC. Page 279, fig. 5.14 a : © Richard Megna/Fundamental Photographs, NYC ; fig. 5.14 b : Carey Van Loon. Page 282 : Carey Van Loon. Page 286, prob. 19 (les deux) : Richard Megna/Fundamental Photographs, NYC. Page 288, prob. 41 : Martina Misar/iStock. Page 288, prob. 43 : Daniel Loiselle/iStock. Page 288, prob. 44 : Keith Binns/iStock. Page 289, prob. 45 : Michael Westhoff/iStock. Page 289, prob. 52 : Slobo Mitic/iStock.

CHAPITRE 6

Ouverture de chapitre : Richard A. Cooke Ill/Stone/Getty Images. Page 292 : AP/Wide World Photos. Page 293 : Carey Van Loon. Page 295 (les trois) : © Kristen Brochmann/Fundamental Photographs, NYC. Page 297 : Carey Van Loon. Page 299 : Eric Draper/AP/Wide World Photos. Page 304 : Library of Congress. Page 315 : Tom Bochsler/Simon & Schuster/PH College. Page 324, prob. 8 : Eline Spek/iStock. Page 324, prob. 9 : Celso Pupo Rodrigues/iStock. Page 327, prob. 42 : iStock. Page 327, prob. 52 : Andrew Lambert

Photography/SPL/Publiphoto. Page 327, prob. 53 : iStock. Page 328, prob. 56 : Avec l'autorisation de NASA/JPL/Caltech.

CHAPITRE 7

Ouverture de chapitre : © Richard Megna/Fundamental Photographs, NYC. Page 334 : © Richard Megna/Fundamental Photographs, NYC. Page 335, fig. 7.2 a et c : © Richard Megna/Fundamental Photographs, NYC. Page 340 (les deux) : Carey Van Loon. Page 348 (les deux) : © Richard Megna/Fundamental Photographs, NYC. Page 349 (les trois) : Carey Van Loon. Page 351 : Alan Levenson/Stone/Getty Images. Page 352 : Stephen W. Frisch/Stock Boston. Page 353 : Carey Van Loon. Page 357, prob. 18 : Maurice van der Velden/iStock. Page 358, prob. 26 : Mark Evans/iStock. Page 359, prob. 41 : Michael Pettigrew/iStock. Page 360, prob. 42 : Manfred Steinbach/iStock. Page 360, prob. 44 : M. Normand/ERPI.

CHAPITRE 8

Ouverture de chapitre : John Mead/SPL/Photo Researchers, Inc. Page 364, fig. 8.1 : Carey Van Loon. Page 364, fig. 8.2 : © Richard Megna/Fundamental Photographs, NYC. Page 374 :Carey Van Loon. Page 378 : Carey Van Loon. Page 381 : SPL/Photo Researchers, Inc. Page 386 : Carey Van Loon. Page 390 (en haut) : Gracieuseté de Mercedes-Benz USA. Page 390 (en bas) : Gracieuseté d'Alupower, Inc. Page 391 : © Richard Megna/Fundamental Photographs, NYC. Page 392 : Robert Erlbacher/Missouri Dry Dock and Repair Company, Inc. Page 393 (les deux) : Carey Van Loon. Page 398 : Library of Congress. Page 402 : Charles E. Rotkin/Corbis. Page 406, prob. 11 : Jamey Ekins/iStock. Page 406, prob. 16 : Jill Fromer/iStock. Page 407, prob. 27 : Shutterstock. Page 408, prob. 29 : iStock. Page 408, prob. 32 (les deux) : Carey Van Loon. Page 409, prob. 48 : David Meharey/iStock.

CHAPITRE 9

Ouverture de chapitre : David H. Smith. Page 413 : © David Smart/DRK Photo. Page 414 : Joe Traver/Liaison/Getty Images, Inc. Page 415 : David J. Cross/Peter Arnold, Inc. Page 416 : Mark C. Burnett/Stock Boston. Page 422 : © Diane Hirsch/Fundamental Photographs, NYC. Page 424 (en haut) : Jeff Greenberg/PhotoEdit. Page 424 (au centre) : Laurie Campbell/Stone Allstock/Getty Images, Inc. Page 424 (en bas) : Ed Degginger/Color-Pic, Inc. Page 430 : Paul Cherfils/ Stone Allstock/Getty Images, Inc. Page 431 (en haut) : © Paul Silverman/Fundamental Photographs, NYC. Page 431 (les deux en bas) : Courtesy of UKAEA/Harwell. Page 433 : Professor Robert S. Boyd. Page 435 : Mark C. Burnett/Stock Boston. Page 436, prob. 1 : Frank van Haalen/iStock. Page 436, prob. 5 : Dr Jeremy Burgess/SPL/Publiphoto. Page 437, prob. 9 : Stephanie Tomlinson/iStock. Page 437, prob. 10 : Ann Åkesson/iStock. Page 437, prob. 17 : Gord Horne/iStock. Page 437, prob. 26 : Matt Jeacock/iStock. Page 438, prob. 32 : iStock. Page 438, prob. 36 : Dr Heinz Linke/iStock. Page 438, prob. 41 : Brian Adducci/iStock.

ANNEXE B

Page 449 : © Richard Megna/Fundamental Photographs, NYC. Page 451 (à gauche) : Carey Van Loon. Page 451 (à droite) : Manfred Kage/Peter Arnold, Inc.

Index

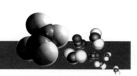

Les folios en caractères gras renvoient à la définition.

Quelques constantes physiques

Accélération gravitationnelle	g	$9{,}806\ 6\ \text{m/s}^2$
Vitesse de la lumière (dans le vide)	c	$2{,}997\ 924\ 58 \times 10^8\ \text{m/s}$
Constante des gaz	R	$0{,}082\ 058\ 4\ \text{L·atm·mol}^{-1}\text{·K}^{-1}$
		$8{,}314\ 510\ \text{J·mol}^{-1}\text{·K}^{-1}$
		$8{,}314\ 510\ \text{kPa·L·mol}^{-1}\text{·K}^{-1}$
Charge de l'électron	e^-	$-1{,}602\ 177\ 33 \times 10^{-19}\ \text{C}$
Masse de l'électron au repos	m_e	$9{,}109\ 389\ 7 \times 10^{-31}\ \text{kg}$
Constante de Planck	h	$6{,}626\ 075\ 5 \times 10^{-34}\ \text{J·s}$
Constante de Faraday	F	$9{,}648\ 530\ 9 \times 10^4\ \text{C/mol}$
Nombre d'Avogadro	N_A	$6{,}022\ 136\ 7 \times 10^{23}\ \text{mol}^{-1}$

Quelques facteurs de conversion

Longueur

1 mètre (m) = 39,370 078 74 pouces (po)

1 po = 2,54 centimètres (cm) (exact)

Masse

1 kilogramme (kg) = 2,204 622 6 livres (lb)

1 lb = 453,592 37 grammes (g)

Volume

1 litre (L) = 1000 mL = 1000 cm^3 (exact)

  1 L = 1,056 688 pinte

1 gallon (gal) = 3,785 412 L

Force

1 newton (N) = 1 kg·m/s^2

Énergie

1 joule (J) = 1 N·m = 1 kg·m^2/s^2

1 calorie (cal) = 4,184 J (exact)

1 électronvolt (eV) = $1{,}602\ 18 \times 10^{-19}$ J

1 eV/atome = 96,485 kJ/moL

1 kilowattheure (kWh) = 3600 kJ (exact)

Équivalence masse-énergie

1 unité de masse atomique unifiée (u)

= $1{,}660\ 540\ 2 \times 10^{-27}$ kg

= 931,487 4 MeV

Quelques formules de géométrie

Périmètre d'un rectangle = $2L + 2l$

Circonférence d'un cercle = $2\pi r$

Aire d'un rectangle = $L \times l$

Aire d'un triangle = $\frac{1}{2}$ (base $\times$ hauteur)

Aire d'un cercle = πr^2

Aire d'une sphère = $4\ \pi r^2$

Volume d'un parallélépipède = $L \times l \times h$

Volume d'une sphère = $\frac{4}{3}\ \pi r^3$

Volume d'un cylindre ou d'un prisme = (aire de la base) $\times$ hauteur

  $\pi = 3{,}141\ 59$